SIEBEN / DIE KONZILSIDEE DER ALTEN KIRCHE

KONZILIENGESCHICHTE

Herausgegeben von

WALTER BRANDMÜLLER

Reihe B: Untersuchungen

HERMANN JOSEF SIEBEN

Die Konzilsidee
der Alten Kirche

1979

FERDINAND SCHÖNINGH

PADERBORN · MÜNCHEN · WIEN · ZÜRICH

CIP-Kurztitelaufnahme der Deutschen Bibliothek

Konziliengeschichte / hrsg. von Walter Brand-
müller. — Paderborn, München, Wien, Zürich:
Schöningh.
Reihe B, Untersuchungen
NE: Brandmüller, Walter [Hrsg.]

Sieben, Hermann Josef:
Die Konzilsidee der Alten Kirche / Hermann
Josef Sieben. — Paderborn, München, Wien,
Zürich: Schöningh, 1978.
  (Konziliengeschichte: Reihe B, Unters.)
ISBN 3-506-74721-5

© 1979 by Ferdinand Schöningh at Paderborn.
München · Wien · Zürich
Printed in Germany

Herstellung: Ferdinand Schöningh, Paderborn.

ISBN 3-506-74721-5

Inhalt

Erster Teil

Die Konzilsidee der Alten Kirche im Zeugnis einzelner Autoren

Zweiter Teil

**Die Konzilsidee der Alten Kirche
im Spannungsfeld der Konziliengeschichte**

Dritter Teil

**Die Konzilsidee der Alten Kirche
unter religions- und kulturgeschichtlicher Rücksicht**

Vorwort des Herausgebers

Mit diesem Werk von Hermann Josef Sieben liegt der erste Band einer neuen Konziliengeschichte vor, hundertdreiundzwanzig Jahre nach dem Erscheinen des ersten Bandes von Karl Joseph Hefeles berühmter „Conciliengeschichte". Der Name ist gleichgeblieben, da auch der Grundgedanke Hefeles übernommen werden mußte. Hefele hatte zutreffend erkannt, daß eine Beschränkung auf die Ökumenischen Konzilien ihm nicht mehr erlaubt hätte, als „nur aphoristische Bilder aus dem reichen Synodalleben der Kirche zu geben; davon gar nicht zu reden, daß bei mehreren Synoden zweifelhaft ist, ob sie den allgemeinen zugezählt werden dürfen, und daß nicht wenige von ihnen, ohne ökumenisch zu sein, gleiche Wichtigkeit wie manche der letzteren besitzen". Hinzu kommt, daß nur eine breite Darstellung des konziliaren Lebens der Kirche die dabei zutage tretende Fülle von Formen und Entwicklungsstadien des Phänomens „Synode" oder „Konzil" sichtbar machen kann. Daß eine neue Konziliengeschichte geschrieben werden muß, ergibt sich aus nahezu den gleichen Gründen, die zu seiner Zeit Hefele bewogen hatten, sein Werk in Angriff zu nehmen: „Die neue Zeit macht neue Anforderungen. Zahlreiche Urkunden in Betreff alter Konzilien sind unterdessen entdeckt, viele neue Quellen eröffnet, viele Irrtümer beseitigt, viele Vorurteile besiegt, viele Fortschritte in der Kritik gemacht, viele tiefere Einsichten in den Entwicklungsgang der christlichen Kirche gewonnen worden."

Indes kommt ein neues Moment hinzu. Während Hefele seine Aufgabe darin gesehen hatte, „nicht nur die äußerlich geschichtlichen Momente der einzelnen Synoden" zu schildern, „sondern auch alle Beschlüsse derselben und ihre wichtigsten Aktenstücke" mitzuteilen, muß der heutige Konzilienhistoriker weiter ausgreifen. Ihm stellt sich das Phänomen „Konzil" selbst als Frage. Das Erleben des 2. Vatikanums und synodaler Formen neuer Art wie jener des Holländischen Pastoralkonzils und der Gemeinsamen Synode der Bistümer Deutschlands haben dem heutigen Konzilienhistoriker den Blick für synodale Strukturprobleme geschärft und neue Fragen aufgeworfen.

So mußte in der Tat hundert Jahre nach Hefele aufs neue ans Werk gegangen werden. Der Respekt vor seiner großen Leistung wuchs dabei mit der Erkenntnis, daß ungeachtet der vielen technischen Arbeitserleichterungen, die uns zur Verfügung stehen, heute ein ähnliches Unter-

fangen die Kräfte eines einzelnen überstiege. Eine Gemeinschaft von
Autoren ist an die Stelle des einen Verfassers getreten. Die Einsicht
in die Grenzen der eigenen Kompetenz ließ keine andere Lösung zu,
als die einer formal im notwendigen Maße einheitlichen Reihe von
Monographien, deren jede einzelne, obgleich harmonisch sich einfügen-
der Teil eines Ganzen, dennoch unverwechselbar eigenes Werk des jeweiligen Autors sein soll. —

In manchem Gespräch mit dem Herausgeber wurde der Zweifel geäußert,
ob ein solches Unternehmen nicht verfrüht sei, habe man doch noch
immer keine voll befriedigende kritische Edition der Quellen. Müsse
unter diesen Umständen das Ergebnis nicht von vorneherein fragwürdig
bleiben? Demgegenüber sei gesagt, daß unter dieser Voraussetzung Ge-
schichtsschreibung grundsätzlich sich auf jene Themen beschränken
müßte, für die alle Quellen kritisch ediert sind. Dies aber wird im Ernst
niemand fordern wollen, der sich Rechenschaft darüber gibt, daß den
seriösen Forscher der Weg allemal in die Handschriftensammlungen und
Archive führt, und die kritische Aufbereitung der Quellen Voraussetzung
für deren darstellende Auswertung ist. Außerdem wäre es vermessen,
eine Konziliengeschichte schreiben zu wollen, die schlechthin gültig und
etwa nur durch ganz sensationelle Quellenfunde überholbar wäre. Allein
schon die Einsicht in die Bruchstückhaftigkeit menschlicher wissen-
schaftlicher Bemühungen verbietet es, auch unter den bestmöglichen
Voraussetzungen einen derartigen Anspruch zu erheben. Der unsere
ist darum bescheidener: Es soll mit den Mitteln und vor dem Horizont
unserer Zeit gesagt werden, was unter eben diesen Umständen verant-
wortbar gesagt werden kann. Mehr hat die Historiographie keiner Zeit
leisten können.

Das Mögliche aber nicht zu unterlassen, ist geboten, da die Konziliengeschichte nicht nur insofern von Bedeutung ist, als sie gewichtige historische Ereignisse ins Licht des Tages hebt, sondern auch deswegen, weil
die Konziliengeschichte eine unentbehrliche theologische Erkenntnis-
quelle ist, auf deren Ausschöpfung nicht einfach deswegen verzichtet
werden kann und darf, weil in der Tat wünschenswerte Vorbedingungen
für deren wissenschaftliche Darstellung noch nicht erfüllt sind. Wer sich
als Historiker dessen bewußt ist, wird wissen, daraus entspringende Feh-
lerquellen gebührend zu berücksichtigen.

Jedenfalls wären die Fehler, die sich aus der Beschränkung auf eine
hundert Jahre alte Darstellung der Konziliengeschichte zwangsläufig
ergeben müßten, noch viel schwerwiegender und zahlreicher als jene,
die vielleicht aus dem Fehlen erwünschter Texteditionen folgen könnten.
Im übrigen hätte Hefele zu seiner Zeit noch viel weniger an die Arbeit
gehen können als wir Heutigen, hätte er sich von solchen Überlegungen
ernstlich beeindrucken lassen.

Daß gerade dieser Band als erster des Werkes erscheint, mag verwundern, da er doch nicht zum eigentlichen Corpus gehört, das chronologisch geographisch geordnet, das synodale Leben der Kirche darstellt, sondern zugleich eine „Reihe B-Untersuchungen" eröffnet. Dennoch fügt es sich so wohl, denn das Thema dieses Bandes schlägt gleichsam den Generalbaß für das Ganze an. Hier wird problemgeschichtlich den anderen Bänden entweder vorgearbeitet, oder aber Stoff zur Auseinandersetzung gegeben. Ein weiterer das Gesamtwerk begleitender Band über die Konzilsidee der mittelalterlichen Kirche ist in Vorbereitung.

Schließlich ist es dem Herausgeber ein nobile officium, vielfältige Dankesschuld abzutragen. Zuerst gegenüber der Universität Augsburg, die das Forschungsvorhaben „Konziliengeschichte" als ihren ersten Forschungsschwerpunkt anerkannt hat und durch die Bereitstellung von Personal- und Sachmitteln die Arbeit daran seither ermöglicht. Die „Gesellschaft für Konziliengeschichtsforschung" mit ihrem Vorstand, dem die Herren Dr. Klaus Müller, Augsburg, Dr. Bernd Potthast, Köln, und Frau Marie Luise Haindl, Augsburg, angehören, hat sich seit ihrer Gründung im Jahre 1973 die Förderung des Unternehmens zum Ziel gesetzt. Ihr Ehrenvorsitzender, S. E. Bischof Dr. Josef Stimpfle, Augsburg, hat hierbei mit Verständnis und generöser Hilfsbereitschaft mitgewirkt. Immer wieder haben auch die „Gesellschaft der Freunde der Universität Augsburg" unter ihrem 1. Vorsitzenden Senator Dr. Erwin Salzmann, und der Bezirk Schwaben durch den Bezirkstagspräsidenten Landrat Dr. Georg Simnacher uns finanzielle Hilfe geleistet. Ihnen allen sowie dem Verlag Ferdinand Schöningh für sein ermutigendes Interesse an diesem Unternehmen sei hier geziemend gedankt.

Mit großem Dank aber sei der nunmehr fünfundvierzig Kolleginnen und Kollegen aus England, Frankreich, Spanien, Italien, Griechenland und Deutschland ebenso wie der Mitarbeiter an meinem Augsburger Lehrstuhl gedacht, die seit Jahren in einer immer enger zusammengewachsenen Gemeinschaft an der Konziliengeschichte arbeiten. Gerade hierin aber erblicke ich eine Garantie für das endliche Gelingen des mit diesem Bande erstmals der wissenschaftlichen und kirchlichen Öffentlichkeit vorgestellten Werkes.

Augsburg, November 1978   *Walter Brandmüller*

Vorwort

Die in der Zeitschrift „Theologie und Philosophie" von 1970 bis 1976 veröffentlichte Artikelreihe „Zur Entwicklung der Konzilsidee I—XI" erscheint hiermit unter dem Titel „Die Konzilsidee der Alten Kirche" als zusammenhängende Untersuchung. Die Überarbeitung konnte sich in engen Grenzen halten, denn die Artikel waren von Anfang an als umfassende Studie konzipiert und wurden nach gleicher Methode ausgearbeitet. Für die Neuveröffentlichung wurde die Zitationsweise vereinheitlicht und die ganze Untersuchung auf den neuesten Stand der Forschung gebracht. Die Abkürzungen sind dem „Internationalen Abkürzungsverzeichnis für Theologie und Grenzgebiete", Berlin/New York 1974, von Siegfried Schwertner entnommen — mit einer Ausnahme: das Sigel für „Corpus Christianorum Series Latina" lautet nicht wie dort vorgesehen CChr.SL, sondern kürzer CCL.

Neu hinzugekommen sind zu dem vorliegendem Band Einleitung und Schluß sowie die bisher unveröffentlichten Kapitel „Die Konzilsidee des Eusebius von Caesarea oder der hellenistische Einfluß", „Das zweite Nicaenum und die Probleme der Rezeption" und die Ausführungen über „Das Echo von Apg 15 in der altkirchlichen Literatur".

Danken möchte ich an dieser Stelle meinen beiden Mitbrüdern Heinrich Bacht und Aloys Grillmeier, die mir zu dieser Untersuchung die Anregung gegeben haben, sie mit wachem Interesse begleiteten und mir mit ihrem Rat zur Seite standen. Mein Dank gilt auch dem Herausgeber der „Konziliengeschichte", Herrn Prof. Dr. Walter Brandmüller für die Aufnahme der Studie in die neue Reihe, seinen Mitarbeitern, besonders Herrn Priv.-Doz. Dr. Herbert Immenkötter, für die aufgewandte Mühe bei der Überarbeitung des Fußnotenapparates, schließlich dem Verlag für die großzügige Ausstattung des Bandes.

Frankfurt am Main, im Herbst 1978   *Hermann Josef Sieben S.J.*

Quellenverzeichnis

ACACIUS VON BEROEA, Epistula ad Cyrillum (PG 77, 99—102)
AMBROSIUS VON MAILAND, Epistulae (PL 16, 875—1286)
  De fide (CSEL 78)
AMMONIUS ALEXANDRINUS, Fragmenta in Acta Apostolorum (PG 85, 1523—1608)
AMPHILOCHIUS VON ICONIUM, Epistula synodalis (PG 39, 93—97)
ANASTASIUS BIBLIOTHECARIUS, Epistula ad Johannem diaconum (Mansi 10, 693—696)
ANASTASIUS SINAITA, De haeresibus et synodis (JEGH II, 257—271)
  Viae dux adversus Acephalos (PG 89, 35—310)
ANSELM VON LAON, Glossa ordinaria (PL 113)
APONIUS, In canticum canticorum explanatio (PLS I, 800—1031)
ATHANASIUS VON ALEXANDRIEN, Apologia contra Arianos (Apologia secunda), Athanasius-
  Werke II, 1, Ausg. H.-G. Opitz, Berlin 1935/40, 87—168
  De decretis Nicaenae synodi, ebd. 1—45
  Epistula ad Epictetum (PG 26, 1049—1069)
  Epistula ad episcopos encyclica, Athanasius-Werke II, 1, Ausg. H.-G. Opitz, Berlin
  1935/40, 169—177
  Epistula ad Johannem et Antiochum (PG 26, 1165—1168)
  Epistula ad Jovianum imperatorem (PG 26, 813—820)
  Epistula ad Maximum philosophum (PG 26, 1085—1089)
  Epistula ad Rufinianum (PG 26, 1180—1181)
  Epistula ad Serapionem de morte Arii (PG 25, 685—689)
  Epistula encyclica ad episcopos Aegypti et Libyae contra Arianos (PG 25, 537—594)
  Epistulae episcoporum Aegypti et Libyae nonaginta (Ad Afros) (PG 26, 1029—1048)
  Epistolae festales (PG 26, 1367—1444)
  Historia Arianorum ad Monachos, Athanasius-Werke II, 1, Ausg. H.-G. Opitz, Berlin
  1935/40, 183—230
  Orationes contra Arianos (PG 26, 12—468)
  De synodis Arimini in Italia et Seleucia in Isauria celebratis, Athanasius-Werke II, 1,
  Ausg. H.-G. Opitz, Berlin 1935/40, 231—278
  Tomus ad Antiochenos (PG 26, 796—809)
AUGUSTINUS VON HIPPO, De baptismo contra Donatistas (CSEL 51, 145—375)
  Collatio cum Maximino Arianorum episcopo (PL 42, 709—742)
  Contra Cresconium grammaticum et donatistam (CSEL 52, 325—582)
  Contra duas epistulas Pelagianorum (CSEL 60, 423—570)
  Contra epistulam Parmeniani (CSEL 51, 19—141)
  Contra epistulam quam vocant fundamenti (CSEL 25, 193—248)
  Contra Faustum Manichaeum (CSEL 25, 251—797)
  Contra Gaudentium Donatistarum episcopum (CSEL 53, 201—274)
  Contra Julianum (PL 44, 641—874)
  Contra Maximinum Arianorum episcopum (PL 42, 743—814)
  Contra partem Donati post gesta (CSEL 53, 97—162)
  De cura pro mortuis gerenda (CSEL 41, 621—659)
  Enarrationes in psalmos (CCL 38—40)
  Epistula ad catholicos de secta Donatistarum (De unitate ecclesiae) (CSEL 52, 231—322)

Epistulae (CSEL 34, 44, 57, 58)
De fide et symbolo (PL 40, 181—196)
De gestis Pelagii (CSEL 42, 51—122)
De gratia et de peccato originali (CSEL 42, 125—206)
De gratia et libero arbitrio (PL 44, 881—912)
De haeresibus (CCL 46, 283—345)
De moribus ecclesiae catholicae et de moribus Manichaeorum (PL 32, 1309—1378)
De natura et origine animae (CSEL 60, 303—419)
Opus imperfectum contra Julianum (PL 45, 1049—1608)
De peccatorum meritis et remissione (CSEL 60, 3—151)
Retractationes (CSEL 36)
Sermones (PL 38, 39)
Speculum (CSEL 12, 3—285)
De trinitate (CCL 50, 50 A)
De utilitate credendi (CSEL 25, 3—48)

DER BABYLONISCHE TALMUD, Ausg. L. Goldschmidt, VII, Berlin/Wien 1925
BACHIARIUS, Libellus de fide (PL 20, 1019—1036)
BASILIUS VON CAESAREA, Adversus Eunomium (PG 29, 497—768)
Epistulae (PG 32, 219—1112)
Epistulae, Ausg. Y. Courtonne, 3 Bde, Paris 1957/66
BEZAE CODEX CANTABRIGIENSIS, Ausg. F. H. Scrivener, Cambridge 1864
BREVIARIUM HIPPONENSE (CCL 149, 30—46)

CAPREOLUS VON KARTHAGO, Epistula ad Ephesinam synodum (ACO I, 3, 81—82)
CASSIODOR, Complexiones in Acta Apostolorum (PL 70, 1381—1406)
De institutione divinarum litterarum (PL 70, 1105—1220)
CATENAE GRAECORUM PATRUM IN NOVUM TESTAMENTUM, Ausg. J. A. Kramer, III, Oxford 1844
CODEX ENCYCLIUS (ACO II, 5)
CODEX THEODOSIANUS, Ausg. Th. Mommsen/P. Krueger, Berlin 1905
CODEX VATICANUS GRAECUS 1431, Ausg. E. Schwartz, München 1927, ABAW.PPH 32,6
COLLATIO CUM SEVERIANIS (ACO IV, 2, 169—184)
COMMENTARIUS IN SYMBOLUM NICAENUM (PLS I, 220—240)
CONCILIA AFRICAE A. 345 — A. 525 (CCL 149)
CONCILIA GALLIAE A. 314 — A. 506 (CCL 148)
CYPRIAN VON KARTHAGO, Epistulae (CSEL 3, 2)
Testimonia (CSEL 3, 1, 36—184)
CYRILL VON ALEXANDRIEN, De adoratione in Spiritu et veritate (PG 68)
Epistulae (PG 77, 9—390)
Epistulae, Collectio Vaticana (ACO I, 1, 1)
De sancta et consubstantiali trinitate (PG 75, 657—1124)
CYRILL VON JERUSALEM, Catecheses (PG 33, 233—1128)

DAMASUS, PAPST, Epistulae (PL 13, 347—376)
Decretale ad episcopos Galliae (PL 13, 1181—1196)
Epistula „Confidimus", Ausg. E. Schwartz, ZNW 35 (1936) 19—23
DIDASCALIA ET CONSTITUTIONES APOSTOLORUM, Ausg. F. Funk, I, Paderborn 1905
DIVERSORUM PATRUM SENTENTIAE SIVE COLLECTIO IN LXXIV TITULOS DIGESTA, Ausg. T. Gilchrist, Vatikanstadt 1973

EPHRAEM DER SYRER, The Commentary of Ephrem on Acts, Ausg. F. C. Conybeare, in: The Beginnings of Christianity, hrg. v. Foakes/Kirsopp Lake, III, London 1926, 380—453
Hymnen de Fide (CSCO 155)

EPIPHANIUS VON SALAMIS, Ancoratus (GCS 25, 2—149)
Panarion (GCS 25, 31, 37)
EULOGIUS VON ALEXANDRIEN, Sermo de trinitate et incarnatione (PG 86, 2, 2942—2944)
EUSEBIUS VON CAESAREA, Chronicon. Die Chronik aus dem Armenischen übersetzt von
J. Karst (GCS 20)
Demonstratio evangelica (GCS 9, 1—3)
De laudibus Constantini (GCS 7, 195—259)
Vita Constantini (GCS 7, 3—148)
EUSEBIUS VON EMESA, Orationes, Ausg. E. M. Buytaert, Löwen 1953, SSL 26/7
EUSEBIUS VON VERCELLI, Epistulae (CCL 9, 103—110)
EUSTATIUS VON ANTIOCHIEN, Fragmenta, Ausg. M. Spanneut, Recherches sur les écrits
d'Eustate d'Antioche, Lille 1948, 95—131
EUTHERIUS VON TYANA, Antilogia, Ausg. M. Tetz, Berlin 1964, PST 1

FACUNDUS VON HERMIANE, Contra Mocianum (CCL 90 A, 401—416)
Pro defensione trium capitulorum (CCL 90 A, 3—398)
FAUSTINUS UND MARCELLUS, De confessione verae fidei (CSEL 35, 5—45)
FELIX II., PAPST, Epistulae, Ausg. A. Thiel, Epistulae Romanorum Pontificum I, Brauns-
berg 1868, 222—277
Epistulae, Ausg. E. Schwartz, Publizistische Sammlungen zum acacianischen Schisma,
München 1934, ABAW.PPH 10, 63—85
FERRANDUS DIACONUS, Epistulae (PL 67, 887—950)

GAUDENTIUS VON BRESCIA, Tractatus (CSEL 58)
GELASIUS, PAPST, Epistulae, Ausg. A. Thiel, Epistulae Romanorum Pontificum, I, Brauns-
berg 1868, 287—510
Epistulae (CSEL 35, 218—468)
Epistulae, Ausg. E. Schwartz, Publizistische Sammlungen zum acacianischen Schisma,
München 1934, ABAW. PPH 10, 7—58
GELASIUS VON CYCICUS, Historia ecclesiastica (Syntagma) (GCS 28)
GERMANUS VON KONSTANTINOPEL, De haeresibus et synodis (PG 98, 40—88)
GESTA CONLATIONIS CARTHAGINIENSIS (CCL 149 A)
GREGOR DER GROSSE, PAPST, Epistulae (MGH.Ep. 1 u. 2)
GREGOR VON ELVIRA, De fide orthodoxa contra Arianos (PL 17, 549—568)
GREGOR VON NAZIANZ, Epistulae (GCS 53)
Lettres théologiques (SC 208)
Orationes (PG 35, 36)
Poëmata de se ipso (PG 37, 969—1452)
De vita sua, Ausg. Chr. Jungck, Heidelberg 1974
GREGOR VON NYSSA, Antirrheticus adversus Apollinarium, Ausg. F. Müller, W. Jaeger, III, 1,
Leiden 1958, 131—233
Contra Eunomium, Ausg. W. Jaeger, Leiden 1960

HADRIAN I., PAPST, Epistula ad Carolum Magnum (MGH.Ep. 5, 6—57)
HIERONYMUS, Apologia adversus libros Rufini (PL 23, 397—492)
In Aggaeum prophetam (CCL 76 A, 713—746)
HILARIUS VON POITIERS, Liber ad Constantium imperatorem (CSEL 65, 197—205)
Liber contra Constantium (PL 10, 577—606)
Liber de synodis seu fide Orientalium (PL 10, 471—546)
Opus historicum (Collectanea Antiariana Parisina) (CSEL 65, 43—177)
De trinitate (PL 10, 25—472)
HILARUS, PAPST, Epistulae (MGH.Ep. 3, 22—32)

INNOZENZ I., PAPST, Epistulae (PL 20, 463—612)
IRENAEUS VON LYON, Adversus haereses, III (SC 210 u. 211)

Isidor von Pelusium, Epistulae (PG 78)
Isidor von Sevilla, Etymologiarum libri XX (PL 84, 73—728)

Johannes Cassianus, Conlationes (CSEL 13)
    De incarnatione Domini contra Nestorium (CSEL 17, 235—391)
    De institutione Coenobiorum (CSEL 17, 3—231)
Johannes Chrysostomus, Adversus Judaeos orationes (PG 48, 843—942)
    Homiliae in acta Apostolorum (PG 60, 13—384)
Johannes von Damaskus, De imaginibus oratio I (PG 94, 1231—1284)
Johannes von Jerusalem, Adversus Constantinum Cabalinum (PG 95, 309—344)
Julius I., Papst, Epistula ad Antiochenos (PL 8, 879—908)
Justinian, Kaiser, Edictum de recta fide, Ausg. E. Schwartz, Drei dogmatische Schriften
    Justinians, München 1939, ABAW.PPH 18, 73—111

Kanoniceskij sbornik xiv titulov, Ausg. V. N. Beneševic, St. Petersburg 1905
Karl der Grosse, Epistula ad Elipandum (MGH.Conc. II, 1, 157—164)
Klemens von Alexandrien, Stromata (GCS 15, 17)
Konzilsakten
    [Arabien 244/249]: Entrien d'Origène avec Héraclide et les évèques ses collègues sur le
        père, le fils et l'âme, Ausg. J. Scherer, Kairo 1949, 118—174
        Entretien avec Héraclide, Ausg. J. Scherer (SC 67)
    [Karthago 256]: Sententiae episcoporum numero LXXXVII de haereticis baptizandis
        (CSEL 3, 435—461)
    [Aquileia 381]: Gesta concilii Aquileiensis (PL 16, 916—939 [955—979])
    [Konstantinopel 381]: Canones sanctorum centum quinquaginta patrum (Mansi 3,
        557—566)
        Epistula Constantinopolitani concilii ad papam Damasum (COD, 3. Auflage)
    [Ephesus 431]: Collectio Casinensis sive synodicum a Rustico diacono compositum
        (ACO I, 3 u. 4)
    [Konstantinopel 448] vgl. Chalcedon 451
    [Ephesus 449] vgl. Chalcedon 451
    [Chalcedon 451]: Concilium universale Chalcedonense (griech. Akten) (ACO II, 1, 1, 1—3)
        Gesta concilii Chalcedonensis, Editio Rustici (ACO II, 3, 1—3)
    [Konstantinopel 553]: Concilium universale Constantinopolitanum sub Iustiniano habi-
        tum (ACO IV, 1)
    [Rom 649]: Concilium Lateranense Romanum (Mansi 10, 863—1186)
    [Konstantinopel 680/1]: Sancta synodus sexta generalis (Mansi 11, 195—922)
    [Toledo 684]: Concilium Toletanum XIV, Ausg. J. Vives, Concilios visigoticos e hispano-
        romanos, Barcelona/Madrid 1963, 441—448
    [Konstantinopel 692]: Concilium in Trullo (Mansi 11, 921—1006)
    [Nicaea 787]: Sancta synodus Nicaena secunda (Mansi 12, 991—1154; 13, 2—486)
    [Paris 825]: Libellus synodalis Parisiensis (MGH.Conc. II, 1, 473—551)
    [Konstantinopel 869/70]: Sancta synodus octava ex versione Anastasii (Mansi 16, 16—208)

Leo der Grosse, Papst, Epistulae (PL 54, 593—1213)
    Epistularum collectiones (ACO II, 4)
    Tractatus (CCL 138 u. 138 A)
Leontius von Byzanz, Solutio argumentorum a Severo objectorum (PG 86b, 1915—1946)
Leontius von Jerusalem, Contra Monophysitas (PG 86b, 1769—1902)
Leporius, Libellus emendationis sive satisfactorius (PL 31, 1221—1230)
Liberius, Papst, Epistulae (PL 8, 1349—1386)
Libri Carolini (MGH.Conc. II supplementum)
Lucifer von Calaris, Moriendum esse pro Dei filio (CSEL 14, 284—331)
    De non conveniendo cum haereticis (CSEL 14, 3—34)

De non parcendo in deum delinquentibus (CSEL 14, 209—283)
De sancto Athanasio (CSEL 14, 66—208)

MANSUETUS VON MAILAND, Epistula ad Constantinum imperatorem (PL 87, 1261—1268)
MARCUS EREMITA, De Melchisedec (PG 65, 1117—1140)
MARIUS VICTORINUS, Adversus Arium (CSEL 83, 1, 54—277)
MARUTA VON MAIKERPHAT, De sancta Nicaena synodo, Ausg. O. Braun, Münster 1898,
    KGSt 3/4
MAXIMINUS DER ARIANER, Contra Ambrosium (PLS I, 694—728)
MAXIMUS CONFESSOR, Disputatio cum Pyrrho (PG 91, 287—354)
    Gesta Bizyae (PG 90, 136—172)
MAXIMUS VON TURIN, Sermones (CCL 23)
METHODIUS VON OLYMP, De cibis (GCS 27, 427—447)
MISCHNA, 4. Seder: Sanhedrin u. Makkot, Ausg. S. Kraus, Gießen 1933
MONUMENTA VETERA AD DONATISTARUM HISTORIAM PERTINENTIA (CSEL 26, 185—216)

NESTORIUS, Epistulae, Nestoriana. Die Fragmente des Nestorius, Ausg. F. Loofs, Halle 1905
    Epistulae (ACO I, 1, 1)
    Liber Heraclidis, Ausg. F. Nau, Paris 1910
NICEPHORUS VON KONSTANTINOPEL, Apologeticus minor pro sanctis imaginibus (PG 100,
    834—850)
    Apologeticus pro imaginibus (PG 100, 533—832)
    Capitula XII (SpicRom X, 2, 152—156)
Epistula ad Leonem papam (PG 100, 169—200)
    De sex primis oecumenicis conciliis (JEGH II, 317—320)
NICETAS VON REMESIANA, De ratione fidei (PL 52, 847—852)
    De spiritus sancti potentia (PL 52, 853—864)

ORDO DE CELEBRANDO CONCILIO (PLS IV, 1865—1876)
ORIGENES, Contra Celsum (GCS 2 u. 3)

PACHOMIANA, Ausg. A. Boon, Löwen 1932
PACIANUS VON BARCELONA, Paraenesis ad paenitentiam, Ausg. Rubio Fernandez, Barcelona
    1958, 136—161
PELAGIUS I., PAPST, Epistulae, Ausg. P. M. Gassò, Monserrat 1956
PELAGIUS II., PAPST, Epistulae (ACO IV, 2, 105—132)
PELAGIUS, MÖNCH, Libellus fidei (PL 45, 1716—1718)
    Libri tres de trinitate (PLS I, 1544—1560)
PHOEBADIUS VON AGEN, Liber contra Arianos (PL 20, 13—30)
PHOTIUS VON KONSTANTINOPEL, Epistulae (PG 102, 585—990)
POSSIDIUS VON CALAMIS, Vita S. Augustini (PL 32, 33—66)
PROCOPIUS VON GAZA, Commentarium in Deuteronomium (PG 87a, 893—992)
THE PYTHAGOREAN TEXTS OF THE HELLENISTIC PERIOD, Ausg. H. Thesleff, Abo 1965,
    AAAbo H 30, 1

RABANUS MAURUS, Enarrationes super Deuteronomium (PL 108, 839—998)
REGISTRI ECCLESIAE CARTHAGINIENSIS EXCERPTA (CCL 149, 182—247)
RUFINUS VON AQUILEIA, Historia ecclesiastica (GCS 9, 2, 960—1040)
RUSTICUS DIACONUS, Contra Acephalos disputatio (PL 67, 1167—1254)

DE SECTIS (PG 86, 1193—1268)
SEVERIAN VON GABALA, Orationes (PG 48—65; vgl. CPG 4185 ff)
DE SEX SYNODIS OECUMENICIS, Ausg. Hardouin, Paris 1714, ACED V, 1485—1490
SIMPLICIUS, PAPST, Epistulae (CSEL 35, 124—155)
SOKRATES, Historia ecclesiastica (PG 67, 34—841)

SOPHRONIUS VON JERUSALEM, Epistula synodica (PG 87, 3, 3147—3200)
STATUTA ECCLESIAE ANTIQUA (CCL 148, 164—188)
STEPHAN DIACONUS, Vita s. Stephani iunioris (PG 100, 1169—1186)
SULPICIUS SEVERUS, Chronica (CSEL 1, 3—105)
SYNODICON, Ausg. H. Stern, Les représentations des conciles dans l'Eglise de la Nativité à
Bethlehem, in: Byz. 13 (1938) 421—423
SYNODICUM VETUS, Ausg. J. A. Fabricius, Hamburg 1809, Bibliotheca Graeca XII, 360—421
DIE SYRISCHE DIDASKALIE, übersetzt und erklärt von H. Achelis u. J. Flemming, Leipzig
1904, TU 25, 2, 1—145

TARASIUS VON KONSTANTINOPEL, Apologeticus, in: Theophanes Chron., Ausg. C. de Boor,
Paris 1883, Ndr. Hildesheim 1963, 457—471
    Epistulae (PG 98, 1427—1480)
TERTULLIAN, Adversus Marcionem (CCL 1, 441—726)
    De ieiunio (CCL 2, 1257—1277)
    De monogamia (CCL 2, 1229—1253)
    De pudicitia (CCL 2, 1281—1330)
THEODOR ABÛ QURRA, Die arabischen Schriften, Ausg. G. Graf, Paderborn 1910, FChLDG
10, 3—4
THEODOR VON MOPSUESTIA, Homiliae catecheticae, Ausg. R. Tonneau/R. Devreesse, Rom
1949, StT 145
THEODOR VON STUDION, Epistulae (PG 99, 903—1670)
THEODORET VON CYRA, Quaestiones in Deuteronomium (PG 80, 401—456)
THEODOTUS VON ANCYRA, Expositio symboli Nicaeni (PG 77, 1313—1348)
TIMOTHEUS AELURUS, Contre Chalcédoine (PO 13, 218—236)
    Histoire (PO 13, 202—218)

URKUNDEN ZUR GESCHICHTE DES ARIANISCHEN STREITES. Athanasius-Werke III, 1, Ausg.
H.-G. Opitz, Berlin-Leipzig 1934/35

VIGILIUS VON THAPSUS, Contra Arianos, Sabellianos, Photianos dialogus (PL 62, 179—238)
    Contra Eutychetem (PL 62, 95—154)
VINZENZ VON LERINUM, Commonitorium, Ausg. A. Jülicher, SQS I, 10, Tübingen 1925
    Excerpta, Ausg. J. Madoz, Madrid 1940, EstOn I, 1

ZENO VON VERONA, Tractatus (CCL 22)

Literaturverzeichnis

Aland, K., Der Abbau des Herrscherkultes im Zeitalter Konstantins, in: SHR 4 (1959), The Sacral Kingship, La regalità sacra, 493—512.

Aldama, J. A. de, Repertorium Pseudochrysostomicum, Paris 1965.

Alföldi, A., Die monarchische Repräsentation im römischen Kaiserreich, mit Register von E. Alföldi-Rosenbaum, Darmstadt 1970.

Altaner, B., Augustinus-Studien, in: Kleine Patristische Schriften, hrsg. v. G. Glockmann, TU 83, Berlin 1967, 3—331.

Amann, E., Art. Martin I, in: DThC 10, a (1928) 182—194.

Aubineau, M., Les 318 serviteurs d'Abraham (Gen 14, 14) et le nombre des Pères au concile de Nicée (325), in: RHE 61 (1966) 5—43.

Audollent, A., Art. Afrique, in: DHGE I (1912) 706—861.

Bacht, H., Hinkmar von Reims, ein Beitrag zur Theologie des allgemeinen Konzils, in: Unio Christianorum, Festschrift f. L. Jaeger, hrsg. v. O. Schilling, Paderborn 1962, 223—242.

Bardenhewer, O., Geschichte der altkirchlichen Literatur, I—V, Freiburg i. Br. 1902—1932.

Bardy, G., Conciles d'Hippone au temps de s. Augustin (= Conciles), in: Aug(L) 5 (1955) 441—458.

— L'inspiration des Pères de l'Eglise (= Inspiration), in: RSR 40 (1952) 7—26.

— Art. Théodote d'Ancyre (= Théodote), in: DThC 15, a (1946) 328—330.

— Art. Vigile de Thapse (= Vigile), in: DThC 15, b (1950) 3005—3008.

Barion, H., Der kirchenrechtliche Charakter des Konzils von Frankfurt 794 (= Frankfurt), in: ZSRG. K 19 (1930) 139—170.

— Das fränkisch-deutsche Synodalrecht des Frühmittelalters (= Synodalrecht), KStT 5/6, Bonn/Köln 1931.

Barnard, L. W., The Graeco-Roman and Oriental Background of the Iconoclastic Controversy, Leiden 1974.

Bastgen, H., Das Capitulare Karls des Großen über die Bilder oder die sogenannten Libri Carolini (= Capitulare), in: NA 36 (1911) 631—666 und NA 37 (1912) 15—51 und 455—533.

— (Hrsg.), Libri Carolini (= LC), MGH. Conc II suppl., Hannover/Leipzig 1924.

Batiffol, P., Le catholicisme de saint Augustin (= Catholicisme), 2 Bde, Paris ³1920.

— L'origine du règlement des conciles (= Origine), in: ders., Etudes de Liturgie et d'Archéologie, Paris 1919, 84—153.

— Les règlements des premiers conciles africains (= Règlements), in: BALAC 3 (1913) 1—19.

Bauernfeind, O., Die Apostelgeschichte, ThHK 5, Leipzig 1939.

Baus, K., Der Kranz in Antike und Christentum, Theoph. 5, Bonn 1940.

Bavaud, G., Table de Références, in: BAug 29, Paris 1964, 637—638.

Baynes, N. H., Eusebius and the Christian Empire, in: AIPh 2 (1933/4) 13—18 (Mélanges Bidez, II), wiederabgedruckt in: ders., Byzantine Studies and Other Essays, London 1955. 168—172.

Beck, H. G., Kirche und theologische Literatur im byzantinischen Reich, HAW XII, 2, 1, München 1959.

Bellarmin, R., Quarta controversia generalis, De conciliis, lib. II, hrsg. v. J. Fèvre, II, Paris 1870.

Beneševic, V. N., Kanoničeskij Sbornik XIV titulov, St. Petersburg 1905.

Bornkamm, G., Art. πρέσβυς usw., in: ThWNT VI (1959) 651—683.

Botte, B., (Hrsg.), Das Konzil und die Konzile. Ein Beitrag zur Geschichte des Konzilslebens der Kirche, Stuttgart 1962 (franz.: Le concile et les conciles, Paris 1960).

Brisson, J. P., Autonomisme et christianisme dans l'Afrique Romaine, Paris 1958.

Brown, R. E., K. P. Donfried, J. Reumann, (Hrsg.), Peter in the New Testament, Minneapolis 1973.

Brunhölzl, F., Geschichte der lateinischen Literatur des Mittelalters, I, Von Cassiodor bis zum Ausklang der karolingischen Erneuerung, München 1975.

Brunner, H., Deutsche Rechtsgeschichte, I, Leipzig ²1906.

Camelot, P. Th., Art. Athanasios (= Athanasios), in: LThK² I (1957) 978—980.

— Ephesus und Chalkedon (= Ephesus), Geschichte der Ökumenischen Konzilien, hrsg. v. G. Dumeige u. H. Bacht, II, Mainz 1963.

Campenhausen, H. von, Ambrosius von Mailand als Kirchenpolitiker, AKG 12, Berlin/ Leipzig 1929.

Cancik, H., Art. Römische Panegyrik, in: Lexikon der Alten Welt, Zürich/Stuttgart 1965, 2208.

Caspar, E., Geschichte des Papsttums von den Anfängen bis zur Höhe der Weltherrschaft (= Papsttum), 2 Bde, Tübingen 1930 u. 1933.

— Die Lateransynode von 649 (= Lateransynode), in: ZKG 51 (1932) 75—137.

— Das Papsttum unter fränkischer Herrschaft (= Fränkische Herrschaft), in: ZKG 54 (1935) 132—264.

Congar, Y., Der Primat der vier ersten ökumenischen Konzilien (= Primat), in: Das Konzil und die Konzile, hrsg. v. B. Botte, Stuttgart 1962, 89—130.

— Conscience ecclésiologique en Orient et en Occident du VIᵉ au Xᵉ siècle (= Conscience ecclésiologique), in: Ist. 6 (1959) 187—236

Conrad, H., Deutsche Rechtsgeschichte, I, Karlsruhe ²1962.

Conybeare, F. C., The Commentary of Ephrem on Acts, in: The Beginnings of Christianity, hrsg. v. F.J. Foakes/Kirsopp Lake, III, London 1926, 373—453.

Conzelmann, H., Die Apostelgeschichte, HNT 7, Tübingen 1963.

Cramer, J. A., Catenae Graecorum Patrum in Novum Testamentum, III, Oxford 1844.

Crespin, R., Ministère et sainteté, pastorale du clergé et solution de la crise Donatiste dans la vie et la doctrine de s. Augustin, Etudes Augustiniennes, Paris 1965.

Cross, F. L., History and Fiction in the African Canons, in: JThS 12 (1961) 227—247.

Dauvillier, J., Les temps apostoliques, HDIEO 2, Paris 1970.

Dibelius, M., Das Apostelkonzil, in: Aufsätze zur Apostelgeschichte, FRLANT 60, Göttingen ⁴1961.

Dick, I., Un continuateur arabe de Jean Damascène: Théodor Abuqurra, évêque melkite de Harran, la personne et son oeuvre, in: POC 12 (1962) 209—223, 319—332 u. 13 (1963) 114—129.

Dörries, H., Das Selbstzeugnis Kaiser Konstantins, AAWG. Ph 3. F. 34, Göttingen 1954.

Dudden, F. H., The Life and Times of st. Ambrose, 2 Bde, Oxford 1935.

Dupont, J., Etudes sur les Actes des Apôtres, LeDiv 45, Paris 1967.

Dvornik, F., Early Christian and Byzantine Political Philosophy (= Philosophy), 2 Bde, Washington 1966.

— Le schisme de Photius, histoire et légende (= Photius), UnSa 19, Paris 1950.

— Which councils are ecumenical (= Councils), in: JES 3 (1966) 314—328.

Eger, H., Kaiser und Kirche in der Geschichtstheologie Eusebs von Cäsarea, in: ZNW 38 (1939) 97—115.

Ehrhardt, A., Die politische Metaphysik von Solon bis Augustin, 2 Bde, Tübingen 1959.

Enßlin, W., Gottkaiser und Kaiser von Gottes Gnaden, SBAW.PPH 6, München 1943.

Epp, E. J., The Theological Tendency of Codex Bezae Cantabrigiensis in Acts, MSSNTS 3, Cambridge 1966.

Fabricius, J. A. u. G. Ch. Harless, Bibliotheca Graeca, XII, Hamburg 1809.

Fahey, M. A., Cyprian and the Bible. A Study in Third-Century Exegesis, BGBH 9, Tübingen 1971.

Farina, R., L'Impero e l'Imperatore cristiano in Eusebio di Cesarea, la prima teologia politica del cristianesimo, Zürich 1966.

Fischer, J. A., Die antimontanistischen Synoden des 2./3. Jahrhunderts (= Synoden), in: AHC 6 (1975) 241—273.

— Neues von Origenes, Über die wiederentdeckte Disputation mit Herakleides und seinen Mitbischöfen (= Origenes), in: MThZ 3 (1952) 256—271.

Fliche, A., V. Martin, (Hrsg.), Histoire de l'Eglise depuis les origines jusqu'à nos jours, Bd. I ff., Paris 1934 ff.

Foakes, F. J., Kirsopp Lake (Hrsg.), The Beginnings of Christianity, 5 Bde., London 1920 bis 1933.

Forget, J., Art. Conciles, in: DThC III, a (1923) 636—676.

Freeman, A., Further Studies in the Libri Carolini, in: Spec. 40 (1965) 203—289.

Frend, W. H. C., The Rise of the Monophysite Movement. Chapters in the History of the Church in the fifth and sixth centuries, Cambridge 1972.

Früchtel, E., Das Gespräch mit Herakleides und dessen Bischofkollegen über Vater, Sohn und Seele, BGrL 5, Stuttgart 1974.

Funk, F. X., Art. Concil, in: Realenzyklopädie der christlichen Altertümer, I, Freiburg i. Br. 1882, 317—323.

Gaechter, P., Geschichtliches zum Apostelkonzil, in: ZKTh 85 (1963) 339—354.

Gaspar, C., Art. Olympia, in: Dict. Ant. Grec. Rom, hrsg. v. M. Ch. Daremberg u. E. Saglio, IV, a (1918) 172—196.

Gaudemet, J., L'Eglise dans l'empire Romain (IVe—Ve siècles) HDIEO 3, Paris 1958.

Gelzer, H., Die Konzilien als Reichsparlamente, in: Ausgewählte kleine Schriften, Leipzig 1907, 142—155.

Getzeny, H., Stil und Form der Papstbriefe bis auf Leo den Großen, Tübingen 1922.

Girardet, K. M., Kaisergericht und Bischofsgericht. Studien zu den Anfängen des Donatistenstreites (313—315) und zum Prozeß des Athanasius von Alexandrien (328—346), Antiquitas, Reihe 1, 21, Bonn 1975.

Gmelin, U., Auctoritas. Römischer Princeps und päpstlicher Primat, FKGG 11, Stuttgart 1937.

Goemans, M., Het Algemeen Concilie in de vierde Eeuw, Nijmegen 1945.

Grabar, A., L'iconoclasme byzantin, dossier archéologique, Paris 1957.

Graf, G., Die arabischen Schriften des Abû Qurra, Bischofs von Harran (ca. 740—820), literarhistorische Untersuchung und Übersetzung (= Schriften), FChLDG 10, 3—4, Paderborn 1910.

— Geschichte der christlichen arabischen Literatur (= Geschichte), II, StT 133, Rom 1947.

Greenslade, S. L., Die Autoritäten, auf die sich die vier ersten ökumenischen Konzile berufen haben, in: Konzile und die ökumenische Bewegung, Studien des ökumenischen Rates, Nr. 5, Genf 1968, 53—71.

Grillmeier, A., Auriga mundi. Zum Reichskirchenbild der Briefe des sog. Codex Encyclius (458) (= Auriga), in: Mit Ihm und in Ihm, christologische Forschungen und Perspektiven, Freiburg/Basel/Wien 1975, 386—419.

— Christologie 451—604 (= Christologie), HDG (in Vorbereitung).

— u. H. Bacht, (Hrsg.), Das Konzil von Chalkedon (= Chalkedon), 3 Bde., Würzburg 1951—1954.

— Vorbereitung des Mittelalters (= Mittelalter), in: Chalkedon, II, 791—839.

Grumel, V., Les regestes des actes du patriarcat de Constantinople, I, Les actes des Patriarches, fasc. 2, Les regestes de 715 à 1043, Kadiköy 1936.

Haacke, R., Die kaiserliche Politik in den Auseinandersetzungen um Chalkedon (451—553), in: Chalkedon, II, 95—177.

Haenchen, E., Die Apostelgeschichte (= Apostelgeschichte), KEK 3. Abt., Göttingen [11]1957.

— Quellenanalyse und Kompositionsanalyse in Act 15 (= Quellenanalyse), in: Judentum, Urchristentum, Kirche, Festschrift f. J. Jeremias, hrsg. v. W. Eltester, BZNW 26 (1960) 153—164.

Haendler, G., Epochen karolingischer Theologie. Untersuchungen über die karolingischen Gutachten zum byzantinischen Bilderstreit, ThA 10, Berlin 1958.

Haller, J., Das Papsttum, Idee und Wirklichkeit, I, II, Eßlingen [2]1962.

Hamburger, J., Real-Encyclopädie für Bibel und Talmud, 1. u. 2. Abt., Strelitz 1883.

Harnack, A., Die Mission und Ausbreitung des Christentums in den ersten drei Jahrhunderten, 2 Bde., Leipzig [4]1924.

Hefele, C. J. von, Conciliengeschichte, I, Freiburg i. Br. [2]1873.

Hefele, Ch. J. u. H. Leclercq, Histoire des conciles d'après les documents originaux, par Ch. J. Hefele. Traduite par H. Leclercq, 9 Bde., Paris 1907 ff.

Heumann / E. Seckel, Handlexikon zu den Quellen des römischen Rechts, Graz [10]1958.

Hinschius, P., System des katholischen Kirchenrechts mit besonderer Rücksicht auf Deutschland, III, Berlin 1883.

Hofmann, H., Repräsentation, Studien zur Wort- und Begriffsgeschichte von der Antike bis ins 19. Jahrhundert, Schriften zur Verfassungsgeschichte 10, Berlin 1974.

Holtzmann, O., Das Neue Testament nach dem Stuttgarter griechischen Text übersetzt und erklärt, 1. Synoptische Evangelien und Apostelgeschichte, I, Gießen 1926.

Hüntemann, U., Tertulliani de praescriptione haereticorum libri analysis. Cum appendice de Commonitorio Vincentii Lirinensis, Aachen 1924.

Jalland, T. H., The Life and Times of St. Leo the Great (= Leo), SPCK, London 1941.

— The Church and the Papacy (= Papacy), SPCK, London 1944.

Jones, A. H. M., The Later Roman Empire (284—602), 2 Bde., Oxford 1964.

Kaser, M., Das römische Privatrecht, I, (= Privatrecht), HAW X, 3, 1, München 1955.

— Das römische Zivilprozeßrecht, (= Zivilprozeßrecht), HAW X, 3, 4, München 1966.

Kelly, J. N. D., Altchristliche Glaubensbekenntnisse, Geschichte und Theologie, (Übersetzung der 3. englischen Auflage 1972), Göttingen 1972.

Kißling, W., Das Verhältnis zwischen Sacerdotium und Imperium nach den Anschauungen der Päpste von Leo d. Gr. bis Gelasius I, Paderborn 1921.

Klinkenberg, H. M., Papsttum und Reichskirche bei Leo dem Großen, in: ZSRG.K 69 (1952) 37—112.

Kneller, C. A., Papst und Konzil im ersten Jahrtausend, in: ZKTh 27 (1903) 1—36, 391—428 und 28 (1904) 58—91, 519—544, 699—722.

Konzile und die ökumenische Bewegung, Studien des ökumenischen Rates, Nr. 5, Genf 1968, hrsg. v. Sekretariat für Glauben und Kirchenverfassung.

Kornemann, E., Art. concilium, in: PRE 4 (1901) 801—830.

Kraft, H., Kaiser Konstantins religiöse Entwicklung (= Entwicklung), BHTh 20, Tübingen 1955.

— (Hrsg.), Konstantin der Große (= Konstantin), WdF 131, Darmstadt 1974.

Kraus, S., Die Mischna, Text, Übersetzung und ausführliche Erklärung, IV, Seder 4. und 5. Traktat. Sanhedrin-Makot, Gießen 1933.

Le Nain de Tillemont, L. S., Mémoires pour servir à l'histoire ecclésiastique des six premiers siècles, 13, Paris 1710.

Loening, E., Geschichte des deutschen Kirchenrechts, II, Das Kirchenrecht im Reiche der Merowinger, Straßburg 1878.

Lübeck, B. K., Reichseinteilung und kirchliche Hierarchie des Orients, KGS V, 4, Münster 1901.

Lumpe, A., Zur Geschichte der Wörter ‚concilium‘ und ‚synodus‘ in der antiken christlichen Latinität, in: AHC 2 (1970) 1—21.

Lütcke, K. H., ‚Auctoritas‘ bei Augustin, mit einer Einleitung zur römischen Vorgeschichte des Begriffs, TBAW 44, Stuttgart 1968.

Madoz, J., El concepto de la tradición en s. Vincente de Lerins. Estudio historico-critico del ‚Commonitorio‘ (= Concepto), AnGr 5, Rom 1933.

— (Hrsg.), Excerpta Vincentii Lirinensis (= Excerpta), EstOn 1, 1, Madrid 1940.

Maier, J.-L., L'épiscopat de l'Afrique romaine, vandale et byzantine, Bib. Helv. Rom. XI, Rom 1973.

Mantel, H., Art. Sanhedrin, in: EJ 14 (1971) 836—839.

Marrou, H. I., Saint Augustin et la fin de la culture antique, Paris 1938. (Eine deutsche Übersetzung unter dem Titel „Augustinus und das Ende der antiken Bildung" erscheint 1978 im Verlag Schöningh).

Marschall, W., Karthago und Rom. Die Stellung der nordafrikanischen Kirche zum apostolischen Stuhl in Rom, Päpste und Papsttum 1, Stuttgart 1971.

Merk, A., Der neuentdeckte Kommentar des hl. Ephrem zur Apostelgeschichte, in: ZKTh 48 (1924) 37—58, 226—260, 460—465.

Meyer, F. E., Einige Bemerkungen zur Bedeutung des Terminus ‚Synhedrion‘ in den Schriften des Neuen Testaments, in: NTS 14 (1968) 545—551.

Mommsen, Th., Römisches Staatsrecht (= Staatsrecht), III, 2, Leipzig 1888.

— Römisches Strafrecht (= Strafrecht), Leipzig 1899.

Monceaux, P., Histoire littéraire de l'Afrique chrétienne, 3 Bde., Paris 1902, 1905—1912.

Moreau, J., Art. Eusebius von Caesarea, in: RAC, VI (1973), 1052—1088.

Munier, C., L'ordo de celebrando concilio visigothique, in: RevSR 37 (1963) 250—271.

Munitiz, J. A., Synoptic Greek Accounts of the Seventh Council, in: REByz 31 (1974) 147—186.

Nautin, P., Lettres et écrivains chrétiens des IIe et IIIe siècles, Patr. II, Paris 1961.

O'Connell, P., The Ecclesiology of St. Nicephore (758—828), OrChrA 194, Rom 1972.

Opitz, H. G., (Hrsg.), Athanasius Werke, hrsg. im Auftrag der Kirchenväter-Kommission der Preußischen Akademie der Wissenschaften, II, 1, Berlin/Leipzig 1935—1941.

— Athanasius Werke III, 1, Urkunden zur Geschichte des arianischen Streites 318—328 (= Urkunde), Berlin/Leipzig 1934.

Orlandi, T., Sull' Apologia secunda (contra Arianos) di Atanasio di Alessandria, in: Aug. 15 (1975) 49—79.

Perler, O., Les voyages de saint Augustin, Études Augustiniennes, Paris 1969.

Pewesin, W., Imperium, Ecclesia universalis, Rom. Der Kampf der afrikanischen Kirche um die Mitte des 6. Jahrhunderts, Geistige Grundlagen römischer Kirchenpolitik, FKGG 11, Stuttgart 1937.

Pfättisch, J. P., Des Eusebius Pamphilii vier Bücher über das Leben des Kaisers Konstantin, aus dem Griechischen übersetzt, BKV, Kempten/München 1913.

Quasten, J., Patrology, Bd. 1—3, Utrecht/Antwerpen 1950—1960.

Rengstorf, K. H., Art. ἀπόστολος, in: ThWNT 1 (1933), Das spätjüdische Rechtsinstitut des Schaliach, 414—420.

Reuter, H., Augustinische Studien, Gotha 1887.

Rhalles, G. A. u. M. Potles (Hrsg.), Syntagma ton theion kai hieron kanonon . . ., I, Athen 1852, anast. Nachdruck Athen 1966.

Riedinger, R., Aus den Akten der Lateransynode von 649, in: ByZ 69 (1976) 17—38.

Ring, Th. G., Auctoritas bei Tertullian, Cyprian und Ambrosius, Cass. 29, Würzburg 1975.

Ritter, A. M., Das Konzil von Konstantinopel und sein Symbol, FKDG 15, Göttingen 1965.

Roldanus, J., Le Christ et l'homme dans la théologie d'Athanase d'Alexandrie. Etude de la conjonction de l'homme avec sa théologie, SHCT 4, Leiden 1968.

Sansterre, J. M., Eusèbe de Césarée et la naissance de la théorie césaropapiste, in: Byz. 42 (1972) 131—195, 532—594.

Scheeben, J. M., Art. Concil (= Concil), in: Kirchenlexikon, hrsg. v. Wetzer u. Welte, III, 2. Aufl. 1884, 779—810.

— Handbuch der katholischen Dogmatik (= Handbuch), I, Freiburg i. Br. 1874, 3. Aufl. hrsg. v. M. Grabmann, Freiburg i. Br. 1959.

Scherer, J. (Hrsg.), Entretien d'Origène avec Héraclide et les évêques ses collègues sur le père, le fils et l'âme, Kairo 1949.

Schneemelcher, W., Die Epistula Encyclica des Athanasius, in: ders., Gesammelte Aufsätze zum Neuen Testament und zur Patristik, Thessaloniki 1974, 290—337.

Schnitzler, Th., Im Kampf um Chalcedon, Geschichte und Inhalt des Codex Encyclius von 458, AnGr 16, Rom 1938.

Schoenemann, C. T. G., Bibliotheca historico-literaria Patrum Latinorum, II, Leipzig 1794.

Schürer, E., Geschichte des jüdischen Volkes im Zeitalter Jesu Christi, II, Leipzig 1907.

Schulte, F. J. von, Die Stellung der Concilien, Päpste und Bischöfe vom historischen und canonistischen Standpunkte und die päpstliche Constitution vom 18. Juli 1870, Prag 1871.

Schwartz, E., Publizistische Sammlungen zum Acacianischen Schisma (= Schisma), ABAW. PPH NF 10 (1934).

— Codex Vaticanus gr. 1431, eine antichalkedonische Sammlung aus der Zeit Kaiser Zenons (= Vaticanus), ABAW. PPH 32, 6 (1927).

Schwerin, C., Art. Versammlung (= Versammlung), in: Reallexikon der germanischen Altertumskunde, IV, (1918/1919) 406—411.

— Art. Ding (= Ding), in: Reallexikon der germanischen Altertumskunde, I, (1911) 468 bis 473.

Scrivener, F. H., Bezae Codex Cantabrigiensis, Cambridge 1864.

Silva-Tarouca, C., Nuovi studi sulle antiche lettere dei Papi, in: Gr. 12 (1931) 3—56, 349 bis 425, 547—598.

Stählin, G., Die Apostelgeschichte, NTD 5, Göttingen 1962.

Stauffer, E., Zum Kaliphat des Jakobus, in: ZRGG 4 (1952) 193—214.

Steinen, W. von, Karl der Große und die Libri Carolini, in: NA 49 (1931) 207—280.

Steinwenter, A., Der antike kirchliche Rechtsgang und seine Quellen, in: ZSRG. K 23 (1934) 1—116.

Stern, H., Les représentations des conciles dans l'Église de la Nativité à Bethléem, in: Byz. 11 (1936) 101—152 u. 13 (1938) 415—459.

Stockmeier, P., Leo I. des Großen Beurteilung der kaiserlichen Religionspolitik, MThS.H 14, München 1959.

Straub, J., Vom Herrscherideal in der Spätantike (= Herrscherideal), Stuttgart 1939, unveränderter Neudruck FKGG 18, Darmstadt 1964.

— Regeneratio imperii. Aufsätze über Roms Kaisertum und Reich im Spiegel der heidnischen und christlichen Publizistik (= Regeneratio), Darmstadt 1972.

Stürmer, K., Konzilien und ökumenische Kirchenversammlungen, Göttingen 1962.

Thesleff, H., The Pythagorean Texts of the Hellenistic Period, Acta Academiae Abonensis, Ser.A. Humaniora, Bd. 30, 1, Abo 1965.

Treitinger, O., Die oströmische Kaiser- und Reichsidee nach ihrer Gestaltung im höfischen Zeremoniell, München 1938, Ndr. Darmstadt 1969.

Ullmann, W., The Constitutional Significance of Constantine the Great's Settlement, in: JEH 27 (1976) 1—16.

Vittinghoff, F., Eusebius als Verfasser der ‚Vita Constantini', in: RMP 96 (1953) 330—373.

Vives, J. (Hrsg.), Concilios visigoticos e hispano-romanos, Barcelona/Madrid 1963.

Voigt, K., Staat und Kirche von Konstantin dem Großen bis zum Ende der Karolinger-zeit, Stuttgart 1936.

Vries, W. de, Die Struktur der Kirche gemäß dem Konzil von Ephesos (= Ephesos), in: AHC 2 (1970) 22—55.

— Die Struktur der Kirche gemäß dem Konzil von Chalkedon (451) (= Chalkedon), in: OrChrP 35 (1969) 63—122.

— Die Struktur der Kirche gemäß dem IV. Konzil von Konstantinopel (= IV. Konzil), in: AHP 6 (1968) 7—42.

— Die Struktur der Kirche gemäß dem II. Konzil von Nicäa (787) (= Nicäa [787]), in: OrChrP 33 (1967) 47—71.

Walch, Ch. W. F., Entwurf einer vollständigen Historie der Kirchenversammlungen, Leipzig 1759.

Wallach, L., Alcuin and Charlemagne. Studies in Carolingian History and Literature, CSCP 32, New York 1959.

Walter, Ch., L'iconographie des conciles dans la tradition byzantine, AOC 13, Paris 1970.

Wikenhauser, A. u. J. Schmid, Einleitung in das Neue Testament, Freiburg 1973.

Einleitung

Das Zweite Vaticanum hat den Konzilsgedanken zu neuem Leben erweckt. Auf der einen Seite hat das von großen Hoffnungen auf kirchliche Erneuerung begleitete Ereignis die Aufmerksamkeit einer breiteren
Öffentlichkeit auf das Thema Konzil gelenkt. Die in der Folge entstan-
denen neuen Aufgaben und Fragestellungen machen den Konzilsgedanken andererseits auch in verschiedenen Bereichen der Theologie aktuell.
Neue Wege in der Ekklesiologie führen sehr bald zur Frage nach dem
kirchlichen Lehramt und damit zur Konzilsproblematik. Im ökumenischen Gespräch bringt jede Kirche ihre eigene Konzilsidee ein. Die
Befürworter von mehr Demokratie und Kollegialität in der Kirche sehen
im traditionellen Konzilsgedanken einen natürlichen Anknüpfungs-
punkt für die auf verschiedenen Ebenen praktizierten oder zu prakti-
zierenden synodalen Strukturen. Von nicht geringer Aktualität ist
schließlich die Konzilsidee für die Christologie: die Diskussion um den
kirchlich verbindlichen Christusglauben konfrontiert unweigerlich mit
der Frage nach der Verbindlichkeit des von den ersten vier ökumenischen Konzilien definierten christologischen Dogmas. So fragen
die einen und die andern nach der ,wahren Autorität' der Konzilien.
Was ist ein Konzil im kirchlichen Verständnis? Welche Autorität
kommt ihm tatsächlich zu? Welche Funktion hat es im Leben der
Kirche?
Unsere Studie sucht auf diese und verwandte Fragen Prolegomena zu
einer Antwort vorzulegen. Es kann sich nur um Prolegomena und nicht
um die Antwort selbst handeln, denn es wird nur eine, wenn auch entscheidende Vorfrage, nämlich die historische, beantwortet: Wie dachte
die Alte Kirche über das Konzil, die Alte Kirche, die selber diese Institution geschaffen und den nachfolgenden Generationen überliefert
hat?
Die historische Frage nach der Konzilsidee der Alten Kirche ist
natürlich nicht unter jeder Rücksicht neu. Mit bestimmten Aspekten
der altkirchlichen Konzilsidee, vornehmlich den zwischen Katholiken
und Protestanten kontroversen, befaßt sich die Theologie seit der
Reformation und Gegenreformation. Stellvertretend für viele andere

Namen[1] seien Martin Luther[2] und Robert Bellarmin[3] genannt. Im Zusammenhang der katholischen Erneuerungsbewegung der ersten Hälfte des 19. — um einen Sprung vom 16. in das dem unseren vorausgehende Jahrhundert zu machen — wird der Ruf nach der Diözesansynode in zahlreichen kleineren Abhandlungen erhoben, besonders laut im Anschluß an das Revolutionsjahr 1848[4]. Zwar fehlt in diesem Schrifttum fast nie die Beschwörung der altkirchlichen Konzilspraxis und -idee, doch ernsthaft und systematisch befaßt man sich mit den Quellen erst in der zweiten Hälfte des Jahrhunderts.

Mit drei Hauptthemen, so scheint es, beschäftigt sich die Forschung in den vergangenen hundert Jahren, also etwa zwischen den beiden Vatikanischen Konzilien. Im Mittelpunkt einer Kontroverse, die im letzten Drittel des vergangenen Jahrhunderts einsetzt, steht das Verhältnis Papst und Konzil. Mit Analogie und Genealogie kann man den Haupt-

---

[1] Eine einschlägige Bibliographie für das 16. bis 18. Jhd. enthält J. A. FABRICIUS / G. CH. HARLESS, Bibliotheca Graeca, XII, Hamburg 1809, 284—291. Vgl. außerdem S. GENERUS, Libri quattuor De Conciliis quorum unus generalem tractationem, alter historicam omnium conciliorum, posteriores duo refutationem duorum librorum Roberti Bellarmini Iesuitae de Conciliis continent, Wittenberg 1600; A. MARVEL, A short Historical Essay touching General Councils, Synods, Convocations, Creeds and Imposition in Religion, London 1703; J. LE LORRAIN, Analyse ou idée générale des conciles généraux et particuliers, Rouen 1705; ANONYM, Analyse ou idée générale des conciles oecuméniques et particuliers, Brüssel, 2 Bde, 1706; F. SALMON, Traité de l'étude des conciles et de leurs collections ..., Paris 1724 (Venedig 1764 lateinisch); M. F. LEUTHIER, De synodis aevi apostolici, Neustadt/Orla 1746; J. B. LADVOCAT, Tractatus de conciliis in genere, Caen 1769; CH.-L. RICHARD, Analyse des conciles généraux et particuliers ... précédés d'un traité des conciles en général, pour servir d'introduction, Paris 1772; vgl. auch die bei C. PASSAGLIA, De conciliis oecumenicis, hrsg. von H. SCHAUF, Rom usw. 1961, S. 11, Anm. 12 genannte Literatur.

[2] Von den Conciliis und Kirchen, Wittenberg 1539, in: D. Martin Luthers Werke, Weimar 1914, Bd. 50, 509—653.

[3] Libri IV de conciliis et ecclesia, quarta controversia generalis, hrsg. von J. FÈVRE, Paris 1870, II, 189—407, über Konzilien 189—276.

[4] C. SCHWARZEL, Über die Notwendigkeit der katholischen Kirchenversammlung, Augsburg 1807; J. STRASSER, Die Wichtigkeit der wieder einzuführenden Synoden für das Wohl und Bedürfnis der katholischen Kirche dieser Zeit. Mit einer Vorrede von J. B. Kastner, Nürnberg 1833; J. AMBERGER, Der Klerus auf der Diözesansynode, Regensburg 1849; M. FILSER, Die Diözesansynode, Augsburg 1849; F. HAIZ, Das kirchliche Synodalinstitut vom positiv-historischen Standpunkt betrachtet mit besonderer Rücksicht auf die gegenwärtige Zeit, Freiburg 1849; G. PHILLIPS, Die Diözesansynode, Freiburg 1849; V. M. SATTLER, Die Diözesansynode, ihr Ursprung, Wachstum und Zweck, die gesetzlichen Bestimmungen über dieselbe und die Ursachen ihrer Unterlassung in neuerer Zeit, Regensburg 1849; A. BINTERIM, Wie können Diözesansynoden durch andere canonische Mittel ersetzt werden? Düsseldorf 1850. — Auch zurückhaltende oder deutlich ablehnende Stimmen lassen sich vernehmen, vgl. D. VON DREY, Was ist in unserer Zeit von Synoden zu erwarten? in: ThQ 1834, 203—256.

beitrag der Altertumswissenschaften etwa seit der Jahrhundertwende bezeichnen. Nach dem Zweiten Weltkrieg wird schließlich von einigen Autoren die Frage nach der ‚Konzilstheorie' der Alten Kirche gestellt. Die drei Fragenkomplexe sind eng miteinander verquickt. Die Zuordnung einzelner Autoren zu den genannten Forschungsrichtungen sollte deswegen nicht über Gebühr bewertet werden.

Den entscheidenden Impuls, sich zumindest mit einem Aspekt der altkirchlichen Konzilien zu befassen, gibt das Erste Vaticanum. Es beginnt eine heftige Kontroverse um die Stellung des Papstes gegenüber dem Konzil nicht nur zwischen der altkatholischen und römisch-katholischen Theologie, sondern auch innerhalb der letzteren. Ein zweiter Streitpunkt zwischen Altkatholiken und römischen Katholiken entzündet sich an der Frage nach der wesentlichen Funktion des Konzils. Besteht diese im Zeugnis oder in der richterlichen Entscheidung?

Ein Rückblick[5] auf die genannte Kontroverse geht am besten aus von C. J. Hefeles ‚Einleitung' seiner ‚Conciliengeschichte', die ab 1873 in zweiter Auflage erscheint. Angesichts der Rolle, die Hefele auf dem Ersten Vaticanum spielte, muß die Tatsache überraschen, daß er die in der ‚Einleitung' seiner ersten Auflage[6] vorgetragenen Anschauungen über das Verhältnis von Papst und Konzil, genauer über Einberufung, Vorsitz und Bestätigung durch den Papst, fast unverändert in die zweite übernimmt.

Hefele unterscheidet in der Frage der Konzilseinberufung zwischen dem, was „folgerecht und nach der Natur der Sache" dem Papst als Oberhaupt zusteht[7] und dem, was „schon in der Alten Kirche förmlich ausgesprochen" worden bzw. faktisch der Fall gewesen ist[8]. Grundsätzlich ist die Berufung einer allgemeinen Synode Sache des Oberhauptes der Kirche, also des Papstes „und es kann nur der verwandte Fall eintreten, daß statt des obersten Hirten der weltliche Schutzherr der Kirche, der Kaiser, mit vorausgehender oder nachfolgender Billigung und Zustimmung des Papstes, eine derartige Synode beruft"[9]. Faktisch freilich ist zuzugeben, daß die ersten acht allgemeinen Synoden von den Kaisern einberufen worden sind. Vom Papst kann nur eine „gewisse Beteili-

---

[5] In diesem wie in den folgenden Abschnitten wird keine Vollständigkeit erstrebt, nur die herausragenden Beiträge zur Erforschung der Konzilsidee der Alten Kirche werden genannt.
[6] Freiburg i. Br., 1. Bd. 1855, Einleitung S. 1—68. — Als protestantische Stellungnahme zu dieser Einleitung vgl. PH. SCHAFF, Über die ökumenischen Konzilien mit Rücksicht auf Dr. Hefele's Conciliengeschichte, in: JDTh 8 (1863) 326—346.
[7] HEFELE 1873, S. 6; 1855, S. 5.
[8] HEFELE 1873, S. 7; 1855, S. 6.
[9] HEFELE 6 (Wir zitieren im folgenden nur noch nach der Ausgabe von 1873).

gung" ausgesagt werden, „die in den einzelnen Fällen bald mehr und
bald weniger deutlich hervortritt"[10].

Entschiedener als die päpstliche „Beteiligung" an der Einberufung verteidigt Hefele den päpstlichen Vorsitz beim Konzil (in eigener Person
oder durch Legaten). Die reformatorischen Einwände sucht er durch die
Unterscheidung einer „doppelten Vorstandschaft" zu entkräften: „Die
büromäßige Leitung der Geschäfte, das Direktorium τῶν ἔξω samt dem
Ehrenplatz hatten die kaiserlichen Commissare, die päpstlichen Legaten
dagegen erfreuten sich, obgleich sie bloß den Platz der ersten Votanten
inne hatten, des Vorsitzes κατὰ τὰ εἴσω, des Vorsitzes der Synode, d. i.
der Bischofsversammlung in specie..."[11]. Der Nachweis für die päpstliche Bestätigung aller acht Synoden der Alten Kirche ist nach Hefele
nicht ebenso klar zu erbringen[12]. Was das Nicaenum angeht, so hält er
„einen besonderen Akt" (nicht bloß die Unterschrift seiner Legaten)
für „sehr wahrscheinlich"[13].

Hefele hatte der Frage nach der Funktion des Konzils keine besondere
Aufmerksamkeit geschenkt. Sie steht — neben der leidenschaftlichen Bestreitung der päpstlichen Prärogativen — im Zentrum der durch umfassende Quellenkenntnis sich auszeichnenden Studie des Altkatholiken F. J. von Schulte[14]. Bemüht, den tatsächlichen oder vermeint-
lichen Kontrast zwischen dem Vorgehen des Ersten Vaticanums und den
Konzilien der Alten Kirche herauszuarbeiten, betont Schulte ausschließlich ihre Zeugnisfunktion[15]. Als Funktion des Konzils hat zu gelten „die
Feststellung eines unverwerflichen Zeugnisses für den Glauben, welchen
Christus gelehrt, die Apostel überliefert, von den Aposteln an die Väter
bewahrt und die gesamte Kirche unversehrt erhalten hatte"[16]. Auf die
von Schulte vernachlässigte andere Seite der altkirchlichen Konzilien,
ihre Richter- und Entscheidungsfunktion weisen nicht nur seine katholischen Kritiker wie J. M. Scheeben, sondern auch evangelische Kirchenrechtshistoriker, wie P. Hinschius, mit Nachdruck hin[17].

[10] HEFELE 8.
[11] HEFELE 35.
[12] HEFELE 46.
[13] Ebd.
[14] Die Stellung der Concilien, Päpste und Bischöfe vom historischen und canonistischen
Standpunkte und die päpstliche Constitution vom 18. Juli 1870, Prag 1871, 58—63; Anhang
(Sammlung von Quellenstellen) 1—286.
[15] „Die Kirche vermag keinen Glaubenssatz zu machen, sondern nur, was Glaube ist, zu
bezeugen und kraft und zufolge eines sicheren Zeugnisses zu lehren. Die allgemeine Synode
soll also unter dem Beistande des hl. Geistes ein Zeugnis geben vom Glauben, der hinterlegt
ist in der Schrift und bewahrt wird im Glauben der Kirchen." SCHULTE 36.
[16] SCHULTE 40—41.
[17] System des katholischen Kirchenrechts, III, Berlin 1883, 340—342.

Die 1882 ausbrechende innerkatholische Kontroverse um die Stellung des Papstes gegenüber dem Konzil in der Alten Kirche ist nur verständlich vor dem Hintergrund der ganz im Banne des Ersten Vaticanums stehenden Dogmatik. Schon 1874 hatte Scheeben bei der Behandlung der Konzilien in seinem ‚Handbuch der katholischen Dogmatik‘[18] stark die Prärogativen des Papstes betont. Er sieht im Konzil im Grunde nichts anderes als eine bloße Ergänzung der Primatialgewalt. An Schulte kritisiert er die zu starke Akzentuierung der Zeugenfunktion der allgemeinen Konzilien zuungunsten der richterlichen[19]. Für Nicaea ist er zur Not noch bereit, die Zeugenfunktion in den Vordergrund gestellt zu sehen, für die folgenden Konzilien bestreitet er sie entschieden. Hier trete mit der Betonung der richterlichen Funktion übrigens der „Einfluß des Papstes und überhaupt der hierarchischen Abstufung der Jurisdiktion mit aller Schärfe hervor"[20]. Zehn Jahre später, 1884, wird Scheeben in seinem Artikel ‚Concil‘[21] im ‚Kirchenlexikon‘ diesen Einfluß des Papstes noch einmal mit allem Nachdruck zur Geltung zu bringen versuchen. Er bestreitet hier rundweg jedes selbständige Recht der Kaiser auf Berufung, Leitung und Bestätigung des Konzils. Ein solches Recht, das „die Kaiser gegen den Willen des Papstes hätten geltend machen können und welches dieser seinerseits habe anerkennen müssen … ist theologisch und kanonistisch undenkbar"[22]. Die in diesem Sinne vorgebrachten Texte beweisen nach Scheeben nicht die „Anerkennung eines absoluten Rechts", sondern nur „rücksichtsvolle praktische Nachgiebigkeit gegen den Willen eines anderen, dessen gute Dienste man tatsächlich nötig hat"[23]. Durch die Unterscheidung einer letztlich konzilskonstitutiven juristisch-auktoritativen Berufung, die der Papst vornimmt, und einer Aufforderung zur Versammlung, d. h. der „materiellen Ermöglichung", die vom Kaiser ausgeht, sucht der Kölner Dogmatiker der historischen Schwierigkeiten Herr zu werden. Selbst die Aufforderung zur Versammlung steht an sich dem Papst zu, wurde

---

[18] Erster Band, Freiburg 1874, 3. Auflage, hrsg. von M. GRABMANN, Freiburg i. B. 1959, 242—261. Näheres hierzu, u. a. eine kritische Würdigung bei L. SCHEFFCZYK, Die Lehranschauungen M. J. Scheebens über das ökumenische Konzil, in: ThQ 141 (1961) 129—173, vor allem 156 ff.

[19] SCHEEBEN, Handbuch 243.

[20] SCHEEBEN, Handbuch 244.

[21] WETZER und WELTE, III, 2. Auflage 1884, 779—810 (= geringfügig gekürzt Art. Concil, Staatslexikon, I, Freiburg 1889, 1475—1502). SCHEEBEN sieht hier deutlicher als in seinem Handbuch die Schwierigkeiten des historischen Befundes, was Einberufung, Leitung und Bestätigung durch den Papst angeht.

[22] SCHEEBEN, Concil 790.

[23] SCHEEBEN, Concil 790.

aber bei den ersten acht allgemeinen Konzilien vom Kaiser vorgenommen „und zwar geschah dies, ohne daß man immer einen förmlichen Auftrag von seiten des Papstes nachweisen kann". Wo die Kaiser die Initiative zur Einladung selber ergriffen, geschieht es „nicht ohne vorheri-
ges Einverständnis mit dem Papste oder wenigstens ohne die Präsumpti-
on dieses Einverständnisses"[24]. Was die Konzilsleitung angeht, so ist
ebenfalls zwischen einer auktoritativen, eigentlichen Leitung und einer
„äußeren, rein formalen Geschäftsleitung" zu unterscheiden. Durch
ähnliche Distinktionen sucht Scheeben das päpstliche Bestätigungsrecht
gegen Einwände seiner Gegner zu verteidigen.

Schon zwei Jahre vor Scheebens Beitrag im ‚Kirchenlexikon' hatte
F. X. Funk, der Nachfolger Hefeles auf dem Lehrstuhl für alte Kirchengeschichte in Tübingen, durch seinen Artikel ‚Concil' in der von F. X.
Kraus herausgegebenen ‚Realenzyklopädie der christlichen Altertümer'[25]
den Auftakt für eine Kontroverse gegeben, die ein gutes Vierteljahr-
hundert anhalten sollte. Funk bestreitet hier, daß der Kaiser in irgend
einer Weise sein Einberufungsrecht mit dem Römischen Stuhl teilte,
ebensowenig lasse sich andererseits beweisen, daß der Römische Stuhl
an der ‚formalen' Berufung der allgemeinen Synoden im Altertum tatsächlich mitwirkte[26]. Das Einberufungsrecht involviert auch das Lei-
tungsrecht, aber die kaiserliche Leitung beschränkte sich auf die äußere
Ordnung der Synoden. Die Approbation der Synode durch einen „besonderen Akt" seitens der Päpste ist „an sich schon sehr unwahrscheinlich", tatsächlich unbewiesen[27]. Im selben Jahr kommt Funk in der
‚Theologischen Quartalschrift' auf die Frage der päpstlichen Einberufung und Bestätigung zurück, um die bis dahin zu ihren Gunsten
vorgelegten Argumente zu widerlegen[28]. 1892 ergreift er erneut die
Feder. Unter direkter Bezugnahme auf Scheebens Lexikonartikel[29]

---

[24] SCHEEBEN, Concil 790.
[25] Bd. I, Freiburg i. B. 1882, 317—323.
[26] FUNK, Concil 320.
[27] FUNK, Concil 321—322. — Die Redaktion des Lexikons, also F. X. KRAUS, hielt es für
notwendig, unter Verweis auf HEFELE in Klammer anzumerken, sie sehe „die Frage nach
der Bestätigung der ersten acht Concilien durch die Päpste in einem letzteren günstigern
Licht . . ." Ebd. 323.
[28] Der römische Stuhl und die allgemeinen Synoden des christlichen Altertums, in: ThQ 64
(1882) 561—602.
[29] „Es wird nicht so fast ein historischer Beweis, der doch vor allem zu erwarten wäre, als
eine dogmatische oder vielmehr, da ein Dogma nicht in Betracht kommt, eine dialektische
Konstruktion geboten . . . um der These wenigstens einen Schein von Begründung zu geben,
wird ein Spiel mit Begriffen getrieben, das an sich schon verrät, daß ein eigentlicher
Beweis nicht zu erbringen ist". Die Berufung der ökumenischen Synoden des Altertums, in:
KGA I, Paderborn 1897, 39—86, hier 42—43 = HJ 1892, 689—723 und HJ 1894, 505—516.

widerlegt der Tübinger Kirchengeschichtler durch eine umfassende Analyse der kaiserlichen Einberufungsschreiben den Kölner Dogmatiker. Im folgenden Jahr, also 1893, entkräftet Funk die ehemals von Hefele vorgelegten Beweise zugunsten einer päpstlichen Bestätigung der betreffenden Konzilien[30].

In die Kontroverse gegen Funk war neben anderen[31] der Jesuit C. A. Kneller eingetreten[32]. Auf das „dialektische Fechterstückchen" des letzteren antwortet Funk in der ‚Theologischen Quartalschrift'[33]. Doch Kneller gibt sich noch nicht geschlagen. In einer fünfteiligen Artikelserie sucht er das Einberufungsrecht des Papstes im Unterschied zu Scheeben nicht deduktiv-dogmatisch, sondern induktiv-historisch nachzuweisen[34]. Den Ausgangspunkt seines Beweisganges bildet eine Aussage des päpstlichen Legaten Lucensius vor dem Konzil von Chalcedon[35]. 1906 und 1907 verdeutlicht Kneller seine Position gegenüber Funk[36]. Wie sehr die katholische Befassung mit Konzilien auf die Frage nach der Stellung des Papstes gegenüber dem Konzil fixiert blieb, zeigt u. a. der umfängliche Artikel „Conciles" im ‚Dictionnaire de Théologie Catholique'. Von den 40 Seiten des Artikels ist die Hälfte ausschließlich den Fragen der päpstlichen Berufung, des Vorsitzes und der Bestätigung der acht ökumenischen Synoden des Altertums gewidmet. J. Forget, sein Verfasser, übernimmt zwar weitgehend die positiven Ergebnisse Funks[37], fügt aber eine Distinktion hinzu, die ihnen ihren dogmatischen Stachel nimmt und der Sache nach auf die Position Hefeles, ja Scheebens, zurückfällt: Die ‚materielle' Einberufung erfolgte bei den ersten acht Konzilien durch den Kaiser, die ‚formelle' Berufung, durch die das Konzil eigentlich juridisch konstituiert wird und seinen verpflichtenden Charakter erhält, geht ausschließlich vom Papst aus[38].

---

[30] Die päpstliche Bestätigung der acht ersten allgemeinen Synoden, in: KGA I, 87—121 (94—119) = HJ 1893, 485—516.

[31] M. Höhler, Die Berufung der allgemeinen Concilien des Altertums, in: ThPQ 50 (1897) 308—347.

[32] In: StML 58 (1900) 443—453, hier 449—453.

[33] Die Berufung der allgemeinen Synoden des Altertums, in: ThQ 83 (1901) 268—277 = KGA III (1907) 143—149, hier 145—148.

[34] Papst und Konzil im ersten Jahrtausend, in: ZKTh 27 (1903) 1—36; 391—428; 28 (1904) 58—91; 519—544 und 699—722.

[35] Von Dioskur sagt der Legat: σύνοδον ἐτόλμησεν ποιῆσαι ἐπιτροπῆς δίχα τοῦ ἀποστολικοῦ θρόνου, ὅπερ οὐδέποτε γέγονεν οὐδὲ ἔξον γενέσθαι. ACO II, 1, 1, S. 65, 31—32.

[36] Zur Berufung der Konzilien, in: ZKTh 30 (1906) 1—37; 408—429; 31 (1907) 51—76.— Nach dem Tode Funks erscheint schließlich noch der Beitrag „Prof. F. X. Funks letzter Aufsatz", in: ZKTh 32 (1908) 75—99.

[37] J. Forget, DThC, III, a, (1923) 636—676, hier 644—651.

[38] Forget 652.

Durch ähnliche Distinktionen werden Geschichte und Dogma bzw. Kirchenrecht in der Frage des Konzilsvorsitzes und der Bestätigung ‚versöhnt'[39]. — Entsprechend seiner besonderen Bestimmung rückt der Artikel „Concile" des „Dictionnaire de Droit Canonique"[40] die Fragen nach Einberufung, Vorsitz und Bestätigung der ökumenischen Synoden ganz ins Zentrum seiner Betrachtung[41]. In den Themenkreis Verhältnis von Papst und Konzil gehört schließlich auch die Artikelserie von W. de Vries zur altkirchlichen Ekklesiologie. In den ökumenischen Konzilien der alten Christenheit zeigt sich wie in einem Spiegel die Diskrepanz zwischen der östlichen und westlichen Sicht der Kirche zumal in der Frage des Papstamtes[42].

Die im Vorausgehenden referierte Kontroverse ist nur ein Ausschnitt aus einem umfassenderen Konfliktfeld, auf dem Historiker wie F. X. Funk gegen dogmatische Vorurteile reagieren. Die Vertreter der Geschichte, die Altertumswissenschaftler[43] reagieren jedoch nicht nur, sie bringen auch ihren eigenen spontanen Beitrag zur Erforschung der alt-

---

[39] FORGET 653—664. — Ähnlicher Tendenz ist die im übrigen instruktive Studie von P.-P. JOANNOU, Pape, concile et patriarches dans la tradition canonique de l'église orientale jusqu'au IXᵉ siècle, Rom 1962.

[40] Bd. II (1942) 1268—1301.

[41] Nach Kanon 222, 1 des CIC ist die Konzilseinberufung ausschließlich Sache des Papstes. Diese Bestimmung wird von der Geschichte nach Auffassung des Autors, N. JUNG, nicht ‚dementiert': „En effet, les huit premiers conciles oecuméniques ... semblent avoir été convoqués par les empereurs ... En définitive, cependant, ils n'ont fait que rendre possible est facile la réunion des évêques. Un examen attentif le prouve". Ebd. 1281. JUNG führt den ‚Beweis' im Anschluß an FORGETS Unterscheidung zwischen materieller und formeller Einberufung.

[42] W. DE VRIES, Die Struktur der Kirche gemäß dem ersten Konzil von Nikaia und seiner Zeit, in: Wegzeichen, Festschrift H. M. Biedermann, hrsg. von E. CH. SUTTNER und C. PATOCK, Würzburg 1971, 55—81; DERS., Die Beziehungen zwischen Ost und West in der Kirche zur Zeit des ersten Konzils von Konstantinopel (381), in: OstKSt 22 (1973) 30—43; DERS., Die Struktur der Kirche gemäß dem Konzil von Ephesos, in: AHC 2 (1970) 22—55; DERS., Die Struktur der Kirche gemäß dem Konzil von Chalcedon, in: OrChrP 35 (1969) 63—122; DERS., Das zweite Konzil von Konstantinopel (553) und das Lehramt von Papst und Kirche, in: OrChrP 38 (1972) 331—366; DERS., Die Struktur der Kirche gemäß dem III. Konzil von Konstantinopel, in: Volk Gottes, Festgabe für J. Höfer, Freiburg 1967, 262—285; DERS., Die Struktur der Kirche gemäß dem II. Konzil von Nicäa, in: OrChrP 33 (1967) 47—71; DERS., Die Struktur der Kirche gemäß dem IV. Konzil von Konstantinopel, in: AHP 6 (1968) 7—42. Die Artikelserie liegt in französischer Übersetzung vor: DERS., Orient et Occident, Les structures ecclésiales vues dans l'histoire des sept premiers conciles oecuméniques, Paris 1974.

[43] Wir verstehen unter diesem Begriff die Erforschung des griechisch-römischen Altertums in allen seinen Erscheinungsformen. Dazu gehören u. a. die klassische Philologie, Geschichte, die Staats- und Rechtsaltertümer. In neuerer Zeit wird der Begriff auch für bestimmte Bereiche der mittelalterlichen Kulturgeschichte verwandt. Vgl. BROCKHAUS, I (1966) 401—402.

kirchlichen Konzilsidee. Auf einen ganz entscheidenden, vielleicht den wichtigsten sei nur im Vorübergehen hingewiesen: wir meinen die kritische Edition der Konzilsakten[44]. H. Gelzers Artikel „Die Konzilien als Reichsparlamente"[45] aus dem Jahre 1900 enthält bei aller Einseitigkeit der Position entscheidende Einsichten über das Verhältnis Konzil / Kaiser und gibt dem hier zu referierenden Forschungsstrang das Programm für die kommenden Jahre. Davon ausgehend, daß die christliche Kirche ganz allgemein eine Reihe von Einrichtungen des römischen Reiches übernommen hat, „drängt sich" Gelzer der Gedanke auf, „es möchten auch die geistlichen Reichsversammlungen, die Konzilien, in ihrer äußeren Form nach einem altrömischen Vorbilde organisiert sein, und dies ist die einzige ernsthaft Parlamentarische Körperschaft des römischen Reiches, der Senat"[46]. Im einzelnen weist Gelzer auf folgende „vollkommene Parallelisierung zwischen beiden Körperschaften" hin: Berufung, Sitzordnung, Vorsitz, Platz des Evangelienbuches (entspricht dem Altar der Viktoria), Nichtteilnahme der leitenden kaiserlichen Kommissare an der Abstimmung, princeps senatus (entspricht der Rolle der päpstlichen Legaten), Redefreiheit, Protokollierung, Abstimmungsart, Akklamationen, Gesetzeskraft durch kaiserliche Sacra[47].
Hatte Gelzer sein Augenmerk den ökumenischen Konzilien gewidmet und sie — Genealogie und Analogie stillschweigend in eins setzend — aus dem römischen Senat ‚abgeleitet'[48], so versucht B. K. Lübeck ein Jahr später die Entstehung der Provinzialsynode aus dem römischen Landtag unter Hinweis auf Harnack[49] zu erklären. Ihre Entstehung als

---

[44] Hier ist vor allem als unermüdlicher Editor E. SCHWARTZ zu nennen; vgl. auch dessen Studien zur Geschichte der alten Konzilien, u. a. Über die Reichskonzilien von Theodosius bis Justinian, jetzt: Gesammelte Schriften IV, Zur Geschichte der Alten Kirche und ihres Rechts, Berlin 1960, 111—158; DERS., Die Konzilien im vierten und fünften Jahrhundert, in: HZ 104 (1910) 1—37.

[45] Deutsche Stimmen 14 (1900), abgedruckt in: Ausgewählte kleine Schriften, Leipzig 1907, 142—155.

[46] GELZER 142. — Auf die Analogie war schon vorher von G. TAMASSIA hingewiesen worden: Senato Romano e concili romani, in: Rendiconti delle sedute della Reale Academia dei Lincei II, fasc. 8 (1887) 306—311; vgl. auch G. GASQUET, De l'autorité impériale en matière religieuse à Byzance, Paris 1879.

[47] 1901 beschäftigt sich GELZER in seinem Beitrag „Das Verhältnis von Staat und Kirche in Byzanz" erneut mit den Konzilien als Reichsparlamenten und geht dabei ausführlicher auf die Geschichte ein. In: HZ 86 (1901) 195—252 = Ausgewählte kleine Schriften 57—141.

[48] „Für die Gesetzgebung in Kirchensachen wird ein neues geistliches Reichsparlament geschaffen, dessen Mitglieder, wie dort die Männer senatorischen Ranges, so hier die gottseligsten Metropoliten und die hochwürdigsten Bischöfe waren". GELZER 144.

[49] E. HATCH-HARNACK, Gesellschaftsverfassung der christlichen Kirchen im Altertum, Gießen 1883, 172 ff.

solche ist „ein natürlicher Vorgang"[50], für ihre Gliederung nach Provinzen und das Zusammentreten zu bestimmten, festen Zeiten muß aber ein besonderer Grund maßgebend gewesen sein. „Es konnte eine solche Einrichtung nur durch äußere Umstände, etwa durch bewährte Vorbilder hervorgerufen werden"[51]. Die bewährten Vorbilder nun waren die römischen Provinziallandtage[52]. Die Fortentwicklung der Provinzial- zur Metropolitansynode erklärt Lübeck dann im folgenden durch Anlehnung und Anpassung an die bestehenden staatlichen Einteilungen.

Gelzer hatte 1900 eher grosso modo auf die Analogie zwischen römischem Senat und ‚Reichskonzil', d. h. ökumenischem Konzil hingewiesen. 1913 zeigt P. Batiffol in einer detaillierten Einzeluntersuchung, daß die unter Cyprian in Karthago abgehaltenen Synoden nach ebendiesem Muster vorangegangen sind[53]. Er zieht jedoch aus der aufgewiesenen Analogie keine Folgerungen bezüglich des Ursprungs oder des Wesens der Synoden. Anders F. Dvornik. Unter ausdrücklicher Berufung auf Funk übernimmt er zunächst 1933 Gelzers These, schließt also aus der Analogie in der Prozedur auf eine Ähnlichkeit im Wesen von Senat und Konzil: „Assuredly the Senate continued to persiste in the Christian Roman Empire. But its functions were limited solely to the affairs of the State. To pronounce decisions upon ecclesiastical matters was the function of that other Senate, the Ecumenical Councils — which this difference that the Senate was permanently in being but the Councils were intermittent"[54]. 1951 arbeitet Dvornik dann einen Aspekt schärfer heraus, dem er schon 1933 Aufmerksamkeit geschenkt hatte: die besondere Natur der ökumenischen Synode ergibt sich nicht nur aus der Analogie mit dem römischen Senat, sondern auch aus der politischen Philosophie des Hellenismus. Der Kaiser ist als solcher zuständig für die Religion: "He represented the Divinity on earth and was given by God supreme

---

[50] B. K. Lübeck, Reichseinteilung und kirchliche Hierarchie des Orients, Münster 1901, KGS V, 4, über Synoden 32—52, hier 32.

[51] Lübeck 35.

[52] Zur Kritik dieser These vgl. H. Grotz, Die Hauptkirchen des Ostens von den Anfängen bis zum Konzil von Nikaia (325), Rom 1964, 126—133.

[53] P. Batiffol, Les règlements des premiers conciles africains et le règlement du sénat romain, in: BALAC 3 (1913) 1—19; z. T. wiederholt in: ders., L'origine du règlement des conciles, in: P. Batiffol, Etudes de Liturgie et d'Archéologie Chrétienne, Paris 1919, 84—153, hier 96—115; vgl. S. 476—482.

[54] De auctoritate civili in conciliis oecumenicis, in: Acta VI Congressus Velehradensis, Olmütz 1933 = The Authority of the State in the Oecumenical Councils, in: The Christian East 14 (1934) 95—108, hier 104.

power in things material and spiritual"[55]. Dem geistesgeschichtlichen Hintergrund, aus dem sich die Zuständigkeit des Kaisers für die Fragen der Religion, und damit seine notwendige Mitwirkung auf dem Konzil, ergibt, widmet Dvornik schließlich 1966 die umfassende Studie „Early Christian and Byzantine Political Philosophy, Origins and Background"[56].

Dvorniks Hauptbeitrag besteht in der Ausleuchtung des ideengeschichtlichen Hintergrunds, aus dem eine Institution wie die Reichssynode mit der betreffenden Stellung und Funktion des Kaisers begreiflich wird. Gewisse Details des synodalen Vorgangs lassen sich dabei aus der Analogie zum römischen Senat ,ableiten'. Andere jedoch nicht. Hier ist auf einen wichtigen Beitrag der Romanistik hinzuweisen. A. Steinwenter vertritt ein Jahr nach Dvorniks erster Stellungnahme die durch sorgfältige Quellenanalyse begründete These, daß zahlreiche Einzelheiten des synodalen Vorgangs wie Anklagelibell, Zulassung zur Anklage, Ladung, kontradiktorische Verhandlung, richterliche Cognitio, Beweisverfahren, Urteil usw. vom staatlichen römischen Gewohnheitsrecht übernommen wurden[57]. Daß das auf der Synode von der Alten Kirche praktizierte Straf- und Disziplinarverfahren vom Recht des römischen Staates und dem im Staat geltenden prozessualen Gewohnheitsrecht beeinflußt ist, ist die eine Seite, die den Rechtsgeschichtler am Synodalwesen der antiken Kirche interessiert. Eine andere Seite ist die nähere rechtliche Bestimmung derjenigen Synoden, die nicht nur als kirchliche, sondern in einem näher zu bestimmenden Sinn gleichzeitig als kaiserlich/staatliche durchgeführt werden. Es ist vor allem die Frage nach der reichsrechtlichen Natur dieser Synoden. Ihr hat K. Girardet in jüngster Zeit eine Monographie gewidmet. Seine These lautet: das Bischofskonzil ist reichsrechtlich gesehen ein consilium principis. Unter staatsrechtlichem Gesichtspunkt fällen die Bischöfe kein Urteil, sondern sie geben lediglich einen Schuldspruch ab, so wie es Aufgabe des den eigentlichen Richter beratenden Gerichtskollegiums ist[58].

Die Altertumswissenschaft beleuchtet mit ihren Beiträgen zur ,Genealogie und Analogie' die altkirchlichen Konzilien gleichsam von außen. Andererseits hatte sich die historische Theologie an einem einzigen Aspekt,

---

[55] F. DVORNIK, Emperors, Popes and General Councils, in: DOP 6 (1951) 1—23, hier 7.

[56] Bd I und II, Washington 1966. — Vgl. auch DERS., The Ecumenical Councils, New York 1961, 7—46, über die ersten acht allgemeinen Konzilien.

[57] A. STEINWENTER, Der antike kirchliche Rechtsgang und seine Quellen, in: ZSRG. K 23 (1934) 1—116, passim.

[58] K. GIRARDET, Kaisergericht und Bischofsgericht. Studien zu den Anfängen des Donatistenstreites (313—315) und zum Prozeß des Athanasius von Alexandrien (328—346), Bonn 1975.

dem juridisch verstandenen Verhältnis zwischen Papst und Konzil, festgebissen[59]. Was fehlte, war sowohl eine Untersuchung, die sich aus dieser Fixierung löste und möglichst das Gesamt oder doch eine Vielzahl von Aspekten in Betracht zog, als auch eine Behandlung eben dieser Aspekte um ihrer selbst willen, nicht nur ein Vergleich ‚von außen'. Einen ersten, leider wohl wegen der Nachkriegsverhältnisse und der Sprachbarriere fast unbeachteten Versuch[60] in Richtung des eben beschriebenen Desiderats legt M. Goemans 1945 vor: 'Het Algemeen Concilie in de vierde Eeuw'[61]. Zwar bleibt der Autor in der eigenen Zielsetzung noch ganz auf die Primatsproblematik fixiert[62], in der Durchführung seiner Studie greift er jedoch — glücklicherweise — weit über das von ihm selbst gesteckte Ziel hinaus. In der Tat, Goemans legt nicht nur eine umfassende, durch Detailuntersuchung sich ausweisende Geschichte fast aller Konzilien des vierten Jahrhunderts vor, er bringt bei seinem Versuch, den dogmatisch-kanonistischen Konzilsbegriff durch einen an der Tradition orientierten zu ersetzen, eine Fülle von Einzelaspekten zur Geltung, die er sehr treffend mit dem Stichwort ‚Konzilstheorie' zusammenfaßt. Von großem Interesse ist in diesem Sinne das achte Kapitel: „Die Lehre über das allgemeine Konzil im vierten Jahrhundert"[63]. Aufgrund einer systematischen Quellendurchsicht stellt der Autor hier die Auffassungen der einzelnen Väter zusammen, im wesentlichen über das Konzil von Nicaea. Besondere Aufmerksamkeit schenkt er dabei Athanasius, dem er eine eigentliche „Konzilstheorie" zuschreibt[64]. Des weiteren werden Eusebius von Caesarea, Kaiser Kon-

---

[59] Wie wenig die dogmatische Theologie übrigens bereit war, die Ergebnisse FUNKS in diesem Punkt zu rezipieren oder Konsequenzen daraus zu ziehen, zeigen in erschreckender Deutlichkeit die Handbücher der ersten Hälfte dieses Jahrhunderts. Vgl. u. a. H. DIECKMANN, De ecclesia, tractatus historico-dogmaticus, II, Freiburg 1925, 71—91.

[60] Soweit wir sehen, wurde GOEMANS nur von J. LEBON, in: RHE 41 (1946) 451—453; J. DE GHELLINCK, in: NRTh 68 (1946) 357 und Y. CONGAR, in: RSPhTh 31 (1947) 288—291, rezensiert.

[61] Nijmegen/Utrecht, 323 Seiten.

[62] In der Einleitung kritisiert GOEMANS die ‚unrichtige und verhängnisvolle' Methode der Handbücher, die Theologie des Konzils nach dem CIC und nicht nach den Gegebenheiten der Tradition zu konzipieren. Im Mittelpunkt der eigenen Untersuchung solle die Frage nach der Ökumenizität, der Unfehlbarkeit und der Träger derselben stehen. Die Studie konzentriere sich auf die Frage, ob im vierten Jahrhundert der Papst als das Subjekt der Unfehlbarkeit betrachtet werde, wie u. a. FORGET behauptet, oder ob im Gegenteil die These von FUNK historisch fundiert sei, dergemäß das Ökumenische Konzil selber zusammen mit dem Papst dieselbe besitze. GOEMANS XIX—XXVII.

[63] GOEMANS 182—217.

[64] Einzelne Elemente dieser ‚Konzilstheorie' sind nach Auffassung des Verfassers: der wirkliche Grund der Versammlung, die Vertretung der ganzen Kirche, die Einstimmigkeit der Beschlußfassung, die Traditionalität der Lehre und ihre Schriftgemäßheit, die Unüberbietbarkeit und Unfehlbarkeit usw. GOEMANS 183—189.

stantin, Hilarius, Liberius, Gregor von Nazianz, Ambrosius usw. nach ihrer Auffassung vom nicaenischen Konzil befragt. Zum Schluß des Kapitels versucht Goemans das Ergebnis der Enquete in einer Art Definition des Allgemeinen Konzils zusammenzufassen[65]. Gewiß, mancher Text wird von Goemans überinterpretiert, der Kontext nicht genügend berücksichtigt, überhaupt werden alle Aussagen zu undifferenziert nebeneinandergestellt, es ist aber sein großes Verdienst, die ‚Konzilstheologie' für den Bereich der Patristik zu ihrem eigentlichen Thema geführt zu haben[66].

Wiederholt hat in den folgenden Jahren dann Y. Congar auf die Notwendigkeit hingewiesen, die ‚Konzilstheologie' an der großen Tradition, vor allem auch der patristischen, neu zu orientieren[67]. Für den patristischen Bereich dieser gerade auch in ökumenischem Geist zu vollziehenden Neuorientierung hat Congar selber einige Beiträge geliefert. In dem Sammelband ‚Das Konzil und die Konzile'[68] untersucht er den „Primat der vier ersten ökumenischen Konzile"[69] und bestimmt dabei Ursprung, Sinn und Tragweite dieses sehr speziellen Aspekts der Konzilsidee der Alten Kirche. Seinem Artikel „Konzil als Versammlung und grundsätzliche Konziliarität der Kirche"[70] fügt er eine Zusammenstellung u. a.

---

[65] Dasselbe ist eine aus triftigem Grund aus der ganzen Welt zusammengerufene Bischofsversammlung, die nach Beratung einmütig und in voller Freiheit ihre Beschlüsse faßt, vor allem ihr Glaubensbekenntnis aufstellt. Dieses ist nicht ihre eigene Erfindung, sondern geht durch die mündliche Tradition über die Väter und Apostel auf Christus selber zurück und vor allem auf die schriftliche Offenbarungsquelle, die Hl. Schrift, so daß *fides catholica* und *fides ecclesiastica* identisch sind. Durch den Beistand des Heiligen Geistes oder die Anwesenheit Christi waren die 318 Väter von Nicaea fähig, ein unfehlbares Glaubensbekenntnis aufzustellen. Dieses Glaubensbekenntnis darf nicht angetastet werden. Es ist vollkommen und endgültig. Goemans 216.

[66] Vom gleichen Autor vgl. Chalkedon als allgemeines Konzil, in: A. Grillmeier, H. Bacht, Das Konzil von Chalkedon, I, Würzburg 1951, 251—289.

[67] „En réalité, la théologie des conciles, qui s'est cristalisé dans la théologie catholique à la suite de la crise conciliaire, contre le gallicanisme, et finalement dans les oeuvres des grands polémistes antiprotestants (Bellarmin), demanderait à être reprise dans une atmosphère de sérénité et de docilité aux faits. En situant les conciles à leur véritable plan (qui est . . . celui de la vie de l'église, celui de la structure essentielle), on enlèverait à bien des questions ce qu'elles ont eu d'irritant et l'on éviterait certaines majorations qui se retrouvent chez la plupart des théologiens ou apologistes catholiques . . ." Art. ‚Concile', in: Cath. II (1949) 1439—1443, hier 1440. Vgl. auch Ders., Die Konzilien im Leben der Kirche, US 14 (1959) 156—171, bes. 160.

[68] Ein Beitrag zur Geschichte des Konzilslebens der Kirche, hrsg. von B. Botte usw., Stuttgart 1962; franz.: Le concile et les conciles, Paris 1960.

[69] Hier 89—130 bzw. 75—109.

[70] In: Gott in Welt, Festgabe für K. Rahner, hrsg. von J. B. Metz und W. Kern, Freiburg i. B. usw. 1964, II, 135—165.

auch patristischer Texte zu der für die altkirchliche Konzilsidee wichtigen Schriftstelle Mt 18, 20 bei [71].

Die anläßlich des Zweiten Vaticanums und in den Jahren danach sowohl von katholischer als protestantischer Seite produzierte Literatur enthält zwar zahlreiche interessante Aspekte[72], Anregungen, Fragestellungen und Zusammenfassungen älterer Forschungsergebnisse[73], aber kaum eingehendere Einzeluntersuchungen oder Monographien zur Konzilsidee der Alten Kirche, die wesentlich über Goemans hinausgehen. Eine Aus-

---

[71] Ebd. 157—165.

[72] Nach G. F. FLOROVSKY z. B. sind Konzile keine kanonischen Institutionen, sondern ,charismatic events'. Es gibt entsprechend auch keine ,Konzilstheorie'. Vgl. The Authority of the Ancient Councils and the Tradition of the Fathers: An Introduction, in: Glaube, Geist, Geschichte, Festschrift für E. Benz, hrsg. von G. MÜLLER und W. ZELLER, Leiden 1967, 177—188.

[73] Vgl. das in Anm. 68 genannte Sammelwerk. — Literatur zwischen 1951 und 1963 hat B. L. MARTHALER, The Councils in History: A Survey of Selected Literature, in: TS 26 (1965) 393—406, leider nicht vollständig gesammelt. Für unsere Fragestellung sind anregend oder hilfreich u. a. O. PERLER, Das erste allgemeine Konzil im Blickpunkt der Theologie der Geschichte, in: Anima 15 (1960) 301—308; H. FUHRMANN, Das Ökumenische Konzil und seine historischen Grundlagen, in: GWU 12 (1961) 868—890; E. SCHLINK, Ökumenische Konzilien einst und heute, in: DERS., Der kommende Christus und die kirchliche Tradition, Göttingen 1961, 241—271; TH. CAMELOT, Le magistère et les symboles, in: Div 5 (1961) 607—622; C. VAGAGGINI, Osservazioni intorno al concetto di Concilio Ecumenico, in: Div 5 (1961) 411—430; E. ISERLOH, Gestalt und Funktion der Konzilien in der Geschichte der Kirche, in: Ekklesia, Festschrift für M. Wehr, TThSt 15, Trier 1962, 149—169; J. LECLER, L'oecuménicité des conciles. Un aspect de leur histoire, Etudes 315 (1962) 4—20; B.-D. DUPUY, Le magistère de l'Eglise, service de la parole, in: L'infaillibilité de l'Eglise, Journées oecuméniques de Chevetogne, 25—29 Septembre 1961, coll. Irénikon, Namur 1962, 53—97, bes. 72—84; H. JEDIN, Strukturprobleme der ökumenischen Konzilien, Köln-Opladen 1963; C. VOGEL, Einheit der Kirche und Vielheit der geschichtlichen Kirchenorganisationsformen vom dritten bis zum fünften Jahrhundert, in: Das Bischofsamt und die Weltkirche, hrsg. von Y. CONGAR, Stuttgart 1964, 609—662, bes. 627—632 (= Unam Sanctam 39, Paris 1964); G. KRETSCHMAR, Die theologisch-ekklesiologische Bedeutung der altkirchlichen Ökumenischen und Landessynoden, in: Vom Wirken des Heiligen Geistes. Das Sagorsker Gespräch über Gottesdienst, Sakramente und Synoden, Witten 1964, 108—122; N. SABOLOTSKY, Die theologische und ekklesiologische Bedeutung der altkirchlichen Ökumenischen und lokalen Konzilien, ebd. 122—140; H. A. OBERMAN, Et tibi dabo claves regni caelorum. Kirche und Konzil von Augustin bis Luther. Tendenzen und Ergebnisse, in: NedThT 25 (1971) 260—282 und 29 (1975) 97—118; J. E. LANNE, L'origine des synodes, in: ThZ 27 (1971) 201—222; J. G. REMMERS, The infallibility of the Church and the Ecumenical Councils, in: WuW, Suppl 2, Wien 1974, 54—67; W. DE VRIES, Ecumenical Councils and the ministry of Peter, ebd. 146—161; P. VERGHESE, The infallibility of the Church, Signification of the Ecumenical Councils, ebd. 45—54; G. SCHWAIGER, Suprema Potestas, Päpstlicher Primat und Autorität der Allgemeinen Konzilien im Spiegel der Geschichte, in: Konzil und Papst, Historische Beiträge zur höchsten Gewalt in der Kirche, Festg. f. H. Tüchle, hrsg. v. G. SCHWAIGER, München usw. 1975, 611—678, hier 618—631; R. B. ENO, Pope and Councils: the patristic origins, in: ScEs 28 (1976) 183—211; L. M. BERMEJO, The Alleged Infallibility of Councils, in: Bijdr. 38 (1977) 128—162, hier 136—144.

nahme ist hier S. L. Greenslade mit seiner kurzen, aber methodisch wegweisenden Studie „Die Autoritäten, auf die sich die vier ersten ökumenischen Konzile berufen haben"[74]. In deutlicher methodischer Beschränkung auf die Dokumente der vier ersten ökumenischen Synoden befragt Greenslade dieselben nach ihrer teils expliziten, zur Hauptsache jedoch impliziten ‚konziliaren Theorie'. Die Analyse u. a. der verwendeten Terminologie soll das genauere „Selbstverständnis"[75] d. h. die Auffassung dieser Konzilien von ihrer eigenen Autorität, aufschließen. Der nach Ägypten abgesandte Brief des Konzils von Nicaea vom Juni 325 zeigt nach Meinung des Verfassers, daß die Synode zwar offensichtlich volles Vertrauen in die Richtigkeit ihrer Beschlüsse hat, aber andererseits „nicht ausdrücklich eine garantierte Unfehlbarkeit, sei es durch die unmittelbare Leitung des Heiligen Geistes oder aufgrund einer kollektiven bischöflichen Lehrautorität (magisterium) oder aufgrund seiner Fähigkeit zur Repräsentation" beansprucht[76]. Die überlieferten Dokumente enthalten noch keine „zusammenhängende, allgemein anerkannte Theorie der konziliaren Autorität", nur „einzelne Ideen, die später als Bausteine einer solchen Theorie dienen könnten"[77]. Das ist die Bilanz für Nicaea. Ähnliches ergibt die Analyse der Dokumente der drei folgenden Synoden. „Selbst wenn diese Konzile" — so faßt Greenslade das Ergebnis seiner Untersuchung zusammen — „keine Unfehlbarkeit beansprucht haben mögen, haben sie doch . . . Anspruch auf Annahme und Gehorsam erhoben. Das heißt, sie handelten so, als ob sie ein hohes Maß spezifischer Autorität besäßen"[78].

Mit der Feststellung, daß die Konzilien Anspruch auf Annahme erhoben, verweist Greenslade auf einen zentralen Aspekt der altkirchlichen Konzilsidee, die sog. Rezeption. Diesem vor allem für den ökumenischen Dialog wichtigen Problemkreis wäre an sich ein eigener Abschnitt in unserem Überblick über den Stand der Forschung zu widmen. Das Vorhaben erweist sich jedoch als undurchführbar, da für den patristischen Bereich kaum oder keine eingehenderen Untersuchungen vorliegen[79].

---

[74] In: Konzile und die ökumenische Bewegung, Studien des Ökumenischen Rates, Nr. 5, Genf 1968, 53—71.

[75] GREENSLADE 59.

[76] GREENSLADE 55. — G. beobachtet sehr zutreffend, daß im Vergleich zu den bischöflichen Konzilsdokumenten der Kaiser zu ‚kühner Verallgemeinerung' schreitet, wenn er als Ursprung des Synodenbeschlusses den göttlichen Willen bezeichnet. Ebd. 57.

[77] GREENSLADE 59.

[78] GREENSLADE 71.

[79] Es ist wahr, evangelische Kirchenrechtshistoriker und einige historisch arbeitende Theologen haben sich mit dem Thema der Rezeption befaßt. Vor allem bei den ersteren findet man gelegentlich höchst anregende Gedanken, so z. B. bei HINSCHIUS, III, 348—349

Unser Überblick über die Erforschung der altkirchlichen Konzilsidee
erlaubt uns nun, das Ziel der eigenen Untersuchung zu verdeutlichen.
Hauptziel ist im Anschluß an Goemans und Greenslade die Erhellung
der altkirchlichen Konzilsidee als solcher (Teil I und II), nicht also die
Untersuchung eines partikulären Aspekts derselben, z. B. des Verhältnisses zwischen Papst und Konzil. An den mit dem Stichwort ‚Analogie und
Genealogie' bezeichneten Forschungsstrang knüpfen wir im dritten Teil
an, in dem einige wichtigere religions- und kulturgeschichtliche Einflüsse
auf die altkirchliche Konzilsidee behandelt werden. Von Goemans unterscheiden wir uns dadurch, daß wir eine Beschränkung auf die Konzilsidee vornehmen und die Konzilsgeschichte aus dem Betrachtungsfeld
ausschließen. Wir gehen über ihn hinaus, insofern wir in unserem ersten
und zweiten Teil die Konzilsidee nicht nur des vierten Jahrhunderts,
sondern des Zeitraums zwischen den beiden Nicaenen (325—787)
untersuchen. Die untere Grenze (325) ergibt sich dabei aus unserem
methodischen Ansatz, die obere (787) aus eher praktischen Erwägungen.
In der Tat, explizite Äußerungen, Reflexionen über Konzilien, in diesem
Sinn Aussagen zur Konzilsidee als solcher, die den Hauptgegenstand
unserer Untersuchung ausmachen, gibt es in der vornicaenischen Literatur noch keine. Die obere Grenze legt sich durch die Erwägung nahe, daß
das nach der römisch-katholischen Zählung achte allgemeine Konzil
von der Ostkirche nicht mehr als solches anerkannt wird, folglich

---

und M. Dombois, Recht der Gnade, Ökumenisches Kirchenrecht, I, Witten 1961, 825—836.
Den Ausführungen liegt aber kaum oder keine Befassung mit den patristischen einschlägigen
Quellen zugrunde, und, wo das wie bei R. Sohm, Kirchenrecht, I, Die geschichtlichen Grundlagen, Leipzig 1892, 308—344 der Fall ist, dienen die Quellen zu offensichtlich der
historischen Einkleidung und Rechtfertigung einer systematisch-theologischen Position
(Zur Kritik an Sohms Auffassung der altkirchlichen Synode überhaupt vgl. A. Hauck,
Art. „Synoden", RE 19 (1907) 262—277, hier 264—268; E. Rösser, Göttliches und menschliches, unveränderliches und veränderliches Kirchenrecht von der Entstehung der Kirche
bis zur Mitte des neunten Jahrhunderts, Würzburg 1934, 100 ff., 131 ff., 173 ff. Bezüglich
der Frage der Rezeption speziell H. Barion, Das fränkisch-deutsche Synodalrecht des
Frühmittelalters, Bonn/Köln 1931, 166—200). Was die Theologen angeht, die sich zum
Thema Rezeption geäußert haben, so steht bei ihnen das systematische Anliegen ganz oder
zu sehr im Vordergrund, neue Information über Rezeption in der Zeit der Patristik wird
kaum gegeben. Vgl. L. Stan, Über die Rezeption der Beschlüsse der Ökumenischen Konzile
seitens der Kirche, in: Konzile und die ökumenische Bewegung, 72—80; W. Küppers,
Rezeption, Prolegomena zu einer systematischen Überlegung, in: Konzile und die ökumenische Bewegung, 81—104; A. Grillmeier, Konzil und Rezeption. Methodische Bemerkungen zu einem Thema der ökumenischen Diskussion der Gegenwart, in: ThPh 45
(1970) 321—352; Y. Congar, La ‚réception' comme réalité ecclésiologique, in: RSPhTh 56
(1972) 369—403; ders., Die Rezeption als ekklesiologische Realität, in: Conc (D) 8 (1972)
500—514 (verkürzte Wiedergabe des vorher angezeigten Artikels); K. Krikorian, La
reception des conciles, in: Ist. 18 (1973) 387—402; J. B. Bauer, The reception of the councils, in: WuW, Nr. 2 Suppl., Wien 1974, 94—102.

eventuell von diesem Konzil ausgehende Einwirkungen auf die Konzilsidee besser dem Abschnitt über die mittelalterliche Geschichte der
Konzilsidee zugeteilt werden.

Im Vergleich zu Greenslade ist unsere Studie in doppelter Hinsicht umfassender: Als Quellen verwenden wir nicht nur die unmittelbaren
Konzilsdokumente, sondern, soweit das immer möglich ist, die gesamte
auf uns gekommene Literatur. Wir beschränken uns andererseits nicht
auf den Zeitraum der ersten vier Synoden, sondern beziehen grundsätzlich alle sieben allgemeinen Konzilien der Alten Kirche in unsere Betrachtung ein.

Was die Terminologie angeht, so ziehen wir im Vergleich zu Goemans
und Greenslade als Oberbegriff das unbestimmtere ‚Konzilsidee‘ dem
bestimmteren ‚Konzilstheorie‘ vor. Wir glauben nämlich im untersuchten Zeitraum den Übergang verschiedener, relativ unbestimmter
‚Konzilsideen‘ in eine mehr oder weniger fest umrissene ‚Konzilstheorie‘
beobachten zu können. Aus den Konzilsideen des Athanasius, Augustinus und anderer Theologen des vierten und fünften Jahrhunderts ent-
wickelte sich die Konzilstheorie eines Theodor Abû Qurra und eines
Nicephorus von Konstantinopel. Zwischen Nicaea I und Nicaea II entfaltet sich die Konzilstheorie der Alten Kirche.

Der Gegenstand unserer Untersuchung, die altkirchliche Konzilsidee
etwa zwischen 325 und 787, bedarf noch einer weiteren Verdeutlichung.
Unter Konzilsidee verstehen wir die leitenden Gedanken und Anschauungen, die die Alte Kirche in diesem Zeitraum vom Wesen, von Teil-
aspekten und den näheren Bedingungen der Konzilsinstitution ausgebildet hat. Im angedeuteten Sinne kann man auch vom konziliaren
Selbstverständnis sprechen. Durch diese Bezeichnung ‚Selbstverständnis‘
wollen wir die Konzilsidee der Alten Kirche abheben von dem Bild,
das sich aus der historischen Distanz ergibt. In der Tat, dem modernen
Historiker bleibt vor allem aufgrund vergleichender rechts-, ideen-,
kulturgeschichtlicher und religionssoziologischer Studien die geschichtliche Bedingtheit und Einbettung zahlreicher Aspekte der altkirchlichen
Konzilsidee nicht verborgen. Erscheint das Konzil dem Theologen der
Alten Kirche z. B. geradezu selbstverständlich als eine Einrichtung
schlechterdings sui generis, so sieht der Historiker dagegen nicht
wenige Analogien. Er vermag mit den Mitteln seiner Disziplin das altkirchliche Konzil, wenn auch vielleicht nicht zur Gänze, so doch zu
einem guten Teil aus eben diesen Analogien abzuleiten. Gewisse Einrichtungen der damaligen Zeit haben mit den ihnen eigenen Ideen und
Vorstellungen auf die altkirchliche Konzilsidee eingewirkt, diese mit-

geprägt und geformt — und das ist das Entscheidende, worauf der Historiker aufmerksam macht —, ohne daß diese Einwirkung und dieser Einfluß im ‚konziliaren Selbstverständnis‘ wahrgenommen oder festgehalten wurde. Was hier gemeint ist, läßt sich durch einen analogen Fall verdeutlichen. Die Ausbildung der päpstlichen Primatsvorstellung vollzog sich ohne Zweifel unter Assimilierung typisch stadtrömischer Prinzipatsvorstellungen, ohne daß dieser Assimilationsprozeß als solcher von den damaligen Trägern des Papstamtes oder den zeitgenössischen Theologen erkannt worden ist, hätte erkannt werden können!

Indem wir im angedeuteten Sinn zwischen der Konzilsidee der Alten Kirche, dem konziliaren Selbstverständnis einerseits, und ihrer historischen Bedingtheit und Abhängigkeit, den auf sie einwirkenden Einflüssen ‚von außen‘ andererseits unterscheiden, gehen wir in unserer Studie in zwei Schritten vor: der Konzilsidee selber widmen wir den ersten und zweiten Teil, den religions- und kulturgeschichtlichen Einflüssen den dritten.

Die unterschiedliche Rücksicht auf den Gegenstand bedingt den Unterschied der Methode. Geht es im dritten Teil im Grunde darum, Texte zu ‚hinterfragen‘, auf Motive aufmerksam zu machen, die den Verfassern als solche gar nicht bewußt waren, so ist die Methode im ersten und zweiten Teil dem gegenüber anderer Art: sie ist im wesentlichen referierend und deskriptiv. Nur hin und wieder machen wir den Versuch, das Referat einer bestimmten Idee von Konzil zu ‚hinterfragen‘, z. B. wenn wir auf Zusammenhänge zwischen dem Konzilsbegriff des Vinzenz von Lerin und der Spiritualität des südfranzösischen Mönchtums hinweisen, oder wenn wir fragen, ob die spezifische Vorstellung Leos des Großen vom Verhältnis des römischen Lehrprimats zur Konzilsinstitution vom analogen Verhältnis des römischen Prinzipats zum Provinziallandtag inspiriert sein könnte. Was gegebenenfalls bei solcher ‚Hinterfragung‘ zu Tage gefördert wird und tatsächlich bewiesen werden kann, gehört per definitionem natürlich nicht mehr zum altkirchlichen konziliaren Selbstverständnis, sondern zu den historischen Einflüssen auf die Konzilsidee.

Der erste und zweite Teil unserer Studie besteht wesentlich aus der Zusammenstellung von einschlägigen Quellen, d. h. von Texten, in denen explicitis verbis die Konzilsidee der Alten Kirche zum Ausdruck kommt. Da das Ziel primär in der Erstellung eines Überblicks über die Quellen gesehen wird, wird auf Systematik der Darstellung kein besonderer Wert gelegt. Es werden weder bestimmte ‚systematische‘ Fragen an alle Quellen gestellt, noch werden die gewonnenen Ergebnisse, d. h.

die relevanten Texte in eine ‚systematische' Darstellung eingearbeitet. Weil in erster Linie ein Überblick über die Quellen und nicht die systematische Behandlung einer Frage erstrebt wird, verhalten sich der erste und zweite Teil nicht ausschließlich zueinander, sondern überlappen sich gegenseitig. Wenn der erste Teil den ‚Zeugnissen einzelner Autoren' gewidmet ist, so heißt das nicht, daß nicht auch der zweite Teil weitgehend aus solchen Zeugnissen einzelner Theologen besteht. Andererseits steht dieses ‚Zeugnis einzelner Autoren' des ersten Teiles selbstverständlich auch im ‚Spannungsfeld der Konziliengeschichte' (zweiter Teil). Ob der Beitrag eines Autors im ersten oder zweiten Teil referiert wird, hängt nicht ab von der größeren oder geringeren Geprägtheit durch die Konziliengeschichte. Ausschlaggebend für die Einordnung in den ersten oder zweiten Teil ist vielmehr, wenn man so will, ein rein quantitativer Gesichtspunkt. Theologen, die relativ viel oder relativ Bedeutsames über Konzilien zu sagen haben, wird ein eigenes Kapitel gewidmet. Diese werden im ersten Teil zusammengefaßt. Solche, die nur im Chor mit anderen ihr Zeugnis beitragen, werden in einem Kapitel zusammen mit anderen behandelt und kommen im zweiten Teil zu Wort.

Die Konzilsidee der Alten Kirche im Zeugnis einzelner Autoren

Der erste Teil unserer Studie befaßt sich mit Autoren, denen eine besondere Bedeutung für die Entfaltung oder Bezeugung der altkirchlichen Konzilsidee zukommt. Wir widmen ihnen im Gegensatz zu den im zweiten Teil behandelten jeweils ein ganzes Kapitel. Wie rechtfertigt sich näherhin ihre Auswahl? Warum gerade Athanasius, Augustinus, Leo der Große, Vinzenz von Lerin und Theodor Abû Qurra? Warum fehlen z. B. die Kappadozier, Ambrosius von Mailand, zahlreiche spätere Autoren, von denen interessante Aussagen über die Konzilien überliefert sind? Unsere Auswahl ergibt sich aus dem Zusammenspiel mehrerer Kriterien. Natürlich haben ältere Autoren, wenn sie den gleichen Gedanken bezeugen, den Vorrang vor jüngeren, z. B. Athanasius vor Cyrill von Alexandrien. In anderen Fällen ist das entscheidende Kriterium für die Auswahl eines Autors nicht der besonders wichtige Beitrag zur Entfaltung der Konzilsidee, sondern die Bedeutung des betreffenden Theologen. So kann z. B. Augustinus bei der Frage nach der Konzilsidee nicht übergangen werden. Mitbestimmend für die Auswahl des Bischofs von Hippo, sagen wir vor Ambrosius, ist aber nicht nur die Bedeutung des Autors, die Quantität und Qualität seiner Aussagen über Konzilien. Aufgrund der einzigartigen Quellenlage bot sich hier außerdem die Gelegenheit, ein Bild von der Konzilspraxis eines Theologen der Alten Kirche zu erarbeiten. Ausschlaggebend für die Option zugunsten eines Autors wie Abû Qurra ist dann z. B. der Umstand, daß er als einziger Theologe der Alten Kirche die Konzilien ex professo behandelt und ihnen einen eigenen Traktat gewidmet hat. Der wirkungsgeschichtlich völlig unbedeutende Vinzenz von Lerin wird wegen der Eigenart seines Konzilsbegriffes ausgewählt. Mag sein Beitrag zum Thema auch nur in einigen wenigen Sätzen bestehen, dieselben zeichnen sich durch eine erstaunliche Originalität und theologische Präzision aus. Gerade wegen seiner wirkungsgeschichtlichen Bedeutung fällt andererseits schließlich die Wahl auf Leo den Großen. Daß bei ihm wie bei keinem anderen Theologen der Alten Kirche das Verhältnis Römischer Stuhl und kirchliche Synode thematisch ist, ist ein zusätzlicher Grund, ihm ein eigenes Kapitel zu widmen.

Ein Wort ist noch zum Ziel zu sagen, das uns bei der Behandlung der nach dem genannten Kriterienbündel ausgewählten Autoren vor Augen schwebt. Wir haben es bewußt vermieden, die genannten Theologen in erster Linie mit den Fragen späterer Konzilstheologie zu konfrontieren und von solcher späteren Systematik her ihre ‚Konzilstheologie‘ zu entwerfen. Fragen wie: Sind Konzilien unfehlbar? Wenn ja, unter welchen Bedingungen? Wie ist das Verhältnis der beiden Autoritätsträger, Konzil und Papst, zu konzipieren? Ist das Konzil dem Papst oder der Papst dem Konzil untergeordnet, und wenn eins von beidem, unter welchen Bedingungen und in welchen Situationen? Sind die Konzilien inspiriert, und was bedeutet diese Inspiration theologisch usw.? sind keine Konzilsprobleme der Alten Kirche — oder zumindest sie waren es noch nicht in der Schärfe, in der sie es in späteren Jahrhunderten wurden. Wir weisen nur gelegentlich auf ähnliche oder verwandte Fragestellungen hin. Unser Ziel ist vielmehr, jeweils den für den betreffenden Autor zentralen Aspekt zu ermitteln und von ihm aus, möglichst umfassend, den Kreis der einschlägigen Fragen zur Darstellung zu bringen. Wir versuchen, wenn man so will, die ‚Systematik‘ jedes einzelnen Autors zu entdecken. Der daraus resultierende Eindruck der Disparatheit wurde bewußt in Kauf genommen.

Kapitel I

WERDEN UND EIGENART DER KONZILSIDEE DES ATHANASIUS VON ALEXANDRIEN († 373)

Es ist das Nicaenum, das der Konzilsidee der Alten Kirche den entscheidenden Impuls zur Entfaltung gibt. Der schwierige Prozeß der Rezeption dieses Konzils spiegelt sich im Zeugnis zahlreicher Theologen dieser Zeit[1]. Die Frage stellt sich, bei wem von ihnen sich dieser Prozeß und damit die Entfaltung der Konzilsidee am deutlichsten beobachten läßt. Dies scheint uns bei Athanasius von Alexandrien[2] der Fall zu sein. Es ist deswegen methodisch ratsam, bei ihm mit der Untersuchung der Konzilsidee der Alten Kirche zu beginnen[3]. Ein Überblick über die Quellen ergibt, daß die Vorstellungen des Athanasius über das Nicaenum einem erheblichen Wandel unterworfen sind. Ziel der folgenden Studie ist es, zunächst den Wandel und die Entwicklung der Konzilsidee in ihren Hauptphasen darzustellen, dann diese Idee in ihrer Eigenart näherhin zu bestimmen. Zur Erreichung des ersten Zieles sind die einschlägigen Stellen seines Werkes zu interpretieren, und zwar in ihrer chronologischen Reihenfolge[4].

---

[1] Vgl. Teil II, Kapitel I; ferner J. N. D. KELLY, Altchristliche Glaubensbekenntnisse, Geschichte und Theologie, Göttingen 1972 (Übersetzung der dritten englischen Auflage, London 1972), 251—259; T. H. JALLAND, The Church and the Papacy, London 1944, 204—215.

[2] Eine neuere, umfassende kritische Biographie des Athanasius fehlt z. Z. leider. Einige Beiträge zu Geschichte und Theologie in: CH. KANNENGIESSER (Hrsg.), Politique et Théologie chez Athanase d'Alexandrie, Actes du colloque de Chantilly 23—25 Septembre 1973, Paris 1974; vgl. ferner J. ROLDANUS, Le Christ et l'homme dans la théologie d'Athanase d'Alexandrie, étude de la conjonction de sa conception de l'homme avec sa théologie, Leiden 1968, (Lit.); R. HÜBNER, Die Einheit des Leibes Christi bei Gregor von Nyssa, Untersuchung zum Ursprung der ‚physischen‘ Erlösungslehre, Leiden 1974, 232—268; GIRARDET 52—154.

[3] Die einzige etwas ausführlichere Behandlung unseres Themas befindet sich bei GOEMANS 181—189.

[4] Für die Chronologie der Werke des Athanasius halten wir uns an TH. CAMELOT, Art. ‚Athanasios‘, in: LThK² I, 978—980; vgl. ferner ROLDANUS 374—401, wo neuerdings zu Datierungsfragen des athanasianischen Schrifttums Stellung genommen wird, und CH. KANNENGIESSER, La date de l'Apologie d'Athanase ‚Contre les Paiens‘ et ‚Sur l'Incarnation du Verbe‘, in: RSR 58 (1970) 383—428.

1. Ökumenische Verurteilung

Zugang zur ursprünglichsten Gestalt der Konzilsidee des Athanasius gewährt uns die *Epistula synodi Alexandriae* (338)[5], die zwar nicht in seinem Namen veröffentlicht ist, höchstwahrscheinlich jedoch aus seiner Feder stammt, sicher jedenfalls seine Gedanken wiedergibt[6]. Athanasius veröffentlicht sie in seiner Aktensammlung *Apologia contra Arianos* als erste Stellungnahme von Bischöfen zu seinen Gunsten nach seiner Verurteilung in Tyrus[7]. Nicaea erscheint hier, dreizehn Jahre also nach Abschluß des Konzils — wie nicht anders zu erwarten —, ganz im Gegenlicht zu Tyrus. Zur Interpretation gilt, was zu allen folgenden Stellungnahmen und Äußerungen des Athanasius im Hinblick auf Nicaea zu sagen sein wird: Er reflektiert nicht sine ira et studio über das Konzil, sondern er benutzt es taktisch als Kirchenpolitiker zur Sicherung seiner eigenen Stellung und polemisch als leidenschaftlicher Verfechter einer bestimmten dogmatischen Position. In diesem Sinne ist Nicaea ein „wirkliches Konzil" (ἡ τῷ ὄντι σύνοδος)[8] im Gegensatz zu Tyrus, das eine „illegitime Zusammenrottung" (ἄδικος σύστασις)[9] darstellt. Was Athanasius verständlicherweise an Nicaea interessiert, ist der kirchenrechtliche Aspekt: Die bleibende Gültigkeit der Beschlüsse des Konzils[10]. Sind die Beschlüsse der „ökumenischen" Synode noch gültig, dann hat er die gesuchte Rechtsgrundlage gegen Tyrus; denn dann haben Eusebius von Nikomedien und Theognis weiterhin als exkommuniziert zu gelten, und ihre „Synode" ist tatsächlich nur eine „Zusammenrottung" ohne Rechtsgrundlage[11]. Die Pointe seiner Argumentation

---

[5] Wir zitieren Athanasius nach der kritischen Ausgabe von H. G. OPITZ, Athanasius Werke, hrsg. im Auftrag der Kirchen-Väter-Kommission der Preußischen Akademie der Wissenschaften, Berlin—Leipzig 1935 ff., II, 1, und zwar nach Kapitel, Seitenzahl und Zeile; wo die kritische Ausgabe noch nicht vorliegt, nach MIGNE, und zwar nach Kapitel und Spalte. — Brief der alexandrinischen Synode: OPITZ 89, 1—101, 34.

[6] OPITZ 89, Anm. zu Z. 1 ff.: „Das Schreiben ist dem Stil nach von Athanasius verfaßt; es wurde von der in Alexandrien tagenden Synode im Jahre 338 beschlossen und erlassen." Analyse des Briefes bei T. ORLANDI, Sull' Apologia secunda (contra Arianos) di Atanasio di Alessandria, in: Aug. 15 (1975) 49—79, hier 72—78.

[7] Apol. sec. 3, OPITZ 88, 33. — Über die Synode von Tyrus vgl. neuerdings GIRARDET 66 bis 75. Zur Verhandlung des Konzils mit Zusammenstellung der Dokumente und Regesten vgl. W. SCHNEEMELCHER, Die Epistula Encyclica des Athanasius, in: Gesammelte Aufsätze zum Neuen Testament und zur Patristik, Thessaloniki 1974, 290—337, hier 300—309.

[8] Apol. sec. 7, OPITZ 93, 21.

[9] Ebd.

[10] Apol. sec. 7, OPITZ 93, 22: τὰ παρ' ἐκείνων κρατεῖν μὴ θέλοντες.

[11] Apol. sec. 7, OPITZ 93, 16—21: „Wie konnte nun er selber (d. h. Eusebius von Nikomedien) oder Theognis jemand anderen absetzen, wo sie selber abgesetzt sind und überführt sind durch die Einsetzung anderer an ihrer Stelle? Denn ihr wißt sehr genau, daß Amphion

liegt in folgendem Gedankengang: Anspruch auf die Respektierung ihrer Beschlüsse hat eine Synode in dem Maße, als sie selber Synodalbeschlüsse, vor allem solche größerer Synoden, anzunehmen bereit ist. Gerade diese Bereitschaft mangelt aber der Synode von Tyrus[12]. Und Athanasius zieht die Konklusion: „Was ihnen (den Eusebianern) Kummer bereitet, ist in Wirklichkeit gar nicht ein Konzil, sondern sie tun nur so. Es kommt ihnen nur darauf an, durch die Beseitigung der Orthodoxen die Beschlüsse (τὰ δόξαντα) der wahren und großen Synode gegen die Arianer aufzuheben . . .“[13]

In der weiteren Kritik an der Tyrischen Synode wird ein zweiter Aspekt der frühen Konzilsidee, besser des Konzilsideals des Athanasius, sichtbar: Er postuliert ein freies, nicht von der Staatsmacht manipuliertes Konzil: „Wie wagen sie Synode zu nennen, wo ein kaiserlicher Kommissar (*comes*)[14] den Vorsitz hatte, ein *speculator*[15] anwesend war und anstelle von Diakonen der Kirche ein *commentariensis*[16] uns hineinführte? Jener Kommissar führte die Verhandlung, und die anwesenden (Bischöfe) schwiegen, d. h. sie willfahrten dem Kommissar . . . Jener gab die Order, und wir wurden von Soldaten abgeführt; d. h. die Eusebianer gaben diese Order, und der Kommissar gehorchte ihren Anweisungen. In summa: Was ist das für eine Synode, in der Verbannung und Tod ‚zur Ehre des Kaisers‘ Ergebnis sind?“[17] — Gewiß, für sich genommen und in diesem Kontext — es geht darum, Tyrus zu diffamieren — wird man das Bekenntnis zu einem freien, nicht vom Staat manipulierten

---

in Nikomedien und Chrestos in Nicaea eingesetzt worden sind an ihrer Stelle, und zwar wegen ihrer Gottlosigkeit und ihrer Gemeinschaft mit den Arianern, die ihrerseits von der *ökumenischen* Synode verworfen worden sind."

[12] Apol. sec. 7, Opitz 93, 21—23: „Indem sie diese wirkliche Synode aufheben wollen, versuchen sie ihre eigene illegitime Zusammenrottung eine Synode zu nennen, und indem sie nicht wollen, daß das von jenen Beschlossene Gültigkeit habe, wollen sie ihren eigenen Beschlüssen Gültigkeit verschaffen; Leute, die einer so bedeutenden Synode (wie Nicaea) keinen Respekt erweisen, berufen sich auf eine Synode!"

[13] Apol. sec. 7, Opitz 93, 23—25. — Interessant ist die Ausdrucksweise τὰ δόξαντα für das Ergebnis von Nicaea. Sie macht deutlich, daß das Interesse des Athanasius ausschließlich auf der durch Nicaea ausgesprochenen Verwerfung der Arianer gerichtet ist. Die dort ebenfalls aufgestellte Glaubensformel lag außerhalb seines damaligen Blickfeldes. Denn τὰ δόξαντα kann sich auf die Glaubensformel (πίστις) nicht beziehen. Vgl. S. 46, Anm. 91.

[14] Über die Rolle der kaiserlichen Kommissare auf den Konzilien — allerdings erst ab Ephesus — unterrichtet R. Janin, Rôle des commissaires impériaux byzantins dans les conciles, in: REByz 18 (1960) 97—108.

[15] Der ‚speculator‘ ist ein dem Hauptquartier des Statthalters zugehöriger ‚principalis‘ (Unteroffizier). Zu seinen Amtspflichten gehört die Hinrichtung Verurteilter. Weiteres vgl. PRE II, 3 b, 1583 ff.

[16] Protokollführer in Strafverfahren; vgl. PRE IV, 759 ff.

[17] Apol. sec. 8, Opitz 94, 11—17.

Konzil nicht überbewerten dürfen. Vor allem deswegen nicht, weil Athanasius im Jahre 338 noch nicht vergessen haben konnte, wie das erste „ökumenische" Reichskonzil, Nicaea, zustande gekommen und geführt worden war. Zusammengenommen jedoch mit den späteren, immer wieder aufgestellten Forderungen eines freien kirchlichen Konzils[18] wird man festhalten müssen: Schon 338, nach seinen ersten bitteren Erfahrungen mit einer staatlich kontrollierten Synode, hat er die Vision eines freien, unabhängigen Konzils, und er bekennt sich, freilich in polemischer Absicht, zu diesem Ideal.

Im folgenden arbeitet Athanasius die Misere solcher „staatskirchlicher" Konzilien heraus; daß er damit auch gegen Nicaea polemisiert, übersieht er geflissentlich: „In der Absicht, das Geschriebene und die Wahrheit aufzulösen, berufen sich die Eusebianer, diese sonderbaren Leute, auf ein sogenanntes Konzil und lassen, was mit diesem Wort gemeint ist, vom Kaiser ausführen. Deswegen gibt es dabei einen kaiserlichen Kommissar und Soldaten als Begleiter der Bischöfe und kaiserliche Vorladung (zum Konzil), die diejenigen zusammenkommen heißt, die sie (d. h. die Eusebianer) bestimmt haben"[19]. Hier werde das Widersinnige (παράδοξον) ihres Vorhabens deutlich: „Entweder ist es nämlich ausschließlich Sache der Bischöfe, Urteil zu sprechen — wozu dann der Kommissar, die Soldaten und die Vorladung des Kaisers? Oder sie haben wirklich den Kaiser nötig und bedürfen seiner Autorität (κῦρος) — warum lösen sie dann dessen Urteil auf?"[20] Es handelt sich hier zwar kaum um einen historisch zuverlässigen Bericht der Vorgänge in Tyrus, man wird aber nicht umhin können, im Protest des Athanasius so etwas wie eine frühe Warnung vor einer Entwicklung in der Kirche zu sehen, die er freilich nicht aufhalten konnte.

Im Schlußkapitel des alexandrinischen Synodalschreibens wird noch einmal auf Nicaea angespielt. Von den Arianern heißt es, daß sie „von der ganzen katholischen Kirche verurteilt (ἀναθεματίζειν) sind"[21].

Damit läßt sich die früheste uns greifbare[22] Stellungnahme des Athanasius zum Konzil von Nicaea folgendermaßen zusammenfassen: Nicaea ist die „große", „bedeutende", „ökumenische" Synode, auf der die „ganze katholische Kirche" Arius und seine Anhänger verurteilt hat.

---

[18] Vgl. weiter unten S. 44—45.
[19] Apol. sec. 10, Opitz 95, 26—29.
[20] Athanasius legt die vorher erwähnte Gunstbezeigung des Kaisers (Opitz 95, 20 ff.) in seinem Sinn als Urteil des Kaisers aus.
[21] Apol. sec. 19, Opitz 101, 11 f.
[22] In den Osterfestbriefen wird Nicaea nicht erwähnt.

Mit der Gültigkeit seiner Beschlüsse (τὰ δόξαντα) ist die Rechtswidrigkeit der eigenen Verurteilung gegeben. Am Gegenbild der Pseudosynode von Tyrus geht ihm das Ideal eines freien, nicht vom Staat manipulierten Konzils auf.

Bekanntlich ist die Datierung der *Orationes contra Arianos* umstritten[23]. Unsere Untersuchung wird jedoch kaum davon beeinträchtigt, da uns ohnedies nur zwei Stellen der ersten Rede interessieren[24]. Auf das Resumé der häretischen Sätze des Arius (cap. 6) folgt eine leidenschaftliche Beschreibung des Skandals, den diese Sätze hervorgerufen haben. Der Verurteilung durch „den Herrn selber, die im Wort des Propheten Hoseas im voraus erging (7, 14)", folgt die „ökumenische"[25] Synode, die den Arius, der solches behauptet, aus der Kirche warf und ihn bannte, weil sie die Gottlosigkeit nicht ertragen konnte". Weiter heißt es: „Und seither galt der Irrtum des Arius als die größte aller Häresien, weswegen sie auch als Feindin Christi (χριστόμαχος) und Vorläuferin des Antichrists bezeichnet wurde[26]. Eine so massive (τοσαύτη) Verurteilung (κρίσις) der gottlosen Häresie ist eigentlich von genügendem Gewicht, um alle zur Flucht vor ihr zu bestimmen." — Wie ist die Bezugnahme auf Nicaea zu verstehen? Der von Athanasius gewählte Terminus gibt es klar und eindeutig an: Nicaea ist die ‚κρίσις', d. h. die Verurteilung des arianischen „Irrtums" durch die „katholische Kirche". Dieser hat fortan als Häresie zu gelten, so wie die Lehre des Samosateners und der anderen Häresiarchen (cap. 3). Nicaea bedeutet Ausschluß aus der Kirche und damit „Erledigung" dieser Lehre. Mehr, etwa Autorität im Sinne einer positiven Norm des Glaubens, ist Nicaea im Augenblick für Athanasius nicht. Dem entspricht es, wenn Athanasius die Arianer nicht durch Berufung

---

[23] Den jüngsten Stand der Diskussion gibt ROLDANUS 386–389 wieder. Er entscheidet sich selber für 339. Wir schließen uns seiner Position an.

[24] Orat. I, 7 u. 30, PG 26, 25 AB u. 73 B.

[25] Zur Begriffsgeschichte von „ökumenisch" vgl. A. TUILIER, Les sens de l'adjectif «œcuménique» dans la tradition patristique et dans la tradition byzantine, in: NRTh 86 (1964) 260—271, bes. 261—263; ferner W. A. VISSER'T HOOFT, Das Wort „ökumenisch" — seine Geschichte und Verwendung, in: R. ROUSE — ST. CH. NEILL (Hrsg.), Geschichte der Ökumenischen Bewegung 1517—1948, Zweiter Teil (Theologie der Ökumene, 6) Göttingen 1958, 434—441, bes. 435 f.; J. ANASTASIOU, Was bedeutet das Wort ‚ökumenisch' im Hinblick auf Konzile? in: Konzile und die ökumenische Bewegung, 23—33; H. CHADWICK, The origin of the Title ‚Oecumenical Council', in: JThS 23 (1972) 132—135.

[26] Athanasius bezieht sich damit wohl auf Alexander von Alexandrien, der in seinem „Brief an alle Bischöfe" eingangs schreibt: „In unserer παροικία traten gesetzlose Gegner Christi (χριστόμαχοι) auf, die einen Abfall lehren, den man zu Recht als Vorläufer des Antichristen ansehen und bezeichnen kann" (OPITZ, Athanasius' Werke, III, 1: Urkunden zur Geschichte des arianischen Streites 318—328, Urkunde 4, b, S. 7). Vgl. außerdem De synodis, cap. 5 (OPITZ 234, 6): „Man verurteilte die arianische Häresie als Vorläuferin des Antichrist."

z. B. auf die Glaubensformel des Konzils, sondern ausschließlich durch Schrift- und Vernunftbeweise zu widerlegen sucht[27]. Die Endgültigkeit dieser κρίσις wird man nicht mit der Tatsache in Verbindung bringen oder aus dem Umstand folgern müssen, daß die Synode „ökumenisch" gewesen ist. Die Ökumenizität ist zunächst einmal ein bloßes Faktum. Woher die „Endgültigkeit" kommt — wenn es überhaupt eine solche gibt —, muß vorläufig ganz offenbleiben.

Mit der *Epistula ad episcopos encyclica* (339)[28] erhebt Athanasius flammenden Protest gegen die Einsetzung des Arianers Gregor zum Bischof von Alexandrien am 23. März 339. Daß Nicaea nicht ausdrücklich erwähnt wird, ist immerhin bezeichnend. Athanasius weist vor allem auf die Verletzung der kirchlichen ‚κάνονες' hin, deren sich die Arianer schuldig gemacht haben. In diesem Zusammenhang erfolgt ein vehementer Appell zur gemeinsamen Verteidigung der ‚παράδοσις'. Hier kommen zum erstenmal Vorstellungen zur Geltung, die für das weitere Verständnis der Konzilsidee des Athanasius von ausschlaggebender Bedeutung sind: „Denn nicht erst heute wurden die ‚κάνονες' und ‚τύποι' der Kirche gegeben, sondern sie wurden von unseren Vätern (ἐκ τῶν πατέρων ἡμῶν) gut und zuverlässig überliefert (παραδίδωμι). Und auch der Glaube begann nicht erst heute, sondern er ist vom Herrn aus durch die Jünger zu uns hingeschritten (ἐκ τοῦ κυρίου διὰ τῶν μαθητῶν εἰς ἡμᾶς διαβέβηκεν). Damit nicht das von den Alten bis auf uns in den Kirchen Bewahrte in unseren Tagen zugrunde gehe

---

[27] Vgl. z.B. Contra gentes 1, PG 25, 4 A: „An sich genügen die heiligen und gotteingehauchten Schriften zur Ankündigung der Wahrheit." — Eine gewisse Abwertung des Rekurses auf Nicaea liegt übrigens in dem Umstand, daß die Berufung als stereotyper Teil einer Einleitungsfloskel erscheint, die Athanasius in vielen seiner Schriften anwendet. Er geht nach dem Schema vor: Eigentlich brauche ich nicht zu schreiben, aus diesem oder jenem Grunde schreibe ich aber dennoch; vgl. z. B. Orat. II, 1, PG 26, 149 A. An der zweiten Stelle, Orat. I, 30, handelt es sich um eine beiläufige Erwähnung von Nicaea, und zwar unter sehr spezieller Rücksicht: Die Arianer verdienen Verurteilung (κατάγνωσις), weil der Vorwurf, den sie gegen die nicaenischen Synodalen erheben, diese verwendeten nicht aus der Schrift stammende Termini, auf sie selber zurückfällt: Arius ist der erste, der solche Termini benutzt.

[28] Zu Vorgeschichte, Datierung, Handschriften, Titel, literarischem Genus und Interpretation der Epistula Encyclica vgl. SCHNEEMELCHER 309—337. SCHNEEMELCHER spricht sich hier bei aller Anerkennung der großen Verdienste von SCHWARTZ um die Erhellung der Geschichte des Athanasius gegen dessen z. T. von OPITZ übernommene Charakterisierung des Briefes aus. „Man kann diese ep. enc. nicht als Pamphlet oder kirchenpolitische Flugschrift bezeichnen. Ihr Briefcharakter ist eindeutig ... Die Einordnung der ep. enc. in die Geschichte der Jahre 335—339 leitet zu dem rechten Verständnis an. Es geht vor allem um die Rechtsfrage, ob das Urteil von Tyrus 335 rechtlich wirksam ist oder ob die Rehabilitierung des Athanasius auf der Synode von Alexandrien 338 dieses Urteil von Tyrus beseitigt hat". Ebd. 336. Vgl. auch L. W. BARNARD, Two Notes on Athanasius, in: OrChrP 41 (1975) 344—356, hier 352—356 über Epist. encycl.

und das uns Anvertraute bei uns (vergeblich) gesucht werde, dürft ihr, Brüder, als ‚Verwalter der Geheimnisse Gottes' (1 Kor 4, 1) nicht untätig zusehen, wie diese (Geheimnisse) von anderen Leuten geraubt werden"[29]. Hier wird gleichsam das Fundament sichtbar, auf dem später bei Athanasius die Konzilsidee ruhen wird. Es ist der Traditionsgedanke. Zum anderen geht aus der Stelle sehr klar hervor, wie dynamisch Athanasius den Glauben und die Tradition konzipiert. Der Glaube *wird* nicht eigentlich tradiert; tradiert werden höchstens die κάνονες, an die das selbsttätige Fortschreiten der παράδοσις gebunden zu sein scheint. Der Glaube selbst schreitet vielmehr aktiv durch die Zeit. Das Zeugnis ist gerade deswegen besonders wertvoll, weil es Nicaeas keine Erwähnung tut und somit beweist, daß die später auftauchende Traditionsformel mit der Erwähnung Nicaeas[30] nicht ad hoc, d. h. zur Aufwertung von Nicaea, gebildet ist. Es ist vielmehr so, daß die „Aufwertung" von Nicaea gerade dadurch geschieht, daß das Konzil in diese von Anfang an bestehende Traditionsvorstellung hineingenommen wird[31].

Wir können die *Epistula Julii ep. Romae* an die Eusebianer[32] — mit entsprechendem Vorbehalt freilich — in unsere Quellen zur Konzilsidee des Athanasius miteinbeziehen, da dieses Schreiben nicht nur in der Schilderung der Ereignisse im Zusammenhang mit Gregor von Athanasius abhängig ist[33], sondern vor allem auch in ihrer Beurteilung und in den vorgebrachten Argumenten den Standpunkt des Athanasius widerspiegelt[34]. Julius rechtfertigt in diesem Brief die auf der römischen Synode erfolgte Rehabilitierung des Athanasius (Frühjahr 341), der 339 nach Rom gekommen war. Der Papst beantwortete damit gleichzeitig

---

[29] Epist. encycl. 1, Opitz 170, 12.

[30] Vgl. w. u. S. 38—39 und 57—58.

[31] In homiletisch adaptierter Form liegt dieser Traditionsgedanke schon im Jahre 330 vor: *Nam quod unusquisque sanctorum accepit, id ipsum immutabiliter tradit, propter doctrinae circa mysteria soliditatem. Horum mandat verbum (sacra scriptura) ut simus discipuli, hosque decet nobis esse magistros, ad hos tantummodo nos accedere oportet, quia solis ipsis concreditum verbum fuit . . .* (Festbrief II, PG 26, 1369—1370). — Athanasius knüpft mit diesem Traditionsbegriff natürlich an ältere Vorstellungen an. Vgl. dazu D. VAN DEN EYNDE, Les normes de l'enseignement chrétien, Gembloux — Paris 1933; Y. CONGAR, La tradition et les traditions. Essai historique, I, Paris 1960, bes. 57—91; P. SMULDERS, Le mot et le concept de Tradition dans les Pères grecs, in: RSR 40 (1951/52) 41—62; B. HÄGGLUND, Die Bedeutung der ‚regula fidei' als Grundlage theologischer Aussagen, in: StTh XII, Lund 1958, 1—44, bes. 1—34; M. B. HANDSPICKER, Athanasius on Tradition and Scripture, in: ANQ 3 (1962) 13—29; P. C. HANSON, Tradition in the Early Church, London 1962 (über Athanasius 176—181); C. FLOROVSKY, The Function of Tradition in the Ancient Church, in: GOTR 9 (1963/64) 181—200 (über Athanasius 188—191).

[32] Opitz 102, 12—113, 25. Vgl. zur Interpretation GIRARDET 88—98.

[33] Vgl. Opitz 109, 17 ff. mit den Anmerkungen ebd.

[34] Vgl. Opitz 109, 6 ff. mit den Anmerkungen ebd.

ein Schreiben der Eusebianer, in denen diese gegen die Rehabilitierung des Athanasius protestieren[35], und zwar interessanterweise mit folgendem Argument: „Jedes Konzil besitzt unerschütterliche Gewalt, und die Überprüfung des Urteils durch andere bedeutet eine Verletzung der Rechte des Richters"[36]. Man kann sich nur wundern, daß die Eusebianer nicht erkannten, wie sich dieses Argument gegen sie selber umkehren ließ. Julius bzw. Athanasius sind denn auch um eine Antwort nicht verlegen: „Schaut einmal genau hin, wer die Leute sind, die die Rechte einer Synode mißachten, und wer das Urteil einer vorhergehenden Synode auflöst!" Mit letzterem ist natürlich auf Tyrus angespielt, das Nicaea aufhob: „Die Arianer, die von Alexander seligen Angedenkens, dem Bischof von Alexandrien, wegen ihrer Gottlosigkeit (aus der Kirche) geworfen worden waren, wurden nicht nur von den Bischöfen ihrer jeweiligen Stadt verurteilt, sondern sie wurden auch von deren gemeinsamer Versammlung auf der großen Synode von Nicaea mit dem Bann belegt"[37]. Nach dem Hinweis auf die Größe ihres Vergehens (sie haben gegen den Sohn Gottes selber gefrevelt) formuliert Julius seinen Vorwurf zu Ende: „Die von der ganzen Ökumene Verworfenen und in allen Kirchen öffentlich Gebrandmarkten sind, wie es heißt, nichtsdestoweniger heute wieder in die Kirche aufgenommen worden . . . Wer sind also die Leute, die die Rechte einer Synode mißachten? Sind es nicht diejenigen, die das Urteil der 300 für null und nichtig erachten und die Gottlosigkeit höher schätzen als die Gottesfurcht? Die Häresie der Arianer wurde nämlich von allen Bischöfen allerorten verurteilt und verworfen, die Bischöfe Athanasius und Marcellus dagegen haben eine Mehrzahl, die sich für sie durch Wort und Schrift einsetzt"[38]. Zur richtigen Beurteilung dieses Passus muß noch eine weitere Stellungnahme des Julius zu Nicaea hinzugezogen werden. Auf die Beschwerde der Eusebianer über die Kassation der in Tyrus ausgesprochenen Verurteilung des Athanasius antwortet Julius: „Wer seiner Sache sicher ist und, wie sie behaupten, ein Urteil gefällt hat, stößt sich nicht daran, wenn das Urteil von anderen revidiert wird, sondern er ist voller Zuversicht, daß ein gerechtes Urteil sich nicht als ungerecht herausstellen kann"[39]. Der Papst oder sein

---

[35] Die Fragmente dieses Briefes wurden von E. SCHWARTZ zusammengestellt in seinem Aufsatz „Von Konstantins Tod bis Sardika 342" in: GWG.Ph 1911, 469—522, hier 494—496 (= Ges. Schriften III, Berlin 1951, 297—300).
[36] Apol. sec. 22, OPITZ 104, 18—19: ἀσάλευτον ἔχει τὴν ἰσχὺν ἑκάστη σύνοδος, καὶ ἀτιμάζεται ὁ κρίνας ἐὰν παρ᾽ ἑτέρων ἡ κρίσις ἐξετάζεται.
[37] Apol. sec. 23, OPITZ 104, 23 ff.
[38] Apol. sec. 23, OPITZ 104, 28 ff.
[39] Apol. sec. 22, OPITZ 103, 21 ff.

Mentor, der offensichtlich Sinn für beißende Ironie besitzt, verweist für diese Praxis (ἔϑος) der Kassation ergangener Verurteilungen erstaunlicherweise gerade auf eine Bestimmung des Konzils von Nicaea: „Deswegen gestatten auch die auf der großen Synode[40] versammelten Bischöfe nicht ohne Gottes Willen, daß die Beschlüsse einer früheren Synode auf einer anderen überprüft werden. Auf diese Weise nämlich gehen die Richter, da sie das zukünftige Urteil vor Augen haben, mit aller Sorgfalt in ihrer Untersuchung vor, und die vor Gericht Stehenden haben die Gewißheit, daß das Urteil von der ersten Instanz nicht aus Feindschaft, sondern nach dem Recht gefällt wird"[41]. Um diese Praxis der Kassation ja sicher zu fundieren — und um sich nicht in einen Widerspruch zu verwickeln! —, geht Julius noch über die Fixierung dieses Rechtes in in Nicaea hinaus: „Wenn ihr nun dagegen seid, daß eine so alte Praxis, die in der großen Synode erwähnt und niedergeschrieben ist, auch bei euch Geltung habe, so ist eine solche Weigerung ganz fehl am Platz. Was nämlich einmal in der Kirche Brauch geworden ist und von großen Synoden bestätigt wurde, kann von einer Minderheit logischerweise nicht aufgehoben werden"[42]. Wir brauchen in unserem Zusammenhang nicht auf die Frage einzugehen, ob überhaupt und, wenn ja, mit welchem Recht Julius sich auf Kanon V von Nicaea bezieht, um seine Theorie von der Kassierbarkeit von Konzilsverurteilungen zu begründen[43]; uns interessiert sein grundsätzlicher Standpunkt, ganz gleich, wie er ihn begründet: Synodalbeschlüsse sind nicht schlechthin endgültig. Und in diese grundsätzliche Kassierbarkeit scheint Nicaea stillschweigend eingeschlossen! Die Pointe der Argumentation lautet nicht: Ihr habt ein unaufhebbares Urteil annulliert, sondern: Ihr beansprucht Nichtkassierbarkeit für eure kleine Synode von Tyrus und habt selbst das Urteil der großen, ökumenischen Synode von Nicaea aufgehoben. Ihr seid nicht logisch. — Mit Bezug auf Nicaea wird man den Standpunkt des Julius verdeutlichen können: Nicaea ist nicht grundsätzlich unaufhebbar, es kann jedoch nur von einer ebenso bedeutenden Synode aufgehoben werden. Durch diesen Standpunkt trägt Julius eindeutig den Interessen des Athanasius Rechnung, was im Augenblick das entscheidende Kriterium ist! Es geht um die Gültigkeit der römischen Kassation, die die grundsätzliche Kassierbarkeit von Synodalbeschlüssen voraussetzt.

---

[40] Selbstbezeichnung des Konzils. Vgl. Kanon VIII: „Die heilige und große Synode".
[41] Apol. sec. 22, Opitz 103, 23 ff.
[42] Apol. sec. 22, Opitz 103, 27.
[43] Nach Opitz 103, Anmerkung zu Z. 24, bezieht er sich unberechtigterweise auf diesen Kanon.

In ihrem Brief hatten sich die Eusebianer auf den Präzedenzfall des Novatus und des Paul von Samosata gestützt und sich darauf berufen, „daß Konzilsbeschlüsse gültig bleiben müssen"[44]. Wieder hat Julius leichtes Spiel: „Um so mehr wäre es notwendig gewesen, nicht das Urteil der 300 zu kassieren; die Rechte einer ‚katholischen' Synode hätten nicht von einer Minderheit mißachtet werden dürfen. Denn die Arianer waren Häretiker wie jene (d. h. Novatus und der Samosatener), und ihre Verurteilung war derjenigen ähnlich, die über jene erging"[45]. Hier wird deutlich: Die Ökumenizität begründet keinen absoluten Wesensunterschied, sondern nur einen relativen zu anderen Synoden. Wie könnte Julius sonst einfach Nicaea mit den Synoden von Antiochien und Rom gleichstellen?

Der Schluß des Briefes greift den uns aus der *Epistula encyclica* bekannten Vorwurf staatlicher Einmischung auf: „Geliebte, die Urteile der Kirche werden nicht mehr aufgrund des Evangeliums gefällt und enden so fortan mit Verbannung und Tod. Wenn sie (d. h. Athanasius und Marcellus) tatsächlich, wie ihr behauptet, schuldig waren, dann hätte das Urteil nach dem kirchlichen ‚κανών' und nicht in dieser Weise gefällt werden dürfen, dann hätte uns allen geschrieben werden müssen, damit so von allen bestimmt worden wäre, was Rechtens ist. Die Betroffenen waren nämlich Bischöfe und die betroffenen Kirchen keine unbedeutenden, sondern solche, denen die Apostel höchstpersönlich den Glauben gepredigt haben... So lauten nicht die Anordnungen (διατάξεις) des Paulus, so haben die Väter nicht überliefert; hier ist ein anderes Modell (τύπος), ein neuartiges Vorgehen vorhanden. Was wir nämlich vom seligen Apostel Petrus empfangen haben, das offenbaren wir euch"[46]. Wir sehen in der Forderung der Freiheit für die Synoden und in der Art ihrer Begründung eine Bestätigung unserer Annahme, daß dieser Brief des Julius weitgehend in seinen Gedanken und Argumenten von Athanasius abhängig ist.

2. Weitergeltender Urteilsspruch

De decretis Nicaenae synodi: Seit dem Reskript des Julius an die Eusebianer sind neun Jahre vergangen: Athanasius hatte am Konzil von Serdika

---

[44] Apol. sec. 25, Opitz 105, 27: τὰ τῶν συνόδων ἰσχύειν δόγματα χρή.
[45] Apol. sec. 25, Opitz 105, 27 ff.
[46] Apol. sec. 35, Opitz 112, 38—113, 13. — Daß diese Stelle nicht unbedingt im Sinne einer Betonung des römischen Primates ausgelegt werden muß, versucht Opitz 113, Anmerkung zu Z. 1 ff., zu zeigen.

(342/3) teilgenommen und dort die Verkündigung einer neuen Glaubensformel vereitelt. Am 25. Juni 345 war der Arianer Gregor von Kappadozien gestorben, und Athanasius kehrte über Antiochien, wo er mit Kaiser Konstantius zusammentraf, nach siebeneinhalbjähriger Verbannung in seine Bischofsstadt zurück. Zehn Jahre konnte er sich der Arbeit an seiner Diözese widmen. In diese Zeit fällt die Abfassung der beiden Schriften *De decretis Nicaenae synodi* und *De sententia Dionysii*. Der Titel der erstgenannten Schrift[47] gibt exakt deren Inhalt an: „In Anbetracht der Verschlagenheit der Eusebianer hat die Synode von Nicaea die Formulierungen (ὁρισθέντα) gegen die arianische Häresie auf geziemende und gottesfürchtige Weise aufgestellt."

Unser Interesse verdienen zunächst die sechs Einleitungskapitel, in denen Athanasius nach bewährter Weise versucht, vor Beginn der Sacherörterung seinen Gegner moralisch ins Unrecht zu setzen. Bei dieser Polemik tauchen Gedanken auf, die einen neuen Stand seiner Konzilsidee anzeigen. Ein erster Vorwurf lautet folgendermaßen: Wenn die Arianer ihrer Sache tatsächlich sicher sind, „dann sollen sie doch (zunächst) die Beschuldigungen widerlegen, aufgrund deren sie zu Häretikern erklärt worden sind, und danach erst das gegen sie Formulierte (ὁρισθέντα), wenn sie können, kritisieren. Keiner des Mordes oder des Ehebruchs Überführte hat nach dem Urteilsspruch die Möglichkeit, das Urteil des Richters zu kritisieren, nämlich daß er sich so und nicht anders ausgedrückt hat. Solche Kritik bringt dem Verurteilten keinen Freispruch ein, im Gegenteil, er vergrößert durch solch dreiste Voreiligkeit und Frechheit seine Schuld. Entsprechend sollen auch diese Leute entweder beweisen, daß sie gläubigen Sinnes sind ... oder, wenn ihr Gewissen befleckt ist und sie sich ihres Unglaubens bewußt sind, dann sollen sie nicht kritisieren, was sie nicht kennen ..."[48] Was geht aus dieser (rhetorischen) Aufforderung hervor? Nicaea ist für Athanasius unter einer neuen Rücksicht aktuell: Es ist nicht mehr nur Urteilsspruch (κρίσις), der aus der Kirche ausschließt — und zwar für so lange ausschließt, als die Anklage vom Verurteilten nicht widerlegt ist —, es ist auch geschriebenes, formuliertes Urteil (ὁρισθέντα), das so lange gegen den Verurteilten zu Recht geltend gemacht werden kann, als dieser keinen Umschwung seiner Gesinnung (seines Glaubens) kundgetan hat. Erst wenn dieser Umschwung eingetreten ist — was offensichtlich bei den Arianern nicht der Fall ist —, kann man über diese Formulierungen diskutieren.

---

[47] Schon von Severus von Antiochien in seinem *Liber contra impium grammaticum* bezeugt: Or. III, Pars posterior, in: CSCO, Syr. IV, 84, 4 f.
[48] De decr. Nic. syn. 2, OPITZ 2, 22—31.

Den Umstand, daß die Eusebianer ihre Unterschrift unter diese Formulierungen gegeben, später aber wieder zurückgenommen hatten, nimmt Athanasius zum Anlaß eines zweiten Vorwurfs an die Adresse seiner „jetzigen Gegner"[49], praktisch der Leute um Acacius: „Sie wählen sich wortbrüchige Leute zu ihren Führern und Lehrern und verlieren so ihre geistige Freiheit"[50]. Er schließt an diesen polemischen Vorwurf eine Forderung an, die wiederum interessantes Licht auf sein Konzilsverständnis wirft: „Entweder sollen nun auch diese (d. h. die Leute um Acacius) die Eusebianer, die ihre Meinung ständig ändern und anderes sagen, als was sie unterschrieben haben, mit dem Bann belegen, oder sie sollen, wenn sie der Ansicht sind, daß diese damals mit gutem Grund unterschrieben haben, nicht gegen eine solche Synode polemisieren. Wenn sie aber weder dies tun noch jenes lassen, dann sind offenbar auch sie Leute, die von jedem Wind und jeder Woge herumgerissen (Eph 4, 14) und nicht von ihren eigenen, sondern fremden Meinungen gezogen werden"[51]. Man sieht, worauf es Athanasius primär ankommt: Auf den Nachvollzug des Banns gegen Arius entweder dadurch, daß sie ihr Anathem über die Eusebianer aussprechen, insofern diese wortbrüchig geworden sind, oder dadurch, daß sie in positiver Würdigung von deren ursprünglicher Unterschrift nicht gegen den formulierten Urteilsspruch des Konzils polemisieren[52].

---

[49] De decr. Nic. syn. 4, Opitz 3, 30: οἱ νῦν ἀντιλέγοντες.
[50] Ebd.
[51] De decr. Nic. syn. 5, Opitz 5, 1—5. — Natürlich ist überhaupt ihr Widerspruch gegen „eine so große und ökumenische Synode" verwerflich. Vgl. De decr. Nic. syn. 4, Opitz 3, 25.
[52] In diesen wenigstens halbwegs nachvollziehbaren Gedankengang hat Athanasius einen Fremdkörper eingezwängt, den Traktat „Über die rechte Lehre" (Opitz 4, 2—21). Opitz vermutete (ebd.), daß dieser in Handschriften überlieferte Text „die Bearbeitung dieses athanasianischen Passus durch einen Späteren darstelle." M. Tetz hat in seinem Artikel „Zur Theologie des Markell von Ankyra II", in: ZKG 79 (1968) 3—42, u. E. überzeugend die Priorität dieses Traktates nachgewiesen: Athanasius verarbeitet eine „Vätertradition" pseudoklementinischer Herkunft. — Wie es auch immer mit der Herkunft dieses Traditionsstückes bestellt sein mag, gewiß ist, daß Athanasius sie reichlich ungeschickt in seine Einleitungspolemik einbaut, und — was am erstaunlichsten ist — sie kaum im Sinne seiner Argumentation auswertet. Es handelt sich offenbar um ein sekundäres Ad-hoc-Argument, d. h. um einen zusätzlichen Beweis für die moralische Unfähigkeit der Eusebianer zu wahrer Lehrerschaft. Wie wenig die „Väterlehre" in den Text und Gedankengang des Athanasius integriert ist, geht u. a. auch daraus hervor, daß Athanasius nicht näher auf den im Pauluszitat (1 Tim 3, 8) angeklungenen Gedanken der παράδοσις eingeht, aus dem sich doch ein starkes Argument gegen die Arianer hätte schmieden lassen. Er sieht offenbar keinen direkten Zusammenhang zwischen der in dieser „Vätertradition" ausgesprochenen Lehre über die Wahrheit und seinem Prinzip der apostolischen Tradition, auf das er übrigens später in dieser Schrift zu sprechen kommen wird; vgl. S. 38—39.

Im Corpus der Schrift sind von höchstem Interesse die Ausführungen des Athanasius über die Intention, die die Synodalen von Nicaea (cap. 19—21) mit ihrer „Definition" verfolgen[53]. Im Anschluß an den Nachweis (ἔλεγχος) des „ungläubigen Sinnes" der Arianer durch immanente Kritik ihrer Aussagen (cap. 6—14) und „von außen" kommende Eristik (cap. 15—18) präzisiert Athanasius folgendermaßen die eigentliche Absicht der Synodalen. Da die Eusebianer auf dem Konzil die von den Orthodoxen vorgeschlagenen, z. T. aus der Schrift stammenden Termini zur Bezeichnung des Verhältnisses des Logos zum Vater (‚ἐκ τοῦ πατρός' und ‚ὁμοῖον') in ihrem Sinne verstehen zu können glaubten, „schrieb die Synode das ὁμοούσιον ... nieder, um der Verschlagenheit der Häretiker jeden Weg abzusperren und zu zeigen, daß der Logos von den geschaffenen Dingen verschieden ist. Und nachdem sie das geschrieben hatten, fügten sie sofort hinzu: Wer aber sagt, der Sohn Gottes sei ‚aus dem Nichtseienden' oder er sei ‚geschaffen' oder ‚veränderlich' oder ein ‚Gemächte' oder ‚aus einer anderen Wesenheit', den belegt die heilige und katholische Kirche mit dem Bann. Mit diesen ihren Worten zeigt die Synode deutlich an, daß das, ἐκ τῆς οὐσίας' und das ‚ὁμοούσιον' ihre gottlosen Begriffe wie ‚Geschöpf', ‚Gemächte', ‚geschaffen', ‚veränderlich' und ‚er war nicht, bevor er geboren wurde' aus dem Wege räumen soll[54]. Es steht sicher im Widerspruch zur Synode, wer solches denkt; wer aber anders als Arius denkt, denkt notwendig wie die Synode und hat das Richtige im Sinn, wenn er sich das Verhältnis des Abglanzes zum Licht vorstellt und dieses als ein Gleichnis für die Wahrheit nimmt. Wenn sie (d. h. die jüngeren Arianer) auch die Fremdheit der Termini (ῥήματα) zum Anlaß ihres Anstoßes nehmen, dann sollen sie also den Gedanken denken, demgemäß die Synode so geschrieben hat, indem sie mit dem Bann belegen, was die Synode mit dem Bann belegt hat, und hernach die Ausdrücke kritisieren, wenn sie können. Ich für mein Teil bin sicher, daß sie, sobald sie wie das Konzil denken, bestimmt auch die Termini (ῥήματα) dieses Denkens billigen werden. Wenn sie dagegen mit dem Denken des Konzils nicht einverstanden sind, dann ist doch allen offenbar, daß sie vergebens über die Termini reden und daß sie sich nur Vorwände für ihre Gottlosigkeit ausdenken"[55]. Der Passus bedarf

---

[53] Der moderne Terminus „Definition" gibt nicht das wieder, was Athanasius mit den ὁρισθέντα meint; denn „Definition" konnotiert „Definition des Glaubens", eine dem Athanasius durchaus fremde Vorstellung. Definiert, d. h. bestimmt werden Termini, λέξεις, ῥήματα, die die Intakthaltung des Glaubens ermöglichen sollen.

[54] De decr. Nic. syn. 20, Opitz 17, 24: ἀναιρετικὰ τῶν τῆς ἀσεβείας λογαρίων εἰσίν.

[55] De decr. Nic. syn. 20, Opitz 17, 19—18, 1.

keines langen Kommentars; er spricht für sich selbst: Athanasius sieht nach wie vor als das Primäre am Konzil die Verurteilung des Arius an, die Zurückweisung der arianischen Häresie. Von dieser Verurteilung aus, konkret von den Anathematismen her, ist die Glaubensformel mit ihren „fremden" Termini zu verstehen. Auch diese Glaubensformel ist wesentlich „negativ": ἀναιρετικὰ τῶν τῆς ἀσεβείας λογαρίων. Eine direkt positive Norm für den Glauben wird nicht gegeben; der Glaube wird nicht „definiert".

Es folgt die positive Begründung der Konzilstermini durch den Nachweis ihrer Schriftgemäßheit (cap. 21—24) und ihrer „Traditionalität" (cap. 25—27). Dieser Traditionsbeweis (aus Theognost, Origines, Dionysius) wird mit dem Hinweis abgeschlossen: „Wir können also zeigen, daß solches Denken (διάνοια) von Vätern zu Vätern hindurchgeschritten ist (ἐξ πατέρων εἰς πατέρας διεβεβηκέναι τοιαύτην τὴν διάνοιαν), ihr aber, ihr modernen Juden und Jünger des Kaiphas, wen könnt ihr schon als Väter eurer Begriffe (ῥήματα) vorweisen? Jedenfalls könnt ihr keinen von den Verständigen und Weisen nennen! Alle wenden sich von euch ab außer dem Teufel allein. Denn der allein ist der Vater eines solchen Abfalles geworden; er hat euch von Anfang an diese Gottlosigkeit eingegeben und flüstert euch jetzt ein, gegen die ökumenische Synode zu polemisieren, weil sie nicht eure Begriffe niedergeschrieben hat, sondern diejenigen, welche die überliefert haben, die von Anfang an Augenzeugen und Diener des Logos waren. Der Glaube, den die Synode schriftlich bekannt hat, ist nämlich der Glaube der katholischen Kirche. Diesen zu verteidigen, haben die seligen Väter so geschrieben und die arianische Häresie verurteilt. Das ist auch der eigentliche Grund, weshalb sie (die jetzigen Arianer) versuchen, die Synode zu verleumden. Was ihnen zu schaffen macht, sind nicht die Termini (λέξεις), sondern die Tatsache, daß sie durch sie als Häretiker aufgedeckt wurden . . ."[56].

Es liegt auf der Hand, daß dieser Text wichtig ist bezüglich unseres Themas. In der Absicht, die Terminologie der Synode zu rechtfertigen, tut Athanasius einen Schritt, der in der Tat sehr weit führt und äußerst folgenschwer ist. Man muß zwar voraussetzen, daß für ihn der Glaube der Synode, soweit er ihn positiv konzipierte und nicht nur als Verurteilung des Arius vor Augen hatte, immer schon der apostolische

---

[56] De decr. Nic. syn. 27, OPITZ 24, 4—15. Die Bedeutung dieses Passus erhellt auch aus der Tatsache, daß er als eigentlicher Schluß des Traktates zu gelten hat. Vgl. OPITZ 24, Anmerkung zu Z. 16: „Die folgenden Ausführungen sind ein Anhang zur Erklärung der nicaenischen Beschlüsse, die eigentlich mit dem Väterbeweis abgeschlossen wäre."

Glaube war. Aber er hat das bisher nicht eigens gesagt oder aufgezeigt, und vor allem ist er nie so weit gegangen zu behaupten, daß die „Väter des Konzils" die Termini aus der Tradition besitzen! Das Neue, das nun vorliegt, ist die klare und eindeutige Aussage: Der auf dem Konzil bekannte Glaube, insofern er positiv formuliert ist, ist der apostolische Glaube, d. h. der Glaube der katholischen Kirche. Damit wird vom Symbol von Nicaea das Höchste gesagt, was gesagt werden kann. Dem Glauben des Konzils und damit auch seinen „Formeln" — und das ist das eigentlich Folgenschwere dieser Behauptung — werden die Dignität und Autorität der ‚παράδοσις‘, der göttlichen Überlieferung, zuerkannt. Wir wollen diesen Gedanken hier nicht weiter entfalten und auf seine Implikationen hin untersuchen, da wir den Verdacht nicht loswerden, daß diese Idee hier zunächst noch als polemische Pointe gegen die Arianer vorgetragen wird, also noch nicht mit letztem Ernst von Athanasius gemeint ist. Denn diese neue Auffassung vom Konzil ist doch nur wenig im Verlauf der Schrift vorbereitet und vor allem in den Einleitungskapiteln nicht angeklungen, obwohl dort Anlaß dazu gewesen wäre. So mag es zunächst dabei bleiben, daß Athanasius hier im Feuer der Polemik einen Gedanken ausspricht, der später die tragende Idee seines Konzilsverständnisses sein wird.

Zu beachten ist, daß in dieser Schrift die Synodalen von Nicaea zum erstenmal als „Väter"[57], als „selige Väter"[58] von Athanasius bezeichnet werden. Die Wahl dieses Terminus dürfte symptomatisch sein für die erste schriftliche Fixierung seiner eigentlichen Konzilsidee: Da die Synodalen von Nicaea in einem eminenten Sinn Tradenten und Organe der göttlichen ‚παράδοσις‘, d. h. der von den „Vätern zu Vätern" tradierten ‚διδασκαλία‘, sind, werden sie selber mit diesem Titel bezeichnet, der sicher der höchste ist, den Athanasius zu vergeben hat. Und je klarer sich Athanasius dieser Tatsache bewußt ist, daß der nicaenische Glaube in seiner positiven Formulierung die göttliche ‚παράδοσις‘ ist, desto ausschließlicher werden die Synodalen mit diesem Titel bezeichnet[59].

---

[57] De decr. Nic. syn. 19 u. 22, OPITZ 16, 4 und 19, 1.

[58] De decr. Nic. syn. 27, OPITZ 24, 12.

[59] Zur exakten Bestimmung des Väterbegriffs des Athanasius ist es notwendig, diesen in seiner Korrespondenz zum Begriff der παράδοσις zu sehen. „Väter" (wesentlich in der Mehrzahl) ist somit zunächst 1) *terminus technicus* zur Bezeichnung derer, die „tradieren", besser: die tradiert haben: a) in einem *weiteren* Sinn = die „Alten", d. h. die Glaubenszeugen früherer und frühester christlicher Generationen (Brief an Dracontius, PG 25, 4, 528 B); b) in einem *speziellen* Sinn = die Synodalen von Nicaea als Inbegriff der Tradition (De decr. Nic. syn. 19, OPITZ 16, 4); c) in einem *engen* Sinn = die Amtsvorgänger der Bischöfe im Sinne der successio apostolica der jeweiligen Bischofssitze (De synodis 13, OPITZ 240, 25); in einem abgeschwächten Sinn kommt „Vater" (auch in der Einzahl) 2) als *Ehrentitel* vor

In das Jahrzehnt zwischen 346 und 356[60] fällt die Schrift *Apologia contra Arianos*, im wesentlichen eine Zusammenstellung von amtlichen Dokumenten, von denen wir zwei, das Synodalschreiben der alexandrinischen Synode von 338 und den Brief des Julius (341), schon ausgewertet haben. Wie der Titel besagt, handelt es sich um eine persönliche Verteidigungsschrift. Es gilt, durch Dokumente die Behauptung zu erhärten: „Unsere Sache bedarf keines Urteils mehr; denn es ist ein Urteil gesprochen worden, und das nicht nur einmal oder zweimal, sondern zu wiederholten Malen"[61]: in Alexandrien, Rom und Serdika (das als „große Synode" bezeichnet wird). Der Aspekt, unter dem Athanasius diese Konzilien erwähnt, ist ausschließlich sein eigener Freispruch und die Verurteilung der Arianer: „Dem Urteil zu unseren Gunsten stimmten (in Serdika) mehr als 300 Bischöfe zu . . ."[62]. Eine Revision dieses Urteils „so vieler und so bedeutender Bischöfe" ist überflüssig (περιττός). Sonst wäre nämlich ein processus in infinitum zu befürchten[63].

3. Vollausreichende Bekenntnisformel

Die *Epistula encyclica ad episcopos Aegypti et Libyae contra Arianos*[64] stammt aus der Zeit des dritten Exils des Athanasius, das am 9. Februar 356 begann. Der Brief warnt in beschwörenden Worten vor den vielgestaltigen Ränken der Arianer, ihrem Mißbrauch der Schriftworte (cap. 4) und ihren Versuchen, Unterschriften für ihre eigene Glaubensformel zu

---

zur Bezeichnung auch lebender Bischöfe und sonstiger geistlicher Lehrer (z. B. Antonius) im Hinblick auf ihre katechetischen oder geistlichen Funktionen (Historia Arianorum 46, Opitz 210, 2). — Die Bezeichnung der Synodalen als solcher mit dem Namen „Väter" läßt sich für Athanasius nicht nachweisen. Dies muß gegen G. Müller gesagt werden, der in seinem Lexicon Athanasianum eine eigene Kategorie von „Vätern" aufstellt (episcopi in synodis congregati = „Konzilsväter") und auch sonst eine Reihe von Stellen falsch einordnet. „Vater" im technischen, qualifizierten Sinne des Wortes wird ein Bischof nicht durch Teilnahme an einem Konzil, sondern nur aufgrund der Qualität des Konzils. Es gibt zwar die „Väter" des Konzils von Nicaea, aber keine „Konzilsväter" im heutigen Sinne des Wortes. Der Sprachgebrauch des Athanasius ist nicht von ungefähr.

[60] Vgl. Camelot, Athanasios 978: „Die Kapitel 89/90 sind ein Anhang aus dem Jahre 357"; anders Opitz 87, Anmerkungen, der die Abhandlung für einheitlich ansieht und deswegen für die Gesamtschrift als Datum 357 ansetzt. Über Zweck, Umstände der Abfassung, Aufbau und historische Glaubwürdigkeit vgl. Orlandi 49—71.

[61] Apol. sec. 1, Opitz 87, 9.

[62] Apol. sec. 1, Opitz 87, 16.

[63] Apol. sec. 1, Opitz 88, 8: „Wenn jetzt wieder untersucht würde, würde von neuem ein Urteil gesprochen und wieder untersucht, und so würde in infinitum (εἰς ἀπέραντον) unnötiger Aufwand getrieben."

[64] PG 25, 537—594.

erpressen, „um das nicaenische Konzil zu unterschlagen" (ἐπικρύπτειν)[65].
Hier taucht zum erstenmal — in indirekter Form — die später wie eine
Parole ständig wiederkehrende Wendung auf: Der Glaube von Nicaea
genügt. Keine weiteren Glaubensformeln mehr![66] Kennzeichen der
Heterodoxie ist fortan die Aufstellung neuer Glaubensformeln: „Wer
sich herausnimmt, richtige Formulierungen (ὁρισθέντα) zu diffamieren
(διαβάλλειν), und versucht, davon Abweichendes zu schreiben, verrät
die Väter und unterstützt die Häresie, gegen die jene aufgestanden sind
und die sie verurteilt haben"[67]. Athanasius unterscheidet hier nicht mehr
zwischen ‚διάνοια' und ‚ῥήματα'. Alle Nuancen fallen weg. Die ‚πίστις'
von Nicaea ist Inbegriff der Rechtgläubigkeit! Ihre Verfasser sind die
„Väter" schlechthin, weil ihr Glaube Inbegriff der apostolischen ‚παράδοσις' ist. Die Zeit der Erklärungen und Unterscheidungen *(De decretis
Nicaenae synodi)* ist, für den Augenblick wenigstens, vorbei. Athanasius
sieht in der Formel die wirksame Waffe, die er braucht im neuen Gang
der Auseinandersetzung.
Der Propagierung dieser neuen Deutung von Nicaea dient die im folgenden mit beißender Ironie vorgetragene Polemik gegen die arianischen
Konzilien: Sie widerrufen ständig die Glaubensformeln, die durch die
vorhergehenden Synoden aufgestellt worden waren[68]. Darin wirkt sich
die Ignorierung bzw. Ablehnung des in Nicaea ergangenen Urteils aus:
„Solange sie sich nämlich (nur) vor sich selbst verteidigen, sind sie stets
ihre eigenen Ankläger, und dies mit Recht; denn sie rechtfertigen sich
nicht vor denen, die sie überführen, sondern überreden (nur) sich selbst
so, wie ihnen beliebt"[69]. Und wieder zieht Athanasius den Vergleich mit
dem weltlichen Gericht, den wir schon kennen: „Wo gibt es denn so
etwas wie den Freispruch von der Schuld dadurch, daß der Schuldige
selber sein eigener Richter ist?"[70]
Dem gleichen Ziel einer Aufwertung der Glaubensformel von Nicaea
dient der Vergleich von Nicaea mit den Arianerkonzilien als Kirchenversammlungen: Das Nicaenum ist in verschiedener Hinsicht gerade auch als *Synode* — nicht nur hinsichtlich seiner Glaubensformel —
überlegen: „Zahlenmäßig eine Minderheit, wollen sie ihren Beschlüssen

---

[65] Ep. Aegyp. 5, PG 25, 549 A.
[66] Ep. Aegyp. 5, PG 25, 549 AB: „Wenn sie den rechten Glauben hätten, wären sie mit der
in Nicaea von der ganzen ökumenischen Synode aufgestellten Glaubensformel (πίστις) zufrieden."
[67] Ep. Aegyp. 5, PG 25, 549 B.
[68] Ep. Aegyp. 6, PG 25, 549 C—552 A.
[69] Ep. Aegyp. 6, PG 25, 552 A.
[70] Ep. Aegyp. 6, PG 25, 552 B.

Geltung über die der Gesamtheit (οἱ πάντες) verleihen"[71]. „Ihre hastig einberufenen, höchst verdächtigen Konventikel[72] sollen nach ihrem Willen Geltung haben und gewaltsam die Synode auflösen und außer Kraft setzen, die ökumenisch, frei von Verdacht und Befleckung gewesen ist. Menschen, die wegen ihrer Konspiration mit der christusfeindlichen Häresie von den Eusebianern eingesetzt worden sind, maßen sich an, den Glauben zu ‚definieren' (ὁρίζειν); Leute, die selber als Angeklagte verurteilt werden müssen, versuchen, wie die Umgebung des Kaiphas, zu Gericht zu sitzen"[73]. Man sieht, Athanasius kontrastiert im Zuge seiner Polemik Nicaea mit den Arianerkonzilien unter dreifacher Rücksicht: hier Universalität — dort Minorität, hier Freiheit — dort Manipulation[74], hier Legitimität — dort Illegitimität der Synodalen. Es ist jedoch zu beachten: Er leitet aus diesen Eigenschaften von Nicaea nicht dessen absoluten Anspruch auf Wahrheit ab; es handelt sich lediglich um eine relative Überlegenheit gegenüber den anderen Konzilien.

Wie sehr mittlerweile die Glaubensformel von Nicaea für Athanasius Inbegriff des apostolischen Glaubens selber geworden ist, zeigt cap. 21 derselben Kampfschrift[75]. Athanasius ruft seine Adressaten mit beschwörenden Worten, unter paraphrasierender Verwendung von Hebr 11, zur Glaubenstreue auf. Zu den Glaubenszeugen, deren Beispiel es zu folgen gilt, gehören neben den von Paulus genannten auch „Alexander seligen Andenkens, der bis zum Tod gegen die Häresie gekämpft hat"[76]: „deswegen ermahne ich euch, die von den Vätern verfaßte Glaubensformel mit beiden Händen festzuhalten und sie mit aller Hochherzigkeit und Zuversicht im Herrn zu verteidigen. Werdet der Ökumene ein Vorbild. Zeigt, daß es jetzt zu kämpfen gilt gegen die Häresie für die Wahrheit ... Es handelt sich um den alles entscheidenden Kampf (ὁ περὶ παντὸς ἀγών), in dem es darum geht, den Glauben zu verleugnen oder zu bewahren. Laßt uns deswegen in aller Entschiedenheit den Vorsatz fassen, das Empfangene zu bewahren; die in Nicaea verfaßte Glaubens-

---

[71] Ep. Aegyp. 7, PG 25, 552 C.
[72] Ebd.
[73] Ep. Aegyp. 7, PG 25, 552 C—553 A.
[74] Diese Freiheit von Nicaea wird Ep. Aegyp. 13, PG 25, 568 A nochmals besonders betont: „Die nicaenischen Synodalen, die alle von überall her zusammengekommen waren, hielten sich bei diesen Worten (der Arianer) die Ohren zu und verurteilten deswegen alle einstimmig diese Häresie und sprachen den Bann über sie aus, indem sie sagten, daß diese dem Glauben der Kirche nicht verwandt und ihm fremd sei. Kein Zwang aber nötigte sie, so zu urteilen, sondern alle haben in voller Freiheit (προαίρεσις) der Wahrheit zu ihrem Recht verholfen."
[75] Ep. Aegyp. 21, PG 25, 588 A—C.
[76] Ep. Aegyp. 21, PG 25, 588 B.

formel (πίστις) haben wir dabei zur ‚Erinnerung' (ὑπόμνησις)"[77]. Selbst wenn man in Anbetracht des genus litterarium einer Kampfschrift die Unbedingtheit dieser Identifizierung von ‚παράδοσις' und nicaenischer Formel noch glaubt einschränken zu müssen, es kann kein Zweifel sein: Nicaea ist für Athanasius in seiner positiven Formulierung Inbegriff seines persönlichen Christusglaubens geworden.

Die *Historia Arianorum ad Monachos*, ebenfalls wie die vorausgehende Schrift in der Verbannung geschrieben — etwa im Jahre 358 —, will über die Ereignisse der Jahre 335—357 berichten, stellt aber im Grunde eine leidenschaftliche Attacke gegen die Arianer und ihren kaiserlichen Protektor Konstantius dar. Für unser Thema ist von Interesse zunächst cap. 36[78], der Dialog zwischen dem „Bischof" „*Liberius*" und dem Eunuchen *Eusebius*, dem praepositus sacri cubiculi, der im Auftrag seines kaiserlichen Herrn die Verurteilung des Athanasius verlangt. Man wird kaum fehlgehen mit der Annahme, daß es sich bei der Wiedergabe dieses Dialogs[79] um eine freie Nachempfindung des Athanasius handelt. Die beiden Partner des Dialogs sind offensichtlich stilisiert; sie verkörpern jeweils eine Idee: die Staatsallmacht und die Kirchenfreiheit, die ihren Grund in der Respektierung der ‚παράδοσις' hat. Auf die Forderung des Eusebius soll der „Bischof" geantwortet haben: „... den Mann, den nicht nur eine, sondern auch noch eine zweite von überall her versammelte Synode gerechtfertigt hat, und den die römische Kirche in Frieden hat ziehen lassen, wie können wir den verurteilen? Wer wird uns zustimmen, wenn wir den Mann in seiner Abwesenheit von uns stoßen, den wir als Anwesenden geliebt und mit dem wir Gemeinschaft gehabt haben? So lautet nicht der ‚κανών' der Kirche, und niemals haben wir solche ‚παράδοσις' von den Vätern erhalten, die sie ihrerseits vom seligen und großen Apostel Petrus erhalten haben. Indes, wenn dem Kaiser der Kirchenfriede wirklich am Herzen liegt, wenn er befiehlt, daß unser Urteil (τὰ γραφέντα) über Athanasius kassiert werde, dann sollen auch von jenen die gegen ihn gefällten Urteile kassiert werden; alle Verurteilungen sollen aufgehoben werden, und es soll ein Konzil fern vom Kaiserpalast stattfinden, auf dem der Kaiser nicht anwesend ist, kein kaiserlicher Kommissar dabei ist, kein Richter Drohungen ausspricht, sondern einzig die Gottesfurcht und die Verordnung der Apostel besteht, damit auf diese Weise vor allem der Glaube der Kirche, wie die

---

[77] Ep. Aegyp. 21, 588 C.
[78] Hist. Arian. 36, OPITZ 203, 9 ff.
[79] Er wird nur von Athanasius bezeugt (vgl. OPITZ 203, Anmerkung zu Z. 3).

Väter auf der nicaenischen Synode bestimmt haben, gerettet und die Arianer verworfen und ihre Häresie mit dem Bann belegt werde"[80].

Dem entschiedenen Plädoyer für die Kirchenfreiheit, das uns deutlich an schon Gehörtes erinnert, folgt eine grundsätzliche Erklärung über die Reihenfolge der auf einem Konzil zu behandelnden Gegenstände: „Nachdem ein Urteil gesprochen ist in den Dingen, die Athanasius und den Seinen und ihnen (d. h. den Arianern) vorgeworfen werden, sollen die Schuldigen hinausgeworfen werden und die Unschuldigen Redefreiheit (παρρησία) haben.| Denn man darf zu einer Synode die Glaubensfrevler nicht hinzuziehen, und es ist auch nicht angebracht, vor der Diskussion (ἐξέτασις) über den Glauben eine Diskussion über praktische Fragen (πρᾶγμα) anzusetzen. Denn zunächst muß jede Zwietracht (διαφωνία) über den Glauben beseitigt werden; dann kann man die Untersuchung der praktischen Fragen durchführen"[81]. Liberius beruft sich für diese Reihenfolge der Konzilsgegenstände auf das Beispiel Jesu, „der nicht eher die Kranken heilte, als bis sie kundmachten und sagten, was für einen Glauben an ihn sie hatten". Mit der Bemerkung: „Dies haben wir von den Vätern erlernt, dies melde dem Kaiser, denn dies nützt auch ihm und baut die Kirche auf", und einer Warnung vor den Arianerbischöfen Valens und Ursacius schließt die Rede des Papstes.

Das Eintreten des Athanasius für freie, nicht vom Staat manipulierte Konzilien wird auch in dieser Streitschrift deutlich: „Sicherlich ist es entschieden unrühmlich, daß manche Bischöfe ihre Meinung ändern; schändlicher und ein Zeichen dafür, daß die Leute ihrer Sache nicht sicher sind, ist es jedoch, Gewalt anzuwenden und andere wider ihren Willen zu zwingen"[82]. So geht der Teufel vor; „der Heiland dagegen ist so mild, daß er lehrte: ,Wenn einer mir folgen will' (Mt 16, 24) und ,Wer mein Jünger sein will', und daß er keinen Zwang ausübt, wenn er zu jedem einzelnen kommt, sondern vielmehr klopft und sagt: ,Öffne mir, meine Schwester, meine Braut!' (Hld 5, 2.) Und wer öffnet, bei dem geht er ein; wer zögert und nicht will, bei dem geht er vorbei. Denn nicht mit Schwertern und Geschossen und auch nicht mit Soldaten wird die Wahrheit verkündet, sondern durch Überzeugen und Belehren. Wie kann aber von Überzeugen die Rede sein, wo die Furcht vor dem Kaiser herrscht, und wie von wirklicher Beratung, wo auf den Widersprechen-

---

[80] Hist. Arian. 36, Opitz 203, 10—22; vgl. Hist. Arian. 11, Opitz 188, 32 ff.: „... ein kirchliches Gericht, bei dem kein kaiserlicher Kommissar dabei ist, keine Soldaten vor den Türen stehen, nicht mit einer kaiserlichen Anordnung (πρόσταγμα) die Konzilsverhandlungen zu Ende gebracht werden ..."
[81] Hist. Arian. 36, Opitz 203, 22 ff.
[82] Hist. Arian. 33, Opitz 201, 13 f.

den Verbannung und Tod wartet?"[83]. Cap. 52[84] kommt wiederum auf die
innere Widersprüchlichkeit „kaiserlicher" Konzilien zu sprechen und
plädiert anschließend für die Freiheit der Synoden: „Wann hat man so
etwas schon einmal je gehört? Wann bekam ein Urteil der Kirche durch
den Kaiser seine Gültigkeit (κῦρος) oder wurde es überhaupt von diesem
zur Kenntnis genommen? Viele Synoden haben vor dieser stattgefunden, viele kirchliche Urteile wurden schon gefällt, doch die Väter
haben dazu niemals den Kaiser überredet, noch hat sich je ein Kaiser in
die Angelegenheiten der Kirche eingemischt. Der Apostel Paulus hatte
Freunde am Kaiserhofe, und er richtete in seinem Brief an die Philipper
Grüße von diesen aus, aber er fällte seine Urteile ohne deren Beihilfe"[85].
Man darf nicht vergessen, daß Bekenntnisse dieser Art Athanasius durch
die Not der Verfolgung abgepreßt werden. Solange die nicaenische
Partei die Oberhand und das Ohr des Kaisers hatte, werden solche Töne
nicht laut. Und doch: Ist das Bekenntnis weniger ernst gemeint, weil es
auf Erfahrung und nicht bloß auf Theorie gründet? Was Athanasius zum
Anlaß wurde, freie Konzilien zu fordern, war gewiß weniger eine Reflexion über die Menschenwürde oder das Wesen der Religion, wie er
selber anzudeuten scheint, als vielmehr die klare Erkenntnis, daß der
Arianismus durch Staatsmacht die Oberhand gewonnen hatte: διὰ τῆς
ἔξωθεν ἐξουσίας[86].

Die Schrift *De synodis Arimini in Italia et Seleuciae in Isauria celebratis* wurde
im Herbst 359 von Athanasius verfaßt, nachdem er Kunde von der
ersten Periode der beiden Konzilien hatte. Von direktem Interesse für
unser Thema sind die ersten 32 Kapitel[87]. In ihnen verficht Athanasius
folgende These: „Die Unzahl der Synoden und der Unterschied der
Bekenntnisformeln beweist, daß die jeweiligen Synodalen zwar gegen die
nicaenische Synode ankämpfen, aber machtlos sind gegen die Wahrheit"[88]. Zum Erweis dieser These von der faktischen Überlegenheit

---

[83] Ebd. OPITZ 201, 13—22.
[84] Hist. Arian. 52, OPITZ 213, 5 ff.: „Wenn das Urteil Sache der Bischöfe ist, was hat damit
dann der Kaiser gemeinsam? Wenn es aber (nur) eine Drohung des Kaisers ist, wieso braucht
man dazu sogenannte Bischöfe?"
[85] Hist. Arian. 52, OPITZ 213, 11 ff.
[86] Hist. Arian. 67, OPITZ 219, 39—220, 3: „Ein Charakteristikum (ἴδιον) der Frömmigkeit
ist es nämlich, nicht mit Gewalt vorzugehen, sondern zu überzeugen, wie schon gesagt.
Denn auch der Herr ging nicht mit Gewalt vor, sondern es der freien Entscheidung über-
lassend, sagte er allen: ‚Wenn jemand mir nachfolgen will'; den Jüngern aber: ‚Wollt denn
auch ihr gehen?' (Joh 6, 67)." — Vgl. Hist. Arian. 66, OPITZ 219, 21.
[87] Die Kapitel 33—40 attackieren in scharfem Ton die Acacianer, die Kapitel 41—47 werben
um das Verständnis der Basilianer für das ὁμοιούσιος; die restlichen Kapitel 48—54
rechtfertigen das Stichwort der Nicaener, das ὁμοούσιος.
[88] De syn. 32, OPITZ 260, 25 f.

Nicaeas führt Athanasius u. a. einen Tatsachenbeweis: Er zitiert elf Glaubensformeln der Arianer samt anderen Dokumenten dieser Art. Er ist sich der publizistischen Wirkung solcher ‚demonstratio ad oculos' gewiß (cap. 15—31). Diesem Tatsachenbeweis geht eine Reihe teils polemischer, teils theologisch-sachlicher Überlegungen voraus, die auf die Konzilsidee des Athanasius bezeichnendes Licht werfen. Zur Polemik gehört beispielsweise die Verwunderung (θαυμάζω) über die Zweiteilung der als „katholisch" angekündigten Synode und die Kritik an den ständigen Konzilsreisen der sogenannten Kleriker[89]. Diesen nutzlosen Konzilsveranstaltungen stellt Athanasius in mehr sachlich-theologischer Erörterung das Konzil von Nicaea gegenüber: „Die nicaenische Synode fand nicht ohne Grund (ἁπλῶς) statt, sondern sie hatte einen zwingenden Anlaß und eine vernünftige Ursache"[90]. Die nicaenischen Synodalen haben auch eine Glaubensformel aufgestellt, aber sie versahen sie nicht mit ‚Konsulat, Monat und Tag'. Sie unterschieden auch exakt in ihrer Formulierung zwischen Disziplinarfragen und Glaubensfragen. Ihre richtige Formulierung ergibt sich aus ihrem Bewußtsein vom apostolischen Ursprung des Glaubens[91].

---

[89] De syn. 2, Opitz 232, 10 ff.: „Was drängte eigentlich dazu, daß die Ökumene in Unruhe versetzt wird und die sogenannten Kleriker in unserer Zeit hin und her laufen und suchen, wie sie lernen könnten, an unseren Herrn Jesus Christus zu glauben? Wenn sie nämlich den Glauben hätten, dann würden sie ihn nicht suchen wie Leute, die ihn nicht haben. Solches ist für Katechumenen kein geringer Anstoß, den Heiden aber ist es Anlaß nicht zu einem gewöhnlichen, sondern zu einem gewaltigen Gelächter, wenn die Christen jetzt auf einmal wie vom Schlaf aufstehen und suchen, wie über Christus zu glauben ist." — Zur Polemik gehört auch der beißende Spott über das sogenannte „datierte Credo" (De syn. 3, Opitz 232, 23 ff.).

[90] De syn. 5, Opitz 233, 32: „Die Syrer, Cilikier und Mesopotamier hinkten nämlich, was das (Oster-)Fest angeht, hinterher und feierten das Pascha mit den Juden, und die arianische Häresie hatte sich gegen die katholische Kirche erhoben ... Und das war ein Grund, eine ökumenische Synode zu versammeln, damit überall derselbe Festtag gehalten werde und die rundum aufwachsende Häresie mit dem Bann belegt werde. Sie fand also statt, die Syrer gaben nach, und man verurteilte die arianische Häresie als Vorläuferin des Antichrists, und was gegen sie geschrieben wurde, ist richtig veröffentlicht (herausgegeben)." — Die „richtige Veröffentlichung" ist ein Seitenhieb gegen das sogenannte „datierte Credo" der Arianer, die ihr Credo mit einem Datum versehen hatten, was Athanasius in seiner Polemik zum Anlaß genommen hatte, über ihre Glaubensformel zu spotten: „Wenn nach ihnen der Glaube mit dem jetzigen Konsulat beginnt, was werden die Väter machen und die seligen Märtyrer, was werden sie auch selber tun mit den von ihnen im Glauben Unterrichteten, die vor dem Konsulat gestorben sind, wie werden sie (sie) zum Leben wiedererwecken, um zu widerrufen, was sie diesen Leuten gelehrt zu haben meinten, und ihnen beizubringen, was sie jetzt (neu) gefunden und aufgeschrieben haben?" (De syn. 4, Opitz 233, 26 ff.).

[91] De syn. 5, Opitz 234, 9—13: „Was das Osterfest angeht, schrieben sie: ‚Folgendes wurde beschlossen', denn man beschloß damals, daß alle Folge leisten sollten; den Glauben betreffend haben sie aber nicht geschrieben: ‚Es wurde beschlossen', sondern: ‚So glaubt die katholische Kirche', und sogleich bekennen sie, wie sie glauben, um zu zeigen, daß ihr

In diesen Ausführungen des Athanasius sind zwei Ebenen zu unterscheiden. Seine Aussage, daß die Synodalen von Nicaea schreiben, „was die Apostel überliefert haben", bezeichnet den Grund, warum Nicaea Norm absoluter Art ist. Die Aussage gibt den Grund an, warum die nicaenische Bekenntnisformel religiöse Autorität ist: Nicaea ist inhaltlich der apostolische Glaube, das schriftlich fixierte Kerygma.

Von grundsätzlich verschiedener Art ist die andere Aussage[92], nämlich daß Nicaea in Gegensatz zu den folgenden Synoden einen ‚αἴτιος εὔλογος' gehabt habe. Sie gehört in eine Reihe mit anderen Aussagen dieser Art, die wir schon früher kennengelernt haben: Es handelt sich um Kriterien, an denen abzulesen ist, daß Nicaea *als Synode* (abgesehen von seiner Formel) anderen Synoden überlegen ist; mehr noch: aus denen sich ergibt, daß Nicaea allein als legitim betrachtet werden darf. Es handelt sich dabei um die ersten Elemente einer Art „Synodalrecht". Zu den Bedingungen der Legitimität und des Gewichtes einer Synode gehören die Nicht-Manipulation durch den Staat, somit die Freiheit des Konzils, in gewisser Weise die Zahl seiner Synodalen, die Legitimität der Synodalen (keine Teilnahme von abgesetzten Bischöfen), das Vorhandensein einer wichtigen Ursache oder eines Anlasses zur Einberufung des Konzils. Wichtig ist festzuhalten: Athanasius behauptet keinen kausalen Zusammenhang zwischen der Legitimität (auch nicht der Ökumenizität) der Synode von Nicaea und dem absoluten Anspruch seiner Glaubensformel. Nicaea lehrt den Glauben der Apostel de facto, nicht de iure! Die Vorstellung einer irgendwie ‚automatischen' Unfehlbarkeit aufgrund der Erfüllung bestimmter Bedingungen ist Athanasius fremd.

Die aufgestellten Kriterien dienen lediglich dazu, den Anspruch der anderen Synoden zu verneinen. Es sind in diesem Sinne relative Kriterien: Sie beweisen die ‚αὐτάρκεια' von Nicaea, d. h. die *Tatsache*, daß es nur *eine* wirkliche Synode gegeben hat in den Jahren zwischen 325 und 373, eine, die allen anderen überlegen ist und die Anspruch darauf erheben kann, als Synode der „katholischen Kirche" als solcher zu gelten. Damit ist in der Vorstellung des Athanasius noch nicht gegeben, daß die Synode der katholischen Kirche notwendig, gleichsam de iure, die Lehre der Apostel verkündet.

Athanasius bestreitet also für alle nachnicaenischen Synoden den ‚αἴτιος εὔλογος'. Ein solcher vernünftiger Grund kann nur eine neue Häresie

---

Glaube (φρόνημα) nicht neuerer Art ist, sondern apostolisch und daß, was sie aufgeschrieben haben, nicht von ihnen erfunden wurde, sondern das ist, was die Apostel gelehrt haben."
[92] De syn. 5, OPITZ 233, 32 ff.

nach der arianischen sein. Wenn man meint, daß es eine solche gibt, dann soll man doch deren Kennworte (ῥήματα) und ihre Erfinder nennen! Entscheidend für die Legitimität eines solchen neuen Konzils wäre aber dann der Bannfluch über die Häresien vor dieser neuen Synode, zu welchen auch die arianische gehört. So ist nämlich auch Nicaea vorgegangen. Nur das Aufkommen einer *neuen* Häresie rechtfertigt also das ‚καινότερα λέγειν‘ eines neuen Konzils. Tatsächlich aber läßt sich keine neue Häresie benennen, und es gilt folglich: Zur Zeit sind keine neuen Synoden nötig, denn die in Nicaea gegen die arianische und die anderen Häresien stattgehabte genügt; sie hat alle Häresien durch den „gesunden Glauben" verurteilt[93].

Im folgenden präzisiert Athanasius seine Vorstellungen über die Priorität der „Glaubensquellen" und über das Verhältnis von Synoden und Heiliger Schrift: „Am allerwichtigsten (ἱκανός) ist die Heilige Schrift; wenn aber darüber hinaus eine Synode notwendig ist, so gibt es die Dokumente der Väter (τὰ τῶν πατέρων). Denn auch die nicaenischen Synodalen haben sich wohl daran (d. h. an diese Regel) gehalten und so richtig formuliert, daß, wer ihre Formeln unvoreingenommen (γνησίως) liest, durch sie an den in den göttlichen Schriften verkündeten Glauben (εὐσέβεια) an Christus erinnert werden *kann*"[94]. Mitten im Feuer der Polemik ist hier dem Athanasius eine überaus glückliche Formulierung gelungen. Das Stichwort für die „Funktion" eines Konzils ist das „Erinnern" (ὑπομιμνήσκειν) des in der Heiligen Schrift verkündeten Glaubens an Christus. Der Terminus bestätigt seinerseits, daß die tragende Vorstellung der Konzilsidee des Athanasius die ‚παράδοσις‘ ist: Wenn das Konzil theologisch verstanden wird als Paradosis im aktiven und passiven Sinne des Wortes, dann wird der formale Akt dieses Vollzugs adäquat durch „Erinnern" umschrieben.

Im Vorgehen der in Rimini versammelten Bischöfe sieht Athanasius offensichtlich eine Bestätigung oder einen Reflex seiner Konzilsidee[95].

---

[93] De syn. 6, Opitz 234, 14—22.

[94] De syn. 6, Opitz 234, 26.

[95] Von besonderem Interesse ist in diesem Zusammenhang der Synodalbrief der Synode von Rimini (Opitz 237, 1—238, 32; im lateinischen, stark abweichenden Original vgl. CSEL 65, 96) vom 21. Juli 359. Es handelt sich um eine analoge Begründung des Festhaltens an Nicaea durch die Berufung auf die Apostolizität bzw. auf den Grundsatz, die ‚instituta vetera‘ zu bewahren: ... *placuit quidem ut fidem ab antiquitate perseverantem, quam per prophetas, evangelia et apostolos, per ipsum Deum et Dominum nostrum Iesum Christum ... quam semper obtinuimus, teneamus. Nefas enim duximus sanctorum aliquid mutilare, et eorum qui in Nicaeno tractatu consederant ... Qui tractatus manifestatus est, et insinuatus mentibus populorum, et contra haeresim Arianam tunc positus invenitur, unde haereses inde sint expugnatae ... Et ne ecclesiae frequenter perturbentur, placuit instituta vetera rationabilia servari.*

Wie die Arianer mit bitteren Vorwürfen, so werden sie hingegen mit Lob überschüttet. Ihre Haltung wird außerdem durch ein neues Prinzip begründet: „Wer billigt nicht das vorsichtige Vorgehen (εὐλάβεια) der in der Synode zu Rimini versammelten Bischöfe? Sie nahmen die Mühe des Weges und die Gefahren des Meeres auf sich, um die Arianer abzusetzen und die Bestimmungen (ὅροι) der Väter unverfälscht zu bewahren, nachdem sie fromm und den ‚κάνονες‘ gemäß zu Rate gegangen waren. Jeder von ihnen war nämlich der Ansicht, sie würden, wenn sie die Bestimmungen ihrer Vorgänger auflösten, ihren Nachfolgern einen Vorwand geben, ihre eigenen Bestimmungen zu kassieren"[96]. Am Verhalten der Eusebianer wird der direkte Gegensatz zur rechten Konzilsidee deutlich: Diese „geben leichtsinnig die Ehre ihrer Väter preis zugunsten ihres Einsatzes und ihrer Vorliebe für die Arianer"[97].

Sodann versucht Athanasius, aus seiner Konzilsidee und dem ihr entsprechenden Axiom (Zustimmung zu den Bestimmungen der „Väter" als unabdingbare Voraussetzung für die dauernde Gültigkeit der eigenen Beschlüsse) *praktische* Konsequenzen, auch solche kirchenrechtlicher Art, zu ziehen: Acacius und Eudoxius haben keinen Grund mehr, ihre Amtsvorgänger „Väter" zu nennen[98], denn sie teilen ja nicht mehr deren Glauben (γνώμη)[99]. Insbesondere vom Amtsvorgänger des Acacius, Eusebius von Caesarea gilt ja, daß er die nicaenische Formel unterschrieben hat. Wie kann sich Acacius als dessen ‚διάδοχος‘ bezeichnen?[100]: „Wie können sie selber noch Bischöfe sein, wenn sie, wie sie verleumderisch behaupten, von Häretikern eingesetzt worden sind?"[101] Athanasius parodiert mit beißender Ironie, wie 1 Kor 11, 2 durch Acacius und die Seinen verkündet wird: „Wir loben euch nicht, wenn ihr der Väter eingedenk seid, im Gegenteil wir billigen euch vielmehr, wenn ihr deren Überlieferung (παράδοσις) nicht festhaltet!"[102] Die anschließende Sammlung der arianischen Bekenntnisformeln soll beweisen, daß die Gespaltenheit der

---

[96] De syn. 13, Opitz 240, 17—22.

[97] De syn. 13, Opitz 240, 24 f.

[98] Ein deutliches Beispiel für den technischen, engeren Sinn des Väterbegriffs: „Väter" sind hier die Amtsvorgänger im Sinne der successio apostolica.

[99] De syn. 13, Opitz 241, 6—9: „Was werden sie noch ihrem Kirchenvolk lehren, das von jenen (im Glauben) unterwiesen worden war? Daß die Väter sich getäuscht haben? Und wie werden sie sich selber Glauben verschaffen können bei denen, denen sie den Ungehorsam gegenüber ihren Lehrern beigebracht haben? Mit welchen Augen werden sie die Dokumente der Väter ansehen, die sie jetzt als Häretiker bezeichnen?"

[100] De syn. 13, Opitz 240, 25.

[101] De syn. 13, Opitz 241, 11.

[102] De syn. 14, Opitz 241, 20.

Arianer ihren Grund hat in der Ablehnung der Väter, d. h. der Synode von Nicaea[103]. Nach der Zitation dieser Formeln zieht Athanasius die Konsequenz, auf die es ihm allein ankommt: „Ich weiß, auch hierbei werden sie nicht bleiben (d. h. bei der letzten Formel), mögen noch so viele jetzt es auch vorgeben; immer werden sie Zusammenkünfte gegen die Wahrheit veranstalten, bis auch sie eines Tages zu sich kommen und sagen: 'Laßt uns aufbrechen und zu unseren Vätern zurückkehren und ihnen sagen: Wir sprechen den Bann aus über die arianische Häresie, wir erkennen die nicaenische Synode an' (nach Lk 15, 18 ff.)! Denn gegen diese kämpfen sie an"[104].

In der in freundschaftlichem Ton gehaltenen Debatte mit *Basilius* von Ancyra, dem geistigen Führer der ‚Semiarianer‘, (cap. 41—47) präzisiert Athanasius, vor allem in cap. 43 ff., diesen seinen Begriff der „Konzilsväter". Basilius hat Schwierigkeiten mit dem Terminus ‚ὁμοούσιος‘, weil ihn die Väter des Konzils von Antiochien (gegen Paul von Samosata) zurückgewiesen haben sollen. In diesem Zusammenhang geht Athanasius von folgendem Postulat aus: Alle Väter müssen grundsätzlich als rechtgläubig angesehen werden, sonst ist die ‚παράδοσις‘ als solche gefährdet[105]. Athanasius formuliert diesen Gedanken eindeutig als Postulat: „Ein solcher Sinn (διάνοια) (d. h. ein einstimmiger) soll bei den Vätern gelesen und geglaubt werden"[106]. Praktisch bedeutet dieses Postulat: Die jeweiligen Äußerungen der Väter, gerade wenn sie in der Formulierung kontradiktorisch sind, müssen in ihrem jeweiligen Kontext verstanden werden, anders gesagt: Sie müssen „interpretiert" werden. Athanasius beruft sich für diese Theorie auf die Schriftexegese, in der ebenfalls ‚ἑρμηνεία‘[107] notwendig ist[108]: „Wenn die Väter beider Konzilien (d. h. Nicaea und Antiochien) auf verschiedene Weise sich des

---

[103] De syn. 14, Opitz 241, 29: „... weil sie von ihren Vätern abgefallen sind, haben sie keine Überzeugung (γνώμη) mehr, sondern treiben in buntem und verschiedenem Wechsel (ihrer Meinung) dahin. In ihrem Streit gegen die Synode von Nicaea halten sie zwar viele Synoden ab, bleiben aber bei keiner der jeweils aufgestellten Glaubensformeln."

[104] De syn. 32, Opitz 260, 8—12.

[105] De syn. 47, Opitz 272, 16—18: „Es ist notwendig und ziemt sich, so gesinnt zu sein und ein gutes Gewissen gegenüber den Vätern zu haben, insofern wir gerade keine Bastarde sind, sondern von ihnen die Überlieferungen (παραδόσεις) und die Lehre der Gottesfurcht haben."

[106] De syn. 48, Opitz 272, 19.

[107] De syn. 45, Opitz 270, 16.

[108] De syn. 45, Opitz 269, 26: „Den Galatern nämlich schreibt Paulus: ‚Keiner wird im Gesetz gerechtfertigt‘ (Gal 3,11), dem Timotheus aber: ‚Das Gesetz ist gut, wenn man es gesetzlich gebraucht‘ (1 Tim 1, 8). Niemand wird Paulus vorwerfen, daß er Widersprüchliches schreibt, sondern man wundert sich vielmehr, daß er jeweils passend (ἁρμοζόντως) sich ausdrückt."

ὁμοούσιος bedienen (d. h. praktisch kontradiktorisch!), dann brauchen wir uns ihnen gegenüber keineswegs entzweien, sondern wir müssen vielmehr ihren Sinn (διάνοια) erforschen, und wir werden bestimmt die Einstimmigkeit (ὁμόνοια) beider Synoden entdecken"[109]. Athanasius zeigt konkret, wie tatsächlich sowohl die Negation als auch die Affirmation des ‚ὁμοούσιος' jeweils ihren guten Sinn haben[110]: „In der Tat, jede Synode hat einen vernünftigen Grund, weswegen die einen (Väter) so und die anderen so formuliert haben"[111].

Das Postulat der Einheit des Väterglaubens kommt also zur Geltung durch Interpretation der Formeln, in denen dieser Glaube überliefert wird, nicht durch das Vergleichen der Synoden untereinander und die Ausspielung ihrer „Väter" gegeneinander unter den verschiedensten Rücksichten: „Diese mit jenen zu vergleichen, ziemt sich nicht; denn alle sind Väter; zu unterscheiden wiederum, daß diese richtig, jene das Gegenteil davon gesagt haben, ist nicht erlaubt; denn alle sind in Christus entschlafen. Man darf nicht gegeneinander ausspielen (φιλονεκεῖν), auch nicht die Zahl der jeweiligen Synodalen miteinander vergleichen, damit die größere Zahl die geringere zudeckt; man darf auch nicht die Zeit zum Maß nehmen, damit die, die früher ihr Urteil gesprochen haben, die Späteren zum Verschwinden bringen. Denn alle, wie gesagt, sind Väter[112]." Wir haben mit diesem Passus eine deutliche Bestätigung unserer bisherigen Interpretation[113] vor uns, wonach die Konzilskriterien wie die Zahl der Synodalen usw. für Athanasius nicht von entscheidendem Gewicht sind. Selbst die Ökumenizität gibt Nicaea keinen Autoritätsvorsprung vor Antiochien. Umgekehrt kann man sich nicht gegen Nicaea und für Antiochien auf dessen größeres Alter berufen. Athanasius lehnt jede Art von mechanischer Konzilsideologie ab. Der einzige „feste Punkt" ist die Annahme der Paradosis als solcher, d. h. der Väter in ihrer Gesamtheit. — Vergleichen wir den hier vorliegenden Väterbegriff mit dem in *De decretis Nicaenae synodi*, so ist eine gewisse Nuancierung festzustellen: Es handelt sich nicht darum, an Vokabeln

---

[109] De syn. 45, OPITZ 269, 34—37; vgl. auch De syn. 46, OPITZ 271, 23: „Beide nämlich haben sich in Anbetracht ihres jeweiligen Vorhabens (σκοπός) korrekt ausgedrückt. Wenn also von den Vätern die einen so und die anderen so (d. h. kontradiktorisch!) über das ὁμοούσιος gesprochen haben, so sollen wir nicht anfangen zu streiten, sondern gottesfürchtig ihre Formeln aufnehmen, solange als ihr Streben eben auf die Gottesfurcht gerichtet ist."

[110] De syn. 45, OPITZ 269, 37—271, 26.

[111] De syn. 45, OPITZ 270, 18.

[112] De syn. 43, OPITZ 268, 20—25.

[113] Vgl. S. 47.

und Termini festzuhalten, sondern an ihrer ‚διάνοια'. Die Paradosis, gerade auch die konziliare, vollzieht sich nicht in identischen Formeln, sondern in identischem Geist (διάνοια). Voraussetzung für das Festhalten-können an der einen διάνοια ist das Festhalten an der ὁμόνοια (bisweilen jenseits der Formel) der Väter in ihrer Gesamtheit: „Alle sind Väter."

Im *Tomus ad Antiochenos* (362) teilt Athanasius die Entscheidung der Synode von Alexandrien mit; er behandelt auch die neu auftretenden Probleme der Trinitätslehre und der Christologie. Den Leuten um Paulinus von Antiochien soll „nichts anderes und nicht mehr" als dieses nicaenische Bekenntnis auferlegt werden[114]: „Sie sollen aber auch diejenigen mit dem Bann belegen, die sagen, daß der Heilige Geist ein Geschöpf sei . . ."[115]; damit beginnt eigentlich schon die Zeit der extensiven Interpretation des Nicaenums. Denn für Athanasius ist letzteres Anathema eine notwendige Konsequenz aus dem in Nicaea bekannten Glauben[116]. Im folgenden verbietet er die Verbreitung einer angeblich in Serdika verfaßten Glaubensformel; dabei beruft er sich auf den Willen des Konzils selber: Dieses „bestimmte, daß nichts mehr über den Glauben geschrieben werde, daß man sich vielmehr mit der von den Vätern in Nicaea bekannten Glaubensformel begnüge; denn dieser Formel hafte kein Mangel an, sondern sie sei von echtem religiösem Geist erfüllt. Man dürfe keine zweite Glaubensformel aufstellen, weil sonst die in Nicaea verfaßte für unbrauchbar gehalten würde und denen ein Vorwand gegeben werde, die wieder und wieder über den Glauben schreiben und ‚definieren' (ὁρίζειν) wollen"[117]. Dieses Eintreten für die ‚αὐτάρκεια' des Nicaenums wird nach dem, was wir in *De synodis* gehört haben, dahingehend zu verstehen sein, daß Athanasius nicht grundsätzlich eine neue Glaubensformel ausschließt, sondern nur in der gegebenen Situation der Kirche.

Eine analoge Anweisung zur Beschränkung auf Nicaea findet sich in der *Epistula ad Rufinianum*[118], die aus den Jahren nach 362 stammt. Eigentliches Thema des Briefes ist die Mitteilung der Konzilsbeschlüsse (τὰ δόξαντα)[119] betreffs der Wiederaufnahme der „Gefallenen", d. h. der ehemaligen Arianer. Im Zusammenhang damit rechtfertigt Athanasius die Beschlüsse dieser Konzilien.

---

[114] Tom. ad Ant. 4, PG 26, 800 B.
[115] Tom. ad Ant. 3, PG 26, 800 A.
[116] Vgl. S. 58.
[117] Tom. ad Ant. 5, PG 26, 800 C.
[118] Ep. ad Ruf., PG 26, 1180—1181.
[119] Ep. ad Ruf., PG 26, 1181 B.

4. Göttlicher Glaube der Kirche

Die *Epistula ad Jovianum imperatorem*[120] ist die Antwort auf die Bitte des neuen Kaisers um eine Darlegung des wahren Glaubens; sie ist verfaßt im Namen der alexandrinischen Synode von 363.[121] In diesem Schreiben erscheint die Konzilsidee des Athanasius auf einem neuen Entwicklungsstand angelangt: Nicaea ist nicht mehr nur die richtige, weil apostolische Glaubensformel, sondern der de facto vollzogene Glaube der Ökumene und somit der „göttliche Glaube" der katholischen Kirche als solcher. Natürlich ist dieser Glaube kein anderer als der apostolische, der eben jetzt als geschriebener, wie vordem als ungeschriebener, vollzogen wird. Von diesem ungeschriebenen apostolischen Glauben heißt es zunächst: „Der wahre und gottesfürchtige Glaube an den Herrn steht allen sichtbar vor Augen; er wird (Präsens!) aus der göttlichen Schrift erkannt und gelesen; auf ihn hin wurden die Heiligen getauft und haben sie (als Märtyrer) ihr Zeugnis abgelegt und sind sie jetzt mit dem Herrn vereint (Phil 1, 23)"[122]. Man beachte die Betonung des universalen *Vollzugs* dieses Glaubens als dessen wesentliches Attribut (neben der Apostolizität).

Der gleiche universale Vollzug wird dann im folgenden dem (schriftlich verfaßten) Glauben von Nicaea zugeschrieben: „Den Glauben der katholischen Kirche haben sie (d. h. unsere „heiligen Väter") schriftlich bekannt, so daß — durch dessen universale Verkündigung — die von den Arianern entzündete Häresie ausgelöscht wurde. Dieser Glaube war überall in jeder Kirche in aller Reinheit (ἀδόλως) erkannt und verkündet (Zustand!)"[123]. Die geschichtlich unhaltbare These von der universalen Verkündigung, d. h. vom ungestörten Vollzug des nicaenischen Glaubens, ist eine für die athanasianische Konzilsidee bezeichnende theologische Fiktion: Der nicaenische Glaube ist apostolischer Glaube und als solcher der de facto geglaubte Glaube der ganzen katholischen Kirche.

Nicaea als universal geglaubter (verkündeter) Glaube der katholischen Kirche vor und nach der schriftlichen Fixierung ist unüberbietbar deutlich im folgenden Kapitel ausgesagt: „Du mußt wissen, gottesfürchtiger Augustus, daß dies (ταῦτα) von Ewigkeit verkündet wird, daß diesen Glauben (ταύτην) die in Nicaea zusammengekommenen Väter bekannt

---

[120] Ep. ad Jov., PG 26, 813—820.
[121] Theodoret, Kirchengeschichte 4, 2.
[122] Ep. ad Jov. 1, PG 26, 816 A.
[123] Ep. ad Jov. 2, PG 26, 816 C—817 A.

haben und daß alle Kirchen überall an jedem Ort als diesem zustimmend angetroffen werden, die in Spanien, Britannien, Gallien ..." Es folgt eine lange Aufzählung von Kirchen mit dem Zusatz: „Außer einigen wenigen Kirchen, die arianisch gesinnt sind. Die Überzeugung (γνώμη) aller vorgenannten Kirchen kennen wir aus eigener Erfahrung, und wir besitzen ihre (Bekenntnis-)Schriften. Und du weißt, gottesfürchtiger Augustus: auch wenn einige wenige diesem Glauben widersprechen, so vermögen sie doch kein praeiudicium (πρόκριμα) zu bilden, da die Ökumene den apostolischen Glauben festhält"[124]. Es muß auffallen, daß Athanasius gerade dem Kaiser gegenüber statt auf die Apostolizität (Identität in der Zeit) mehr auf die universale Verkündigung (Identität im Raum) abhebt, möglicherweise in der Annahme, daß die räumliche Universalität vom Kaiser höher eingeschätzt werde als die zeitliche! Zweitens: Was eigentlich der Glaubensformel von Nicaea in den Augen des Athanasius Autorität verleiht, ist — nach der Tatsache der Apostolizität — nicht die Formulierung durch das Konzil (die „Definition"), sondern die Verkündigung in der Ökumene, was man auch so ausdrücken kann: Normativ ist nicht das ökumenische Konzil als solches, sondern der ökumenische Glaube, d. h. der de facto (nicht ohne theologische Fiktion) in der Ökumene geglaubte Glaube.

Neu und folgenschwer ist die Begründung der Unveränderlichkeit dieses Glaubens (wobei offenbleibt, ob ‚πίστις' Glaube oder Glaubensformel bedeutet!) durch seinen „göttlichen und apostolischen" Charakter (bisher wurde als Motiv der Unveränderlichkeit „nur" die Treue gegenüber den „Vätern" genannt, die doch mehr Spielraum zur „Interpretation" zu geben scheint; vgl. *De synodis*): „In diesem Glauben, Augustus, müssen alle beharren, denn er ist göttlich und apostolisch, und keiner darf ihn durch Überredungskünste und Wortgezänk verändern (μετακινεῖν), was die Arianer getan haben ..."[125]

In der *Epistula ad Epictetum*[126] aus den Jahren nach 369 behandelt Athanasius Probleme der Christologie. An den Anfang des Briefes stellt er eine Aussage, die exakt angibt, was Nicaea für Athanasius „bedeutet": „Ich

---

[124] Diese universale Verkündigung ist nicht dasselbe wie universale Rezeption. Bei diesem Terminus klingt etwas mit wie „Annahme von etwas bisher nicht Besessenem oder Geglaubtem, aber durch das Konzil Vermitteltem". Die streng von der παράδοσις her konzipierte Konzilsidee des Athanasius kennt keine solche Rezeption gleichsam von oben nach unten; es gibt nur das Weitergeben und Annehmen in der zeitlichen Erstreckung. Weil Nicaea Inbegriff dieser Tradition ist, handelt es sich bei seiner Annahme nicht um Rezeption des Konzils, sondern um die Bewahrung oder den Verlust des Glaubens überhaupt.

[125] Ep. ad Jov. 4, PG 26, 817 C.

[126] PG 26, 1049—1069.

war der Überzeugung, daß alles leere Geschwätz aller Häretiker, die es überhaupt gibt, durch (ἐκ) die in Nicaea stattgehabte Synode beendet ist. Denn der auf ihr von den Vätern gemäß der göttlichen Schrift bekannte Glaube ist stark genug (αὐτάρκης) zur Vernichtung aller Gottlosigkeit und zur Festigung (Konsolidierung, σύστασις) des frommen Glaubens an Christus"[127]. Die ‚αὐτάρκεια' meint hier nicht so sehr die exklusive Normativität von Nicaea als vielmehr die Tatsache, daß dieser Glaube sich selbst dynamisch behauptet und durchgesetzt hat. Beweis der ‚αὐτάρκεια' (διὰ τοῦτο) sind die Synoden in Gallien, Spanien und im „großen Rom", die, „wie von einem Geist bewegt"[128], die Arianer mit dem Bann belegt und erklärt haben, „daß man in der katholischen Kirche sich auf keine andere Synode außer der in Nicaea berufen dürfe, denn diese sei ein Siegeszeichen[129] über jede Häresie, insbesondere aber über die arianische, derentwegen die Synode eigentlich versammelt wurde"[130]. Hier wird deutlich, daß der Begriff der Rezeption der Konzilsidee des Athanasius nicht ganz adäquat ist: Nicaea ist ein ‚τροπαῖον', d. h. Symbol einer gewonnenen Schlacht. Der dort bekannte Glaube hat sich siegreich behauptet.

Auf die neuen Probleme dürfe man eigentlich nicht weiter eingehen, so fährt Athanasius in cap. 3—4 fort, sondern man müsse einfach antworten: „Es genügt, daß diese Anschauungen nicht zur katholischen Kirche gehören und daß die Väter so nicht gedacht haben"[131]. Damit das Schweigen jedoch nicht mißverstanden werde, sei es gut, „einiges aus der göttlichen Schrift zu erwähnen"[132]. Bezeichnend nun für die zunehmende Normativität der nicaenischen Glaubensformel — aber gleichzeitig auch für deren Grenzen — ist die Tatsache, daß Athanasius gewissermaßen parallel auf Schrift und Synodalbeschluß in seinem Beweis rekurriert. Er fragt: Woher habt ihr eure verkehrte Anschauung von der Homoousie des Leibes Christi mit dem Logos? „In der göttlichen Schrift kann man das nicht finden. Doch auch die in Nicaea versammelten

---

[127] Ep. ad Epic. 1, PG 26, 1049.
[128] Ep. ad Epic. 1, PG 26, 1052 A. — Bezeichnenderweise ist nicht vom Heiligen Geist die Rede. Dazu s. w. u.
[129] τροπαῖον: „Siegeszeichen . . ., das an dem Orte, wo sich der Feind in die Flucht gewandt hatte (τροπή), errichtet zu werden pflegte, indem man die Beute an Bäume aufhing oder auf Stangen und Gerüsten in die Höhe richtete" (Passow, Handwörterbuch der griechischen Sprache).
[130] Ep. ad Epic. 1, PG 26, 1052 A—B.
[131] Ep. ad. Epic. 3, PG 26, 1056 A—B.
[132] Ep. ad Epic. 4, PG 26, 1056 B.

Väter haben nicht den Leib, sondern den Sohn selber als wesensgleich mit dem Vater bezeichnet . . ."[133] Keine positive Berufung zwar, aber immerhin eine Berufung!

Die *Epistula ad Maximum Philosophum*[134], etwa in den gleichen Jahren wie der vorausgehende Brief verfaßt, behandelt wie dieser christologische Fragen. Athanasius approbiert die Verkündigung des Maximus, fügt aber diskret die Lehre vom Kreuz hinzu[135]. Die Ungläubigen, führt er weiter aus, sollen nicht durch überlegene Beweise beschämt, sondern gleichsam daran erinnert werden, die Wahrheit nicht zu vergessen[136]. Was konkret mit dieser Wahrheit — man wird dabei die Wahrheit vom Kreuz mit einschließen müssen — gemeint ist, zeigt der folgende Satz: „Denn der von den Vätern in Nicaea bekannte Glaube muß Geltung haben (κρατείτω); denn er ist richtig und stark genug (ἱκανή), jede noch so gottlose Häresie zu vernichten, zumal die arianische, die den Logos Gottes lästert und notwendig gegen dessen heiligen Geist frevelt"[137]. Bezeichnend ist hier nicht nur die Selbstverständlichkeit, mit der der nicaenische Glaube mit der Wahrheit identifiziert wird, sondern auch der Versuch, neue Häresien (z. B. die Leugnung des Heiligen Geistes) als eine Spielart der arianischen zu betrachten und damit die Autorität des Konzils gegen sie zu mobilisieren.

In der kurzen *Epistula ad Johannem et Antiochum*[138], aus eben diesen Jahren stammend, fordert Athanasius die Adressaten auf, „im Besitz des sicheren Fundamentes, welches Jesus Christus, unser Herr, ist, und des Bekenntnisses der Väter zur Wahrheit" (gemeint ist sicher Nicaea) sich von denen abzuwenden, „die diesem Bekenntnis etwas hinzufügen oder etwas davon wegnehmen wollen. Statt dieserart zu spekulieren, sollen sie vielmehr die Brüder geistlich (ὠφέλεια) zur Gottesfurcht und zur Beobachtung der Gebote anhalten, damit sie aufgrund der Lehre der Väter und des Haltens der Gebote am Tage des Gerichtes wohlgefällig vor dem Herrn zu erscheinen vermögen"[139]. Nicaea ist für Athanasius also nicht Ausgangspunkt theologischer Spekulation, sondern — wie er hofft — deren endgültiger Abschluß. Es ist Glaubensfundament der Gottesverehrung und des tätigen christlichen Lebens.

---

[133] Ebd.
[134] PG 26, 1085—1089.
[135] Ep. ad Max. 5, PG 26, 1089 C.
[136] Ebd.
[137] Ebd.
[138] PG 26, 1165—1168.
[139] Ep. ad Joh., PG 26, 1168 A.

5. ‚Wort Gottes, das in Ewigkeit bleibt' (Jes 40, 8)

Mit der *Epistula episcoporum Aegypti et Libyae nonaginta*[140], die im Jahre 369 im Auftrag einer sonst nicht bekannten alexandrinischen Synode geschrieben ist und das letzte umfangreiche Dokument aus der Feder des Athanasius im Kampf gegen die arianische Häresie darstellt, beschließen wir unseren Überblick über die Entwicklung seiner Konzilsidee. Die Attribute, mit denen Athanasius in diesem Schreiben die Synode von Nicaea ausstattet, zeigen deutlich, welche Autorität und welchen Rang dieses Konzil schließlich in seinen Augen erlangt hat. Nicaea ist „ewiger Grenzstein"[141], eine „Gedenksäuleninschrift wider alle Häresie"[142], „Quelle lebendigen Wassers" (nach Jer 2, 13)[143] und schließlich sogar „Wort Gottes, das in Ewigkeit bleibt" (Jes 40, 8)[144]. Nicht weniger wird aber auch folgendes deutlich: Athanasius verläßt auch in diesem letzten der Verteidigung des Nicaenum und seines Glaubens gewidmeten Schreiben, trotz aller Superlative, nicht seine Grundidee über das Konzil.

Die Grundvorstellung taucht gleich zu Beginn auf. Die beiläufige Erwähnung bezeugt, wie selbstverständlich dieser Gedanke inzwischen für Athanasius geworden ist. Vom gesunden Glauben, den „unser geliebter Mitliturge Damasus, Bischof des großen Rom", seine und andere Synoden in Gallien und Italien schriftlich bekannt haben, heißt es in einem Nebensatz: Diesen Glauben „hat Christus geschenkt, haben die Apostel verkündet, *haben die Väter*, die in Nicaea aus unserer ganzen Ökumene zusammengekommen waren, *überliefert*"[145]. Diese formelhafte, dreigliedrige Wendung ist mit folgender analogen Wendung zu vergleichen: „die Überlieferung und die Lehre und der Glaube (man beachte die dreifache Identifizierung!), die der Herr gegeben hat, die Apostel verkündet haben und die Väter bewahrt haben"[146], bzw.

---

[140] PG 26, 1029—1048. — Zur Datierung auf 371/2 vgl. M. Richard, Saint Basile et la mission du diacre Sabinus, in: AnBoll 67 (1949) 178—202, hier 179.

[141] Ep. ep. 1, PG 26, 1032 A.

[142] Ep. ep. 11, PG 26, 1048 A.

[143] Ep. ep. 3, PG 26, 1033 A.

[144] Ep. ep. 2, PG 26, 1032 C.— In unserem Zusammenhang ist die Frage nicht von Bedeutung, ob Athanasius Jes 40, 8 („Das Wort *Gottes* bleibt in Ewigkeit") frei zitiert oder 1 Petr 1, 25 („Das Wort des *Kyrios* bleibt in Ewigkeit"), seinerseits ein Zitat von Jes 40, 8. PG 26, 112 B zitiert Athanasius Jes 40, 8, jedoch durch das Auswechseln von ῥῆμα durch λόγος. Zum Bibeltext des Athanasius vgl. H. Nordberg, On the Bible Text of Athanasius, in: ActPhilFennic, N.S. (1962) 119—141.

[145] Ep. ep. 1, PG 26, 1029 A.

[146] Erster Brief an Serapion 28, PG 26, 593 D.

mit dem folgenden Satz: „Der Glaube hat nicht erst jetzt begonnen, sondern er schritt vom (ἐκ) Herrn durch (διὰ) die Jünger zu uns hindurch"[147]. Es springt in die Augen: Nicaea ist für Athanasius Inbegriff der ‚παράδοσις' im aktiven Sinn dieses Wortes geworden, die Synodalen von Nicaea sind dementsprechend „Väter" schlechthin.

Aus diesem Wesen Nicaeas — Inbegriff der Paradosis im aktiven und passiven Sinn des Wortes — ergibt sich, daß die übrigen Synoden seiner Zeit in zwei Gruppen zerfallen, in solche, die diese ‚παράδοσις' mitvollziehen, und solche, die sich dagegenstemmen. Athanasius drückt diesen „Mitvollzug" durch die Verben ὑπομιμνήσκειν[148] und ἐπιγίγνομαι[149] aus[150]. Für diese Synoden wie für ihn selber gilt der Grundsatz der ‚αὐτάρκεια' von Nicaea[151]. Die Synoden, die den nicaenischen Glauben nicht „in Erinnerung bringen" und „anerkennen", sind entsprechend ihrer Grundintention auf Ablehnung der ‚παράδοσις' nichts anderes als beständige Selbstaufhebung: „Vergeblich ist alle Mühsal derer, die gegen diesen (Glauben von Nicaea) immer wieder angehen. Diese Leute haben bisher schon zehn und mehr Synoden abgehalten; dabei haben sie jedesmal ihre Meinung geändert und die Beschlüsse ihrer Vorgänger teils negiert, teils abgeändert und mit Zusätzen versehen. All ihr Schreiben und Ausradieren und gewalttätiges Vorgehen hat ihnen bisher nichts genutzt. Denn sie bedenken nicht, daß ‚jede Pflanzung, die der himmlische Vater nicht gepflanzt hat, herausgerissen wird' (Mt 15, 13), daß aber ‚das Wort Gottes', das durch die ökumenische Synode in Nicaea ergangen ist, ‚in Ewigkeit bleibt' (Jes 40, 8)"[152]. Ihre Selbstaufhebung folgt aus ihrem wurzelhaften Defekt: Nichtanerkennung, Nicht-„Erinnerung" der ‚παράδοσις'. Im zitierten Kontext wird auch deutlich, wie

---

[147] Epist. encyc. 1, PG 25, 225 A.

[148] Ep. ep. 1, PG 26, 1029 A.

[149] Ep. ep. 1, PG 26, 1029 B.

[150] Ep. ep. 1, PG 26, 1029 A—B: „Diesem Glauben hat schon von alters her die ganze Ökumene zugestimmt, und an diesen ‚erinnern' sich jetzt anläßlich zahlreicher Synoden alle in Dalmatien, Dardanien, Macedonien, im Epirus und in Griechenland, auf Kreta und auf den anderen Inseln, auf Sizilien und Zypern, in Pamphylien, Lykien und Isaurien, in ganz Ägypten und Libyen, die meisten in Arabien und erkennen diesen an."

[151] Ep. ep. 1, PG 26, 1029 B: „Zuverlässig und stark genug ... ist das in Nicaea Bekannte zur Vernichtung aller gottlosen Häresie und zur Sicherheit und zum Nutzen der kirchlichen Lehre."

[152] Ep. ep. 2, PG 26, 1032 B—C: Οὐκοῦν μάταιος ὁ κάματος τοῖς κατ' αὐτῆς πολλάκις ἐπιχειρήσασιν. Ἤδη γάρ οἱ τοιοῦτοι δέκα καὶ πλέον που συνόδους πεποιήκασιν. καθ' ἑκάστην μεταβαλλόμενοι, καὶ τὰ μὲν ἀπὸ τῶν πρώτων ἀφαιροῦντες, τὰ δὲ ταῖς μετὰ ταῦτα ἐναλλάσσοντες καὶ προστιθέντες. Καὶ ὤνησαν οὐδὲν μέχρι νῦν γράφοντες, ἐξαλείφοντες, βιαζόμενοι, οὐκ εἰδότες, ὅτι Πᾶσα μὲν φυτεία, ἣν οὐκ ἐφύτευσεν ὁ Πατὴρ ὁ οὐράνιος, ἐκριζωθήσεται. τὸ δὲ ῥῆμα τοῦ Κυρίου τὸ διὰ τῆς οἰκουμενικῆς συνόδου ἐν τῇ Νικαίᾳ γενόμενον μένει εἰς τὸν αἰῶνα.

die Kennzeichnung Nicaeas als „Wort Gottes" zu verstehen ist: jedenfalls nicht, aus dem Zusammenhang herausgerissen, in einem eigentlichen und wörtlichen Sinn.

Man muß zunächst beachten, daß der Satz in Kontrast steht zum unmittelbar vorausgehenden Zitat (Mt 15, 13), ferner, daß er das paraphra-
sierte Zitat von Jes 40, 8 („Das Wort Gottes bleibt in Ewigkeit") darstellt. Das bedeutet, daß nicht mehr gesagt ist als die Umkehrung des
vorausgegangenen Bildes: Nicaea ist eine Pflanzung, die der himmlische
Vater gepflanzt und die deswegen nicht herausgerissen werden wird.
Der Akzent liegt dem ganzen Zusammenhang nach eindeutig auf dem
„Bleiben", dem „Bestandhaben". Natürlich wird im Bild dieses Bleiben
mit dem göttlichen Ursprung in Verbindung gebracht. Es ist jedoch
nicht zu übersehen, daß es sich zunächst um ein Bild handelt und daß
gefragt werden muß, wie es zu verstehen ist. Und da kann die Antwort
nur lauten: Dieser göttliche Ursprung ist nach allem, was wir bisher gehört haben, als vermittelter, eben durch die ‚παράδοσις' vermittelter, zu
verstehen! Eine andere, nämlich eigentliche Auffassung von „Wort
Gottes" wäre absolut singulär und in keiner Weise gedanklich vorbereitet.

In welchem Sinne die Konzilsformel „Wort Gottes" ist, sagt Athanasius an anderer Stelle in einer überaus glücklichen Formulierung.
Nach der Aufforderung, die „große Synode" und die Arianersynoden
zu vergleichen, um die „Gottesfurcht" der einen und die „Alogie" der
anderen zu erkennen, heißt es: „Daraus kann man also erkennen,
Brüder, daß die Synodalen von Nicaea die Schrift atmen (τῶν γραφῶν
bzw. Variante: τὰ τῶν γραφῶν πνέουσι)"[153], und es folgt eine Reihe
von Schriftzitaten, aus denen hervorgehen soll, daß Gott ‚οὐσία' ist.
Um es in einem Wortspiel zu sagen: Die Bekenntnisformel von Nicaea
ist in der Auffassung des Athanasius nicht von Gott, sondern von der
Schrift „inspiriert". In diesem schriftvermittelten, indirekten Sinne ist
das Konzil inspiriert, „Wort Gottes".

Im übrigen wiederholt Athanasius, in teils wörtlicher Übernahme aus
seinen früheren Schriften, beim Bericht über das Konzil von Nicaea
(cap 5—6) die theologischen Ideen, die uns schon bekannt sind. So stellt
er vor allem die in seiner Sicht entscheidende Frage: „Wessen Erben
und Nachfolger (διάδοχοι) sind sie (d. h. die heutigen Arianer)? Wie
können sie die Väter nennen, deren richtig und apostolisch geschriebenes Bekenntnis sie nicht annehmen (ἀποδέχομαι)?"[154] Desgleichen wird

---

[153] Ep. ep. 4, PG 26, 1036 A.
[154] Ep. ep. 7, PG 26, 1040 D—1041 A.

wieder, wie schon in *De synodis*, behauptet, daß die Nicaener das ὁμοούσιος „sich nicht selber gebildet haben, sondern es von den Vätern vor ihnen gelernt haben"[155]. „Da dies also jetzt klar bewiesen ist, ist die Synode von Rimini und die andere von ihnen über den Glauben propagierte Synode überflüssig." Höchst wertvoll ist die Fortsetzung dieses Zitates; sie zeigt, daß auch der greise Athanasius an seinem in *De synodis* entwickelten Grundverständnis des Konzils festhält. Er versteift sich nicht auf den Begriff ,ὁμοούσιος'. Es geht ihm nach wie vor nicht um die Formel (ῥῆμα) des Konzils, sondern um deren Sinn (διάνοια). Grundsätzlich genügt der Nachvollzug des Anathems, um Nicaener zu sein[156]. Und wieder, wie in *De synodis*, drückt er seine Zuversicht aus, daß die Kritiker des Konzils nach dem „ehrlichen" Vollzug des Anathems auch sogleich das ἐκ τῆς οὐσίας und das ὁμοούσιος bekennen werden.

Neben der theologischen Sicht der Synoden als Mitvollzug der ,παράδοσις' als solcher steht die andere uns ebenfalls bekannte, eher synodal rechtliche. Auch hier zieht Athanasius die Summe: „Wenn man nämlich Zahl mit Zahl vergleicht, dann sind die Synodalen von Nicaea in der Mehrzahl gegenüber den Partikularsynoden (κατὰ μέρος), insofern als das Ganze mehr ist als der Teil"[157]. Weiter oben hatte es geheißen: „Deswegen wurde auch durch die Zusammenkunft von 318[158] Bischöfen die Synode in Nicaea über den Glauben gegen die arianische Häresie als ökumenische abgehalten, damit keine Partikularsynoden mehr in Glaubensfragen (προφάσει πίστεως) stattfänden, vielmehr, falls sie stattfänden, keine Gültigkeit hätten"[159]. Auf die Erwähnung der Ökumenizität

---

[155] Vgl. ebd. 1040 B.

[156] Ep. ep. 9, PG 26, 1044 D f.: „Es genügt die nicaenische Synode, die in Übereinstimmung ist (σύμφωνος) mit den alten Bischöfen, bei der auch ihre eigenen Väter (!) unterzeichnet haben, denen gegenüber sie Ehrfurcht haben sollten, ansonsten müßte man sie als alles andere denn als Christen bezeichnen. Wenn sie aber nach alldem: nach dem Zeugnis der alten Bischöfe, nach der Unterschrift ihrer eigenen Väter, all dies in den Wind schlagend, mit dem Wort ὁμοούσιος zu große Schwierigkeiten haben, dann sollen sie doch einfach sagen und denken, daß der Sohn von Natur Sohn ist, und sollen, wie die Synode es befiehlt, diejenigen mit dem Bann belegen, die sagen ,Geschöpf' oder ,Gemächte' oder ,aus dem Nichtseienden' oder ,es war einmal, daß er nicht der Sohn Gottes war' und daß er ,veränderlich' ist und ,vergänglich' und von ,anderer Hypostase' (!); und sie sollen so vor der arianischen Häresie entrinnen."

[157] Ep. ep. 2, PG 26, 1032 C: Ἄν τε γὰρ ἀριθμὸν ἀριθμῷ τις συμβάλῃ, πλείους οἱ ἐν Νικαίᾳ τῶν κατὰ μέρος εἰσίν, ὅσον καὶ τὸ ὅλον πλεῖόν ἐστι τοῦ μέρους.

[158] Das Problem der Zahl ist erschöpfend behandelt bei M. AUBINEAU, Les 318 serviteurs d'Abraham (Gen 14, 14) et le nombre des Pères au concile de Nicée (325), in: RHE 61 (1966) 5—43. — Vgl. auch H. CHADWICK, Les 318 Pères de Nicée, in: RHE 61 (1966) 808—811, der sich auf den genannten Artikel von AUBINEAU bezieht.

[159] Es folgt wieder der Hinweis auf die ökumenische Anerkennung des nicaenischen Glaubens: „Dieser hat die ganze Ökumene erfüllt. Diesen haben sogar die Inder anerkannt und alle Christen unter den übrigen Barbaren" (Ep. ep. 2, PG 26, 1032 B).

folgen die anderen „synodalrechtlichen" Qualitäten von Nicaea: „Wer nach dem Grund fragt, warum das Nicaenum und warum all die vielen in der Folge von ihnen veranstalteten Synoden stattgefunden haben, wird zur Erkenntnis gelangen, daß es für die Synode von Nicaea einen vernünftigen Anlaß gab, die anderen aber aus Haß und Streitsucht gewaltsam zusammengetrommelt wurden"[160]. Das Aufkommen der arianischen Häresie und die Osterfestfrage machten das Konzil von Nicaea notwendig. — Weiter unten (cap. 4) wird ein dritter „synodalrechtlicher" Aspekt von Nicaea bzw. Rimini genannt: die Legitimität der Synodalen[161]. Die Propagandisten des sogenannten Konzils von Rimini entbehren jeder Legitimation, im Namen des Konzils zu sprechen; sie sind nämlich von eben diesem Konzil abgesetzt worden[162]. Zu beachten ist, daß dieser Aspekt erst an dritter Stelle genannt wird. Kennzeichnend für den Stand der Konzilsidee des Athanasius ist nun vor allem die Tatsache, daß er — zum erstenmal — Schriftworte auf das Nicaenum anwendet, und zwar nicht nur Jes 40, 8, sondern noch zwei weitere Stellen! Gleich im ersten Kapitel lesen wir mit Bezug auf Nicaea: Die Arianer „fürchten weder Gott, der sagt: ‚Verändere nicht ewige Grenzen, die deine Väter setzten!' (Spr 22, 28)[163] und: ‚Wer Vater oder Mutter schmäht, soll des Todes sterben!' (Ex 21, 17), noch haben sie Ehrfurcht vor den Vätern, die verkündet haben, daß verflucht sei (ἀνάθεμα), wer das Gegenteil ihres Bekenntnisses denkt"[164]. Im folgenden Kapitel wird Jes 40, 8[165] auf das Konzil angewandt und schließlich Jer 2, 13: „Die Leute, die in zehn oder mehr Synoden ... jedesmal etwas anderes geschrieben haben, werden offenbar selber Ankläger jeder ihrer Synoden. Es ergeht ihnen so wie vordem jenen verräterischen Juden: Wie jene die einzige ‚Quelle des lebendigen Wassers' verlassen haben und sich löcherige Brunnen gegraben haben, die kein Wasser halten konnten — wie beim Propheten Jeremias geschrieben steht —, so kämpfen diese gegen die eine und ökumenische Synode an

---

[160] Ep. ep. 2, PG 26, 1032 C: ἄν τε τὸ αἴτιον τῆς ἐν Νικαίᾳ καὶ τῶν μετ' αὐτὴν τοσούτων γενομένων συνόδων παρὰ τούτων διαγνῶναί τις ἐθέλοι, εὕροι ἂν τὴν μὲν ἐν Νικαίᾳ ἔχουσαν τὸ αἴτιον εὔλογον, τὰς δὲ ἄλλας διὰ μῖσος καὶ φιλονεικίαν ἐκ βίας συγκροτηθείσας.

[161] Ep. ep. 4, PG 26, 1036 A: „Die in Nicaea zusammenkamen, kamen nicht als Abgesetzte zusammen ... diese aber wurden ein erstes und zweites Mal und ein drittes Mal in Rimini selber abgesetzt ..." — Vgl. auch ebd. 1033 C und 1039 C.

[162] Ep. ep. 3, PG 26, 1033 B.

[163] Schon Eusebius von Caesarea zitiert diese Stelle zusammen mit Dtn 32, 7 zur Begründung der Devise: δεῖ ἕπεσθαι τοῖς πατράσι (Contra Marc. I, 4 GCS 20, 26).

[164] Ep. ep. 1, PG 26, 1032 A.

[165] Ep. ep. 2, PG 26, 1032 C.

und graben sich viele Synoden; und alle waren sie leer, ihre Synoden; sie gleichen einer Garbe, die keine Frucht trägt (Hos 8, 7)"[166]. Ganz offensichtlich steht das Schriftbild von Nicaea als „Quelle lebendigen Wassers" in größter Nähe zum Schriftzitat, auf Nicaea bezogen, vom „Wort Gottes, das in Ewigkeit bleibt"; aber es ist eben noch Bild und nicht eigentlich gemeinte Aussage. Zusammengenommen und gerade in ihrer poetischen Übersteigerung evozieren die drei Schriftzitate geradezu vollkommen den Endpunkt in der Entwicklung der athanasianischen Konzilsidee: Das Nicaenum ist ein „ewiger Grenzstein"[167], gesetzt von den „Vätern" (Spr 22, 28), in diesem Sinne „Wort Gottes, das ewig bleibt" (Jes 40, 8), und deswegen „einzige Quelle des lebendigen Wassers" (Jer 2, 13).

6. Die Eigenart der Konzilsidee des Athanasius

Wir haben die Entwicklung der athanasianischen Konzilsidee über einen Zeitraum von über dreißig Jahren verfolgt. Die Entwicklung zusammenfassend, kann man die Konzilsauffassung des Athanasius folgendermaßen charakterisieren: Seinem *Wesen* nach ist ein Konzil ‚παράδοσις' im aktiven und passiven Sinn des Wortes. Anfänglich sieht Athanasius diese Paradosis im aktiven Sinn wesentlich und ausschließlich als ‚χρίσις', d. h. als Verurteilung von Häresie durch die „katholische Kirche". Indem er mehr und mehr den Urteilsspruch in seiner positiven Formulierung mit der ‚παράδοσις' im aktiven Sinn identifiziert, wird das Konzil von Nicaea für ihn auch ‚παράδοσις' im passiven Sinn des Wortes, d. h. authentisch formulierte ‚διδασκαλία' der „katholischen Kirche" als solcher. Gültig ist diese in Gestalt der Verurteilung vorliegende schriftliche Paradosis im passiven Sinne des Wortes grundsätzlich so lange, als die zur Verurteilung führende Lehre affirmiert wird. Ihrem positiven Inhalt nach, der identisch ist mit der „göttlichen Paradosis", „bleibt das in Nicaea ergangene Wort (freilich) bis in Ewigkeit". In dem Maße, als das Konzil ‚παράδοσις' ist (im aktiven und passiven Sinne des Wortes), ist es selbstverständlich „unfehlbar": Dies ergibt sich aus dem Wesen der ‚παράδοσις'. Die Antwort auf die

---

[166] Ep. ep. 3, PG 26, 1033 A; vgl. auch ebd. 1037 A: „Stein des Anstoßes" (nach Röm 9, 33).
[167] ὅριον kommt bei Athanasius außer im Brief an Serapion 26, (PG 26, 592), wo es lokal gebraucht wird, nicht vor. Der Terminus bezeichnet nach LIDDLE-SCOTT, Greek English Lexicon auch „rules" und bedeutet somit im Zitat für Athanasius das gleiche wie τοὺς δὲ τῶν πατέρων ὅρους ἀκεραίους φυλάζουσιν. De syn. 13, PG 26, 704 B.

Frage, wann und unter welchen Umständen und Bedingungen ein
Konzil solche Paradosis darstellt, ist von Athanasius nur angedeutet:
im Maße als der Konzilsglaube die Attribute der göttlichen Paradosis
besitzt, nämlich Apostolizität und Katholizität (= Schriftgemäßheit
und Verkündigung in der Ökumene). Daraus folgt: Wenn man unter
„Unfehlbarkeit der Konzilien" die an gewisse Bedingungen gleichsam
mechanisch gebundene Unfähigkeit zum Irrtum versteht, muß man
feststellen, daß Athanasius eine solche Unfehlbarkeit nicht kennt.
Er kennt zwar Kriterien, an denen die relative Qualität und Gültigkeit der Synoden erkannt werden kann, aber keine solchen, mit denen
ein absoluter Anspruch auf Wahrheit gegeben ist.
Mit dem Wesen des Konzils als Paradosis im doppelten Sinn dieses
Begriffs ist es auch gegeben, daß ein erstes Kriterium synodalrechtlicher
Art zur Feststellung der Gültigkeit von Konzilien herausgehoben werden kann: Im Maße als Konzilien ‚παράδοσις' vollziehen, d. h. die
„überlieferte Lehre" de facto tradieren bzw. speziell an vorausgegangene Konzilien „erinnern", haben sie selber Gewicht und Gültigkeit.
Dieses Kriterium, auf Nicaea angewandt, ergibt: Das Nicaenum ist Inbegriff der ‚παράδοσις' im aktiven und passiven Sinne des Wortes. Entsprechend sind die Synodalen von Nicaea „Väter" in einem ausgezeichneten Sinne des Wortes. Zu diesem Hauptkriterium der „Traditionalität" treten andere Kriterien hinzu, welche kirchliche Versammlungen
als Synoden ausweisen können oder ihnen Gewicht verleihen: Die
Freiheit der Synode, der vernünftige Anlaß, die Größe der Versammlung,
die Legitimität der Synodalen usw. Was die Größe der Versammlung
angeht, so ist die Ökumenizität freilich ein Sonderfall. Denn die tatsächliche oder unterstellte Vollzähligkeit einer Ökumenischen Synode
verhält sich zu einer Partikularsynode wie das Ganze zum Teil. Hier
stellt sich nun die Frage, ob dieser ‚wesentliche' zahlenmäßige Unterschied in den Augen des Athanasius sich dahingehend auswirkt, daß das
Ökumenische Konzil eine spezifisch neue Art von Synode, ein wesentlich anderes, z. B. ein unfehlbares Konzil konstituiert. Dies ist u. E. nicht
der Fall. Es gibt für diese Annahme weder direkte Textbelege, noch liegt
sie ohne weiteres in der Konsequenz athanasianischer Theologie oder
Ekklesiologie.
Die aus einer Zusammenfassung der Entwicklung sich ergebende Eigenart der athanasianischen Konzilsidee läßt sich durch einen Vergleich
mit der zeitgenössischen Konzilsvorstellung[168] oder -ideologie noch

---

[168] Vgl. S. 118—230.

verdeutlichen. Der Vergleich soll hier jedoch nicht in der ganzen Breite der oben behandelten Elemente der Konzilsidee durchgeführt werden, sondern nur unter einer besonderen Rücksicht.

In einem Brief an die Kirche von Alexandrien umreißt Kaiser *Konstantin* folgendermaßen seine Konzilsauffassung: „Laßt uns also das Urteil annehmen, das der Allherrscher gefällt hat ... Denn was die 300 Bischöfe beschlossen haben, ist nichts anderes als der Urteilsspruch Gottes, vor allem weil der Heilige Geist dem Verstand einer solchen Zahl so hervorragender Männer einwohnte und ihnen den göttlichen Willen hell erleuchtete"[169]. Der Historiker *Sokrates* kommentiert die Stelle ausgezeichnet: „Der Kaiser schrieb solches dem Volke der Alexandriner und machte ihnen dabei deutlich, daß die Glaubensdefinition nicht oberflächlich und aufs Geratewohl geschah, sondern daß man sie nach ausgiebiger, gelehrter Diskussion und Untersuchung in die Feder diktierte ... Kurz, er nennt das Urteil aller dort Zusammengekommenen ein Urteil Gottes und zweifelt nicht daran, daß die Einstimmigkeit so bedeutender und so vieler Bischöfe durch den Heiligen Geist zustande gekommen ist"[170]. Der Kaiser rekurriert also zum Beweis der Gültigkeit und „Unfehlbarkeit" des Konzilsbeschlusses unmittelbar auf den Beistand des Heiligen Geistes, und sein später Kommentator trifft wohl exakt die Intention des kaiserlichen Briefschreibers, wenn er verdeutlichend noch folgende Erwägung anschließt: Selbst wenn die Synodalen von Nicaea keine Kirchenlichter (ἰδιῶται) waren, so ist das der Autorität des Konzils nicht abträglich, denn „sie wurden von Gott erleuchtet und konnten aufgrund der Gnade des Heiligen Geistes in keiner Weise die Wahrheit verfehlen". Der Kommentar des Geschichtsschreibers macht explizit, was der Kaiser eher unausgesprochen gelassen hatte, aber nichtsdestoweniger zu sagen intendierte: Die Beschlüsse von Nicaea sind unfehlbar, denn sie kamen unter Eingebung des Gottesgeistes zustande.

In einem anderen Brief des Konstantin trifft man auf eine analoge Konzilslehre: „Alles, was in den heiligen Versammlungen der Bischöfe geschieht, hat Bezug auf das göttliche Wollen"[171]. Wenig vorher heißt es in Beziehung auf die Festsetzung des Ostertermins durch die Synodalen von Nicaea: Sie geschah ohne Beimischung fremden Irrtums und

---

[169] Konst., Ep. ad Alex., OPITZ, Urkunde 25, 52—54, hier 53, 11—54, 3. — Zur Echtheitsfrage vgl. AUBINEAU 8.
[170] Sokrates, HE, I, PG 67, 85 C—88 B.
[171] Konst., Ep. ad episcopos, OPITZ, Urkunde 26, 57, 11 f. Im Zusammenhang ist vom Ostertermin die Rede.

Fehlers[172]. Nicht weniger deutlich ist der Rekurs auf den Heiligen Geist zum Erweis der Gültigkeit von Nicaea im Brief Konstantins an Alexander von Alexandrien[173]: „Werden wir etwa anderes bestimmen als das, was vom Heiligen Geist durch euch (d. h. die Bischöfe) entschieden wurde?" Bekanntlich ist das Nicaenum nicht das erste Konzil, das aus der Initiative des Kaisers resultiert. Nach dem Konzil von Arles führt Konstantin in einem Reskript folgendes aus: *Sacerdotum iudicium ita debet haberi ac si ipse Dominus residens iudicet. Nihil enim licet his aliud sentire, vel aliud iudicare, nisi quod Christi magisterio sunt edocti*[174]. Es kann kein Zweifel sein: Der Kaiser bekundet ein eindeutiges Interesse an der Inspiriertheit der Konzilsbeschlüsse. Der Grund ist leicht zu erraten: Sie ist die sicherste Garantie für die Unumstößlichkeit der Beschlüsse und damit für das Ende der Diskussion, auf das es dem Kaiser im Interesse der Reichseinheit natürlich in erster Linie ankommt[175].

Nun wäre es sicher verfehlt, diese Konzilsideologie, für die die Berufung auf den Heiligen Geist charakteristisch ist, als schlechthinnige Neuerung zu betrachten. Selbst wenn man einmal absieht vom sogenannten Apostelkonzil — auf das man sich zur Erhellung des Selbstverständnisses der ältesten Konzilien nicht berufen sollte[176] —, auch in anderen Konzilien ist die Rede vom Heiligen Geist. So im Synodalbrief des Konzils von Karthago (252): *Placuit nobis, sancto Spiritu suggerente*[177]. Nur ist die Frage, ob die Berufung auf den Heiligen Geist hier den gleichen Sinn hat wie bei Konstantin. Leider zitiert man gewöhnlich nur diesen Ausschnitt, möglicherweise um die Parallelität zu Apg 15, 28 augenfälliger zu machen; setzt man jedoch das unmittelbar folgende *et Domino per visiones multas et manifestas admonente* hinzu, so verschwindet die Parallelität. Denn offensichtlich wird die Einwirkung des *spiritus* auf das Zustandekommen des *placet nobis* auf der gleichen Ebene gesehen wie das des *dominus*, das aber augenscheinlich kaum mehr besagen will, als daß die Synodalen sich für ihren Beschluß auf ihr Gewissen berufen[178]: Sie haben redlich auf Gottes Stimme und die Erleuchtung des Geistes

---

[172] Konst., Ep. ad episcopos, OPITZ, Urkunde 26, 57, 9.

[173] Konst., Ep. ad Alexandrum, OPITZ, Urkunde 32, 66, 3—4.

[174] Konst., Ep. epis. cath., CSEL 26, 209, 24—26. — Zur Echtheit dieser Stelle vgl. jedoch H. KRAFT, Kaiser Konstantins religiöse Entwicklung, Tübingen 1955, 187—188.

[175] Ein früher Zeuge für die Inspiriertheit der Konzilsdekrete ist auch Marius Victorinus, Adv. Arium II, 11, CSEL 83, 1, 187: *O docti episcopi! O sancti! O fidem spiritu confirmantes! O verbum Dei, vere verbum Dei!*

[176] Vgl. S. 407—423.

[177] Cyprian, Ep. 57, 5, CSEL 3, 655, 7—9.

[178] *Quod erant in conscientia nostra protulimus*, ebd. 655, 17—18.

geachtet, bevor sie ihren Entschluß vollzogen haben. Der Geist und Jesus verantworten nicht als Urheber den Beschluß; das tun die Synodalen allein, und deswegen berufen sie sich auf ihr Gewissen und ihren Gehorsam. Von einer Parallelität wie in Apg 15, 28 von Gottesgeist und Menschenbeschluß *(visum est enim spiritui sancto et nobis)* kann gerade keine Rede sein.

Eine etwas verschiedene Konzilsidee scheint uns dagegen im Brief der Synode von Arles (314) an Papst Silvester vorzuliegen[179]. Macht sich hier der Einfluß des Konstantin geltend? Es ist die Rede von der *Dei nostri praesens auctoritas* und vom *iudex Deus*, denen die *traditio ac regula veritatis* und die *mater ecclesia* korrespondieren. Die Beschlußformel lautet: *Placuit ergo, praesente Spiritu Sancto et angelis eius.* Die Tatsache, daß die Gegenwart des Geistes auf die gleiche Ebene gestellt wird wie die der Engel, wertet freilich dessen „Miturheberschaft" für das Zustandekommen des ‚*placuit*' erheblich ab[180].

Wenden wir uns nun wieder Athanasius zu, so stellen wir ein erstaunliches silentium fest: Athanasius beruft sich nirgends auf den Heiligen Geist, weder im Sinne des Konzils von Karthago noch im Sinn der Konstantinbriefe. Dieses silentium, genauer der Umstand, daß Athanasius die Konzilsformel in keiner Weise als direkt von Gott verursacht betrachtet („Inspiration"), ist um so erstaunlicher, als er an sich „Inspiration" auch außerhalb der Schrift kennt: In *De incarnatione* spricht er z. B. von „inspirierten Lehrern"[181]. Nicht weniger aufschlußreich ist in dieser Hinsicht der Bericht des Athanasius über den Tod des Arius etwa aus dem Jahre 358. Der plötzliche Tod seines Gegners vor dessen Wiederaufnahme durch Alexander stellt Athanasius als „Gottesurteil" dar: „Der Herr selber . . . hat die arianische Häresie verurteilt, indem er zeigte,

---

[179] Concilium Arelatense, Concilia Galliae (314—506), CCL 148, 4—6. — Vgl. jedoch I. MAZZINI, Lettera del concilio di Arles (314) a Papa Silvestro tradita dal Codex Parisinus Latinus 1711, in: VigChr 27 (1973) 282—300, der die hier wiedergegebene längere Form des Briefes mit den auffallenden Wendungen für unecht hält.

[180] Über das nachnicaenische Theologumenon der Inspiriertheit der Konzilien informieren u. a. G. BARDY, L'inspiration des Pères de l'Église, in: RSR 40 (1952) 7—26, bes. 23—25; S. TROMP, De spiritu Christi illuminante ac dirigente Concilium Oecumenicum, in: De Spiritus Christi anima, Sectio VI, cap. IV, Roma 1960, 383—495; Y. ARRIETA, Concilio Ecuménico y asistencia del Espiritu Santo, in: EE 39 (1964) 291—317; J. H. CREHAN, Patristic Evidence for the Inspiration of Councils, in: TU 94 (1966) 210—215. — H. BACHT, Sind die Lehrentscheidungen der ökumenischen Konzilien göttlich inspiriert?, in: Cat(M) 13 (1959) 128—139, unterzieht das vorliegende Material der unbedingt notwendigen theologischen Kritik und Wertung. Leider wurde von den zitierten Autoren das doch auffällige silentium des Athanasius übersehen oder nicht genügend berücksichtigt, wodurch das Gewicht ihrer theologischen Konklusionen zweifelsohne beeinträchtigt wird.

[181] De incarnatione 56, SC 199, 464, 8—9.

daß sie der kirchlichen Gemeinschaft unwürdig ist, und indem er allen offenbarte, daß sie, auch wenn sie vom Kaiser und allen Menschen protegiert würde, von der Kirche selber verurteilt wurde"[182]. Die Tatsache, daß Athanasius die entsprechende Vorstellung von einem Urteil Gottes nicht auf Nicaea anwendet, zeigt, daß er sehr wohl zwischen erbaulichen und bösartigen Geschichten bzw. volkstümlichen „Interpretationen" und theologischen Kategorien zu unterscheiden weiß[183]. — Nicht weniger aufschlußreich ist die Tatsache, daß er nie ein weiteres von den Späteren sehr häufig auf Nicaea und andere Konzilien angewandtes Theologumenon benutzt: die Anwesenheit Christi dort, wo zwei oder drei in seinem Namen versammelt sind (Mt 18, 20)[184]. Er spricht nie von einer Anwesenheit Jesu unter den Synodalen von Nicaea, obwohl er die Vorstellung als solche und eine entsprechende Verwendung von Mt 18, 20 kennt[185].

---

[182] Ep. ad Serap. de morte Arii 4, PG 25, 688 D—689 A.

[183] Vgl. ebd. weiter unten, wo es heißt: „Denn niemand anders als der von ihnen gelästerte Herr selber verurteilte (durch den plötzlichen Tod des Arius) die gegen ihn gerichtete Häresie."

[184] Vgl. Cyrill Alex., Ep. 55, PG 77, 293 A, ferner S. 221.

[185] Festbrief X (aus d. J. 338), PG 26, 1398 A. — Mt 18, 20 ist hier bezogen auf den Gottesdienst räumlich getrennter, aber in Christus vereinter Menschen.

Kapitel II

KONZILIEN IN LEBEN UND LEHRE
DES AUGUSTINUS VON HIPPO († 430)

Eine Untersuchung zur Konzilsidee der Alten Kirche kann an Augustinus, einem ihrer einflußreichsten Theologen, nicht vorübergehen. Die zu unserem Thema vorliegende Literatur[1] ist vornehmlich mit der Frage befaßt, ob Augustinus die Unfehlbarkeit ökumenischer Konzilien bezeugt oder bestreitet; wo man darüber hinaus seine Konzilslehre im Zusammenhang behandelt, systematisiert man meist die einzelnen Elemente derselben nach späteren Vorstellungen. Wir versuchen im folgenden, einerseits allgemein den Konzilsbegriff des Augustinus zu bestimmen, andererseits seine explizite Konzilslehre in ihrer historischen Bedingtheit, in ihrem Kontext, zu skizzieren. Da die Konzilstheorie des Augustinus im Zusammenhang mit seiner Konzilspraxis gesehen werden muß, beginnen wir mit der Frage, welche persönliche Erfahrung mit Konzilien und welches historische Wissen über die Konzilspraxis der Alten Kirche ihm zur Verfügung stehen. Einige Beispiele dazu, welchen „Gebrauch" Augustinus selber von Konzilien macht, helfen seine explizite Konzilslehre und den ihr vorausgesetzten Konzilsbegriff im rechten Licht zu sehen.

1. Teilnahme an Konzilien

Der erste Biograph Augustins, *Possidius*, berichtet, der Bischof von Hippo habe, wann immer er konnte, an den Konzilsversammlungen

---

[1] Sie befaßt sich vor allem mit der zwischen Katholiken und Protestanten kontroversen Auslegung von de bap. 2, 3, 4. Man vgl. hierzu auf der einen Seite J. GERHARDUS, Loci theologici: de ecclesia. c. 9, n. 115, Ausgabe Berlin 1867, 1878, V, 356; K. A VON HASE, Handbuch der protestantischen Polemik, Leipzig 1878, 18; H. SCHMIDT, Des Augustinus Lehre von der Kirche, in: JDTh 6 (1861) 197—255, hier 238, H. REUTER, Augustinische Studien, Gotha 1887, 353—355 (grundlegend); auf der andern BELLARMIN 244; MELCHIOR CANO, De locis theologicis, V, 1 und 6, Ausgabe Rom 1900, 258 und 318; TH. SPECHT, Die Lehre von der Kirche nach dem hl. Augustinus, Paderborn 1892, 313—325. — Zu dieser apologetischen Literatur gehört auf katholischer Seite noch: C. PALOMO, San Agustín y la autoridad de los concilios, in: Salm. 8 (1961) 581—602, in etwa auch K. ADAM, ‚Causa finita est', in: Festgabe für A. Ehrhard, hrsg. von A. M. KOENIGER, Bonn 1922, 1—23; P. BATIFFOL, Le catholicisme de saint Augustin, I, Paris³ 1920, 27—42.

seiner Kollegen teilgenommen[2]. Was läßt sich, so fragen wir, über dieses allgemeine Zeugnis hinaus historisch über die Konzilstätigkeit Augustins ausmachen?[3] Zunächst fällt auf, daß für die afrikanische Kirche, die sich zwar schon seit *Cyprians* Zeiten einer regen Konzilstätigkeit erfreute[4], eine neue Blütezeit kirchlicher Konzilien mit dem Episkopat des *Aurelius von Karthago* (391) und der Priesterweihe des Augustinus von Hippo (391) beginnt[5]. Mehrere Historiker sehen in der auffallenden Konzilsfrequenz dieser Jahre[6] zu Recht, wie uns scheint, die Verwirklichung eines gemeinsamen Reformplanes der beiden Kirchenmänner[7]. In diesem Sinne schreibt Augustinus im Jahre 392, also noch als einfacher Priester, an Aurelius von Karthago, der Skandal von Festgelagen an Martyrermemorien müsse durch das „Schwert

---

[2] Possidius, Vita S. Aug. 21, PL 32, 51: *Sanctorum concilia sacerdotum per diversas provincias celebrata, cum potuit, frequentavit; non in eis quae sua sunt, sed quae Jesu Christi quaerens, ut vel fides sanctae ecclesiae catholicae inviolata maneret, vel nonnulli sacerdotes et clerici, sive per fas sive per nefas excommunicati, vel absolverentur vel abjicerentur.*

[3] Einer exakten historischen Aufhellung der Konzilstätigkeit des Augustinus steht im Grunde auch heute noch im Wege, was schon Ch. W. F. WALCH beklagt: die Schwierigkeit, Zahl und Gegenstand der verschiedenen Konzilien sicher zu bestimmen: „Wir kommen jetzt zu denen Conciliis, welche am Ende dieses Jahrhunderts in Carthago gehalten worden. Nichts ist so verworren als die Frage: wieviel und wenn ein jedes unter ihnen zusammengekommen. Die Quelle dieser Unmöglichkeit rührt daher, daß wir zwar Canonen von verschiedenen solchen Versammlungen, aber von keiner historische Nachricht haben." Entwurf einer vollständigen Historie der Kirchenversammlungen, Leipzig 1759, 241. — Zur Frage, welche Canones welchem Konzil zuzuordnen sind, vgl. außer dem Standardwerk Ch. J. HEFELE/H. LECLERCQ, Histoire des Conciles, I, 2; II, 1, Paris 1907/8, und P. PALAZZINI, Dizionario dei Concili, I—VI, Rom 1963—1967, u. a. F. L. CROSS, History and Fiction in the African Canons, in: JThS 12 (1961) 227—247; A. STREWE, Die Canonessammlung des Dionysius Exiguus in der ersten Redaktion, AKG 16, Berlin 1931; L. DUCHESNE, Histoire ancienne de l'Église, III, Paris 1909, 122, Anm. 2; F. MAASSEN, Geschichte der Quellen und der Literatur des canonischen Rechts, Graz 1870, 149—185; C. MUNIER, Conspectus Chronologicus, in: Concilia Africae A. 345—A. 525, CCL 149, Turnholt 1974, XIX bis XXXVIII, dort weitere Literatur; DERS., La tradition littéraire des canons africains (345 bis 525), RechAug X, Paris 1975, 3—22; J. L. MAIER, L'épiscopat de l'Afrique Romaine, vandale et byzantine, Rom 1973, Bibl. Helv. Rom. XI, 18—70.

[4] Vgl. u. a. P. MONCEAUX, Histoire littéraire de l'Afrique chrétienne, Paris 1902, 1905, 1912, II, 41—66; III, 205—237. 325—353, und A. AUDOLLENT, Art. «Afrique», in: DHGE, I (1912) 747—749. 811.

[5] Vgl. G. BARDY, Conciles d'Hippone au temps de s. Augustin, in: Aug (L) 5 (1955) 441 bis 458, der die beiden Konzilien von Hippo in den Jahren 393 und 427 behandelt, die wie ein Rahmen diese Konzilsperiode der afrikanischen Kirche einfassen: «Entre les deux hommes que rapprocha bientôt une étroite amitié, les rôles furent spontanément partagés: Augustin fut la tête qui pense, Aurèle le bras qui agit.» Ebd. 442; zum Verhältnis der beiden Männer vgl. auch MONCEAUX, VII, 39—42.

[6] AUDOLLENT 811—822, zählt für die Jahre 393—427 39 katholische Konzilien in Afrika.

[7] «Mais, surtout, l'institution conciliaire devient, avec Aurelius et Augustin, l'instrument principal de l'effort mené en commun pour venir à bout du schisme». R. CRESPIN, Ministère

strenger Konzilsvorschriften" abgestellt werden[8], ja, nur durch gemeinsame Konzilsbeschlüsse könne diesem Unfug ein Ende bereitet werden[9].

Wir halten fest: Vor seinem Episkopat trägt sich Augustinus schon mit dem Gedanken einer Kirchenreform mittels Konzilsveranstaltungen. So ist es nicht zu verwundern, daß er auf dem Konzil vom 8. Oktober 393 in Hippo, der ersten der zahlreichen unter Aurelius veranstalteten Synoden, obwohl noch einfacher Priester, zugegen ist, und sogar vor den versammelten Bischöfen eine Predigt hält. Sie ist uns, wenn auch vielleicht nicht im ursprünglichen Wortlaut[10], so doch zumindest in der Substanz überliefert[11]. Inwieweit Augustinus bei der Abfassung der Canones[12] dieses Konzils von Hippo im Jahre 393, das man als Archetyp aller folgenden afrikanischen Konzilien bezeichnet hat[13] und dessen Dekrete von F. L. Cross als ein „complete body of canon law"[14] angesehen werden, initiativ ist, läßt sich natürlich nicht mehr mit Sicherheit ausmachen. Eine direkte Beteiligung an der Konzilsdiskussion scheint wenig wahrscheinlich, denn Augustinus

---

et sainteté, pastorale du clergé et solution de la crise Donatiste dans la vie et la doctrine de st. Augustin, Paris 1965, 132; vgl. auch Cross 229, der die Initiative vor allem Augustin zuzuschreiben scheint: "With that remarkable ability for practical matters and talent for organisation with which men of outstanding spiritual gifts are often blessed, Augustin conceived the plan of regular councils. The year was 392."

[8] Ep. 22, 2, CSEL 34, 55, 15—21: *Scias itaque, domine beatissime et plenissima charitate venerabilis, non desperare nos, immo sperare vehementer, quod Dominus et Deus noster per auctoritatem personae quam geris, quam non carni, sed spiritui tuo impositam esse confidimus, multas carnales foeditates et aegritudines quas Africana Ecclesia in multis patitur, in paucis gemit, conciliorum gravi ense et tua gravitate posse sanari.*

[9] Ep. 22, 4, CSEL 34, 57, 22—23: *Sed tanta est pestilentia huius mali, ut sanari prorsus, quantum mihi videtur, nisi concilii auctoritate non possit.*

[10] De fide et symb., PL 40, 181—196.

[11] Daß Augustinus vor den versammelten Bischöfen über den Glauben predigte, ist durch Retract. I, 17 belegt: *Per idem tempus coram episcopis hoc mihi jubentibus, qui plenarium totius Africae concilium Hipponeregio habebant de Fide et Symbolo presbyter disputavi. Quam disputationem, nonnullis eorum qui nos familiarius diligebant, studiosissime instantibus, in librum contuli* ... Cross 230, zu diesem ‚liber': ". . . we cannot suppose it bears any close resemblance to what Augustine actually delivered ... As it is we can only suppose that it has reached us in a greatly revised form."

[12] Statuta concilii Hipponensis breviata, CCL 149, 33—44; nach Cross 233, der "standard text". Die Kanones sind auf uns gekommen in der Gestalt, die ihnen das vier Jahre später abgehaltene Konzil von Karthago vom 13. August gegeben hat. Das sog. Breviarium Hipponense befindet sich unter den Akten des Konzils vom 28. August 397. Näheres zu den Umständen der Abfassung bei Cross 230—231.

[13] L. S. Le Nain de Tillemont, Mémoires pour servir l'histoire ecclésiastique des six premiers siècles, 13, Paris 1710, 186, unter Berufung auf Baronius.

[14] Cross 231.

ist als einfacher Priester kein eigentliches Mitglied der Synode[15]. Ein Einfluß auf die Thematik des Konzils über Aurelius oder andere Bischöfe ist andererseits durchaus im Rahmen des Wahrscheinlichen[16]. Von Bedeutung für die Zukunft der afrikanischen Kirche war vor allem Kanon V, der eine jährliche Konzilsveranstaltung vorschreibt[17]. Was läßt sich über die Teilnahme und Rolle des Augustinus auf diesen Konzilien — die übrigens nicht mit der Regelmäßigkeit stattfinden, die der Kanon vorsieht — ausmachen? Von zwei katholischen Konzilien des Jahres 394 ist nichts erhalten, woraus sich mit Sicherheit auf die Anwesenheit Augustins schließen ließe. Diese ist jedoch wahrscheinlich[18]. In den Jahren 395 und 396 scheint überhaupt kein Konzil stattgefunden zu haben. Das Konzil vom 28. August 397[19] ratifizierte zunächst die Canones des Konzils von Hippo im Jahre 393. Ob Augustinus an diesem Konzil teilgenommen hat, läßt sich nicht mit letzter Sicherheit ausmachen[20].

Aus den Jahren 398 und 400 ist kein Konzil bekannt. Seine Teilnahme am Konzil von 399 ist zwar nicht durch den einzigen überlieferten Kanon[21] gesichert, wohl aber durch das Zeugnis von *sermo* 62[22]. Im Abstand von nicht ganz drei Monaten finden im Jahre 401 zwei Konzile statt, beide in Karthago unter dem Vorsitz des Aurelius. Sie befassen sich u. a. mit der Frage, ob die zusammen mit ihren Gläubigen vom Donatismus zurückgekehrten Geistlichen ihr Priesteramt behalten

---

[15] So BARDY, Conciles 452; vgl. dazu CROSS 232, Anm. 1, der mit der Möglichkeit rechnet, daß Augustinus das ‚breviarium' redigiert hat.

[16] So schon LE NAIN DE TILLEMONT 186: «Il ne faut pas douter, que les avis et les mémoires de saint Augustin n'aient eu une grande part aux règlements qui s'y firent.» — Ähnlich der MAURINERBIOGRAPH: Nec ambigendum, quin Augustinus decretis in concilio sanciendis operam suam praeter caeteros praestiterit, PL 32, 190.

[17] Vgl. dazu CRESPIN 54: «C'était là, enfin, pour un animateur tel que fut Augustin, une occasion privilégiée de communiquer son enthousiasme et d'obtenir l'adhésion de tous à ses initiatives.»

[18] Zum folgenden vgl. (außer der oben, Anm. 3 u. 5, angegebenen Literatur) O. PERLER, Les voyages de saint Augustin, Études Augustiniennes, Paris 1969, 162: «Sa présence . . . n'était pas chose extraordinaire: Aurelius aura tout simplement invité son ami.»

[19] Vgl. darüber vor allem CROSS 230.232. — PERLER 219 f., hält die Teilnahme Augustins am Konzil vom 26. Juni 397 für sicher angesichts der Tatsache, daß dieser sich seit zwei Monaten in Karthago befindet.

[20] LE NAIN DE TILLEMONT 980—981, erwägt in aller Ausführlichkeit die Gründe für und gegen seine Anwesenheit. So findet sich z. B. in der Konzilssammlung des Isidor die Unterschrift des Augustinus, zusammen mit der des Aurelius und Epigonus (MANSI III, 892); in anderen Konzilssammlungen fehlt sie: vgl. Note 26: «Si saint Augustin a assisté au concile général de Carthage en 397» — Vgl. dagegen PERLER 221, Anm. 1.

[21] MANSI II, 752.

[22] PL 38, 414—423; vgl. PERLER 225 f.

bzw., ob die im Schisma getauften Söhne von Donatisten zu Priestern geweiht werden können[23]. Das Konzil vom 13. September 401 beauftragte eine Kommission von 20 Bischöfen mit der Wiederherstellung der Ordnung in der Kirche von Hippo Diarrhytorum, wo der Bischof *Equitius* sein Unwesen treibt. Eines der Mitglieder dieser Kommission ist Augustinus; er hatte also an diesem zweiten Konzil des Jahres 401 teilgenommen[24]. Der Einfluß Augustins auf dieses Konzil wird besonders in Kanon 69[25] deutlich. Das Argument, dessen sich die katholischen Delegierten bedienen sollen, ist das Lieblingsargument Augustins: die widersprüchliche Haltung der Donatisten ihren eigenen Schismatikern gegenüber. L. S. Le Nain de Tillemont hält die Teilnahme auch am Konzil vom 15./16. Juni für wahrscheinlich[26].

Bis zum großen Religionsgespräch zwischen Donatisten und Katholiken im Jahre 411[27] findet nun jedes Jahr — ausgenommen das Jahr 406 — ein Konzil statt (im Jahre 408 waren es sogar zwei). Für die Teilnahme Augustins am Konzil von Mileve[28] im Jahre 402 liegt zwar kein direktes Zeugnis vor, aber man kann mit Le Nain de Tillemont[29] darauf hinweisen, daß ein Teil der Konzilsdekrete im Zusammenhang steht mit Fragen, die Augustinus in Briefen des Jahres 401/02 behandelt[30].

Einer der Höhepunkte der afrikanischen Kirchengeschichte stellt das Konzil vom 25. August des Jahres 403 dar. Die Bischöfe fassen den Entschluß zu einer großangelegten Kampagne zur Wiedervereinigung mit den Donatisten ausschließlich auf friedlichem Wege mittels öffentlicher

---

[23] Codex canonum ecclesiae Africanae, can. 57 u. 68, CCL 149, 195—196 u. 200; vgl. dazu HEFELE/LECLERCQ II, 1, 201—209, u. MONCEAUX III, 369—372.

[24] Vgl. Can. 78 des Cod. can. eccl. Afric., CCL 149, 203.

[25] Ebd. 200—201.

[26] LE NAIN DE TILLEMONT 44: «Les décrets qui se sont faits en l'un et en l'autre (scil. concile de 401) nous donnent lieu de croire que saint Augustin a assisté à tous les deux.» — Der MAURINERBIOGRAPH entdeckt in den Dekreten dieser beiden Konzile den Geist des Augustinus: ,Augustini certe ingenium in huiusce concilii decretis elucet plurimum' (PL 32, 301). — PERLER 234, folgert die Anwesenheit aus sermo 24, der am 16. Juni in Karthago gehalten wurde.

[27] CCL 149 A. — Zum Problem des Donatismus allgemein vor allem J. P. BRISSON, Autonomisme et christianisme dans l'Afrique Romaine de Septime Sévère à l'invasion vandale, Paris 1958.

[28] Vgl. MONCEAUX III, 372.

[29] LE NAIN DE TILLEMONT 387: «Cette dispute servit, semble-t-il, d'occasion à une partie des décrets du concile de Milève qui y ont rapport». — Auch PERLER 244, hält die Teilnahme für «moralement certain».

[30] Vgl. Ep. 59 mit Can. eccl. African. 86, CCL 149, 206—207; ferner Ep. 63, 4 mit can. 90, ebd. 208—209.

Diskussion[31]. Augustinus ist bei diesem Konzil anwesend[32]. Die auf diesem Konzil abgefaßte Aufforderung an die donatistischen Bischöfe[33], sich dem öffentlichen Glaubensgespräch zu stellen, dürfte kaum ohne seine aktive Mitwirkung abgefaßt worden sein[34]. Vor seiner Rückkehr nach Hippo, unmittelbar anschließend an das Konzil vom 13. September, geht Augustinus in seinen Psalterhomilien in der Kirche von Karthago ausführlich auf die Auseinandersetzung mit den Donatisten ein[35]. Die Donatisten dachten jedoch nicht daran, sich einem öffentlichen Religionsgespräch zu stellen, sie antworteten vielmehr mit brutaler Gewalt[36]. Daher die volte-face der Katholiken auf dem Konzil vom 26. Juni des Jahres 404: man bittet den Kaiser um Anwendung der Ketzergesetze gegen die Donatisten. Auch Augustinus, der auf dem Konzil anwesend ist[37], gibt nach anfänglichem Zögern dem Drängen der übrigen Bischöfe nach und unterstützt den Rekurs auf den weltlichen Arm[38]. Ob Augustinus am Konzil des folgenden Jahres (23. August 405) teilgenommen hat, läßt sich wiederum nicht dem kurzen Konzilsbericht, der auf uns gelangte[39], mit Sicherheit entnehmen. Man kann es aber mit Le Nain de Tillemont u. a.[40] für wahrscheinlich halten. Das Konzil vom

---

[31] Vgl. hierzu MONCEAUX III, 372—376.

[32] Can. 90, CCL 149, 209: *Alypius episcopus ecclesiae Thagastensis dixit: nos quidem de Numidia venimus, et sancti fratres Augustinus et Possidius: sed de Numidia legatio mitti non potuit, quod adhuc tumultu tyronum, episcopi propriis necessitatibus in civitatibus suis aut impediti aut occupati sunt.*

[33] Cod. can. eccl. Afric. 92, CCL 149, 210—211: *Convenimus vos ex concilii nostri auctoritate missi, de vestra correctione gaudere cupientes, considerantes domini caritatem, qui dixit: beati pacifici, quia ipsi filii Dei vocabuntur, et admonuit per prophetam etiam his qui dicunt se fratres nostros non esse, dicere nos debere, fratres nostri estis. Hanc ergo pacificam ex caritate venientem commonitionem nostram contemnere non debetis, ut si quid veritatis habere nos arbitramini, non dubitetis asserere: id est, ut congregato vestro concilio deligatis ex vobis, quibus causam assertionis vestrae committatis: ut et nos possimus hoc facere, ut etiam de nostro concilio deligantur, qui cum eis quos deligeritis, constituto loco et tempore, quidquid quaestionis est, quod vestram a nobis separat communionem, cum pace discutiant, et tandem aliquando adjuvante Domino Deo nostro, finem veternosus error accipiat, ne propter animositatem hominum infirmae animae et ignari populi sacrilega dissensione dispereant. Si enim hoc fraterne acceperitis, veritas facile dilucescit: si autem hoc facere nolueritis, diffidentia vestra facile innotescet.*

[34] LE NAIN DE TILLEMONT 395: «Il (d. h. der Text der Einladung zum Religionsdisput) est inseré dans ce concile et il est aisé de juger que saint Augustin y avait eu beaucoup de part».

[35] Enarrat. Ps. 36; vgl. dazu u. a. A. C. DE VEER, L'exploitation du schisme maximianiste par saint Augustin dans sa lutte contre le donatisme, in: RechAug 3 (1965) 219—237, 221. Zum Datum vgl. jedoch PERLER 237, Anm. 9.

[36] Vgl. hierzu MONCEAUX III, 376.

[37] Vgl. Ep. 185, 7, 25, CSEL 37, 23—25.

[38] Vgl. hierzu vor allem E. L. GRASMÜCK, Coercitio, Staat und Kirche im Donatistenstreit, Bonn 1964, bes. 195—250.

[39] Cod. can. eccl. Afric. 94, CCL 149, 214.

[40] LE NAINT DE TILLEMONT 425: «Saint Augustin ne manqua pas sans doute de se trouver à ce concile général d'Afrique comme il avait fait aux autres»; vgl. MONCEAUX VII, 27, und PERLER 257 f.

13. Juni des Jahres 407 regelt u. a. eine recht dunkle Streitsache des numidischen Bischofs *Maurentius*. Dabei erbittet sich Maurentius als Richter u. a. Augustinus[41], woraus man wohl auf Augustins Anwesenheit auf diesem Konzil schließen kann. Die den beiden Konzilien im Jahre 408 sowie in den Jahren 409 und 410 zugehörigen Texte geben keinerlei positiven Aufschluß über eine Anwesenheit Augustins. Aus indirekten Zeugnissen ergibt sich jedoch die Nichtteilnahme an dem Konzil vom 13. Oktober 408 (Brief 97) und die Teilnahme am Konzil vom 14. Juni 410[42].

Auf das große Religionsgespräch zwischen Katholiken und Donatisten, das nach vielen Widerständen und Hindernissen doch schließlich am 1., 3. und 8. Juni 411 zustande kam, brauchen wir in unserem Zusammenhang nicht näher eingehen, da es sich nicht um ein Konzil im eigentlichen Sinn des Wortes handelt[43]. Halten wir jedoch von dieser einzigartigen Veranstaltung fest, was Le Nain de Tillemont von ihr in bezug auf Augustinus sagt: „Il est visible que ce saint (d. h. Augustin) en fut l'âme de la part des catholiques"[44]. Noch im selben Jahr 411 findet in Karthago das erste Konzil gegen *Caelestius*, Schüler des *Pelagius*, statt[45]. Diesmal wissen wir positiv durch Augustinus selbst, daß er auf diesem Konzil nicht anwesend war[46]. Das Konzil von Cirta (Zerta?) in Numidien am 14. Juni 412 nimmt in einem gemeinsamen Synodalbrief zu dem Vorwurf der Donatisten Stellung, der Schiedsrichter des Glaubensgesprächs vom Vorjahr, *Marcellinus*, sei bestochen gewesen[47]. Augustinus bekennt sich selber als Verfasser dieses Briefes, der die Kurzfassung der längeren Abhandlung *Post collationem contra Donatistas* darstellt[48]. In seiner Eigenschaft als Verfasser des gemeinsamen

---

[41] Cod. can. eccl. Afric. 100, CCL 149, 217.

[42] Ebd. 106—108, CCL 149, 219—220; vgl. PERLER 269—271. 274.

[43] Vgl. hierzu u. a. MONCEAUX III, 388—425.

[44] LE NAIN DE TILLEMONT 551.

[45] J. H. KOOPMANS, Augustine's First Contact with Pelagius and the Dating of the Condemnation of Caelestius at Carthage, in: VigChr 8 (1954) 149—153. Vgl. dagegen F. REFOULÉ, La datation du premier concile de Carthage contre les Pélagiens et du Libellus fidei de Rufin, in: REAug 9 (1963) 41—49.

[46] Augustinus, De gest. Pel. 11, 23, CSEL 42, 76—77, schreibt an Aurelius: *Haec* (d. h. die Lehrsätze des Pelagius) *ita objecta sunt, ut etiam apud Carthaginem a Sanctitate tua et ab aliis tecum episcopis dicerentur audita atque damnata. Ubi quidem, ut recolis, ipse non fui, sed postea cum venissem Carthaginem, eadem gesta recensui.*

[47] Conc. Cirt., Ep. 141, CSEL 44, 235—246.

[48] Retract. II, 40: *Multo autem brevius id egi quadam ad eos rursus epistola. Sed quia in concilio Numidiae omnibus qui ibi eramus hoc fieri placuit, non est in epistolis meis.* Vgl. hierzu MONCEAUX III, 384—386.

Synodalbriefes erscheint Augustinus somit als die zentrale Figur dieses Konzils von 412.

Weitere afrikanische Konzile sind erst wieder für das Jahr 416 bekannt, und zwar gleich zwei, eines in Mileve (Numidien) und das andere in Karthago. Beide befassen sich mit dem Pelagianismus. Der Brief des Konzils von Mileve an Papst *Innozenz*[49] führt unter den Verfassern an achter Stelle den Namen Augustinus auf; eine führende Rolle bei der Abfassung des Briefes ist kaum auszuschließen. Das Konzil von Karthago sendet ebenfalls einen Brief an Innozenz, um ihn zu Maßnahmen gegen Pelagius und Caelestius zu bewegen[50]. Die Nichtteilnahme an letzterem ergibt sich aus Brief 178, in dem Augustinus beide Konzile unterscheidet[51].

Von den Konzilien in Thysdrus (417?), Karthago (417 oder 418) und Thelepte (24. Februar 418) sind teils keine, teils unsichere Dokumente überliefert; über eine Teilnahme Augustins ist nichts auszumachen. Das Universalkonzil vom 1. Mai 418, das in 20 Canones sich hauptsächlich mit dem Pelagianismus und Donatismus befaßt[52], beschließt in seinem letzten Kanon die Fortsetzung des Konzils — offensichtlich wartet man auf die Antwort von Papst *Zosimus*. Man läßt zu diesem Zweck vom Concilium generale eine Kommission von je 3 Prälaten aus den afrikanischen Provinzen (mit Ausnahme der tripolitana, die nur einen Vertreter sendet) wählen, bevor die übrigen Synodalen zu ihren Sitzen zurückkehren. Augustinus wird dabei zusammen mit *Alypius* und *Restitutus* als Vertreter für Numidien gewählt. Daraus ergibt sich eindeutig seine Anwesenheit auf diesem Konzil[53].

Von einem weiteren Konzil gegen Ende des Jahres 418 im Kompetenzstreit zwischen Rom und Afrika um den Fall des Apiarius sind die Akten verloren. Derselbe Streitfall beschäftigt das Generalkonzil vom 25.—30. Mai 419 in Karthago, an dem neben drei päpstlichen Legaten 217 afrikanische Bischöfe teilnehmen[54]. Die Konzilsakten haben den, wie es

---

[49] Conc. Milev., Ep. 176, CSEL 44, 633—668.
[50] Conc. Carth., Ep. 175, CSEL 44, 652—662.
[51] Vgl. PERLER 331. — Vgl. dort auch Genaueres zur Datierung der beiden Konzile.
[52] Cod. can. eccl. Afric. 108—127, CCL 149, 220—228. — Vgl. hierzu H. ULBRICH, Augustins Briefe zur entscheidenden Phase des Pelagianischen Streites, in: REAug 9 (1963) 51—75. 235—258.
[53] CCL 149, 227.
[54] Es muß auf diesem Konzil recht hitzig zugegangen sein. Aus den Akten, die überliefert sind (vgl. CCL 149, 89—94), geht hervor, daß man sich mehrmals gegenseitig unterbrach. Die Afrikaner weigern sich, die vom Papst als nicaenisch ausgegebenen Canones als echt anzuerkennen. Man kommt deshalb zu dem Schluß, sich authentische Abschriften aus

scheint, entscheidenden Vermittlungsvorschlag des Augustinus festgehalten: man solle sich bis zur Klärung der Echtheitsfrage an die vom
Papst angezogenen Canones halten[55]. Der Synodalbrief an Papst *Bonifatius* trägt u. a. die Unterschrift Augustins[56]. Von einem Konzil am
13. Juni 421 sind keine Dokumente überliefert, die die Anwesenheit
Augustins beweisen[57], genausowenig von ein oder zwei Konzilien aus
dem Jahre 423. Das Concilium von 424 in Karthago greift die Streitsache *Apiarius* wieder auf; der an Papst *Caelestin* gerichtete Synodalbrief enthält in der Überschrift nicht den Namen Augustins; auch die
Namen der übrigen numidischen Bischöfe fehlen[58]. Wir wissen jedoch,
daß sich Augustinus nach dem Osterfest, das in diesem Jahr auf den
30. März fiel, 3 Monate lang in Karthago aufhielt[59], in der Zeit also, in
der Konzilien vorzugsweise stattfinden.

In die Jahre 418—426[60] fällt die *Leporius*-Affäre. Der Synodalbrief an die
gallischen Bischöfe[61] stammt höchstwahrscheinlich aus der Feder Augustins[62], der *Libellus emendationis sive satisfactionis*, den der Mönch
Leporius dem Konzil präsentiert, trägt u. a. seine Unterschrift[63]. — Das
letzte afrikanische Konzil schließlich, an dem Augustinus teilnimmt, ist
das vom 24. September des Jahres 427 in Hippo[64]. Man befaßt sich mit
Disziplinarfragen, die Akten sind erhalten[65], *Praefatio* und *Conclusio*

Alexandrien, Konstantinopel und Antiochien zu besorgen. Vgl. hierzu HEFELE/LECLERCQ
II, 1, 196—211; über Einzelheiten vgl. W. MARSCHALL, Karthago und Rom, die Stellung der
nordafrikanischen Kirche zum apostolischen Stuhl in Rom, Stuttgart 1971, 174—183. Zum
sog. Cod. can. eccl. Afric., der von diesem Konzil stammen soll, vgl. vor allem CROSS
240—247.
[55] CCL 149, 161: *Cumque recitaretur, Augustinus episcopus ecclesiae Ypponiensis provinciae Numidiae
dixit: et hoc nos servaturos profitemur, salva diligentiore inquisitione concilii Nicaeni. Aurelius
episcopus dixit: si hoc etiam omnium vestrae caritati placet, responsione firmate. Universum concilium
dixit: quae omnia in Nicaeno concilio statuta sunt, placent nobis omnibus.*
[56] Ebd. 161.
[57] HEFELE/LECLERCQ II, 1, 213. Vgl. PERLER 364.
[58] CCL 149, 169. — Zu diesem Konzil vgl. CH. MUNIER, Un canon inédit du XXᵉ concile
de Carthage, in: RevSR 40 (1966) 113—126, ferner MARSCHALL 184—197.
[59] LE NAIN DE TILLEMONT 842. — PERLER 379 argumentiert auf Grund von sermo 114
für die Anwesenheit Augustins.
[60] Zur Datierung vgl. PERLER 343, der im Anschluß an J. L. MAIER, La date de la retraction
de Leporius et celle du sermon 396 . . ., in: REAug 11 (1965) 39—42, die Leporius-Affäre
in das Jahr 418 legt, und zwar in die Wochen nach dem Konzil vom 1. Mai.
[61] Ep. 219, CSEL 57, 428—431.
[62] MANSI IV, 517.
[63] *Augustinus episcopus Hipponensium regiorum oblato nobis a Leporio libello subscripsi*, MANSI IV,
527.
[64] Vgl. hierzu M. BOUDINHON, Note sur le Concile d'Hippone de 427, in: RHLR 10 (1905)
267—274; vgl. HEFELE/LECLERCQ II, 1, 1302—1308 und BARDY, Conciles 452—458.
[65] CCL 149, 250—253.

erwähnen Augustinus[66]. *Aurelius* führt, wie auch bei den meisten der vorangegangenen Konzilien, ordnungsgemäß den Vorsitz, die ehrende Erwähnung Augustins wirft jedoch bezeichnendes Licht auf seine Rolle in diesem Konzil. Möglicherweise versammelte es sich auch auf seine Anregung hin. Besonders deutlich wird jedoch der Einfluß Augustins auf die Abfassung der Dekrete, wenn man Kanon 4 und 5 mit den *sermones* 355 und 356 *(De vita et moribus clericorum suorum)*[67] vergleicht, die Augustinus Ende des Jahres 424 in Hippo gehalten hat. Die Dekrete fassen in nüchterne juridische Bestimmungen den Geist der Strenge und der Zucht, von denen die genannten Predigten zeugen.

Mit dem Konzil von Hippo im Jahre 427 endet die unter dem Zweigestirn Aurelius/Augustinus so fruchtbare Periode konziliarer Reformen der afrikanischen Kirche, nicht nur deshalb, weil die beiden Freunde — höchstwahrscheinlich — im gleichen Jahr (430) vom Tode dahingerafft werden, sondern auch, weil die äußeren Umstände, der Einfall der Vandalen, für viele Jahre eine Konzilsveranstaltung der Katholiken nicht mehr erlauben[68]. Abschließend ist nur noch die ehrenvolle Einladung Augustins zum „ökumenischen" Konzil von Ephesus durch Kaiser *Theodosius II.* zu erwähnen[69]. Die Teilnahme an diesem „ökumenischen" Konzil hätte wahrhaftig die konziliare Tätigkeit des Bischofs von Hippo gekrönt.

Wir können als Ergebnis unseres Überblicks festhalten: Fast überall, wo die Quellenlage ein Urteil erlaubte, ließ sich die Anwesenheit Augustins entweder positiv nachweisen oder wahrscheinlich machen. Das eingangs zitierte Zeugnis des Possidius, Augustinus habe, wann immer er konnte, an den Bischofsversammlungen seiner Kollegen teilgenommen, erweist sich somit als historisch zutreffend[70].

---

[66] CCL 149, 250: *Cum Aurelius senex una cum fratribus et consacerdotibus suis consedisset, astantibus diaconibus, Aurelius episcopus dixit: Sanctitas vestra melius recolit qua necessitate factum est ut instituta concilii solemnitas per biennium cessaret. Nunc quia adjuvante Deo, certa providentia factum ut sanctus frater et coepiscopus noster Augustinus pro sua religione concilium libenter acciperet et nos Dominus in unum congregari jussisset, et quia contingit ut infirmitas mea vestrum omnium vultum salutaret, agamus aliquid pro utilitate Ecclesiae, ut ea quae innata vel quae audienda sunt audiantur, ne causae, cum diutius adhuc dimitti coeperint, in pejus exsurgant. Unde hoc opus est ut Ecclesiae causae quae disciplinae congruunt pertractentur. — Haec statuta singuli propria subscriptione firmarunt: Aurelius, Simplicius, Augustinus et caeteri,* ebd. 253.
[67] CCL 149, 251 und PL 39, 1568—1581.
[68] Vgl. für die folgenden Jahre der arianischen Verfolgung AUDOLLENT 823—833.
[69] Capreolus, Ep. ad conc. Eph., ACO I, 3; 81, 10—14.
[70] Zur Teilnahme Augustins an den Konzilien seiner Zeit vgl. außerdem MONCEAUX VII, 21; BARDY, Conciles 443; CRESPIN 133.

2. Historische Kenntnis von Konzilien

Augustins Konzilsbegriff und seine Konzilslehre sind nicht nur von einer persönlichen Erfahrung mit Konzilien bestimmt, sondern ebenso von seinen historischen Kenntnissen über die Konzilspraxis der Kirche. Deswegen fragen wir im folgenden: Von welchen Konzilien hat er historische Kenntnis, von welchen besitzt er sogar die Akten? Art und Umfang seines Konzilswissens legen es nahe, zwischen den afrikanischen und den außerafrikanischen Konzilien zu unterscheiden[71].

Über die *vorcyprianischen* Konzilien[72] war Augustinus zumindest durch die gleiche Quelle informiert, aus der auch wir von ihnen Kenntnis haben: aus den Briefen Cyprians, die sich höchstwahrscheinlich alle[73], sicher aber zu einem großen Teil im Besitz des Bischofs von Hippo befanden[74].

Über die *cyprianischen* Konzile ist Augustinus ebenfalls durch dessen Briefsammlung im Bilde. Auf die Konzile in den Jahren 253 und 255 nimmt Augustinus in seinen Schriften ausdrücklich Bezug[75]. Besonders eingehend befaßt er sich mit den Konzilsakten vom 1. September des Jahres 256, den sog. *Sententiae episcoporum numero LXXXVII de haereticis baptizandis*[76]. Für die Konzilien der Jahre 251, 252, 254 und

---

[71] Inwieweit Augustinus ein „Apostelkonzil" kennt, läßt sich in etwa durch Ep. 82, 11 und *Contra partem Donati post gesta* 15, 19 ff. entscheiden: In seiner berühmten Diskussion mit Hieronymus über die Frage, ob Paulus Gal 2, 11 den Petrus zum Schein oder wirklich getadelt hat, faßt Augustinus eine doppelte Möglichkeit ins Auge: daß nämlich dieser Tadel *post apostolorum decretum* stattfindet oder *ante illud Jerusolymitanum concilium*. Daß man diese Apostelversammlung von Apg 15 als ein Konzil ansehen kann, scheint ihm aber beim Bericht über das Religionsgespräch vom Jahre 411 nicht so deutlich bewußt zu sein. Auf das Ansuchen der Donatisten, aus der Schrift zu beweisen, daß Konzilsakten mit *dies* und *consules* gekennzeichnet sein müssen, antwortet Augustinus: diese Forderung ist unangebracht, denn erstens: Schrift und Konzilien sind nicht vergleichbar, und zweitens: in der Hl. Schrift ist kein Konzil bekannt, *ubi apostoli iudices sederint et accusatum aliquem vel damnaverint vel absolverint*. Daß Augustinus hier bloß negiert und nicht, auf Apg 15 eingehend, erläutert, scheint doch anzuzeigen, daß ihm das sog. Apostelkonzil keine geläufige Größe ist. Zum Briefwechsel Augustin—Hieronymus vgl. vor allem P. AUVRAY, Saint Jérome et saint Augustin. La controverse au sujet de l'incident d'Antioche, in: RSR 29 (1939) 594—610.

[72] Karthago 215 (?): vgl. Cyprian, Ep. 71, 4; das Konzil von 217 (?): vgl. Ep. 1, und das der Lambesitanischen Kolonie vom Jahre 240: vgl. Ep. 59, 10.

[73] Vgl. H. I. MARROU, Saint Augustin et la fin de la culture antique, Paris 1938, 421: «Il est facile de s'assurer qu'Augustin a de toute son œuvre (gemeint ist das Werk Cyprians) une connaissance complète et approfondie.» Vgl. auch B. ALTANER, Augustinus-Studien, in: Kleine patristische Schriften, TU 83 (1967) 3—331, hier 174—178.

[74] Vgl. die Rubrik «Auteurs divers» der Bände 28—30 der BAug, hrsg. von F. CAYRÉ (Paris 1936 ff.), wo die einzelnen Briefe, auf die sich Augustinus bezieht, aufgeführt sind.

[75] Ep. 166, 8, 23; vor allem De bapt. V, 23, 31; vgl. auch G. BAVAUD, BAug 29, Paris 1964, 29, 637—639.

[76] De bapt. VI, 8—VII, 48 kommentiert Augustinus die einzelnen Bischofsvoten.

des Frühjahrs 256 liegt zwar im antidonatistischen Schrifttum des Augustinus keine ausdrückliche Bezugnahme vor, er ist jedoch höchstwahrscheinlich durch die entsprechenden Briefe Cyprians[77] über sie informiert.

Daß Augustinus von den afrikanischen Konzilien *nach* dem Episkopat Cyprians bis zu seinem eigenen Amtsantritt[78] Kenntnis hat, ist deswegen wahrscheinlich, weil von diesen Konzilien z. T. Konzilsakten vorliegen, die ihm kaum unbekannt geblieben sein können.

Die Frage, inwieweit Augustinus die recht zahlreichen *Donatisten*konzilien kennt[79], ist einfach dahingehend zu beantworten, daß Augustinus der eigentliche „Historiker" des Donatismus ist[80]. Seinen historischen Nachforschungen verdankt die Nachwelt nicht nur überhaupt die Nachricht von der Existenz der meisten dieser Konzilien[81], sondern auch beachtliches Quellenmaterial[82]. Die Kenntnis dieser Konzilien und ihrer Akten war für Augustinus während seiner gesamten Auseinandersetzung mit dem Donatismus von vitalem Interesse[83].

Wie steht es mit seiner Kenntnis der *außerafrikanischen* Kirchenversammlungen? Was das 2. und 3. Jahrhundert angeht, so ist bekanntlich unsere Hauptquelle für die Konzilsgeschichte die *Historia ecclesiastica*

---

[77] Ep. 44. 45. 48. 57. 67. 72. Vgl. hierzu jedoch Bavaud, in: BAug 31: Augustinus benutzt den ganzen Cyprian-Dossier zur Frage der Wiedertaufe außer Ep. 72 und dem Synodalbrief vom Frühjahr 256.

[78] Die Konzilien um das Jahr 348 in der Byzacene und in Numidien, im Jahr 349 in Karthago unter Gratus, im Jahr 389 und am 16. Juni 390 unter Genethlius.

[79] Vgl. die Liste bei Audollent 811—822.

[80] Monceaux VII, 243—257.

[81] Das Konzil von Karthago um das Jahr 335 ist uns z. B. nur durch Ep. 93, 10, 43 bekannt, das Konzil von Karthago (?) zwischen 370 und 390 mit der Verurteilung des Tyconius nur durch C. ep. Parm. I, 1, das Maximianistenkonzil zu Karthago im Jahre 393 nur durch C. Cresc. 4, 6, 7 usw. Ähnlich verhält es sich mit einer Reihe weiterer Donatistenkonzilien.

[82] Der Synodalbrief des Maximianistenkonzils vom 24. Juni des Jahres 393 zu Cabarsussi ist uns allein von Augustinus überliefert. Er zitiert ihn in extenso in einer Homilie zu Ps 36, die er im Jahre 403 (?) in Karthago hält (In Ps. 36, 19—20; Text vgl. auch Mansi III, 845—848). Weitere Stellen bei Maier 33. Auch die Sentenz des Konzils von Bagai (24. April 394) ist durch Augustinus der Nachwelt überliefert (vgl. Mansi III, 857—858). Stellen bei Maier 36—37; ebenso das Dekret eines Konzils aus dem Jahr 414/19 über die Rückkehr vom Katholizismus zum Donatismus ist uns nur durch Augustinus erhalten (C. Gaud. I, 37, 48). Von den meisten der Donatistenkonzilien gilt, was schon Walch 134 bemerkt: „Man muß sich abermals mit dem behelfen, was Augustinus und Optatus von Mileve hiervon aufgezeichnet." — In der Tat, Augustin übernimmt zunächst die antidonatistische Aktensammlung des Optatus von Mileve, erweitert dann diese aber erheblich (vgl. hierzu Monceaux VII, 243 ff.).

[83] Zur Benutzung dieser Konzilien vgl. vor allem seine Predigt in Ps. 36 und von der zahlreichen Literatur hierzu de Veer 219—237.

des *Eusebius von Caesarea*[84]. Diese Kirchengeschichte liegt vom Jahre 402/403 ab in der lateinischen Übersetzung und Fortführung durch *Rufinus von Aquileia* vor. Augustinus konnte sie folglich von diesem Zeitpunkt an benutzen. Er hat sie sicher spätestens vom Jahre 421 oder 425 ab verwendet, da er sich ausdrücklich in seiner Schrift *De cura pro mortuis gerenda* darauf bezieht[85]. Weitere Quellen für die Kenntnis der Konzilien des 2. und 3. Jahrhunderts sind die Briefe des *Cyprian*, worüber weiter oben schon gehandelt wurde.

Die Mehrzahl der Kirchenversammlungen des 4. Jahrhunderts befaßt sich mit dem Arianismus. Sie sind uns vornehmlich bekannt durch die publizistischen Sammlungen, die *Athanasius* für den Osten und *Hilarius* für den Westen hergestellt haben[86]. Kannte Augustinus eine dieser Sammlungen? Von der Antwort auf diese Frage hängt es ab, ob er eine genauere Kenntnis dieser für die Konzilsgeschichte so wichtigen Periode hatte. Zunächst was die Sammlungen des *Athanasius* angeht: Ein positiver Hinweis für die Benutzung der Aktensammlungen des Athanasius läßt sich im Werk des Augustinus, soweit wir sehen, nicht finden[87]. Anders ist dagegen in bezug auf *Hilarius* zu urteilen; dessen Konzilsaktensammlung *De synodis* kann man als bekannt voraussetzen[88].

Aufschlußreich für unsere Frage ist weiter ein Vergleich zwischen Brief 44 aus dem Jahre 395/96 und der Schrift *Contra Cresconium grammaticum* vom Jahre 405/06. In der Auseinandersetzung mit dem Donatisten *Cresconius* verfügt Augustinus über einen Text, den er 10 Jahre früher beim Religionsgespräch mit dem Donatisten *Fortunius* noch nicht kannte: den Synodalbrief des Konzils von Serdika/Philippopolis. Daraus

---

[84] Sie enthält Nachrichten über die Konzilien von Hierapolis, Ephesus, Ponto, in Palästina, Gallien, Osroene, Rom, Iconium, Bostra und Antiochien; vgl. hierzu Hist. Eccl. VI, 33; VI, 37; VI, 43; VII 24; VII, 28.

[85] De cura 6, 8, CSEL 41, 633: *Legimus in ecclesiastica historia, quam graece scripsit Eusebius et in latinam linguam vertit Rufinus.* — Vgl. auch De haer. 83, CCL 46, 337: *Cum Eusebii historiam scrutatus essem, cui Rufinus a se in latinam linguam tractatae subsequentium etiam temporum duos libros addidit, non inveni ...* (aus dem Jahr 428/9). Zum Ganzen vgl. ALTANER 253—259, demzufolge Augustinus die Kirchengeschichte des Eusebius im Jahre 397/8 bei der Abfassung von ,Contra Faustum' noch nicht gekannt hat.

[86] Athanasius stellte die verschiedenen Konzilsdokumente in seinen Werken *Historia Arianorum ad monachos*, *Apologia contra Arianos* und *Epistula de decretis Nicaenae synodi* zusammen; Hilarius in seinem *De synodis* und dem sog. *Opus historicum*.

[87] Vgl. hierzu auch ALTANER 316—331, 325.

[88] Ep. 93, 6, 21—9, 31 weist Augustinus die falsche Interpretation einer Stelle aus dieser Schrift zurück. Es handelt sich dabei nach I. CHEVALIER, Saint Augustin et la pensée grecque, Freiburg 1940, 94, um ein Zitat. — Vgl. allgemein zur Vertrautheit des Augustinus mit den Schriften des Hilarius MARROU 421: «Parmi les écrivains de l'Église ,transmarine' il a lu Hilaire de Poitiers».

folgt, daß Augustinus, wie im Fall des Donatismus, auch in der Frage der mit dem Arianismus beschäftigten Konzilien sich mit den Jahren mehr und mehr Dokumente besorgte[89]. Kann man mit B. Altaner noch einen Schritt weitergehen und vermuten, „daß nicht nur Augustinus (um 406), sondern auch der donatistische Bischof Fortunius das ganze *Opus historicum* des Hilarius, in dem das Rundschreiben der Arianer enthalten war, in Händen hatte?"[90] Diese Annahme ist u. E. nicht möglich, denn zur Aktensammlung des *Opus historicum* des *Hilarius* gehört auch die *Epistula synodi Sardicensis ad universas ecclesias*[91], aus der eindeutig hervorgeht, daß es auch ein orthodoxes Konzil zu Serdika gab. Wie könnte Augustinus in Kenntnis dieses Briefes *Cresconius* entgegenhalten: *Disce ergo quod nescis: Serdicense concilium Arrianorum fuit...*'?[92] Man wird vielmehr gerade aus diesem Nichtwissen um ein orthodoxes Konzil von Serdika schließen müssen, daß die in Frage stehende Konzilssammlung sich nicht in den Händen Augustins befindet und daß infolgedessen seine Kenntnisse über die arianischen bzw. antiarianischen Konzilien des 4. Jh. begrenzt sind.

Dieses begrenzte Wissen braucht nicht zu erstaunen. Auch von anderen Konzilien des 4. Jh. hat Augustinus nur dürftige oder gar keine Nachrichten. So scheint er z. B. auch keine Kenntnis vom sog. Zweiten Ökumenischen Konzil von Konstantinopel zu haben[93]. — Auf das

---

[89] In Ep. 44 berichtet Augustinus von seinem Religionsgespräch mit dem Donatistenbischof Fortunius, der sich zum Beweis der Kircheneinheit zwischen Donatisten und der übrigen Kirche auf einen Synodalbrief beruft, in dem man offensichtlich die *Epistula synodica Sardicensis Orientalium* (CSEL 65, 48—78), also den Brief der arianischen Partei dieses Konzils, zu sehen hat. Aus den weiteren Ausführungen geht hervor, daß Augustinus augenscheinlich zu dieser Zeit noch keine genauere Kenntnis von diesen Konzilsakten besitzt. — Anders im Jahre 406. Die Berufung des Cresconius auf den nämlichen Synodalbrief weist Augustinus zurück mit dem Hinweis, daß er im Besitz dieses Briefes ist: *Sed orientales, quos modo nostros esse concedis, non latuisse hoc facinus dicis atque, ut hoc probes, inseris principium epistulae concilii Serdicensis, ubi Donati Carthaginis episcopi vestri nomen invenitur adscriptum ... disce ergo quod nescis: Serdicense concilium Arrianorum fuit, quod notum iam diu est et habemus in manibus, contractum maxime contra Athanasium ...* (C. Cresc. III, 34, 38, CSEL 52, 445, 3—12; vgl. auch ebd. IV, 44, 52). Damit scheint gesichert, daß Augustinus im Jahre 406 die *Epistula synodica Sardicensis Orientalium* — oder zumindest einen Teil von ihr — in Händen hat. Dem Besitz des ganzen Briefes scheint entgegenzustehen, daß in eben diesem Brief (ebd. 60 ff.) deutlich von einem orthodoxen Konzil in Serdica die Rede ist. Wie kann Augustinus in Kenntnis des ganzen Briefes schlankweg behaupten: *Serdicense concilium Arrianorum fuit?* Zur weiteren Problematik dieser *epistula synodica* vgl. DE VEER, BAug 31, note 34, p. 805—809; insbesondere zur Adresse H. ACHELIS, Eine donatistische Fälschung, in ZKG 48 (1929) 344—353.

[90] ALTANER 260—268, hier 261.

[91] Series B II, 1, CSEL 65, 103—126.

[92] Vgl. u.a. G. FOLLIET, L'épiscopat africain et la crise arienne au IV siècle, in: REByz 24 (1966) 196—223.

[93] Vgl. schon LE NAIN DE TILLEMONT IV, 637a: «... Il ne parait point, qu'il (scil. Const. I) fut connu de s. Augustin ...»

Arelatense I (314) beruft sich Augustinus zwar immer wieder in seiner Auseinandersetzung mit den Donatisten[94], aber die Canones dieses Konzils scheint er nicht in Händen zu haben. Wie kann man sonst erklären, daß er Kanon 8 dieses Konzils (Verbot der Wiedertaufe) nie gegen die Donatisten zitiert, und statt dessen sich immer wieder auf ein *concilium plenarium* beruft[95], ohne je genauer zu spezifizieren, welches Konzil er damit meint?[96]

Auf das Verhältnis Augustins zum Konzil von Nicaea wird im folgenden Abschnitt noch einzugehen sein. Hier ist nur festzustellen, daß er dessen Glaubensformel vom Beginn seines Episkopats an aller Wahrscheinlichkeit nach kannte[97]. Die Glaubensformel wird nämlich auf dem Konzil von Hippo vom Jahre 393, auf dem er als Priester vor den versammelten Bischöfen predigt, eingangs zitiert[98]. An seiner frühen Vertrautheit mit der fides Nicaena und an seiner Kenntnis der wechselvollen Geschichte dieser Glaubensformel — zumindest in den späten Jahren seines Episkopats[99] — kann u. E. kein vernünftiger

---

[94] U. a. in Ep. 43, 2, 4; 43, 7, 20; 88, 3; 89, 3; vor allem in Ep. 53, 2, 5, wo Augustinus die verschiedenen Akten seines Donatistendossiers aufzählt. Weitere Stellen vgl. MAIER 27—28.

[95] De bapt. I, 7, 9; I, 18, 27; II, 4, 5; II, 7, 12; II, 8, 13; II, 9, 14; IV, 5, 7; IV, 6, 8; V, 4, 4; V, 17, 23; VI, 1, 1; VI, 2, 3; VI, 7, 10; VI, 8, 12; VI, 13, 21; VII, 1, 1; VII, 20, 39; VII, 27, 53.

[96] Zur Geschichte der Kontroverse, auf welches Konzil Augustinus hiermit anspielt, vgl. J. ERNST, Der heilige Augustin über die Entscheidung der Ketzertauffrage durch ein Plenarkonzil, in: ZKTh 24 (1900) 282—325.

[97] Ob er die Canones kannte, ist demgegenüber zumindest ungewiß; aus Ep. 293, 4 ergibt sich nämlich, daß er zur Zeit seiner Bischofsweihe wenigstens die Bestimmung von Kanon 8 (*ne in una civitate duo episcopi probentur existere*) nicht kannte.

[98] Den Text des Breviarium Hipponense vgl. CCL 149, 30; dazu BARDY, Conciles 445. — Die fides Nicaena war von Caecilian nach Afrika gebracht worden und scheint auch auf dem Konzil von Karthago im Jahre 390 unter Genetlius zitiert worden zu sein (vgl. MANSI III, 692: Kanon I: *Quae a patribus certa dispositione accepimus;* vgl. auch die BALLERINI: *Nicaenum concilium Africanis notum ex antiquissima versione a Caeciliano allata in Africam, ex qua symbolum insertum fuerat inter canones Hipponenses, ab Augustino, cum ordinatus fuerit episcopus, ignorari potuisse incredibile est* (MANSI III, 913). — Auch aus den Schriften des Ambrosius, die Augustinus sicher kannte, und in denen die fides Nicaena mehrfach zitiert wird (De fide, CSEL 78, 6; 50—51; 151 usw.) war ihm die fides Nicaena bekannt. Schließlich war die fides Nicaena ja auch in kaiserlichen Erlassen als Reichsglaube vorgeschrieben (Codex Theod. 16, 5, 6 und 16, 1, 3; vgl. auch Brief 201 der Kaiser Honorius und Theodosius an Aurelius vom Jahre 419).

[99] C. Max. Ar. 2, 14, 3, PL 42, 772: *Pater ergo et Filius unius sunt ejusdemque substantiae. Hoc est illud Homousion, quod in concilio Nicaeno adversus haereticos Arianos a catholicis patribus veritatis auctoritate et auctoritatis veritate firmatum est: quod postea in concilio Ariminensi, propter novitatem verbi minus quam oportuit intellectum, quod tamen fides antiqua peperat, multis paucorum fraude deceptis, haeretica impietas sub haeretico imperatore Constantio labefactare tentavit. Sed post non longum tempus libertate fidei catholicae praevalente, posteaquam vis verbi, sicut debuit, intellecta est, Homousion illud catholicae fidei sanitate longe lateque defensum est. Quid est enim Homousion, nisi unius ejusdemque substantiae?*

Zweifel bestehen. Aber es stellt sich hier eine andere Frage: War für Augustinus das Nicaenum ein ökumenisches Konzil? M. a. W., sah er die von ihm nie bestrittene Autorität dieses Konzils in dessen Ökumenizität begründet? Aus den verhältnismäßig wenigen Stellen, an denen Augustinus überhaupt näher auf das Nicaenum eingeht[100], läßt sich diese Frage u. E. nicht in einem positiven Sinne beantworten: Es muß offenbleiben, ob Augustinus das Nicaenum als ökumenisches Konzil verstand[101]. In diesem Zusammenhang ist auch darauf hinzuweisen, daß er niemals die Zahl 318 in bezug auf das Nicaenum nennt oder diese Zahl kommentiert. Darin unterscheidet sich Augustin auffallend von anderen Theologen seiner Zeit, z. B. von *Ambrosius*, für den die Zahl 318 von providentieller Bedeutung war[102].

Man wird kaum fehlgehen mit der Annahme, daß das Konzilswissen Augustins und vor allem sein Studium der Konzilsakten von seinen jeweiligen theologisch-apologetischen Interessen bestimmt ist: Deswegen wird man zwar mit einer umfangreichen, aber kaum mit einer vollständigen Sammlung der Arianerakten rechnen können, denn die Auseinandersetzung mit den Arianern ist nicht mehr von brennender Wichtigkeit für ihn. Zudem ist zu beachten, daß diese Akten keine Argumente lieferten wie die Donatistenkonzilien! In die gleiche Richtung deutet auch sein Verhalten in der Auseinandersetzung mit *Pelagius:* Sobald er die Nachricht erhält, daß eine palästinensische Synode (Diospolis 415) die Orthodoxie des Pelagius festgestellt hat, bemüht er sich um Einsicht in die Akten dieses Konzils. Die Beschaffung der Konzilsakten ist für ihn von höchster Bedeutung, und so ruht er nicht, bis er sie besitzt[103].

---

[100] De haer. 44; C. Max. Ar. 2, 14, 3; 2, 15, 2; 2, 18, 1; Ep. 213, 4; Ep. 238.

[101] Augustinus bezeichnet das nicaenische Konzil, soweit wir sehen, nirgendwo als ‚concilium universale' oder als ‚concilium plenarium': *Istos sane Paulinianos baptizandos esse in Ecclesia catholica Nicaeno concilio constitutum est* (De haer. 44). *Hoc est illud Homousion, quod in concilio Nicaeno adversus haereticos . . . firmatum est* (C. Max. Ar. 2, 14, 3). *Sed nunc nec ego Nicaenum, nec tu debes Arimense tamquam praejudicaturus proferre concilium* (C. Max. Ar. 2, 14, 3). *Nicaenum ergo tenete nobiscum concilium* (ebd. 2, 15, 2). *Iam tandem concilium Nicaenum et Homousion laudate ac tenete nobiscum* (ebd. 2, 18, 1). *Quod concilio Nicaeno prohibitum fuisse nesciebam* (Ep. 213, 4). Vgl. auch Ep. 238, wo zwar das Homousion thematisch ist, aber das betreffende Konzil nicht mit Namen genannt wird. Zur Auseinandersetzung Augustins mit den Arianern vgl. M. Simonetti, S. Agostino e gli Ariani, in: REAug 13 (1967) 55—84.

[102] Vgl. S. 221—222.

[103] Vgl. hierzu auch Altaner 329—330. Zum Konzil von Diospolis vgl. neuerdings O. Wermelinger, Rom und Pelagius, die theologische Position der römischen Bischöfe im pelagianischen Streit in den Jahren 411—432, Stuttgart 1975, 68—116.

3. Usus conciliorum

Vor dem Abriß seiner expliziten Konzilslehre soll nun zunächst an einigen Beispielen aufgezeigt werden, wie Augustinus in seiner eigenen bischöflichen Praxis Konzile „verwendet"[104].

In einem Brief an seine eigene Kirchengemeinde von Hippo beruft sich Augustinus für die schonende Behandlung eines unter schwerem Verdacht stehenden Priesters auf Kanon 6 des Konzils von Hippo im Jahre 393. Er hatte den Namen des Priesters Bonifacius weiterhin beim Memento vivorum verlesen lassen, um den schwebenden Fall nicht zu präjudizieren. Dieses sein Vorgehen entspricht nicht nur dem weltlichen Recht, führt er aus, sondern auch dem kirchlichen[105].

Ein besonders schönes Beispiel dafür, mit welchem seelsorgerlichen Geschick und welchem Einsatz Augustinus in seiner eigenen Kirche Konzilsbeschlüsse zu verwirklichen sucht, ist Brief 29. Augustinus berichtet darin seinem Freund Alypius, wie es ihm gelungen ist, seine Gemeinde durch seine Predigten von den bisher üblichen skandalösen Gastmählern in der Kirche, den sog. *laetitiae*[106], abzuhalten. Der Konzilsbeschluß, um den es geht, ist Kanon 29 des Konzils von Hippo (393). Er verbietet Gelage in Kirchen[107]. Augustinus bemüht sich nicht nur um die Durchführung der Konzilsdekrete in der eigenen Kirche, er weiß deren Respektierung auch bei seinen Kollegen zu urgieren, zumal wenn man ihm Versäumnisse auf diesem Gebiet vorwirft. So moniert er bei Quintianus die Applikation von Kanon 36 des Hipponense I, das Verbot, außerkanonische Schriften in der Kirche zu lesen[108]. Sich selber ver-

---

[104] Wir beschränken uns dabei im wesentlichen auf die Auswertung seiner Briefe, von denen sich einige — wie das bei Briefen naheliegend ist — mit Disziplinarfragen befassen. — Wir sehen in diesem Abschnitt ab vom polemischen Gebrauch der Donatistenkonzilien im Sinne der eigenen orthodoxen Position.

[105] Ep. 78, 4, CSEL 34, 337, 6—8: *Et in episcoporum concilio constitutum est, nullum clericum qui nondum convictus sit, suspendi a communione debere, nisi ad causam suam examinandam se non praesentaverit.* Damit bezieht sich Augustinus wohl auf Kanon 6 des Konzils von Hippo (393), den er auf den Fall eines Priesters analog bezieht, CCL 149, 34: *Ut quisquis episcoporum accusatur, ad primatum provinciae ipsius causam deferat accusator, nec a communione suspendatur, cui crimen intenditur, nisi ad causam suam dicendam primatis litteris evocatus minime occurrerit, hoc est, intra spatium mensis, ex die qua eum litteras accepisse constiterit ...*

[106] Vgl. hierzu J. QUASTEN, Vetus superstitio et nova religio. The Problem of „refrigerium" in the Ancient Church of North Africa, in: HThR 33 (1940) 253—266.

[107] CCL 149, 41: *Ut nulli episcopi vel clerici in ecclesia conviventur, nisi forte transeuntes hospitiorum necessitate illic reficiant; populi etiam ab huiusmodi conviviis quantum potest fieri, prohibeantur.*

[108] Ep. 64,3, CSEL 34, 230, 30—231, 10: *Vos ipsi prius nolite in scandalum mittere Ecclesiam, legendo in populis scripturas quas canon ecclesiasticus non recepit; his enim haeretici, et maxime Manichaei, solent imperitas mentes evertere, quos in campo vestro libenter latitare audio. Miror ergo prudentiam tuam, quod me admonueris ut iubeam non recipi eos qui ad nos a vobis ad monasterium veniunt, ut quod*

teidigt er im gleichen Brief durch Hinweis auf den genauen Sinn der augenscheinlich von Quintianus gegen ihn geltend gemachten Konzilsdekrete[109].

Wenn ein allgemein kirchlicher Brauch schon besteht, erspart sich Augustinus den Hinweis auf das Dekret eines „partikulären" Konzils. Auch dies dürfte bezeichnend sein für seine Haltung Konzilien gegenüber. In diesem Sinne verweist er *Januarius* in der Frage der eucharistischen Nüchternheit nur auf den „Brauch" der Gesamtkirche[110] und nicht auf Kanon 28 des Konzils von Hippo (393)[111]. Im Brief 60 an *Aurelius von Karthago* geht es wieder um Kanon 13 des Konzils in Karthago vom Jahre 401, d. h. um das Verbot, Mönche eines anderen Klosters in den Klerus aufzunehmen oder als Abt in einem Kloster einzusetzen. Augustinus klärt ein Mißverständnis auf: Die fraglichen Personen haben nicht mit seinem Einverständnis ihr Kloster verlassen; sie sind auf eigene Faust gegangen. Im gleichen Zusammenhang begründet Augustinus den Sinn des Kanons[112]. Eine ähnliche Rechtfertigung eines Kanons des gleichen Konzils — jedoch ohne ausdrückliche Bezugnahme darauf — findet sich in der Schrift gegen *Cresconius*[113]. Auf die exakte

---

statutum est a nobis in concilio permaneret, et tu non memineris in concilio institutum, quae sint scripturae canonicae quae in populo Dei legi debeant. Recense ergo concilium, et omnia quae ibi legeris commenda memoriae.

[109] Kanon 19 des Konzils vom Jahre 393 bezieht sich nicht auf ‚laici', sondern auf ‚clerici'. Ep. 64, 3, CSEL 34, 231, 10—14: *Omnia quae ibi legeris commenda memoriae et ibi etiam invenies, de solis clericis fuisse statutum, non etiam de laicis, ut undecumque venientes non recipiantur in monasterium; non quia monasterii mentio facta est, sed quia sic institutum est, ut clericum alienum nemo suscipiat.* — In der Tat lautet Kanon 19, CCL 149, 39: *Ut clericum alienum, nisi concedente eius episcopo, nemo audeat vel retinere vel promovere in ecclesia sibi credita* ... Auch Kanon 13 des Konzils von Karthago im Jahre 401 trifft im vorliegenden Fall nicht zu, denn er verbietet (nur) die Aufnahme eines entlaufenen Mönchs in den Klerus oder seine Bestallung zum Abt in einem anderen Kloster. CCL 149, 204: *Item placuit, ut si quis de alterius monasterio repertum vel ad clericatum, vel in suo monasterio majorem monasterii constituerit episcopus, qui hoc fecerit, a ceterorum communione sejunctus, suae tantum plebis communione contentus sit, et ille neque clericus neque praepositus perseveret.*

[110] Ep. 54, 6, 8, CSEL 34, 166, 21—167, 3: *Ex hoc enim placuit Spiritui Sancto, ut in honorem tanti sacramenti in os Christiani prius Dominicum corpus intraret, quam caeteri cibi; nam ideo per universum orbem mos iste servatur.*

[111] *Ut sacramenta altaris non nisi a jejunis hominibus celebrentur*, CCL 149, 41.

[112] Ep. 60, 1, CSEL 34, 221, 8—16: *Sed tamen etiam atque etiam cogitanti quid sit utile saluti eorum, quibus in Christo nutriendis servimus, nihil mihi alium occurrere potuit, nisi non esse istam viam dandam servis Dei, ut se facilius putent eligi ad aliquid melius, si facti fuerint deteriores. Et ipsis enim facilis lapsus et ordini clericorum fit indignissima injuria, si desertores monasteriorum ad militiam clericatus eligantur, cum ex his qui in monasterio permanent non tamen nisi probatiores atque meliores in clerum assumere soleamus.*

[113] Kanon 68, CCL 149, 200, sieht die Möglichkeit vor, daß Donatistenkleriker *in suis honoribus* in die Kirche wiederaufgenommen werden können, und zwar überall dort, wo dies dem Frieden der Kirche zuträglich erscheint. Augustinus gibt zu dieser praktischen Anweisung die theologische Begründung (C. Cresc. II, 11, 13).

Beobachtung der Canones 132 und 133 des Konzils zu Karthago vom Jahre 419 durch Augustinus macht G. May aufmerksam[114]. In einer seiner Bußpredigten führt Augustinus aus, exkommuniziert werden könne nur, wer aus freien Stücken ein Bekenntnis abgelegt habe oder durch ein weltliches oder geistliches Gericht überführt worden sei[115]. Obwohl sich Augustinus im Zusammenhang nicht ausdrücklich auf den Buchstaben der Canones 132 und 133 des Konzils im Jahre 419 beruft[116], ist es doch offensichtlich, daß diese Dekrete hinter den Ausführungen seiner Predigt stehen.

Zum Schluß dieses Überblicks sei auf Brief 65 hingewiesen, in dem Augustinus seinem ‚Vater und Mitbruder‘ Xanthippus die Suspension des Priesters Abundantius mitteilt. Dieser war durch schlechten Lebenswandel aufgefallen. Für die Suspension bedurfte es *aliqua malae conversationis certa indicia*. Der Priester lieferte sie durch den Besuch und die Übernachtung in einer Taverne, was durch einen Kanon des Breviarium Hipponense außer im Fall einer Reise Priestern verboten war[117]. Erschwerend kam hinzu, daß Abundantius ohne Begleitung und ohne Erlaubnis in diese Taverne gegangen war, in der eine Frau von üblem Ruf wohnte. Damit hatte er gegen einen weiteren Kanon des Breviarium verstoßen[118]. Augustinus teilt Xanthippus das genaue Datum der Suspension mit, damit die vom gleichen Konzil festgesetzte Frist für die Appellation, nämlich ein Jahr, eingehalten werden kann. Augustinus hatte Abundantius auf dieses sein Appellationsrecht aufmerksam gemacht[119].

---

[114] Anklage und Zeugnisfähigkeit nach der zweiten Sitzung des Konzils zu Karthago vom Jahre 419, in: ThQ 140 (1960) 163—205, hier 185 f.

[115] Sermo 351, 4, 10, PL 39, 1546 (Echtheit jedoch sehr zweifelhaft, vgl. CPL 284): *Nos vero a communione prohibere quemquam non possumus ... nisi aut sponte confessum aut in aliquo saeculari sive ecclesiastico iudicio nominatum atque convictum.*

[116] Kanon 132, CCL 149, 232: *Item placuit, ut si quando episcopus dicit aliquem sibi soli proprium crimen fuisse confessum, atque ille neget, non putet ad iniuriam suam episcopus pertinere, quod illi soli non creditur, etsi scrupulo propriae conscientiae se dicit neganti nolle communicare.* — Kanon 133, CCL 149, 232: *Quamdiu excommunicato non communicaverit suus episcopus, eidem episcopo ab aliis non communicetur episcopis, ut magis caveat episcopus, ne dicat in quemquam, quod aliis documentis convincere non potest.*

[117] CCL 149, 40: *Ut clerici edendi vel bibendi causa tabernas non ingrediantur, nisi peregrinationis necessitate.*

[118] CCL 149, 40: *Ut clerici continentes ad viduas vel virgines nisi ex iussu vel permissu episcoporum vel presbyterorum non accedant; et hoc non soli faciant, sed cum clericis aut cum his cum quibus episcopus aut presbyter iusserit.*

[119] Ep. 65, 2, CSEL 34, 233, 21—234, 7: *Audivi autem causam eius, cum centum dies essent ad dominicum paschae ... hoc propter concilium insinuare curavi venerabilitati tuae, quod etiam ipsi non celavi, sed ei fideliter quid institutum esset, aperui. Et si intra annum causam suam, si forte sibi aliquid agendum putat, agere neglexerit, deinceps eius vocem nemo audiat. Nos autem ... si haec indicia malae conversationis clericorum, maxime cum fama non bona eos coeperit comitari, non putaverimus nisi eo modo vindicanda, quo in concilio constitutum est, incipimus cogi ea, quae sciri non possunt, velle discutere et aut incerta damnare aut vere incognita praeterire.*

Wir brechen hier ab. Die beigebrachten Beispiele genügen, den *usus conciliorum* Augustins, genauer: die Bezugnahme auf Disziplinardekrete von Partikularkonzilien, zu beleuchten. Es ist nun noch kurz sein Verhältnis zum Nicaenum zu kennzeichnen. Auszugehen ist hier von der merkwürdigen Tatsache, daß der Bischof von Hippo die fides Nicaena nirgendwo in seinem gesamten Werk in extenso zitiert. Dies weder an den zahlreichen Stellen, an denen er Trinitarisches behandelt, noch in seinem Hauptwerk *De Trinitate*, wo er sich doch in der Einleitung ausdrücklich auf die Tradition beruft, der er sich verpflichtet weiß[120]. Man hat diese erstaunliche Tatsache damit in Zusammenhang gebracht oder daraus zu erklären versucht, daß Augustinus dem Konzil von Nicaea keine Unfehlbarkeit zuschreibe[121]. Diese Erklärung erscheint uns nicht richtig. Mag er dem Konzil vielleicht auch keine Unfehlbarkeit zuschreiben — diese Frage muß offen bleiben — er weiß sich jedenfalls durch die Formel gebunden[122]. Das Bewußtsein, an den Inhalt der Formel gebunden zu sein, bedeutet nun aber für ihn nicht, daß er den in dieser Formel gefaßten Glauben notwendig mit den Worten dieser Formel aussagt, im Gegenteil: Er vermeidet dies geflissentlich. Gerade hierfür ist wiederum der Brief an *Pascentius* aufschluß-

---

[120] De trin. I, 7, CCL 50, 44—46.

[121] Vgl. A. SCHINDLER, Wort und Analogie in Augustins Trinitätslehre, Tübingen 1965, 125: „Daß Augustin nicht ausdrücklich jenen Konzilsentscheid zugrunde legt, ist hauptsächlich in seiner Auffassung der Tradition begründet, die den Konzilien zwar eine große Bedeutung, aber keine Unfehlbarkeit zuschreibt." — REUTER 186, auf den sich Sch. beruft, geht bei der Interpretation von C. Max. Ar. 2, 14, 3, PL 42, 772 *(Sed nunc nec ego Nicaenum, nec tu debes Arimense tamquam praejudicaturus proferre concilium. Nec ego huius auctoritate, nec tu illius detineris: scripturarum auctoritatibus non quorumque propriis, sed utrisque communibus testibus, res cum re, causa cum causa, ratio cum ratione concertet.)* noch weiter, wenn er meint, Augustinus „fühle sich durch die in Rede stehende Formel nicht gebunden . . .".

[122] Das ergibt sich nicht nur aus einer Reihe von Stellen in C. Max. Ar. (vgl. ebd. 2, 15, 2: *Nicaenum igitur tenete nobiscum concilium, si vultis Christum dicere verum Dei filium*; ebd. 2, 18, 1: *Nonne sentitis vos generationem Dei credere vitiosam . . . qui dicere audetis ex utero Dei processisse diversam naturam? Si autem hoc, sicut debetis, horretis, respuistisque nobiscum, iam tandem concilium Nicaenum et Homousion laudate ac tenete nobiscum.),* sondern vor allem durch den Brief 238 an Pascentius. In ihm führt Augustinus zunächst den Nachweis, daß der Begriff ‚homousios', mag er auch nicht in der Schrift stehen, nichtsdestoweniger die Wahrheit der Schrift aussagen *kann* (238, 1, 5, CSEL 57, 536, 15—20: *Vides . . . posse fieri ut etiam de verbo quod in Scriptura Dei non est, reddatur tamen ratio unde recte dici ostendatur. Sic ergo Homousion, quod in auctoritate divinorum librorum cogebamur ostendere, etiamsi vocabulum ipsum ibi non inveniamus, fieri posse ut illud inveniamus cui hoc vocabulum recte adhibitum judicetur.).* Im Anschluß daran zeigt er durch einen Schriftbeweis, daß der umstrittene Terminus *de facto* die Schriftwahrheit aussagt. Ep. 238, 4, 25, CSEL 57, 552, 22—553, 6: *Hoc unum peto interim ut diligenter exquiras, utrum alicui divina Scriptura de diversis substantiis dixerit, quod unum sint. Si enim non invenitur dictum, nisi de iis rebus quas constat esse unius eiusdemque substantiae, quid opus est ut rebellemus adversus veram et catholicam fidem? Si autem inveneris alicubi hoc scriptum etiam de diversis substantiis, tunc aliud cogar inquirere, unde ostendam recte homousion dictum Patrem et Filium.*

---

reich. Nach der Rechtfertigung des Homousios durch Schriftbeweise erwartet man als persönliches Bekenntnis zu diesem Glauben die Niederschrift der fides Nicaena. Das geschieht aber nicht: Augustinus formuliert ein Glaubensbekenntnis in eigenen Worten[123], dessen inhaltliche Übereinstimmung mit der fides Nicaena er ohne weiteres voraussetzt. Die Gebundenheit an die Formel ist ebenso offensichtlich wie die Tendenz, ein bloß verbales Reproduzieren der Formel zu vermeiden[124]. In dieselbe Richtung deutet auch seine Weigerung im gleichen Brief an *Pascentius*, sich auf den griechischen Terminus ὁμοούσιος einfach festlegen zu lassen. Wenn er statt dessen eine *interpretatio* und *expositio* dieses Terminus verlangt, meint er damit nicht nur die Übertragung ins Lateinische, sondern auch das „schriftgemäße" Verständnis dieses Terminus[125].

Eine Bestätigung unserer Interpretation der augustinischen Haltung dem Nicaenum gegenüber, nämlich Geringschätzung bloßer verbaler Reproduktion der Formel bei gleichzeitiger Bindung an die in der Formel gemeinte Aussage, mag man im Streitgespräch Augustins mit dem Arinanerbischof *Maximinus* sehen. Auch von diesem verlangt er, was er selbst praktiziert: keine Konzilsformeln, wenn es darum geht, den persönlichen Glauben zu bekennen[126]. Um die Haltung Augustins der For-

---

[123] Ep. 239, 3, CSEL 57, 558, 15—19: *Si autem sic vis ut etiam ego dicam fidem meam, quomodo te dicis dixisse tuam, ego etiam brevius possum dicere, credere me in Patrem et Filium et Spiritum sanctum. Si autem proprium aliquid unde dissentis a me vis audire : credo in Patrem et Filium et Spiritum Sanctum, nec Filium dicens Patrem, nec Patrem Filium nec utrumque Spiritum vel Patrem vel Filium . . .*

[124] Warum letzteres? Wohl weniger aus theologischen, grundsätzlichen Bedenken gegen Glaubensformeln als vielmehr aus dem für Augustinus typischen Bedürfnis, Persönliches — und was wäre persönlicher als ein Glaubensbekenntnis? — in eigenen Worten zu sagen.

[125] Ep. 238, 1, 4, CSEL 54, 535, 18—536, 4: *Tu contra, verbum ipsum crebro repetens, et invidiose ventilans atque in conciliis majorum nostrorum conscriptum commemorans, vehementer urgebas ut ipsum omnino verbum quod est Homousion in sanctis libris ostenderemus; nobis etiam atque etiam revocantibus, quia lingua nostra graeca non esset, prius interpretandum et exponendum esse quid sit homousion, tum demum in divinis litteris requirendum: quia etsi fortasse nomen ipsum non inveniretur, res tamen ipsa inveniretur. Quid est enim contentiosius quam, ubi de re constat, certare de nomine?*

[126] Auf die Forderung des Augustinus, sein Glaubensbekenntnis abzulegen, antwortet Maximinus, Coll. c. Max. 2—4, PL 42, 710—711: *Si fidem meam postulas, ego illam teneo fidem, quae Arimini a trecentis et triginta episcopis non solum exposita sed etiam subscriptionibus firmata est.* Augustinus darauf: *Iam dixi, et hoc ipsum repeto, quia respondere noluisti: dic fidem tuam de Patre et Filio et Spiritu Sancto.* Darauf Maximinus: *Cum enim non defecerim a responsione, cur accusor a tua Religione quasi responsum non dederim?* Darauf Augustinus: *Propterea dixi te respondere noluisse, quia dum ego quaererem ut diceres mihi fidem tuam de Patre et Filio et Spiritu Sancto, quod et nunc posco, tu mihi non dixisti fidem tuam, sed nominasti Arimense concilium. Fidem tuam volo nosse, quid credas, quid sentias de Patre et Filio et Spiritu Sancto. Si dignaris ore tuo audiam. Noli me mittere ad ea scripta, quae modo aut prae manu non sunt, aut eorum auctoritate non teneor. Dic quid*

mel von Nicaea gegenüber richtig zu interpretieren, muß man sie schließlich auch im Kontext anderer westlicher Theologen sehen: Ihr Verständnis für das, was man später als Konzilsdefinition bezeichnet, ist nur
langsam gewachsen[127]. Weiterhin ist für eine richtige Einschätzung
seiner Position die Eigenart seines Konzilsbegriffs überhaupt zu beachten, von dem im folgenden noch die Rede sein soll.

4. Konzilslehre

Die Konzilslehre Augustins wird hier nicht zum ersten Mal behand-
delt[128]. Wir können uns deshalb im folgenden kurz fassen, zumal da die
Auslegung — vor allem von *De bapt.* 2, 3, 4 — bei gewissen katholischen und evangelischen Autoren sich stark angenähert hat[129]. Statt
noch einmal die vielverhandelte Frage aufzurollen, ob Augustinus die
Unfehlbarkeit ökumenischer Konzilien bejaht oder verneint[130], be-

---

credas de Patre et Filio et Spiritu Sancto. Darauf antwortet Maximinus wieder bezeichnenderweise: *Non ad excusandum me Arimensis concilii decretum interesse volui, sed ut ostendam auctoritatem
patrum, qui secundum divinas scripturas fidem nobis tradiderunt illam quam a divinis scripturis
didicerunt.* Anschließend folgt ein Bekenntnis in eigenen Worten.

[127] Vgl. S. 198—214.

[128] Vgl. S. 68, Anm. 1.

[129] Man vergleiche etwa F. HOFMANN, Der Kirchenbegriff des hl. Augustinus, München
1933, 306—315; ähnlich DERS., Die Bedeutung der Konzilien für die kirchliche Lehr-
entwicklung nach dem heiligen Augustinus, in: Kirche und Überlieferung, Festschrift für
J. Geiselmann, hrsg. v. J. BETZ u. H. FRIES, Freiburg 1960, 81—89, mit E. BENZ, Augustins
Lehre von der Kirche, AAWLM.G, 1954, 2. HOFMANN 310, urteilt: „Eine eindeutige
Antwort wie die nach der Unfehlbarkeit der Konzilien und des Papstes oder auch nach dem
Verhältnis der Lehrgewalt Roms zu der der allgemeinen Konzilien wird bei ihm (d. h. Augustinus) kein Verständnis suchen." Und BENZ 35: „Es liegt in der Konsequenz dieser Bindung des kirchlichen Lehramts an das Amt des Bischofs, daß für Augustinus das Plenarkonzil
die höchste Repräsentation der kirchlichen Autorität darstellt ... Deswegen wird auch von
den Plenarkonzilien nicht im gleichen Sinn die Möglichkeit eines Irrtums behauptet, wie von
den einzelnen Bischöfen. Frühere Plenarkonzilien können wohl von späteren ‚verbessert‘
werden — emendari —, dabei handelt es sich aber nicht um Korrekturen eines Irrtums,
sondern um vertiefte Erkenntnis der Wahrheit auf Grund neuer Erfahrung und Einsichten.
Auf diesen ganzen Komplex der konziliaren Ideen haben sich mit Vorliebe die Theoretiker
des Konziliarismus bis zu Luther hin berufen, wenngleich Luthers These ‚Konzilien können
irren‘ eine Vergröberung der Augustinischen Anschauung von der Emendierbarkeit früherer
Konzilien durch spätere darstellt." — Vgl. hierzu auch K. H. LÜTCKE, ‚Auctoritas‘ bei
Augustin, Stuttgart 1968, 137—142.

[130] Vgl. hierzu LÜTCKE 139: „Was die Deutung des ‚emendari‘ bei den Plenarkonzilien an-
betrifft ... so wird man feststellen müssen, daß der Text überinterpretiert wird, wenn man
bestimmen will, ob die Verbesserung eines früheren Konzils die Korrektur eines Irrtums
bedeutet (der Begriff des ‚emendari‘ würde das immerhin nahelegen), oder ob es sich nur
um eine weitere Entfaltung der Lehre handelt (aperitur quod clausum erat!), so wie das seit
Vinzenz von Lerinum katholische Auffassung geworden ist. Die Frage ist schon deshalb

schränken wir uns im folgenden darauf, den polemischen Ansatz seiner Konzilslehre herauszustellen und sie von daher in ihren Hauptlinien zu skizzieren.

In der Tat ist zu beachten, daß der Großteil der die Konzilslehre betreffenden Aussagen Augustins sich in seinen antidonatistischen Schriften befindet[131]. Das bedeutet: Es ist damit zu rechnen, daß sie als Gegenposition zu donatistischen Thesen formuliert werden. Dieser Verdacht bestätigt sich, wenn man sich die Argumentation der Donatisten ver-

---

schwer zu entscheiden, weil die umstrittene Stelle bei Augustin singulär ist. Es handelt sich um eine als Grundsatz formulierte Äußerung in einem konkreten Fall. Die Frage einer möglichen Fallibilität oder Infallibilität der Kirche (wir würden sagen: der Konzilien!) steht noch nicht zur Debatte." — Vgl. dagegen BAVAUD 573—596, der verschiedene Lösungsversuche der schwierigen Stellen durchdiskutiert und sich schließlich dafür entscheidet, die fraglichen Plenarkonzilien als „Nationalsynoden" zu verstehen. Dabei verweist er auf das Religionsgespräch von Poissy (1561): ‚Locus est adductus Augustini qui scripsit concilia priora posterioribus emendari et emendatio declarabatur non posse referri nisi ad errores. Responsum est, hoc generalibus conciliis non potuisse intelligi, quod aetate Augustini duo vel tria tantum modo concilia generalia fuerint habita.' (Corpus Reform. Opera Calvini, Ep. 3541, t. 18, c. 767, Note 11: L'autorité des conciles pléniers.) — In der *Collatio cum Severianis* ist immerhin ganz unbefangen von einer emendatio von Ökumenischen Konzilien die Rede. Die ‚Severianer' werden von den Orthodoxen gefragt: *Quoniam ergo totum illud universale concilium quod cum Dioscuro congregatum est, consensit, sicut vos ipsi fatemini, iniustitiae et caecitati, oportebat universalis illius concilii iniustitias et caecitates ab altero universali emendari concilio an non? Contradicentes dixerunt: modis omnibus ita fieri oportebat.* ACO IV, 2; 171, 19—22.
[131] Vgl. hierzu die folgenden Anmerkungen. — In seinen antipelagianischen Schriften kommt Augustinus mehrmals auf die mit dem gallischen Mönch befaßten Konzilien zu sprechen: De gest. Pel. 11, 23; 19, 43; 21, 45; 33, 58; 34, 59; 35, 62; 35, 65; De grat. Christi II, 10—14 (11—15); De anima et eius origine II, 12, 17; C. duas ep. pel. IV, 12, 34; Contra Jul. I, 5, 19; III, 1, 4; De peccat. mer. III, 5, 11; De grat. et lib. arb. 4, 6; vgl. auch Ep. 186, 31.32; Op. imp. c. Jul. I, 67; II, 66; III, 57 usw. — G. MARTIL, La tradición en san Agustín a través de la controversia Pelagiana, Madrid 1943, hat diese Aussagen im Zusammenhang untersucht (Los concilios, ebd. 118—124) und kommt dabei zu folgendem Ergebnis: „Los concilios ... tienen en su concepto un carácter judicial bien definido. Cuando él los recuerda en su polémica es, casi siempre, notando una de estas dos funciones contrarias: condenar una doctrina como opuesta a la fe, o aprobarla, por su conformidad con ella" (ebd. 119). Von den Entscheidungen dieser Konzilien gilt: „Las decisiones del Concilio son de suyo firmes, inamovibles ... Más aún: imprime tal energía a sus afirmaciones, cuando habla de las sentencias conciliares, que parece que ha de atribuírseles el carácter de irrevocables. Y sorprende más esta firmeza aplicada al caso del Concilio de Dióspoli, que era meramente provincial" (121). — Im folgenden sucht MARTIL diese seine Interpretation („Unfehlbarkeit" auch der Partikularkonzilien) abzuschwächen. Er sieht nämlich deutlich den Widerspruch bzw. die Spannung zur Konzilslehre des antidonatistischen Schrifttums. Der Satz *ibi enim omnino cecidit haeresis vestra* (c. Jul. III, 1, 4) sei nicht dogmatisch zu verstehen, sondern als „una destrucción moral del prestigio de Pelagio" (122)! Dieser Harmonisierungsversuch wird jedoch den vorliegenden Texten schwerlich gerecht. Wir ziehen es deswegen vor, aus den Konzilsaussagen im Zusammenhang der Pelagiuskrise zu folgern, daß Augustinus nicht im Besitz einer einheitlichen, festen Lehre über einen Wesensunterschied zwischen Plenar- und Partikularkonzilien ist. Wir sind folglich berechtigt, die im antidonatistischen Schrifttum enthaltenen Elemente seiner Konzilslehre als im Ansatz polemisch zu charakterisieren.

gegenwärtigt, wie sie z. B. beim Religionsgespräch im Jahre 411 vorgetragen wird: Der katholischen Argumentation, sei es auf Schrift-, sei es auf Vernunftbasis, setzen die Donatisten kategorisch die Dekrete der alten Konzilien entgegen, ohne dabei irgendeine Unterscheidung zwischen partikulären oder ökumenischen Konzilien zu machen. Dieser Unterschied erscheint ihnen irrelevant[132]. Solcher theologischen Position gegenüber, die gekennzeichnet ist durch Berufung auf Konzilien (statt auf Schrift), auf weit zurückliegende Konzilien (statt auf neuere), auf „partikuläre" (statt auf „ökumenische"), formuliert Augustinus seine Lehre über Konzilien.

Welches sind ihre Hauptzüge? Ein erster Zug der augustinischen Konzilslehre ist die Affirmation eines Wesensunterschiedes zwischen Heiliger Schrift und Konzilsdekreten. Diese sind an jener zu messen und nicht umgekehrt[133]. Hierbei handelt es sich jedoch nicht um eine bloße ad hoc formulierte Gegenposition. Augustinus vertritt die gleiche Auffassung *Hieronymus* gegenüber im Zusammenhang einer ganz anderen Frage[134]. Dieser Wesensunterschied zwischen Heiliger Schrift und Kon-

---

[132] Bischof Habetdeum geht folgendermaßen auf die katholischen Argumente ein: *Iam vero quod dicunt* (d. h. die Katholiken in ihrem ‚mandatum') *baptismum Christi ita defendi, sicut defenditur ipsa catholica ubique et apud omnes esse, decretis patrum nostrorum martyrum beatissimorum compendio brevitatis excluditur.* Gesta conlationis Carth., tertia cognitio, cap. 258, CCL 149 A, 249; vgl. auch etwas weiter unten: *Quod autem subtili brevitate ita dixerunt, eum qui foris baptizatus fuerit, suscipi debere non ut quod deest adsit, sed ut quod inest prosit, in utroque se ipsos circumvenisse monstrantur. Omnia enim haec, ut supra dictum est, sanctorum martyrum sententiis evacuantur*, ebd. 249; vgl. ferner die zahlreichen Stellen, an denen Augustinus zu dieser Berufung auf die alten Konzilien Stellung nimmt, z. B. ... *vos autem, qui scripta Cypriani nobis tamquam firmamenta canonica auctoritatis opponitis, quidquid de Cypriano contra vos proferre potuerimus, necesse est cedatis et iustum est ut victi taceatis ac vos aliquando ab errore perniciosissimae dissensionis ad unitatem catholicam convertatis* (C. Cresc. 2, 32, 40, CSEL 52, 400, 11—16, ferner Ep. 39, 10, 35; Ep. 93, 10, 36; De bapt. 2, 3, 4 usw.).

[133] C. Cresc. 2, 32, 40, CSEL 52, 399, 16—20: *Ego huius epistolae auctoritate non teneor, quia litteras Cypriani non ut canonicas habeo, sed eas ex canonicis considero, et quod in eis divinarum Scripturarum auctoritati congruit, cum laude eius accipio, quod autem non congruit, cum pace eius respuo* ... *Non accipio* ... *quod de baptizandis haereticis et schismaticis beatus Cyprianus sensit, quia hoc Ecclesia non accipit, pro qua Cyprianus sanguinem fudit.* C. Cresc. 2, 31, 39, CSEL 52, 398, 27—399, 3: *Nos enim nullam Cypriano facimus iniuriam, cum eius quaslibet litteras a canonica divinarum scripturarum auctoritate distinguimus. Neque enim sine causa tam salubri vigilantia canon est ecclesiasticus constitutus, ad quem certi prophetarum et apostolorum libri pertineant, quos omnino iudicare non audeamus, et secundum quos de caeteris litteris vel fidelium vel infidelium libere iudicemus;* vgl. auch Ep. 93, 10, 35.

[134] Ep. 82, 1, 3, CSEL 34, 354, 4—15: *Ego enim fateor Charitati tuae, solis eis Scripturarum libris qui iam canonici appellantur, didici hunc timorem honoremque deferre, ut nullum eorum auctorem scribendo aliquid errasse firmissime credam* ... *Alios autem ita lego, ut quantalibet sanctitate doctrinaque praepolleant, non ideo verum putem, quia ipsi ita senserunt, sed quia mihi vel per illos auctores canonicos, vel probabili ratione, quod a vero non abhorreat, persuadere potuerunt.* — Vgl. auch Ep. 147, 39: *Profecto, si recte in dijudicando sapis longe nos* (scil. Ambrosius, Augustinus) *infra vides ab illa auctoritate* (scil. Heilige Schrift) *distare.*

zilstexten (letztere fallen unter den Oberbegriff *episcoporum litterae*)
bedeutet nun für die Autorität der betreffenden Texte: sie besitzen
nicht die „Endgültigkeit" der Schrift. Während ihr gegenüber keinerlei
Zweifel oder Infragestellung (*disceptatio*) erlaubt ist, dürfen alle nicht-
kanonischen Schriften in Frage gestellt werden, freilich je nach ihrem
Gewicht auf verschiedene Weise — anders die Schriften eines einzelnen
Bischofs, anders die Schriften mehrerer Bischöfe, d. h. die Dekrete von
Partikularsynoden[135], anders die Plenarkonzilien[136].

Was bedeutet „Infragestellung" im Hinblick auf die Plenarkonzilien?
Unterstellt sie Fähigkeit zum Irrtum oder bloß Verbesserungsmöglich-
keit? Die Frage soll, wie schon gesagt, offen bleiben. Anders verhält es
sich bei Nicht-Plenarkonzilien. Hier rechnet Augustinus nicht nur mit
der Möglichkeit zu weiterer Klärung, sondern mit eigentlichem Irrtum[137]. Aus seinem Ansatz, nämlich der Einbeziehung des quantita-
tiven Aspekts (Zahl der Bischöfe) und des Zeitfaktors[138], ergibt sich
eine Hierarchie, eine Rangordnung der Konzilien und infolgedessen eine
gestufte Verbindlichkeit derselben: So haben z. B. Partikularsynoden

---

[135] Zur Wortgeschichte von ‚concilium' und ‚synodus' vgl. A. LUMPE, Zur Geschichte der
Wörter ‚concilium' und ‚synodus' in der antiken christlichen Latinität, in: AHC 2 (1970)
1—21.

[136] De bapt. 2, 3, 4, CSEL 51, 178, 11—26: *Quis autem nesciat sanctam Scripturam canonicam
tam Veteris quam Novi Testamenti, certis suis terminis contineri, eamque omnibus posterioribus
episcoporum litteris ita praeponi, ut de illa omnino dubitari et disceptari non possit, utrum verum vel
utrum rectum sit, quiquid in ea scriptum esse constiterit: episcoporum autem litteras quae post
confirmatum canonem vel scriptae sunt vel scribuntur, et per sermonem forte sapientiorem cuiuslibet in
ea re peritioris, et per aliorum episcoporum graviorem auctoritatem doctioremque prudentiam, et per
concilia licere reprehendi, si quid in eis forte a veritate deviatum est: et ipsa concilia quae per
singulas regiones vel provincias fiunt, plenariorum conciliorum auctoritati quae fiunt ex universo orbe
christiano, sine ullis ambagibus cedere: ipsaque plenaria saepe priora posterioribus emendari; cum
aliquo experimento rerum aperitur quod clausum erat, et cognoscitur quod latebat?*

[137] C. Cresc. 3, 3, 3, CSEL 52, 412, 10—15: *Proinde si omnino iam credendum sit quinquaginta
episcopis orientalium id esse visum, quod septuaginta Afris vel aliquanto etiam pluribus contra tot
milia episcoporum, quibus hic error in toto orbe displicuit, cur non potius etiam ipsos paucos orientales
suum iudicium correxisse dicamus, non, ut tu loqueris, rescidisse?*; vgl. auch Ep. 51, 2, CSEL 34,
146, 4—9: *Si probaveris innocentes (Felicianus et Praetextatus), cur non credamus a multo paucioribus
maioribus vestris falso crimine traditionis innocentes potuisse damnari, si a trecentis decem successoribus
eorum, in falso crimine schismatis innocentes damnari potuerunt?*

[138] Vgl. außer der vorhergehenden Anmerkung C. Cresc. 4, 6, 7—7, 8, CSEL 52, 507, 2—21:
*(Maximianus) recitat decreta conciliorum, primum quod apud Carthaginem a quadraginta et tribus
factum est, quo praedamnatus est Primianus, alterum quod Cebarsussi centum vel amplius vestri tunc
episcopi condiderunt, quo perfecte pleniusque damnatus est, cui talia documenta proferenti quid responde-
bis, nisi maioris auctoritatis esse Bagaiense concilium, in quo trecenti et decem eundem Maximianum
et eius socios damnaverunt ... In hac vestra conflictione quid vultis ut nos medii iudicemus ... nisi
contra duo concilia, quibus damnatus est Primianus, unum Bagaiense posterius pro illo valere debere,
quo damnatus est Maximianus, eo videlicet firmius id esse arbitrantes, quo posterius potuit de prioribus
iudicare?*

Universalkonzilien zu „weichen"[139], spätere Partikularsynoden haben vor früheren den Vorrang. Für diese These führt Augustinus als geschickter Dialektiker das eigene Vorgehen der Donatisten an[140]. Indes, der quantitative Aspekt kann nicht allein ausschlaggebend sein: Auch die „Qualität" einer Bischofsversammlung gilt es, zur richtigen Einschätzung ihres Gewichts zu beachten[141]. Unter anderer Rücksicht, nicht der der verschiedenen, gestuften Verbindlichkeit, sondern der im Konzil affirmierten Wahrheit, bestimmt Augustinus das Verhältnis von Partikular- zum Universalkonzil als das der Wahrheitssuche: Partikularsynoden stellen verschiedene Thesen und Stufen im Prozeß der Wahrheitssuche dar, die dann im Universalkonzil zu einem gewissen Abschluß kommt[142]. Unter dieser Rücksicht — das Partikularkonzil als Moment der Wahrheitssuche — kann die Konzilsautorität auch zur

---

[139] De bapt. 2, 9, 14, CSEL 51, 190, 11—20: *Quapropter illud unum isti considerent quod omnibus patet: si auctoritas Cypriani sequenda est, magis eam sequendam esse in unitate servanda, quam in Ecclesiae consuetudine commutanda; si autem concilium eius attenditur, huic esse universae Ecclesiae posterius concilium praeponendum, cuius se membrum esse gaudebat; et ut se in totius corporis compage retinenda caeteri imitarentur, saepius admonebat. Nam et concilia posteriora prioribus apud posteros praeponuntur, et universum partibus semper jure optimo praeponitur.*

[140] C. Cresc. 3, 13, 16, CSEL 52, 423, 2—11: *Aut si ecclesiastica iudicia, quae prius facta fuerint, iam convelli non possunt, quid de Primiano facturi estis vestro episcopo Carthaginiensi, contra quem primo centum, plures utique quam de Caeciliano, iudicaverunt eique abrogato episcopatu Maximianum pro illo constituerunt? nonne Primianus posteriore iudicio nititur, quod pro illo factum est in oppido Bagaiensi, secundum quod iudicium non vult de se dubitari, sed ab omnibus vobis se extorquet absolvi? unde et nos secundum posterius de Caeciliano iudicium prorsus eum incunctanter absolvimus;* vgl. De bapt. 2, 2,2, CSEL 51, 176, 20—24: *Quapropter cum Petrus illud faciens a Paulo posteriore corrigitur, et pacis atque unitatis vinculo custoditus ad martyrium provehitur; quanto facilius et fortius quod per universae Ecclesiae statuta firmatum est, vel unius episcopi auctoritati, vel unius provinciae concilio praeferendum est?* Vgl. auch De bapt. 3, 10, 14; Ep. 43, 9, 26; Ep. 87, 6; De bapt. 2, 9, 14; C. Cresc. 4, 7, 7—8, wo jedoch nicht überall klar ist, ob Augustinus Partikularkonzile mit Plenarkonzilien oder einfach mit dem Glauben der Gesamtkirche vergleicht.

[141] Ep. 43, 5, 16, CSEL 34, 98, 15—19: *Conferte nunc istam paucitatem cum illa multitudine episcoporum neque numerum numero, sed pondus ponderi comparate: hinc modestiam, inde temeritatem, hinc vigilantiam, inde caecitatem.*

[142] De bapt. 2, 4, 5, CSEL 51, 179, 25—180, 7: *Quomodo enim potuit ista res tantis altercationum nebulis involuta ad plenarii concilii luculentam illustrationem confirmationemque perduci, nisi primo diutius per orbis terrarum regiones, multis hinc atque hinc disputationibus et collationibus episcoporum pertractata constaret? Hoc autem facit sanitas pacis, ut cum diutius aliqua obscuriora quaeruntur, et propter inveniendi difficultatem, diversas pariunt in fraterna disceptatione sententias, donec ad verum liquidum perveniatur, vinculum permaneat unitatis, ne in parte praecisa remaneat insanabile vulnus erroris.* Vgl. auch De bapt. 1, 7, 9, CSEL 51, 154, 4—10: *... quaestionis huius obscuritas prioribus Ecclesiae temporibus ante schisma Donati magnos viros, et magna charitate praeditos patres episcopos ita inter se compulit salva pace disceptare atque fluctuare, ut diu conciliorum in suis quibusque regionibus diversa statuta nutaverint, donec plenario totius orbis concilio, quod saluberrime sentiebatur, etiam remotis dubitationibus, firmaretur;* vgl. hierzu De bapt. 7, 53, 102: *Sed nobis tutum est, in ea non progredi aliqua temeritate sententiae quae nullo in catholico regionali concilio coepta, nullo plenario terminata sunt, id autem fiducia securae vocis asserere, quod in gubernatione Domini Dei nostri et Salvatoris Iesu Christi universalis ecclesiae consensione roboratum est.*

„Versuchung" werden; es kann dazu verleiten, das Suchen vorzeitig abzubrechen[143]. Solche Wahrheitssuche schließt die Möglichkeit des Irrtums, wie gesagt, nicht aus. Unbeschadet dessen bleibt die Pflicht bestehen, auch einem Partikularkonzil zunächst Glauben zu schenken. Augustinus veranschaulicht den Konflikt, in den die Entscheidungen irrender Partikularsynoden die Gläubigen hineinführen können, am Beispiel der Synode von Karthago im Jahre 312[144].

Letzte Instanz ist jedenfalls das Plenarkonzil. Ihm kommt höchste Autorität zu[145]. Dieses stellt an und für sich die *totius ecclesiae consensio* dar; seiner Entscheidung ist deswegen Unterwerfung geschuldet[146]. Wir sagen „an und für sich", denn die Frage, die Augustinus u. E. offen gelassen hat, ist die: wann und unter welchen Bedingungen ein Universalkonzil die *consensio* der *catholica* „darstellt", repräsentiert. Solche Repräsentanz der *catholica* war für ihn jedenfalls im Konzil gegeben, das die Frage der Ketzertaufe zur Entscheidung gebracht hat[147].

---

[143] De bapt. 2, 8, 13, CSEL 51, 188, 23—189, 8: *Quam tamen consuetudinem nisi prior ante Agrippinus, et nonulli per Africam coepiscopi eius etiam per concilii sententias deserere tentavissent, non auderet iste saltem ratiocinari adversus eam: sed in tam obscura quaestione turbatus, et ubique intuens universalem robustamque consuetudinem, coartaret se potius et prece et intentione mentis ad Deum, ut quod postea plenario concilio visum est, id verum esse perspiceret et doceret. Sed cum fatigatum praecedentis concilii quod per Agrippinum factum est excepisset auctoritas, maluit praedecessorum suorum tamquam inventum defendere, quam quaerendo amplius laborare. Nam in fine epistolae ad Quintum ita ostendit, in quo tamquam lectulo auctoritatis quasi fessus acquieverit.*

[144] Ep. ad. cath. 25, 73, CSEL 52, 319, 18—320, 11 (zur Echtheit vgl. CPL 334): *Itaque et in aliis gentibus saepe nonnulla membra ecclesiae praevalentibus haeresum et schismatum seditionibus pressa atque obumbrata sunt et tamen, quia inerant, paulo post nullo dubitante claruerunt, et in ipsa Africana post illud Secundi Tigisitani apud Carthaginem seditiosum turbulentumque concilium, . . . cum inde litterae paene per totam Africam . . . missae fuissent, creditum est litteris concilii — neque enim aliter oportebat — et quasi visa sunt per aliquam partem agri frumenta dominica defecisse; nullo modo autem defecerant, quae vere frumenta erant praedestinata atque seminata et alta radice feraciter germinantia. Salva enim conscientia litteris concilii crediderant; neque enim ab hominibus de aliis hominibus aliquid incredibile dicebatur aut eis contra evangelium credebatur. Sed posteaquam illi furiosa pertinacia usque ad dissessionem sacrilegam contra totum orbem christianum contensionem obstinatissimam perduxerunt atque innotuit bonis fidelibus, quos a Caeciliano alienaverat falsa criminatio, viderunt se, si in illa communione persisterent, non iam de quodam homine vel de quibusdam hominibus, sed de ecclesia toto terrarum orbe diffusa pravum habere iudicium, et maluerunt Christi evangelio quam collegarum concilio credere. Itaque illis relictis mox ad catholicam pacem multi et episcopi et clerici et populi redierunt, quod et antequam facerent in tritico deputabantur.*

[145] Ep. 43, 7, 19, CSEL 34, 101, 17—20: *Restabat adhuc plenarium Ecclesiae universae concilium, ubi etiam cum ipsis iudicibus (Miltiades etc.) causa posset agitari, ut si male iudicasse convicti essent, eorum sententiae solverentur.*

[146] De bapt. 1, 18, 28, CSEL 51, 171, 1—6: *Nam illis temporibus, antequam plenarii concilii sententia quid in hac re sequendum esset, totius ecclesiae consensio confirmaret, visum est ei (Cypriano) cum ferme octoginta coepiscopis suis Africanarum Ecclesiarum, omnem hominem qui extra Ecclesiae catholicae communionem baptizatus fuisset, oportere ad Ecclesiam venientem denuo baptizari.*

[147] De bapt. 5, 17, 23, CSEL 51, 282, 19—27: *Neque illius huic sententiae, in qua ei visum est aliter suscipiendos ab haereticis venientes, quam vel in praeteritum suscipiebantur, sicut ipse testatur, vel nunc*

Der letztentscheidende Grund, das absolute Kriterium, von dem her auch die Universalkonzilien ihre Autorität haben, ist die *catholica*, die Gesamtkirche. Darin scheint eingeschlossen, daß Augustinus das Universalkonzil nicht so sehr als unbedingt endgültige Repräsentanz der Gesamtkirche betrachtet, denn vielmehr als deren bedingte Manifestation. Bedingt insofern, als die Gesamtkirche sich grundsätzlich immer noch deutlicher auf die Wahrheit hin manifestieren kann. Auf den Glauben der Gesamtkirche, auf ihre Praxis (in der Frage der Ketzertaufe) rekurriert Augustinus immer wieder und bringt sie ins Spiel gegen alle *chartae, concilia* und *judicia humana*[148].

Er tut dies, nicht weil die Mehrheit oder der *consensus omnium* als solche schon die Wahrheit garantieren, sondern weil die *catholica* die Gesamtheit der *cathedrae apostolicae* umfaßt, durch die die Wahrheit Christi bis in

---

suscipiuntur, sicut totius orbis christiani plenario concilio rationabilis consuetudo firmata est, meam praepono sententiam, sed Ecclesiae sanctae catholicae, quam sic ille dilexit et diligit, in qua tam uberem cum tolerantia fructum attulit: cuius universitas ipse non fuit, sed in eius universitate permansit ...
Für die Idee der Repräsentanz der Kirche durch die Bischöfe vgl. Ep. 43, 3, 11, CSEL 34, 94, 2—8: *Neque enim judicium deseruerant, ubi numquam omnino constiterant; nec in illis solis episcopis Afris erat Ecclesia, ut omne judicium ecclesiasticum vitasse viderentur, qui se judicio eorum praesentare noluissent. Milia quippe collegarum transmarina restabant, ubi apparebat eos judicari posse qui videbantur Afros vel Numidos collegas habere suspectos.*
[148] Ep. 185, 1, 5, CSEL 57, 4, 11—5, 8: *Utrum Caecilianus a traditoribus divinorum codicum fuerit ordinatus nescio, non vidi, ab inimicis eius audivi; non mihi de lege Dei, non de praeconio prophetarum, non de sanctitate psalmorum, non de Christi apostolo, non de Christi eloquio recitatur. Ecclesiam vero toto terrarum orbe diffusam, cui non communicat pars Donati, universarum scripturarum testimonia consona voce proclamant* ... *Caecilianus, ecclesiae Carthaginiensis episcopus, humanis litibus accusatur, ecclesia Christi in omnibus gentibus constituta divinis vocibus commendatur, ipsa pietas, veritas, caritas nos non permittit contra Caecilianum eorum hominum accipere testimonium, quos in ecclesia non videmus, cui Deus perhibet testimonium; qui enim divina testimonia non sequuntur, pondus humani testimonii perdiderunt;* vgl. auch Ep. 43, 9, 25 und 9, 27; Ep. 89, 4; vgl. C. Cresc. 1, 33, 39; CSEL 52, 357, 21—358, 8, wo Augustinus den Gedanken bis zum äußersten Formalismus zuspitzt: *Proinde, quamvis huius rei certum de scripturis canonicis non proferatur exemplum, earumdem tamen Scripturarum etiam in hac re a nobis tenetur veritas, cum hoc facimus quod universae jam placuit Ecclesiae, quam ipsarum Scripturarum commendat auctoritas: ut quoniam sancta Scriptura fallere non potest, quisquis falli metuit huius obscuritate quaestionis, eandem ecclesiam de illa consulat, quam sine ulla ambiguitate sancta scriptura demonstrat. Si autem dubitas quod ecclesiam quae per omnes gentes numerositas copiosissima dilatatur, haec sancta scriptura commendat* ..., *multis te manifestissimis testimoniis ex eadem auctoritate prolatis onerabo, ut ex tuis concessionibus* ... *ad hoc etiam perducaris* ... *nihil te aequum ad veritatem pertineat respondere potuisse.* Das gleiche kürzer: C. epist. Parm. 3. 4, 24, CSEL 51, 131, 4—6: *Quapropter securus iudicat orbis terrarum bonos non esse, qui se dividunt ab orbe terrarum in quacumque parte terrarum* (vgl. die Fußnote in BAug); vgl. den schönen Text, durch den Augustinus Cyprians „endgültige" Zustimmung zur kirchlichen Ketzertauflehre andeutet: De bapt. 5, 17, 23, CSEL 51, 281, 27—282, 6: *Neque enim ei (scil. Cypriano) placeo, si eius ingenium facultatemque sermonis et doctrinae ubertatem sancto concilio cunctarum gentium cui profecto interfuit per spiritus unitatem, praeponere affectem: praesertim iam in tali veritatis luce posito, ubi certissime cernit quod hic pacatissime requirebat. Ex illa enim ubertate haec nostra quae videntur eloquia, tamquam infantilia rudimenta deridet: ibi videt qua regula pietatis hic egerit, ut nihil esset ei in Ecclesia charius unitate* ...

die Gegenwart überliefert wird[149]. M. a. W. deswegen kommt dem Plenarkonzil ein Höchstmaß an Autorität zu, weil die auf ihm ‚repräsentierte' *catholica* die konkrete Manifestation der apostolischen Sukzession und damit die Bezeugung der an letztere gebundenen apostolischen Tradition darstellt.

Weil der absolute Grund für die Wahrheit eben der Glaube der *catholica* ist, dieser Glaube aber in zahlreichen Fällen von vornherein, d. h. ohne die Entscheidung eines ökumenischen Konzils oder überhaupt eines Konzils, bekannt ist und feststeht, deswegen ist für Augustinus die Einberufung eines Konzils nicht in jedem strittigen Fall erforderlich. Offensichtliche Minderheiten haben kein grundsätzliches Recht auf Appellation an ein Universalkonzil. Dies betont Augustinus den Pelagianern gegenüber, die von den gegen sie abgehaltenen Partikularsynoden an ein allgemeines Konzil appellieren[150]. Batiffol macht in diesem Zusammenhang darauf aufmerksam, daß Augustinus zur Durchsetzung seiner theologischen Anliegen keineswegs auf den Rekurs auf eine bestimmte Form von Autorität festgelegt ist. Er bringt sie, d. h. den Heiligen Stuhl, die Gesamtkirche, die Konzilien, wechselweise, je nach Verschiedenheit der Lage, ins Spiel[151].

So können wir zusammenfassen: Im Rahmen seiner antidonatistischen Kontroverse und in Opposition gegen den donatistischen Konzils-

---

[149] C. Faustum 33, 9, CSEL 25, 796: ... *vos admoneo ... ut si auctoritatem scripturarum omnibus praeferendam sequi vultis eam sequamini, quae ab ipsius praesentiae Christi temporibus per dispensationes apostolorum et certas ab eorum sedibus successiones episcoporum usque ad haec tempora toto orbe terrarum custodita, commendata, clarificata pervenit.* Vgl. zum Ganzen K. Baus, Wesen und Funktion der apostolischen Sukzession in der Sicht des hl. Augustinus, in: Ekklesia, Festschrift f. M. Wehr, TThSt 15, Trier 1962, 137—148, bes. 142—143; ferner J. Salaverri, El concepto de sucessión apostolica en el pensamiento catolico y en las teorías del protestantismo, in: MCom 27 (1957) 7—59, über Augustinus 36—49; neuerdings J. Pintard, Sur la succession apostolique selon st. Augustin, in: Forma Futuri, Festschrift M. Pellegrino, Turin 1975, 884—895.

[150] C. epist. Pel. 4, 12, 34, CSEL 60, 569, 24—570, 9: *Quid est ergo quod dicunt, simplicibus episcopis, sine congregatione synodi in locis suis sedentibus extorta subscriptio est? Numquid beatissimis et in fide catholica excellentissimis viris Cypriano et Ambrosio ante istos, adversus istos extorta subscriptio est? ... aut vero congregatione synodi opus erat, ut aperta pernicies damnaretur? quasi nulla haeresis aliquando nisi synodi congregatione damnata sit: cum potius rarissime inveniantur, propter quas damnandas necessitas talis exstiterit; multoque sint atque incomparabiliter plures, quae ubi exstiterunt, illic improbari damnarique meruerunt, atque inde per caeteras terras devitandae innotescere potuerunt.*

[151] Batiffol, Catholicisme, I, 407: «L'autorité du Siège apostolique n'exclut pas l'autorité de l'ordre des évêques, non plus l'autorité de l'Église. Augustin les invoque toutes les trois, tour à tour, et selon l'occurence. Contre le Donatisme, il préfère invoquer l'autorité de l'Église universelle, et pour ce qui est du baptême, l'autorité d'un concile œcuménique. Dans la controverse contre Pélagius Augustin a considéré l'Église Romaine comme l'arbitre des controverses en matière de foi.»

begriff (unumstößliche, absolute und somit schriftanaloge Geltung lang
zurückliegender, durch ehrwürdige Tradition geheiligter Konzilien,
ganz gleich ob es sich dabei um partikulare oder universale Synoden
handelt) legt Augustinus eine Konzilslehre vor, für die folgende Elemente wesentlich sind: die Unterscheidung zwischen Schrift und Konzil;
die grundsätzliche Emendierbarkeit aller Konzilien (in einem näher
zu bestimmenden Sinn); die gestufte Verbindlichkeit der verschiedenen
Konzilsformen und -veranstaltungen; die Idee, daß es sich bei Konzilien
um Wahrheitssuche handelt, also in diesem Sinn um „„Kirche unterwegs'
mit nur allmählicher Annäherung an die Wahrheit; das Universal- und
Plenarkonzil als Manifestation der *catholica*, der gegenüber selbstverständlich Unterwerfung und Gehorsam geschuldet ist[152]; die *catholica* ihrerseits als der feste und sichere Grund von Wahrheit überhaupt[153].
Weniger diese einzelnen Elemente seiner Konzilslehre — die sich natürlich noch vermehren ließen — sind jedoch in der Folgezeit von Einfluß
gewesen als vielmehr sein Grundbegriff vom Konzil. Von ihm soll im
folgenden die Rede sein.

5. Konzilsbegriff

Bei der Frage nach dem Konzilsbegriff des Augustinus erscheint es angebracht, von einer Beobachtung zum Sprachgebrauch auszugehen.
Aus der Vielzahl von Termini, mit denen zu seiner Zeit die Funktion
der Konzilien umschrieben wird[154], wählt Augustinus einen einzigen
(zusammen mit dessen Synonymen) aus: den Terminus *firmare*[155]. So-

---

[152] Sermo 294, 21, 20, PL 38, 1348: *Ut amici exhortamur* (die Pelagianer), *non ut inimici litigamus.*
Detrahunt nobis, ferimus; canoni non detrahant, veritati non detrahant; ecclesiae sanctae pro remissione
peccati originalis parvulorum quotidie laboranti non contradicant. Fundata ista res est. Ferendus est
disputator errans in aliis quaestionibus non diligenter digestis, nondum plena Ecclesiae auctoritate
firmatis; ibi ferendus est error, non tantum progredi debet, ut etiam fundamentum ipsum ecclesiae
quatere moliatur. — De util. cred. 17, 35, CSEL 25, 45, 17—24: *Cum igitur tantum auxilium*
Dei, tantum profectum fructumque videamus, dubitabimus nos eius Ecclesiae condere gremio, quae
usque ad confessionem generis humani ab apostolica Sede per successiones episcoporum frustra haereticis
circumlatrantibus, et partim plebis ipsius judicio, partim conciliorum gravitate, partim etiam miracu-
lorum majestate damnatis, columen auctoritatis obtinuit? Cui nolle primas dare, vel summae profecto
impietatis est, vel praecipitis arrogantiae.
[153] Ep. 118, 33, CSEL 34, 697, 9—12: *Itaque totum culmen auctoritatis lumenque rationis in illo*
uno salutari nomine atque in una eius ecclesia, recreando atque reformando humano generi constitutum est.
[154] Vgl. S. 217.
[155] De bapt. 2, 9, 14: *perspecta veritate (consuetudo) plenario concilio* confirmata *est;* ebd. 4, 9, 12:
declarata veritate (consuetudo) firma(batur); ebd. 2, 7, 12: *veritas . . . ad plenarii concilii* confirmationem *roburque perducta est;* ebd. 6, 1,1: *plenarii concilii auctoritate originalis consuetudo*
firmata est ebd. 2,2, 2: *per universae ecclesiae statuta* firmatum *est;* ebd. 1, 7, 9: *plenario . . .*

weit wir sehen, gibt es zu diesem Sprachgebrauch im Zusammenhang des von Augustinus erwähnten Plenarkonzils in der Ketzertauffrage keine Ausnahme[156]. Dieser einheitliche Sprachgebrauch ist um so auffallender, als er sowohl von dem der älteren afrikanischen Tradition, der Terminologie eines *Cyprian* z. B.[157], als auch von dem der zeitgenössischen Konzilien abweicht[158]. Nicht weniger bedeutsam erscheint es, daß Augustin den Terminus *decretum*, den er im Zusammenhang katholischer Konzilien zu vermeiden scheint[159], auf donatistische Konzilsveranstaltungen anwendet, wobei er sich offensichtlich an den Sprachgebrauch der Donatisten anschließt[160]. Dieser einheitliche Sprachgebrauch scheint auf eine ihm zugrunde liegende einheitliche Vorstellung vom Wesen der Konzilien, auf einen eigentlichen Konzilsbegriff, hinzudeuten. Wir finden ihn, indem wir *firmare* zu übersetzen versuchen[161].

An einer Reihe von Stellen könnte *firmare* den juridischen Sinn von „bestätigen", „ratifizieren", „rechtskräftig machen" haben, zumal dort,

---

concilio, quod saluberrime sentiebatur, etiam remotis dubitationibus firma*(batur);* ebd. 1, 18, 28: *plenarii concilii sententia . . . totius ecclesiae consensio con*firmabat; ebd. 2, 4, 5; *res . . . ad plenarii concilii . . . con*firmationem *perducitur;* ebd. 5, 17, 23: *plenario concilio . . . consuetudo* firmata *est;* ebd. 1, 7, 9; *consuetudo . . . concilii universitate* firmata *est;* C. Max. Ar. 2, 14, 3: *veritatis auctoritate et auctoritatis veritate* firmatum *est* (Nicaenum). Die Synonyme lauten: *Veritas eliquata et declarata per plenarium concilium* solida*(batur)* (De bapt. 2, 4, 5); *ecclesia . . . plenarii concilii auctoritate* munita (De bapt. 7, 1, 1); *posterius robur plenarii concilii* (De bapt. 5, 4, 4); *conciliorum* gravitas (De util. cred. 17, 35); *auctoritas . . . per successiones . . . conciliorum* roborata (C. Faust. Man. 13, 4,5) usw.

[156] Augustinus verwendet nur an einer einzigen Stelle den Terminus *decernere.* Es handelt sich dort aber eindeutig um die Übernahme des Terminus aus dem vorausgehenden Zitat: De bapt. 6, 13, 21, CSEL 51, 311, 25—312, 2: *Ianuarius a Lambese dixit: secundum scripturarum sanctarum auctoritatem* decerno *haereticos omnes baptizandos et sic in ecclesiam sanctam admittendos. Huic respondetur: secundum scripturarum sanctarum auctoritatem* decrevit *concilium catholicum orbis terrarum etiam in haereticis inventum baptismum Christi non esse inprobandum.* — Auch im Zusammenhang mit den afrikanischen Partikularsynoden scheint Augustinus den Terminus *decernere/decretum* eher zu vermeiden (vgl. Ep. 78, 4: *constitutum est;* Ep. 64, 3: *institutum est;* Ep. 65, 2: *statutum est);* De pecc. merit. III, 5, 11: *concilio statuebatur seu firmabatur.*

[157] Ep. 64, 1, CSEL 3, 717, 12—13: *Quae res nos satis movit recessum esse a decreti nostri auctoritate.*

[158] *Quae decreta sunt recensentes,* Karthago (397), CCL 149, 29.

[159] Vgl. jedoch De pecc. merit. III, 5, 11: *concilii decretum constitutum.* Leider wurde *decernere* und *decretum* nicht in den Goldbacherschen Index CSEL 58 aufgenommen!

[160] *Quae cum sententia* (gegen die Maximianisten) *consensu omnium firmaretur, placuit tamen decreto concilii dilationem temporis dari* (aus dem Brief des Cresconius, den Augustinus C. Cres. 3, 15, 18, CSEL 52, 452, 2—4 zitiert; vgl. auch ebd. 4, 4, 5; 4, 6, 7; 4, 7, 8).

[161] Hierzu aufschlußreich: C. Cresc. 2, 32, 40, CSEL 52, 400, 3—8: *Sed quia dicitis eum* (i. e. Cyprianum) *pro hac sententia legalia documenta firmasse, quamquam non ille documenta legalia firmare potuit, sed eis potius quaecumque recte sensit ipse firmavit, reliqua ergo scripta Cypriani et ea ipsa legalia documenta, quibus eum dicis usum esse, commemora. Si non ea demonstravero vestram causam nihil adiuvare, vicisti . . .*

wo es von *consuetudo* ausgesagt ist: „durch das Plenarkonzil wurde der Brauch bestätigt oder ratifiziert"[162]; bei der Mehrzahl der Belege dagegen erscheint die Übersetzung durch einen juridischen Terminus als zu schwach[163]. Die Grundbedeutung von *firmare:* „festmachen", „stark machen", schimmert deutlich durch. Das Konzil bringt nicht nur eine juridische Bestätigung und eine „Bekräftigung" des Brauches oder der Wahrheit, sondern deren reale Festigung und „Kräftigung": die Wahrheit setzt sich durch aufgrund des Konzils. Die Wahrheit bekommt durch das Konzil Kraft und Stärke[164], *confirmatio* und *auctoritas* werden dabei Wechselbegriffe[165]: die Wahrheit bekommt durch das Konzil Autorität. Man wird interpretieren dürfen: die Wahrheit wird durch das Konzil Autorität und kommt so durch dasselbe zu allgemeiner *Geltung*[166].

Das Konzil ist somit in seinem Begriff Wahrheit in Gestalt von Autorität. Was bedeutet das? Es bedeutet, daß Konzilien nicht mehr bloß „äußere" kirchliche Veranstaltungen sind, denen Verbindlichkeit zukommt im Maße, als sie sich mit der Schrift konform erweisen (dies dürfte die Auffassung des *Athanasius* sein), sondern daß sie „innere" Momente der Glaubenserkenntnis als solcher sind. Als *auctoritas* gehören Konzilien in das Grundschema, das für jede Art von Erkenntnis, insbesondere für religiöse, gilt: *rationem praecedat auctoritas*[167]. Konzilien als konkrete *auctoritas* sind somit konstitutiv für den Weg der Seele vom *credere* zum *intelligere*. Von ihnen gilt insbesondere, was grundsätzlich Augustinus über die Bedeutung der *auctoritas* für den christlichen Glauben sagt[168].

---

[162] De bapt. 5, 17, 23, CSEL 51, 282, 23: *rationalis consuetudo firmata est* (vgl. die übrigen Zitate in Anm. 155). Zum juridischen Sinn vgl. Thesaurus ling. lat. VI, 1, Sp. 812.
[163] So z. B. C. Max. ep. 2, 14, 3, PL 42, 772: *veritas auctoritate et auctoritatis veritate firmatum est.*
[164] De bapt. 2, 4, 5: *Res ... ad plenarii concilii confirmationem perducitur.*
[165] De bapt. 2, 9, 14: *Veritas non solum inventa est, sed etiam ad plenarii concilii auctoritatem roburque perducta;* De bapt. 2, 7, 12: *veritas ... ad plenarii concilii confirmationem perducta est.*
[166] De bapt. 5, 22, 30: *per plenarium concilium ... quid esset rectius, eluce(bat).*
[167] Mor. 1, 2, 3 und 1, 25, 47. Zur Herkunft dieses Grundschemas vgl. u. a. Lütcke 35: „Dieses Begriffsschema *auctoritas-ratio* war ihm (d. h. Augustinus) aus der klassisch-römischen Literatur geläufig. In Rom hatte es zwar noch nicht die Form eines Aufstiegsschemas — von der *auctoritas* zur *ratio* — besessen (diese Form stammt von den Alexandrinern), war aber doch als Verbindung zweier aufeinander bezogener und oft in Gegensatz gestellter Begriffe entwickelt. Augustin ist, so sehr auch Tertullian und Ambrosius vorgearbeitet haben, in seinen Gedanken und Formulierungen zum Thema *auctoritas-ratio* von diesem römischen Schema beeinflußt worden und hat aus ihm für sein Verständnis des Problems von Glauben und Wissen neue Erkenntnisse gezogen."
[168] Vgl. hierzu Lütcke, wo auch weitere Literatur zum Thema; besonders R. Lorenz, Die Wissenschaftslehre Augustins, in: ZKG 67 (1955/6) 29—60. 213—251.

Der Autorität kommt in der Konzeption Augustins nicht nur die Rolle zu, eine Wahrheit zu begründen, sondern vor allem, sie durchzusetzen. Es gilt ja, die Wahrheit nicht nur kleinen Kreisen zu vermitteln, sondern der ganzen Welt[169]. Mit ihrer Hilfe überwindet der Mensch die Skepsis. „Sie ist in einem weiteren Sinne dort, wo die *ratio* allein nicht zur Klarheit der Entscheidung gelangt, das, was Mut macht zur klaren, bestimmten Aussage"[170]. Es braucht hier nicht wiederholt zu werden, was in zahlreichen Abhandlungen über die beiden bei Augustinus korrespondierenden Begriffe *auctoritas* und *ratio* gesagt wurde. Es kommt hier vielmehr darauf an, diesen allgemeinen Begriff von *auctoritas* konkret im Konzil verwirklicht zu sehen: „Die *auctoritas* ist der Halt, an den sich der schwache Mensch klammert, sie ist die Kraft, die ihn in der Not der Entscheidung stärkt, sie ‚trägt' die menschliche *infirmitas*"[171].

Die hier versuchte Interpretation des augustinischen Konzilsbegriffs (Konzilien als *auctoritas*, d. h. als innere Momente der Glaubenserkenntnis als solcher) kann sich auch auf ausdrückliche Aussagen stützen. Im Zusammenhang der Frage nach der Gültigkeit der Häretikertaufe führt Augustinus aus: „Auch wir selber würden niemals etwas Derartiges (d. h. die Gültigkeit von Häretikertaufen) zu behaupten wagen, wenn wir nicht durch die voll übereinstimmende Autorität der ganzen Kirche (darin) ‚gestärkt' wären. Ihr würde auch Cyprian selber sich zweifelsohne unterwerfen, wenn ein Plenarkonzil zu seiner Zeit die Wahrheit in dieser Frage an den Tag gebracht hätte"[172]. Hier hat *firmatus* offensichtlich mehr als einen rein juridischen Sinn. Der Terminus bezeichnet die Überwindung der „Schwäche" *(infirmitas)*, wie sie menschlicher, insbesondere religiöser Erkenntnis, wesentlich ist, durch die *auctoritas*[173]. Eine ähnliche Stelle, wo *firmatus* u. E. mehr als juridische Bedeutung hat und *auctoritas* als inneres Moment der Glaubenserkenntnis ins Spiel kommt, ist *De bapt.* 4, 6, 8[174]. Diese *firmitas* bzw. *auctoritas*, die der Wahrheit kraft des Konzils zukommt, hilft

---

[169] Lütcke 78.

[170] Ebd. 88.

[171] Ebd. 106.

[172] De bapt. 2, 4, 5, CSEL 51, 179, 13—17: *Nec nos ipsi tale aliquid auderemus adserere nisi universae ecclesiae concordissima auctoritate firmati, cui et ipse (scil. Cyprian) sine dubio cederet, si iam illo tempore quaestionis huius veritas eliquata et declarata per plenarium concilium solidaretur.*

[173] Zu diesem Verhältnis göttlicher bzw. apostolischer ‚auctoritas' zu menschlicher „Schwäche" vgl. En. in Ps. 86, 4, CCL 39, 1201: *Quare sunt fundamenta apostoli et prophetae? Quia eorum auctoritas portat infirmitatem nostram.*

[174] CSEL 51, 231, 13—14: *Antiquitate ipsius consuetudinis et plenarii postea concilii auctoritate firmati ... universalis concilii admonitus firmitate* (vgl. Anm. 155).

ihrerseits zur Erkenntnis der Wahrheit[175]. Das heißt aber: Ohne die Autorität des Konzils ist die betreffende Wahrheit gar nicht oder nur unsicher erkennbar. Deswegen gilt auch: bestimmte Glaubensaussagen können nur unter Voraussetzung eines entsprechend bedeutenden Konzils gemacht werden[176].

Begreift man so Konzilien mit Augustinus unmittelbar als innere Momente der Glaubenserkenntnis, insofern diese sich in der Spannungseinheit von *auctoritas* und *ratio* vollzieht, dann versteht man, daß der Bischof von Hippo ganz allgemein von der „höchst heilsamen Autorität" der Konzilien sprechen kann[177]. Die Konzilien sind in der Tat — analog zur Schrift — *auctoritas*, die die zum Heil führende Erkenntnis der göttlichen Wahrheit vermittelt.

Eine gewisse Bestätigung dieser unserer Interpretation des augustinischen Konzilsbegriffs mag man nun darin sehen, daß Augustinus einerseits auf eine Reihe von „Begründungen" der Konzilsautorität verzichten kann, die wir bei anderen kirchlichen Schriftstellern dieser Zeit, insbesondere im Zusammenhang mit Nicaea, antreffen[178], und daß er andererseits Formeln und Ausdrücke, die in die Richtung eines entsprechenden „mystischen" Konzilsbegriffs deuten, nicht ohne Ironie aufgreift dort, wo er sie antrifft[179], und dafür sorgt, daß sie auf den Konzilien, an denen er selber teilnimmt, vermieden werden[180]. Der Ver-

---

[175] De bapt. 4, 6, 8: *universalis concilii admonitus firmitate videre aliquid.*

[176] C. ep. Parm. 2, 13, 30, CSEL 51, 81, 13—15: *Nec aliquid hinc temere adfirmandum est sine auctoritate tanti concilii quantum tantae rei sufficit.*

[177] Ep. 54, 1, 1, CSEL 34, 159, 17—18: *... conciliis plenariis, quorum est in ecclesia saluberrima auctoritas.*

[178] Obzwar Augustinus die Konzilien durchaus als providentielle Veranstaltungen sieht — Ep. 190, 22: *conciliorum episcopalium vigilantia in adjutorio Salvatoris qua suam tuetur ecclesiam;* De bapt. 5, 22, 30: *donec aliquando in Domini voluntate per plenarium concilium ... quid rectum esset eluceret ...;* vgl. auch ebd. 7, 53, 102 und 6, 39, 76 — so ist ihm dennoch die Vorstellung einer Inspiriertheit der Konzilien fremd. Auffällig ist ebenfalls, daß er in bezug auf Nicaea nie die für dessen Autorität bei anderen Vätern so bedeutungsvolle Zahl 318 erwähnt, obwohl er doch zumindest aus Ambrosius die mystische Bedeutung dieser Zahl gekannt haben muß; vgl. S. 222.

[179] Die Formel des donatistischen Synodalbriefs von Bagai (394) *(dei praesidentis arbitrio universalis concilii ore veridico ...)* greift Augustinus in Ep. 108, 5, 14 und 15 mit bissigem Spott auf: *nam et illud, quod contra nos a vestra parte magis ore maledico quam veridico solet dici ...; grandiloqua illa sententia concilii Bagaiensis evomuit* (vgl. auch C. Cresc. 3, 19, 22; 3, 55, 61; 4, 2, 2; 4, 16, 19).

[180] Man vergleiche die weiter oben genannten katholischen Konzilsdokumente mit den folgenden Formeln des Konzils von Bagai: *Cum omnipotentis dei et Christi eius voluntate in ecclesia Bagaiense concilium gereremus ... placuit spiritui sancto qui in nobis est pacem firmare perpetuam ... dei praesidentis arbitrio universalis concilii ore veridico ...* (MANSI III, 857/8).

zicht auf jedwede Form von „Konzilsaufwertung" (etwa durch mystische Zahlenspekulation) wie auch auf die auffällige Nüchternheit bei der Abfassung von Konzilsdokumenten haben offensichtlich ihre Erklärung in der spezifischen Konzilsauffassung des Augustinus: Ein Konzil ist seinem Wesen nach *auctoritas* und deswegen einer „Aufwertung" weder fähig noch bedürftig.

LEO DER GROSSE († 461) ÜBER KONZILIEN
UND LEHRPRIMAT DES RÖMISCHEN STUHLES

Mit der Existenz ökumenischer Kirchenversammlungen war nicht ohne weiteres und unmittelbar das Selbstverständnis gegeben, das die Konzilien späterer Zeit kennzeichnet. Die Auffassung, daß solchen Versammlungen absolute Autorität in Glaubensfragen zukomme, bildete sich in der Alten Kirche in einem allmählichen, keineswegs einlinigen Prozeß. Konsequenter und zielstrebiger, weil von einer einzigen Person bzw. ihrer Institution getragen, entwickelt sich im vierten und fünften Jahrhundert das Selbstverständnis eines anderen Trägers der einen kirchlichen Autorität: das des Römischen Stuhles. Es erreicht im Primatsanspruch *Leos des Großen*[1] ein für die Alte Kirche einmaliges Ausmaß und eine sonst nicht erreichte Bestimmtheit. Konflikte bzw. Spannungen, die apriori zu erwarten waren, lassen sich tatsächlich im Pontifikat Leos nachweisen. Im Rahmen unserer Untersuchungen erscheint es angebracht, die Konzilsidee in ihrem Verhältnis zur Papstidee gerade in dem Manne zu studieren, dem die Spannung zwischen beiden wohl zum erstenmal in aller Deutlichkeit aufgegangen ist. Wir können für unsere Arbeit auf interessante Untersuchungen zurückgreifen[2], kommen aber öfter zu

[1] Zur Einführung in den biographischen Kontext und die Lehre Leos vgl. das Schrifttumverzeichnis von A. SCHÖNMETZER in: GRILLMEIER/BACHT, Chalkedon III, 826—865, Nr. 123—133. 260. 263. 279; T. JALLAND, The life and times of St. Leo the Great, London 1941; H. LIETZMANN, Leo der Große, in: PRE 12 (1924) 1962—73; P. BATIFFOL, Léon I, in: DThC 9 (1926) 218—301. — Einen Überblick über Studien zu Leo dem Großen gibt A. LAURAS, Études sur saint Léon le Grand, in: RSR 49 (1961) 481—499. Zur Überlieferung der Briefe vgl. C. SILVA-TAROUCA, Nuovi studi sulle antiche lettere dei Papi, in: Gr. 12 (1931) 3—56; 349—425; 547—598; in Buchform: Roma 1932; zum Briefstil H. GETZENY, Stil und Form der Papstbriefe bis auf Leo den Großen, Tübingen 1922; zum Vokabular MARY MUELLER, The vocabulary of St. Leo the Great, Washington 1943. Neuerdings: G. HUDON, Art. Léon le Grand, in: DSp 9 (1976) 597—611
Wir zitieren die Briefe Leos nach der Edition von E. SCHWARTZ, ACO I, 4, und zwar nach Seiten und Zeilen, ferner mit Angabe der Briefnummer und des Kapitels der BALLERINI-Ausgabe (Zählung von Migne PL 54). — Leos Briefe, die sich nicht in der SCHWARTZ-Edition befinden, zitieren wir nach PL 54.
[2] W. KISSLING, Das Verhältnis zwischen Sacerdotium und Imperium, Paderborn 1921, 16—94; E. CASPAR, Geschichte des Papsttums von den Anfängen bis zur Höhe der Weltherrschaft, 1, Tübingen 1930, 423—563; U. GMELIN, Auctoritas. Römischer Princeps und päpstlicher Primat, Stuttgart 1937, 111—135; V. GLUSCHKE, Die Unfehlbarkeit des Papstes bei Leo dem Großen und seinen Zeitgenossen, Rom 1938; H. M. KLINKENBERG, Papsttum

anderen Ergebnissen[3], teils weil wir die Voraussetzungen der betreffenden Autoren nicht teilen[4], teils weil der Gesichtspunkt unserer Untersuchung ein anderer ist. Da wir nach dem Verhältnis von Papstidee und Konzils- idee fragen, geht es uns um die Herausarbeitung der Konzils*theologie* Leos und nicht um die Darstellung der päpstlichen Konzils*politik*. Konzilstheologie im Sinne einer möglichst systematischen Zusammen- stellung seiner Aussagen über Konzilien hängt zwar eng mit der Frage der Konzilspolitik des Papstes zusammen (Konzilstheologie steht auch im Dienst einer bestimmten Konzilspolitik, sie wird im Grenzfall zur Konzils*ideologie*), beide Fragestellungen sind jedoch deutlich voneinander zu unterscheiden. Wir versuchen das Verhältnis von Konzilsidee zu Papstidee in der Theologie Leos in folgenden Schritten zu bestimmen: Zunächst tragen wir zusammen, was Leo über Konzilien an und für sich sagt, und zwar getrennt nach Partikular- und Reichssynoden, dann folgt eine kurze Skizze seiner Lehrprimatsauffassung, wie sie in der Selbst- beurteilung seines Tomus greifbar wird. Abschließend zeichnen wir das Verhältnis beider Autoritätsträger in der Sicht Leos und fragen nach einem möglichen Modell für dasselbe[5].

1. Partikularkonzilien

Überblickt man Leos Äußerungen zu Konzilien, so lassen sich deutlich zwei Gruppen unterscheiden: Aussagen zu *Partikularkonzilien* und Aus- sagen zu *Reichssynoden*. Während letztere schon immer das Interesse der

und Reichskirche bei Leo dem Großen, in: ZSRG.K 69 (1952) 37—112; P. STOCKMEIER, Leo I. des Großen Beurteilung der kaiserlichen Religionspolitik, München 1959; M. MACCAR- RONE, La dottrina del primato papale dal IV all' VIII secolo nelle relazioni con le chiese occidentali, Spoleto 1960; W. ULLMANN, Leo and the theme of papal primacy, in: JThS 11 (1960) 25—51; A. TUILIER, Le primat de Rome et la collégialité de l'épiscopat d'après la correspondance de saint Léon avec l'Orient, in: NDid 15 (1965) 53—67; DE VRIES, Chalkedon; C. V. SAMUEL, Proceedings of the Council of Chalcedon and its Historical Problems, in: ER 22 (1970) 321—347; M. J. VAN PARYS, The Council of Chalcedon as historical event, in: ER 22 (1970) 305—320.

[3] So können wir z. B. KLINKENBERG 111 nicht zustimmen, wenn er urteilt: „Das alte geistgelenkte Konzil wie auch die geistgelenkte Synode niederer Ordnung existiert für Leo nicht mehr . . . Die Petrusdoktrin hat das Synodalprinzip beseitigt."

[4] „Die Theologie ist im 5. Jahrhundert meist nur noch Waffe, nicht zielsetzende Ursache", KLINKENBERG 51.

[5] Daß wir mit dieser Frage tatsächlich ein zentrales Thema des Leoninischen Briefkorpus aufgreifen, bescheinigt uns STOCKMEIER 158: „Die Frage nach dem Konzil bildet im Grunde auch die Kernfrage aller Schreiben Leos des Großen . . .", „Kassierung eines Konzilsbeschlus- ses, Forderung einer neuen Synode und Verhinderung einer weiteren Kirchenversammlung: um diese ‚Trilogie' kreisen fast alle Schreiben aus der Feder dieses großen Papstes", ebd. 159.

Forschung gefunden haben, wurden die Partikularsynoden bisher kaum beachtet. Es ist aber mit der Möglichkeit zu rechnen, daß gerade von Leos Theorie über Partikularkonzilien interessantes Licht fällt auf seine Konzeption des Verhältnisses Reichssynode/Römischer Stuhl. Wir beginnen deswegen mit der Untersuchung seiner Aussagen über *Partikularkonzilien*.

Auf Nutzen, Sinn und (begrenzte) Autorität von Partikularsynoden weist Leo hin in einem Brief an *Anastasius von Thessalonich* aus dem Jahre 444, also schon kurz nach Beginn seines Pontifikates. Nach Urgierung anderer Disziplinarfragen (u. a. Beobachtung der Kanones bei der Bischofsweihe) gibt er folgende Ermahnung in Betreff der Synodalpraxis, wobei er offensichtlich die schon bestehende Gesetzgebung[6] neu einschärft:

„Wer immer von den Brüdern zu einer Synode geladen war, soll hineilen, und niemand soll sich der heiligen Versammlung versagen. Man soll wissen, daß auf ihr vor allem Fragen der Kirchendisziplin zu bestimmen sind. Leichter nämlich wird jedes Versagen *(culpa)* vermieden, wenn zwischen den Priestern (Bischöfen) des Herrn häufigere Aussprachen stattfinden und eine Zusammenkunft in Gemeinschaft die Voraussetzung gewährt für die Reformen und (gegenseitige) Liebe. Hier (gelegentlich solcher Synoden) können eventuelle strittige Fragen mit Hilfe des Herrn so zu Ende gebracht werden, daß keine Spannung mehr zurückbleibt, sondern einzig die Liebe die Brüder untereinander fester verbindet"[7].

---

[6] Vgl. Kanon 5 des Konzils von Nicaea, wo im Zusammenhang der kirchlichen Exkommunikation von Klerikern und Laien bestimmt wird: *Ut hoc ergo decentius inquiratur, bene placuit annis singulis per unam quamque provinciam bis in anno concilia celebrari, ut communiter omnibus simul episcopis provinciae congregatis questiones discutiantur huiusmodi ... concilia vero caelebrentur unum quidem ante quadragesimam paschae, ut omni dissensione sublata munus offeratur Deo purissimum, secundum vero circa tempus autumni* (COD 7). — In diesem Zusammenhang ist auch zu beachten Kanon 9 der ‚Statuta ecclesiae antiqua': *Ut episcopus ad synodum ire satis gravi necessitate inhibeatur, sic tamen ut in persona sua legatum mittat, suscepturus salva fidei veritate quidquid synodus statuerit,* Concilia Galliae, CCL 148, 167. Diese Kanonessammlung ist zwar erst nach 442 in Gallien zusammengestellt worden, enthält aber ältere Elemente afrikanischen Ursprungs. Zum geschichtlichen Hintergrund und zur Interpretation von Kanon 9 vgl. C. MUNIER, Les statuta ecclesiae antiqua, Paris 1960, 149—50, ferner M. COQUIN, Le sort des ‚Statuta Ecclesiae antiqua' dans les Collections canoniques jusqu'à la ‚concordia' de Gratien, in: RThAM 28 (1961) 193—224.
[7] Ep. 6, 5, PL 54, 619 B: *Ad synodum quisquis fratrum fuerit evocatus occurrat, nec sanctae congregationi se deneget: in qua maxime constituendum esse noverit, quod ad disciplinam poterit ecclesiasticam pertinere. Melius enim omnis culpa vitabitur, si inter sacerdotes Domini collatio frequentior habeatur et emendationi pariter et charitati plurimum praestat adunata societas. Illic si quae causae natae fuerint, praestante Domino, ita poterunt terminari, ut contentio nulla resideat: sed sola inter fratres charitas coalescat.* Vgl. auch: Ep. 5, 4, PL 54, 616 A: *Ad synodum quicumque fuerit evocatus, occurrat, nec congregationi se deneget, in qua ad deum pertinentes causas noverit esse tractandas.* Vgl. auch Ep. 12, 13, PL 54, 656 A: *Si quae vero aliae emerserint causae quae ad statum ecclesiasticum et ad concordiam pertinent sacerdotum, illic* (d. h. in Afrika) *sub timore Domini volumus ventilentur, et de componendis atque compositis omnibus ad nos relatio plena mittatur, ut ea quae iuxta ecclesiasticum morem iuste et rationabiliter fuerint definita, nostra quoque sententia roborentur.*

Unmittelbar anschließend an diesen Text bestimmt Leo das Kompetenzverhältnis zwischen diesen Synoden und dem Römischen Stuhl. Wir kommen später darauf zurück. Wir halten aus dem zitierten Text fest: Leo bejaht grundsätzlich die Synodalpraxis der Kirche. Er sieht in ihr ein wichtiges Mittel zur Aufrechterhaltung des innerkirchlichen Friedens. Die regelmäßigen Synoden festigen und vertiefen die brüderliche Liebe im Bischofskollegium. Hauptaufgabe *(maxime)* solcher Synoden ist die Lösung von Disziplinarfragen. In einem Brief an die *illyrischen Metropolitanbischöfe* vom 6. Januar 446 kommt Leo auf die überprovinziellen Synoden zu sprechen[8]. Er geht auf Anlaß, Aufgabe, Häufigkeit, Teilnehmerzahl und Strafen für Säumige ein:

> „Werden Brüder zur Entscheidung besonders wichtiger Angelegenheiten und solcher, die innerhalb der einzelnen Provinzen nicht zu Ende gebracht werden können, eingeladen, so sollen sie, sofern sie kein schweres Hindernis davon abhält, diesen Bruderdienst zum Nutzen der Kirche nicht verweigern. Dies um so weniger, als wir die maßvolle Bestimmung getroffen haben, daß nicht zu oft und nicht für jede Kleinigkeit die Notwendigkeit (eines Konzils) angekündigt werde und daß es für die einzelnen Provinzen genügt, wenn je zwei oder drei Bischöfe anwesend sind. So ist dann für wenige leicht, was für viele eine Last wäre. Mit dem Eifer der Liebe soll auf diese Weise erreicht werden, daß die Bischofsberatung unter Eingebung des Heiligen Geistes festsetzt, was für die kirchliche Disziplin von Belang sein kann. Eure Liebe möge zur Kenntnis nehmen, daß wir in der Absicht, den Ungehorsam einiger (Bischöfe) durch eine gerechte Strafe zu bessern, folgendes bestimmt *(definire)* haben: wer aus Stolz absichtlich öfter die Zusammenkunft mit den Brüdern meidet, ohne durch Krankheit oder eine andere dringliche Angelegenheit gehindert zu sein, soll wissen, daß er sich straffällig macht"[9].

Der Text bringt weitere Aspekte von Leos Konzilsidee ans Licht: Nächste Instanz zur Lösung von Problemen, mit denen eine Provinz nicht fertig wird, ist nicht unmittelbar der Römische Stuhl, sondern die *überprovinzielle* Synode. Während er, wie wir später sehen werden, für die *Provinzialsynoden* regelmäßige Versammlungen vorsieht, scheint er

---

[8] Über die Natur des Vikariats des östlichen Illyrikums und die Geschichte der Beziehungen zwischen diesem und Rom vgl. JALLAND, Leo, 175—192; vor allem ‚Additional Note': The development of the Illyrian Vicariate, 192—204; ferner J. GAUDEMET, L'Église dans l'empire Romain (IVe—Ve siècles), Paris 1958, 403—7, vor allem F. STREICHHAN, Die Anfänge des Vikariats von Thessalonich, in: ZSRG. K 43 (1922) 330—384.

[9] Ep. 13, 2, PL 54, 665 A: *Invitati fratres in causis maximis, et quae intra provincias suas finiri nequeant terminandis, si nulla gravi necessitate retinentur, fraternum studium pro ecclesiae utilitate non denegent: maxime cum moderatio nostra providerit ut non frequens neque pro levibus causis conveniendi necessitas indicatur; et binos ternosve episcopos singulis provinciis adesse sufficiat, ut leve fiat paucis, quod multis esset onerosum; atque ita efficiatur studio charitatis ut sacerdotalis tractatus ea quae ad disciplinam possunt ecclesiasticam pertinere, sancto sibi Spiritu revelante constituat. Id enim nos, volentes quorundam inobedientiam iusta coercitione corrigere, vestra noverit dilectio definisse: ut quisquis superbo animo, cum nulla corporis vel causae fuerit necessitate detentus, fraternam saepius voluerit vitare conventum, se sciat esse iudicandum.*

überprovinzielle Versammlungen für besondere Angelegenheiten vorzu-
behalten. Wenn er die Zahl der Abgeordneten aus den einzelnen Provinzen auf zwei oder drei begrenzt, dann wohl nicht nur deswegen, um
einer größeren Zahl die Beschwernis der Reise zu ersparen, sondern
auch aus der Einsicht, daß die größere Zahl von Teilnehmern als solche
noch nicht ein besseres Resultat der Synode verbürgt. Zu beachten ist
auch der Zusammenhang, den Leo sieht zwischen dem „Eifer der Liebe"
und der „Eingebung des Heiligen Geistes", auf Grund deren die Synodalen ihre Entscheidung fällen. Bei der Sanktion für Säumige fällt auf,
was Leo als Motiv zur Nichtteilnahme an Konzilien nennt: den Hochmut. Offensichtlich sieht er in der Bischofsversammlung ein wichtiges
Mittel, dem Streben einzelner Bischöfe nach mehr Unabhängigkeit und
selbstherrlichem Regierungsstil vorzubeugen.

In Brief 14 an *Anastasius von Thessalonich* aus dem gleichen Jahr 446
beruft sich Leo für seine Anordnung bezüglich der Konzilien auf die Bestimmungen der Väter:

> „Was die Konzilien der Bischöfe angeht, so bestimmen wir nichts anderes, als was die
> heiligen Väter heilsam angeordnet haben, nämlich daß jedes Jahr zwei Zusammenkünfte
> stattfinden, bei denen über alle Streitfragen, die zwischen den einzelnen Ständen der Kirche
> zu entstehen pflegen, zu Gericht gesessen werde. Wenn etwa unter den Vorsitzenden (den
> Metropoliten?) über größere Vergehen *(peccata)*, was ferne sei, ein Rechtsstreit ausge-
> brochen ist, der durch provinzielle Untersuchung nicht beigelegt werden kann, dann soll der
> Metropolit, lieber Bruder, dafür sorgen, dich über die Beschaffenheit der ganzen Angelegen-
> heit zu unterrichten. Wenn da in Gegenwart beider Parteien auch dein Urteil die Sache nicht
> zum Ausgleich bringen kann, dann soll sie, worum immer es sich handelt, vor unser Forum
> gebracht werden"[10].

Auffallend ist das dem vorgeschriebenen Instanzenweg zugrunde liegende Prinzip: die je höheren Instanzen sind zuständig, sobald die
unteren zu keiner Einigung kommen. Versagt das Konzil selbst auf
Metropolitanebene, dann ist Rom zuständig, „worum immer es sich
handelt". Die Kompetenz der jeweiligen Instanz wird nicht von der
Sache her bestimmt (grundsätzliche Zuständigkeit für gewisse Sach-
bereiche und Fragen, für andere nicht), sondern von der faktischen
Fähigkeit, wirklich Frieden und Ausgleich in Streitigkeiten zu finden.

Eine spezielle Direktive erteilt Leo Anastasius, seinem *vicarius*, bezüglich der von ihm einberufenen Bischofsversammlungen. Anastasius

---

[10] Ep. 14, 7, PL 54, 673 C—674 A: *De conciliis autem episcopalibus non aliud indicimus quam
sancti patres salubriter ordinarunt: ut scilicet bini conventus per annos singulos habeantur, in quibus de
omnibus querelis quae inter diversos ecclesiae ordines nasci assolent, iudicetur. Ac si forte inter ipsos qui
praesunt, de maioribus (quod absit) peccatis causa nascitur, quae provinciali nequeat examine definiri,
fraternitatem tuam de totius negotii qualitate metropolitanus curabit instruere, ut si coram positis
partibus nec tuo fuerit res sopita iudicio, ad nostram cognitionem, quidquid illud est, transferatur.*

soll unter allen Umständen den Verdacht einer zwielichtigen Wichtig-
tuerei meiden. Nur in wichtigen Fällen soll er je zwei Bischöfe aus den
einzelnen Provinzen einladen, und zwar auf Vorschlag des Metropoliten hin. Die Versammlung soll die Teilnehmer nicht länger als 15
Tage in Anspruch nehmen[11].

Übergriffe des *Hilarius von Arles*[12] geben Leo die Veranlassung, das
Prinzip aufzustellen oder zu erneuern: „Jede Provinz soll mit ihren
eigenen Konzilien zufrieden sein, und Hilarius soll es sich nicht weiterhin herausnehmen, über seinen Sprengel hinaus Synodalversammlungen
anzusetzen und durch Einmischung die Urteile der Priester Gottes in
Verwirrung zu bringen"[13].

Aus einem Brief an die *Bischöfe Siziliens* aus dem Jahre 447 geht hervor,
daß Leo die Abhaltung jährlicher Provinzialsynoden nicht nur der
illyrischen Kirche vorschreibt, sondern auch in seiner eigenen, römischen
Kirche praktiziert. Jedes Jahr sollen entsprechend der Vorschrift von
Kanon 5 des Konzils von Nicaea zwei Bischofsversammlungen in
Rom stattfinden; an der Synode vom 29. September sollen jeweils
drei sizilianische Bischöfe teilnehmen. „Denn mit der Gnade Gottes wird
leichter Vorsorge dafür getroffen werden können, daß in den Kirchen
Christi keine Skandale, keine Irrtümer auftreten, wenn in Anwesenheit
des allerseligsten Apostels Petrus immer darüber gemeinsam beraten
wird, daß alle seine Anordnungen und Rechtsbestimmungen bei allen
Priestern des Herrn unverletzt bleiben"[14]. Die Frage, ob in solchen
Bischofsversammlungen in ‚Anwesenheit des allerseligsten Petrus' tatsächlich echte Beratung und Aussprache möglich war oder ob es sich
nur darum handelte, die Entscheidungen des Papstes gemeinsam in
Empfang zu nehmen, gehört nicht unmittelbar zum Gegenstand unserer

---

[11] Ep. 14, 10, PL 54, 674 BC: *In evocandis autem ad te episcopis moderatissimum esse te volumus, ne per maioris diligentiae speciem fraternis gloriari videaris iniuriis. Unde si causa aliqua maior exstiterit ob quam rationabile ac necessarium sit fraternum advocare conventum, binos de singulis provinciis, quos metropolitani crediderint esse mittendos, ad fraternitatem tuam venire sufficiat, ita ut a praestituto tempore non ultra quindecim dies qui convenerint retardentur.*
[12] Vgl. hierzu Jalland, Leo, 113—218, ferner D. Franses, Paus Leo d. Gr. en S. Hilarius v. Arles, 's Hertogenbosch 1948, und Caspar, Papsttum, I, 439—447.
[13] Ep. 10, 7, PL 54, 634 C: *Suis unaquaeque provincia sit contenta conciliis, nec ultra Hilarius audeat conventus indicere synodales, et sacerdotum Domini iudicia, se interserendo turbare.*
[14] Ep. 16, 7, PL 54, 702 C—703 A: *Quare illud primitus pro custodia concordissimae unitatis exigimus, ut, quia saluberrime a sanctis patribus constitutum est, binos in annis singulis episcoporum debere esse conventus, terni semper ex vobis ad diem tertium kalend. octobr. Romam fraterno concilio sociandi, indissimulanter occurant: quoniam, adiuvante gratia Dei, facilius poterit provideri ut in ecclesiis Christi nulla scandala, nulli nascantur errores, cum coram beatissimo apostolo Petro id semper in commune tractandum sit, ut omnia ipsius constituta canonumque decreta apud omnes Domini sacerdotes inviolata permaneant.*

Untersuchung, da wir uns mit der päpstlichen Theorie, nicht mit der Praxis beschäftigen[15]. Aufschlußreich ist in diesem Zusammenhang jedoch eine Stelle aus Brief 166 (wir werden später darauf eingehen), die die Möglichkeit echter Beratung in Gegenwart des Papstes wahrscheinlich macht.

Aus den bisher angeführten Texten dürfte sich ergeben: Leo fördert, ja fordert die regelmäßige Abhaltung von Synoden. Denn die Synoden festigen in seinen Augen den Frieden und den Zusammenhalt der Kirchen. Aus den folgenden Zeugnissen wird ein weiterer Aspekt seiner Konzilsidee deutlich: außerordentliche Synoden sind ein Mittel, den verlorenen Frieden wiederherzustellen.

Gleich in seinem ersten Brief aus dem Jahre 442 fordert Leo den *Bischof von Aquileia* auf, eine außerordentliche Synode einzuberufen. Auf ihr sollen alle Priester, Diakone und sonstigen Kleriker, die früher der pelagianischen Gemeinde angehört hatten, in aller Eindeutigkeit den Pelagianismus verwerfen[16].

Auch in der vom Priszillianismus bedrohten spanischen Kirche hofft Leo, durch Abhaltung von Konzilien an Ort und Stelle die Glaubenseinheit wiederherstellen zu können. Sein langer Brief an *Turribius von Asturien*, in dem Leo ausführlich auf die Irrtümer der Priszillianer eingeht, schließt mit der Mitteilung, er, Leo, habe an die Bischöfe von Tarracona, Cartagena, Lusitanien und Gallizien Briefe gesandt, in denen ein *concilium generale* angekündigt wird. Die Durchführung dieser Anordnung *(ordinatio)* ist Turribius übertragen. Für den Fall, daß kein spanisches Generalkonzil abgehalten werden kann, soll wenigstens ein gallizisches Provinzialkonzil stattfinden, „damit um so schneller wenigstens durch eine Provinzialzusammenkunft ein Heilmittel für so große Wunden bereitgestellt werde"[17]. Schon vorher im gleichen Brief hatte Leo die Forderung aufgestellt:

---

[15] Vgl. hierzu H. MAROT, Les conciles romains des IVe et Ve siècles et le développement de la primauté (wo jedoch das 5. Jahrhundert nur sehr knapp behandelt wird), in: Ist. 4 (1957) 435—462.

[16] Ep. 1, 2, PL 54, 594 A—B: *Ne ergo hoc ulterius audeatur, neve per quorundam negligentiam introducta pernicies tendat ad eversionem multarum animarum, hac nostri auctoritate praecepti, industria tuae fraternitatis indicimus, ut congregata apud vos synodo provincialium sacerdotum, omnes sive presbyteri, sive diaconi, sive cuiusque ordinis clerici, qui de Pelagianorum Coelestianorumque consortio in communionem catholicam ea imprudentia sunt recepti, ut non prius ad damnationem sui coarctarentur erroris, nunc saltem, posteaquam hypocrisis eorum ex parte detegitur, ad veram correctionem, quae et ipsis prodesse, et nullis posset nocere, cogantur.*

[17] Ep. 15, 17, PL 54, 692 AB: *Dedimus itaque litteras ad fratres et coepiscopos nostros Tarraconenses, Carthaginienses, Lusitanos, atque Gallicos, eisque concilium synodi generalis indiximus. Ad tuae dilectionis sollicitudinem pertinebit, ut nostrae ordinationis auctoritas ad praedictarum provinciarum episcopos*

„Eine Bischofsversammlung soll unter euch stattfinden; die Priester (Bischöfe) aller benachbarten Provinzen sollen an einem für alle geeigneten Ort zusammenkommen, damit entsprechend unserer Antwort auf deine Anfragen *(consulta)* eine gründliche Untersuchung darüber angestellt werde, ob es unter den Bischöfen Leute gibt, die von der Ansteckung dieser Häresie befleckt sind. Sollten sie sich weigern, die wegen der Schändlichkeit aller ihrer Lehren absolut abzulehnende Sekte zu verurteilen, sind sie zweifelsohne von der Gemeinschaft *(communio)* zu trennen"[18].

In der Einleitung hatte Leo darauf hingewiesen, daß die Lehre überhaupt nur deswegen sich halten konnte, weil die Kriegsereignisse[19] Bischofsversammlungen selten gemacht hatten[20].

Sogar für die Überwindung des Monophysitismus in der Alexandrinischen Kirche scheint sich Leo etwas von der Abhaltung der dort ohnehin üblichen Synoden zu versprechen. In diesem Sinne schreibt er am 10. März 454 an *Proterius*, den neuen Patriarchen von Alexandrien:

„Unter den gegebenen Umständen halte fest, lieber Bruder, an dem Brauch deiner Vorgänger und bringe deine Provinzialbischöfe, die dem Stuhl von Alexandrien nach alter Bestimmung (Nicaea, Kanon 6) unterworfen sind, mit der dir gebührenden Autorität dazu, sich dem kirchlichen Brauch nicht zu widersetzen, sondern zu bestimmten Zeiten oder, wenn es ein besonderer Anlaß erforderlich macht, bei dir, lieber Bruder, ohne Zögern sich zusammen einzufinden. Wenn etwas zum Nutzen der Kirche in gemeinsamer Beratung zu behandeln ist, soll es einmütig von den versammelten Brüdern angeordnet werden"[21].

---

deferatur. Si autem aliquid, quod absit, obstiterit, quo minus possit celebrari generale concilium, Gallicae saltem in unum conveniant sacerdotes, quibus congregandis fratres nostri Idatius et Ceponius imminebunt, coniuncta cum eis instantia tua, quo citius vel provinciali conventu remedium tantis vulneribus afferatur.

[18] Ep. 15, 17, PL 54, 690 C: *Habeatur ergo inter vos episcopale concilium, et ad locum qui omnibus opportunus sit vicinarum provinciarum conveniant sacerdotes, ut, secundum haec quae ad tua consulta respondimus, plenissimo disquiratur examine an sint aliqui inter episcopos, qui huius haereseos contagio polluantur; a communione sine dubio separandi, si nefandissimam sectam per omnium sensuum pravitates damnare noluerint. Nulla enim ratione tolerandum est ut qui praedicandae fidei suscepit officium, sit contra evangelium Christi, contra apostolicam doctrinam, contra universalis ecclesiae symbolum audeat disputare.*

[19] Während Südspanien durch den Abzug der Vandalen nach Afrika für einige Zeit Frieden hatte, litt der Norden weiterhin außerordentlich unter den kriegerischen Sueben, die immer wieder die eingegangenen Bündnisse brachen und das Land plünderten und verwüsteten. Einzelheiten hierzu bei A. H. M. Jones, The Later Roman Empire 284—602, Oxford 1964, I, 189—190.

[20] Ep. 15, PL 54, 680 A: *Ex quo autem multas provincias hostilis occupavit irruptio, et executionem legum tempestates interclusere bellorum. Ex quo inter sacerdotes Dei difficiles commeatus et rari coeperunt esse conventus, invenit ob publicam perturbationem secreta perfidia libertatem, et ad multarum mentium subversionem his malis est incitata, quibus debuit esse correcta.*

[21] Ep. 129, 3, ACO II, 4, 85, 40—86, 4: *Quae cum ita sint, teneat fraternitas tua suorum consuetudinem decessorum et comprovinciales suos episcopos, qui Alexandrinae sedi ex antiqua constitutione subiecti sunt, congrua sibi auctoritate contineat, ut mori ecclesiastico non resultent, sed vel statutis temporibus vel cum ratio causae alicuius exegerit, ad caritatem tuam convenire non differant, et si quid quod ecclesiae sit utilitatibus profuturum, ex communi collatione tractandum est, collecta in unum fraternitate unanimiter ordinetur.*

Leo sieht in der Synode ein wirksames Mittel zur Befriedung einer Kirchenprovinz. Freilich setzt er dabei voraus, daß Mehrheitsbeschlüsse im Sinne des Metropoliten zustande kommen. Wir beschließen diesen Teil unserer Untersuchung mit einem späten Zeugnis, dem Brief an Bischof *Neon von Ravenna* aus dem Jahre 458 über die Erlaubtheit der Wiedertaufe im Zweifelsfall, in dem Leo schreibt:

„Da also nicht zu Unrecht einige (unserer) Brüder Bedenken und Zweifel hatten, solchen (d. h. Leuten, die als Kinder verschleppt worden waren und die sich an eine eventuelle Taufe nicht erinnern können) die Geheimnisse *(sacramenta)* des Herrenmysteriums zu spenden, haben wir in einer Synodalversammlung ... die Antwort auf die gestellte Anfrage gesucht[22]. Es war dabei unsere Absicht, die Frage mit aller Sachlichkeit nach der Meinung aller Teilnehmer zu erörtern, um die Wahrheit so auf Grund der Erkenntnisbemühung vieler um so sicherer finden zu können. Dabei fand also das, was uns auf Grund göttlicher Eingebung in den Sinn gekommen war, auch bei den zahlreich versammelten Brüdern Zustimmung"[23].

Und Leo teilt im folgenden das Ergebnis des Synodalbeschlusses mit.

Aus dem angeführten Text dürfte ein doppeltes hervorgehen: einmal die Tatsache, daß Leo bis zu seinem Lebensende grundsätzlich eine positive Einstellung gegenüber Konzilien (oder doch wenigstens gegenüber den eigenen römischen Synoden) als Mittel der Wahrheitsfindung bewahrt hat. Die Wahrheit wird „aufgrund der Erkenntnisbemühung vieler um so sicherer" gefunden. Erkennbar ist zweitens in diesem Text eine andere Konstante von Leos Konzilsidee, auf die noch zurückzukommen ist: Papst und Synode kommen beide zum gleichen Ergebnis. Was die Brüder durch Diskussion finden, hatte der Geist dem Papste ‚eingegeben'.

In dem eben zitierten Text beruft sich Leo für seine Entscheidung der Tauffrage auf die Eingebung des Heiligen Geistes. Auf der gleichen Linie liegt seine Überzeugung, daß die gemeinsamen Beschlüsse von Synoden (vgl. weiter unten) vom Heiligen Geist gewirkt sind. Hierhin

---

[22] Zu Eingang des Briefes hatte Leo bemerkt, daß er sonst Antwort auf Anfragen entweder in der Heiligen Schrift oder in den *regulae patrum* findet. Ep. 166, 1, PL 54, 1191 A: *Frequenter quidem in diversarum ambiguo quaestionum titubantia fratrum corda, Spiritu Dei instruente, solidavimus, responsionis formam, vel ex sanctarum scripturarum disciplinis, vel ex patrum regulis colligentes; sed nuper in synodo novum et inauditum antea genus consultationis exortum est.*

[23] Ep. 166, 1, PL 54, 1193 A: *Cum itaque tribuere talibus Dominici sacramenta mysterii, non immerito quorundam fratrum formido dubitaret, in synodali ... coetu formam huiusmodi consultationis accepimus, quam diligentius discutientes, pro uniuscuiusque sensu sollicita voluimus ratione tractari, quo ad veritatem, adhibita cognitione multorum, certius pervenire possemus. Eadem ergo, quae in sensum nostrum divina inspiratione venerunt (in somnis mihi divina inspiratione. Var.) frequens etiam fratrum firmavit assensio.*

gehören auch Leos Anspielungen auf die Gegenwart Gottes oder Christi bei Synodalversammlungen[24]. Man würde Leo kaum gerecht, sähe man in solchen Äußerungen nur rhetorische Floskeln und nicht auch den Ausdruck einer Glaubensüberzeugung oder auch einer gewissen Mystik, wie sie in bezug auf sein eigenes Petrusamt ganz offensichtlich ist.

Die bisher angeführten Texte dürften Leos grundsätzlich positive Einstellung gegenüber Synoden auf Ebenen unterhalb von Reichskonzilien unter Beweis gestellt haben. Etwas schematisierend kann man zusammenfassen: Leo sieht in den Partikularsynoden ein Mittel zur Befriedung der Kirche und zur Herstellung ihrer Einheit, und zwar in doppelter Richtung. Die Urgierung von Kanon 5 des Konzils von Nicaea, d. h. die Mahnung, regelmäßige Synoden abzuhalten, bedeutet eine Befriedung der Kirche ‚von unten nach oben‘ in der Richtung des von den angeführten Zeugnissen beschriebenen Instanzenweges. Die Anbefehlung *(ordinatio)* von Synoden durch den Römischen Stuhl in absteigender Ordnung in den Krisengebieten der Kirche bezweckt eine Befriedung ‚von oben nach unten‘.

Das Bild wird abgerundet, wenn man Leos Äußerungen über Partikularsynoden in Zusammenhang stellt mit anderen auffallend kollegialen, um nicht zu sagen demokratischen Prinzipien seines Kirchenbildes. Seine starke Betonung der notwendigen Zustimmung von Klerus und Volk zur Bischofswahl ist zwar an sich alte kirchliche Tradition[25], es ist aber nichtsdestoweniger zu beachten, daß Leo sie mehrmals mit Nachdruck urgiert[26].

---

[24] Tract. 1, 2, CCL 138, 8: *Cumque hanc venerabilium consacerdotum meorum splendidissimam frequentiam video, angelicum nobis in tot sanctis sentio interesse conventum. Nec dubito abundantiore nos hodie divinae praesentiae gratia visitari, quando simul adsunt, et uno lumine micant tot speciosissima tabernacula Dei, tot membra excellentissima corporis Christi.* — Tract. 5, 3, CCL 138, 23: *Adest igitur, dilectissimi, quod non temere, sed fideliter confitemur, in medio credentium Dominus Jesus Christus: et quamvis ad dexteram Dei Patris sedeat ... non deest tamen Pontifex summus a suorum congregatione pontificum, meritoque illi totius ecclesiae omnium sacerdotum ore cantatur ... Tu es sacerdos in aeternum ...*

[25] Hierzu vgl. u.a. C. Andresen, Die Kirchen der alten Christenheit, Stuttgart 1971, 214 bis 216, ferner Gaudemet 330—333.

[26] Ep. 10, 6, PL 54, 634 A: *Per pacem et quietem sacerdotes qui futuri sunt postulentur. Teneatur subscriptio clericorum, honoratorum testimonium, ordinis consensus et plebis. Qui praefuturus est omnibus, ab omnibus eligatur.* Ep. 14, 5, PL 54, 673 A: *Cum ergo de summi sacerdotis electione tractabitur, ille omnibus praeponatur, quem cleri plebisque consensus concorditer postulaverit: ita ut si in aliam forte personam partium se vota diviserint, metropolitani iudicio is alteri praeferatur qui maioribus et studiis iuvatur et meritis: tantum ut nullus invitis et non petentibus ordinetur, ne civitas episcopum non optatum aut contemnat aut oderit, et fiat minus religiose quam convenit, cui non licuerit habere quem voluit.*

2. Reichssynoden

Wir wenden uns jetzt der zweiten Gruppe von Aussagen Leos über Konzilien zu: den Äußerungen über *Reichssynoden*. Wir beschränken uns dabei in diesem Abschnitt auf Belegstellen, in denen das Verhältnis Reichskonzil/Römischer Stuhl als solches noch nicht thematisch wird. Konkret handelt es sich um Stellungnahmen zu Nicaea und Chalcedon[27].

Zunächst was *Nicaea* angeht, so erfreut sich dieses Konzil in den Augen Leos einer ganz einzigartigen Autorität. Das Besondere dieser seiner Hochschätzung für Nicaea ist, daß sie sich nicht nur, wie sonst in der Alten Kirche[28], auf das Symbolum, sondern auch auf die Kanones bezieht. Zur Bestreitung der Gültigkeit von Kanon 28 des Konzils von Chalcedon, der Konstantinopel zum zweiten Sitz nach Rom erklärt, behauptet Leo in Brief 106 an *Anatolius* vom 22. Mai 452 die schlechthinnige Unauflöslichkeit der nicaenischen Kanones[29]. Was selbst von zahlenmäßig um noch so viel größeren Konzilien (als Chalcedon) im Widerspruch zu Nicaea beschlossen wird, ist jedenfalls ungültig[30].

---

[27] Die Synode von 381 in Konstantinopel, das später sogenannte zweite ökumenische Konzil, wurde vom Westen erst seit dem Konzil von Chalcedon zur Kenntnis genommen und nur allmählich rezipiert. Vgl. hierzu A. M. RITTER, Das Konzil von Konstantinopel und sein Symbol, Göttingen 1965, 209—220. Leo bezieht sich auf dieses Konzil im Brief an Anatolius vom 22. Mai 452 im Zusammenhang mit der Bestreitung von Kanon 28 von Chalcedon, der seinerseits eine Bestätigung des Kanon 3 des Konzils von Konstantinopel darstellt (vgl. den Brief der Kaiser Valentinian und Marcian an Leo vom 18. Dezember 451, Ep. 100, 3, ACO II, 4, 167, 24—33), Ep. 106, 5, ACO II, 4, 61,13—18: *Persuasioni enim tuae in nullo penitus suffragatur quorundam episcoporum (!) ante sexaginta, ut iactas, annos facta conscriptio nec umquam a prodecessoribus tuis ad apostolicae sedis missa notitiam, cui ab initio sui caducae dudumque conlapsae sera nunc et inutilia subicere fulcimenta voluisti eliciendo a fratribus speciem consensionis, quam tibi in suam iniuriam verecundia fatigata praeberet.*
[28] Vgl. S. 232—250.
[29] Wir sehen hier von der Problematik ab, welche Texte genauerhin gemeint sind, wenn Leo sich auf ‚Nicaenische Kanones' beruft. Vgl. hierzu CASPAR, Papsttum, I, 496, Anm. 4. Ferner u. a. H. HESS, The canones of the Council of Sardica, a. D. 343. A landmark in the early Development of canon Law, Oxford 1958; E. HECKRODT, Die Kanones von Sardika an der Geschichte erläutert, Bonn 1917.
[30] Ep. 106, 2, ACO II, 4, 60, 11—21: *Quibus inauditis et numquam ante temptatis ita praeveniris excessibus, ut sanctam synodum ad extinguendam solum haeresim et ad confirmationem fidei catholicae studio Christianissimi principis congregatam in occasionem ambitus trahas et ut coniventiam suam tibi dedat, impellas, tamquam refutari nequeat quod inlicite voluerit multitudo (!), et illa Nicaenorum canonum per sanctum vere spiritum ordinata condicio in aliqua cuiquam sit parte resolubilis, nulla sibimet de multiplicatione congregationis synodalia concilia blandiantur neque trecentis illis decem atque octo episcopis quantumlibet copiosior numerus sacerdotum vel comparare se audeat vel praeferre, cum tanto divinitus privilegio Nicaena sit synodus consecrata ut sive per plures ecclesiastica iudicia celebrentur, omni penitus auctoritate sit vacuum quidquid ab illorum fuerit constitutione diversum.*

Denn in Nicaea wurden „die bis ans Ende der Welt bleibenden Gesetze der kirchlichen Kanones aufgestellt". Was so „zu ewigem Nutzen allgemein festgesetzt wurde, darf nicht verändert, und was zum *bonum commune* bestimmt wurde, darf nicht zum privaten Vorteil verkehrt werden . . ."

Im Brief 107 an *Julian von Kios* versucht Leo zwar eine Begründung für die absolute Unantastbarkeit der nicaenischen Kanones zu geben (das ganze Kirchenrecht ist von Auflösung bedroht, wenn die Kanones von Nicaea angetastet werden)[31], aber an den übrigen Stellen bleibt es doch im Grunde bei der bloßen Affirmation. Wenn irgendwo, dann wird hier das Umschlagen von Leos Konzils*theologie* in Konzils*ideologie* sichtbar. Nicaea wird hochstilisiert, „aus jeder historischen Bedingtheit und historischen Entwicklung gelöst . . ., dem Vergleich mit anderen Reichskonzilien entrückt . . . als eine ewig unabänderliche, göttlich inspirierte Satzung . . ."[32] Denn Leo sieht deutlich, daß es im Grunde bei Kanon 28 um die Sicherheit der Vorrangstellung des eigenen Römischen Stuhles geht. Mit Kanon 28 ist die prinzipielle Frage gestellt, ob für den Rang eines Bischofssitzes die kirchliche Tradition oder die (wechselnde) politische Bedeutung einer Stadt maßgebend ist. Neu-Rom zum zweiten Sitz zu machen bedeutet den Absolutheitsanspruch des ersten Sitzes von Alt-Rom gefährden.

Natürlich haben für Leo nicht nur die Kanones des Konzils von Nicaea, sondern auch sein Symbolum große Bedeutung. Doch ist in diesem

---

Ep. 106, 4, ACO II, 4, 61, 1—9: *Sancti illi et venerabiles patres qui in urbe Nicaena sacrilego Arrio cum sua impietate damnato mansuras usque in finem mundi leges ecclesiasticorum canonum condiderunt, et apud nos et in toto orbe terrarum in suis constitutionibus vivunt et si quid usquam aliter quam illi statuere, praesumitur, sine cunctatione cassatur, ut quae ad perpetuam utilitatem generaliter instituta sunt, nulla commutatione varientur nec ad privatum trahantur commodum quae ad bonum sunt commune praefixa, et manentibus terminis quos constituerunt patres, nemo in ius tendat alienum, sed infra fines proprios atque legitimos, prout quis valuerit, in latitudine se caritatis exerceat.* Vgl. auch folgenden Text: Ep. 119, 4, ACO II, 4, 74, 19—23: *Hoc tamen proprium definitionis meae est, ut quantumlibet amplior numerus sacerdotum aliquid per quorundam subreptionem decernat, quod illis trecentorum decem et octo patrum constitutionibus inveniatur adversum, id iustitia consideratione cassetur, quoniam universae pacis tranquillitas non aliter poterit custodiri, nisi sua canonibus reverentia intemerata servetur.* Vgl. ferner: Ep. 117, 1, ACO II, 4, 69, 19—20: *. . . quod pro inviolabile Nicaenorum canonum auctoritate rescripseram . . .* Ep. 114, 2, ACO II, 4, 71, 13—14: *. . . iura ecclesiarum sicut ab illis CCCXVIII patribus divinitus inspiratis sunt ordinata permaneant . . .* — Ep. 135,3, ACO II, 4, 89, 33—34: *Sic enim inter Domini sacerdotes inviolata caritas permanebit, si paribus studiis, quae sunt a sanctis patribus constituta, serventur.*

[31] Ep. 107, 1, ACO II, 4, 62, 16—17: *. . . dissolvi omnes ecclesiasticas regulas aestimans, si quidquam ex illa sacrosancta patrum constitutione violetur . . . .*

[32] CASPAR, Papsttum, I, 531.

Zusammenhang zu beachten, daß er sich in seinem Tomus I noch nicht auf das Symbolum von Nicaea, sondern vielmehr auf das *Apostolicum* beruft[33], dieses also für ihn die größere Autorität zu haben scheint. Erst in seinem zweiten Tomus beruft er sich auf die fides Nicaena[34], wohl deswegen, weil er inzwischen erfahren hat, daß der Osten das *Apostolicum* nicht kennt. Freilich hat es wenig Sinn, die Autorität des einen mit der des anderen zu vergleichen oder gar gegeneinander auszuspielen, denn es handelt sich in Leos Augen bei beiden um die eine Autorität des apostolischen Glaubens[35].

Im übrigen sind Aussagen Leos über die fides Nicaena relativ selten. Er hat keinen Anlaß, öfter und näher auf das Symbolum einzugehen, weil seine Autorität absolut unumstritten ist, auch und gerade bei seinen Gegnern. Ähnlich steht es mit Ephesus (431). Gelegentlich jedoch findet man die Forderung der bleibenden Gültigkeit der ‚Statuten‘ dieses Konzils[36].

Anders steht es mit *Chalcedon*. Leos zäher Einsatz gilt der bleibenden Gültigkeit der *definitiones* dieses Konzils. Von *Julian von Kios* verlangt Leo, sich dafür einzusetzen, daß „was durch Unterweisung des Heiligen Geistes zum Heil der ganzen Welt definiert wurde, unversehrt bleibe"[37]. *Anatolius* teilt er mit, er habe sich beim Kaiser für ‚ewige Gültigkeit‘ *(robur perennitatis)* des Konzils von Chalcedon verwendet[38]. Immer

---

[33] Ep. 28, 2, PL 54, 757 B: *Nesciens (Eutyches) igitur quid deberet de Verbi Dei incarnatione sentire, nec volens ad promerendum intelligentiae lumen, in sanctarum Scripturarum latitudine laborare, illam saltem communem et indiscretam confessionem sollicito recepisset auditu, qua fidelium universitas profitetur: credere se in Deum Patrem omnipotentem, et in Jesum Christum Filium eius unicum, Dominum nostrum qui natus est Spiritu sancto et Maria Virgine. Quibus tribus sententiis omnium fere haereticorum machinae destruuntur.*

[34] Ep. 165 an Kaiser Leo: ACO II, 4, 114, 18—24.

[35] Ep. 31, 4, ACO II, 4, 15, 2—5: *Cuius symboli plenitudinem si Eutyches puro et simplici voluisset corde concipere, in nullo a decretis sacratissimi Nicaeni concilii deviaret et hoc sanctis patribus intellegeret constitutum, ut contra apostolicam fidem, quae non nisi una est, nullum se ingenium, nullum elevaret eloquium.*

[36] So setzt er sich im Brief an die Synode von Chalcedon für die bleibende Gültigkeit der ephesinischen Beschlüsse von 431 ein. Ep. 93, 3, ACO II, 4, 52, 25—30: *Prioris autem Ephesinae synodi cui sanctae memoriae Cyrillus episcopus tunc praesedit, contra Nestorium specialiter statuta permaneant, ne tunc damnata impietas ideo sibi in aliquo blandiatur, quia Eutyches iusta exsecratione percellitur. Puritas enim fidei atque doctrinae, quam eodem quo sancti patres nostri spiritu praedicamus et Nestorianam et Eutychianam . . . condemnat pariter et persequitur pravitatem.*

[37] Ep. 144, ACO II, 4, 138, 34—37: *Sed hoc vobis pro universali ecclesia laborandum est, ut si vera sunt quae acta dicuntur, sanctae Calchedonensi synodo praeiudicare non possint, ut quae instruente spiritu sancto ad totius mundi salutem definita sunt, inviolata permaneant.*

[38] Ep. 157, 1, ACO II, 4, 109, 17—18: *. . . nec alio modo totam causam posse consumi, nisi praedictae synodi constitutiones perennitatis robur accipiant . . .*

wieder warnt er *Anatolius*[39], den *Kaiser*[40], *Julian von Kios*[41] vor einer erneuten Diskussion der in Chalcedon aufgestellten Glaubensdefinition.
Die Frage lautet nun: welche Gründe bringt Leo bei, um seine Adressaten von der bleibenden Gültigkeit der chalcedonischen *definitiones* zu
überzeugen? Da gibt es nun einerseits den Hinweis auf die *Inspiration*.
In diesem Sinne schreibt Leo an Julian von Kios, es sei nicht erlaubt,
irgend etwas wankend zu machen von der Definition des Konzils, die
„ohne Zweifel aus göttlicher Inspiration in jeder Hinsicht mit der Lehre
des Evangeliums und des Apostels in Übereinstimmung ist"[42]. Hierhin
gehört auch der Hinweis auf die *Konformität* zwischen Nicaea und
Chalcedon[43]. Außer der Berufung auf Inspiration und schriftkonformen
Inhalt der Definition gibt es jedoch weitere auffallende Ansätze zu
formaler Autoritätsbegründung, auf die wir näher eingehen müssen.
Diese Ansätze zu formaler Autoritätsbegründung verdienen unser
Interesse, denn sie zeigen, wie wenig noch im 5. Jahrhundert die Kon-

---

[39] Ep. 146, ACO II, 4, 96, 34—97, 3: *Superest ut etiam fraternitas tua ex opportunitate praesentiae
fidelissimi imperatoris animum studeat enixius deprecari de statutis sanctae synodi Calchedonensis
sine ulla retractatione servandis, cum ea quae deo aspirante decreta sunt, nulla se patiantur varietate
corrumpi.*

[40] Der Kaiser schafft Frieden in der Kirche, *si apud sanctam Calchedonensem synodum de domini
Jesu Christi incarnatione firmata nulla permiseritis retractatione pulsari, quia in illo concilio per
sanctum spiritum congregato tam plenis atque perfectis definitionibus cuncta firmata sunt, ut nihil
ei regulae quae ex divina inspiratione prolata est, aut addi possit aut minui* (Ep. 145, 1, ACO II, 4, 96,
3—6).

[41] Ep. 147, 2, ACO II, 4, 97, 19—23: *Quod ergo in causa fidei principale est, incessabilibus
suggestionibus obtinete, ut sanctae synodi Calchedonensis statuta nullis haereticorum pulsentur insidiis,
neque liceat quidnam de illa definitione convelli, quam ex inspiratione divina non dubium est per
omnia evangelicis atque apostolicis consonare doctrinis.*

[42] Vgl. Anm. 41, ferner Leos Briefe an den Kaiser Leo: Ep. 145, 2, ACO II, 4, 96, 10—14:
*. . . gloriosum vobis est universali ecclesiae me supplicante concedere et incommutabiliter perpetueque
praestare ut quae secundum evangelium Christi et praedicationis apostolicae veritatem omnibus retro
saeculis una fide unaque intelligentia roborata sunt, nulla ulterius possint actione convelli.* Ep. 156, 1,
ACO II, 4, 102, 13—15: *Quid probabilius, quid religiosius poterit pietas vestra decernere quam ut
quae non tam humanis quam divinis sunt statuta decretis, nullus ultra sinatur impetere.* Ep. 149, 2,
ACO II, 4, 98, 16—24: *. . . obsecro dilectionem vestram, ut a Calchedonensis synodi definitionibus in
nullo animos relaxetis, et quae ex divina sunt inspiratione composita nulla patiamini novitate temerari . . .
Tota religio Christiana turbatur, si quidquam de his quae apud Calchedonem sunt statuta convellitur.*
Ep. 161, 2, ACO II, 4, 108, 29—33: *. . . neque ullo modo sineret* (der Kaiser) *sanctae Calchedonensis
synodi definitiones, quae vere de coelestibus prodiere decretis, tamquam necessaria retractatione violari,
cum insidias impiorum ad hoc subripere velle manifestum sit, ut statuta evangelicis praedicationibus et
patrum traditionibus consonantia novo faciant infirma iudicio, et dum disceptatio admittitur, auctoritas
auferatur.*

[43] Ep. 156, 2, ACO II, 4, 102, 25—30: *In qua (Calchedonensi synodo) nullo modo accidere potuit ut
a nobis contra sanctam Nicaenam synodum sentiretur . . . in quo sancti et venerabiles patres nostri
contra Arrium congregati non carnem domini, sed deitatem filii omousion patri esse firmarunt, in
Calchedonensi autem concilio . . . definitum est . . . Jesum Christum sumpsisse nostri corporis unitatem.*

zilsautorität als solche allgemein anerkannt ist. Leos Aussagen verdienen auch deswegen unser Interesse, weil es sich um Gedankengänge handelt, die von späteren Autoren, so z. B. von *Facundus von Hermiane,* aufgegriffen und weiterentwickelt werden[44]. Aufschlußreich sind in diesem Sinne vor allem die Briefe 162 vom 21. März 458 und Brief 164 vom 17. August des gleichen Jahres an *Kaiser Leo.* Die Eutychianer verlangen eine Wiederaufnahme der Glaubensdiskussion; der Kaiser scheint nicht grundsätzlich abgeneigt. Welche Gründe bringt Leo gegen solche *retractatio?* Nach dem Hinweis darauf, daß eine Wiederaufnahme der Diskussion Undankbarkeit Gott gegenüber bedeutet[45], außerdem eine Gefährdung der fides Nicaena zur Folge hat[46], stellt Leo den Grundsatz auf: „Was in aller Form *(pie et plene)* definiert wurde, darf nicht von neuem zur Diskussion gestellt werden; sonst erwecken wir, wie es die Verurteilten wollen, den Eindruck, selber Zweifel zu haben an dem, was offensichtlich in jeder Hinsicht in Übereinstimmung steht mit den Glaubensquellen *(auctoritates)*: den Propheten, den Evangelien, den Aposteln"[47].
Warum keine neue Diskussion von einmal legitim Definiertem? Weil sonst der eigene Glaube an die Schriftbotschaft in Frage gestellt wird. Beachtlich erscheint bei dieser prinzipiellen Aussage zur Konzilsautorität die Selbstverständlichkeit, mit der die formale Autoritätsbegründung an die inhaltliche gebunden bleibt: Letztlich geht es bei der Begründung der Konzilsautorität um das Zur-Geltung-Kommen der Schriftautorität. Diese Rückbindung der *formalen* Autoritätsbegründung an die *materiale* Autoritätsbegründung offenbart auch die Rückbindung der institutionalisierten Autorität (Konzil) an die *Sach*autorität. Leo macht im selben Brief weiter unten noch einmal deutlich: „. . . als katholisch darf durchaus niemand gelten, der der Definition der ehrwürdigen Synode von Nicaea oder den Regeln des heiligen Konzils von Chalcedon keine Folge leistet; denn beider heilige Dekrete gehen

---

[44] Vgl. S. 292 u. 294.

[45] Ep. 162, 1, ACO II, 4, 105, 25—27: *Nam quae patefacta sunt quaerere, quae perfecta sunt, retractare et quae sunt definita, convellere quid aliud est quam de adeptis gratiam non referre et ad interdictae arboris cibum improbos appetitus mortiferae cupiditatis extendere?*

[46] Ep. 162, 1, ACO II, 4, 105, 30—35: *. . . magnis haereticorum audetur insidiis, ut inter Eutychis Dioscorique discipulos et eum quem apostolica sedes direxerit, diligentior, tamquam nihil ante fuerit definitum, tractatus habeatur et quod totius mundi catholici sacerdotes a sancta Calchedonensi synodo probant gaudentque firmatum, in iniuriam etiam sacratissimi concilii Nicaeni efficiatur infirmum.*

[47] Ep. 162, 2, ACO II, 4, 106, 5—8: *. . . nec in aliquam disceptationem pie et plene definita revocanda sunt, ne ad arbitrium damnatorum ipsi de his videamur ambigere quae manifestum est per omnia propheticis et evangelicis atque apostolicis auctoritatibus consonare.*

offensichtlich auf die Evangelien und den Apostel als Quelle zurück . . ."[48]

In Brief 164 bringt Leo ein weiteres Argument für die Unantastbarkeit einer Konzilsdefinition. Nach der einleitenden Bemerkung, daß eine Wiederaufnahme der Glaubensdiskussion Zeichen einer rebellischen Gesinnung ist[49], begründet Leo das Prinzip *nihil prorsus de bene compositis retractetur*, das übrigens *Facundus von Hermiane* neben anderem aufgreifen wird[50]:

„Wenn es menschlichem Meinen immer frei steht, in Frage zu stellen, wird es nie an Leuten fehlen, die es sich herausnehmen, sich der Wahrheit zu widersetzen und in die Geschwätzigkeit der Weltweisheit ihr Vertrauen zu setzen. Wie sehr jedoch solche höchst schädliche Eitelkeit zu meiden ist, weiß christlicher Glaube und christliche Weisheit aus der Lehre des Herrn Jesus Christus. Denn er hat . . . nicht Philosophen und Redner erwählt . . . , sondern niedrige Leute und Fischer genommen; denn die himmlische Lehre in ihrer Fülle und Kraft sollte nicht angewiesen scheinen auf die Hilfe (kluger) Worte . . . Denn die Rhetorik und die von den Menschen begründeten Disputierkünste setzen ihren Ruhm gerade darein, bei ungewissen und wegen der Vielfalt der Meinungen undurchsichtigen *(confusa)* Fragen den Sinn der Zuhörer auf das zu lenken, was ein jeder nach Geist und Rednergabe zu behaupten sich vorgenommen hat. So kommt es, daß als am meisten wahr gilt, was mit der größten Rednergabe verteidigt wurde. Christi Evangelium jedoch bedarf dieser Künste nicht; denn in ihm ist die wahre Lehre auf Grund ihres eigenen Lichtes offenbar. Hier genügt es dem wahren Glauben, zu wissen, wer lehrt, und es ist nicht mehr gefragt, was den Ohren schmeichelt"[51].

Gewiß, der Gedanke ist nicht neu. Es ist die biblisch-paulinische Absage an den griechischen Geist zugunsten des Glaubens. Völlig neu jedoch ist die Pointe: Absage an den griechischen Geist zugunsten von Glaubensformeln, zugunsten konziliarer Definitionen als solcher!

Wie begründet Leo also sein Konzilsaxiom *nihil prorsus de bene compositis retractetur?* Dadurch daß er auf die personale Struktur des Glaubens hin-

---

[48] Ep. 162, 3, ACO II, 4, 106, 30—33: . . . *non esse omnino inter catholicos computandos qui definitiones venerabilis synodi Nicaenae vel sancti Calchedonensis concilii regulas non secuntur, cum utrorumque sancta decreta ex evangelico et apostolico manifestum sit fonte prodire et quidquid non est de inrigatione Christi, poculi esse viperei.*

[49] Ep. 164, 1, ACO II, 4, 110, 33—35: . . . *post legitimas et divinitus inspiratas constitutiones velle confligere non pacifici est animi, sed rebellis . . .*

[50] Facundus, *Pro defensione trium capitulorum* 12, 2, CCL 90 A, 377. Vgl. S. 294.

[51] Ep. 164, 2, ACO II, 4, 110, 36—111, 20: *Nam si humanis persuasionibus semper disceptare sit liberum, numquam deesse poterunt qui veritati audeant resultare et de mundanae sapientiae loquacitate confidere, cum hanc nocentissimam vanitatem quantum debeat fides et sapientia Christiana vitare, ex ipsa domini Jesu Christi institutione cognoscat, qui omnes nationes ad inluminationem fidei vocaturus non de philosophis aut de oratoribus qui praedicando evangelio famularentur, elegit, sed de humilibus et piscatoribus per quos sancta manifestaret, adsumpsit, ne doctrina caelestis, quae erat plena virtutum, auxilio videretur indigere verborum . . . argumenta enim rhetorica et institutae ab hominibus versutiae disputandi in eo praecipue gloriantur si in rebus incertis et opinionum varietate confusis ad hoc audientium trahant sensum quod asserendum ingenio atque eloquio suo quisque delegerit, et ita fieri ut quod maiore facundia defenditur, verius aestimetur, sed Christi evangelium hac arte non indiget, in quo doctrina veritatis sua luce manifestata est, nec quaeritur quid auribus placeat, ubi verae fidei sufficit scire quis doceat.*

weist: dem Glaubenden genügt es zu wissen, wer lehrt. Die personale Struktur des Glaubensaktes, die Relation zwischen dem Gläubigen und dem Glaubensmittler (Christus) wird auf die Konzilsdefinition angewandt. Soweit wir sehen, ist vor Leo noch von niemandem die bleibende Gültigkeit einer Konzilsdefinition so prinzipiell aus dem Wesen des Glaubensaktes selbst abgeleitet worden.

Im Folgenden verweist Leo dann auf die beiden für katholische Wahrheit konstitutiven Kriterien: der *consensus* der Kirche in der Horizontale und Vertikale: „(Das Konzil von Chalcedon) wurde von allen Provinzen des römischen Erdkreises unter Zustimmung der ganzen Welt gefeiert (horizontaler consensus) und ist von den Dekreten des hochheiligen Nicaenischen Konzils (Inbegriff der Tradition) ununterschieden (vertikaler consensus)"[52]. Brief 156 vom 1. Dezember 457 greift ähnliche Argumente auf: Sich nicht an das halten, was definiert wurde, bedeutet, die „Autoritäten", die die Kirche in ihrer Gesamtheit als verpflichtend erkannt hat, zerstören. Und Leo macht auf die Konsequenzen solcher Selbstentpflichtung aufmerksam: Dem Streit der Kirchen wird kein Ende gesetzt, vielmehr die Rebellion legitimiert[53].

Anderswo bezeichnet Leo die Infragestellung der Beschlüsse von Chalcedon lapidar als *contra fas*, also als sakrilegisch; denn hinter der Definition stehen alle nur denkbaren Autoritäten: eine so große Synode, der Kaiser, der Römische Stuhl![54] — Auf die Folgen und die innere Konsequenz eines solchen Schrittes der Wiederaufnahme der Diskussion macht Leo in Brief 157 aufmerksam: Weil sich die Kirche, von Gott inspiriert, im Glauben an die Menschwerdung und im Festhalten an Chalcedon eins ist, bedeutet eine Wiederaufnahme der Diskussion Trennung von der Kirche[55].

---

[52] Ep. 164, 3, ACO II, 4, 111, 24—26: *(Synodus Calchedonensis) ab universis Romani orbis provinciis cum totius mundi est celebrata consensu et a sacratissimi concilii Nicaeni est indivisa decretis.*

[53] Ep. 156, 1, ACO II, 4, 102, 2—7: *Nam cum sancto et spiritali studio in universum pacem ecclesiae muniatis nihilque sit convenientius fidei defendendae quam his quae per omnia instruente spiritu sancto inreprehensibiliter definita sunt, inhaerere, ipsi videbimur bene statuta convellere et auctoritates quas ecclesia universalis amplexa est, ad arbitrium haereticae petitionis infringere atque ita nullum collidendis ecclesiis modum ponere, sed data licentia rebellandi dilatare magis quam sopire certamina.*

[54] Ep. 160, 2, ACO II, 4, 108, 7—10: *Nam definitarum rerum quas tantae synodi vel Christianissimi principis sanxit auctoritas et apostolicae sedis confirmavit assensus, nihil oportet discuti, ne contra fas aliquid videatur infringi, multumque fidei et sacerdotali constantiae derogetur . . .*

[55] Ep. 157, 3, ACO II, 4, 109, 39—110, 2: *. . . si quis adversariorum machinationibus conivendum esse crediderit, ipse se a communione catholicae ecclesiae separabit, cum secundum inspirationem dei et in fide incarnationis domini et in custodia Calchedonensis synodi universalis ecclesiae sit una sententia et praecipue in nostris partibus tam firmiter evangelica doctrina teneatur, ut magnum sacrilegium putetur, si a traditione apostolica vel in exiguo aliquo devietur.*

Wir haben unsere Aufmerksamkeit bisher auf Äußerungen Leos gerichtet, in denen er sich auf stattgehabte Reichssynoden bezieht, die ihm als qualifizierte Zeugen der Tradition gelten: Nicaea, Ephesus, Chalcedon. Der erste und entscheidende Grund, warum ihnen unveränderliche Autorität zukommt, ist ihre Zeugnisfunktion für den je und je sich selbst identischen Glauben. In Chalcedon z. B. leben das Evangelium, die apostolische Lehre, Nicaea und die Überlieferung der Väter ungeschmälert weiter. Die Bestreitung dieser inhaltlichen Übereinstimmung der genannten Zeugenreihe zwingt Leo, über die bloße Affirmation hinauszugehen und Gründe beizubringen für die Unwiderruflichkeit, die bleibende Gültigkeit dieser Zeugenreihe. Seine Versuche, das Prinzip *nihil prorsus de bene compositis retractetur* zu rechtfertigen, sind als Ansätze zur reflexen Begründung der formalen Autorität von Konzilien zu betrachten. Wie originell diese uns als selbstverständlich erscheinenden Gedanken sind, erweist ein Blick in den *Codex Encyclius*[56], in dem dies Ansätze zur Begründung formaler Autorität der Konzilien noch fehlen. Th. Schnitzler jedenfalls faßt die Argumentation der Bischöfe zugunsten des Chalcedonense zusammen, indem er schreibt: „Chalcedon gleich Nicaea, Chalcedon gleich Vätertradition! Das ist des *Codex Encyclius* breit behandelter Hauptbeweis"[57]. Neben diesem Hauptbeweis, der Übereinstimmung des Chalcedonense mit der kirchlichen Überlieferung, kennen die Bischöfe, die auf das Referendum des Kaisers antworten, nur noch den Hinweis auf die Inspiration der Konzilsväter[58].

Leos Einsatz für die Autorität der Reichssynoden, insbesondere die aufgezeigten Ansätze zur Begründung formaler Autorität derselben, haben ohne Zweifel als positive Beiträge zur Entwicklung des konziliaren Selbstverständnisses zu gelten. Das zeigt sich u. a. ja auch darin, daß

---

[56] Der *Codex Encyclius* enthält die Voten der regionalen Bischofsversammlungen, mit denen diese der Aufforderung des Kaisers Leo I. entsprechen, zu den Vorgängen in Alexandrien, d. h. der Revolte des Timotheus Aelurus, Stellung zu nehmen und ihr Urteil über die Geltung des Konzils von Chalcedon abzugeben. Es handelt sich bei dieser Umfrage um einen typischen Kompromiß. Der Kaiser beruft zwar kein Konzil, wie es die Gegner von Chalcedon verlangen, veranstaltet dafür aber ein Referendum über Chalcedon, das seiner Autorität nur abträglich sein kann. — Die Texte des *Codex Encyclius* sind abgedruckt in ACO II, 5, 24—98. Zur Interpretation vgl. Th. Schnitzler, Im Kampfe um Chalcedon, Geschichte und Inhalt des Codex Encyclius von 458, Rom 1938, besonders 97—100. — Zur richtigen Einschätzung des Entwicklungsstandes der Konzilsautorität ist vor allem der Umstand zu beachten, daß 6 Jahre nach der Abhaltung des Konzils eine Umfrage über seine Gültigkeit stattfinden konnte. Die Antworten der Bischöfe auf das Referendum des Kaisers sind in diesem Sinne sehr aufschlußreich und bedürfen einer — über Schnitzler hinausgehenden — genaueren Analyse. Vgl. S. 259—263.
[57] Schnitzler 97.
[58] Schnitzler 97—100.

seine Gedanken von späteren Theologen aufgegriffen werden. Bei dieser positiven Bewertung von Leos Beitrag zur Konzilstheologie dürfen jedoch andererseits auch die Gefahren nicht übersehen werden, die in ihm enthalten sind und auf die A. Grillmeier aufmerksam macht. Leos ganzes Interesse ist so sehr auf die dauernde Gültigkeit, auf die Rolle des Konzils, den Glauben vor Verfälschung zu schützen, gerichtet, daß er im Konzil eben nichts anderes als diese Schützerrolle sieht. Er reflektiert gar nicht darauf, ob und welchen theologischen Fortschritt das Konzil in der Deutung der von ihm verkündeten definierten Sache gemacht hat, ein Fortschritt, der dem aus der historischen Distanz urteilenden Historiker evident ist und auch wohl dem einen oder anderen Zeitgenossen Leos irgendwie bewußt wurde. In moderne Begrifflichkeit übertragen: Leo bietet keinerlei Hermeneutik zum Verständnis der neuen Glaubensformel, sie wird dem Gegner nicht analysiert, gedeutet, sondern eben nur affirmiert. „Nur durch Hermeneutik hätte die Verstehensbrücke geschlagen werden können zwischen dem Kerygma von der Inkarnation, wie es Chalcedon weitergeben wollte und weitergab, und der nun gesteigerten Betonung der formalen Autorität des Konzils, mit der eine Neuformulierung umgeben wurde"[59].

3. Römischer Lehrprimat

Im Vorausgehenden haben wir uns ausschließlich mit den Aussagen Leos über stattgehabte Reichskonzilien befaßt. Wir sehen in ihnen seinen eigentlichen Beitrag zur Konzilstheologie. Nun gibt es aber eine andere Gruppe von Zeugnissen, in denen sich Leo nicht auf vergangene Konzilien bezieht, sondern auf zukünftige. Leo postuliert selber zu wiederholten Malen ein Generalkonzil[60], er beugt sich nur zögernd der

---

[59] A. Grillmeier, Christologie 451—604, HDG (in Vorbereitung), Kap. II: Papst Leo I und die Verteidigung und die Interpretation des Konzils von Chalcedon (451—461), Abschnitt: Unveränderlichkeit der chalcedonensischen Entscheidung. — Wenn die starke autoritative Betonung der Gültigkeit der Konzilsdefinition dem urteilenden Historiker gleichsam als Ersatz für eine fehlende theologische Methode, eben der Hermeneutik, erscheint, dann weist er freilich auf einen Mangel hin, den Leo mit der ganzen Kirche nicht nur der damaligen Zeit teilt! — Zu dieser starken Betonung der formalen Autorität kommt nun noch ein zweites Element hinzu, die Einschaltung des reichskirchlichen Apparates. „Dies bedeutete, daß die Probleme nun in doppelter Weise ,von außen' angegangen wurden: nicht nur von der kirchlichen Autorität her, sondern auch von der staatlichen". Näheres hierzu vgl. Grillmeier, „Leos Konzilsbegriff im Rahmen der Reichskirchenstruktur". Ebd.

[60] In seinem Brief vom 13. Oktober 449 beschwört Leo Theodosius, *ut omnia in eo statu esse iubeatis, in quo fuerunt ante omne iudicium, donec maior ex toto orbe sacerdotum numerus congregetur* ... (Ep. 44, 2, ACO II, 4, 20, 21—22). ... *generalem synodum iubeatis intra Italiam celebrari, quae*

Konzilsberufung durch Kaiser Marcian, als das vom Papst nach dem Debakel von Ephesus 449 geforderte Konzil nicht in Italien, sondern wieder im Osten stattfinden soll[61]. In diesen Zeugnissen wird das Verhältnis Römischer Stuhl und Konzil thematisch. Bevor wir dieses Verhältnis als solches ins Auge fassen, soll jetzt zunächst auf die eine Seite dieses Verhältnisses näher eingegangen werden: auf Leos Idee vom römischen Lehrprimat.

Wir brauchen hier auf seine Primatsvorstellungen im allgemeinen nicht einzugehen, denn es liegen dazu zahlreiche Studien vor[62]. Fassen wir mit P. Stockmeier zusammen: „Petrus erscheint als der Angelpunkt zwischen Christus und den nachfolgenden Hirten der Kirche; durch ihn fließt die

---

omnes offensiones ita aut repellat aut mitiget, ne aliquid ultra sit vel in fide dubium vel in caritate divisum . . . (ebd. 20, 30—32). — Am gleichen Tag teilt er Kaiserin Pulcheria seine Bitte an den Kaiser mit, nämlich daß er, *quia dissensionis scandalum non abstulisset Ephesina synodus, sed auxisset, habendo intra Italiam concilio et locus constitueretur et tempus, omnibus querellis et praeiudiciis partis utriusque suspensis, quo diligentius universa quae offensionem generaverunt, retractentur et absque vulnere fidei absque religionis iniuria in pacem Christi redeant, qui per inpotentiam suscribere coacti sunt sacerdotes, et soli auferantur errores* (Ep. 45, 2, ACO II, 4, 24, 27—31). — Am 24. Dezember 449 bittet Leo den Kaiser erneut um ein Konzil in Italien (Ep. 54, ACO 11, 24—28). Mitte März schreibt Leo an die Bürger von Konstantinopel im gleichen Sinne (Ep. 59, 5, ACO 37, 13—16). Am 16. Juni wendet sich Leo wieder an den Kaiser (Ep. 69, 5, ACO, 31, 28—35). Am gleichen Tag geht die Post an die Kaiserin ab (Ep. 70, ACO 30, 15—18).
[61] Am 23. April 451 hatte Leo dem neuen Kaiser Marcian seine Ansicht über die Abhaltung des geplanten Konzils mitgeteilt und vor allem den Kaiser gewarnt, *ne cuiusquam procaci inpudentique versutia quasi de incerto quid sequendum sit, sinatis inquiri et cum ab evangelica apostolicaque doctrina nec in uno quidem verbo liceat dissidere aut aliter de scripturis divinis sapere, quam beati apostoli et patres nostri didicerunt atque docuerunt nunc demum indisciplinatae moveantur et impiae quaestiones, quas olim mox ut eas per apta sibi corda diabolus excitavit, per discipulos veritatis spiritus sanctus extinxit. nimis autem iniquum est ut per paucorum insipientiam ad coniecturas opinionum et ad carnalium disputationum bella revocemur, tamquam reparata disceptatione tractandum sit utrum Eutyches impie senserit et utrum perverse Dioscorus iudicarit, qui in sanctae memoriae Flaviani condemnatione se perculit et simpliciores quosque, ut in eandem ruinam provolverentur, impegit. quorum multis iam, ut cognovimus ad satisfactiones remedia conversis et veniam de inconstanti trepidatione poscentibus non cuiusmodi sit fides tenenda, tractandum est, sed quorum precibus qualiter annuendum* (Ep. 82, 1, ACO II, 4, 41, 23—35). Der Papst schließt mit der Ankündigung, daß eine Gesandtschaft den Kaiser genauer in Kenntnis setzen werde über die päpstlichen Vorstellungen zum kommenden Konzil. — Inzwischen hat der Kaiser das Konzil einberufen, aber nicht, wie Leo so dringend und wiederholt gewünscht hatte, nach Italien, sondern nach Nicaea. Es wurde später nach Chalcedon verlegt. Sobald Leo dies erfährt, schlägt er einen späteren Termin vor (Ep. 83, 2, ACO 43, 11—15). Darüber, daß der Kaiser an dem von ihm gewünschten Ort und Termin festhält, ist Leo offensichtlich enttäuscht. Jedoch es bleibt ihm keine Wahl, er muß sich fügen (Ep. 89, ACO 47, 17—23; vgl. auch Ep. 90, 1, ACO 48, 8—16; Ep. 91, ACO 49, 1—6, und Ep. 94, ACO 50, 4—7). Vergleicht man Leos Haltung vor dem Konzil von Ephesus mit der vor dem Konzil von Chalcedon, so kann man wohl eine gewisse Entwicklung feststellen. Sicher hat ihn das Debakel von Ephesus mißtrauischer gemacht. Seine Forderung, daß den päpstlichen Legaten der Vorsitz auf dem Konzil eingeräumt werde, erklärt sich aus diesem Mißtrauen.
[62] Vgl. Anm. 2.

potestas in die Hierarchie. Die unlösliche Einheit mit dem Herrn spricht aus dem Namen Petrus; aufgrund dieser Einheit ist der Erstapostel befähigt, Fundament der Kirche zu sein..."[63] Teil des allgemeinen Primats ist der Lehrprimat. Ihm kommt in den Augen Leos besondere Bedeutung bei der Bekämpfung der Häresien zu, die das Heil der Gesamtkirche gefährden: „Denn ich bin mir dessen bewußt, der Kirche unter dem Namen desjenigen vorzustehen, dessen Bekenntnis von dem Herrn Jesus Christus gepriesen wurde, und dessen Glauben zwar alle Häresien vernichtet, vorzüglich aber die Gottlosigkeit des gegenwärtigen Irrtums bekämpft; ich sehe deutlich, daß ich gar keine andere Wahl habe, als alles zu tun, was in meinen Kräften steht in dieser Angelegenheit, in der das Heil der ganzen Kirche gefährdet ist"[64]. Leo bezeichnet diese seine Lehrfunktion gern mit dem prägnanten Terminus *praedicare*[65]. Er ist überzeugt, bei dieser ‚Verkündigung' des Glaubens

---

[63] STOCKMEIER 207. Dort heißt es weiter: „Der Bischof von Rom repräsentiert den hl. Petrus; durch seinen Mund spricht der princeps Apostolorum ... Der Erstapostel erscheint als Urbild aller Päpste, doch nicht in einem moralischen oder beispielhaften Sinn, sondern in wirklich heilsmächtiger Fülle, man möchte fast sagen, in einem ontischen Sinne. Von Christus her führt eine Linie über Petrus zu den Päpsten; in diesem Zusammenhang, in dieser Verbundenheit, ruht die Größe und Würde des Primats" (ebd. 207—8).

[64] Ep. 61, 2, ACO II, 4, 28, 27—31: *Memor enim sum me sub illius nomine ecclesiae praesidere, cuius a domino Jesu Christo est glorificata confessio et cuius fides omnes quidem haereses destruit, sed maxime impietatem praesentis erroris expugnat, et intellego mihi aliud non licere quam ut omnes conatus meos ei causae in qua universalis ecclesiae salus infestatur, inpendam.*

[65] Ep. 165, 1, ACO II, 4, 113, 5—8: *Quamvis enim sciam clementiam tuam ... sincerissimam de abundantia spiritus sancti hausisse doctrinam, officii mei est et patefacere quod intelligis et praedicare quod credis ...*
Der Terminus ‚praedicare' wird, soweit wir sehen, von Leo ausschließlich im prägnanten Sinn von (das Evangelium) ‚verkünden' verwendet: ... *praeter eos qui sunt domini sacerdotes nullus sibi docendi et praedicandi ius audeat vindicare* ... (Ep. 119, 6, ACO II, 4, 74, 35—36); ... *sanctorum patrum nostrorum ... quid ecclesiis praedicaverint* ... (Ep. 88, 3, ACO II, 4, 46, 33); *quae ... fides fuerit custodita semperque similiter praedicata* ... (Ep. 69, 1, ACO II, 4, 30, 37—31, 1); ... *per omnes mundi partes in quibus domini evangelium praedicatur* ... (Ep. 79, 1, ACO II, 4, 37, 34); *ecclesiasticam pacem quae non nisi unitate praedicationis evangelicae custoditur* ... (Ep. 115, 1, ACO II, 4, 6, 7, 13); vgl. auch Ep. 117, 69, 36; Ep. 118, 72, 12.16. — Leo kann sogar — das Evangelium personifizierend — sagen: *testificante lege, credentibus patriarchis, annuntiantibus prophetis, praedicante evangelio, docentibus apostolis et toto mundo confitente* ... (Ep. 84, 2, ACO II, 4, 44, 4—5). Vgl. auch Ep. 165, 113, 17; Ep. 30, 10, 28; Ep. 139, 92, 7. Auf den Heiligen Stuhl bezogen: *sicut accepimus praedicamus* (Ep. 102, 2, ACO II, 4, 54, 5); *ea quae a sede apostolica sunt praedicata* ... (Ep. 156, 6, ACO II, 4, 104, 6); ... *etiam nostram praedicationem unitam esse cognosces* ... (Ep. 165, 10, ACO II, 4, 119, 4—6); *quaedam nos aliter intelligere quam a me sunt praedicata* ... (Ep. 124, 1, ACO II, 4, 159, 5—6); *praedicatio nostra* (Ep. 109, 3, ACO II, 4, 137, 39). — Gerade unter Voraussetzung dieser prägnanten Bedeutung von *praedicare* muß es besonders schmeichelhaft in den Ohren des Kaisers klingen, wenn Leo schreibt: *apud christianissimum igitur principem et inter Christi praedicatores digno honore numerandum utor catholicae fidei libertate et ad consortium te apostolorum ac prophetarum securus exhortor* ... (Ep. 156, 3, ACO II, 4, 102, 31).

vom Heiligen Geist ,belehrt' zu werden. Welcher Sachverhalt mit dieser Formel (vom Heiligen Geist belehrt sein) gemeint ist, kommt etwa in folgendem Satz zur Aussage: „... der katholische Glaube, den wir unter Belehrung des Geistes Gottes durch die Heiligen Väter von den seligen Aposteln gelernt haben und lehren, läßt sich mit keinem der beiden Irrtümer (Nestorianismus, Eutychianismus) vermischen"[66]. Dieser Aspekt der Lehrprimatsidee Leos, nämlich daß es sich dabei um ein ,Lehren' handelt, das sich durch ,Lernen von den Aposteln durch die Väter' inspiriert, wurde von der Forschung bisher nicht genügend deutlich herausgestellt.

In der Tat, der Lehrprimat besteht für Leo wesentlich darin, daß die Überlieferung der römischen Ortskirche *privilegierte* Tradition ist. Damit ist einerseits unmittelbar eine fundamentale Spannung zur Reichskonzilsinstitution gegeben[67] — der römische Bischof kann nicht gleichrangig neben den Vertretern anderer Ortskirchen sitzen! —, andererseits bedeutet es, daß der Lehrprimat des römischen Bischofs wesentlich und von der Sache her gebunden ist an objektiv Gegebenes, nämlich die römische Überlieferung. Der Lehrprimat ist damit von der Sache her deutlich umgrenzt.

Daß der Lehrprimat des Papstes für Leo wesentlich bedeutet Verkündigung *(praedicatio)* der privilegierten Tradition einer Ortskirche, nämlich der römischen, ist nicht nur eingeschlossen in der theologischen

---

[66] Ep. 89, ACO II, 4, 47, 28—30: *catholica fides quam instruente nos spiritu dei per sanctos patres a beatis apostolis didicimus et docemus, neutrum* (weder Nestorius noch Eutyches) *sibi misceri permittit errorem.*

[67] Diese Spannung kulminiert in der Verurteilung eines Konzils, der von Leo sogenannten ,Räubersynode' (Ephesus 449; Ep. 95, 2, ACO II, 4, 51, 4), durch den römischen Stuhl. In seinem Schreiben an den Kaiser vom 13. Oktober 449 verweist Leo auf die Ablehnung dieses Konzils durch seine Legaten, ohne Zweifel, um sich mit ihr zu identifizieren: *quod nostri ab apostolica sede directi adeo impium et catholicae fidei contrarium esse viderunt, ut ad consentiendum nulla potuerint oppressione compelli constanterque in eadem synodo, ut decuit, fuerint protestati nequaquam id quod constituebatur, sedem apostolicam recepturam, quoniam re vera omne Christianae fidei sacramentum ... exscinditur, nisi hoc scelestissimum facinus, quod cuncta sacrilegia excedit, aboletur* (Ep. 44, 1, ACO II, 4, 20, 7—11). — Eine prinzipielle Begründung der Sonderstellung des Stuhles Petri gerade im Bezug auf Konzilien gibt Leo in Brief 43, ACO II, 4, 26, 8—11: *Olim et ab initio in conciliis celebratis tantam nos percepimus a beato Petro apostolorum principe fiduciam, ut habeamus auctoritatem ad veritatem pro nostra pace defendendam, quatenus nulli liceat sic eam munitam in aliquo commovere, dum repente laesio removetur.* Es ist jedoch zu beachten, daß der zitierte Text nicht kritisch gesichert ist. SCHWARTZ, ACO II, 4, 26, 5—6 hält Brief 43 für ein 'exemplar decurtatum atque interpolatum' von Brief 18 = 44, SILVA-TAROUCA dagegen für eine Rückübersetzung einer z. T. gefälschten griechischen Übersetzung (C. SILVA-TAROUCA, Leonis magni epistulae contra Eutychis haeresim, Romae 1934, 30, Anm. a). Vgl. auch CASPAR, Papsttum, I, 493—4.

Grundposition Leos[68], dies ergibt sich auch aus expliziten Zeugnissen. Folgender Passus aus Brief 119 an *Maximus von Antiochien* enthält nicht nur den Gedanken der Unterordnung Antiochiens unter Rom — was freilich als erstes in die Augen springt —, sondern auch die Aussage, daß es privilegierte Tradition gibt:

„Und deswegen, lieber Bruder, muß deine Liebe mit ganzem Herzen erfassen, welche Kirche der Herr dir zur Leitung übertragen hat und dich der Lehre erinnern, die der Hauptapostel von allen, der seligste Petrus, in einheitlicher Verkündigung zwar in der ganzen Welt, in besonderem Lehramt jedoch in Antiochien und in der Stadt Rom begründet hat. Du mußt begreifen, daß er (Petrus), der jetzt in der Wohnstatt seiner Verherrlichung hervorragt, diejenige Lehre zurückfordert, die er ‚überliefert‘ hat, so wie er sie von der Wahrheit, die er bekannt, empfangen hat"[69].

Zugrunde liegt diesem Gedanken das allgemeine Traditionsschema: die Bischöfe empfangen die Tradition von den Aposteln, welche sie ihrerseits von Christus selber empfangen haben. Die Bischöfe müssen über ihre Treue in der Bewahrung der Tradition Rechenschaft ablegen. Seine spezielle Ausformung erhält nun dieser allgemeine, ‚traditionelle‘ Gedanke dadurch, daß eine Tradition, die des *praecipuus apostolus omnium*, als privilegierte gilt: *speciale magisterium in Antiochia et in Romana urbe fundavit*.

Auf die gleiche Weise, nämlich mit dem Hinweis auf die privilegierte Tradition der römischen Kirche, argumentiert Leo, wenn er von der alexandrinischen Kirche Übereinstimmung mit der römischen Tradition verlangt: Petrus empfing vom Herrn den apostolischen ‚Prinzipat‘, und die römische Kirche hält fest an seinen Lehren und Anordnungen . . .[70] Leo ist dabei überzeugt, daß die Geschichte selber den Beweis

---

[68] Ep. 129, 3, ACO II, 4, 85, 32—33: *Per omnia igitur et in fidei regula et in observantia disciplinae vetustatis norma servetur* . . . Weitere Belege und Interpretation vgl. A. DENEFFE, Tradition und Dogma bei Leo dem Großen, in: Schol. 9 (1934) 543—554, und A. LAURAS, Saint Léon le Grand et la Tradition, in: RSR 48 (1960) 166—184.

[69] Ep. 119, 2, ACO II, 4, 73, 11—17: *Et ideo, frater carissime, oportet dilectionem tuam toto corde perspicere cuius ecclesiae gubernaculis te dominus voluerit praesidere, et eius meminisse doctrinae quam praecipuus apostolorum omnium beatissimus Petrus per totum quidem mundum uniformi praedicatione, sed speciali magisterio in Antiochena et in Romana urbe fundavit, ut illum in suae glorificationis domicilio praeeminentem ea intelligas reposcere instituta quae tradidit, sicut ab ipsa quam confessus est veritate suscepit.*

[70] Ep. 9, praef., PL 54, 625 A: *Cum enim beatissimus Petrus apostolicum a domino acceperit principatum et Romana ecclesia in eius permaneat institutis, nefas est credere quod sanctus discipulus eius Marcus qui Alexandrinam primus ecclesiam gubernavit, aliis regulis traditionum suarum decreta firmaverit: cum sine dubio de eodem fonte gratiae unus spiritus et discipuli fuerit et magistri, nec aliud ordinatus tradere potuerit, quam quod ab ordinatore suscepit. Non ergo patimur, ut cum unius nos esse corporis, et fidei fateamur, in aliquo discrepemus; et alia doctoris, alia discipuli instituta videantur.* Konkret geht es dabei um die Fragen wie die nach dem richtigen Wochentag für die Priesterweihe und die Wiederholung des Gottesdienstes an Tagen großen Volksandranges. Vgl. hierzu JALLAND, Leo, 208—209.

liefert für den Anspruch der römischen Kirche, Träger privilegierter Tradition zu sein[71]. Die Römer können stolz sein auf die makellose Überlieferung ihrer Kirche[72]. Weil der Primatsanspruch des Papstes, wie wir gesehen haben, wesentlich verknüpft ist mit dem Überlieferungsgedanken, dürfen die immer wiederkehrenden Formeln Leos *quod didicimus credimus, quod credimus praedicamus*[73] nicht als Floskeln abgetan werden: in ihnen kommt die spezifische Auffassung Leos vom Lehrprimat des Römischen Stuhles vollkommen zum Ausdruck.

Träger privilegierter Tradition zu sein bedeutet nun in den Augen Leos nicht in erster Linie, ein Recht zu haben, den Glauben der Gesamtkirche zu bestimmen, sondern vielmehr die Fähigkeit und die Möglichkeit zu besitzen, die Identität eben dieses Glaubens in Vergangenheit und Gegenwart sichtbar zu machen. Daß Leo in diesem Sinn die Ausübung des päpstlichen Lehrprimats konzipiert, läßt sich u. E. an der Art und Weise aufzeigen, mit der er sich auf seinen Tomus, das Lehrschreiben an Flavian, bezieht.

Welche Termini verwendet Leo, wenn er auf seinen Tomus zu sprechen kommt?[74] Zunächst ist negativ festzustellen: Leo vermeidet[75]

---

[71] Tract. 96, 1, CCL 138 A, 593: ... *numquam potuit haeretica impietas sic latere ut non sanctis patribus nostris et semper deprehensa sit et iure damnata.*

[72] Tract. 96, 3, CCL 138 A, 595: *Nemo vestrum efficiatur huius laudis alienus, ut quos per tot saecula docente spiritu sancto haeresis nulla violavit, ne Eutychianae quidem impietatis possint maculare contagia.*

[73] Tract. 25, 2, CCL 138, 118: *Habentes itaque, dilectissimi, inter pericula erroris praesidia veritatis, et non humanae sapientiae verbis, sed doctrina spiritus sancti eruditi, quod didicimus credimus, quod credimus praedicamus.* Vgl. auch tract. 62, 2, CCL 138 A, 378: ... *ut ad regimen totius ecclesiae praeparatus primum disceret quod doceret, et pro soliditate fidei quam erat praedicaturus, audiret ...*

[74] In etwa chronologisch angeordnet ergibt sich folgende Liste: *sufficientes litteras mittere* ACO 8, 24/25; *plenius rescribere epistulas* ACO 9, 8; *scripta plenius continent* ACO 10, 1; *reseratum est* ACO 11, 18; *explicare* ACO 12, 17; *rescribere* ACO 16, 9; *sufficientia scripta dirigere* ACO 16, 35; *plenissime exponere atque digerere fidem* ACO 24, 18; *professionem protestari* ACO 31, 19; *epistulam plenissimam mittere* ACO 46, 9; *declarare* ACO 52, 18; *intimare* ACO 53, 23; *emittere fidem* ACO 67, 24; *respondere* ACO 85, 18; *certiores efficere* PL 54, 886 B—887 A; *praedicare* ACO 119, 1; 30, 10; 28, 25; *patefacere* ACO 159, 14; 52, 12; 28, 33.

[75] Berücksichtigt man die relative Häufigkeit, mit der Leo sonst eigene Entscheidungen mit dem Terminus *definire* bezeichnet (vgl. Anm. 132), muß es auffallen, daß er diesen Begriff in bezug auf seinen Tomus nur ein einziges Mal, nämlich ep. 120, 1, ACO II, 4, 78, 25, verwendet. Hinzu kommt die für Leo ungewöhnliche inhaltliche Aussage dieser Stelle: *unde gloriamur in Domino cum propheta cantantes: adiutorium nostrum in nomine domini, qui fecit caelum et terram* (Ps 123, 8); *qui nullum nos in nostris fratribus detrimentum sustinere permisit, sed quae nostro prius ministerio definierat, universae fraternitatis inretractabili firmavit assensu, ut vere a se prodisse ostenderet quod prius a prima omnium sede formatum totius Christiani orbis iudicium recepisset, ut in hoc quoque capiti membra concordent* (Ep. 120, 1, ACO II, 4, 78, 22—27). Ungewöhnlich scheint der Gedanke, Gott oder Jesus Christus (dominus) habe durch das *ministerium* des Papstamtes definiert. Gewöhnlich ist bei Leo nicht Gott oder Jesus Christus der Autor von Definitionen, sondern der Heilige Geist. Wenn ferner gerade darin ein Beweis für die

definire[76], den terminus technicus für Konzilsdekrete[77] und Kaiser-

Urheberschaft Gottes an der Definition gesehen wird, daß sie zunächst von der *prima omnium sedes* ausgegangen ist, so ist das ein absonderlicher Gedanke, der eines Theologen vom Range Leos unwürdig erscheint. Schließlich ist der in diesem Zusammenhang alternierend mit *definire* gebrauchte Terminus *formare* bei Leo, soweit wir sehen, wiederum ein Hapaxlegomenon. Vom Inhalt her läßt sich also eine Reihe von Bedenken gegen die Echtheit des Satzes vorbringen. Was die Echtheit des ganzen Briefes angeht, so haben schon die BALLERINI einen gewissen Zweifel nicht unterdrückt. Sie weisen u. a. auf sein Fehlen in alten Sammlungen hin, andererseits auf den für Leo ungewöhnlichen Stil: Stylus secundi ac tertii capitis aliquantulum obscurior, ab usitato Leonis stylo non nihilum discrepat, ut conferenti patebit ... Quid ex his colligere liceat alii indicent (PL 54, 1046 k). — SILVA-TAROUCA 81 f., 155 ff., hatte schon 1931 Argumente gegen die Echtheit des Briefes gebracht. In seiner Einleitung der Leo-Brief-Ausgabe glaubt er die Unechtheit von Brief 120 mit Gewißheit behaupten zu können (suspicio autem in certitudinem mutata est, postquam epistulae huius traditionem manuscriptam exactius perscrutatius sum. Introductio XXXIV, Textus et documenta, series theologica 15, S. Leonis magni epistulae contra Eutychis haeresim, Romae 1934). — Gegen SILVA-TAROUCA versucht H. M. KLINKENBERG in seiner unveröffentlichten Dissertation „Römischer Primat und Reichskirchenrecht", Köln 1950, in einem Exkurs (Zur Frage der Überlieferung und Echtheit des Briefes an Theodoret von Cyrus, S. 146—164) die Echtheit wenigstens vom Anfang und Schluß des Briefes aufrechtzuerhalten. Gegen den Anfangsteil bestehen aber die oben angeführten inhaltlichen Bedenken und im Schlußteil — wenn ACO 81, 1—25 als solcher von KLINKENBERG betrachtet wird — findet sich ebenfalls eine Formulierung, die wir Leo nicht zutrauen: Leo spricht zwar von *definitiones concilii* bzw. *synodi*, z. B. ACO 99, 15, niemals aber, soweit wir sehen, von *definitio fidei* (ACO 81, 8), eine Vorstellung und Formulierung, die zwar bei älteren Autoren belegt ist (percurrens ... *omnes episcoporum editas fidei definitiones, quas adversum ... haeresim condiderunt.* Hilarius, De synodis 27, PL 10, 500 B. Vgl. ferner Maximinus, Contra Ambrosium 96, PL S I, 716 A), was aber weder inhaltlich den theologischen Vorstellungen Leos über den Zusammenhang von Glaube und Überlieferung noch seinem feinen Sprachgefühl entsprechen dürfte. R. SCHIEFFER, Zur Beurteilung des norditalischen Drei-Kapitel-Schismas, in: ZKG 87 (1976) 167—201, hier 182, Anm. 96, hält unter Berufung auf Klinkenberg an der Echtheit von ACO 78, 19—27 und 81, 12—30 fest und schreibt die vorliegende Fassung von Ep. 120 den oberitalischen Schismatikern im Drei-Kapitel-Streit zu.

[76] *definire* ist terminus technicus der Gerichtssprache. Hier einige Belege aus dem Codex Theodosianus (= CTh) (Ausgabe TH. MOMMSEN, Berlin 1905; vgl. dazu ‚Heidelberger Index zum Theodosianus', hergestellt unter der Leitung von O. GRADENWITZ, Berlin 1925): *extra ordinem negotia definire:* CTh 10,1,13,3; *curam definiendi negoti suscipere:* CTh 1,5,8,4 (mit der Anmerkung in der englischen Übersetzung des Theodosianus: definire negotium: 'decide a case, define a case! This is the regular phrase used to indicate the pronouncement of a judicial decision .. ' C. PHARR, The Theodosian Code and novels and the Sirmondian constitutions, a translation with commentary, glossary, and bibliography, Princeton 1952); *de episcopali definitione* (the judicial decisions of bishops): CTh 1, 27, 1 (titulus); *definitioni exsecutio tributur:* CTh 1, 27, 1, 10; *exortas contentiones cita definitione conpescet:* CTh 1, 29, 5, 10.

[77] Die Termini *definire* und *definitio* bezeichnen im strengeren, übertragenen speziellen Sinn nach Auskunft des Thesaurus Linguae Latinae eine *litis absolutio*, eine *sententia definitiva*, sie sind also der Gerichtsterminologie zugehörig (vgl. Anmerkung 76). In einem weiteren Sinn beziehen sie sich u. a. auf ea, quae argumentando vel docendo statuuntur — sententia, regula. In diesem philosophischen Gebrauch werden sie frühzeitig in die kirchliche Sprache übernommen, und zwar zur Bezeichnung der Meinungen der Häretiker und Philosophen (so z. B. schon Tertullian, De anima 16, WASZINK, 20, 11): *cui definitioni et nos quidem applaudimus.* Ähnlich später Prosper von Aquitanien: *prima ... definitione dictum est a Cassiano, Contra collatorem 19, PL 51, 266 A et passim. Definitio/definire* hat außerdem den Sinn von *institutio,*

erlasse[78]. Das Fehlen von *definire* im Katalog der von Leo verwendeten Verben ist um so auffallender, als die übrigen Termini (*rescribere, declarare, intimare* usw.) durchaus der technischen Amtssprache angehören[79]. Positiv ergibt sich: Leo bevorzugt Termini, die den belehrenden Charakter seines Tomus hervorkehren (*patefacere, reserare, declarare, praedicare*), und er hat zunehmend die Tendenz, seinen Tomus als *praedicatio*, als Verkündigung, zu bezeichnen.

Was der terminologische Befund schon andeutet, nämlich daß Leo durch seinen Tomus weniger den Glauben ‚entscheiden' (*definire*) als vielmehr ‚verkünden' (*praedicare*) will, und zwar durch Darlegung und Erklärung, die ihn evident macht, geht auch aus den folgenden Bezugnahmen auf seinen Tomus hervor: Leo beabsichtigt mit seinem Tomus, primär *materiale*, nicht *formale* Autorität ins Spiel zu bringen.

Leo ist subjektiv davon überzeugt, in seinem Lehrschreiben ‚völlig einleuchtend' den apostolischen Glauben zu lehren[80]. Die Frage, um die es geht, ist nach Leo an sich so klar, daß das Apostolicum zur Widerlegung des ‚höchst stupiden Widerstandes' des Eutyches genügt[81].

---

es bezeichnet die Willenskundgabe, die Entscheidung einer machtbefugten Instanz, so z. B. Gottes, insofern er in der Heiligen Schrift sich äußert (Tertullian, De resurrectione carnis 33, CSEL 47, 72, 23: *sententiae et definitiones*), dann aber auch anderer Machtträger. In diesem Sinn ‚definiert' der Kaiser (vgl. Anm. 78), ‚definieren' die Bischöfe jeder für sich (CTh 1, 27: *de episcopali definitione;* Cassianus, collationes 13, 18, CSEL 13, 395, 19: *ab omnibus catholicis patribus definitur;* Vinzenz von Lerin, Commonitorium 2, 3, JÜLICHER 3, 32: *sacerdotum … magistrorum definitiones sententiasque*), vor allem aber, wenn sie auf Synoden versammelt sind (*ut autem noveritis sub qua definitione litteras miserimus …* Caelestin, ep. 14, PL 50, 497 C; *metuens definitionem a synodo Eutyches,* Leo ep. 21, 1, PL 54, 716 A; *ea quae nunc pro catholica fide definita sunt.* Capreolus, ep. 1, 2, PL 53, 847 A).

[78] In den Kaisererlassen des Codex Theodosianus kommt *definitio* öfter vor: *sacrae definitionis ius* CTh 1, 6, 2,1; *legis nostrae definitiones* CTh 1, 10, 7, 4; *definitio nostri nominis* CTh 2, 23, 1, 10—2, 33, 4, 5; *aperta definitione signamus* CTh 3, 9, 1, 1; *lex anterior plena definitione decrevit* CTh 3, 9, 1, 7; *praesenti definitione prohibemus* CTh 3, 10, 1, 6; *consultissima definitione* CTh 6, 27, 11, 1. Für weitere Belege vgl. den in Anm. 76 genannten Index.

[79] Vgl. HEUMANN/SECKEL, Handlexikon zu den Quellen des römischen Rechts, Graz [10]1958, ad voc.

[80] Ep. 54, ACO II, 4, 11, 15—21: *A me autem atque ab omnibus catholicis sacerdotibus quae evangelicae atque apostolicae fidei pietas defendatur, satis plene ac lucide litteris meis … reseratum est nec ambigi potest hoc nos purissime credere, hoc constanter asserere quod etiam venerandi patres quondam apud Nicaenam congregati secundum fidem symboli credendum et confitendum sacratissima auctoritate sanxerunt.* Vgl. auch: Ep. 93, 2, ACO II, 4, 52, 16—19: *… cum secundum evangelicas auctoritates, secundum propheticas voces apostolicamque doctrinam plenissime et lucidissime per litteras, quas ad beatae memoriae Flavianum episcopum misimus, fuerit declaratum, quae sit de sacramento incarnationis Domini nostri Jesu Christi pia et sincera confessio.*

[81] Ep. 31, 4, ACO II, 4, 14, 28—15,2: *Non enim de portiuncula aliqua fidei nostrae, quae minus lucide declarata sit, quaeritur, sed hoc stolidissima resultatione audet incessere* (Eutyches), *quod dominus in ecclesia sua neminem sexus utriusque voluit ignorare, si quidem ipsa catholici symboli brevis et perfecta confessio … tam instructa sit munitione caelesti, ut omnes haereticorum opiniones solo ipsius possint gladio detruncari.*

Nichtsdestoweniger schreibt Leo einen Tomus, aufgrund dessen die „ganze Kirche bezüglich des überlieferten und unverwechselbaren *(singularis)* Glaubens erkennen kann ..., was wir als göttlich überliefert festhalten und unveränderbar verkünden"[82]. Die Argumente, die Leo dabei vorträgt, hält er für „so klar und so kräftig, daß einer schon als allzu blind und verstockt angesehen werden muß, wer beim Strahlen des Lichtes und der Vernunft nicht unverzüglich sich von der Finsternis der Falschheit abwendet ..."[83] Entsprechend heißt es von den päpstlichen Legaten auf dem zweiten Konzil von Ephesus, man habe sie daran gehindert, den „reinsten Glauben an den Tag zu legen"[84]. Von dieser Eindeutigkeit und Klarheit des Glaubens, so wie er aus der römischen Tradition vorgelegt wird, ist Leo auch nach Ephesus 449 überzeugt. In diesem Sinn läßt er *Anatolius*, den neuen Erzbischof von Konstantinopel, durch den Kaiser einladen, nach entsprechenden Väterstudien auch seinen „Brief", d. h. den Tomus ad Flavianum, zu lesen. „Er wird feststellen, daß er mit dem Glauben der Väter in jeder Hinsicht übereinstimmt"[85].

Die *regula fidei*, an die sich die Väter hielten, ist Leo so evident[86], daß er glaubt, Volk und Klerus von Alexandrien von der Rechtgläubigkeit seines Briefes dadurch überzeugen zu können, daß man ihnen — neben diesem Brief — Texte von Athanasius, Theophilus und Cyrill vorliest[87].

---

[82] Ep. 34, 2, ACO II, 4, 16, 34—17, 2: ... *ad fratrem nostrum Flavianum sufficientia pro qualitate causae scripta direxi, quibus et vestra dilectio et ecclesia universa cognoscat de antiqua et singulari fide ... quid divinitus traditum tenemus et quid incommutabiliter praedicemus.*

[83] Ep. 38, ACO II, 4, 18, 20—22: ... *tam clara et tam valida sunt testimonia veritatis, ut nimis caecus nimisque obduratus habendus sit qui ad coruscationem lucis atque rationis non confestim se a tenebris falsitatis excesserit ...*

[84] Ep. 44, 1, ACO II, 4, 19, 15—22: ... *in causa tam simplici tamque nihil put(abamus) posse existere quod noceret, praesertim cum ad episcopale iudicium ... tam instructi sint missi, ut si scripta ... episcoporum publicari auribus Alexandrinus permisisset antistes, ita manifestatione purissimae fidei, quam divinitus inspiratam et accepimus et tenemus, omnium concertationum strepitus quievisset ...*

[85] Ep. 69, 1, ACO II, 4, 30, 32—31, 7: *Noti enim sunt per universum mundum atque manifesti, qui ante nos ... in catholicae veritatis praedicatione fulserunt, ad quorum scientiam atque doctrinam quidam etiam nostrae aetatis accedunt de quorum scriptis par et multiplex profertur instructio ... Relegat itaque sollicite quae a sanctis patribus incarnationis Dominicae fides fuerit custodita semperque similiterque praedicata et cum sanctae memoriae Cyrilli Alexandrini episcopi epistolam ... praecedentium sensui perspexerit consonantem ... Non aspernetur etiam meam epistolam recensere quam pietati patrum per omnia concordare reperiet.*

[86] Ep. 129, 2, ACO II, 4, 85, 13—14: ... *in nullo discedens ab eius fidei regula quae evidenter a nostris vestrisque est defensa maioribus.*

[87] Ep. 130, 2, ACO II, 4, 83, 33—84, 10: *Quod ergo sua diligentia assequi nequeunt, oportune eorum insinuetur auditui et ne memoratus nova inferre et propria videatur astruere, venerabilium patrum qui eidem ecclesiae praefuerunt, scripta relegantur et quid beatus Athanasius, quid Theophilus, quid Cyrillus, quid etiam alii Orientales magistri de incarnatione domini senserint, recognoscant nec repullulantibus decipiantur erroribus ... et possemus minus laborare in haereticis repellendis, si rudes*

In einem ähnlichen Sinne schreibt er an *Proterius*, den neuen Erzbischof von Alexandrien: „(Die Übereinstimmung deiner Lehre mit der deiner Vorgänger) darfst du nun nicht nur mit deinen Worten behaupten, sondern sie ist durch Zitieren von überlieferten Texten aufzuzeigen. So können die Ohren der Gläubigen prüfen, daß wir nichts anderes verkünden, als was wir von unseren Vorfahren (d. h. Vorgängern) empfangen haben . . .“[88] An dieser seiner Auffassung von der Evidenz der Übereinstimmung seines Lehrschreibens mit der Lehre der Väter läßt Leo nie einen Zweifel aufkommen[89]. Sein Tomus bedarf an sich keiner Erklärung und keines Kommentars, er ist in sich klar und einleuchtend[90].

Um sich ein richtiges Bild zu machen vom Anspruch, den Leo mit seinem Tomus[91] erhebt, erscheint es angemessener, ihn zunächst nicht mit dem in Verbindung zu bringen, was man später als päpstliche ‚De-

---

animos ea non turbarent mendacia quae peremit antiquitas; sed nunc, ut dixi, hic docendi optimus modus est ut paternorum sensuum lineae Alexandrinae plebis et cleri auribus innotescant ac si qui sunt qui nostra scripta despiciant, illis saltim qui nobiscum apostolicis sensibus congruunt, acquiescant.

[88] Ep. 129, 2, ACO II, 4, 85, 21—32: *Plebem autem et clerum omnemque fraternitatem ita debet diligentia tua ad profectum fidei cohortari ut nihil te novum docere demonstres, sed ea omnium insinuare pectoribus quae venerandae memoriae patres consona praedicatione docuerunt, cum quibus in omnibus nostra concordat epistula. hoc autem non solum tuis verbis, sed et ipsa praecedentium expositionum recitatione monstrandum est, ut plebis dei noverit ea sibi praesenti doctrina insinuari quae patres et acceperunt a praecedentibus suis et posteris tradiderunt. unde lectis primitus praedictorum sacerdotum assertionibus tunc demum mea quoque scripta recitentur, ut aures fidelium probent non aliud nos quam quod a maioribus accepimus praedicare et qui ad haec discernenda minus exercitatos habeant sensus, ex patrum saltim litteris discant quam antiquum hoc malum sit quod nunc . . . damnavimus.* Vgl. auch Ep. 139, 4, ACO II, 4, 93, 19—21: *. . . eorum, quorum in ecclesia sibi apostolica fuit et clara doctrina, auctoritatibus instruantur, ut de incarnatione verbi dei hoc nos credere, quod illi credidere cognoscant . . .*

[89] Ep. 152, ACO II, 4, 99, 18—22: *Miror sane calumniantium vanitati aliquid adhuc in epistula mea, quae universo mundo placuit, obscurum videri, et de ea putent apertius exponendum, cum illius praedicationis tam plana et solida sit assertio, ut nihil recipiat vel in sensu vel in sermone novitatis, quia quidquid tunc a nobis scriptum est, ex apostolica et evangelica probatur sumptum esse doctrina.*

[90] Ep. 124, 1, ACO II, 4, 159, 10—14: *Quamvis enim epistula mea ad sanctae memoriae Flavianum episcopum data sibi ad manifestationem sui ipsa sufficiat neque in aliquo aut purgationis aut expositionis indigeat, et alia tamen cum eadem mea scripta concordant, in quibus similiter praedicationis meae sensus in aperto est.* — Vgl. auch: Ep. 165, 10, ACO II, 4, 118, 29—119, 1: *Ut autem pietas tua cum venerabilium patrum praedicationibus nos concordare cognoscat, aliquantas eorum sententias huic credidi subiciendas esse sermoni, quibus . . . recensitis non aliud nos praedicare repperies quam quod sancti patres nostri toto orbe docuerunt . . .*

[91] τόμος (= Schnitt) bezeichnet zunächst ein Stück Pergament und seinen Inhalt, d. h. ein Buch. Nach G. W. H. Lampe, A Patristic Greek Lexicon, hat das Wort u. a. auch die spezielle Bedeutung ‚document, synodical letter or decree‘. In diesem Sinne spricht Alexander von Alexandrien von der Unterschrift unter den Tomus gegen Arius (Opitz, Urkunde 14, 29, 15); ähnlich Philostorgius, hist. eccl. 4, 11, PG 65, 524. τόμος bedeutet auch einfach ‚Lehrschrift‘ (treatise). So bezeichnet z. B. Theodoret, Eranistes, Dial. II. Ed. G. H. Ettlinger, Oxford 1975, 160, 27, die fälschlich für echt gehaltene Athanasiusschrift *De incarnatione dei verbi et contra Arianos* als τόμος.

finition'[92] bezeichnen wird, sondern ihn vielmehr in einer Linie zu sehen mit den verschiedenen τόμοι eines Athanasius von Alexandrien[93] oder den Lehrschreiben eines Cyrill[94]. Leo sieht sich als Nachfolger Petri ermutigt, der Kirche Lehrschreiben zu schenken, wie sie der eine oder andere der Väter für die Kirche zu verfassen vermochte. Es ist doch, so scheint uns, zu einer richtigen Einschätzung der Bedeutung, die Leo selber seinem Tomus gibt, unbedingt zu beachten, daß er im Zusammenhang seines Lehrschreibens nirgends auf sein Recht pocht, für die Kirche den Glauben festlegen, entscheiden *(definire)* zu können, daß er vielmehr überall, wo er auf seinen Tomus zu sprechen kommt, die Gewißheit ausstrahlt und von der Zuversicht getragen ist, darin tatsächlich so zu verkünden, daß der Glaube als überlieferter erkannt werden kann. Und in dieser seiner Zuversicht hatte er sich ja auch, wie die Zustimmung auf dem Konzil von Chalcedon zeigt, nicht getäuscht[95].

Sieht somit Leo seinen Tomus selber als ein Lehrschreiben an, das in erster Linie nicht formale, sondern materiale Autorität ins Spiel bringt, dann darf man auch damit rechnen, daß die Zeitgenossen, vor allem die Synodalen von Chalcedon, diesen Charakter dem Schreiben Leos zuerkennen. Sie sind deswegen nicht, wie Dogmenhistoriker das bisweilen supponieren, zu Beginn des Konzils vor die peinliche Frage gestellt: Dürfen wir noch ‚definieren', wo doch Leo schon ‚definiert' hat? Die Frage lautet vielmehr für die Synodalen, die nicht grundsätzlich

---

[92] So tun z. B. die BALLERINI, PL 54, 751—752: *Inter omnia Romanorum decreta fidei, celeberrima est sequens S. Leonis ad Flavianum epistola, qua tota de Incarnatione controversia exacte discussa ac definita . . . catholica doctrina ita accurate nedum sententiis, sed etiam vocibus declarata invenitur . . . ut primum . . . in lucem edita est, mox suscepta et subscripta fuit ab omnibus . . Ita porro apparuit pontificiam definitionem sufficere nec opus esse generali concilio . . . —* Weitere katholische Stellungnahmen (BELLARMIN, DUBLANCHY, TIXERONT, BATIFFOL) werden von JALLAND, Leo 300—302, zusammengefaßt und beurteilt. (Additional Note: the reception of the ‚Tome' and its bearing on the dogma of papal infallibility.) JALLAND selber kommt zu dem Ergebnis: „Admittedly the letter was first written in order to guide those who were responsible for the examination of Eutyches at Constantinople or elsewhere. But in the later stages of the controversy Leo did not hesitate to refer to his 'Tome' as a final standard of orthodoxy and for this reason, when he saw the council was inevitable, that no discussion of doctrine should be permitted" (ebd. 302). Vgl. auch GETZENY 53.

[93] Vgl. *Tomus ad Antiochenos:* PG 26, 796 A—809 A.

[94] Cyrill. Alex., Ep. ad Nest., ACO I, 1, 1, 25—28.

[95] Vgl. die Konzilsakten ACO II, 1, 2, S. 81. Bezeichnend ist in diesem Sinne auch das Schreiben der Mailänder Synode an Leo, Ep. 97, 2, PL 54, 946 B: *Claruit eam plena fidei simplicitate fulgere, prophetarum etiam assertionibus evangelicis auctoritatibus et apostolicae doctrinae testimoniis, nitore quodam lucis ac veritatis splendore radiare, omnibusque sensibus convenire, quos auctoritatibus et apostolicae doctrinae beatus Ambrosius, de incarnationis Dominicae mysterio suis libris Spiritu Sancto excitatus inseruit.*

der monophysitischen Opposition auf dem Konzil angehören: Hat
Leo richtig und deutlich genug den zu überliefernden Glauben ‚verkündet', oder müssen wir es noch eindeutiger tun? Bekanntlich war die
Mehrheit auf dem Konzil zunächst der Meinung, Leo habe deutlich
genug und richtig verkündet, und es bedurfte deswegen kaiserlicher
Pression, um die Konzilsväter doch noch zu einer ‚Definition' zu bewegen, die sie an und für sich — nach Leos Verkündigung und Darlegung — für überflüssig hielten[96].

4. Römischer Lehrprimat und Konzilien

Mit der letzten Bemerkung über die Rolle des Tomus auf dem Konzil von Chalcedon haben wir schon den vierten Punkt unserer Thematik angeschnitten, das Verhältnis von päpstlicher und konziliarer
Autorität in den Augen Leos. Überblicken wir die zu dieser Problematik vorliegenden Aussagen, so ergeben sich zwei Gruppen. Die einen beziehen sich auf das Verhältnis zwischen dem Römischen Stuhl und Konzilien im Sinne von actu stattfindenden oder geplanten Versammlungen; die anderen handeln vom Verhältnis zwischen Römischem Stuhl
und Konzilien unter der Rücksicht des „Produktes" solcher Bischofsversammlungen, d. h. der Konzilsdekrete. Wir beginnen mit dieser
letzten Gruppe von Zeugnissen.
Von Beginn der Streitigkeiten um Eutyches an begründet Leo seinen
Anspruch, genauestens über den Eutychesprozeß informiert zu werden[97],
mit der Sorge, die „Satzungen der ehrwürdigen Väter" vor falscher
„Auslegung" zu bewahren, womit er mit aller Wahrscheinlichkeit auf
das Konzil von Nicaea anspielt[98]. Im gleichen Sinne schreibt Leo an

---

[96] „Aber offensichtlich wollte das Konzil nichts von einer neuen Glaubensformel wissen",
P. Th. CAMELOT, Ephesus und Chalkedon, Mainz 1963, 143. — Vgl. auch JALLAND, Papacy
307: „The proceedings of the council at Chalcedon show clearly the unwillingness of the
episcopal protagonists in the drama, to commit themselves to any new statement of dogma,
and its evident relief at the publication of Leo's Tome." — Eine eingehendere Untersuchung wäre dabei der Frage zu widmen, ob die Verweigerung einer neuen Glaubensdefinition, bzw. die zögernde Haltung der Konzilsväter, nur praktisch/taktisch begründet
ist (Unfähigkeit zu gemeinsamer Willensbildung) oder auch theoretisch/dogmatisch. Ist
zur Zeit des Konzils von Chalcedon schon theoretisch aufgearbeitet, daß eine neue Glaubensformel (= Definition) keine ‚Neuerung' darstellt? Vgl. S. 264—269.
[97] Ep. 23, 2, ACO II, 4, 5, 19—21: ... *quam plenissime et lucide universa nobis* (Flavianus) ...
indicare festinet, ne inter assertiones partium aliqua ambiguitate fallamur.
[98] Ep. 23, 2, ACO II, 4, 5, 21—23: ... *ne constitutiones venerabilium patrum divinitus roboratae
et ad soliditatem fidei pertinentes prava cuiusdam interpretatione violentur.*

Kaiser Marcian, der das Konzil von Chalcedon einberufen hat[99], er solle keine erneute Diskussion der „mit Autorität" verurteilten Lehre zulassen, vielmehr dafür sorgen, daß „die Bestimmungen der alten Synode von Nicaea nach Beseitigung der häretischen Auslegung erhalten bleiben"[100]. Nach dem Konzil von Chalcedon, auf dem von der Konzilsmehrheit Kanon 28 angenommen worden war, erklärt Leo in einem Brief an die Kaiserin Pulcheria diesen Kanon für null und nichtig und fügt als Begründung bei: „In allen kirchlichen Streitfragen halten wir uns an die Gesetze, die der Heilige Geist durch die 318 Bischöfe aufgestellt hat zur friedenstiftenden Beobachtung für alle Bischöfe. Folglich darf keinerlei Beachtung geschenkt werden dem, was von der Bestimmung *(constitutio)* Vorgenannter abweicht, mag die Zahl der Beschließenden um noch so viel größer sein"[101].

In seinem verspäteten Brief an die *Synode von Chalcedon* vom 21. März 453 ermahnte Leo — wieder in Hinblick auf Kanon 28 von Chalcedon —, die „unverletzlichen Statuten der heiligen Väter" zu beobachten, „damit die Rechte der Kirchen, so wie sie von jenen 318 göttlich inspirierten Vätern geordnet worden sind, bestehenbleiben"[102]. Und wieder folgt die Erklärung, daß null und nichtig ist, was von irgendeiner anderen, noch so großen Synode Gegenteiliges bestimmt wurde[103]. In diesem Zusammenhange bezeichnet sich Leo als „Anwalt des katholischen Glaubens und der Konstitutionen der Väter"[104]. In seinem Brief an *Maximus von Antiochien* fomuliert Leo die absolute Unantastbarkeit der Nicaenischen

---

[99] Zur kaiserlichen Berufungsvollmacht vgl. Stockmeier 163.

[100] Ep. 90, 2, ACO II, 4, 48, 25—29: ... *obsecro clementiam vestram ut in praesenti synodo fidem quam beati patres nostri ab apostolis sibi traditam praedicarunt, non patiamini quasi dubiam retractari; et quae olim maiorum sunt auctoritate damnata, redivivis non permittatis conatibus excitari; illudque potius iubeatis ut antiquae Nicaenae synodi constituta remota haereticorum interpretatione permaneant.*

[101] Ep. 105, 3, ACO II, 4, 58, 33—59, 4: *Consensiones vero episcoporum, sanctorum canonum apud Nicaeam conditorum regulis repugnantes, ... in irritum mittimus, et per auctoritatem beati Petri apostoli generali prorsus definitione cassamus, in omnibus ecclesiasticis causis his legibus obsequentes quas ad pacificam observantiam omnium sacerdotum per trecentes decem et octo antistites Spiritus Sanctus instituerit, ita ut etiam si multo plures aliud quam illi statuere decernant, in nulla reverentia sit habendum, quidquid fuerit praedictorum institutione diversum.*

[102] Ep. 114, 2, ACO II, 4, 71, 11—14: *De custodiendis quoque sanctorum patrum statutis quae in synodo Nicaena inviolabilibus sunt fixa decretis, observantiam vestrae sanctitatis ammoneo ut iura ecclesiarum, sicut ab illis trecentis decem et octo patribus divinitus sunt ordinata, permaneant.*

[103] Ep. 114, 2, ACO II, 4, 71, 15—20: *Quantumlibet enim extortis assentationibus se instruat vanitatis elatio et appetitus suos conciliorum aestimet nomine roborandos, infirmum atque irritum erit quidquid a praedictorum patrum canonibus discreparit, quorum regulis apostolica sedes quam reverenter utatur, scriptorum meorum ... poterit sanctitas vestra lectione cognoscere ...*

[104] Ep. 114, 2, ACO II, 4, 71, 20—21: ... *poterit sanctitas vestra lectione cognoscere me auxiliante deo nostro et catholicae fidei et paternarum constitutionum esse custodem.*

Kanones mit unüberbietbarer Deutlichkeit[105]. Nur wenn die Kanones dieses Konzils bleibende Gültigkeit bewahren, kann dem ewigen Streit der Kirchen untereinander ein Ende bereitet werden[106].

Leos Einsatz für die Respektierung stattgehabter Konzilien beschränkt sich nicht auf Nicaea, seine Sorge gilt in gleicher Weise der Aufrechterhaltung der Definition von Chalcedon, sobald der Kaiser, seine Politik ändernd, das Konzil in Frage zu stellen beginnt. Doch hierüber wurde oben schon im Zusammenhang der Begründung der Konzilsautorität durch Leo gehandelt. In seinem Bemühen, Konzilsbeschlüssen Respektierung zu verschaffen, sucht Leo nach Möglichkeit den Kaiser zum Bundesgenossen zu haben oder ihn dazu zu machen, hält aber andererseits den Apostolischen Stuhl für mächtig genug, auch ohne Unterstützung durch den Kaiser oder gegen ihn an einem Konzil festzuhalten[107]. Leo läßt sich schließlich nicht nur die Beobachtung von Kanon 6 von Nicaea angelegen sein, auch andere Kanones des gleichen Konzils werden von ihm urgiert[108].

Es dürfte aus diesen Zeugnissen deutlich werden: Leo bestimmt das Verhältnis zwischen Konzil im Sinne von Konzilsdekret und päpstlicher Autorität wesentlich als das einer *custodia canonum*, einer Sorge um die Einhaltung der Kanones. Dem Römischen Stuhl ist die Wahrung und Beobachtung der von den jeweiligen Konzilien aufgestellten Bestimmungen und Rechtsgrundsätze in besonderer Weise anvertraut. Der Römische Stuhl ist der Ort in der Kirche, die Instanz, die für die ganze Kirche das Bewußtsein wachhält für das Prinzip: „Das Recht muß uns

---

[105] Ep. 119, 4, ACO II, 4, 74, 5—12: *Nunc autem ad omnia generaliter pronuntiare sufficiat quod si quid a quoquam contra statuta Nicaenorum canonum in quacumque synodo vel temptatum est vel ad tempus videtur extortum, nihil praeiudicii potest inviolabilibus inferre decretis et facilius erit quorumlibet consensionum pacta dissolvi quam praedictorum canonum regulas ex ulla parte corrumpi. subripiendi enim occasiones non praetermittit ambitio et quotiens ob occurentes causas generalis congregatio facta fuerit sacerdotum, difficile est ut cupiditas improborum non aliquid supra mensuram suam moliatur appetere . . .* Als konkretes Beispiel solcher *cupiditas* nennt Leo das Vorgehen Juvenals auf dem Konzil von Ephesus.

[106] Vgl. Anm. 53.

[107] Der Kaiser soll beeinflußt werden, *ne petitioni haereticorum ad novam synodum, quae universali ecclesiae inimica est, annuatur, quamvis apostolica sedes ea fide ac stabilitate fundata sit, ut nequaquam recipiat istius novitatis assensum . . .* (Ep. 157, 3, ACO II, 4, 109, 37—39).

[108] So z. B. Kanon 16 (Serdika 18 und 19): Ep. 13, 4, PL 54, 666 A: *Illud quoque pari observantia ad sacerdotalis concordiae vinculum ab omnibus volumus custodiri, ut nullus episcopus alterius episcopi clericum sibi audeat vindicare sine illius ad quem pertinet cessione, quam tamen evidentia scripta contineant: quoniam hoc et canonum definivit auctoritas et ipsa servandae unitatis ratio docet; ne omnis ordo ecclesiasticus per hanc licentiam efficiatur instabilis.* Vgl. hierzu die Ausführungen QUESNELLS, PL 54, 1315 Nr. 3.

regieren, nicht wir das Recht", und die die Beobachtung dieser Devise einfordert[109].

Damit ist ein enger Zusammenhang zwischen Konzilien und Römischem Stuhl hergestellt. Wie wir oben gesehen haben, statuieren Reichssynoden in den Augen Leos unter bestimmten Bedingungen „ewig gültige" Definitionen, bleibende Rechtssatzungen. Was so durch Konzilien Eingang in die Tradition gefunden hat, ist als bleibendes Recht der Sorge des Römischen Stuhles anvertraut. Entsprechendes läßt sich über das Verhältnis des Römischen Stuhles zu Partikularsynoden sagen: auch hier sieht sich Leo in der Rolle des ,Anwaltes'[110].

Wir kommen zum anderen Aspekt des Verhältnisses Römischer Stuhl/ Konzilien. Konzilien sind hier verstanden im Sinne von actu stattfindenden oder einberufenen bzw. einzuberufenden Versammlungen. Wenn es Probleme und Konflikte gibt zwischen beiden Autoritätsträgern, dann liegen sie hier. Und es hat sich denn auch die Forschung mit der einschlägigen Problematik, vornehmlich den Rechtsfragen der Konzilseinberufungsbefugnis des Papstes, des Konzilsvorsitzes und der Konzilsbestätigung[111] ausführlich befaßt[112]. Von den vorliegenden Ergebnissen dieser Forschung ist für unsere spezielle Frage vor allem interessant die Feststellung einer erheblichen Diskrepanz zwischen Leos Ansprüchen und dem tatsächlich praktizierten Recht[113]. Leo konzipiert das Verhältnis offensichtlich anders, als es der Kaiser tut, als es die östlichen Bischöfe tun. Wie aber sieht er das Verhältnis? Hat er überhaupt eine Konzeption, oder geht er vielmehr rein pragmatisch vor, nur von dem einen Grundsatz geleitet, seinen Primat möglichst zur Geltung zu bringen? Es ist nicht leicht, auf diese Fragen zu antworten, denn Leo äußert sich nirgends grundsätzlich dazu. Wir sind deswegen beim Versuch der Beantwortung auf Hypothesen angewiesen, für die es vielleicht

---

[109] Vgl. Caelestin, Ep. 3, PL 50, 428 B: *Dominentur nobis regulae, non regulis dominemur; simus subiecti canonibus, cum canonum praecepta servamus.*

[110] Vgl. Anm. 7 (Ende).

[111] Man beachte die noch schwankende Terminologie. Um seine Zustimmung zu Chalcedon auszudrücken, verwendet Leo verschiedene Termini: *approbare* (ACO II, 4, 70, 30; ACO II, 4, 67, 27), *placere* (ACO II, 4, 68, 3; ACO II, 4, 69, 12), *roborare* (ACO II, 4, 69, 15), *complecti* (ACO II, 4, 70, 23), *firmare* (ACO II, 4, XLIV, 23; ACO II, 4, 68, 28; ACO II, 4, 106, 17).

[112] Zur Konzilsberufung vgl. vor allem KISSLING 24—67; DE VRIES, Chalkedon 65—66; zur Problematik der Konzilspräsidenz der päpstlichen Legaten DE VRIES, ebd. 73—76; zur Bestätigung des Konzils durch den römischen Stuhl, ebd. 86—88.

[113] So sagt z. B. DE VRIES ebd. 75, zur Frage der Konzilspräsidenz von 451: „Es läßt sich also vernünftigerweise nicht bestreiten, daß — abgesehen von der dritten Sitzung — die Kommissare des Kaisers und nicht die Legaten dem Konzil präsidierten. Leo hatte die Forderung gestellt, seinen Legaten müsse der Vorsitz gegeben werden."

den einen oder anderen Anhaltspunkt in Texten gibt. Für die Bestimmung des Verhältnisses zwischen Römischem Stuhl und Reichssynoden ist u. E. auszugehen von expliziten Äußerungen Leos über sein Verhältnis zu *Partikularsynoden*. Anschließend ist zu fragen, ob das gewonnene Ergebnis auch für sein Verhältnis zu *Reichssynoden* gilt.

Zunächst ist also noch einmal zurückzukommen auf die Partikularkonzilien. Welchen Sinn sieht Leo in ihnen? Sie sind ein Mittel zur Befriedung der Kirche, haben wir gesehen. Und zwar wirken sie in doppelter Richtung: von unten nach oben und von oben nach unten. Wie verhält sich nun der Römische Stuhl zu diesem Mittel der Wiederherstellung und Erhaltung der kirchlichen Einheit? Im schon oben zitierten Brief an *Anastasius*, in dem Leo Sinn und Zweck des Konzils beschreibt, hieß es: „Hier (d. h. gelegentlich solcher Synoden) können eventuelle strittige Fragen mit Hilfe des Herrn so zu Ende gebracht werden, daß keine Spannung mehr zurückbleibt, sondern einzig die Liebe die Brüder einander fester verbindet." Der Papst fährt dann fort:

> „Sollte jedoch eine wichtigere Angelegenheit auftauchen, die von Dir, ehrwürdiger Bruder, dem Vorsitzenden (der Synode), dort nicht erledigt werden kann, dann sollst Du uns eine *relatio*[114] zusenden und uns um Rat fragen[115]. Wir werden dann den Bescheid erteilen[116], den der Herr, dessen Barmherzigkeit wir zuschreiben, was wir vermögen, uns offenbart und eingibt. Indem wir so (die Angelegenheit) selber untersuchen, behalten wir uns die Entscheidung uns vor gemäß der Überlieferung der alten Vorschrift und der dem Apostolischen Stuhl geschuldeten Hochachtung. Wie es nämlich unser Wille ist, daß Du Deine Autorität stellvertretend für uns ausübst, so behalten wir uns die Angelegenheiten vor, die an Ort und Stelle nicht erledigt werden können oder in denen einer Appellation eingelegt hat"[117].

Es handelt sich hier um eine Verhältnisbestimmung Römischer Stuhl/ Synode, die zwar zunächst nur gilt für die spezielle Stellung der illyrischen Kirchenprovinz[118]; es spricht aber doch vieles dafür, daß Leo in dieser speziellen Beziehung ein Modell sieht für das Verhältnis zwischen Römischem Stuhl und Konzil überhaupt. Der Papst wäre demnach die

---

[114] Nach HEUMANN/SECKEL: Berichterstattung einer unteren Behörde an eine obere.

[115] *consulere* bedeutet nach HEUMANN/SECKEL a) bei einem Rechtsgelehrten sich Rat erholen, b) bei dem Kaiser wegen einer rechtlichen Entscheidung fragen.

[116] *rescribere* bedeutet nach HEUMANN/SECKEL schriftlich antworten, insbesondere a) von Antwort der Juristen auf Anfragen über Rechtspunkte; b) von Bescheiden der Kaiser auf Anfragen von Privatpersonen oder Behörden. *Rescriptum* = kaiserliches Antwortschreiben, Bescheid.

[117] Ep. 6, 5, PL 54, 619 B: *Si qua vero causa maior evenerit, quae a tua fraternitate illic praesidente non potuerit definiri, relatio tua missa nos consulat: ut revelante Domino cuius misericordiae profitemur esse quod possumus, quod ipse nobis aspiraverit, rescribamus: ut cognitioni nostrae pro traditione veteris instituti et debita apostolicae sedis reverentia, nostro examine vindicemus: ut enim auctoritatem tuam vice nostra te exercere volumus, ita nobis quae illic componi non potuerint, vel qui vocem appellationis emiserit, reservamus.*

[118] Vgl. hierzu Anm. 8.

Letztinstanz für alle Streitfälle, die auf unteren Ebenen nicht zur Entscheidung gebracht werden konnten. Man wird diese Konzeption des Verhältnisses zwischen Römischem Stuhl und Konzilien nicht mit Zentralismus verwechseln dürfen, denn der Römische Stuhl entscheidet nicht alles, sondern nur das, was die Synoden von Teilkirchen nicht entscheiden konnten. Zu beachten ist in dem angeführten Zitat die vom ‚Präsidenten‘ der unteren Instanz (der Partikularsynode) ausgeübte Stellvertretung für den Papst. Freilich handelt es sich auch hier zunächst um den Sonderfall des illyrischen Vikariats. Geht man aber einmal davon aus, daß dessen Rechtsstellung Rom gegenüber modellhaft ist, dann fällt auch von hier Licht auf das Verhältnis, wie es Leo zwischen Konzil und Römischem Stuhl konzipiert: der Papst ist grundsätzlich das Einheitsprinzip kirchlicher Konzile.

Führen wir noch ein Zeugnis an, bevor wir einen Schritt weiter tun. In dem oben bereits genannten Brief 14 an *Anastasius*, in dem Leo Einzelanweisungen über die Durchführung von Vikariatssynoden erteilt, heißt es: „Wenn aber bei dem, was Du glaubst mit den Brüdern zusammen behandeln und entscheiden zu müssen, ihre Meinung von der deines Willens verschieden ist, dann soll die ganze Angelegenheit mitsamt den Konzilsakten an uns weitergeleitet werden *(referre)*. So soll dann nach Ausräumung des Zweifels bestimmt werden, was Gott gefällt. Darauf richten wir nämlich unser ganzes Streben und unsere ganze Sorge, daß die Einheit der Eintracht durch keine Zwietracht verletzt und die Beobachtung der Ordnung durch keine Nachlässigkeit verabsäumt wird"[119]. Wieder die subsidiäre Rolle des Römischen Stuhles mit deutlicher Angabe des Sinnes derselben: Herstellung und Wahrung der „Einheit der Eintracht". Anschließend zeichnet Leo mit eindrucksvollen Sätzen das Kirchenbild, aus dem sich seine Idee vom Verhältnis Römischer Stuhl/Konzil ergibt. Es lohnt sich, den Text in extenso zu zitieren:

„Die Verbundenheit des ganzen Leibes (der Kirche) macht ihre einige Gesundheit, ihre einige Schönheit aus, und diese Verbundenheit fordert Einmütigkeit des ganzen Leibes, vor allem aber erheischt sie Eintracht der Bischöfe. Deren Würde ist zwar gemeinsam, aber nicht allgemein gleich ist ihre (Rang)ordnung *(ordo)*. Denn auch unter den seligsten Aposteln bestand bei Gleichheit der Ehre *(honoris)* doch eine gewisse Verschiedenheit der Gewalt *(potestas)*, und während bei allen gleich die Erwählung *(electio)* war, so ist es doch

---

[119] Ep. 14, 11, PL 54, 675 A: *Si autem in eo, quod cum fratribus tractandum definiendumve credideris diversa eorum fuerit a tua voluntatis sententia, ad nos omnia sub gestorum testificatione referantur, ut remotis ambiguitatibus, quod Deo placeat decernatur. Ad hunc enim finem omnem affectum nostrum curamque dirigimus, ut quod ad unitatem concordiae, et quod ad custodiam pertinet disciplinae, nulla dissensione violetur, nulla desidia negligatur.*

Einem gegeben worden, alle übrigen zu überragen *(praeeminere)*. Von diesem Muster *(forma)* rührt auch die Unterscheidung der Bischöfe her, und durch eine großartige Ordnung ist dafür gesorgt, daß nicht alle alles für sich beanspruchen, sondern im einzelnen Provinzen einzelne (Bischöfe) seien, deren Spruch *(sententia)* als der erste unter den Brüdern gelte, und wiederum, daß die in den größeren Städten bestellten Bischöfe eine umfassendere Fürsorge *(sollicitudo)* empfingen, durch diese Bischöfe aber die Sorge *(cura)* für die universale Kirche zu dem einen Stuhle Petri zusammenfließe und nichts irgendwo von (diesem) seinem Haupt getrennt sei"[120].

Gerade im Anschluß an dieses Zitat und im Lichte des hier skizzierten Kirchenbildes ist nun die Frage zu stellen: Gilt das gewonnene Ergebnis über das Verhältnis zwischen Römischem Stuhl und Partikularsynoden tatsächlich nur für letztere? Dürfen wir nicht extrapolieren und annehmen, daß Leo im Grunde sich auch als Letztinstanz über den Universalsynoden betrachtet für den Fall, daß diese zu keiner Einigung kommen? U. E. ist diese Annahme nur auszuschließen, wenn für Leo ein Wesensunterschied zwischen Partikular- und Reichssynode vorausgesetzt werden muß, etwa in dem Sinne, daß jene irren können, diese aber nicht[121]. Diese Voraussetzung braucht aber nicht gemacht zu werden.

Nun darf bei den angezogenen Texten nicht übersehen werden, daß sie sich in erster Linie auf Disziplinarfragen beziehen. Unser Ergebnis gilt also nicht unmittelbar für Glaubensstreitigkeiten. Hier ist nun auf den dritten Abschnitt dieses Kapitels zurückzugreifen, auf die Konzeption des römischen Lehrprimates durch Leo. Der Papst sieht sich als „Verkünder" privilegierter Tradition, so haben wir gesehen. Wie sieht er das Verhältnis zwischen dieser Verkündigung *(praedicatio)* und der Aufgabe des Reichskonzils?

---

[120] Ep. 14, 11, PL 54, 676 A: *Connexio totius corporis unam sanitatem, unam pulchritudinem facit: et haec connexio totius quidem corporis unanimitatem requirit sed praecipue exigit concordiam sacerdotum. Quibus cum dignitas sit communis, non est tamen ordo generalis: quoniam et inter beatissimos apostolos in similitudine honoris fuit quaedam discretio potestatis; et cum omnium par esset electio, uni tamen datum est ut caeteris praeemineret. De qua forma episcoporum quoque est orta distinctio, et magna ordinatione provisum est ne omnes sibi omnia vindicarent; sed essent in singulis provinciis singuli, quorum inter fratres haberetur prima sententia; et rursus quidam in maioribus urbibus constituti sollicitudinem susciperent ampliorem, per quos ad unam Petri sedem universalis Ecclesiae cura conflueret, et nihil usquam a suo capite dissideret.* Übersetzung nach Caspar, Papsttum, I, 456.

[121] Wenn wir bei Leo die Annahme eines ‚Wesensunterschiedes' zwischen Partikular- und Reichssynode nicht vorauszusetzen zu müssen glauben, dann ist damit natürlich nicht behauptet, daß Leo die Eigenart einer Reichssynode übersieht. Vgl. hierzu Kissling 61: „Das durch den Kaiser einberufene Konzil war aber nicht nur eine erweiterte Metropolitansynode, nicht ein rein hierarchisches Organ der kirchlichen Verwaltung. Staat und Kirche wirkten hier zusammen, und wie beide in den Augen der damaligen Zeit, man wäre fast versucht zu sagen als eine Einheit betrachtet wurden, schaute man auch ein Konzil als eine res mixta, als eine kirchlich-staatliche Versammlung an . . ." Das alles sieht Leo wohl deutlich. Eine andere Frage wiederum ist, ob er diese *res mixta* mehr fürchtet oder im Gesamtkonzept seines Kirchenbildes mehr bejaht.

Wenn wir uns von dem terminologischen Befund leiten lassen[122], dann ergibt sich als erstes: Leo sieht das Verhältnis nicht als Konkurrenz zweier Instanzen, die beide das gleiche tun. Es steht nicht Definition gegen Definition oder Verkündigung gegen Verkündigung. Vielmehr ist es Funktion des Römischen Stuhles zu ‚verkünden' und Aufgabe des Konzils zu ‚definieren'. Hiervon ausgehend, erhebt sich die Frage: Kommt in dieser zunächst bloß terminologischen Differenz eine bestimmte Idee vom Verhältnis beider Instanzen zum Ausdruck? Auf diese Frage läßt sich vielleicht die folgende Antwort geben: Der Papst ist der wesentliche Zeuge der *traditio*, in ihm kommt die *eine* Stimme der Tradition als solche zu Wort. Er „verkündet" vom Wesen seines Amtes her den *vertikalen* consensus der Kirche. Aufgabe des Konzils ist es dagegen, den *horizontalen* consensus der Kirche zu ‚definieren', d. h. durch richterliche Entscheidung gegen Abweichungen festzulegen und zur Geltung zu bringen.

Konzil und Papstamt wären damit vom Wesen der katholischen Wahrheit her[123] aufeinander bezogen. Im consensus beider läge die Evidenz des katholischen Glaubens. Die vorgetragene Hypothese findet in einigen Texten eine gewisse Stütze. Es handelt sich um Aussagen, die auf Einzelfälle bezogen sind und nur mit entsprechendem Risiko der Fehlinterpretation verallgemeinert werden dürfen.

Aufschlußreich ist in diesem Sinne der Anfang von Brief 33 an *Kaiser Marcian* vom 13. Juni 449[124]. Der Passus ist ohne Zweifel ein Meisterstück diplomatischer Briefschreibekunst. Vordergründig gelesen, hört sich der erste Satz an wie eine captatio benevolentiae: Leo lobt den Kaiser, daß er den Papst zum Reichskonzil beigezogen hat. Bei näherem Zusehen erweist sich dieses Lob aber als ein Wink mit dem Zaunpfahl: des Kaisers vorgebliches Interesse an der Konzilsbeteiligung des Papstes wird interpretiert als dessen Wunsch, von „Petrus" den rechten Glauben zu erfahren. Im weiteren Verlauf des Briefes leuchtet dann schließlich —

---

[122] Vgl. Anm. 65 und 75.
[123] *Ecclesiae catholicae universitatis et antiquitatis consensio.* Vinzenz von Lerin, Commonitorium 38, 31. Vgl. S. 154.
[124] Ep. 33, 1, ACO II, 4, 15, 13—22: *Religiosa clementissimi principes fides … hanc reverentiam divinis detulit institutis, ut ad sanctae dispositionis effectum auctoritatem apostolicae sedis adhiberet, tamquam ab ipso beatissimo Petro cuperet declarari quid in eius confessione laudatum sit, quando dicenti domino „quem me esse dicunt homines filium hominis?" varias quidem diversorum opiniones discipuli memorarunt, sed cum ab eis quid ipsi crederent, quaereretur, princeps apostolorum plenitudinem fidei brevi sermone conplexus „tu es" inquit, „Christus filius dei vivi" hoc est tu qui vere es filius hominis, idem vere es filius dei vivi, tu, inquam, verus in deitate, verus in carne et salva geminae proprietate naturae utrumque unus.*

indirekt zwar nur, aber sichtbar für jeden, der sich bemüht, den diplomatischen Stil Leos zu durchschauen — Leos Idee über das Verhältnis des Römischen Stuhls zum fraglichen Konzil durch: Die Jünger, von denen in Mt 16, 16—18 die Rede ist — der Leser ist eingeladen, sie mit den Konzilsvätern zu identifizieren —, geben, solange Petrus seine Stimme nicht erhoben hat, nur die „vielfältigen Ansichten von je einzelnen" *(diversorum)* wieder, der „Apostelfürst" *(princeps apostolorum)* dagegen verkündigt die „Fülle des Glaubens", und zwar — das ist zu beachten — des Glaubens eben dieser gleichen Jünger! Das heißt doch, wenn unser Ansatz zur Auslegung dieser Stelle richtig ist: das Konzil ist ohne das Zeugnis des Papstes Resonanzboden der Uneinigkeit verschiedenster Richtungen und Meinungen. Aufgrund der privilegierten Tradition jedoch, die der Papst bezeugt, findet das Konzil hin zur Einheit des Glaubens.

Brief 102 vom 27. Januar 452 an die *gallischen Bischöfe* dürfte ebenfalls unsere Hypothese stützen, daß Leo in der Weise Konzil und Römischen Stuhl aufeinander bezogen sein läßt, daß der Papst primär als „Verkünder" der Tradition, also des vertikalen consensus, fungiert, das Konzil hingegen primär als Repräsentanz des horizontalen consensus. Der Zusammenklang beider ist nicht von irgendwo und irgendwie ableitbar; er ist, weil geistgewirkt, Gegenstand der Hoffnung. Er habe, so führt Leo aus, in seinem Tomus die „evangelische und apostolische Tradition über die Fleischwerdung unseres Herrn Jesus Christus" in der Zuversicht *(fiducia)* verkündigt, daß „unser aller Bekenntnis eines und unverschieden ist"[125]. Was zunächst den vorkonziliaren Zusammenklang des doppelten consensus angeht, den zwischen Papst und gallischen Bischöfen, so sieht Leo seine Hoffnung nicht getäuscht: tatsächlich sind die gallischen Bischöfe mit ihm im Glauben eins. In eben diesem Zusammenhang nun kommt Leo auch auf den consensus des Konzils selbst zu sprechen. Worin besteht er? Zunächst negativ darin, daß keine Argumente *(ars ratiocinandi, eloquia disserendi)* mehr „gegen den göttlich begründeten Glauben" erlaubt sind. Das Konzil verbietet ausdrücklich die Infragestellung des consensus. Worin besteht er aber positiv? „Nicht nur den Priestern (Bischöfen) Christi, sondern auch

---

[125] Ep. 102, 1—2, ACO II, 4, 53, 21—25: *Quod ergo, sicut causa poscebat, fiduciam nostram quam de vobis habemus in Domino, fideliter atque obedienter auxistis, multa exultatione gaudemus. et merito nos cognoscimus fratribus et coepiscopis nostris Orientalibus intimasse quod secundum evangelicam et apostolicam traditionem de incarnatione domini nostri Jesu Christi una esset omnium nostrum et indiscreta confessio . . .*

den christlichen Kaisern und Machthabern, allen Ständen des Klerus und
des Volkes wurde es in aller Deutlichkeit offenkundig, daß es keinen anderen aus der Quelle der göttlichen Güte strömenden wahrhaft apostolischen und katholischen Glauben gibt ... als den, den wir nunmehr
unter Zustimmung der ganzen Welt, so wie wir ihn empfangen haben,
verkünden und verteidigen ...“[126] Das Konzil besteht im Ereignis, im
Zusammenklang dieses doppelten consensus. In der Verkündigung des
Papstes, dem consensus der Tradition, erkennt der Erdkreis seinen
eigenen gemeinsamen Glauben.

Was bedeutet dieser zusätzliche consensus des Konzils, wenn doch die
„Verkündigung“ des Papstes schon den „apostolischen“ Glauben dar-
legte? Er bedeutet eine „noch offenbarere Gnade Gottes, die der Welt(!)
gewährte, daß beim Sieg der Wahrheit die Urheber des so sehr verletzten Glaubens zugrunde gingen und der Kirche ihre Integrität wieder-
geschenkt wurde“. Das Konzil, eine zusätzliche Gnade, denn jedenfalls
„hätte der Apostolische Stuhl in der Kraft des Heiligen Geistes die Freiheit des Evangeliums verteidigt ...“[127]

Stimmt unsere Interpretation, dann ist das Konzil im Vergleich zum
Römischen Stuhl tatsächlich rein ,akzidentell‘ — unter der Rücksicht
der Verkündigung des Evangeliums, mag es unter anderer Rücksicht
auch notwendig sein. Das große Konzil von Chalcedon ein Akzidens
der päpstlichen Verkündigung! Daß Leo das Verhältnis von Römischem Stuhl und Konzil so sieht, verrät bisweilen eine schon sprachlich
auffallende Formulierung: „... unaufhörlich habe ich mich dafür eingesetzt ..., daß alle Brüder anerkennen, was überall gemäß der apostolischen Lehre zu halten und zu lehren ist; hinzukam (*accedente*) der
göttlich eingegebene Eifer der glorreichsten Kaiser, in Chalcedon eine
Synode zu versammeln und die häretische Gottlosigkeit zu verurtei-

---

[126] Ep. 102, 2, ACO II, 4, 53, 30—54, 6: *Non enim ultra iam cuiquam excusationis refugium de ignorantia vel de intelligentiae difficultate conceditur, cum ob hoc ipsum sexcentorum fere fratrum coepiscoporumque nostrorum synodus congregata nullam artem ratiocinandi, nullum eloquium disserendi contra fundatam divinitus fidem inspirare permiserit, quoniam annitentibus per auxilium gratiae dei fratribus et vicariis nostris, quorum plenissima extitit in omni actione devotio, non solum sacerdotibus Christi, sed etiam principibus ac potestatibus Christianis cunctisque cleri et plebis ordinibus plene atque evidenter apparuit hanc esse vere apostolicam et catholicam fidem ex divinae pietatis fonte manantem, quam sinceram et ab omni faece totius erroris alienam, sicut accepimus, praedicamus et universo iam mundo consentiente defendimus ...*
[127] Ep. 104, 1, ACO II, 4, 55, 11—14: *... etsi in virtute spiritus sancti inter quaslibet dissensiones per sedis apostolicae famulatum evangelii erat defendenda libertas, manifestior tamen apparuit gratia dei, quae praestitit mundo ut in victoria veritatis auctores tantum violatae fidei deperirent et sua integritas ecclesiae redderetur.*

len..."[128] — Im Brief 139 vom 4. September 454 an *Juvenal von Jerusalem* nennt Leo nacheinander als Mittel zum rechten Glauben an die Menschwerdung Jesu Christi: die Väter, den Tomus „mit der beigefügten Bestätigung durch ein universales Konzil"[129].

Solche Formulierungen verraten: das Konzil ist für Leo nicht der wesentliche Ort oder das wesentliche Instrument der *traditio;* das Konzil dient vielmehr der Wahrheitsvermittlung in der Horizontale, es dient der Wahrheitsverbreitung, der äußeren Vernichtung der Häresie[130]. In diesem Zusammenhang bekommt der terminologische Befund Bedeutung, daß Leo seine eigene Funktion, die er z. B. durch seinen Tomus ausübt, als *praedicatio* bezeichnet, dem Konzil aber, soweit wir sehen, diesen gewichtigen Terminus vorenthält. Umgekehrt ist es zu beachten, daß Leo zwar von *definitiones* der Konzilien spricht[131], seine eigene Glaubensverkündigung im Tomus aber nicht mit diesem Terminus be-

---

[128] Ep. 118, 1, ACO II, 4, 71, 28—72, 5: *In causa itaque fidei quidquid pro nostro officio agi potuit ac potest, iuvante domino et sollicite et libenter exsequimur, ut evangelio Christi irreprehensibiliter serviamus nec per desidiam nostram ulla pars catholicae ecclesiae neglecta videatur. Propter quod sicut omnibus notum est, non destiti laborare ut manifestata atque defensa incarnationis dominicae veritate omnis fraternitas quid ubique secundum doctrinam apostolicam et tenendum et docendum esset, agnosceret, accedente gloriosissimorum principum studio divinitus inspirato, ut in civitate Calchedonensi, synodo congregata haeretica damnaretur impietas ...*

[129] Ep. 139, 4, ACO II, 4, 93, 13—16: *Haec autem veritas* (die wahre Menschheit Christi) *quantis et novi et veteris testamenti auctoritatibus declaretur, evidenter agnoscis, cum fides patrum et scripta mea ad sanctae memoriae Flavianum data ... adiecta universalis synodi confirmatione sufficiant.* Hierhin gehört auch die Absetzungssentenz über Dioscurus auf dem Konzil von Chalcedon in der doppelten Fassung. Vgl. hierzu KLINKENBERG 88—89.

[130] In diesem Sinne schreibt Leo an Marcian: *Nam cum vestro praecipue opere sit effectum ut per synodale concilium damnatis impii dogmatis defensoribus omnes vires sacrilegus error amitteret, ad eiusdem devotionis pertinet palmam, si malum quod in suis ducibus oppressum est, etiam in quibuscumque reliquiis deleatur* (Ep. 115, 1, ACO II, 4, 67, 17—20).

[131] So z. B. häufig vom Konzil von Nicaea und Chalcedon, vgl. Anm. 42, usw. Außerdem Ep. 14, 11, PL 54, 675 A: *si autem in eo quod cum fratribus tractandum definiendumve credideris ...;* Ep. 5, 3, PL 54, 615 C: *(cuncta) quae sunt ecclesiasticis canonibus definita ...;* Ep. 94, ACO II, 4, 50, 4—7: *Unanimiter cum sanctae fraternitatis assensu ... definire ...* Ep. 152, ACO II, 4, 99, 15: *a sancto synodali Calchedonensis definitionibus ...* — Fast etwas von Willkür schwingt bei Erwähnung des Terminus mit, wenn Leo von Anatolius schreibt: *... repudiandum sibi quod ausa est contra puram et singularem fidem imperita insipientia definire ...* (Ep. 70, ACO II, 4, 30, 3—5); ähnlich Ep. 166, 1, PL 54, 1193 AB, wo es um die Problematik der Wiedertaufe geht: *quis enim ita sit suspicationibus suis deditus, ut verum esse definiat quod, omni manifestatione cessante, ex opinione ambigua suspicatur?* — Auch Entscheidungen des Kaisers kann Leo mit dem Terminus *definire* bezeichnen, Ep. 148, ACO II, 4, 99, 2: *ex vestrae fidei sententia saluberrime definitum est ...* Die Osterterminbestimmung nennt Leo ebenfalls eine *definitio*, Ep. 138, PL 54, 1102 B: *orientalium definitioni acquiescere (malui).* Schließlich verwendet er den Terminus auch im Sinne von ‚Sätzen‘, hier im Sinne von häretischen Lehrsätzen, Ep. 1, 3, PL 54, 595 A: *omnes definitiones suas* (Pelagianer) *ad subrependi facilitatem improbare se simul(ant) atque deponere ...*

zeichnet[132]. Darin liegt Konsequenz: die authentische „Verkündigung"
des Evangeliums ist eben dem Lehrprimat des Römischen Stuhles anvertraut, Sache des Konzils dagegen ist das „Urteil", die *definitio*, d. h.
die wirksame Vernichtung der Häresie auf dem Erdkreis.

5. Ein Modell?

Abschließend stellt sich die Frage nach einem Modell für die spezifische
Konzeption Leos vom Verhältnis zwischen Römischem Stuhl und Synoden. Um Mißverständnissen vorzubeugen: gesucht wird nicht nach
einer Quelle für das kirchliche Synodalwesen und die entsprechende
Gesetzgebung Leos. Die kirchliche Synode hat nämlich längst eine eigene
Tradition entwickelt, nachdem sie am Anfang stark in ihren konkreten
Formen von der römischen Senatspraxis geprägt wurde[133]. Gesucht wird
vielmehr nach einem möglichen Vorbild für das besondere Verhältnis,
wie es Leo zwischen dem Römischen Stuhl und den kirchlichen Synoden
konzipiert. Denn hierfür gibt es in der kirchlichen Überlieferung selber
kein Modell, einfach deswegen nicht, weil die Papstidee nicht so entfaltet war, daß sich das Problem ihres Verhältnisses zu den Synoden
stellte.

Auf diese Frage nach einem möglichen Modell für Leos Konzeption
bietet sich das Verhältnis zwischen dem römischen Kaiser und den
Provinziallandtagen an. Zugunsten einer solchen Modellfunktion spricht
einerseits die Tatsache, daß Leos Papstkonzeption jedenfalls von der
Idee des Prinzipates beeinflußt ist, andererseits der Umstand, daß die
römischen Provinziallandtage zur Zeit Leos tatsächlich eine Reihe analoger Züge zu den kirchlichen Synoden aufweisen, sich von daher also
die Möglichkeit eines Vergleichs zwischen Kaiser/Provinziallandtage und
Papst/Synoden anbietet.

Was nun den ersten Punkt angeht, den Einfluß der Prinzipatsidee auf
Leos Papstkonzeption, so können wir uns kurz fassen. Das Wesentliche

---

[132] Für eigene Entscheidungen in Disziplinarfragen verwendet Leo durchaus den Terminus
definire: id enim nos . . . vestra noverit dilectio definisse (Strafe für Nichtteilnahme an Konzilien)
(Ep 13, 2, PL 54, 665 B); *nullis umquam epistolis definivi . . .* (Ep. 95, 3, ACO II, 4, 51, 10—11);
nihil possumus incognitis rebus in cuiusque partis praeiudicium definire . . . (Ep. 23, 1, ACO II, 4, 5,
5—8); *hoc tamen proprium definitionis meae est* (Ep. 119, 4, ACO II, 4, 74, 19). Gleiche
Bedeutung dürfte *decernere* haben: *sensum autem praedicti* (scil. Eutyches) *. . . etiam nos detestandum
esse decernimus . . .* (Ep. 32, ACO II, 4, 12, 6—7); *(illa pars ecclesiasticae disciplinae) qua olim a
sanctis patribus et a nobis saepe decretum est* (Ep. 1, 5, PL 54, 596 A); *sine exceptione decernimus . . .*
(Ep. 17, PL 54, 705 A).

[133] Vgl. hierzu Batiffol, Règlements, und ders., L'Origine.

ist hier von U. Gmelin herausgearbeitet worden. Das Ergebnis seiner Arbeit etwas relativierend, stellt er fest:

„Es kann keine Rede davon sein, daß die gesamte Topologie des Petrusbildes allein aus der weltlichen Sphäre stammt... Wir müssen uns darüber klar sein, daß der Petrusdoktrin ein christliches Glaubensgut aus älterer Zeit innewohnt und daß Petrus wie alle Apostel eigene auctoritas besaßen, deren Substanz letztlich das Charisma des Stifters bildet... Was sich also in Rom, beginnend mit Stephan I. und gekrönt durch Leo den Großen, vollzieht, ist eine Umgestaltung der Form infolge der stadtrömischen Ideenwirkung. Aber die neue Form wirkt nach innen und bestimmt den Inhalt mit..."[134]

Zugunsten einer Vorbildfunktion des Verhältnisses Kaiser/Provinzial-landtage spricht zweitens der Umstand einer gewissen Analogie zwischen letzteren und den kirchlichen Synoden. Worin bestehen diese Ähnlichkeiten? Um hierauf zu antworten, ist zunächst etwas auf die Geschichte dieser sog. Provinziallandtage einzugehen. Es handelt sich dabei um sehr alte Einrichtungen, die aus der Zeit der Republik stammen und während der Kaiserzeit im gesamten Römischen Reich verbreitet waren[135]. Das *concilium provinciae* wurde gebildet von den Delegierten der einzelnen Provinzstädte. Ihre Hauptaufgabe bestand in der Sorge für den Rom- und Kaiserkult der betreffenden Provinz. Zu diesem Zweck wählte das *concilium provinciae* den *sacerdos provinciae*. Außerdem befaßte sich der Provinziallandtag mit Fragen allgemeinen Interesses. Der Zufriedenheit oder Unzufriedenheit mit den kaiserlichen Provinzialbehörden wurde durch Abstimmung Ausdruck gegeben. An den Kaiser richteten die Landtage Petitionen in den verschiedensten Angelegenheiten. Unter Diokletian wurden die *concilia* der neuen Reichseinteilung angepaßt. Obwohl ursprünglich zur Organisation des Kaiserkultes bestimmt, überlebten sie die Abschaffung desselben. Denn es blieb den Provinziallandtagen u. a. die Aufgabe, durch die Wahl des sog. *sacerdos* die Spiele in der Provinzhauptstadt zu organisieren[136], ferner andere Fragen von allgemeinem Interesse, z. B. Steuerprobleme, zu diskutieren. Man faßte Beschlüsse *(decreta)* und schickte Abordnungen an den Kaiser.

Für unsere Fragestellung ist nun wichtig, was E. Kornemann über die Existenz dieser Provinziallandtage schreibt: „Bei der Veröffentlichung des Codex Theodosianus im Jahre 438 waren sie (d. h. diese Landtage) noch in vollkommener Tätigkeit... Vor Justinian ist die Institution

---

[134] Gmelin 122.
[135] Vgl. zum folgenden Jones, II, ‚provincial assemblies', 763—766; ferner E. Kornemann, Art. concilium, in: PRE 4 (1901) 801—830, der vor allem die Zeugnisse für die Existenz dieser Versammlungen zusammenstellt, ihre Organisation, Zusammensetzung und Befugnisse behandelt. Zum Ganzen vgl. auch J. Deininger, Die Provinziallandtage der römischen Kaiserzeit, von Augustus bis zum Ende des 3. Jahrhunderts, München 1965, bes. 136—188.
[136] Hierzu Einzelheiten bei Jones II, 764—765.

schon sehr außer Brauch gekommen"[137]. Hauptquelle nun, die uns erlaubt, auf gewisse Analogien zwischen diesen Provinziallandtagen und den kirchlichen Synoden hinzuweisen, ist der *Codex Theodosianus*, und zwar der Abschnitt *De legatis et decretis legationum* (Buch XII, 12). Gleich das erste Gesetz, das grundsätzlich die Versammlungs- und Beschlußfreiheit dieser Provinziallandtage garantiert[138], scheint die analoge Struktur von Synoden und Provinziallandtagen sichtbar zu machen: beide sind je auf ihre Weise frei funktionierende Körperschaften mit eigener Beschlußfähigkeit. Das dritte und vierte Gesetz befaßt sich mit Kompetenzfragen. Für die Petitionsdekrete der Provinziallandtage werden die jeweiligen Instanzen festgelegt. Außerdem wird die unverfälschte Weiterleitung der Beschlüsse urgiert[139]. Die siebte Konstitution bestimmt die Zahl der von Provinziallandtagen an den Kaiser abzusendenden Abgeordneten[140], eine Anordnung, die in ähnlichen Bestimmungen Leos eine Parallele hat[141]. Die Petitionen aus den Provinzen an den Kaiser sollen nicht ohne die Zwischeninstanz des Stadtpräfekten von Rom an den Kaiser geleitet werden[142]. Die neunte Konstitution verbietet das Verzögern solcher Landtage durch die betreffenden kaiserlichen Behörden[143], die elfte bestimmt, daß die Legaten für ihre Petitionen Schriftstücke vorzulegen haben, über die in eben diesen Landtagen

---

[137] KORNEMANN 829.

[138] CTh 12, 12, 1, MOMMSEN 726: *In Africanis provinciis universis conciliis liberam tribuo potestatem, ut congruente arbitrio studii condant cuncta decreta aut commodum quod credunt consulant sibi, quod sentiunt eloquantur decretis conditis missisque legatis. Nullus igitur obsistat coetibus dictator, nemo conciliis obloquatur.*

[139] CTh 12, 12, 3, MOMMSEN 726: *Provinciales desideriorum suorum decreta initio aput acta ordinariorum iudicum prosecuti ad sedis tuae eminentiam mittant, ut inpudentior petitio refutetur aut iustior petita commoda consequatur. Si qua autem eiusmodi fuerint, quae magnificentiam tuam probabili cunctatione destringant, super his satis erit consuli scientiam nostram, ita ut cunctas petitiones cum litteris tuis legatorum unus advectet.*
CTh 12, 12, 4, MOMMSEN 727: *Iuxta legem divi Constantini nihil post tractatum habitum civitatum voluntate mutetur sive mutiletur, sed integrae atque inhibitae civitatum petitiones ad magnificentissimae sedis tuae notitiam perferantur, ut sit examinis tui quaenam ex his auxilio tuo implenda protinus, quae clementiae nostrae auribus intimanda videatur.*

[140] CTh 12, 12, 7, MOMMSEN 727: *Cum desideria sua singulae civitates cupiunt explicare, non viritim legatos mittant ad nostri numinis comitatum, sed tractatu habitoque conventu tres e provincia, qui petitionis advehant, deligantur; multae conpetentis denuntiatione praestrictis his . . . qui provincias moderantur.*
[141] Vgl. Anm. 9.

[142] CTh 12, 12, 8, MOMMSEN 727: *Quaecumque civitas legatos ad sacrarium nostrum voluerit ordinare, libera ei tribuatur facultas, ita tamen, ut a te probata atque elimata ad nos desideria perferantur.*

[143] CTh 12, 12, 9, MOMMSEN 728: *Sive integra dioecesis in commune consuluerit sive singulae inter se voluerint provinciae convenire, nullius iudicis potestate tractatus utilitati eorum congruus differatur neque provinciae rector aut praesidens vicariae potestati aut ipsa etiam praefectura decretum aestimet requirendum . . .*

abgestimmt wurde[144]. Die zwölfte Konstitution befaßt sich u. a. mit dem zur Teilnahme berechtigten bzw. verpflichteten Personenkreis[145]. Die dreizehnte legt Modalitäten fest, wie z. B. Ort und Öffentlichkeit des Landtags[146], die fünfzehnte schärft u. a. die Teilnahmepflicht ein[147]. Auch über die jährliche Abhaltung solcher Landtage innerhalb einer bestimmten vorgeschriebenen Frist liegen Bestimmungen vor. Wie bei Leo sind für Säumige Strafen vorgesehen[148]. Möglicherweise haben nicht alle Teilnehmer der Provinziallandtage eigentliches Stimmrecht, sondern nur die *honorati*[149], worin man ebenfalls eine Ähnlichkeit mit kirchlichen Synoden sehen kann, in denen nur die Bischöfe, nicht aber die teilnehmenden Priester stimmberechtigt waren[150].

Ohne Zweifel lassen sich, wie der Überblick ergibt, gewisse Analogien zwischen den zur Zeit Leos existierenden und funktionierenden Provinziallandtagen und den kirchlichen Synoden feststellen. Für die eine

---

[144] CTh 12, 12, 11, MOMMSEN 728: *Si quis vel civitatis vel provinciae vel corporis alicuius ita prosequi desideria voluerit, ut non omnia mandata litterarum, decretorum auctoritate demonstret, inauditus ac sine effectu remeare protinus iubeatur.*

[145] CTh 12, 12, 12, MOMMSEN 728: *Si quod extraordinarium concilium postulatur, cum vel ad nos est mittenda legatio vel vestrae sedi aliquid intimandum, id, quod inter omnes communi consilio tractatuque convenerit, minime in examen cognitoris ordinarii perferatur. Provincialium enim desideria, quibus necessaria saepe fortuitis remedia deposcuntur, vobis solis agnoscere atque explorare permittimus, nobis probationem ac iudicium reservamus. Ad provinciale concilium in una frequentiore totius provinciae urbe cunctos volumus convenire, qui primatum honorantur insignibus . . .*

[146] CTh 12, 12, 13, MOMMSEN 729: *Provinciale concilium quo tempore iniri debeat, cum adsensu omnium atque consilio propria auctoritate definiat, ita ut ipse conventus in una opulentiore totius provinciae urbe absque ullius iniuria celebretur. Inde quod in consilium communia vota deducunt, vel in aede publica vel in aliqua fori parte tractetur, ad quam omnium possit esse concursus, ne quid dispositio paucorum tegat, quod in communem utilitatem expetat sollicitudo cunctorum . . .*

[147] CTh 12, 12, 15, MOMMSEN 729: *Quotiens legatio destinatur, universos curiales praecipimus qui intra urbem consistunt, si non aegritudine vel alia inexcusabili necessitate inpediuntur, in locum curiae convenire et decreta sua propria subscriptione firmata viro spectabili praefecto Augustali insinuare, ut eius relatione tuis virtutibus intimata et sub examine tuo perpensa venire necne legati debeant, ordinetur . . .*

[148] Honorius/Theodosius, ep. ad Agricolam, MGH. Ep. III, nr. 8, 14, 29—15, 4: *Unde inlustris magnificentia tua et hanc praeceptionem nostram et priorem sedis suae dispositionem secuta, id per Septem Provincias in perpetuum faciet custodiri, ut ab Idibus Augustis quibuscumque mediis diebus in Idus Septembris in Arelatensi urbe noverint honorati vel possessores, iudices singularum provinciarum annis singulis concilium esse servandum, ita ut de Novempopulata et secunda Aquitanica, quae provinciae longius constitutae sunt, si earum iudices occupatio certa retinuerit, sciant legatos iuxta consuetudinem esse mittendos. qua provisione plurimum et provincialibus nostris gratiae nos intelligimus utilitatisque praestare, et Arelatensi urbi, cuius fidei secundum testimonia atque suffragio parentis patriciique nostri multa debemus, non parum adicere nos constat ornatui. sciat autem magnificentia tua auri libris iudicem esse multandum, ternis honoratos vel curiales, qui ad constitutum locum intra definitum tempus venire distulerint.*

[149] Sidonius Apol., ep. I, 6, MGH. AA 9, 20—22: *Nonne quid te concilii tempore post sedentes censentesque iuvenes inglorium rusticum, senem stantem latitabundum pauperis honorati sententia premat . . .* Vgl. hierzu JONES, III, 247.

[150] Näheres hierzu bei HEFELE/LECLERCQ I, 23—41.

oder andere dieser Analogien wird man sogar eine direkte Abhängigkeit nicht mit Sicherheit ausschließen können, und zwar in beiden Richtungen eines möglichen Abhängigkeitsverhältnisses (warum soll z. B. die kirchliche Vorschrift jährlicher, regelmäßiger Versammlungen nicht Pate gestanden haben für die entsprechende Anordnung bezüglich der Provinziallandtage?). Bei aller Ähnlichkeit dieser mehr äußeren Analogien ist jedoch ein fundamentaler Unterschied zwischen den Provinziallandtagen und den kirchlichen Synoden nicht zu übersehen: Die Provinziallandtage scheinen nach den angezogenen Quellen wesentlich Gremien zur Erarbeitung von gemeinsamen Petitionen an den Kaiser gewesen zu sein. Sie vertreten die Interessen der Provinz gegenüber dem absoluten Monarchen. Eigenes Recht scheinen sie keines zu besitzen, das Petitionsrecht ist ihnen vom Kaiser gewährt. Anders die kirchlichen Synoden, gerade auch in der Sicht Leos. Sie sind Körperschaften, die mit ureigenstem Recht ausgestattet sind. Ihre Dekrete sind alles andere als Petitionen an den Papst, es sind vielmehr rechtsgültige Entscheidungen, die lediglich gegebenenfalls der päpstlichen Zustimmung bedürfen. Die Rolle des Papstes ist subsidiär, nicht absolutistisch wie die des Kaisers.

Wegen dieses fundamentalen Unterschiedes zwischen kirchlichen Konzilien und römischen Provinziallandtagen scheint uns eine Modellfunktion des Verhältnisses Kaiser/Provinziallandtage für das Verhältnis Papst/Konzilien kaum in Frage zu kommen.

Kapitel IV

DER KONZILSBEGRIFF DES VINZENZ VON LERIN
(† vor 450)

Die in den drei vorausgehenden Kapiteln behandelten Autoren, Athanasius, Augustinus und Leo der Große, haben wie wenige andere die Entfaltung des kirchlichen Dogmas bestimmt und beeinflußt. Sie sind nicht nur wichtige Zeugen der Tradition, sondern im eminenten Sinn deren Gestalter. Die in diesem und im folgenden Kapitel vorzustellenden Theologen gehören nicht zu dieser Kategorie von Männern. Vinzenz von Lerin spielte im christlichen Altertum eine vergleichsweise sehr bescheidene Rolle, er ist im Grunde eine Entdeckung des 16. Jahrhunderts. Theodor Abû Qurra lebte so sehr an der Grenze des Reiches und der Alten Kirche — im räumlichen und zeitlichen Sinne — daß seine Theologie nicht geschichtswirksam werden konnte. Sind Vinzenz und Theodor auch keine Gestalter, so sind sie doch Zeugen der Tradition. Auf diesen Titel hin haben sie ihren Platz in einer Geschichte der altkirchlichen Konzilsidee.

Der Umfang der Äußerungen des Leriners[1] zu den kirchlichen Konzilien ist, wie wir sehen werden, recht bescheiden; es handelt sich um einige wenige Sätze. Die Tatsache aber, daß dieselben im Rahmen einer umfassenden Theorie über die Überlieferung der christlichen Wahrheit vorgebracht werden, läßt sie höchst bedeutsam erscheinen und rechtfertigt eine genauere Untersuchung. Dementsprechend ergibt sich für den Aufbau unserer Studie, daß wir zunächst die Theorie des Leriners über die Überlieferung der christlichen Wahrheit, sein Traditionsprinzip, zu skizzieren haben. Im Hauptteil werden wir dann die das Konzil betreffenden Äußerungen analysieren und die Eigenart der vinzentinischen Konzilstheorie herausarbeiten. Anschließend folgen noch einige Hinweise auf die in Frage kommenden „Quellen" dieser Theorie, ferner eine erste Bestimmung ihres dogmengeschichtlichen Ortes. Als Hinführung zum Thema dient eine Überlegung zur Interpretation des Commonitoriums.

---

[1] Wir zitieren das *Commonitorium* nach der Ausgabe von A. JÜLICHER, Sammlung ausgewählter kirchen- und dogmengeschichtlicher Quellenschriften, Erste Reihe, Zehntes Heft, Tübingen 1925.

1. Zur Interpretation des Commonitoriums

Es ist in jüngster Zeit vergleichsweise still geworden um das Commonitorium[2]. Welcher Beliebtheit sich das Werk in früherer Zeit, vor allem in der nachreformatorischen, erfreute — und zwar in beiden Lagern, dem katholischen sowohl als dem protestantischen —, zeigt ein Blick in die ,Bibliotheca historico-literaria Patrum Latinorum' des C. T. G. Schoenemann: ,per singulos paene annos' erscheint eine neue Edition[3]. Was die Kommentatoren dabei am Werk des Leriners fast ausschließlich interessiert, ist, wie zu erwarten, der sog. Kanon, die Regel zur Unterscheidung zwischen Häresie und Orthodoxie[4]. Obwohl immer wieder in seiner praktischen Anwendbarkeit bezweifelt[5], findet der Kanon des

---

[2] Vgl. die wenigen neueren Arbeiten zum Werk des Leriners. Kurze Gesamtwürdigungen geben G. BARDY, in: DThC XV b (1950) 3045—3055; M. SCHUSTER, in: PRE, Zweite Reihe 16 (1958) 2192—2197; K. BAUS, in: LThK[2] 10, 800—801. Mit den Quellen des Leriners befaßt sich E. SCIUTO, in: MSLCA 1954, 127—138; mit der Frage des Antiaugustinismus E. GRIFFE, in: BLE 62 (1961) 26—32 und W. O'CONNOR, in: DoC 16 (1963) 123 bis 257; mit dem Problem Schrift und Tradition M. KOK, in: IKZ 52 (1962) 75—85; J. A. FICHTNER, in: AEcR 149 (1963) 145—161.

Vgl. auch neuerdings M. LODS, Le progrès dans le temps de l'Eglise selon Vincent de Lérins, in: RHPhR 55 (1975) 365—385, der 377—379 auch die Konzilsproblematik streift. — Die einzige, etwas umfangreichere Studie ist immer noch die von J. MADOZ, El concepto de la tradición en s. Vincente de Lerins. Estudio histórico-crítico del ,Conmonitorio', Rom 1933, 213 S. Dort auch ausführliche Literaturangaben bis zum Erscheinungsjahr der Studie.

[3] Bd. II, Leipzig 1794, 798—810. — A. D'ALÈS, La fortune du Commonitorium, in: RSR 26 (1936) 334—356, hier 334, zählt für das 16. Jahrhundert 35 Editionen und 22 Übersetzungen, für das 17. 23 Editionen und 12 Übersetzungen, für das 18. 12 Editionen und 12 Übersetzungen, für das 19. 13 Editionen und 21 Übersetzungen!

[4] Com. 2, 3; 3, 20—23: *In ipsa item catholica ecclesia magnopere curandum est, ut id teneamus, quod ubique, quod semper, quod ab omnibus creditum est: hoc est etenim vere proprieque catholicum.*

[5] Vgl. u. a. die treffenden Bemerkungen von SCHOENEMANN 797: „Vincentii Commonitorium, ut primum e manibus auctoris sui exiit, plures statim, et frequentes deinceps per omne aevum lectores et ex lectoribus amatores invenit. Non immerito quidem. Est enim huic auctori proprium acumen quoddam, etsi falsum interdum et ineptiens, et dicendi genus concisum crebrisque interrogationibus et respondendi docendique quadam fiducia vividum, quod facile multos, quorum quisque suam opinionem ad lectionem afferebat, detinere poterat. Quae causa etiam fuit haud dubie, cur recentioribus temporibus inter utriusque ecclesiae summi et infimi ordinis eruditos admiratores ac laudatores invenerit et ab utraque parte ad alteram erroris convincendam adhibitum fuerit." — J. G. WALCH, Bibliotheca Patristica, Jena 1770, 453—4, äußert noch deutlicher seine Skepsis und Ablehnung: „Nunc addo, librum hunc esse, in quo Vincentius commendat traditionem ecclesiae catholicae, veluti certissimam controversiarum normam et, ut persuadeat sibi, optimam rationem, haereticos refellendi. Quocirca non mirum est, quod liber hic apud pontificis romani adsectatores in magno sit honore atque existimatione summisque laudibus in caelum efferatur. At vero traditiones minime rectam, certam facilemque viam monstrare ad lites decidendas: immo cum variis iisque maximis difficultatibus coniunctas esse, adeo ut ubi pedem tuto ponere liceat, in illis haud inveniatur, iam dudum doctores nostri ostenderunt atque in Vincentium censoriam animadversionem merito adhibuerunt." (Es folgen Verweise auf VOSSIUS, RIVETUS, NOVISIUS.)

Leriners doch auch jeweils Verteidiger und Befürworter, nicht weniger auf seiten der Katholiken[6] als auf seiten ihrer verschiedensten Gegner[7] Die Berufung auf den Kanon durch die Infallibilitätsgegner hatte zur Folge, daß römisch-katholische Theologen wie J. B. Franzelin sich veranlaßt sahen, den Text durch eine Reihe von Distinktionen zu entschärfen, die praktisch bis heute die Diskussion beherrschen[8], ohne daß jedoch Einstimmigkeit erreicht wurde, weder darüber, ob es sich beim Kanon um zwei oder drei Kriterien handelt, noch darüber, ob die besagten Kriterien *universitas, antiquitas, consensio,* distributiv oder konjunktiv anzuwenden sind[9].

Das Ergebnis dieser Auseinandersetzungen über die Interpretation des Kanons ist schließlich eine „nüchterne Einschätzung des Kommonitoriums" überhaupt[10]. Auch die gründliche Studie von J. Madoz[11] bleibt im Rahmen der aufgezeigten Problematik: Man analysiert den Kanon, fragt, wie er zu verstehen und anzuwenden ist, und beurteilt je

---

Aus dem frühen 19. Jahrhundert liegt u. a. die kritische Stellungnahme vor des Katholiken A. Gengler, Über die Regel des Vinzenz von Lerin, in: ThQ 1833, 579—600, hier 587: „Demnach liegt eben das Mangelhafte der Regel des Vincentius für den gegebenen Fall darin, daß sie uns auf unser unmittelbares, individuelles Wissen verweist, was doch für den gegebenen Fall nach der Voraussetzung unzureichend ist, und daß sie nicht vielmehr zu einer äußeren, unsere unmittelbare Einsicht ergänzenden und erweiternden Auktorität es führt."

[6] Vgl. u. a. den Anonymus, der auf Gengler in: Kath. 1 (1837) 113—137, hier 119, Bezug nimmt: „Das Vincentinische Criterium zeigt, wo, wie und wodurch immer die Kirche spricht, es lehrt uns den Ruf der Kirche jederzeit zu erkennen und setzt uns in den Stand, an diesem Ruf im Gewirre der verschiedenartigsten Stimmen die wahre Lehrerin und durch sie die christliche Wahrheit zu finden".

[7] ,Incredibile enim dictu est, quantopere ad defendendum suum errorem canone Vincentiano abusi sint tum saeculis XVII et XVIII janseniani, tum hoc nostro saeculo quotquot sub tempore concilii Vaticani contendunt doctrinam (scil. infallibilitatis papalis) non esse dogma definibile ab ecclesia' (L. de San, De divina traditione et scriptura, Brugis 1903, n. 213). — Zur Berufung der Infallibilitätsgegner auf den Vinzentinischen Kanon vgl. J. Speigl, Das Traditionsprinzip des Vinzenz von Lerinum . . . Ein unglückliches Argument gegen die Definition der Unfehlbarkeit des Papstes, in: Hundert Jahre nach dem Ersten Vatikanum, Ringvorlesung, München, Sommersemester 1970, Regensburg 1970, 131—150.

[8] J. B. Franzelin, De traditione, Rom 1896, 267—272: De vero sensu canonis Vincentiani; ferner: Vaticanum I, Acta sess. IV, Relatio de observationibus in schema de R. Pontificis primatu, C. II., Coll. Lac. VII, 288—290. — Nicht mit Distinktionen, sondern mit einfacher Ablehnung reagiert A. Ehrhard: „Was die Fassung der katholischen Glaubensregel bei Vinzenz angeht, so läßt sich ja dem Wort des Verfassers ein richtiger Sinn unterlegen, in dem Sinn aber, in welchem sie Vinzenz selbst verstand und verstanden wissen will, ist diese Glaubensregel einfach falsch . . ." HJ 18 (1897) 866/7.

[9] Vgl. H. Koch, Vinzenz von Lerin und Marius Mercator, in: ThQ (1899) 396—434.

[10] J. Lortz, Der „Kanon" des Vinzenz von Lerin, in: Kath. 93, 2 (1913) 245—255, hier 251 f., wirft dem Leriner „rhetorische Oberflächlichkeit" und in seiner Gedankenentwicklung einen ,circulus vitiosus' vor.

[11] Madoz, Concepto 112, interpretiert den Kanon folgendermaßen: „Id tantum teneamus, quod vel ubique vel semper vel saltem ab omnibus iam fide manifesta creditum est."

nach dem Ergebnis den Wert des ganzen Commonitoriums. Indes, die Frage stellt sich: Wird man damit der dogmengeschichtlichen Bedeutung des Leriners gerecht? Ist es tatsächlich ausgemacht, daß die Mitteilung eines Kanons zur Unterscheidung zwischen Orthodoxie und Häresie das eigentliche Anliegen seiner Schrift ist? Wir sind der Meinung, daß dem nicht so ist, können freilich im Rahmen dieser Arbeit keinen ausführlichen Gegenbeweis führen. Wir begnügen uns mit einigen Hinweisen, die unsere Interpretation plausibel machen können.

Wichtig erscheint uns, vor allem im Commonitorium des Vinzenz von Lerin grundsätzlich zu unterscheiden: 1) die Grundintuition, die die Schrift beseelt. Es ist die Erfassung des katholischen Traditionsprinzips (hier liegt u. E. seine eigentliche Leistung und dogmengeschichtliche Bedeutung); 2) die Reflexion über die Geschichte der Häresien und den *faktischen* Weg der Orthodoxie, aus der Vinzenz möglicherweise seine Grundeinsicht gewonnen hat, und 3) den Kanon, durch den Vinzenz glaubt — naiverweise glaubt —, das Ergebnis seiner geschichtlichen Studien und der eventuell daraus folgenden Grundeinsicht über das katholische Traditionsprinzip für die Zukunft fruchtbar machen zu können. Vinzenz, so lautet unsere Hypothese, hat über den faktischen Weg der Orthodoxie, über die kritischen Stationen insbesondere (Donatismus, Arianismus und Nestorianismus) nachgedacht und versucht, die je verschiedene kirchliche Reaktion in ihrem Wesen zu erfassen. Dabei bemüht er sich ebenfalls, das Gemeinsame in der Bewältigung all dieser Krisen in den Blick zu bekommen. So geht ihm auf: Gegenüber dem Donatismus reagiert die Kirche durch den Rekurs auf die *universitas*, gegenüber dem Arianismus beruft sie sich auf die *antiquitas*, und zwar in der Gestalt des Konzils von Nicaea, gegenüber dem Nestorianismus rekurriert sie, in Ermangelung einer *antiquitas* in Gestalt eines „Universalkonzils", auf das Quasi-Konzil der *sententiae patrum*, auf die *consensio*. Das Verhalten der Orthodoxie der Heterodoxie gegenüber, der Rekurs je auf *universitas*, *antiquitas* und *consensio*, erschien Vinzenz so typisch und exemplarisch, daß er sie in eine Regel für die Zukunft addieren zu können glaubt. Der Kanon ist also nicht a priori „deduziert", sondern a posteriori — aus drei Fällen im Grunde — „induziert". Daher seine faktische Unverwendbarkeit für neue Fälle, wo es gälte, Wahr und Falsch zu unterscheiden[12]. Das tatsächliche Verhältnis zwischen

---

[12] An dieser aposteriorischen Herkunft des Kanons liegt u. E. die mangelnde innere Logik der Kriterien, auf die man immer wieder hingewiesen hat. Vgl. z. B. U. Hüntemann: „Haec Vincentii regula proinde nota ‚catholicitatis' sive universalitatis innititur, et quidem universalitatis 1) localis, 2) temporalis, 3) personalis. Distinctio haec vitiosa est, quia etiam uni-

Kanon und *exempla* wäre nach unserer Hypothese also genau umgekehrt, als der Text des Leriners es hinstellt: die exempla illustrieren
nicht den Kanon, sondern dieser jene. Der Kanon „illustriert", d. h. erhellt die Lerinische Sicht der Kirchengeschichte[13], er enthält die drei
elementaren „Methoden", auf Grund derer die Kirche in der Wahrheit
geblieben ist: Rekurs auf *universitas, antiquitas* und *consensio*.
Selbst wenn man jedoch die vorgetragene Hypothese ablehnt und das
Verhältnis zwischen *exempla* und Kanon gemäß dem Wortlaut des
Textes bestimmen möchte, also am apriorischen Charakter des Kanon
festhalten zu müssen glaubt, darf man u. E. die Bedeutung des Commonitoriums nicht ausschließlich oder vornehmlich nach Wert und Un-
wert dieses Kanons beurteilen. Vinzenz bietet ihn zwar mehrmals als
„Patentlösung" für die Zukunft an[14], sieht das eigentliche Anliegen
seiner Schrift aber darin, seine Einsicht in das formale Grundprinzip der
christlichen Wahrheit mitzuteilen. Weil die Konzilsidee des Leriners ein
inneres Moment dieser seiner Grundintuition darstellt[15], soll im folgenden zunächst diese Einsicht prinzipieller Art, die ihm möglicherweise
als Frucht seiner „dogmengeschichtlichen" Studien zufiel, skizziert
werden.

---

versalitas localis et personalis inhaeret personis et ideo tertium membrum in prioribus iam
continetur. Fieri ergo non potest, quin haec distinctio imperfecta aliquo modo etiam ordinem
rerum disturbet. Veritas huius regulae e sola voce catholicae iam declaratur... In singulorum
membrorum divisionibus distinctio illa vitiosa producit confusionem, quam auctor tegere
studet subordinando tertium membrum secundo, et ut e consensione simpliciter dicta faciat
consensionem antiquitatis" (Tertulliani de praescriptione haereticorum libri analysis. Cum
appendice de Commonitorio Vincentii Lirinensis, Aachen 1924, 65).

[13] Eine Stütze unserer Hypothese kann man in Texten wie den folgenden sehen: Com. 6, 8;
7, 21—27: *Magnum hoc igitur eorundem beatorum exemplum planeque divinum et veris quibusque
catholicis indefessa meditatione recolendum, qui in modum septemplicis candelabri septem sancti spiritus
luce radiati clarissimam posteris formulam praemonstrant, quonammodo deinceps per singula quaeque
errorum vaniloquia sacratae vetustatis auctoritate profanae novitatis conteratur audacia* (vgl. auch ebd.
7, 31 ff.; 8, 27; 9, 18).

[14] Ebd. 3, 20 ff.; 42, 27 ff.; 46, 27 ff.

[15] Daß tatsächlich dieses Formalprinzip der zentrale Gedanke seiner Schrift ist, ergibt sich
nicht nur aus den über den ganzen Text verstreuten Wiederholungen desselben (vgl. 8, 20 ff.;
29, 21 ff.; 31, 5 ff.; 38, 31 ff.; 44, 15 ff.; 51, 23 ff.; 52, 4 ff. usw.), sondern vor allem auch aus
dem Aufbau der Gesamtschrift (Nach den *exempla* zur „Illustrierung" des Kanons handelt es
sich im Grunde von cap. VI an um den Kommentar von Schrifttexten, in denen Vinzenz sein
Traditionsprinzip affirmiert sieht: Gal 1, 6 ff.; 2 Tim 4, 3 f. usw., vor allem aber 1 Tim 6,
20 ff.) und aus der auf den ersten Blick eigenartigen Bezugnahme auf das Ephesinum, in dem
Vinzenz anscheinend nichts anderes sieht als eine „Autorität" für sein Traditionsprinzip.
Er erweckt durch seine Darstellung geradezu den Eindruck, als ob der eigentliche Gegenstand des Konzils die Sanktionierung des Traditionsprinzips gewesen sei! Com. 29, 42;
47, 17—19: *Hoc catholicissimum fidelissimum atque optimum factu visum est, ut in medium sanctorum
patrum sententiae proferrentur* ... Auch das Schlußkapitel des zweiten Commonitoriums legt
diesen Gedanken nahe (51, 13 ff.).

2. Der Traditionsbegriff

Die Grundintuition des Vinzenz von Lerin läßt sich kurz folgendermaßen formulieren: Der Gegenstand des christlichen Glaubens *(ecclesiae dogma)* ist als einmal ergangene göttliche Offenbarung notwendig mit sich selbst identisch[16]. Diese notwendige Identität des Glaubensinhaltes ist nur unter zwei Bedingungen gewährleistet: 1) wenn der Glaubensinhalt durch Überlieferung unverändert weitergegeben wird[17]; 2) wenn Träger dieser „Traditionen" die Kirche als ganze ist und nicht der einzelne Christ[18]. Nicht die ganze Kirche, sondern den Einzelnen zum Träger

---

[16] Com. 21, 26; 31, 5—14: *. . . iterum atque iterum eadem mecum revolvens et reputans, mirari satis nequeo tantam quorundam hominum vesaniam . . . ut contenti non sint tradita et recepta semel antiquitus credendi regula, sed nova ac nova de die in diem quaerant, semperque aliquid gestiant religioni addere, mutare, detrahere, quasi non caeleste dogma sit, quod semel revelatum esse sufficiat, sed terrena institutio, quae aliter perfici nisi adsidua emendatione, immo potius reprehensione, non posset . . .* Terminologisch kommt diese notwendige Identität des Glaubensgegenstandes, Com. 23, 30; 35, 19—26, klar zum Ausdruck: *Quodcumque igitur in hac ecclesiae dei agricultura fide patrum satum est, hoc idem filiorum decet excolatur et observetur, hoc idem floreat et maturescat, hoc idem proficiat et perficiatur. Fas est enim, ut prisca illa caelestis philosophiae dogmata processu temporis excurentur limentur poliantur, sed nefas est, ut commutentur nefas ut detruncentur, ut mutilentur.* — Bei der Auslegung von *Si quis venit ad vos et hanc doctrinam non adfert* (2 Joh 10) erläutert Vinzenz *hanc doctrinam: Quam doctrinam nisi catholicam et universalem et unam eandemque per singulas aetatum successiones incorrupta veritatis traditione manentem et usque in saecula sine fine mansuram?* (Com. 24, 33; 37, 7—10).

[17] Die bewahrende Tradition als einzig mögliche Weise, dem göttlich geoffenbarten Glauben gerecht zu werden, kommt in Vinzenz' Kommentar zum berühmten *nihil innovandum nisi quod traditum est* des Papstes Stephan zur Sprache, Com. 6, 9; 8, 20—26: *Intellegebat enim vir sanctus et prudens, nihil aliud rationem pietatis admittere, nisi ut omnia, quae fide a patribus suscepta forent, eadem fide filiis consignarentur, nosque religionem non, qua vellemus, ducere, sed potius, qua illa duceret, sequi oportere, idque esse proprium christianae modestiae et gravitatis, non sua posteris tradere, sed a maioribus accepta servare.* Vgl. ebenfalls seinen Kommentar zu 1 Tim 6, 20, Com. 22, 27; 33, 6—15: *Quid est depositum? Id est, quod tibi creditum est, non quod a te inventum, quod accepisti, non quod excogitasti, rem non ingenii sed doctrinae, non usurpationis privatae sed publicae traditionis, rem ad te perductam, non a te prolatam, in qua non auctor debes esse sed custos, non institutor sed sector, non ducens sed sequens . . . quod tibi creditum est, hoc penes te maneat, hoc a te tradatur. Aurum accepisti, aurum redde;* vgl. ebenfalls u. a. 49, 24 und 52, 4 f.

[18] Daß die Kirche als ganze und nicht der einzelne Christ Träger dieser Tradition ist, sagt Vinzenz indirekt aus, wenn er z. B. den „echten und wirklichen Katholiken" im Gegensatz zum Häretiker charakterisiert, Com. 20, 25; 29, 21—30, 2: *Ille est verus et germanus catholicus, qui veritatem dei, qui ecclesiam, qui Christi corpus diligit, qui divinae religioni, qui catholicae fidei nihil praeponit, non hominis cuiuspiam auctoritatem, non amorem, non ingenium, non eloquentiam, non philosophiam, sed haec cuncta despiciens et, in fide fixus, stabilis permanens, quidquid universaliter antiquitus ecclesiam tenuisse cognoverit, id solum sibi tenendum credendumque decernit, quidquid vero ab aliquo deinceps uno praeter omnes vel contra omnes sanctos novum et inauditum subinduci senserit, id non ad religionem sed ad tentationem potius intelligit pertinere . . .* Vgl. auch Com. 17, 23; 25, 19—23: *Magna profecto res et ad discendum utilis et ad recolendum necessaria, quam etiam atque etiam exemplorum molibus inlustrare atque inculcare debemus, ut omnes vere catholici noverint, se cum ecclesia doctores recipere, non cum doctoribus ecclesiae fidem deserere debere.* — Hierhin gehört natürlich auch das erste Glied des Kanons Com. 2, 3; 3, 25: *. . . sequamur universitatem;* vgl. auch 25, 26.

dieser Tradition zu machen, bedeutete in seiner letzten Konsequenz, daß die Kirche als ganze im Irrtum gelebt haben kann, eine in den Augen des Leriners absurde Annahme[19]. Die so gekennzeichnete Grundeinsicht in das formale Grundprinzip des christlichen Glaubens liegt der von Vinzenz gebrauchten Kurzformel: *ecclesiae catholicae universitatis et antiquitatis consensio* zugrunde[20]. Diese Formel besagt: Zur christlichen Wahrheit gehört gleich wesentlich ihre *universitas* als auch ihre *antiquitas* (*antiquitas* bedeutet hier natürlich nicht das Alte als solches im Gegensatz zum Neuen, sondern das Überliefertsein von den Aposteln her). Wie deutlich dem Leriner diese seine Grundeinsicht ist, erhellt übrigens auch aus seinem eigenen Vorgehen: Bevor er sich auf Schrift und *ecclesiastica decreta* (52, 9) beruft, „begründet" er seinen Kanon bzw. sein Traditionsprinzip durch Hinweis auf die Tradition, aus der er sie „empfangen" hat[21]. Er rechtfertigt sein Prinzip also durch Anwendung desselben, wobei ihm dieser Zirkel offensichtlich nicht als „vitios" erscheint. Vinzenz gibt also sein Traditionsprinzip als „traditionell", als kirchliche *consuetudo*[22] aus. Auf die geschichtliche Richtigkeit dieser Behauptung brauchen wir im Zusammenhang dieser Arbeit nicht einzugehen. Es wäre die Frage nach der kirchlichen „Praxis", um die es hier nicht geht. Auch auf die Frage, inwieweit schon vor Vinzenz die Theorie von der Tradition als formalem Grundprinzip der christlichen Wahrheit vorliegt, braucht hier nicht eingegangen zu werden[23]. Worauf es uns ankommt, ist nicht, eine irgendwie geartete Originalität in der Erfassung oder

---

[19] Com. 24, 33; 37, 20—28: *Necesse est ut . . . totus postremo iam orbis, per catholicam fidem Christo capiti incorporatus tanto saeculorum tractu ignorasse errasse blasphemasse, nescisse quid crederet, pronuntietur.* Vgl. auch Com. 31, 72; 49, 30—50, 7, wo er seine Anklage gegen Nestorius begründet: *Quod sacram scripturam se primum et solum intelligere et omnes eos ignorasse iactaret, quicumque ante se magisterii munere praediti divina eloquia tractavissent, universos scilicet sacerdotes, universos confessores et martyres . . . totam postremo etiam nunc errare et semper errasse adseveraret ecclesiam, quae, ut ipsi videbatur, ignaros erroneosque doctores et secuta esset et sequeretur.*

[20] Ebd. 38, 31 f.; vgl. auch *ecclesiae catholicae universalis et antiqua fides* (42, 5 f.); *universalis dogmatis antiqua veritas* (44, 25 f.); *sacrosancta universitatis et antiquitatis consensio* (52, 10 f.); *catholicum dogma, id est universalis ac vetusta fides* (28, 33 f.); *universalis ecclesiae traditiones* (42, 30); vgl. ebenfalls die *Excerpta Vincentii Lirinensis* (Ausg. J. MADOZ, Madrid 1940, 103): *ecclesiae antiqua et universalis fides.*

[21] Com. 1; 2, 11—12: *. . . a maioribus tradita et apud nos deposita describam, relatoris fide potius quam auctoris praesumptione;* vgl. auch 1, 7; 42, 29; 2, 26 ff.

[22] Vgl. ebd. 46, 18; 7, 27 ff.; 8, 27.

[23] Vgl. die verschiedenen Studien, die Tertullian, De praescriptione, mit dem Commonitorium des Vinzenz von Lerin vergleichen; u. a. HÜNTEMANN, außerdem die umfangreiche Literatur, die sich mit der regula fidei in der Alten Kirche befaßt; u. a. N. BROX, Offenbarung, Gnosis und gnostischer Mythos bei Irenäus von Lyon. Zur Charakteristik der Systeme, Salzburg — München 1969; J. MOINGT, Théologie trinitaire de Tertullien, I, Histoire, doctrine, méthodes, Paris 1966, 66—86.

Formulierung des Prinzips als solchem beim Leriner zu behaupten, sondern auf die Eigenart der Anwendung aufmerksam zu machen.

Die Eigenart der Anwendung besteht, kurz gesagt, darin, daß Vinzenz eine *schriftliche* Quelle neben, um nicht zu sagen, über der Schrift postuliert. Er postuliert eine schriftliche Quelle zwar nicht expressis verbis an den Stellen, wo er das Ungenügen der Schrift allein und die Notwendigkeit der *traditio ecclesiae catholicae* als Norm der Schriftinterpretation behauptet[24]. Daß er sich aber tatsächlich die *norma ecclesiastici sensus* (3, 18), die die Auslegung der Schrift leiten soll *(dirigatur)*, als eine schriftliche vorstellt, erhellt eindeutig aus den folgenden Ausführungen des Commonitoriums: Für den Fall, daß eine *particula ecclesiae* sich von der universalen Kirche getrennt hat, sieht der Leriner den Rekurs auf die *universitas* vor. Ob er darunter eine schriftliche Norm, etwa ein Konzilsdekret, versteht oder nur ein allgemeines Bewußtsein, zur Mehrheit zu gehören, läßt er dabei noch offen.

Anders liegt der Fall, wenn die *universitas* selber von Häresie bedroht ist. Dann kommt nämlich bei der Berufung auf die *antiquitas* als *norma ecclesiastici et catholici sensus* wie selbstredend nur eine schriftliche in Frage: Dekrete von „Universalkonzilien" oder, wenn diese fehlen, die Sentenzen der Väter. Darin, daß Vinzenz die Doppelheit von Schrift und Tradition[25] näherhin so versteht, daß er der Heiligen Schrift eine schriftliche Tradition als Norm, und zwar in Gestalt fester, bestimmter Texte gegenüber- oder zur Seite stellt, liegt u. E. seine Originalität älteren kirchlichen Theorien gegenüber. Darin liegt auch der entscheidende Ansatz zum Verständnis seiner Konzilsidee. Fragt man nämlich genauerhin, welche Art von Tradition als Norm der Schriftauslegung in Frage kommt, so sind im Grunde[26] die eben genannten zwei verschiedenen Formen von Texten zu nennen: Erstens Konzilsdefinitionen und zweitens Vätersentenzen. Die Zusammenstellung der letzteren stellt dabei in der Sicht des Leriners eine Art Konzilsersatz dar: Konsensfeststellung durch die „Nachfahren" für den Fall, daß die „Vorfahren" selber dies unterlassen haben. Die Zusammenstellung der Väter-

---

[24] Com. 2, 2; 3, 16—19: *Atque idcirco multum necesse est propter tantos tam varii erroris amfractus, ut propheticae et apostolicae interpretationis linea secundum ecclesiastici et catholici sensus normam dirigatur;* vgl. auch ebd. 3, 3 und 46, 17 ff.

[25] Com. 21, 41; 46, 19—20: *... duplici modo munire fidem suam ... (debet christianus), primum divini canonis auctoritate, deinde ecclesiae catholicae traditione;* ebenso vgl. die Einleitung der *Excerpta Vincentii Lirinensis: Duo (sunt) quibus catholicae fidei fundamenta (nituntur): divini scilicet canonis auctoritas et catholicorum patrum, id est, et ecclesiastica traditio ...* MADOZ, Excerpta 103.

[26] Von der durch die Anwendung des Kanons komplizierteren Sicht der Dinge kann hier abgesehen werden.

sentenzen ist im Vergleich zum *concilium universale* ein informelles Konzil gleichsam mit retroaktiver Wirkung[27]. Auf die erstere Form normativer Tradition, die Konzilsdefinitionen, ist im folgenden näher einzugehen.

3. Der Konzilsbegriff

Stellen wir zunächst die verhältnismäßig wenigen Texte des Commonitoriums zusammen, in denen der Terminus „Konzil" vorkommt bzw. in denen auf Konzile oder ein bestimmtes Konzil angespielt wird, um anschließend die für unsere Untersuchung relevanten Texte zu analysieren.

Als unergiebig können wir ausscheiden die Erwähnung des afrikanischen Konzils in der Frage der Ketzertaufe[28], die schon erwähnte Stelle vom „Konzilsersatz" (44, 17) und bloße Hinweise auf das Ephesinum (48, 1; 49, 16).

Aus einer zweiten Gruppe von Texten erfahren wir gleichsam beiläufig, was Vinzenz als die normale Funktion der Konzilien ansieht. Die Aussagen sind vage gehalten. Offensichtlich stehen sie nicht im Zentrum seines Interesses. Für uns jedoch sind sie von nicht zu unterschätzender Bedeutung, zeigen sie doch, daß Vinzenz entgegen dem Eindruck, den sein Commonitorium erweckt, auch den Konzilien der *gegenwärtigen* Kirche, und nicht nur denen der *antiquitas*, Autorität und Bedeutung zuerkennt. Es handelt sich um Aussagen wie die folgenden: „Doch ist es jetzt an der Zeit, daß wir das versprochene Beispiel bringen, (aus dem hervorgeht), wo und auf welche Weise die Sentenzen der heiligen Väter zusammengestellt wurden, damit nach ihrer Maßgabe die kirchliche Glaubensregel kraft Dekrets und der Autorität des Konzils fixiert würde"[29]. Ähnlich heißt es vom Ephesinum, daß auf diesem Konzil die „Festsetzung der Glaubensregeln erörtert"[30] und die „Regel des göttlichen Glaubens festgelegt wurde"[31].

---

[27] Com. 18, 39; 44, 14—19: *Quibus (scil. patrum sententiis) tamen hac lege credendum est, ut, quidquid vel omnes vel plures uno eodemque sensu manifeste frequenter perseveranter, velut quodam consentiente sibi magistrorum concilio, accipiendo tenendo tradendo firmaverint, id pro indubitato certo ratoque habeatur.*

[28] Com. 6, 10; 9, 2—3: *Quid postremo ipsius Africani concilii sive decreti quae vires?* Com. 6, 11; 9, 15—16: *(Donatistae) illius auctoritate concilii rebaptizare se iactant.*

[29] Com. 28, 40; 46, 7—8: *... ut secundum eas ex decreto atque auctoritate concilii ecclesiasticae fidei regula figeretur.*

[30] Com. 29, 42; 47, 14—15: *... cum de sanciendis fidei regulis disceptaretur.*

[31] Com. 29, 42; 47, 30—31: *... divini dogmatis regula constabilita est;* vgl. auch ebd. 48, 27.

Die folgenden Texte unterscheiden sich von den eben erwähnten dadurch, daß in ihnen die Konzile als Teilaspekt, als Momente der oben von uns charakterisierten Grundeinsicht des Vinzenz auftreten. Ihnen kommt folglich kapitale Bedeutung zu. So heißt es z. B. bei der Erklärung des ‚Kanon‘: Was ist zu tun, „wenn nun aber auch im Altertum ein Irrtum zweier oder dreier Männer oder sogar einer ganzen Stadt oder Provinz angetroffen würde? Dann wird (ein katholischer Christ) vor allem darauf bedacht sein, der Vermessenheit oder der Unkenntnis weniger die Dekrete eines „Universalkonzils“, wenn solche in alter Zeit von der Gesamtheit abgefaßt wurden, vorzuziehen“[32]. An anderer Stelle bringt Vinzenz eine noch gefülltere Formel, insofern er die Bischöfe ausdrücklich die Synodalen des „Universalkonzils“ nennt[33].

Was ergibt sich für unsere Fragestellung aus den genannten Texten, zu denen noch der Passus 36, 11 ff. gehört, auf den weiter unten besonders einzugehen ist? In konsequenter Anwendung seines Grundprinzips von der christlichen Wahrheit als notwendig universeller *und* überlieferter erscheinen die Dekrete von „Universalkonzilien“ als die ideale konkrete schriftliche Norm, nach der die Schrift zu interpretieren ist[34]. Sie stellen die ideale Norm dar, insofern ein vorliegendes Konzilsdekret den schwierigeren Rekurs auf die Vätersentenzen überflüssig macht. Der Konsens steht fest. Er braucht nicht erst mühsam erhoben zu werden.

Zu beachten ist an den zitierten Stellen der deduktive und deswegen theoretische Charakter der vorgetragenen Konzilsidee. Theoretisch ist diese Konzilsidee, insofern Vinzenz, historisch gesehen, nur auf ein einziges Universalkonzil rekurrieren kann, nämlich auf Nicaea, auf das

---

[32] Com. 3, 4; 4, 10—13: *Tunc omnino curabit ut paucorum temeritati vel inscitiae si qua sunt universaliter antiquitus universalis concilii decreta, praeponat;* vgl. auch die Wiederholung der gleichen Kanonerklärung, Com. 28, 38, 43, 8—11: *... itemque in ipsa vetustate unius sive paucissimorum temeritati ... omnium generalia, si qua sunt, universalis concilii decreta praeponant ...*

[33] Com. 29, 41; 46, 30—47, 5: *Item diximus, in ipsa ecclesiae vetustate duo quaedam vehementer studioseque observanda, quibus penitus inhaerere deberent, quicumque haeretici esse nollent: primum, si quid esset antiquitus ab omnibus ecclesiae catholicae sacerdotibus universalis concilii auctoritate decretum, deinde ... ubi id minime reperiretur, recurrendum ad sanctorum patrum sententias ...* Ähnlich betont Vinzenz den bischöflichen Charakter der Synoden dort, wo er das Verhalten älteren Häresien gegenüber bespricht: Diese sind entweder durch Schriftargumente zu überführen oder als *iam antiquitus universalibus sacerdotum catholicorum conciliis convictas damnatasque* zu meiden. (Com. 28, 39; 44, 2—4). Auch aus sonstigen beiläufigen Bemerkungen ergibt sich, daß die Wahrung des *depositum fidei* vornehmlich Sache der Bischöfe ist. So kommentiert Vinzenz Com. 22, 27; 32, 29—33, 2, 1 Tim 6, 20: *Quis est hodie* Timotheus *nisi vel generaliter universa* ecclesia *vel specialiter totum corpus praepositorum, qui integram divini cultus scientiam vel habere ipsi debent vel aliis infundere?* Vgl. auch ebd. 45, 4 ff.

[34] Com. 2, 2; 3, 16—19: *Atque idcirco multum necesse est ... ut propheticae et apostolicae interpretationis linea secundum ecclesiastici et catholici sensus normam dirigatur;* vgl. auch ebd. 3, 5 ff.

er übrigens immer nur anspielt (5, 29 ff. 7, 11 ff.), das er aber nie mit Namen nennt. Ob ihm nämlich das Ephesinum als Universalkonzil galt, ist zweifelhaft[35]. Selbst die Unterstellung, daß Vinzenz mit „Universalkonzil" nicht ökumenische Kirchenversammlungen im Sinn der späteren Terminologie meint, sondern Konzilien, die zwar nur als „Partikularsynoden" abgehalten, von der Ökumene aber anerkannt wurden und in diesem Sinne ökumenisch sind, würde am theoretischen Charakter seiner Konzilsidee nichts ändern. Es handelt sich nach wie vor um eine aus seinem Traditionsprinzip abgeleitete Konzilsidee. Das „Universalkonzil" ist für Vinzenz das Paradigma, der Idealfall von Tradition, insofern in ihm das Ideal der *consensio antiquitatis et universitatis* realisiert ist.

Konkretes Beispiel eines solchen *concilium universale*, dessen Dekrete durch *universitas* und *antiquitas* gleich wesentlich ausgezeichnet sind, ist Nicaea[36]. Vinzenz sieht im Eintreten der nicaenischen Partei für *vetustas* und *universitas* einen schlechthin exemplarischen Vorgang, der für alle kommenden Geschlechter bedenkenswert bleibt. Nicaea als geschichtliches Faktum, die genannte doppelte Zielsetzung der Nicaener, bedeutet in den Augen des Leriners eine Bestätigung seines formalen Grundprinzips und demgemäß seiner daraus abgeleiteten Konzilsidee[37]: Die *antiquitas* ist immer auch die echte *universitas* und umgekehrt. Athanasius' und der Seinen Kampf ist somit ein Kampf für die Respektierung von „Dekreten und Definitionen", die von „allen Bischöfen der heiligen Kirche, den Erben der apostolischen und katholischen Wahrheit", aufgestellt worden sind[38].

Neben Nicaea geht Vinzenz in relativer Ausführlichkeit auf das Ephesinum ein, jedoch leider nicht mehr unter derselben Rücksicht, unter der

---

[35] Ebd. 47, 12 nennt Vinzenz das Ephesinum lediglich *sanctum concilium;* 48, 24 *beata synodus;* Com. 33, 43; 51, 21—22 heißt es gar: *Ephesina quoque synodus, id est, totius paene* orientis *sanctorum episcoporum iudicata* . . .

[36] Schon Com. 4, 6; 5, 30—6, 1 kann man eine Anspielung auf Nicaea sehen: . . . *pro caelesti dogmate humanae superstitiones introducuntur, dum bene fundata antiquitas scelesta novitate subruitur, dum superiorum instituta violantur, dum rescinduntur scita patrum, dum convelluntur definita maiorum* . . . Im Anschluß an das Ambrosiuszitat (Com. 5, 7; 6, 7—7, 7) ist dann von Nicaea die Rede (vgl. Anm. 37).

[37] Com. 5, 8; 7, 7—18: *Sed in hac divina quadam confessorum virtute illud est etiam nobis vel maxime considerandum, quod tunc apud ipsam ecclesiae vetustatem non partis alicuius sed universitatis ab iis est suscepta defensio. Neque enim fas erat, ut tanti ac tales viri unius aut duorum hominum errabundas sibique ipsis contrarias suspiciones tam magno molimine assererent aut vero pro alicuius provinciolae temeraria quadam conspiratione certarent, sed omnium sanctae ecclesiae sacerdotum, apostolicae et catholicae veritatis heredum, decreta et definita sectantes maluerunt semetipsos quam vetustae universitatis fidem prodere.*

[38] Vgl. Anm. 37.

er Nicaea behandelt; er sieht das Ephesinum (noch) nicht als *concilium universale* innerhalb seiner Konzilstheorie, sondern lediglich als eine Synode, die sein Traditionsprinzip praktiziert und insofern sanktioniert[39]. Das Ephesinum ist eine *auctoritas ecclesiastica*, die parallel zur Schrift (vor allem 1 Tim 6, 20) den Beweis liefert, daß die Wahrheit in der Kirche nur durch „Tradition" erhalten bleibt.

Darin, daß die ephesinische Synode nichts Eigenes produzierte, sondern ausschließlich die *fides maiorum* überlieferte, ist sie der Nachwelt ein leuchtendes Vorbild, das um so mehr Beachtung verdient, als die Mehrzahl der Synodalen aufgrund ihrer theologischen Bildung durchaus in der Lage gewesen wäre, etwas Neues auf die Beine zu bringen[40]. Es geht dem Leriner beim Rekurs auf das Ephesinum jedoch nicht nur um diese allgemeine Vorbildlichkeit, die eben darin besteht, „nichts der Nachwelt zu überliefern außer, was man von den Vätern empfangen hat" (49, 23 f.), sondern vor allem darum, das dritte der in seinem Kanon genannten „Kriterien" zu illustrieren: Die *consensio*, die für den Fall ins Spiel tritt, daß kein Rekurs auf ein schon stattgehabtes „Universalkonzil" möglich ist[41]. Weil es Vinzenz gerade auf diesen Aspekt des Ephesinums, die Praktizierung des Väterarguments, ankommt, erweckt er bei seiner Darstellung absichtlich den Eindruck, als beriefen die ephesinischen Synodalen sich ausschließlich auf die Väter. Geflissentlich erwähnt er mit keinem Wort das Nicaenum, das doch eindeutig nach den Akten der Haupttext war, aufgrund dessen Nestorius, weil im Widerspruch zu ihm, verurteilt wurde. Nach einer einleitenden Bemerkung[42] zitiert Vinzenz zehn Väter *(sacratus decalogi numerus)* in einer

---

[39] Com. 29, 42; 47, 10—14: *Quod ne praesumptione magis nostra quam auctoritate ecclesiastica promere videremur, exemplum (adhibemus) sancti concilii, quod ante triennium ferme in Asia apud Ephesinum celebratum est viris clarissimis Basso Antiochoque consulibus.*

[40] Com. 31, 42; 49, 17—28: *... tot numero sacerdotes ... tantae eruditionis tantaeque doctrinae, ut prope omnes possent de dogmatibus disputare ... nihil tamen (novaverunt), nihil (praesumpserunt), nihil sibi penitus (adrogaverunt), sed omnimodis (praecaverunt) ne aliquid posteris traderent, quod ipsi a patribus non accepissent, et non solum in praesenti rem bene disponerent, verum etiam post futuris exempla praeberent, ut et ipsi scilicet sacratae vetustatis dogmata colerent, profanae vero novitatis adinventa damnarent.*

[41] Com. 3, 4; 4, 13—21: *Quid si tale aliquid* (d. h. kein „Universalkonzil") *emergat, ubi nihil eiusmodi reperiatur? Tunc operam dabit (christianus catholicus), ut conlatos inter se maiorum consulat interrogetque sententias eorum dumtaxat, qui diversis licet temporibus et locis, in unius tamen ecclesiae communione et fide permanentes, magistri probabiles exstiterunt; et quidquid non unus aut duo tantum sed omnes pariter uno eodemque consensu aperte frequenter perseveranter tenuisse scripsisse docuisse cognoverit, id sibi quoque intelligat absque ulla dubitatione credendum;* vgl. auch ebd. 43, 11 ff. und 47, 4 ff.

[42] Com. 30, 42; 48, 1—2: *Sunt ergo hi viri, quorum in illo concilio vel tamquam iudicum vel tamquam testium scripta recitata sunt.*

Reihenfolge, die offensichtlich zum Ziel hat, die *consensio universitatis* dieser *antiquitas* nahezulegen[43]. Das solcherart sorgsam stilisierte Ephesinum veranschaulicht das Hauptanliegen des Leriners: Die Einschärfung des Traditionsprinzips, mit dem er auch sein Commonitorium beschließt[44].

Wir sagten schon, daß Vinzenz das Ephesinum leider nur unter dieser Rücksicht sieht, nämlich der eines *exemplum* für das Festhalten an den Vätern. So schweigt er sich völlig darüber aus, welche Autorität der vom Konzil erstellten Feststellung des *consensus antiquitatis* zukommt. Die gleiche wie den Dekreten der alten „Universalkonzilien"? Eingangs nennt Vinzenz zwar als Ziel dieser Feststellung des *consensus antiquitatis* die Prägung einer *regula ecclesiasticae fidei*, er bleibt uns aber jede Erklärung darüber schuldig, ob das Konzil eigene Autorität besitzt oder nur insofern es den *consensus antiquitatis* sichtbar machen kann. M. a. W., besitzt das Konzil Autorität über sein Väter-Argument hinaus? Ist sein Gewicht identisch mit dem seines Traditionsbeweises? Vinzenz gibt auf diese Fragen keine Antwort, und wir müssen uns mit seinem Schweigen abfinden.

Bevor wir die Konzilsidee des Leriners zusammenfassend zu charakterisieren versuchen, ist noch der Haupttext zu analysieren, auf den schon die Magdeburger Zenturiatoren aufmerksam machen[45]. Im Zusammenhang einer Reflexion über das Traditionsprinzip, näherhin einer Exegese von 1 Tim 6, 20 *(O Timothee, depositum custodi, devitans profanas vocum novitates)* beim Versuch, den in der Kirche zulässigen *profectus religionis* zu kennzeichnen[46], stellt Vinzenz dem *furor impiorum*, der Stück

---

[43] Vinzenz nennt für die griechische Welt Petrus, Athanasius, Theophilus und Cyrill von Alexandrien, Gregor von Nazianz, Basilius von Caesarea und Gregor von Nyssa als Vertreter Kleinasiens *(et ne forsitan unius civitatis ac provinciae doctrina haec putaretur, adhibita sunt etiam illa Cappadociae lumina)*, für die lateinische Welt *(occidentalis et latinus orbis)* die Päpste Felix und Julius als Zeugen des *caput orbis*, und schließlich Cyprian von Karthago als Vertreter des „Südens" und Ambrosius von Mailand als Repräsentanten des „Nordens" (Com. 30, 42; 48, 1—31).

[44] Com. 33, 43; 52, 13—16: ... *necesse est profecto omnibus deinceps catholicis qui sese ecclesiae matris legitimos filios probare student ut sanctae sanctorum patrum fidei inhaereant, adglutinentur, immoriantur* ...

[45] Er wird zitiert mit der Bemerkung: *de conciliorum fine eleganter inquit*, Historiae ecclesiasticae, II, Basel 1624, 777.

[46] Com. 23, 28—29; 33, 28—34, 11: *Habeatur plane et maximus ... sed ita tamen, ut vere profectus sit ille fidei, non permutatio. Siquidem ad profectum pertinet, ut in semetipsa unaquaeque res amplificetur, ad permutationem vero, ut aliquid ex alio in aliud transvertatur. Crescat igitur oportet et multum vehementerque proficiat tam singulorum quam omnium tam unius hominis quam totius ecclesiae — aetatum ac saeculorum gradibus — intelligentia, scientia, sapientia, sed in suo dumtaxat genere, in eodem scilicet dogmate, eodem sensu eademque sententia. Imitetur animarum religio rationem corporum, quae, licet annorum processu numeros suos evolvant et explicent, eadem tamen, quae erant, permanent.*

um Stück der katholischen Wahrheit abbaut (cap. 31), die „Kirche Christi" gegenüber, die das *depositum* unverfälscht, so wie sie es selber empfangen, weitergibt an die folgenden Generationen[47]. Unmittelbar daran anschließend steht der folgende Text: „Was hat die Kirche anderes durch ihre Konzilsdekrete erstrebt, als daß dasselbe, was vor einem Konzil schlicht geglaubt, von da ab mit mehr Bestimmtheit geglaubt würde; dasselbe, was vor ihm ohne Nachdruck verkündigt, von da ab intensiver verkündigt würde; dasselbe, was vor ihm in aller Sicherheit verehrt, von da ab mit größerem Eifer verehrt würde. Dies, so behaupte ich, und nichts anderes, hat die katholische Kirche immer, aufgeschreckt durch die Neuerungen der Häretiker, durch ihre Konzilsdekrete erreicht: Was sie zuvor von den ‚Vorfahren' allein durch Überlieferung empfangen hatte, hat sie von nun an für die ‚Nachfahren' auch schriftlich und urkundlich niedergelegt. Sie tat es, indem sie vieles in wenige Worte zusammenfaßte und oft zum Zwecke des klareren Verständnisses den unveränderten Glaubensgehalt mit einer neuen Bezeichnung ausdrückte"[48].

Welche Konzilsidee kommt in dem zitierten Text zum Ausdruck? Dem Leriner kommt es im Zusammenhang darauf an zu zeigen, daß die Kirche das *depositum fidei* unverfälscht bewahrt. Paradigmatisch sichtbar macht er diese Tatsache an der Funktion der kirchlichen Konzilien. M. a. W., die rhetorische Frage *(denique quid umquam aliud ...)* hat begründenden Sinn: Die Kirche bewahrt das *depositum fidei*, denn ihre Konzilien sind ihrem Wesen nach nichts anderes als ein Akt der Überlieferung, als der Vorgang der Tradition. Man beachte im Zusammenhang das Pathos, mit dem Vinzenz die Selbstidentität des Glaubens affirmiert: Dreimal wiederholt er *hoc idem*.

Sind die Konzilien somit ihrem *Wesen* nach Tradition, so bleibt noch die Frage, worin näherhin ihr eigentlicher Effekt besteht. Auch auf

---

[47] Com. 23, 32; 36, 13—20: *Christi vero ecclesia, sedula et cauta depositorum apud se dogmatum custos, nihil in his umquam permutat, nihil minuit nihil addit; non amputat necessaria, non adponit superflua; non amittit sua, non usurpat aliena, sed omni industria hoc unum studet, ut vetera fideliter sapienterque tractando, si qua illa sunt antiquitus informata et inchoata, accuret et poliat, si qua iam expressa et enucleata, consolidet (et) firmet, si qua iam confirmata et definita, custodiat.*
[48] Com. 23, 32; 36, 21—32: *Denique quid umquam aliud conciliorum decretis (ecclesia) enisa est, nisi ut, quod antea simpliciter credebatur, hoc idem postea diligentius crederetur; quod antea lentius praedicabatur, hoc idem postea instantius praedicaretur; quod antea securius colebatur, hoc idem postea sollicitius excoleretur? Hoc, inquam, semper, neque quidquam praeterea, haereticorum novitatibus excitata, conciliorum suorum decretis catholica perfecit ecclesia, nisi ut, quod prius a maioribus sola traditione susceperat, hoc deinde posteris etiam per scripturae chirographum consignaret, magnam rerum summam paucis litteris comprehendendo, et plerumque propter intelligentiae lucem non novum sensum novae appellationis proprietate signando.*

diese Frage gibt unser Passus Auskunft. Man kann einen doppelten
Effekt unterscheiden. Einerseits *intensivieren* (*diligentius, instantius, sollici-
tius*) die Konzilien durch die Affirmation des identischen Glaubensdeposi-
tums Glaube (*credere*), Verkündigung (*praedicare*) und Gottesdienst bzw.
Kult (*colere*), andererseits verdankt ihnen die Kirche eine *schriftliche
Fixierung* des *depositum*.

Was den ersten Effekt der Konzilien angeht, die Intensivierung von
Glaube, Verkündigung und Kult, so besteht für den Leriner die Leistung
der Konzilien gerade in der Wahrung der Identität des Glaubens. Darauf
hebt er im Zusammenhang ab, darin liegt die Pointe seiner Ausführungen.
Im Kontext der Frage nach dem in der Kirche tragbaren *profectus
religionis* erscheinen die Konzilien als die spezifischen Instrumente desselben. Denn dieser besteht ja in der „Zunahme" von „Einsicht, Wissen
und Weisheit, aber lediglich in der eigenen Art, nämlich in demselben
‚Dogma', demselben Sinn und in derselben Bedeutung"[49].

Was den zweiten Effekt angeht, die schriftliche Fixierung des *depositum*,
so ist zu beachten, mit welchem Nachdruck Vinzenz betont, daß die
Konzilsdekrete „nichts anderes" (*neque quidquam praeterea*) darstellen als
eben die schriftliche Fixierung der Tradition. Und das ist immer so,
bei allen Dekreten (*semper*). Bei dieser Beteuerung bezieht er sich offensichtlich auf den bekannten Einspruch der Arianer, das Konzil von
Nicaea verfälsche durch seine nicht aus der Schrift stammenden Termini
den Glauben. Überhaupt ist evident, daß der zweite Teil unseres Passus
in deutlicher Bezugnahme auf Nicaea und unter Berücksichtigung der
durch dieses Konzil ausgelösten Kontroversen formuliert ist[50].

Wenn die schriftliche Fixierung noch näherhin gekennzeichnet wird als
eine Zusammenfassung von vielem in wenigen Worten (*magnam rerum
summam paucis litteris conprehendendo*), ferner als eine neue Bezeichnung
für einen unveränderten Glaubensgehalt (*non novum fidei sensum novae
appellationis proprietate signando*), so ist auch darin selbstverständlich eine
Anspielung auf Nicaea zu sehen, besser: Wir haben auch darin eine
Generalisierung der spezifisch nicaenischen Problematik vor uns. Der
konkrete Effekt des Konzildekrets ist die vertiefte Einsicht (*intelligentiae
lux*) in den sich selber identisch bleibenden Glaubensgegenstand. Anlaß
(*excitata*) zur schriftlichen Fixierung der Tradition sind die *novitates*

---

[49] Ebd. 34, 6; vgl. Anm. 46.
[50] Für unsere These, daß der Konzilsbegriff des Leriners aus dem Traditionsbegriff abgeleitet
ist, spricht auch Com. 23, 32; 36, 28—30: *Quod prius a maioribus sola traditione* (*ecclesia*) *susceperat, hoc deinde posteris etiam per scripturae chirographum* (*consignabat*). Streng genommen
besteht der Effekt des Konzils gar nicht in der Bewahrung des *depositum* für die Zeitgenossen,
sondern für die kommenden Geschlechter (*posteris*).

haereticorum. Man darf wohl verstehen: Der *profectus religionis* als solcher, d. h. die vertiefende Einsicht in den Glaubensinhalt, ist nicht auf die Häresie angewiesen. Die Häresie veranlaßt lediglich die schriftliche Fixierung in Konzilsdekreten als solche. Zu beachten ist schließlich noch, daß Vinzenz zwar anzunehmen scheint, daß alle Konzilien *(semper)* Dekrete aufstellen, aber nicht alle *(plerumque,* d. h. eigentlich die Mehrzahl) dabei sich neuer, ungewohnter Termini bedienen, wie das in Nicaea der Fall war.

Versuchen wir zusammenzufassen und einige Schlußfolgerungen zu ziehen. Zunächst ist festzuhalten: Überblickt man die analysierten Texte, so ist deutlich, daß Vinzenz neben einer traditionell zu nennenden Konzilsidee (die Konzilien bestimmen die *regula fidei*) eine eigentliche Konzilstheorie besitzt. Aus seinem Traditionsprinzip *(consensio antiquitatis et universitatis)* leitet er einen Konzilsbegriff ab, der durch eben diese beiden Momente bestimmt ist: *antiquitus* und *universaliter.* Diesen Konzilsbegriff, obzwar offensichtlich a priori abgeleitet, sieht er zumindest im Nicaenum realisiert. Dieses Konzil ist de facto eine *consensio antiquitatis et universitatis.*

Insofern der Konzilsbegriff des Vinzenz aus dem Traditionsprinzip deduziert ist, hat er folgende weitere Eigenarten: Sein Konzilsbegriff erfaßt, unmittelbar wenigstens, nur die Konzilien der *antiquitas,* diese freilich in ihrem innersten Wesen: Sie sind Kristallisationspunkte im Strom der Überlieferung, als solche nie Ende, sondern immer auch Anfang für die folgenden Geschlechter. Der breite Strom der Tradition mündet in „Dekrete", in feste, fixe Texte, und wird so greifbar und faßbar für die Zukunft.

Doch auch das Ungenügende eines solchen, ausschließlich im Blick auf die *antiquitas* gewonnenen Wesensbegriffes von Konzil ist zu nennen: Die Konzilien als Veranstaltungen des gegenwärtigen Lehramtes kommen — unmittelbar wenigstens — überhaupt nicht in den Blick. Diese werden im Gesamt des Commonitoriums zwar nicht übersehen, erst recht wird ihre Autorität nicht geleugnet, aber sie stellen kein inneres Moment seiner Konzilstheorie dar. In diesem Sinn ist das Konzil für den Leriner ausschließlich eine „vergangene Größe".

Indem die Theorie des Leriners den Rekurs auf die „Universalkonzilien" als die vorrangig zu praktizierende Anwendung des Traditionsprinzips betrachtet — vor dem Rückgriff auf die Vätersentenzen nämlich —, gibt sie den Konzilsdekreten eine absolut zentrale Bedeutung in der Wahrheitssicherung der Kirche. Sie spiegelt damit in einem gewissen Sinne die Praxis der Zeit wider.

Insofern Vinzenz in seiner an der Vergangenheit orientierten Konzilstheorie ausschließlich das *concilium universale* berücksichtigt[51], stellt er doch wiederum auch einen zukunftsträchtigen Konzilsbegriff zur Verfügung. Denn die geschichtliche Entwicklung geht ja dahin, daß die ökumenischen Konzilien mehr und mehr in der kirchlichen Praxis an Bedeutung gewinnen. Mit Hilfe seines Begriffs von *concilium universale* konnte oder könnte die Kirche die *theologische* Relevanz der ökumenischen Kirchenversammlungen erfassen. Schließlich: Die Ableitung des Konzilsbegriffs vom „altehrwürdigen" Traditionsprinzip macht es dem Leriner möglich, ohne Anstoß zu erregen, im Konzilsdekret unmittelbar eine *norma directiva* (3, 18 f.) der Schriftinterpretation zu sehen. Damit gelangt er auf dem Wege der *antiquitas* dorthin[52], wohin auch Augustinus auf anderem Wege, nämlich dem der *universitas* gelangt ist[53].

4. Mönchischer Kontext

In diesem Schlußabschnitt soll zunächst versucht werden, etwas Licht in die Frage nach der Herkunft der lerinischen Vorstellungen über die Tradition und somit über die Konzilien zu bringen; dann soll abschließend eine dogmengeschichtliche Einordnung seiner Vorstellungen durch Vergleich mit anderen Theologen der Alten Kirche unternommen werden.

Was die erste Frage angeht, so ist von einer Beobachtung zur Terminologie des Vinzenz auszugehen. Diese ist, so ergibt ein Überblick, alles andere als schwankend, suchend, disparat; sie ist vielmehr von auffälliger Einheitlichkeit und Eindeutigkeit. Nie steht das eine für das andere oder dieses für jenes. Man hat den Eindruck, in eine relativ geschlossene Sprachwelt einzutreten, in der nicht viel entfaltet und erklärt

---

[51] In der Tatsache, daß Vinzenz die „Partikularkonzilien" in seiner Theorie unberücksichtigt läßt, kann man einen weiteren Beweis sehen für die These, daß sein Konzilsbegriff nicht von der Praxis der Kirche abgezogen, sondern aus seinem Traditionsprinzip deduziert ist.
[52] Com. 29, 41; 46, 21—26: *Non quia canon solus non sibi ad universa sufficiat, sed quia verba divina pro suo plerique arbitratu interpretantes varias opiniones erroresque concipiant, atque ideo necesse sit, ut ad unam ecclesiastici sensus regulam scripturae caelestis intelligentia dirigatur, in his dumtaxat praecipue quaestionibus, quibus totius catholici dogmatis fundamenta nituntur.*
[53] Aug., Contra epist. fund. 5, 6: *Si invenires aliquem, qui evangelio nondum credit, quid faceres dicenti tibi: non credo? Ego vero evangelio non crederem, nisi me catholicae ecclesiae commoveret auctoritas.* — Zur Interpretation vgl. LÜTCKE, Anm. 707; P. TH. CAMELOT, Autorité de l'Écriture, autorité de l'Église. À propos d'un texte de saint Augustin, in: Mélanges offerts à M. D. Chenu, Paris 1967, 124—133.

zu werden braucht. Der Autor beschränkt sich, um seine Gedanken mitzuteilen, auf einige wenige Andeutungen[54].

Solche einheitlich gebrauchten und als in sich einsichtig vorausgesetzten
Begriffe sind u. a. *antiquitas* (wechselweise mit *vetustas*)[55], *antiquitus*,
*auctoritas, canon, catholicus, concilium, consensio, consensus, corpus (totum prae-
positorum), decernere, decretum*[56], *definire, definitio, definita, instituta, lex divina,
patres, praepositi, probabiles magistri, profectus, proficere, regula (credendi, fidei
ecclesiastici sensus, divini dogmatis* usw.*), regularis via, religio, sancire, sancti,
scita, statuta, traditio, traditum, unitas, universitas, vestustas* usw. Auf was für
ein Milieu deuten Einheitlichkeit und Eindeutigkeit sowie Auswahl und
Eigenart dieser Terminologie hin? Wird man mit der Annahme, daß es
sich um das Sprachmilieu der Leriner Mönche handelt, völlig fehlgehen?
Wohl nicht. Ja man kann sogar dieser Hypothese einen gewissen Grad
von Wahrscheinlichkeit geben, wenn man andere Schriften des gleichen
Milieus, zunächst unter terminologischer Rücksicht, untersucht.

Andere Werke des Vinzenz kommen dafür nicht in Frage[57], wohl aber
die Schriften des Johannes *Cassianus*, der zwar kein Leriner Mönch ist,
aber sicher der gleichen Geistes- und Gedankenwelt angehört wie
Vinzenz von Lerin[58]. Durchmustert man nun unter der Rücksicht zunächst der Terminologie die *Institutiones*[59] des gelehrten Mönchs-
theoretikers, so stößt man auf auffallende Übereinstimmungen mit der
Ausdrucks- und Vorstellungsweise des Vinzenz.

Der Traditionsbegriff ist für *Cassianus* ähnlich zentral wie für den Leriner,
mehr noch: Er hat hier den gleichen, „Neuerungen" ausschließenden

---

[54] Com. 1; 2, 15: *Pleraque significata potius quam explicata (videntur)*.
[55] Vgl. für diese und die folgenden Termini das Register in der Ausgabe des *Commonitoriums*
von A. Jülicher.
[56] Eine besonders auffällige Einheitlichkeit! Vinzenz kennt keinen anderen Terminus zur
Bezeichnung der Konzilsbeschlüsse und reserviert ihn übrigens auch hierfür.
[57] Bei den *Excerpta* stammen naturgemäß nur die Einleitung und der Schluß von Vinzenz
und aus ihnen läßt sich nichts folgern. Die von Prosper von Aquitanien bekämpften *Obiecti-
ones* sind bekanntlich nicht erhalten.
[58] Für die Beziehung des Cassianus zu Lerin ist zunächst aufschlußreich, daß die *Collationes*
11--17 neben Eucherius Honoratus, dem Gründer und ersten Abt von Lerin, gewidmet
sind. Über die weiteren Beziehungen des Cassianus zu Lerin vgl. u. a. F. Prinz, *Frühes
Mönchtum im Frankenreich. Lerinum und sein Einfluß in Gallien*, München — Wien 1965,
47 ff. Cassianus, der Klostergründer von Marseille, stand in freundschaftlicher Verbindung
mit Lerin (ebd. 50). Er „scheint mit seinen monastischen Schriften eher über die ihm befreun-
deten Männer von Lerinum als über sein eigenes Kloster nach Gallien gewirkt zu haben"
(61). Wichtigere weitere Literatur über Lerinum, seine Geschichte und sein Einfluß ebd. 47,
Anm. 5.
[59] CSEL 17.

Sinn[60]. Auch der Begriff *catholicus*, den der Leriner mit solcher Vorliebe verwendet[61], scheint in der lateinischen Mönchsspiritualität eine besondere Rolle gespielt zu haben. Er bezeichnet den Gegensatz zum Eigenen, Persönlichen, Individuellen, also das der Gemeinschaft als solcher Zukommende[62]. Im Zusammenhang geht es um die Mönchskleidung, allem Anschein nach eine für die Mönche nicht unwichtige Sache. Die Unterordnung des Einzelnen bzw. der Minderheit unter den Mehrheitswillen und die Mehrheits-Definitionen wird mit der gleichen Leidenschaftlichkeit und unter Anwendung der gleichen Terminologie gefordert wie im Commonitorium[63].

Andere Texte zeigen, daß die Mönche von ihrer eigenen „Tradition" und Praxis her Zugang zum Verständnis des kirchlichen Konzilswesens haben. Wichtige „Traditionen" gehen auf „Dekrete" zurück[64]. Sogar der Terminus *concilium* wird auf Mönchsversammlungen, nämlich auf die Kapitel, angewandt[65]. Wenn der Leriner den „klassischen" Terminus *regula fidei* gebraucht, schwingt bei ihm möglicherweise auch etwas mit von dem, was der Mönch unter *regula* versteht, eine Begriffsveränderung von erheblicher Bedeutung[66]. Zusammenfassend können wir für die *Institu-*

---

[60] Cass., Inst. I, 2, 2, CSEL 17; 10, 9—13: *Et idcirco haec quae nec a veteribus sanctis, qui huius professionis fundamenta iecerunt, neque a patribus nostri temporis, qui eorum per successiones instituta nunc usque custodiunt, tradita videmus exempla, et superflua et inutilia nos quoque resecare conveniet;* vgl. auch Cass., Inst., Praef. 5; 5, 8: *tradi nisi ab expertis non queunt;* Inst. II, 3, 1; 19, 1—2: *per successiones ac traditiones maiorum usque in hodiernum diem vel permanent vel mansura fundantur;* Cass., Inst. II, 3, 3; 19, 24—25: *. . . et quid iunioribus tradere debeat, institutis seniorum fuerit adsecutus.* — Die gleiche Traditionsvorstellung — der Terminus selbst wird allerdings nicht verwendet — liegt einem Passus über das Psaltergebet zugrunde: *qui modus antiquitus constitutus idcirco per tot saecula . . . nunc usque perdurat, quia non humana adinventione statutus a senioribus adfirmatur, sed caelitus angeli magisterio patribus fuisse delatus* (Inst. II, 4; 20, 20—24). Vgl. weiter: *. . . viam perfectionis . . . exemplis certissimis tradiderunt* (Inst. XII, 13; 214, 7—10); *haec est antiquissimorum patrum sincera fides, quae penes successores ipsorum mera nunc usque perdurat* (Inst. XII, 18; 220, 3—5); *antiquorum patrum traditio* (Inst. V, 23, 2; 101, 7).

[61] Vinzenz wagt sogar Com. 29, 42; 47, 17 den Superlativ (nach der Auskunft des Thesaurus linguae latinae ein Hapaxlegomenon): *catholicissimum.*

[62] Cass., Inst. I, 2, 2, CSEL 17 2; 10, 5—7: *Quidquid enim inter famulos dei praesumitur ab uno vel paucis nec catholice per omne corpus fraternitatis tenetur, aut superfluum aut elatum . . .*

[63] Cass., Inst. I, 2, 3, CSEL 17; 10, 24—30: *Generali namque omnium constitutioni paucorum non debet praeponi nec praeiudicari sententia. Illis enim debemus institutis ac regulis indubitatam fidem et indiscussam obedientiam per omnia commodare, non quas paucorum voluntas intulit, sed quas vetustas tantorum temporum et innumerositas sanctorum concordi definitione in posterum propagavit.*

[64] Cass., Inst. II, 5, 3, CSEL 17; 21, 23—27: *. . . venerabiles patres pervigili cura posteris consulentes, quinam modus cottidiano cultui per universum fraternitatis corpus decerni deberet, tractaturi conveniunt, ut hereditatem pietatis ac pacis etiam successoribus suis absolutam ab omni discussionis lite transmitterent . . .* Vgl. auch *antiqua sanctorum patrum (non) sunt perturbanda decreta* (Inst. I, 2, 3; 10, 21); *venerabilis patrum senatus . . . decrevit* (Inst. II, 6; 22, 21).

[65] *. . . in concilio fratrum* (Inst. II, 6; 51, 1).

[66] *. . . regula sancienda* (Inst. IV, 5; 10, 20); *. . . secundum catholicam regulam* (ebd. 10, 23).

tiones des *Cassianus* feststellen: Wesentliches Merkmal dieser „Mönchs-
instruktion" ist die Berufung auf die „Väter", auf die „Tradition"[67];
nicht weniger charakteristisch ist die Forderung der Unterordnung des
einzelnen unter die Gemeinschaft, die Betonung des *catholicum* bzw. des
universale. Einen ähnlichen terminologischen Befund bieten die *Collationes* des *Cassianus*[68], wenn auch die Parallelen zum Commonitorium
nicht ganz so zahlreich sind wie in den *Institutiones*. Aus einer größeren
Zahl von Belegen[69] sei nur ein einziger typischer Text zitiert: „Wir
müssen uns der Autorität der Väter und der Praxis der Vorfahren, die
über eine so große Reihe von Jahren bis zu unserer Zeit hin sich erstreckt,
beugen und sie so, wie sie von alters her überliefert ist, in ständiger
Beobachtung und Ehrfurcht bewahren, selbst wenn wir ihre innere
Sinnhaftigkeit nicht sehen"[70].
Auch das übrige Werk des *Cassianus* kommt natürlich als Vergleichs-
material und wohl auch als Quelle im eigentlichen Sinne des Wortes für
den Leriner in Frage. So muß man z. B. mit der Möglichkeit rechnen,
daß die theologische Konzeption eines Nebeneinander von Schrift und
Tradition direkt abhängig ist von entsprechenden Vorstellungen, wie
sie sich im Werk des *Cassianus De incarnatione Domini contra Nestorium*

---

[67] *Ab exordio praedicationis apostolicae a sanctis ac spiritualibus patribus fundata monasteria* (Praef.
8; 5, 30 f.); *a sanctis patribus antiquitus statutus* (Inst. II, 1; 18, 1); *antiquitus a maioribus statutus*
(Inst. II, 7, 1; 23, 10); *a tempore praedicationis apostolicae* (Inst. III, 9, 1; 43, 8); *non nostris definitionibus adquiescamus* (scil. sed patrum!) (Inst. VII, 18; 143, 12); *haec est antiquitus patrum
permanens nunc usque sententia* (Inst. XI, 18; 203, 12).
[68] CSEL 13.
[69] Hier einige Beispiele, CSEL 13; 508, 14—15: *Quaecumque seniores nostros agere vel tradere
videritis summa humilitate sectamini; numquam rationem veritatis intrabit quisquis a discussione
coeperit erudiri* (ebd. 508, 21); *coenobiotarum disciplina a tempore praedicationis apostolicae sumpsit
exordium* (ebd. 509, 19); *ea quae ab apostolis per universum corpus ecclesiae generaliter memi-
nerant instituta, privatim ac peculiariter exercere coeperunt* (ebd. 510, 29); *istud ergo solummodo fuit
antiquissimum monachorum genus . . . quod per annos plurimos inviolabile usque ad abbatis Pauli . . .
duravit aetatem* (ebd. 511, 10); *novella ei haec persuasio nec ab anterioribus aliquando conperta vel
tradita videretur* (ebd. 288, 8). — Der allem Anschein nach dem Leriner zentrale Begriff
linea (Com. II, 2; 3, 18) findet sich ebenfalls in den *Collationes*: vgl. CSEL 13, 103, 1. 12;
237, 20; 398, 20; 680, 5; nicht weniger die stereotype Nebeneinanderstellung von Schrift
und Tradition: *Hanc ergo rationem . . . traditione patrum de sanctarum scripturarum fonte percepimus* (CSEL 13, 222, 19). Von höchstem Interesse ist auch der Passus über die „gerechte
Tradition" des Seth und die „böse Tradition" des Cham ebd. 238 f. — Vgl. ferner: *Huius
quoque spiritalis theoriae tradenda vobis est formula* (ebd. 297, 9); *hoc ab omnibus catholicis patribus
definitur* (ebd. 395, 19).
[70] Cass., Conl. 21, 12, CSEL 13; 585, 27—586, 1: *Oportet quidem nos auctoritati patrum consuetu-
dinique maiorum usque ad nostrum tempus per tantam annorum seriem protelatae etiam non percepta
ratione concedere eamque, ut antiquitus tradita est, iugi observantia ac reverentia custodire.*

---

anzeigen[71]. In der gleichen Schrift findet sich auch eine auffallende Formulierung des *consensus-omnium*-Kriteriums. Man wird nicht ausschließen können, daß sie im Hintergrund des Vinzentinischen *universitas*-Begriffs steht[72]. Die Untersuchung könnte auch auf das Feld des

---

[71] In den sieben Büchern dieser Schrift, verfaßt wahrscheinlich i.J. 430, versucht Cassianus zu beweisen, daß Christus wahrer Gott ist von Ewigkeit her und daß Maria dementsprechend nicht nur *christotokos* sondern *theotokos* genannt werden muß. Für uns ist von höchstem Interesse der Aufbau dieses Beweises, weil wir hier gleichsam die Praxis zur Theorie des Vinzenz von Lerin vor Augen haben. Dem Schriftbeweis folgt, von diesem deutlich abgehoben und — der formalen Struktur nach — diesem gleichgeordnet, der Beweis durch das Taufsymbol: *Igitur quia neganti deum haeretico abunde iam ut reor, cunctis superioribus scriptis divinorum testimoniorum auctoritate respondimus, nunc ad fidem Antiocheni symboli virtutemque veniamus, in quo cum ipse baptizatus sit ac renatus, suis eum professionibus argui, suis ut ita dicam armis conteri oportet* (De incarn. VI, 3, CSEL 17; 327, 7—11). Unter logischer Rücksicht sucht Cassianus freilich in diesem zweiten Beweisgang so etwas wie den Ausweis eines Selbstwiderspruchs bei Nestorius, insofern ihm nachgewiesen werden soll, daß er seinem eigenen Taufbekenntnis widerspricht: *Hic enim ordo est, ut superatus iam testimoniis sacris etiam se ipso ut ita dicam teste superetur neque enim aliis iam rebus contra eum agi necesse erit, cum palam se et evidenter ipse convicerit* (CSEL 17; 327, 12—15). Dieser Aufweis ist jedoch nur stichhaltig unter der Voraussetzung des theologischen Gewichts der Berufung auf das Taufsymbol. — Auf den Beweis *ex symbolo* (ebd. 351, 21) folgt zunächst die Widerlegung einzelner häretischer Sätze (Buch VII, 1—23), dann der Väterbeweis, VII, 24, CSEL 17; 382, 11—15: *Sed tempus tandem est finem libro, immo universo operi imponere, si pauca tamen sanctorum virorum atque inlustrium sacerdotum dicta subdidero, ut id, quod auctoritate testimoniorum sacrorum iam approbavimus, etiam fide praesentis temporis roboremus.* Dabei erhalten die zitierten *auctores* bezeichnende Epitheta. So ist Hilarius der *magister ecclesiarum*, Ambrosius der *eximius dei sacerdos*, Hieronymus gar *catholicorum magister*, Rufinus ein *christianae philosophiae vir, haud contemnenda ecclesiasticorum doctorum portio*, Augustinus nur *hipponae Regensis oppidi sacerdos* (!) usw. — Schon der Aufbau der Argumentation gegen Nestorius als solcher stellt in seiner formalen Struktur der Nebeneinanderstellung von Schrift-, Symbol- und Väterargument eine Neuerung dar im Vergleich zu älteren Autoren. Die Struktur des Arguments macht einen Reflexionsprozeß deutlich, der die Theologie dieser Jahre vom Formalen her kennzeichnet: Das traditionelle Schriftargument, d. h. die Auslegung der Schrift im Sinne der Tradition, zerfällt in zwei selbständige Argumente: Schriftlehre plus Schriftauslegung der Tradition. Unser besonderes Interesse gilt dem zweiten und dritten Argument, der Widerlegung *ex symbolo* und dem Väterflorilegium, weil sie die Praxis zur Theorie des Vinzenz vom Rekurs auf „Texte" der Tradition darstellen. Der Fortschritt im Vergleich zu älteren Autoren ist deutlich: Die regula fidei sind hier Texte, ist die schriftliche Tradition als solche.

[72] Schon bei seiner Reflexion über die Autorität des *Apostolicum* (nicht in „Reinform", sondern durch entscheidende Zusätze aus der fides Nicaena modifiziert) betont Cassianus dessen Verbreitung in allen Kirchen (*convincerem denique probata per universum mundum symboli veritate* . . . VI, 5 CSEL 17; 329, 21—23) und gründet darauf u. a. dessen Autorität, ebd. 329, 19—29: *Si Arianae aut . . . Sabellianae haereseos assertor esses . . . dicerem te . . . oportere tamen sequi saltem consensum generis humani nec plus facere debere paucorum improborum perversitatem quam ecclesiarum omnium fidem, quae utique a Christo fundata, ab apostolis tradita non aliud existimanda esset quam vox atque auctoritas dei, quae haberet in se utique vocem et sensum dei.* Aber vorher schon, gleich im ersten Buch, kommt Cassianus auf den ,consensus omnium' als Kriterium der Wahrheit zu sprechen. Er beschließt einen längeren Passus aus dem *liber emendationis* des Leporius, den alle afrikanischen und gallischen Bischöfe, so versichert er, approbiert haben, mit folgender Erklärung: *Sufficere ergo solus nunc ad confutandum haeresim deberet consensus omnium, quia indubitatae veritatis manifestatio est auctoritas universorum et*

Pachomianischen Mönchtums ausgedehnt werden[73], aber das bisher Angeführte mag genügen, um der Hypothese einige Wahrscheinlichkeit zu geben: Die überraschend eindeutige, geschlossene, formelhaft klingende Terminologie des Commonitoriums ist die des *Cassianischen* Mönchtums, darüber hinaus wohl auch die der Leriner Mönche selbst.

Kann man bei diesem zunächst terminologischen Befund stehenbleiben? Wird man nicht vielmehr folgern müssen: Die zentralen *theologischen* Vorstellungen des Commonitoriums, so vor allem *traditio* mit ihren beiden inneren Momenten *antiquitas* und *universitas*, die problemlose Nebeneinanderstellung von Tradition und Heiliger Schrift, natürlich auch der Konzilsbegriff, dem unser besonderes Interesse gilt, sind nicht ohne das Vorbild, das Muster der entsprechenden Mönchsgegebenheiten konzipiert? Die entscheidenden theologischen Vorstellungen des Commonitoriums wären also vom Geist und von der Tradition des südfranzösischen Mönchtums mitgeprägt und beeinflußt?

Dieser mönchische Ursprung wäre dann auch die nächstliegende Erklärung für die naive, praxisferne Überzeugung des Leriners, man könne durch Beobachtung einer „Regel" das schwierige Problem der Unterscheidung zwischen Häresie und Orthodoxie für alle Zukunft lösen[74],

---

perfecta ratio facta est ubi nemo dissentit, ita ut, si qui contra hoc sentire nitatur, huius a prima fronte non tam sit audienda assertio quam damnanda perversitas, quia praeiudicium secum damnationis exhibet qui iudicium universitatis impugnat, et audientiae locum non habet qui a cunctis statuta convellit (ebd. 245, 6—13). Ein Kommentar dieses Passus erübrigt sich; das consensus-omnium-Kriterium ist hier in monumentaler Einseitigkeit und Ungeschütztheit formuliert. Aber die Praxis des Cassian ist dann doch weniger rigoros als die formulierte Theorie. Es gilt zwar der Satz *perfecta ratio facta est ubi nemo dissentit,* aber nicht in dem Sinn, daß der ‚sermo rationis' ganz überflüssig wird: *Confirmata enim semel ab omnibus veritate, quidquid contra id venit hoc ipso statim falsitas esse noscenda est quod a veritate dissentit, ac per hoc sufficere ei etiam id solum convenit ad sententiam damnationis, quod discrepat a iudicio veritatis; sed tamen quia rationi non obest sermo rationis et semper veritas ventilata plus rutilat meliusque est errantes disputationis curatione corrigi quam censurae severitate damnari, curanda est, quantum in nobis est, per divinam opem in novis haereticis vetus haeresis . . .* (ebd. 245, 13—22). M. a.W., die aufgrund des *consensus omnium* feststehende Wahrheit kann durch Argumente einleuchtender gemacht werden.

[73] Vgl. Pachomiana Latina, Ausg. A. Boon, Löwen 1932. Hier nur einige wenige Stellen: *Haec sunt praecepta vitalia nobis a maioribus tradita* (ebd. 15, 4). Die Versammlung der Mönche hat stattzufinden *iuxta praecepta maiorum et doctrinam sanctam scripturarum* (ebd. 53, 4). Für den *praepositus* gilt: *Quando iudicat, sequatur praecepta maiorum et legem dei quae in toto orbe praedicata est* (ebd. 61, 5). Vgl. Weiteres hierzu bei H. Bacht, Pakhome et ses disciples (IVe siècle), in: Théologie de la vie monastique, Paris 1961, 47 ff.

[74] Vinc., Com. 2, 1; 2, 25—29: *Saepe igitur (perquirebam) a quam plurimis sanctitate et doctrina praestantibus viris, quonammodo possim certa quadam et quasi generali ac regulari via catholicae fidei veritatem ab haereticae pravitatis falsitate discernere;* vgl. auch Com. 27, 38; 43, 13—15: *Quibus adiuvante domino fideliter sobrie sollicite observatis non magna difficultate noxios quosque exsurgentium haereticorum deprehendemus errores.*

eine Auffassung, die von einem Kirchenmann der Praxis wie Augustinus nicht geteilt wird[75].

Wir kommen zum Abschluß: Wie ist der Konzilsbegriff des Vinzenz dogmengeschichtlich einzuordnen, d. h. wie hebt er sich spezifisch von dem anderer Theologen der Alten Kirche ab? Hier seien schematisierend nur zwei Vergleichsrichtungen genannt: Mit *Athanasius* und ihm nahestehenden griechischen Theologen (*Epiphanius, Cyrill von Alexandrien* usw.) besteht eine deutliche Gemeinsamkeit darin, daß die Konzilsidee vorwiegend auf der Komponente der *traditio* = παράδοσις aufgebaut ist. Das Konzil ist seinem Wesen nach auch für den Leriner wie für Athanasius[76] *traditio* im passiven und aktiven Sinn dieses Wortes. Nicht weniger deutlich als das Gemeinsame ist aber auch das Trennende: Das Verhältnis Tradition—Schrift ist bei Athanasius wesentlich differenzierter als bei Vinzenz, und zwar vor allem deswegen, weil für Athanasius die normative Tradition nicht einfach in einem Text, einem Konzilsdekret, einer Sammlung von *sententiae patrum* gegeben ist, sondern aus ihnen erst erhoben werden muß, und zwar offensichtlich im Blick auf die Schrift. Das bedeutet konkret: Die Texte müssen interpretiert werden, will man ihren gemeinsamen Sinn, die ὁμόνοια der Väter eruieren. Ein weiterer Unterschied besteht in der Tatsache, daß Athanasius seine Konzilsidee nicht unmittelbar aus seinem Traditionsbegriff ableitet, sondern ihn aus seiner Erfahrung mit Nicaea und den übrigen Konzilien seiner Zeit entwickelt.

Was unseren zweiten Vergleichspunkt angeht, so sei nur soviel gesagt: Der Konzilsbegriff des *Augustinus* ist wiederum wie der des Athanasius an der komplexen kirchlichen Wirklichkeit gebildet, unterscheidet sich also darin wesentlich von dem des Vinzenz. Ein weiterer Unterschied dürfte darin liegen, daß der Konzilsbegriff des Augustinus von der *universitas* her konzipiert ist, während der Konzilsbegriff des Leriners, wie wir hoffen gezeigt zu haben, durch die *antiquitas* im Sinne von *traditio* bestimmt ist.

---

[75] Aug., De haer., CCL 46, 289: *Quid ergo faciat haereticum, regulari quadam definitione comprehendi, sicut ego existimo, aut omnino non potest, aut difficillime potest ... nam si hoc comprehendi potuerit, quis non videat utilitas quanta sit?*

[76] Vgl. S. 57—58.

Kapitel V

THEODOR ABÛ QURRA († 820/5)
ÜBER ‚UNFEHLBARE‘ KONZILIEN

Faktoren verschiedenster Art bestimmen die Entfaltung der kirchlichen Konzilsidee. Ein Moment unter anderen stellt dabei der Beitrag der Theologen dar, die die Idee artikulieren, ihr Ausdruck verleihen, sie reflektieren. Dieser Beitrag ist um so geschichtswirksamer, je früher er stattfindet und je eindeutiger er andererseits dem Hauptstrom der geschichtlichen Entwicklung in Ost und West zugeordnet werden kann. Namen wie Athanasius, Augustinus und Leo der Große verdeutlichen das Gemeinte. Abû Qurra, dessen Konzilsidee im folgenden untersucht werden soll, lebt im Übergang vom 8. zum 9. Jahrhundert. Sein Beitrag fällt also relativ spät, praktisch am Ende der patristischen Periode. Außerdem gehört er nicht zum Hauptstrom der kirchlichen Entwicklung. Von einer Geschichtswirksamkeit seiner Ideen kann also kaum die Rede sein. Wenn wir dennoch seine Konzilslehre ausführlich behandeln, dann deswegen, weil sie an Explizitheit die seiner Vorgänger weit in den Schatten stellt.

Obwohl Abû Qurra als „Stern erster Größe am literarischen Himmel des christlichen Orients"[1] anzusehen ist, kann sein Leben und Werk kaum als bekannt[2] vorausgesetzt werden. Deswegen sind sie zunächst kurz vorzustellen. Soweit wir sehen, stammt der einzige Versuch, Konzilsautorität systematisch abzuleiten und zu behandeln, aus seiner Feder. Es scheint somit angebracht, den Beweisgang als solchen zu analysieren. Im Anschluß daran stellen wir thesenartig die Hauptideen

---

[1] G. GRAF, Geschichte der christlichen arabischen Literatur, II, Rom 1947, 7.

[2] Außer GRAF, Geschichte 7—26, sind über Leben und Werk des Theodor Abû Qurra und den augenblicklichen Forschungsstand zu konsultieren: DERS., Chalkedon in der Überlieferung der christlichen arabischen Literatur, in: Chalkedon, I, 749—768, hier 757—759; DERS., Die arabischen Schriften des Abû Qurra, Bischofs von Harran (ca. 740—820), Literarhistorische Untersuchung und Übersetzung, Paderborn 1910, FChLDG 10, 3—4, S. 1—87; I. DICK, Un continuateur arabe de Jean Damascène: Théodor Abuqurra, évêque melkite de Harran, la personne et son œuvre, in: POC 12 (1962) 209—223 und 319—332, 13 (1963) 114—129 (einige Korrekturen und Verbesserungen an GRAF). Vgl. auch E. HAMMERSCHMIDT, Einige philosophisch-theologische Grundbegriffe bei Leontius von Byzanz, Johannes von Damaskus und Theodor Abû Qurra, in: OstkSt 4 (1955) 147—154. — Für die Ausgaben seiner arab. Werke vgl. J. ASSFALG, Theodor A. Q. in: LThK², X, 38. Überblick über die arab. Schriften mit Abgrenzung der echten von den unechten bei GRAF, Geschichte 11—26.

Theodors zusammen. Abschließend versuchen wir, Theodors Konzilslehre in ihrem engeren und weiteren Kontext zu interpretieren.

1. Leben und Werk

Aus den spärlichen Nachrichten[3] über Theodor Abû Qurra ergeben sich
nach G. Graf[4] als Lebenszeit etwa die Jahre von 740 bis 820, nach
J. Dick[5], der sich als letzter mit dieser Frage ausführlich befaßt hat, die
Periode von 750 bis etwa 825. Äußere und innere Zeugnisse deuten
auf Edessa als Vaterstadt Theodors hin. Zu dieser Herkunft würde seine
Sorge um die Einheit der Christen und seine besondere Beschäftigung
mit den Jakobiten gut passen. Denn die Mehrheit der Christen von
Edessa waren zu seiner Zeit Monophysiten. Vor seinem Eintritt in das
berühmte Sabaskloster in Palästina, das religiöse und kulturelle Haupt-
zentrum des Patriarchats Jerusalem, in dem um die Mitte des 8. Jahrhunderts Johannes von Damaskus gestorben war, dürfte Theodor eine
Zeitlang in einer Hochburg der arabischen Welt, etwa Ktesiphon oder
Bagdad, studienhalber oder von berufswegen gelebt haben. Anders läßt
sich kaum seine ausgezeichnete Kenntnis des Arabischen erklären. Was
sein Verhältnis zu Johannes von Damaskus angeht, so kann Theodor
diesen bedeutendsten Theologen der ausgehenden patristischen Zeit
nicht mehr persönlich gekannt haben, „aber er wurde sein geistlicher
Schüler, machte sich seine Anliegen zu eigen und nahm sich vor, die
Ideen des Meisters in der arabischen Welt zu verbreiten"[6]. Im Sabaskloster dürfte es auch gewesen sein, daß er den anderen großen Theologen, dem sein Werk verpflichtet ist, studierte: Leontius von Byzanz.
Vielleicht oblag Theodor wie Johannes von Damaskus vor ihm vom
Sabaskloster aus in Jerusalem dem Verkündigungsdienst. Jedenfalls
wurde man dort auf ihn aufmerksam und machte ihn, wahrscheinlich
um 793/796, zum Bischof von Harran, einem bedeutenden kulturellen
Zentrum in Mesopotamien. Theodor scheint nur kurz Bischof der zwischen Chalcedonensern und Monophysiten gespaltenen Stadt gewesen

---

[3] Brief an die Armenier 812/3; Sendung an den Hof von Armenien und Diskussion mit
Nonnus etwa 815/6; Traktat über die Bilder kurz nach 799; Bischof von Harran etwa 796.
Betrachtet man die Nichterwähnung des 7. Konzils mit Graf als Kriterium für die Datierung,
so fallen diejenigen seiner Werke, in denen nur 6 Konzilien aufgezählt werden, in die Zeit
vor 787. Dick 116—118 läßt dieses argumentum e silentio nicht gelten.
[4] Graf, Schriften 20.
[5] Dick 114—129, 120.
[6] Dick 122.

zu sein. Den Grund seiner Amtsaufgabe kennen wir nicht. Einiges deutet darauf hin, daß Theodor nach seinem Episkopat, ähnlich wie andere Mönche nach Abgabe des Bischofsamtes, wieder in das Sabaskloster zurückkehrte. Mit der Abfassung des Briefes an die Armenier im Auftrag des Jerusalemer Patriarchen Thomas, dessen Theologe er gewesen zu sein scheint, beginnt im Jahre 813 für Theodor eine neue Periode öffentlicher kirchlicher Wirksamkeit. Landauf, landab tritt er als „Diskussionsredner" auf und stellt sein Wissen und seine Dialektik in den Dienst der Verteidigung des Konzils von Chalcedon. In Alexandrien scheint er dabei Erfolg gehabt zu haben, weniger in Armenien. In einer öffentlichen Diskussion mit dem Diakon Nonnus vor dem Patricius Ashod zog er im Jahre 815, wenn wir der gegnerischen Quelle Glauben schenken dürfen, den kürzeren.

Äußere Zeugnisse und vor allem ein Teil seiner Werke in arabischer und griechischer Sprache erweisen Theodor auch als eifrigen Verteidiger des christlichen Glaubens gegenüber dem Islam. Es ist nicht ausgeschlossen, daß er 824 in Bagdad mit dem berühmten Abu-l-Hudayl und dem brillanten Al Nazzam diskutierte. Halten wir noch fest, was Graf von der literarischen Nachwirkung seines Werkes notiert: „Im umgekehrten Verhältnis zu seiner tatsächlichen Bedeutung als Schriftsteller und Theologe steht Theodor Abû Qurras Einfluß und literarische Nachwirkung für die Folgezeit. Nur sein Ruf als gewiegter Disputator ist geblieben ... Seine Werke selbst haben auf einheimischem Boden nicht fortgelebt"[7].

Theodors Werk ist teils in arabischer, teils in griechischer, teils in syrischer Sprache verfaßt. Überliefert sind jedoch nur griechische und arabische Schriften. Die 43 in griechischer Sprache erhaltenen, z. T. sehr kurzen, im 97. Band der Patrologia Graeca abgedruckten Abhandlungen wenden sich gegen Häretiker, Juden und Mohammedaner. Von größerer Bedeutung sind die arabischen, um die Jahrhundertwende entdeckten Schriften des Bischofs von Harran. Mit scharfer Dialektik werden in diesen ältesten Schriftwerken der christlich-arabischen Literatur die Grunddogmen des Christentums gegen den Islam und die christlichen Sekten, vorab den Monophysitismus, verteidigt. Auch für die Bilderverehrung hat sich Theodor Abû Qurra in einer arabischen Schrift eingesetzt[8].

Graf kennzeichnet Theodor als theologischen Schriftsteller folgendermaßen: „Durch seine unbegrenzte Wertschätzung der *auctoritas* — Heilige Schrift, Väterlehre und kirchliches Lehramt — auf der einen Seite, durch das Geltendmachen innerer Vernunftgründe und die

---

[7] GRAF, Schriften 85.
[8] GRAF, Geschichte 7—26.

meisterhafte Handhabung der Dialektik auf der anderen Seite, charakterisiert sich also Theodor Abû Qurra als Scholastiker im besten Sinne. Johannes von Damaskus übertrifft er sicher an dialektischer Routine, Frische und Feuer der Rhetorik"[9].

2. Konzilstraktat

Der zweite Teil des ersten Mimar stellt in den Kapiteln 17 bis 38[10] einen regelrechten tractatus de conciliis dar, und zwar nicht im Sinne einer historischen Beschäftigung mit Konzilien, wie wir sie seit Athanasius und Hilarius kennen und wie sie seit dem 6. Jahrhundert wieder gebräuchlich wird[11], sondern einer durchweg systematischen Behandlung des Themas. Der Aufbau des Mimar ist sehr klar und übersichtlich. Die *Einleitung* (cap. 17) bestimmt als Ziel des Traktates den Wahrheitsbeweis für die Orthodoxie. Zwei Voraussetzungen werden genannt: Nur *eine* Auslegung der Schrift, und zwar die richtige, kann Gott wohlgefällig und somit Fundament der Kirche sein (cap. 18)[12]. Diese eine, richtige Auslegung muß sich sowohl der Philosoph als auch „der Mann von der Straße" aneignen können (cap. 19)[13].

---

[9] GRAF, Schriften 67.

[10] GRAF, Schriften 103—128. Franz. Übers.: C. BACHA, Un traité des œuvres arabes de Théodore Abou-Kurra, évèque de Haran, publié et traduit en français pour la première fois, Tripoli-Rome-Paris-Leipzig 1905, 27—47.

[11] Vgl. S. 344—377.

[12] I, 2, 18; 105 (= Mimar I, 2, Kap. 18; GRAF, Schriften 105): „Also muß man sich ohne Zweifel an den wirklichen Sinn der Schrift halten in Dingen, wo es sich um eine Grundwahrheit der Religion handelt, sonst ist es ein (Götzen-)Kult. Wenn es sich aber so verhält, dann ist die von Christus gestiftete Kirche nur eine unter jenen verschiedenen Kirchen, von welchen sich eine jede als die auf dem wahren Christentum begründete Kirche ausgibt."

[13] I, 2, 19; 105—107: „Wie sollen es aber die Leute von der Straße und die Arbeiter machen, und alle Menschen, und nicht bloß die wenigen, wenn ihr Verstand nicht in jenen wirklichen Sinn eindringt, während Christus von ihnen nichts anderes als eben diesen wirklichen (Sinn) annimmt? Dürfen wir da sagen, Christus lege ihnen etwas auf, wozu sie nicht fähig sind? Das sei ferne von ihm! Sonst hätte er ja seine Herabkunft vom Himmel um ihretwillen und die Vergießung seines Blutes für sie ihnen zum Schaden sein lassen. Wenn er ihnen dieses auferlegt hat, so hat er ihnen nichts auferlegt, wozu sie nicht fähig sind. Wir wissen wohl, daß die meisten — und nicht bloß der geringere Volksteil — mit ihrem Verstande in das (Verständnis dessen) nicht eindringen, was ihnen auferlegt ist. Auf welche Weise aber erkennen sie den Weg, auf welchen ihr Verstand kommen sollte, und wie gelangen sie damit, wenn sie ihn gehen, zu jenem wirklichen Sinne? ... Wir wissen, daß Christus diese Sache nicht wie nichts behandelt und alle jene nicht ohne einen offenkundigen Weg gelassen hat, den ihr Verstand erkennen kann, und der sie auf jenen wirklich richtigen Weg hinführt, dessen Annahme er ihnen aufgetragen hat, namentlich da er und die Jünger wußten, daß diese Häresien kommen werden, und daß mit ihnen der Satan die Kirche worfeln werde, bis sie ihr rechtes Getreide bekommt."

Der Hauptteil, der den Beweis für die These zu erbringen sucht, daß das Konzil die von Gott eingesetzte Entscheidungsinstitution in Glaubensstreitigkeiten ist, gliedert sich ganz nach den Regeln der klassischen Rhetorik in zwei Teile: einen positiven Aufweis der These (cap. 20—29) und eine Verteidigung derselben gegen drei Einwände (cap. 30—34). Der Schluß (cap. 35—38) enthält die Konklusion und Ermahnungen an die Adresse der Häretiker.

Der positive Aufweis der These, der *erste Hauptteil* also, ist wiederum unterteilt in zwei deutlich voneinander abgehobene Beweisgänge. Zunächst wird der Schriftbeweis dafür erbracht, daß Gott die Konzilien als Entscheidungsinstitution der Kirche eingestiftet hat (cap. 20—22). Nach dem Beweis für die *Gründung* durch Gott folgt der für den *Fortbestand* gemäß eben diesem göttlichen Willen (cap. 23—29).

Was nun zunächst den Schriftbeweis für die Gründung angeht, so ist verschiedenes daran bemerkenswert. Einmal seine Zweigliedrigkeit. Dem neutestamentlichen Beweis aus Apg 15 (cap. 21—22) wird ein alttestamentlicher vorausgeschickt, wohl nicht nur, weil solche aus AT und NT kombinierten Schriftbeweise bester patristischer Tradition entsprechen, sondern vor allem deswegen, weil der angeführte AT-Text gerade das verdeutlicht, was in Apg 15 weniger klar hervortritt, nämlich die positive Stiftung der Konzilsinstitution durch Gott. Der in diesem Sinn angezogene Text ist Dtn 17, 8—13[14]. Theodors Kommentar lautet:

„Siehst du nicht, daß Moses die Diskussion über Gesetzesvorschriften, betreffs welcher Meinungsverschiedenheiten bestehen, und die Entscheidungen darüber keinem insgemein überläßt, mag er für sich Wissen beanspruchen oder nicht, sondern daß der Heilige Geist ihm geoffenbart hat, daß sich dieses (Recht) auf das Kollegium der Priester und auf den Richter stützen solle, der an dem Orte sein werde, welchen Gott auserwählt, daß dort sein Name angerufen werde? Er gestattete solchen, welche unter jenen waren, absolut nicht,

---

[14] Dtn 17, 8—13: „Söhne Israels! Wenn euch irgendetwas von den Geboten, worüber ihr Zweifel habt, Schwierigkeiten macht, sei es zwischen Blut und Blut, oder zwischen Urteil und Urteil, Unreinem und Unreinem, Streit und Streit, und wenn es in euren Städten Meinungsverschiedenheiten gibt in einer Lehrsache, so sollt ihr an den Ort kommen, den der Herr, (sic) dein Gott, auserwählen wird, daß an ihm sein Name angerufen werde. Gehe in jenen Tagen dorthin und komme zu den Priestern, den Leviten und dem Richter, welcher in jenen Tagen dort ist. Sie werden sich um jene Sache annehmen und dir eine richtige Entscheidung geben. Du aber sollst dem Richterspruch folgen, welchen sie dir verkünden von jenem Orte aus, welchen der Herr, den Gott erwählen wird, daß an ihm sein Name angerufen werde. Habe wohl darauf acht, daß du das ausführest, was sie dir auftragen, und nach dem Gesetze und der Entscheidung handelst, welche sie dir sagen! Weiche nicht ab von dem, was sie dir vorschreiben, weder nach rechts noch nach links. Der Mensch, der sich überhebt und nicht hört auf den Priester, welcher im Namen des Herrn, deines Gottes, dient, oder auf den Richter, den es in jenen Tagen geben wird, dieser Mensch soll getötet werden! Entfernet die Feinde der Söhne Israels, damit das ganze Volk es höre, sich daran ein Beispiel nehme und von der Ungerechtigkeit sich fern halte." Zitiert nach I, 2, 20; 107—108.

mit ihnen zu diskutieren, sondern allen, mochten sie sein, wer sie wollten, und mochte sich einer für weise halten oder für nicht weise, befahl er, mit Festigkeit die Entscheidungen auszuführen, welche ihnen von jenem Kollegium zukommen, mochten sie nun für ihn sein oder gegen ihn. Er bestimmte die Todesstrafe für jeden, den der Hochmut aufbläht und dessen Herz sich nicht zur Annahme dessen verdemütigen will, was sie gegen ihn entscheiden, und welcher der Ansicht ist, seine Meinung sei besser als ihre Meinung"[15].

Durch die deutliche Hervorhebung der Stifterrolle des Moses im AT-Text soll ohne Zweifel eine ähnliche positive Stiftung durch den Geist oder Christus bezüglich der Apg 15 berichteten Konzilsabhaltung suggeriert werden[16]. Während, soweit wir sehen, Dtn 17, 8—13 von der vorausgehenden Theologie nicht im Zusammenhang mit der Konzils-problematik verwendet wurde, wir es also wahrscheinlich mit einem persönlichen Fund des Theodor zu tun haben, wird Apg 15 schon seit längerem im Zusammenhang mit dieser Problematik herangezogen[17].

Die am AT-Text gewonnene Erkenntnis über den positiven Stiftungs-willen Gottes befruchtet sodann das Verständnis des NT-Schriftbeweises:

„Im Heiligen Neuen Bunde, wovon der Alte nur ein Vorbild war, hat es der Heilige Geist in gleicher Weise eingerichtet wie im Alten und bestimmt, daß alle Angelegenheiten der Religion, worüber die Christen verschiedener Meinung sein würden, zur Entscheidung vor das Kollegium der Apostel gebracht werden sollten. Er hat den Aposteln auch ein Ober-haupt gegeben, an welches nebst seinem Kollegium alle Entscheidungsgegenstände insgesamt zu gelangen hatten; darüber sollten sie dann nur in Gemäßheit dessen, was ihnen der Heilige Geist offenbarte, ein Urteil fällen. Das ist zu erkennen aus den Apostelakten"[18].

Nicht weniger beachtenswert als der kombinierte Schriftbeweis für die Gründung der Konzilsinstitution ist sodann die Argumentation für den *Fortbestand* derselben (cap. 23—29). Auch sie ist zweiteilig: Einer bib-lischen Begründung (cap. 23—24) folgt eine „dogmengeschichtliche" (cap. 25—29).

Bei der biblischen Begründung weiß Theodor geschickt zwei Anliegen miteinander zu verbinden. Er braucht einerseits einen Schrifttext, der sich möglichst explicitis verbis auf die nachapostolische Kirche bezieht.

---

[15] I, 2, 20; 108.

[16] Die alttestamentliche Stiftung ihrerseits vollzieht sich auch wieder in einem doppelten Schritt. Nach Dtn 1, 15 reserviert sich Moses zu seinen Lebzeiten selbst das Richteramt. „Als nun Moses nach dem Willen Gottes jenseits des Jordan starb, da wußte er durch den Heiligen Geist, daß die Israeliten, wenn sie ihn einmal verloren hätten, in verwirrenden Zweifel geraten, sich spalten und in Parteiungen unter sich verfallen würden. Da stellte er ihnen im Heiligen Geist ein zweites Gesetz auf und hinterließ ihnen einen Nachfolger für sich, den es immer bei ihnen geben sollte, indem er zu ihnen sagte: . . ." (es folgt das Zitat von Dtn 17, 8—13) I, 2, 20; 107. — Hier wird die israelitische „Konzilsinstitution" als Nachfolger des Moses bezeichnet, damit aufgrund der Entsprechung Moses/Christus die neutestamentliche Konzilsinstitution als „Nachfolger" Christi, d. h. aber als Wirkung des Heiligen Geistes, „den es immer bei ihnen geben sollte", erkannt werden kann.

[17] Vgl. S. 415—423.

[18] I, 2, 21; 109.

Er hält es andererseits für notwendig, das Petrusamt in den Zuammenhang der Konzilsinstitution zu bringen. Beiden Anliegen wird Lk 22, 31—32 in seinen Augen gerecht. Denn das „Ich habe gebetet, daß du deinen Glauben nicht verlierst. Du aber wende dich alsbald an deine Brüder und stärke sie" kann sich nicht, so Theodor, auf den historischen Petrus, sondern nur auf diejenigen beziehen, „welche die Amtsstelle des Mâr Petrus, welche in Rom ist", innehaben[19].

Aus dem folgenden Traditionsbeweis erhellt, wie Theodor näherhin Petrusamt und Konzilsinstitution in Beziehung setzt. Zunächst stellt er im Hinblick auf die Überwindung der Ketzerei in der Kirche im Anschluß an den Wortlaut von Lk 22, 31—32 allgemein fest, daß die „Inhaber der Würde des Mâr Petrus ... nie aufgehört haben, ihre Brüder zu stärken und auch nicht aufhören werden, solange die Welt besteht"[20], dann präzisiert er, indem er auf 5 von den 6 in der Geschichte bisher abgehaltenen Konzilien eingeht, näherhin, worin das Bestärken besteht: Die Konzilsversammlungen fanden statt „auf Befehl des Bischofs von Rom"[21].

---

[19] I, 2, 23—24; 112—113: „Siehst du nicht, daß Mâr Petrus das Fundament der Kirche ist, speziell bestimmt zum Hirtenamt, und daß wer immer so glaubt, wie er glaubt, seinen Glauben nicht verliert, da Petrus beauftragt ist, zu seinen Brüdern sich zu wenden und sie zu stärken? Das Wort Christi: ‚ich habe für dich gebetet ...' meint, wie wir sehen, nicht Mâr Petrus und die Apostel selbst, sondern es versteht damit jene, welche die Amtsstelle des Mâr Petrus, welche in Rom ist, und die Amtsstellen der Apostel versehen. Gleichwie er zu den Aposteln gesagt hat: ‚ich bin bei euch alle Tage bis ans Ende der Welt' und mit diesem Worte nicht bloß die Apostel selbst meinte, sondern auch die Inhaber ihrer Würde und ihres Hirtenamtes, ebenso ist es mit dem anderen Worte, das er zu Mâr Petrus gesprochen hat: ‚Wende dich sogleich ...'; damit sind lediglich die Verwalter seines Amtes gemeint. Beweis dafür ist, daß Mâr Petrus selbst es war, der seinen Glauben unter den Aposteln verlor und Christus verleugnete. Vielleicht hat ihn Christus deshalb verlassen, nämlich um uns zu beweisen, daß er mit jenem Worte nicht ihn meinte. Auch ist, wie wir sehen, keiner der anderen Apostel gefallen, noch brauchte einer den Mâr Petrus, daß er ihn stärke. Wenn aber einer behauptet, Christus habe mit jenem Wort lediglich Mâr Petrus und die Apostel selbst verstanden wissen wollen, so läßt er die Kirche nach dem Tode des Mâr Petrus ungestärkt. Wieso aber dies? Wir sehen, wie die Kirche nach dem Tode der Apostel ganz und gar gesiebt wurde, und dies beweist, daß Christus nicht sie mit jenem Worte gemeint hat."

[20] I, 2, 24; 113.

[21] Dies wird 5mal wiederholt: Nicaea (I, 2, 25; 113), Konstantinopel I (I, 2, 25; 113), Ephesus (I, 2, 26; 114), Chalcedon (I, 2, 27; 115), Konstantinopel II (I, 2, 29; 117). Auf Konstantinopel II geht Theodor nur auffallend kurz ein. Verständlicherweise wird der „Papstbefehl" hier nicht genannt. Während an unserer Stelle offenbleibt, was genauerhin unter dem „Befehl des Bischofs von Rom" zu verstehen ist, andererseits sogar die Konzilseinberufung durch den Kaiser zugegeben wird (vgl. cap. 32), spricht Theodor Mimar VIII, 32; 222 von Einberufung und Leitung des Konzils durch den Nachfolger Petri: „Jedoch gehen wir ... darauf zurück, daß wir uns auf der Grundlage des Mâr Petrus aufbauen, welcher die sechs heiligen Konzilien leitete, die sich auf Befehl des Bischofs von Rom, der Weltstadt, versammelten. Auf den Stuhl dieser Stadt hat er ihn (den Bischof) gesetzt als den Stellvertreter Christi, auf daß er mit seinem allgemeinen Konzil sich zu den Leuten der Kirche wende und sie bestärke."

Die Pointe dieser Kapitel 25 bis 29 ist jedoch nicht die Präzisierung des Verhältnisses zwischen Petrusamt[22] und Konzilsinstitution — darauf wird nur en passant hingewiesen —, sondern vielmehr der geschichtliche Nachweis oder besser das Zeugnis der Tradition für den Fortbestand der Konzilsinstitution nach dem Apostelkonzil. Ausdrücklich werden deswegen die nachapostolischen Konzile in eine Linie gestellt mit dem Apostelkonzil:

„Oder wißt ihr nicht, daß, als Arius auftrat, sich eine Versammlung gegen ihn zusammensetzte auf Befehl des Bischofs von Rom, und das heilige Konzil ihn verwarf und seine Häresie für falsch erklärte, daß die Kirche dieses Konzil akzeptierte und den Arius verstieß, gleichwie die Kirche von Antiochien damals den Brief der Apostel annahm und jene Häretiker schlug (verwarf), welche sie (die Kirchenmitglieder i. A.) belehren (wollten), sie müßten sich beschneiden lassen und das Gesetz des Moses annehmen? Und als Macedonius auftrat und seine Behauptung betreffs des Heiligen Geistes aufstellte, da trat gegen ihn eine Versammlung zu Konstantinopel zusammen auf Befehl des Bischofs von Rom; das heilige Konzil verwarf ihn, und die Kirche akzeptierte jenes Konzil, wie sie das erste Konzil akzeptiert hatte, und schloß den Macedonius aus, wie sie den Arius ausgeschlossen hatte . . . Die Kirche nahm diese beiden Konzilien an, wie die Kirche von Antiochien einstmals das Konzil der Apostel akzeptiert hatte, und gleich wie es für die Kirche von Antiochien keine Auseinandersetzung (Diskussion) mit dem Beschluß der Apostel gab, so gab es auch für niemand mehr eine Auseinandersetzung mit dem Entscheid dieser zwei Konzilien"[23].

Die nachapostolischen Konzilien werden zwar in eine Linie gestellt mit dem Apostelkonzil und unter verschiedener Rücksicht mit demselben verglichen, sie werden ihm aber nicht, das verdient festgehalten zu werden, konnumeriert. Nicht das Apostelkonzil ist das erste, sondern Nicaea[24]. Bedeutsam erscheint uns ferner in dem stark stilisierten Abriß der Konziliengeschichte neben der Erwähnung des Papstbefehls zum Zusammentritt des jeweiligen Konzils der Hinweis auf die Rezeption

---

[22] Vgl. hierzu C. A. KNELLER, Theodor Abukara über Papst und Konzilien, in: ZKTh 34 (1910) 419—427.

[23] I, 2, 25; 113—114. — Im folgenden attackiert Theodor dann die Nestorianer, Monophysiten und Maroniten. Es ist nicht konsequent, die ersten Konzilien anzunehmen, die späteren aber nicht: „Wisse, daß es für dich keine Entschuldigung gibt, wenn du das Urteil der ersten zwei Konzilien annimmst, indem du dich ohne Prüfung mit ihm befreundest, wie der Heilige Geist dir befiehlt, dieses dritte Konzil aber beiseite setzest, das zu akzeptieren dir vom Heiligen Geist ebenso anbefohlen ist wie die Annahme jener beiden. Du machst deinen Verstand dem Urteile desselben gleichwertig und vertraust nicht auf den Heiligen Geist, der ihm beisteht und der durch dasselbe spricht. Wenn du diesem Konzil Fehler vorwirfst, so wisse, daß Arius und seine Anhänger gegen das erste Konzil (auch) Beschuldigungen hatten und ihm nach Kräften Fehler anhängten, und daß Macedonius und seine Anhänger Beschuldigungen gegen das zweite Konzil hatten, es der Fehlerhaftigkeit bezichtigten und nichts auf dasselbe gaben. Gleichwie es für sie mit ihrer Anklage gegen jene beiden Konzilien keine Entschuldigung bei uns gibt, ebensowenig, mußt du wissen, hast du bei Christus eine Entschuldigung mit deiner Anklage gegen jenes dritte Konzil." I, 2, 26; 115.

[24] Vgl. das vorausgegangene Zitat.

(Akzeption) des Konzilsbeschlusses durch die Kirche. Sieht Theodor hier einen Kausalnexus (die Kirche rezipierte, weil das Konzil vom Papst einberufen worden war) oder sollten lediglich zwei wesentliche Elemente für die Gültigkeit eines Konzilsbeschlusses nebeneinander genannt werden? Wie dem auch sei, jedenfalls scheint die Rezeption des Konzils durch die Kirche konstitutiv für dessen Gültigkeit zu sein.

Der *zweite Hauptteil* (cap. 30—34) stellt, wie eingangs gesagt, die Widerlegung von drei Einwänden dar[25]. Der *erste* Einwand lautet: „Die getroffene Entscheidung (ist) schlecht ausgefallen infolge von Unwissenheit oder Ungerechtigkeit"[26]. Der Einwand zielt auf die sachliche Richtigkeit einer Konzilsentscheidung ab. In Frage gestellt ist nicht mehr und nicht weniger als die Wahrheit der Konzilsdefinition. Theodor bestreitet rundweg die Erlaubtheit solcher Konzilskritik. Glaubensentscheidungen sind von ihrer Natur her dem Konzil vorbehalten und damit der Zuständigkeit eines einzelnen entzogen[27].

Der *zweite* Einwand lautet: „Dieses Konzil (hat) nur ein Kaiser versammelt und deswegen brauch(t) man es nicht zu akzeptieren"[28]. Weiter unten wird der Vorwurf verdeutlicht: Solche vom Kaiser unterstützten oder durchgeführten Konzilien, bei denen die Kaiser selbst gegenwärtig sind, gehen nicht ohne Gewaltanwendung und Nötigung vonstatten. Es wird also vom Kritiker die Freiheit des Konzils bestritten. Theodor sieht in der Einberufung des Konzils durch die Kaiser, d. h. in der Tatsache, daß es sich im Grunde um eine Staatsaktion handelt, keinen Makel des Konzils, im Gegenteil, sie stellt einen Vorteil dar: die Kaiser garantieren den ruhigen Ablauf des Konzils, an den Entscheidungen sind sie selber nicht beteiligt[29]. Den Maroniten, Jakobiten und Nestorianern,

---

[25] Theodor legt sie in der Form eines Trilemmas vor (cap. 30).

[26] Ebd.

[27] I, 2, 31; 118—119: „Wenn einer von euch diese Konzilien betreffend behauptet, ihre Entscheidung sei wegen Unwissenheit oder Ungerechtigkeit schlecht, so führt er sein Urteil in ein Gebiet ein, worüber zu diskutieren der Heilige Geist weder ihm noch einem anderen ein Recht einräumt. Der Hochmut kommt über ihn und verhindert ihn, sich der Entscheidung des Konzils zu beugen, und (so) macht er sich ohne Zweifel des geistigen Todes wert, ebenso wie das heilige Gesetz Mosis, wie ihr hört, keinem Menschen erlaubte, mit dem Kollegium (Synhedrium) eine Diskussion zu haben oder sich mit dem eigenen Urteil allein mit Ablehnung der Entscheidung des Kollegiums abzufinden; sonst straft ihn mit Bestimmtheit die Todesstrafe, von der für ihn kein Entkommen war."

[28] I 2, 30; 118.

[29] I, 2, 32; 120—121: „Dies (d. h. die kaiserliche Einberufung) ist ein Weg, der keinem jener Konzilien zu einem Fehler gereicht, vielmehr muß die Kirche Christus dankbar sein, wenn er ihr die Kaiser unterworfen hat, so daß sie ihren Vätern und Lehrern zu Diensten sind. Denn ein jeglicher Kaiser, der eines dieser Konzilien zu seiner Zeit versammelte, war ein Wohltäter der Versammlung, da er sie mit seiner Gastfreundschaft ehrte und die Bevölkerung

die sich unter Hinweis auf die kaiserliche Berufung den entsprechenden
Konzilien nicht unterwerfen wollen, wirft Theodor Inkonsequenz vor:
Die ersten Konzilien, die sie annehmen, sind nicht weniger als die späteren, die sie ablehnen, von Kaisern einberufen worden[30]. Letzten Endes,
meint Theodor, bedeutet die Ablehnung des kaiserlichen Konzils, daß
die Christenheit wieder auf die Schrift allein zurückgeworfen ist. Arius
und die anderen Häretiker können ungestraft ihre Stimme erheben[31].
Schließlich gibt es noch einen *dritten* möglichen Einwand gegen die
Annahme eines Konzilsentscheides: Das vorangehende „Konzil hat verboten, seiner Entscheidung etwas hinzuzufügen oder davon etwas wegzunehmen, und man (darf) deshalb das ihm nachfolgende Konzil nicht
annehmen"[32]. Hier handelt es sich vor allem um das bekannte Argument
der Monophysiten, die sich unter Berufung auf das Ephesinum gegen
das Chalcedonense sperrten[33]. Theodor antwortet etwa im Sinne der

---

ferne hielt, um den Vätern eine in Ruhe und Stille verlaufende Diskussion über die Religion
zu ermöglichen, und ihre Entscheidung vollstreckte. Der Kaiser aber hatte bei dem Konzil
keinen Anteil, weder an der Diskussion in Sachen der Religion noch an der Beschlußfassung
über irgend etwas. Er war lediglich Diener der Väter, hörte auf sie, gehorchte und nahm
alles an, was sie in Sachen der Religion beschlossen, ohne sich unter sie zu mischen in einer
Sache, die zur Diskussion stand." — Theodor macht es sich mit der Widerlegung des zweiten Einwandes, wie man sieht, sehr leicht. Er vermeidet jedes ernsthafte Eingehen auf die
Sachproblematik. Weder zeigt er nämlich grundsätzlich, daß kaiserliche Mitwirkung nicht
notwendig die Freiheit des Konzils aufhebt, sondern beschränkt sich auf den Vorwurf der
Inkonsequenz der Gegner (die älteren kaiserlichen Konzilien nehmt ihr an, die jüngeren
jedoch nicht!), noch macht er die geringste Anstrengung, den Tatsachenbeweis zu führen,
daß die Freiheit der Konzilien nicht angetastet wurde, sondern begnügt sich mit der puren
Behauptung einer reinen Dienstfunktion der Kaiser.
[30] I, 2, 32; 119: „Ein jeder weiß dies, daß das Konzil von Nizäa der Kaiser Konstantin
der Große einberief, das zweite Konzil in Konstantinopel der Kaiser Theodosius der Große,
das dritte Konzil in Ephesus der Kaiser Theodosius der Jüngere, das vierte Konzil in Chalzedon der Kaiser Marcianus, das fünfte Konzil in Konstantinopel der Kaiser Justinian der
Große, das sechste Konzil in Konstantinopel der Kaiser Konstantin, der Sohn des Heraklius
(Harakal). Wenn du, o Maronit, dem fünften und sechsten Konzil zum Vorwurf machst,
daß der Kaiser sie berufen habe, und daß sie die Annahme nicht verdienten, weil die Kaiser
bei denselben und durch dieselben an den Leuten Gewalt geübt hätten, so ist unrecht, was du
tust, indem du das vierte Konzil und die ihm vorausgehenden Konzilien akzeptierst. Denn
ein jedes Konzil hat lediglich der Kaiser zusammenberufen, wie wir dargetan haben. Ein jeder
Häretiker, der von diesen Konzilien verurteilt wurde, hätte gleich die eine Ausrede gehabt
und gesagt, der Kaiser, welcher jenes Konzil berief, sei es, der die Leute gezwungen habe, ihn
zu verurteilen, und auf seinen Zwang hin hätte sich jenes Konzil gegen ihn versammelt."
[31] I, 2, 32; 121: „Wenn einer von euch, ihr Häretiker, die ihr heutzutage die christliche Religion bekennt, die Unterstützung der Konzilien durch die Kaiser und ihre Anwesenheit bei
denselben als etwas Unrechtes erklärt, so vernichtet er seinerseits alles, was die Christen besitzen, und bringt uns wieder dazu, daß wir uns (bloß) an die Schriften der Bücher des Alten
und Neuen Testamentes halten."
[32] I, 2, 30; 118.
[33] Vgl. S. 238 u. 251—252.

Allocutio des Chalcedonense oder des Vigilius von Tapsus: Das betreffende Verbot untersagt nicht die Aufstellung einer neuen Glaubensformel zur Abwehr einer neuen Häresie, sondern lediglich die Modifizierung der gerade ergangenen Verurteilung[34]. Richteten sich die beiden ersten Einwände gegen das Konzil als göttliche Stiftung, insofern notwendige Implikationen derselben, nämlich im einen Fall die sachliche Richtigkeit, im anderen die Freiheit der Konzilsentscheidung in Frage gestellt wurde, so verneint der dritte Einwand im Grunde nicht die göttliche Stiftung als solche, sondern nur die Wiederholbarkeit von Konzilien, d. h. den Fortbestand der Konzilsinstitution. Seine Widerlegung verdeutlicht also den zweiten Teil des positiven Aufweises. Sie betont gerade den Fortbestand der Institution als solcher: „Dieses (d. h. das Verbot erneuter Konzilsversammlungen) widerspricht dem Heiligen Geiste, welcher diese Konzilien an Stelle der Apostel zum immerwährenden Fortbestehen eingesetzt hat, gleichwie Moses jene Kollegien eingesetzt hatte, denen zu gehorchen er verordnete, als der fortwährenden Vertretung von ihm in allen Streitigkeiten, welche unter den Anhängern des Gesetzes entstehen sollten"[35]. Theodor greift den Grundgedanken des Einwandes auf, nämlich die (falsch verstandene) Unveränderlichkeit und Unantastbarkeit des Glaubens, und führt denselben ad absurdum. Konsequent angewandt läßt er nicht nur keine weiteren, sondern überhaupt keine Konzilien zu. M. a. W.: Die Christenheit bleibt auch hier auf die Schrift allein zurückgeworfen, und Arius und Macedonius haben freies Spiel[36]. Das richtige Verständnis

---

[34] I, 2, 33; 121—122: „Denn die Entscheidungen eines jeglichen dieser heiligen Konzilien ist eine Arznei, welche der Heilige Geist anwendet, um damit vom Leibe der Kirche die Krankheit jener Häresie, welche jenes Konzil verdammte, zu entfernen. Wenn jenes Konzil sagt, es stehe keinem zu, zu dem, was es aufgestellt habe, etwas hinzuzufügen oder davon etwas hinwegzunehmen, so meint es damit nur: Es steht keinem zu, uns zu widersprechen und für die Krankheit jener Häresie, welche wir verdammten, ein anderes Heilmittel zu nehmen, als wir durch den Heiligen Geist angewendet haben. Denn der Heilige Geist widerspricht sich nicht selbst, und jenes Konzil sagt zur Kirche nicht, es werde zwar nach der Krankheit jener Häresie, welche es verurteilt hat, wieder die Krankheit einer anderen Häresie in ihr rege, den Vätern, welche ihre Ärzte sind, stehe es aber nicht zu, sich zu versammeln und von ihr jene Krankheit ebenso zu entfernen, wie es selbst die Krankheit entfernt hat, welche zu seiner Zeit sich regte. Wenn das Konzil dies tun würde, — aber es liegt ihm ferne —, so würde es in der Kirche den Grund zu jeglicher nach ihm entstehenden Krankheit legen und (dabei) den Vätern verbieten sie zu behandeln."
[35] I, 2, 33; 122.
[36] I, 2, 33; 122—123: „Wenn du, o Häretiker, fortfährst zu sagen, das Konzil, welches du akzeptierst, habe verboten, seiner Entscheidung etwas hinzuzufügen oder davon wegzunehmen, mit der Forderung, daß nach ihm keines mehr statthaben solle, dann ist es Zeit für dich, die Konzilien insgesamt, vom ersten angefangen bis zum letzten, für null und nichtig zu erklären. Denn Mâr Paulus hat ja zur Kirche gesagt, daß, wenn er selbst oder ein Engel

dieser fraglichen Vorschrift des Ephesinums erhellt Theodor dann in einem anschaulichen Gleichnis[37].

Der Gegner gibt sich noch nicht geschlagen. Er insistiert gegen die Wiederholbarkeit von Konzilien, und zwar nicht unter Berufung auf das formale Verbot des Konzils von Ephesus, sondern mit Hinweis auf den materialen, d. h. inhaltlichen Widerspruch zwischen zwei Konzilsentscheidungen[38]. Hier hat Theodor leichtes Spiel. Der erneute Einwand läuft auf den ersten hinaus und impliziert den (unerlaubten) Anspruch, auf gleicher Ebene mit dem Konzil zu stehen: „Aber es steht dir doch nicht zu, deine Diskussion der Diskussion des Konzils an die Seite zu stellen, wenn du verstehst, was der Heilige Geist im Gesetze durch Moses, das Haupt der Propheten, dir anbefohlen hat (Dtn 17, 8—13)"[39].

In der *peroratio* (ca. 35—38) zieht Theodor nochmals alle Register seiner Rhetorik. Die Conclusio lautet: „... es gibt keine Entschuldigung (mehr) zum Beiseitesetzen der Heiligen Konzilien, betreffs deren sein (d. h. des Häretikers) Verstand ihn zu der Erkenntnis gelangen läßt, daß er ihnen ohne Zweifel folgen muß"[40]. Und diese Conclusio gilt für alle und jeden. Sie duldet keine Ausnahme[41].

Über die Häresiarchen, also diejenigen, die sich durch den vorgelegten Beweis nicht von ihrem Widerstand gegen die Konzilien abbringen lassen, ergießt sich zunächst der von der Rhetorik vorgesehene Zorn (cap. 36), dann die beiden anderen loci indignationis Spott und Ironie (cap. 37). In wirksamem Kontrast zur Unbelehrbarkeit der Häresiarchen

---

vom Himmel zu ihr kommen würde, ihr etwas anderes zu lehren, als was er gelehrt habe, er verdammt sein solle. Es stand also als Folgerung aus diesem (Apostel-) Worte deiner Behauptung nach dem Arius frei, zum Konzil von Nizäa zu sagen: ich nehme deine Lehre nicht an, denn der heilige Paulus hat erklärt, daß niemand der Kirche etwas anderes lehren dürfe als was er gelehrt habe. Und dem Macedonius (stand es demnach frei) zum zweiten Konzil zu sagen: ich nehme von euch eure Lehre nicht an, denn Mâr Paulus hat erklärt, daß niemand der Kirche etwas anderes lehren dürfe, als was er gelehrt habe ... Wenn dir dies recht dünkt, o Häretiker, so bringst du uns wieder dazu, daß wir uns bloß an die Schriften der Bücher des Alten und Neuen Testamentes halten, und daß sich keiner von uns etwas daraus macht, zu sagen wie Arius gesagt ..."

[37] I, 2, 33; 123.

[38] I, 2, 34; 124: „Vielleicht sagst du, jenes Konzil, welches dich verurteilte, stehe im Widerspruch zu dem ihm vorausgehenden Konzil, wenn jemand hergehe, den Sinn seiner Lehre zu untersuchen; und deshalb meinst du, es gehe nicht vom Heiligen Geiste aus, weil der Heilige Geist sich nicht selber widerspreche."

[39] I, 2, 34; 124.

[40] I, 2, 36; 126.

[41] I, 2, 35; 125: „Aber der Heilige Geist hat niemand ausgenommen gelassen, sondern für jeden die Todesstrafe bestimmt, welcher der Entscheidung des Konzils sich widersetzt, mag er sein, wer er will. Er hat darin gar keine Ausnahme gemacht und keinem einen Vorwand möglich gelassen, auf den hin, oder sei es auch aus einem anderen Grunde, er sich dem Tode für seine Anschuldigung des Konzils entziehen könnte."

betet die „Gemeinschaft der Orthodoxie": „Lob und Dank Christus, unserem Gott, der uns Festigkeit und Gehorsam gegen die heiligen Konzilien gegeben hat, durch deren Mund der Heilige Geist redet"[42].

3. Konzilslehre

Ziel des vorausgegangenen Abschnittes war die Analyse des Konzilstraktates Mimar I, 2; Aufgabe des vorliegenden ist eine zusammenfassende Darstellung der in der Analyse gewonnenen Ergebnisse. Welches sind die wesentlichen Thesen der Konzilslehre des Theodor Abû Qurra? Hauptziel des ganzen Traktates ist ohne Zweifel der Nachweis, daß die Konzilsinstitution der Kirche auf den positiven Stiftungswillen Gottes zurückgeht. Nicht nur dieses oder jenes Konzil hat die Wahrheit gelehrt, will Theodor sagen, sondern die Kirche ist von Gott mit einer Institution ausgestattet, die in Zweifelsfällen Entscheidungen zu treffen hat. Es gibt in der Kirche ein von Gott gestiftetes konziliares Lehramt. Daß hier die Pointe des ganzen Traktates liegt, die Konzilsinstitution als von Gott positiv gewollte Stiftung, ergibt sich einerseits aus dem kombinierten Schriftbeweis (Dtn 17, 8—13 und Apg 15)[43], andererseits aus dem expliziten Nachweis, daß die in Lk 22, 31—32 ausgesprochene Verheißung und Ermahnung nicht in der apostolischen, sondern erst in der nachapostolischen Kirche ihre Erfüllung und Verwirklichung findet.

Mit dieser positiven göttlichen Stiftung der Konzilsinstitution ist für Theodor ein Zweites gegeben: Notwendig ist jede einzelne Konzilsdefinition vom Geiste gewirkt. In seinem Kommentar zu Dtn 17, 8 ff. führt Theodor aus:

„Moses verhängte die Todesstrafe über solche, welche die Entscheidung derselben (d. h. der Priester des von ihm eingesetzten Kollegiums) nicht annehmen, nur deshalb, weil er wußte, daß der Heilige Geist, wenn er die Sache mit diesen Zweifeln und dieser Meinungsverschiedenheit auf jene sich stützen läßt, ohne Zweifel ihrem Verstande zur richtigen Entscheidung darüber zuhilfe kommt und sie nicht verläßt, mögen sie ihrem Verstande und ihren Verhältnissen nach sein, was sie mögen, und daß er nicht zuläßt, daß von ihnen etwas anderes als nur Zutreffendes ausgehe"[44].

[42] I, 2, 38; 127.
[43] Weil das in Apg 15 geschilderte Konzil nicht mit genügender Eindeutigkeit weder als göttliche Stiftung noch als erstes Phänomen einer Dauereinrichtung erkennbar ist, kombiniert Theodor Apg 15 mit Dtn 17, 8 ff., wo Stiftung und Dauereinrichtung klar bezeugt sind: „Siehst du nicht, daß Moses die Diskussion über Gesetzesvorschriften, betreffs welcher Meinungsverschiedenheiten bestehen, und die Entscheidung darüber keinem insgemein überläßt, mag er für sich Wissen beanspruchen oder nicht, sondern daß der Heilige Geist ihm geoffenbart hat, daß sich dieses (Recht) auf das Kollegium der Priester und auf den Richter stützen solle, der an dem Orte sein werde, welchen Gott auserwählt, daß dort sein Name angerufen werde?" I, 2, 20; 108.
[44] I, 2, 20; 108.

Ausdrücklich schließt der Bischof von Harran den Gedanken aus, Gott könne die Konzilsinstitution gestiftet haben, ohne damit auch die Richtigkeit der einzelnen Definition zu garantieren[45]. Die Unfehlbarkeit — das folgende Zitat zeigt, daß dieses problematische Wort hier durchaus am Platze ist — der einzelnen Konzilsentscheidung ist eine notwendige Konsequenz der göttlichen Stiftung der Institution:

„Der Heilige Geist ließ nicht zu, daß vom Konzil der Apostel in irgendeiner Beziehung etwas Fehlerhaftes ausgehe, da er auf dasselbe die Diskussion in Sachen der Religion stützte, worüber es Meinungsverschiedenheiten gab, wie wir dir schon mehrmals dargelegt haben. Andernfalls wäre es der Heilige Geist, der den Menschen zur Pflicht machte, dem Konzil zu gehorchen, selbst gewesen, der die Menschen in den Irrtum führte, in welchen sie infolge des Konzils gefallen sind. Das sei ferne von dem Heiligen Geiste, daß er solches tue!"[46]

Die Geistgewirktheit und damit Unfehlbarkeit der nichtsdestoweniger von Menschen gefällten Entscheidung ist gerade das Charakteristische, oder wenn man so will: das Wunder[47] dieser von Gott gestifteten Institution, wie Theodor Apg 15 kommentierend bemerkt:

„Als das Konzil der Apostel beisammen war und sie über die Sache diskutierten, entschieden sie nach ihrer Meinung und führten ihre Entscheidung auf den Heiligen Geist zurück, indem sie sagten: ‚Der Heilige Geist und wir beschließen.' Siehst du nicht, daß dieses Konzil, welchem Christus in Sachen der Häresien das Diskussionsrecht übertragen hat, nichts anderes beschließt, als was der Heilige Geist beschließt . . ."[48]

Wenn jede Konzilsdefinition geistgewirkt und insofern unfehlbar ist, ergibt sich drittens mit Notwendigkeit die Pflicht zu Gehorsam und Unterwerfung unter die Konzilsentscheidung. In diesem Sinne kommentiert Theodor Dtn 17, 8 ff.:

„Er (d. h. Moses) gestattete solchen, welche unter jenen waren, absolut nicht, mit ihnen zu diskutieren, sondern allen, mochten sie sein, wer sie wollten, und mochte sich einer für weise halten oder für nicht weise, befahl er, mit Festigkeit die Entscheidungen auszuführen, welche ihnen von jenem Kollegium zukommen, mochten sie nun für ihn sein oder gegen ihn. Er bestimmte die Todesstrafe für jeden, den der Hochmut aufbläht und dessen Herz

---

[45] I, 2, 20; 108—109: „Wenn nun zwar einer behaupten würde, der Heilige Geist befehle allen Leuten, diesem Kollegium, welches an jenem Orte sich befindet, in ihren (vielleicht) dunklen Urteilen Folge zu leisten, wenn er aber der Meinung wäre, der Heilige Geist verlasse dieselben, so daß von ihnen Falsches ausgehe, dann würde derjenige, der dies sagt, den Heiligen Geist zu einem solchen machen, der das Volk irreführt, und der, welcher so etwas behauptet, wäre selbst einer, der den Heiligen Geist in Wahrheit lästert, indem doch der Heilige Geist die Sonne der rechten Führung und die Quelle des Lichtes ist, während ihn jener zur Ursache des Irrtums macht. Aber das sei von Gott ferne, daß sich die Sache so verhalte! Vielmehr können wir bei uns sicher und ruhig sein (in der Überzeugung), daß der Heilige Geist nicht zuläßt, daß von jenem Kollegium eine andere Entscheidung ausgeht, als sie am Platze ist."
[46] I, 2, 34; 124—125. — Ein ähnliches Argument für die Richtigkeit von Konzilsentscheidungen bringt Leontius von Jerusalem, Contra Monoph., PG 86, 2; 1877 C—D. Vgl. S. 317—318.
[47] Wir kommen weiter unten auf diesen Begriff zurück.
[48] I, 2, 22; 111.

sich nicht zur Annahme dessen verdemütigen will, was sie gegen ihn entscheiden, und welcher der Ansicht ist, seine Meinung sei besser als ihre Meinung"[49].

Im gleichen Sinne führt der Bischof von Harran zu Apg 15 aus:

„Siehst du nicht, daß dieses Konzil . . . nichts anderes beschließt, als was der Heilige Geist beschließt, und daß alle Angelegenheiten der Religion, worüber Meinungsverschiedenheiten bestehen, vor dieses Konzil gebracht werden müssen, und daß es keinem, wer er auch sei, groß oder klein, zusteht, sich mit seiner Meinung abzusondern mit Umgehung dieses Konzils und der Kirche zuzumuten, daß sie von ihm allein (etwas) akzeptieren solle? Bei meinem Leben! so etwas hat ja die Kirche nicht (einmal) von Paulus und Barnabas angenommen, welche die Sonne der Welt waren, abgesehen von der Gemeinde. Keinem Bischof oder Patriarchen oder einem anderen steht es zu, zur Kirche zu sagen: nimm mich an und das, was ich sage, und nicht die Apostel"[50]!

In eben diesem Sinne interpretiert Theodor die Konziliengeschichte:

„Als dann Nestorius hervortrat und seine Behauptung betreffs Christi aufstellte, und als die Kirche seine Lehre ablehnte und, wie gewohnt, ihn an das Heilige Konzil verwies, da trat gegen ihn eine Versammlung zu Ephesus zusammen auf Befehl des Bischofs von Rom, und das heilige Konzil verwarf ihn und erklärte seine Lehre für nichtig. Die Heilige Kirche akzeptierte dieses Konzil, schloß den Nestorius aus und anerkannte seine Lehre nicht, da sie wußte, daß es für sie keine Auseinandersetzung mit jenem Konzil gäbe, sondern daß es ihr vom Heiligen Geiste zur Pflicht gemacht war, sich dem Konzil anzuschließen, wie wir bewiesen haben"[51].

Pflicht zu Gehorsam und Unterwerfung bedeutet grundsätzlich Verbot von Diskussion und Infragestellung[52]. Völlig inkonsequent, so Theodor, ist das Verhalten der Häretiker. Während sie frühere Konzilien annehmen, lehnen sie das sie verurteilende jedoch ab[53]. Konzilskritik ist, weil und insofern das Konzil geistgewirkt ist, immer Beleidigung und Lästerung des Heiligen Geistes:

„Der Satan, der Feind des Geschlechtes Adams, spottet euer und macht euch Vorspiegelungen, daß ihr den Heiligen Geist lästert durch eure Bekrittelung der Konzilsentscheidungen, welche Entscheidungen des Heiligen Geistes sind, wie ich euch schon kundgetan habe, daß die Apostel selbst, als sie gegen die zu ihrer Zeit aufgestandene Häresie ihre Entscheidung gaben, sagten: Es ist der Beschluß des Heiligen Geistes und unser Beschluß.

---

[49] I, 2, 20; 108. — Ähnlich ist für Leontius von Byzanz das Konzil letzte Entscheidungsinstanz; vgl. Adv. arg. Severi, PG 86, 2; 1929 C. — Vgl. S. 317.

[50] I, 2, 22; 111—112.

[51] I, 2, 26; 114. — Ähnlich formuliert Theodor in bezug auf die übrigen Konzilien in cap. 27—29. Für Nicaea vgl. weiter oben.

[52] I, 2, 35; 125: „Indem ihr aber, ihr Häretiker insgesamt, eure Lehren aussprechet, ist es weder euch noch anderen vom Heiligen Geist erlaubt, unter Vorwänden gegen die heiligen Konzilien Beschuldigungen zu erheben und in irgendeiner Weise ihren Entscheidungen zu widersprechen. Andernfalls hat der Heilige Geist umsonst durch Moses, das Haupt der Propheten, befohlen, daß ein jeder getötet werden sollte, der die Entscheidung des Kollegiums (Synedriums) nicht annimmt. Es stünde man — bei meinem Leben — einem Menschen frei, wenn gegen ihn eine Entscheidung von dem Konzil ausginge, dasselbe zu beschuldigen, und er könnte dessen Entscheidung nicht auf sich nehmen wollen aufgrund jener Anschuldigung und sich (so) der Todesstrafe entziehen."

[53] I, 2, 34; 124.

Sie haben (damit) alle Menschen belehrt, daß ihr Beschluß der Beschluß des Heiligen Geistes ist. Wer also die Entscheidung eines Konzils lästert, lästert den Heiligen Geist"[54].

Konzilien dürfen nicht kritisiert werden, weil der Christ verpflichtet ist zum „Gehorsam gegen den Heiligen Geist, durch dessen Mund die heiligen Konzilien reden (!)"[55]. Nun stellt sich freilich die Frage: Welche Konzilien sind geistgewirkt, wann und unter welchen Bedingungen hat ein Konzil als geistgewirkt und unfehlbar zu gelten? Es liegt an der Natur der analysierten Schrift[56], daß diese Frage von Theodor nicht explicite behandelt wird. So kann hier nur auf einige Elemente hingewiesen werden.

Ohne Zweifel gehört in den Augen Theodors zur Rechtmäßigkeit eines Konzils die Teilnahme des Bischofs von Rom, wenn nicht sogar die Einberufung und Leitung des Konzils durch ihn. Denn, so fragt Theodor, nachdem er Mt 16,18; Joh 21,15—17 und Lk 22,31—32 zitiert hat: „Siehst du nicht, daß Mâr Petrus das Fundament der Kirche ist, speziell bestimmt zum Hirtenamt, und daß, wer immer so glaubt, wie er glaubt, seinen Glauben nicht verliert, da Petrus beauftragt ist, zu seinen Brüdern sich zu wenden und sie zu stärken"[57]? Wie auch immer genauerhin die Rolle des „Hauptes der Apostel Mâr Petrus"[58] auf einem Konzil bestimmt werden muß, eines ist gewiß, ohne ihn ist kein gültiges Konzil denkbar. So wird man Theodor interpretieren müssen. Daß Theodor zumindest die Einberufung des Konzils durch den Bischof von Rom für selbstverständlich hält, ergibt sich aus einem Überblick über die Konziliengeschichte (cap. 25—29): Die jeweiligen Konzilsversammlungen kommen zusammen „auf Befehl des Bischofs von Rom"[59]. Die offensichtliche Stilisierung der Geschichte ist theologisch bedingt.

Weiter kann man sich fragen, ob die Rezeption durch die Kirche nicht zu den Voraussetzungen für den verpflichtenden Charakter eines Konzils gehört. In diese Richtung deutet jedenfalls die Tatsache, daß Theodor bei seinem Überblick über die Konziliengeschichte neben dem päpstlichen Einberufungsbefehl stereotyp auf die Rezeption durch die Kirche hinweist[60]. Schließlich gehört in diesen Zusammenhang die Erklärung

---

[54] I, 2, 33; 124.
[55] I, 2, 36; 126.
[56] Siehe dazu weiter unten.
[57] I, 2, 23; 112.
[58] I, 2, 23; 112.
[59] Vgl. Anm. 21.
[60] I, 2, 27; 115: „Als Eutyches und Dioskorus hervortraten . . . trat gegen sie das vierte Konzil zu Chalzedon zusammen auf Befehl des Bischofs von Rom und dieses verwarf sie und erklärte ihre Lehre für falsch. Die Kirche aber akzeptierte die Lehre dieses Konzils, gleichwie sie die Lehre der drei Konzilien akzeptiert hatte . . ."

Theodors, die Konzilseinberufung durch den Kaiser hebe den verpflichtenden Charakter eines Konzils nicht auf. Die staatliche Mitwirkung als solche macht ein Konzil nicht ungültig. Wohl deswegen nicht, weil durch diese Mitwirkung nicht notwendig die Freiheit der Konzilsentscheidung aufgehoben ist. Man muß es bedauern, daß Theodor diese von anderen Autoren als wichtig betrachtete Bedingung für die Gültigkeit des Konzils, nämlich seine Freiheit[61], nicht klarer herausgestellt hat. Auch über andere Kriterien für die Gültigkeit einer Konzilsentscheidung schweigt Theodor sich aus[62].

4. Zur Interpretation der Konzilslehre

Die im vorausgehenden Abschnitt in ihren Hauptzügen wiedergegebene Konzilslehre ist nicht um ihrer selbst willen von Theodor entfaltet worden, und sie ist andererseits Teil eines größeren systematischen Zusammenhanges. Für das rechte Verständnis eben dieser Lehre ist des-

---

[61] Vgl. u. a. Johannes von Damaskus, De imag. oratio I, PG 94, 1281A—B.

[62] Zu dieser Seite der Konzilsproblematik liegen interessante Zeugnisse vor. Maximus Confessor bestreitet in seiner Disputation mit dem Expatriarchen von Konstantinopel, Pyrrhus I., i. J. 645 die Gültigkeit der Synode, die letzteren abgesetzt hatte:
Θαυμάζειν ὕπεστί μοι, πῶς σύνοδον ἀποκαλεῖς, τὴν μὴ κατὰ νόμους καὶ κανόνας συνοδικοὺς ἢ θεσμοὺς γενομένην ἐκκλησιαστικούς. οὔτε γὰρ ἡ ἐπιστολὴ ἐγκύκλιος κατὰ συναίνεσιν τῶν πατριαρχῶν γέγονεν 1), οὔτε τόπος ἢ ἡμέρα ὑπαντήσεως ὡρίσθη 2), οὐκ εἰσαγώγιμος τις ἢ κατήγορος ἦν 3), συστατικὰς οἱ συνελθόντες οὐκ εἶχον, οὔτε οἱ ἐπίσκοποι ἀπὸ τῶν μητροπολιτῶν, οὔτε οἱ μητροπολῖται ἀπὸ τῶν πατριαρχῶν 4), οὐκ ἐπιστολαὶ ἢ τοποτηρηταί, ἀπὸ τῶν ἄλλων πατριαρχῶν ἐπέμφθησαν. Τίς οὖν λόγου μεμοιραμένος, σύνοδον καλεῖν ἀνάσχοιτο, τὴν σκανδάλων καὶ διχονοίας ἅπασαν πληρώσασαν τὴν οἰκουμένην; Disp. cum Pyrrho, PG 91, 352 D. —
Vgl. auch Theodor von Studion, Ep. 72, FG 99, 1305 A—B:
Ἡ ἐν Βλαχέρναις παρ᾽ αὐτοῖς λεγομένη σύνοδος κατὰ τῆς εἰκόνος Χριστοῦ, πολὺ μεταγενεστέρα τῆς μετὰ τὴν ἕκτην συναθροισθείσης ὑπὲρ τῆς εἰκόνος Χριστοῦ. Καὶ ἡ μὲν ἀποδεδεγμένη παρὰ τοῖς πέντε πατριάρχαις· ἡ δὲ ἀναθεματιζομένη παρὰ τοῖς τέσσαρσιν ὡς Χριστομάχος. Ἔπειτα καὶ ἡ ἐν Νικαίᾳ τὸ δεύτερον, ὡς ὁμόφρων τῇ μετὰ τὴν ἕκτην συνόδῳ, εὐπρόσιτος παρὰ τοῖς πέντε· ἡ δὲ νῦν ἀθροισθεῖσα ἐπὶ βεβαιώσει τῆς ἐν Βλαχέρναις κατὰ τῆς εἰκόνος Χριστοῦ, ἀπόπτυστος ὡς κἀκείνη. — Johannes von Jerusalem definiert kurz und bündig die ökumenische Synode, Adv. Const. Cabal. 16, PG 95, 332 C—D:
Τίνα, εἰπέ μοι, ἐξακολουθήσωμεν, τῶν σημειοφόρων καὶ ἁγίων Πατέρων σύνοδον πολύκυδον καὶ παγκόσμιον, ἢ τὴν ἀκέφαλον ταύτην, τὴν ἐβδελυγμένην παρὰ Θεοῦ καὶ τῶν ἁγίων αὐτοῦ; Καὶ γὰρ ἀκέφαλός ἐστι καὶ θεομίσητος. Καὶ εἰπέ μοι· ποῖος πατριάρχης εὑρέθη ἐν αὐτῇ; Ὁ Ῥώμης, οὐ κατεδέξατο ἐλθεῖν. Ὁ Ἀλεξανδρείας, οὐδὲ ὅλως· ὁ Ἀντιοχείας, οὐδὲ τὸ σύνολον· ὁ Ἱεροσολύμων, οὐδὲ ἅπαξ. Λοιπὸν ποταπή ἐστιν αὕτη ἡ σύνοδος πατριάρχην μὴ ἔχουσα; Σύνοδός ἐστιν ὅτε τὰ πέντε πατριαρχεῖα θεσπίσουσι μίαν πίστιν, καὶ ἕνα λόγον· εἰ δὲ ἐκ τούτων κἂν εἷς ἀπολείψῃ, ἢ οὐχ ὑποκύψειε τῇ συνόδῳ αὕτη σύνοδος οὐκ ἔστιν, ἀλλὰ παρασυναγωγὴ καὶ συνέδριον ματαιότητος καὶ ἀλαζονείας. Vgl. auch S. 318—322.

wegen abschließend noch auf ihren Zweck und auf den näheren und weiteren Zusammenhang hinzuweisen. Erhellend in diesem Sinne ist zunächst die Beachtung der apologetischen Grundintention des analysierten Textes, Sein Ziel ist der Wahrheitsnachweis der Orthodoxie[63], wie ihn etwa der ehemalige fundamentaltheologische Traktat ‚De ecclesia‘ zu leisten hatte. Diese apologetische Abzweckung des Textes ist nicht ohne Einfluß auf die vorgetragene Konzilslehre geblieben. Sie erklärt z. B. die Auslassungen Theodors. Unser Autor läßt alle Probleme der kirchlichen Konzilsidee beiseite. Wir finden keine deutlichen Aussagen über die schwierige Frage der Kriterien für die Gültigkeit der Konzilien. Die Frage des Konzilsvorsitzes wird nur angedeutet, aber nicht eigentlich behandelt. Auf die Unterscheidung zwischen den verschiedenen Arten von Konzilien geht Theodor auch nicht ein. Das Verhältnis von Schrift und Konzilsdefinition, das von anderen Autoren der Alten Kirche durchaus als Problem empfunden wurde, kommt bei ihm nicht zur Sprache. Unser Apologet verbiegt überdies die Daten der Konziliengeschichte in einem unerträglichen Maß. Überhaupt bleibt die Wahrheitsfrage gänzlich unerörtert, sieht man einmal ab von der Affirmation formaler Autorität.

Die apologetische Abzweckung hat aber auch der vorgetragenen Lehre selber ihren Stempel aufgeprägt. Apologetik besteht immer darin, aus dem positiv aufgewiesenen Stiftungswillen Gottes rational überprüfbare Konsequenzen zu ziehen. Tatsächlich entspricht Mimar I, 2 durchaus diesem apologetischen Grundschema, wie aus obiger Analyse hervorgegangen sein dürfte. Das kann bedeuten, daß Theodor den positiven Stiftungswillen Gottes stärker betont und herausstellt, als es die Theologie seiner Zeit sonst zu tun pflegte. Ebenfalls daß er massiver als gemeinhin üblich die Geistgewirktheit der einzelnen Definitionen und entsprechend die Gehorsamspflicht herausstreicht. Andererseits würde es jedoch gerade der apologetischen Abzweckung des Textes widersprechen, wenn sich Theodor Übertreibungen bzw. Sonderlehren leisten würde. Die Substanz des Vorgebrachten ist, ähnlich wie bei anderen guten Apologeten, wohl repräsentativ für die Orthodoxie seiner Zeit.

Zum näheren Kontext der vorgetragenen Lehre gehört Mimar I, 1, der unmittelbar vorausgehende Traktat über die Wahrheit des Christentums. Er ist nicht nur formal, sondern in gewisser Weise auch inhaltlich

---

[63] I, 2, 17; 103: „Es ist nun unsere fügliche Pflicht, gleichwie wir die Wahrheit des Christentums gegenüber jeder (anderen) Religion dargetan und bewiesen haben, daß sie einzig die wahre Religion ist, ebenso auch die Orthodoxie von jenen Häresien auszuscheiden und zu beweisen, daß sie allein das Christentum ist und daß alle jene Häresien falsch sind.“

parallel zu Mimar I, 2 konstruiert, was zum Verständnis der Konzilslehre nicht unerheblich beiträgt. Zum Formalen gehört, daß hier wie
dort das typologische Verhältnis Moses/Christus bzw. Heiliger Geist in
einem apologetischen Gedankengang fruchtbar gemacht wird[64], ebenso
daß hier wie dort das Ziel der Abhandlung das gleiche ist, nämlich den
Verstand zur Annahme einer bestimmten Wahrheit zu „zwingen und zu
nötigen"[65]. Die inhaltliche Analogie besteht darin, daß die Konzilien
im zweiten Beweisgang den logischen Platz der Wunder im ersten ein-
nehmen. Wie diese den Verstand zum Glauben an die Wahrheit des
Christentums „zwingen", so jene zur Annahme der Orthodoxie. Des
Wunders bedarf es, weil allein das Wunder als Intervention Gottes die
Wahrheit Christi zwingend aufweist[66]. Auf ihre Weise stellen die Konzilien, „durch deren Mund der Heilige Geist redet"[67], eine Intervention
Gottes dar, aufgrund deren die Wahrheit der Orthodoxie wiederum
zwingend einleuchtet[68]. Man wird andererseits davon ausgehen können,
daß Theodor bei aller Parallelität von Wunder und Konzil im Wahrheitsbeweis für Christentum einerseits und Orthodoxie andererseits den entscheidenden Unterschied zwischen beiden Arten von Intervention Gottes

---

[64] I, 1, 4; 91: „Wer sich Christus anschloß wegen seiner unzähligen Wunder, dessen Glaubensgrund war stark, gleichwie der Glaubensgrund derjenigen stark war, welche Moses
wegen der von ihm gewirkten Wunder aufnahmen."
[65] Hier ist es der Glaube an Christus: „Diese (Wunder) sind es, welche den Verstand zwingen und nötigen, Christus und den Glauben an ihn mit Notwendigkeit anzunehmen."
I, 1, 7; 96. Dort ist es der Glaube an die Orthodoxie: „Einem jeden von euch, der für sich
Wissen beansprucht, ist nun der Weg des rechten Wandels (der Wahrheit) dargelegt, und es
gibt für ihn keine Entschuldigung (mehr) zum Beiseitesetzen der heiligen Konzilien, betreffs
deren sein Verstand ihn zur Erkenntnis gelangen läßt, daß er ihnen ohne Zweifel folgen muß."
I, 2, 36; 126. Vgl. auch I, 2, 19; 106.
[66] I, 1, 2; 90: „Ebenso darf kein Verständiger eine Religion annehmen, die nicht auf göttliche Wunder begründet ist, die ein Beweis dafür sind, daß ihr Überbringer wahrhaftig von
Gott kommt. Wer aber die Religion annimmt aufgrund von etwas anderem als diesem Fundamente, der verläßt und gibt preis die Sicherheit (des Verstandes) in einer Sache, für welche
allein die Sicherheit im Menschen erschaffen wurde, und bringt seine Seele in Gefahr des
Untergangs und gibt einem nach, der ihn ins Verderben hinein- und von dem Weg abzieht,
welcher zu der vom Verstande allein ersehnten Seligkeit führt."
[67] I, 2, 38; 127.
[68] Die Analogie zwischen Wunder und Konzilien wird verstärkt, wenn man bedenkt,
daß die den Verstand bezwingenden Wunder ja nicht unmittelbar von den Gläubigen erlebte,
sondern lediglich durch die Apostel bezeugte bzw. überhaupt nur postulierte Wunder
sind: „Wenn du aber sagst, o Jude: meine Vorfahren, unter welchen und in deren Tagen
jener erschien, den man Christus nennt, sind gestorben, und ich weiß nicht, daß er ein Wunder
tat — so antworten wir: ... Das ist doch klar zu erkennen, daß er in Ewigkeit nicht angenommen worden wäre, wenn jene im Evangelium und in den Schriften der Jünger berichteten
Wunder nicht tatsächlich gewirkt worden wären. Diese sind es, welche den Verstand zwingen
und nötigen, Christus und den Glauben an ihn mit Notwendigkeit anzunehmen." I, 1, 7;
94—96.

nicht übersieht: Das Wunder ist in seiner Sicht doch letztlich massives und sichtbares Eingreifen Gottes in den Ablauf der Naturgesetze, das Konzil dagegen nur eine aufgrund von rationalen Schriftargumenten geglaubte Intervention.

Was bedeutet nun diese Analogie, das Konzil als „Wunder" der Orthodoxie, für die Interpretation der oben vorgelegten Konzilslehre? In dem Maße als Theodor tatsächlich das Konzil dem Wunder analog konzipiert, wird er den interventionistischen Charakter der Definition stärker betonen, als das vielleicht allgemein in seiner Zeit üblich war. Theologisch kann das bedeuten, daß ihm der Wesensunterschied zwischen Heiliger Schrift und Konzilsdefinition noch undeutlicher bewußt ist als den übrigen Theologen seiner Zeit. Andererseits zeigen uns sonstige Quellen, daß Theodor in seinem „wundernahen" Konzilsverständnis durchaus repräsentativ ist für seine Zeit[69].

Erhellend für die Konzilslehre Theodors ist schließlich als weiterer Kontext sein Glaubensbegriff einerseits und die Art und Weise, wie er das Verhältnis von Glauben und Wissen bestimmt. Am Anfang des dritten Mimar definiert Theodor den Glauben: „Der Glaube ist das sichere Fürwahrhalten dessen, was der Erkenntnis entgeht, in derselben Weise wie (das sichere Fürwahrhalten) dessen, was die Erkenntnis begreift"[70]. Über den Intellektualismus dieses Glaubensbegriffes sollte man sich nicht hinwegtäuschen lassen durch die unmittelbar folgende betont voluntaristisch klingende Hinzufügung: „Der Glaube wird aber nicht anders erworben als durch (eigenes) Wollen, wie Mâr Paulus sagt, der Glaube komme lediglich vom Hören des Ohres." Was das Verhältnis zwischen Glauben und Wissen angeht, so bekennt sich Theodor gegen Rationalismus und Irrationalismus[71] zu einem Weg, den diejenigen gehen, „welche sich von ihrer Vernunft so leiten lassen, daß sie den Glauben an ihre Stelle setzen; dann macht sie der Glaube für alles empfänglich, was aus jener Lage hervorgeht, in welcher die Vernunft richtig urteilt, daß es sich zieme, dem Worte zu glauben, das sich auf

---

[69] Vgl. etwa MANSI 10, 1175 C; 13, 403 C; 16, 83 A—B; PG 100, 598 C—D.

[70] III, 1; 133.

[71] III, 1; 133—134: „Von den Menschen insgesamt gibt es bezüglich des Glaubens an das, was von Gott kommt, drei (Klassen): solche, welche den Glauben gänzlich ablegen, indem sie sich zu hoch dünken, als daß ihre Vernunft einer Offenbarung (‚habar' ist alles, was einem zu Ohren kommt: Neuigkeit, Gerücht, Botschaft, Nachricht, sodann wie namentlich bei Abû Qurra, eine gehörte Aussage, Behauptung, Lehre, Offenbarung) Folge leistet, die ihre Erkenntnis nicht begreift; solche, welche zwar ihre Vernunft der Annahme einer von Gott ihnen zukommenden Offenbarung hingeben, wenn auch ihre Erkenntnis sie nicht begreift, welche aber auf ihren Glauben nichts halten, und deren Vernunft bei einer aufmerksamen Überlegung derselben ihr kein solches Vertrauen entgegenbringt, daß sie dieselbe an Stelle

Gott stützt"[72]. Ist das nicht der Glaubenspositivismus, die Dichotomie zwischen Glauben und Wissen der klassischen Apologetik? Es gilt kritisch zu prüfen, ob Gott gesprochen hat, um dann das Unbegreifliche für wahr zu halten? Es ist sicher kein Zufall, daß der Konzilstraktat Theodors sich liest wie der einschlägige Abschnitt eines apologetischen Handbuchs aus der Zeit vor dem Zweiten Vatikanum. Die Konzilslehre ist eben Funktion des Glaubensbegriffes.

---

ihrer Vernunft setzen; und endlich gibt es solche, welche ihren Verstand der gläubigen Annahme einer Offenbarung, mag sie sich auf Gott stützen oder nicht, unterwerfen, und welche ihren Glauben nicht verlassen, so daß es mit ihnen ginge wie mit einem Schiffe, auf dem kein Kapitän und keine Schiffsleute sind, sondern welche sich von ihrer Vernunft so leiten lassen, daß sie den Glauben an ihre Stelle setzen."
[72] III, 1; 134.

Zweiter Teil

Die Konzilsidee der Alten Kirche im Spannungsfeld der Konziliengeschichte

Schon vor dem ersten Nicaenum gibt es gelegentlich Ansätze zu theologischer Reflexion über die seit 150 Jahren bestehende Konzilspraxis der Kirche. Aber einen schlechterdings unvergleichlichen Impuls zur reflexen Erfassung dieses Aspekts des kirchlichen Lebens bringt doch erst das Konzil von Nicaea. Gegenstand des durch das Konzil und mehr noch durch seine schwierige Rezeption bedingten konziliaren Bewußtseins ist dabei kaum, wie man bisher annahm, der Gedanke der Ökumenizität, sondern die Konzilsidee als solche. Wir haben den Eindruck, daß dieses ‚Gesetz' auch für die weitere Entfaltung der Konzilsidee der Alten Kirche gilt: den entscheidenden Antrieb zur Entwicklung bekommt die Konzilstheorie von der Konzilspraxis. Jedoch nicht von allen Ökumenischen Konzilien in gleicher Stärke. Wir meinen beobachten zu können, daß die entscheidenden Impulse vom ersten Nicaenum, vom Chalcedonense, vom zweiten Constantinopolitanum und vom zweiten Nicaenum ausgegangen sind. Dieser Beobachtung trägt die folgende Darstellung Rechnung, die dem ersten Constantinopolitanum, dem Ephesinum und dem dritten Constantinopolitanum kein eigenes Kapitel widmet.

Wenn wir die Entfaltung der Konzilsidee in der angegebenen Weise, d. h. nach ganz bestimmten Konzilien, ‚artikulieren', so ist das nicht in einem zu engen Sinn zu verstehen. Es wird keineswegs jeder Einfluß der nicht genannten Konzilien auf die Entfaltung der Konzilsidee geleugnet. Es wird vielmehr damit gerechnet, daß z. B. das Ephesinum die durch das Nicaenum hervorgerufenen Ansätze konziliarer Theorie ‚verstärkte', daß das dritte Constantinopolitanum in der Frage der Kriterien eines legitimen Konzils Denkanstöße gab. Die Auswahl soll lediglich die, wie uns scheint, entscheidenden Impulse zur Weiterentwicklung kennzeichnen. Wo liegen die ‚Artikulationen', die ‚Sprünge' in der Entfaltung der Konzilsidee, wo kommt vergleichsweise Neues zum Vorschein, fragen wir und glauben, hierbei einigen ökumenischen Konzilien eine bedeutendere Rolle zuschreiben zu müssen als anderen.

Auch in einem anderen Sinne darf diese Auswahl der vier von sieben Ökumenischen Konzilien nicht mißverstanden werden: Was hier als

Konzil bezeichnet wird, ist nicht zu eng zu nehmen. Die entscheidenden Impulse zur Entfaltung der Konzilsidee gehen nicht unmittelbar vom Konzil selber aus, sondern von seiner Rezeption. Wenn wir vom Nicaenum sprechen, meinen wir im wesentlichen die durch den Prozeß seiner Rezeption ausgelöste Reflexion über die Konzilsidee; wenn wir vom Chalcedonense sprechen, dann meinen wir im wesentlichen die im Vorgang seiner Rezeption in Gang gekommene theologische Erörterung der Konzilsidee. In einem besonders weiten Sinn ist in unserer Studie das zweite Constantinopolitanum gefaßt. Wir verstehen darunter nicht nur die durch seine Rezeption ausgelöste Diskussion konziliarer Autorität, sondern weitgehend auch schon die ihm vorausgehende und im Konzil ihren Höhepunkt findende Krise. Sogar die im acacianischen Schisma stattfindende Reflexion über Konzilsautorität haben wir unter die Überschrift ‚zweites Constantinopolitanum‘ gestellt.

Wir unterscheiden vier Hauptphasen der Entfaltung der Konzilsidee. Die unter dem Stichwort ‚erstes Nicaenum‘ stehende führt zur grundsätzlichen Erkenntnis einer die Schrift mit Verbindlichkeit auslegenden positiven Norm. Von gleich eminenter Bedeutung ist die zweite durch das ‚Chalcedonense‘ gekennzeichnete Phase: die Kirche hat nicht nur ein für alle Mal solche positive Norm aufgestellt, sie ist dazu auch ein zweites Mal fähig, sie ist es grundsätzlich immer wieder, wenn sie dazu herausgefordert wird. Die entscheidende Voraussetzung zur Anerkenntnis eines konziliaren Lehramtes bringt u. E. diese chalcedonensische Phase. Die dritte in dem oben angedeuteten Sinn unter dem Sammelnamen ‚zweites Constantinopolitanum‘ stehende Phase bringt eine Reihe wichtiger Präzisierungen in der Bestimmung der formalen Autorität des Konzils. Das hervorragende Ergebnis der vierten Phase scheint uns eine genauere Definition des ökumenischen Konzils zu sein. Im Mittelpunkt steht die Frage der Kriterien, damit unmittelbar zusammenhängend die Problematik der Rezeption.

Die angedeuteten vier Phasen scheinen eine gewisse innere Logik der Entfaltung der Konzilsidee zu beinhalten und anzuzeigen. Das Wesen wird ‚früher‘ erfaßt als die genauen Bedingungen der Existenz. Wir betrachten die angedeuteten Phasen als mehr oder weniger zufällig und messen dieser Entfaltung gleichsam in vier Momenten keine besondere Bedeutung zu. Auch hier scheint uns der Hinweis wichtig zu sein, die vier Phasen oder Momente oder Artikulationen der Entfaltung nicht zu eng zu verstehen. Es handelt sich eher um thematische Schwerpunkte, um Akzente, als um irgendeine innere Dialektik sich gegenseitig ausschließender Aspekte. Selbstverständlich gibt es nämlich schon im Anschluß an das erste Nicaenum die Problematik der Rezeption, selbstverständlich wird im Zusammenhang des zweiten Nicaenums anderseits das Wesen des Konzils bedacht, ist also die Problematik des ersten Nicaenums präsent. Wir werden übrigens eigens darauf zu sprechen kommen.

Zu erinnern ist schließlich an das in der Einleitung Gesagte: Gegenstand und Rücksicht des ersten und zweiten Teils schließen sich nicht gegenseitig aus. Der zweite Teil bringt keinen systematischen Fortschritt im Vergleich zum ersten. Lag der Akzent im ersten Teil auf den einzelnen Theologen, so liegt er hier auf dem einzelnen Konzil. Hier wie dort handelt es sich um Konzilsidee „im Spannungsfeld der Konziliengeschichte".

Wir beschließen den zweiten Teil mit einer Studie, die sich von den vier vorausgehenden Kapiteln methodisch insofern abhebt, als die Konzilsidee nicht aus der Vielzahl verschiedenster Arten von Texten, sondern aus einer einzigen Kategorie von Schriften, den (von uns so genannten) Konzilssynopsen, eruiert wird. Die Konzilsidee spiegelt sich hier gleichsam in den allerersten Anfängen der Konziliengeschichtsschreibung. Sie erscheint in diesen Texten, wenn man so will, im Spannungsfeld der geschriebenen Konziliengeschichte.

Kapitel I

DAS ERSTE NICAENUM
UND DIE ANSÄTZE KONZILIARER THEORIE

Die wachsende Autorität des Konzils von Nicaea und damit grundsätzlich die zunehmende Bedeutung der Konzilsidee ließ sich im Werk und
in der Theologie des Athanasius von Alexandrien deutlich aufzeigen[1].
Ziel des folgenden Kapitels ist es, über Athanasius hinaus die Entfaltung der Konzilsidee der Alten Kirche im Spannungsfeld des Nicaenums zu untersuchen. Wir beschränken uns dabei auf das vorephesi-
nische, außerafrikanische Schrifttum[2]. Es geht uns u. a. darum zu zeigen,
daß schon in der Reflexion über die fides Nicaena[3] erste Ansätze
konziliarer Theorie sichtbar werden. Im einzelnen gehen wir in vier
Schritten vor. Bevor wir die wachsende Autorität der fides Nicaena im
betreffenden Schrifttum aufzeigen, ist auf eine Phase mangelnden, wenn
nicht überhaupt fehlenden Verständnisses für die spezifische Autorität
dieser Glaubensformel hinzuweisen. Daran anschließend werden zunächst vortheologische, dann theologische Formen einer Begründung
der fides Nicaena vorgestellt. Bei letzteren handelt es sich um erste Ansätze einer konziliaren Theorie.

1. Mangelndes Verständnis

Daß das kirchliche Leben lange vor dem Nicaenum, wenn auch nicht in
allen Gegenden gleich intensiv, durch konziliare Praxis gekennzeichnet
ist, ergibt ein Blick in die Konziliengeschichte[4]. Unser Wissen über die

---

[1] Vgl. S. 25—67.
[2] Über Augustinus vgl. S. 89—102.
[3] Unter ‚fides Nicaena' verstehen wir dabei das, was auch die alten Theologen selber unter
diesem Begriff verstanden haben: den Text bzw. die Texte, die als Glaubensformel des Konzils von Nicaea galten. — G. L. Dossetti, Il Simbolo di Nicea e di Constantinopoli. Edizione
critica (Testi e Ricerche di Scienze Religiose, 2, Roma/Freiburg/Basel/Barcelona/Wien 1967),
stellt die verschiedenen Textformen der fides Nicaena zusammen.
[4] Vgl. vor allem Hefele/Leclercq I, 1. Aus der neueren Literatur: Das Konzil und die
Konzile, mit den Beiträgen von H. Marot, Vornicäische und ökumenische Konzile, ebd.
23—51, und P.-Th. Camelot, Die ökumenischen Konzile des 4. und 5. Jahrhunderts, ebd.
53—88. Vgl. auch M. Goemans und B. Botte, Presbyterium und Ordo, in: Irén. 29 (1956)
5—27 (zur Entstehung des konziliaren Bewußtseins); J. D. Zizioulas, Die Entwicklung

konziliare Praxis der Alten Kirche soll hier zunächst durch einige Zeugnisse ergänzt werden, aus denen sich so etwas wie eine allgemeine Konzilstheorie der Alten Kirche entwickeln ließe. Insofern in ihnen die Überzeugung zum Ausdruck kommt, daß Konzile notwendig sind bzw. daß Christus selber sie einberuft, wird den Konzilien von vornherein eine bestimmte Autorität zuerkannt. Von dieser selbstverständlichen, allen Konzilien zugestandenen Autorität gilt es auszugehen bei der Frage nach der speziellen Autorität der fides Nicaena.

Beim Bericht über das Konzilsverbot des *Licinius* begründet *Eusebius* in der *Vita Constantini* den damit heraufgeführten kirchlichen Notstand mit der lapidaren Bemerkung: „Anders nämlich als durch Synoden ist es unmöglich, die großen Probleme zu lösen"[5]. Dementsprechend berichtet derselbe Autor in seiner Kirchengeschichte über zahlreiche Konzilien der Alten Kirche[6]. Auch *Epiphanius* weiß um die Notwendigkeit der Konzilien, er präzisiert näherhin ihre Bedeutung für die Kirche: „Die Konzilien bringen die (gesuchte) Gewißheit (ἀσφάλεια) in den von Zeit zu Zeit jeweils anstehenden Fragen"[7]. Er macht diese Bemerkung bezüglich des Nicaenums, wo eben die Frage nach der Gottheit des Heiligen Geistes noch nicht gestellt war. *Cyrill von Alexandrien* gibt seiner Konzilserwartung folgendermaßen Ausdruck, als er aufgefordert wird, sich einem Konzil zu stellen und sich dort zu rechtfertigen: „Es kommt vor, daß der Erlöser in seiner Heilsvorsorge (οἰκονομία) wegen kleiner und unbedeutender Angelegenheiten eine Synode einberuft, um seine Kirche zu reinigen, so daß sie den edlen Glauben unbefleckt und unvermischt besitzt"[8]. Wir sehen hier ab von der Frage, wie sicher *Cyrill* tatsächlich ist, vor einer wirklich allgemeinen Synode seinen Standpunkt durchsetzen zu können, wir halten lediglich seine Überzeugung fest, daß Konzilien letztlich von Gott selbst veranstaltete Unternehmungen sind mit dem Ziel der Reinerhaltung des Glaubens. Dieser seiner Überzeugung gibt *Cyrill* auch an

---

konziliarer Strukturen bis zur Zeit des ersten ökumenischen Konzils, in: Konzile und die Ökumenische Bewegung, 34—52; I. ORTIZ DE URBINA, Nizäa und Konstantinopel, Mainz 1964, franz.: Nicée et Constantinople, Paris 1962; P. TH. CAMELOT, «Symbole de Nicée» ou «Foi de Nicée»?, in: OrChrP 23 (1947) 425—433; G. KRETSCHMAR, Die Konzile der Alten Kirche, in: H. C. MARGULL (Hrsg.), Die ökumenischen Konzile der Christenheit, Stuttgart 1961, 13—74; K. STÜRMER, Konzilien und ökumenische Kirchenversammlungen. Abriß einer Geschichte, Göttingen 1962, mit Anhang über die wichtigere Literatur, ebd. 486—499.

[5] Eus., VC, I, 51, GCS 7, 31, 27—28.
[6] Eus., HE VI, 33, GCS 9, 2, 588; HE VI, 37, GCS 9, 2, 592; HE VI, 43, GCS 9, 2, 612; HE VII, 24, GCS 9, 2, 688; HE VII, 28, GCS 9, 2, 703.
[7] Epiph., Pan., 74, 14, GCS 37, 332, 18—19.
[8] Cyrill. Alex., Ep. ad Apoc., ACO I, 1, 1; 111, 25—27.

anderer Stelle Ausdruck, wenn er schreibt: „Wir sind des Glaubens, daß Christus der Allerlöser seine Kirchen von verkehrtem Denken rein machen und den rechten Glauben in höchstem Glanz wiederherstellen wird ..."[9] Er teilt diese seine Überzeugung vom providentiellen Charakter eines Konzils mit seinem Gegenspieler Nestorius, der seiner eigenen Konzilserwartung im Brief an Johannes von Antiochien Ausdruck gibt[10]. Eine solche Konzilsveranstaltung ist in den Augen eines *Hilarius* keineswegs eine außergewöhnliche Angelegenheit, sie gehört vielmehr zur „ständigen und öffentlichen Verkündigung des vollkommenen Glaubens", die eben je nach Schwere der drohenden Häresie entweder durch „verschiedene Briefe" oder, wie es in Nicaea der Fall war, durch eine Versammlung der Bischöfe stattfindet[11]. Bisweilen freilich erscheint die Synode als der einzige Weg, mit einem Problem fertig zu werden[12]. Konzilien gehören nach dem Zeugnis der alten Theologen zur Selbstverwirklichung der Kirche, insofern durch sie die Reinheit des Glaubens erhalten wird; sie haben ihren festen Platz in ihrem Alltagsleben. Bezeichnend ist in diesem Sinn z. B., was ein *Hieronymus* als normalen Inhalt einer „Konzilsakte" betrachtet[13].

---

[9] Cyrill. Alex., Ep. sec. ad Alex., ACO I, 1, 1; 117, 8—9

[10] Nest., Ep. ad Joh. Ant., in: F. LOOFS, Nestoriana, Die Fragmente des Nestorius, Halle 1905, nr. 7, 185, 23—24.

[11] Hil., Collect. Ant. Par., frag. B II 9, 5, 25—6, 26; CSEL 65, 148, 9—149, 10: *Cura et negotium apostolicis uiris (constanti) semper fuit constanti et publica perfectae fidei praedicatione conatus omnes oblatrantis heresis comprimere et exposita euangeliorum ueritate peruersitatem doctrinae errantis extinguere, (ne) audientium mentes quadam labe contaminans contagione uitii adhaerentis inficeret. itaque diligenter epistulis uariis, quae de deo patre opinio, quae de dei filio cognitio, quae in spiritu sancto sanctificatio oporteret esse, frequenter copioseque conplexi sunt, ut cognitus fieret de deo patre filius deus et in deo filio deus pater et in deo patre filius deus. ac sic secundum ipsius definitionem dicentis:* ego et pater unum sumus *et rursum:* sicut pater, tu in me et ego in te *continetur fides nostra in patris et filii nominibus personisque deus unus. neque enim uel inuidia Iudeorum uel odium gentilium uel furor hereticorum aliis potius aduersus nos causis est excitatus, quam quod aeternitatem, uirtutem, nomen filii confitemur in patre. hereticorum autem peruersitas de fide impia semper exorta est. nam dum occupati uitiis et ab innocentiae operibus auersi inutilium se quaestionum difficultatibus inplicant, inprobabiles effecti uita, uoluntate, iudicio placere expetunt nouitate doctrinae, postquam ueritatis scientiam perdiderunt. Cum igitur patribus nostris cognitum fuisset et Arrios duos profanissimae fidei praedicatores extitisse seque longius non iam opinio, sed iudicium labis istius tetendisset, ex omnibus orbis partibus in unum aduolant Nicheamque concurrunt, ut exposita fide populis et in luce intellegentiae cognitionis diuinae itinere directo intra ipsos auctores suos emergentis mali seminaria necarentur.*

[12] Innocentius, Ep. ad cler. et pop. Const. 3, PL 20, 505: *Necessaria est cognitio synodi, quam et iam pridem congregandam esse diximus. Ea enim sola est, quae huiusmodi tempestatum motus sedare possit.*

[13] In seiner Schrift *Apologia adversus libros Rufini* fordert Hieronymus seinen Gegner auf: *Responde, quaeso, synodus, a qua excommunicatus est (scil. Hilarius), in qua urbe fuit? Dic episcoporum uocabula, profer sententias subscriptionum, vel diversitatem vel consonantiam. Doce qui eo anno consules fuerint, quis imperator hanc synodum jusserit congregari. Gallaeue tantum episcopi fuerint an et Italiae et Hispaniae? Certe quam ob causam synodus congregata sit* (Apol. II, 19, PL 23, 464/443).

Andererseits wird man sich auch vor einer Überschätzung der Konzils-institution durch eine Stimme wie die des *Gregor von Nazianz* warnen lassen müssen. Er macht aus seiner persönlichen bitteren Erfahrung mit Konzilien keinen Hehl und hat für sie, wenn man einmal vom Nicaenum absieht, eigentlich nur Hohn und Spott übrig: „Ich verhalte mich so . . ., daß ich jede Versammlung von Bischöfen meide, weil ich bei noch keiner Synode einen günstigen Ausgang erlebt habe; sie bringen keine Beseiti-gung der Übel, sondern schaffen vielmehr neue . . . Es gibt auf ihnen nur Rivalität und Machtkämpfe . . ."[14] In seinem Gedicht *De vita sua* nennt der aristokratische *Gregor* als Grund für das Versagen der Synoden deren „anarchische" Grundstruktur: „Es gab Synoden; wessen (Synoden) waren es? . . . Es waren die Synoden aller, was soviel heißt wie nie-mandes. Denn die Herrschaft der vielen ist dasselbe wie ‚Anarchie'"[15]. Doch Gregors Mißtrauen den Konzilien gegenüber ist eine einzelne Stimme, man wird ihr nicht ungebührlich viel Gewicht beizumessen brauchen. Vorherrschend ist ohne Zweifel die Anschauung, daß die Kirche in bestimmter Weise der Konzilsinstitution ihren Fortbestand oder zumindest ihren gedeihlichen Fortbestand verdankt.

Die Frage lautet nun, ob die bleibende Geltung der fides Nicaena sich aus dem in den oben angeführten Zeugnissen zum Ausdruck kommenden ‚konziliaren Bewußtsein' der vor- und unmittelbar nachnicaenischen Kirche gleichsam selbstverständlich und natürlich ergibt. Diese Frage muß mit Entschiedenheit verneint werden. Historisch gesehen besteht das epochal Neue am Nicaenum ja nicht im Ausschluß eines Häretikers — das war traditionell Aufgabe der Konzilien und dafür bestand aufgrund des allgemeinen konziliaren Bewußtseins Verständnis in der nachnicaeni-schen Kirche — das epochal Neue ist in der positiven schriftlichen Fest-legung des Glaubens zu sehen, und demgegenüber gab es nicht nur Widerstand von seiten der Gegner, sondern weitgehend zumindest zeit-

---

[14] Greg. Naz., Ep. 130, ad Procop., GCS 53, 95, 20—22.
[15] Greg. Naz., De vita sua 1741—1744, Ausg. Ch. Jungck, Heidelberg 1974, 138:
τῶν συλλόγων δὲ τίς ποτ' εἶχε τὸ κράτος;
οἱ σύλλογοι μὲν ἦσαν, ὧν ἦσαν τότε;
(ὀκνῶ γὰρ εἰπεῖν αὖθις, οἷς αἰσχύνομαι.)
ἦσαν δὲ πάντων, ἴσον εἰπεῖν οὐδενός.
ἀναρχία γάρ ἐστιν ἡ πλεισταρχία.
Vgl. auch Ep. 124, GCS 53, 92; Ep. 132, GCS 53, 97; Ep. 136, GCS 53, 99; Ep. 173, GCS 53, 124 und vor allem: De div. vitae gen. et adv. falsos episc. 91—94, PG 37, 1268 A:
Οὐδέ τί που συνόδοισιν ὁμόθρονος ἔσσομ' ἔγωγε
χηνῶν ἢ γεράνων ἄκριτα μαρναμένων.
ἔνθ' ἔρις, ἔνθα μόθος τε καὶ αἴσχεα κρυπτὰ πάροιθεν
εἰς ἕνα δυσμενέων χῶρον ἀγειρόμενα.

weise Unverständnis bei den Anhängern des nicaenischen Glaubens selber. Die spezifische Autorität des Nicaenums, d. h. die Rezeption seines Symbols als positive Glaubensnorm, ist alles andere als eine Selbstverständlichkeit.

Das ergibt sich zunächst aus der Haltung des *Athanasius* dem Konzil von Nicaea gegenüber[16], dies erhellt ebenfalls aus dem Verhalten anderer Theologen des untersuchten Zeitabschnitts. An erster Stelle ist hier der frühe *Hilarius* zu nennen. Ganz im Gegensatz zu *Athanasius* sieht er in seinem *De synodis* die nachnicaenischen Synoden — mit einigen Abstrichen — in völlig positivem Licht. Das heißt aber doch im Hinblick auf die fides Nicaena: Diese ist in gewissem Sinne überholt oder zumindest nicht höheren Ranges als die folgenden Konzilien. Im Dienste echter Einigungspolitik sieht *Hilarius* in diesen Konzilien z. T. eine notwendige Verbesserung und Ergänzung von Nicaea. Er sieht in allen aufgestellten Glaubensformeln das Bemühen der Bischöfe, der Wahrheit näherzukommen[17]. Die einzelnen Glaubensformeln sind nicht gegeneinander gerichtet, wie *Athanasius* nicht müde wird zu wiederholen[18], sondern vielmehr eine gemeinsame Wahrheitssuche. Man wird schwerlich beweisen können, daß *Hilarius* hier nur als Taktiker, als Kirchenpolitiker spricht, dem es auf das Einebnen der Gegensätze ankommt. Es ist vielmehr der Gesichtspunkt der Gotteserkenntnis als solcher, unter der er die Glaubensformeln sieht, und von diesem „erkenntnistheoretischen", philosophischen Ansatz aus gelingt ihm nur allmählich eine positive Würdigung dessen, was eine schriftliche Fixierung des Glaubens zu sein beansprucht. Gottes Unendlichkeit ist der eigentliche Grund für die Vielzahl der aufgestellten „Definitionen" und nicht die böse Absicht der Menschen, den Glauben zu verleugnen! Das ist die kirchenpolitisch günstige Konsequenz aus diesem Unverständnis des *Hilarius*. Die *brevitas verborum*, womit auf das ὁμοούσιος angespielt wird, kann nur durch „eine Vielzahl von Definitionen" und „eine große Menge von Worten" kompensiert werden. *Hilarius* sieht die ganzen Definitionsversuche eher als eine Unterweisung *(ad docendum)* denn als ein Bekenntnis im eigentlichen Sinne des Wortes[19].

---

[16] Vgl. S. 26—34.
[17] Hil., De syn. 27, 62, PL 10, 522: *Multifarie, ut intelligitur, episcoporum consiliis atque sententiis quaesita veritas est et intelligentiae ratio exposita est per singulas scriptae fidei professiones: singulis quibusque generibus impiae praedicationis exstinctis.*
[18] Vgl. S. 41, bes. 58.
[19] Hil., De syn. 27, 62, PL 10, 522: *Non enim infinitus et immensus Deus brevibus humani sermonis eloquiis vel intelligi potuit vel ostendi. Fallit enim plerumque et audientis et docentis brevitas verborum: ct compendio sermonum aut non intelligi potest quod requiritur, aut etiam corrumpitur quod significatum*

Wenn im folgenden *Hilarius* die gallischen Bischöfe glücklich preist, daß sie bis zur Stunde überhaupt noch keine schriftlichen Glaubensbekenntnisse kennen, vielmehr den „vollkommenen und apostolischen Glauben im Herzen tragen", dann offenbart er damit nicht nur die für ihn noch um 358 typische Einstellung zu Glaubensformeln überhaupt — einschließlich der Formel von Nicaea —, sondern es fällt auch bezeichnendes Licht auf die Tatsache, wie wenig noch um 360 die nicaenische Formel im Westen, gar als Glaubensformel, bekannt war[20]. Diese Relativierung der Glaubensformeln, von der Nicaea keineswegs ausgeschlossen ist, erreicht gewissermaßen ihren Höhepunkt darin, daß Glaubensformeln und Glaubensinhalt als Buchstabe und Gewissen (Geist) einander gegenübergestellt werden[21], eine Gegenüberstellung, die freilich weniger absolut gemeint ist, als es zunächst den Anschein hat; denn *Hilarius* betont ausdrücklich die Nützlichkeit dieser schriftlichen Bekenntnisse[22].

In seinem *Liber ad Constantium imperatorem* geht *Hilarius*, bevor er in der folgenden Schrift *Liber contra Constantium imperatorem* auf die Linie

---

magis quam enarratum rationis absolutione non constat. Et idcirco episcopi intelligentiae sensu loquentes, ob difficultatem naturalis intelligentiae et plurimis definitionibus et copiosioribus verbis usi sint ad docendum, ut et sensum audientium distinctione editae per multa veritatis imbuerunt, et de divinis rebus nihil aliud periculosum aut obscurum in hac multimoda plurium sententiarum absolutione loquerentur.

[20] Hil. De syn. 27, 63, PL 10, 523: *O beatos vos in Domino et gloriosos, qui perfectam atque apostolicam fidem conscientiae professione retinentes, conscriptas fides huc usque nescitis! Non enim eguistis littera, qui spiritu abundabatis. Neque officium manus ad scribendum desiderastis, qui quod corde a vobis credebatur, ore ad salutem profitebamini. Nec necessarium habuistis episcopi legere, quod regenerati neophyti tenebatis.*

[21] Ebd.: *Sed necessitas consuetudinem intulit, exponi fides, et expositis subscribi. Ubi enim sensus conscientiae periclitatur, illic littera postulatur.*

[22] Ebd.: *Nec sane scribi impedit, quod salutare est confiteri.* In den folgenden Kapiteln von De syn. warnt Hilarius vor einem schlagwortartigen Gebrauch des ὁμοούσιος. Ein solcher Gebrauch liegt dann vor, wenn sich das Bekenntnis ausschließlich auf die „definierten" Begriffe bezieht. Das ὁμοούσιος ist das zweite, nicht das erste Wort beim Bekenntnis. Das *pater ingenitus* geht ihm notwendig voraus. Das Christusgeheimnis ist nicht in einem einzigen „nackten Begriff" *(brevi ac nudo sermone)*, z. B. mit dem Ausdruck *una substantia*, aussagbar, sondern nur in dialektischen, sich gegenseitig „aufhebenden" Schritten (ebd. 526 ff.). Für Nicaea gilt: *Ante nativitas filii, ante subjectio, ante similitudo naturae praedicanda est: ut non impie unius esse et Pater et Filius substantiae praedicetur* (De syn. 27, 69, PL 10, 527). *Et non intelligo cur ante caetera tamquam maximum et potissimum et solitarium praedicandum sit, quod nec pie possit ante caetera praedicari, et iam impie necesse sit, post caetera denegari.* Dies bedeutet: Die fides Nicaea steht, gerade weil sie brevitas auszeichnet, unter dieser Dialektik des ante und post. — Nach der Darstellung des rechten Verständnisses des ὁμοούσιος und den Ausführungen zur Ablehnung des ὁμοούσιος durch das Konzil von Antiochien (ebd. 538), die von der Auffassung des Athanasius erheblich abweichen, schließt die Schrift mit der Aufforderung, die fides Nicaena, falls notwendig, gemeinsam zu verbessern: *Si quid ad interpretationem addendum est, communiter consulamus. Potest inter nos optimus fidei status condi, ut nec ea quae bene sunt constituta vexentur, et quae male sunt intellecta resecentur* (De syn. 27, 91, PL 10, 545).

des *Athanasius*, d. h. auf das Festhalten am Wortlaut und Text der fides Nicaena, einschwenkt, noch einen Schritt weiter in der Infragestellung der nicaenischen Formel. Er proklamiert nämlich nicht wie *Athanasius* die αὐτάρκεια des Nicaenums, sondern die des Taufglaubens![23] Daß dieser Rückgriff allein auf den Taufglauben tatsächlich auch das Fallenlassen der fides Nicaena bedeutet oder mit einschließt, zeigt die beigefügte Versicherung an: Die Nicaenische Glaubensformel aufgeben heißt nicht den mit ihr gemeinten Glauben verleugnen[24]. Der durch Nicaea ausgelöste processus in infinitum jeweiliger Korrektur an der vorausgegangenen Glaubensformel ist in den Augen des *Hilarius* — wenigstens hier — nicht anders zum Stillstand zu bringen als durch den Verzicht auf schriftliche Formeln überhaupt[25].

Diese Position ist nicht das letzte Wort in der theologischen Entwicklung des *Hilarius*. In seinen späteren Schriften erweist sich auch für ihn die fides Nicaena als das „sichere Grundgesetz der Kirche", als die „zuversichtliche Gewißheit der menschlichen Hoffnung"[26]. Anders ist das bei einem Manne wie *Zeno von Verona*[27], der allem Anschein nach bei seiner ablehnenden Haltung jeder Art von *tractatus* bleibt. Von seinen vor 380 abgefaßten *tractatus* handelt einer über den Glauben. Der Bischof von Verona zeigt sich darin als Vertreter eines Glaubensbegriffs, der

---

[23] Hil., lib. ad Const. 7, CSEL 65, 202, 11—15: *... inter haec fidei naufragia caelestis patrimonii iam paene profligata hereditate tutissimum nobis est primam et solam evangelicam fidem confessam in baptismo intellectam retinere nec demutare, quod solum acceptum atque auditum habeo, bene credere ...*

[24] Ebd.: 202, 15—17: *... non ut ea, quae synodo patrum nostrorum continentur, tamquam inreligiose et impie scripta damnanda sint ...*

[25] Ebd.: 202, 20—23: *Quod emendatum est, semper proficit, et, dum omnis emendatio displicet, emendationem omnem emendatio consecuta condemnet, ac si iam, quidquid illud est, non emendatio aliqua sit emendationis, sed coeperit esse damnatio.*

[26] Hil., lib. contra Const. 27, PL 10, 603 A: *Sed non licet tibi nunc regno potenti etiam in posterum praejudicare. Exstant enim litterae, quibus id, quod tu criminosum putas, pie tunc esse susceptum docetur. Audi verborum sanctam intelligentiam, audi Ecclesiae imperturbatam constitutionem, audi patris tui professam fidem, audi humanae spei confidentem securitatem, audi haereticae damnationis publicum sensum, et intellige te divinae religionis hostem, et inimicum memoriis sanctorum, et paternae pietatis haeredem rebellem.*

[27] „Zenon was certainly a theologian of the second rank, but he deserves more attention than he normally receives. His interest ... lies in the curiously uneven level of development in the various aspects of his thought and practise, so that he seems just the ordinary churchman of his time." F. E. VOKES, Zenon of Verona, Apuleius and Africa, in: TU 93 (1966) 130—134, hier 130. — Einen knappen Überblick über Person und Werk des Zenon neuestens bei B. LÖFSTEDT, CCL 22 (1971) 5x—12x und K. WEGENAST, Art. Zeno von Verona, in: PRE, 2. Reihe 19 (1972) 147—149. Von der älteren Literatur vgl. vor allem A. BIGLMAIR, Zeno von Verona, Münster 1904; DERS., Allgemeine Einleitung zu: des Heiligen Bischofs Zeno von Verona Traktate (Predigten und Ansprachen), aus dem lateinischen übersetzt und mit Einleitung versehen, BKV, München 1934, 9—54; G. BARDY, Art. Zénon de Vérone, in: DThC 15, b (1950) 3685—3690.

unschwer als Reaktion gegen den Intellektualismus der Zeittheologie
erkannt wird. Der Glaube, so stellt *Zeno* gleich zu Beginn fest, gründet
im Willen der Menschen und nicht in der Belehrung durch andere[28]. In
Anlehnung, wie es scheint, an die paulinische Antithese von Gnade und
Gesetz entwickelt er seinen eigenen Glaubensbegriff näherhin dadurch,
daß er den anvisierten gegnerischen Glaubensbegriff mit dem Gesetz
identifiziert[29].

Ein solcher in reiner Antithese zum Gesetz entwickelter Glaubensbegriff
steht naturgemäß in schärfster Spannung zu jeder Art von Traktat.
Ohne Zweifel sind unter diesen Traktaten auch die konziliaren mit eingeschlossen[30]. *Zeno* sieht in ihnen eben gerade das, was er als Gegen-
begriff seiner Glaubensauffassung, nämlich als *lex*, stigmatisiert. Die
Haltung *Zenos* ist — wenigstens in diesem ersten Traktat — kompromiß-
los. Er lehnt den *tractatus fidei* ebenso ab wie die *fides tractatus*[31]. Auch

[28] Zen., tract. II, 3 (I, 1), 1, 1, CCL 22, 153: *Christianae fidelitatis felicitas maxima est fidei nosse
naturam, quae talis ac tanta est, ut unicuique homini sua non ab alio commodetur, sed eius ex uoluntate
nascatur. Ceterum si, ut quidam putant, docentis pendet ex ore, procul dubio eodem aut cessante aut aliter
docente consumitur. Huc accedit, quod, nisi insinuationem legis omni deuotione succincta praecedens
amplectatur fides, quae tam sibi quam illi credendo praestet effectum, insinuatio inanis erit, quia incredulo
credentis fructum praestare non poterit. Denique Abraham placuit deo credulitate sine lege et Iudaicus
populus displicuit deo incredulitate cum lege.*
[29] Zen., tract. II, 3, 1, 2 und 2, 4—5, CCL 22, 153—154: *Vnde dubium non est legem non posse
sine fide, fidem posse sine lege; alioquin ista innumerabilis simplicitate sua felicior turba adhuc mortis
imperio subiaceret, si legis periti tantum iustificari meruissent. At cum scriptum sit:* Littera occidit,
spiritus autem uiuificat, *quia* non sub lege, sed sub gratia sumus, *quae nos diligere deum ac soli
illi seruire in sacramento semel creditae unitae trinitatis non argumento, non necessitate, sed uoluntate
compellit, manifestissimum puto nimis astuto esse simplicem meliorem, quia simplex omnibus dei uerbis
simpliciter credit, astutus autem nimia sapientia infatuatus inquisitionibus uanis semet ipsum confundit ... Denique tolle peccatum, cessat legis imperium.* Lex enim, sicut scriptum est, *iusto posita
non est, sed peccatori, quia iustus ex fide uiuit, infidelis iniuste. Errat igitur quisquis disputationem
legis aestimat fidem, quisquis duo in unum diuersa confundit. Disputatio enim sicut excolit legem, ita,
si uersuta sit, eradicat fidem, quia fides profecto non est, ubi quaeritur fides; deinde quia lex communis
est, fides uero priuata, quia lex semper manat ex libro Genitali, fides autem tenaciter inhaeret suo soli
proposito. Lex ab alio transit in alium; fides interit, si ab suo statu aliquando uel in aliquo declinauerit.
Lex hominis conscientiam alloqui tantum potest uidere autem non potest; fides conscientiam medullitus
mundat, ne quid reatui uel intrinsecus debeat; qui enim suam conscientiam non timet, is est, qui deum non
timet. Adde quod lex partibus et discitur et docetur. Adde quod tota nec intelligitur nec tenetur. Adde
quod a quolibet pro ingenii qualitate argumentis asseritur. Adde quod ab omnibus appetitur et a
nullo completur. Adde quod index dei uoluntatis est, non dei originis aut naturae.*
[30] Zen., tract. II, 3, 3, 6, CCL 22, 154: *Sequitur ut scire debeamus, utrum tractatum fidei an fidem
tractatus debeamus adserere. Si tractatum fidei dixerimus, uehementer errabimus. Subici enim se lo-
quacitatis artificio fidei natura non patitur, a qua nihil aliud laboratur, nisi ut suis sibi tantum uirtuti-
bus adprobetur: non enim potest esse perfectum quod aliunde exspectat sibi aliquid necessarium. Si uero
fidem tractatus dicere coeperimus, erit profecto nec nostra nec sua, sed nec eius, cuius esse dicetur, quia
tractatus fidem cum astruit, ex eo ipso eam, quo astruit, destruit. Nec ulli dabit quod non habet, sed
potius ut non habeat, adhuc ipse disquirit.*
[31] Vgl. Anm. 30.

hier wieder — wie schon bei *Hilarius* — die gleiche Furcht vor dem processus in infinitum immer neuer Formeln und das Nichtvorhandensein von Kriterien, die eine Auswahl vom Formelangebot erlaubten[32]. *Zeno* macht sich lustig über einen Glauben, der etwas anderes sein will als *credulitas*[33]. Andererseits ist jedoch auch festzuhalten, daß er nicht jede Art von ‚*doctrina*' ablehnt; worauf es ihm ankommt, ist vielmehr die Herausarbeitung des Unterschieds zwischen *fides* und *tractatus*[34]. Leider ist es im Rahmen dieser Untersuchung nicht möglich, den interessanten Glaubensbegriff des *Zeno* zu analysieren. Seine sich aus diesem Glaubensbegriff ergebende Stellungnahme allen Traktaten gegenüber, einschließlich der synodalen, soll in diesem Zusammenhang lediglich als Beispiel dafür stehen, wie wenig bestimmte Kreise der Orthodoxie von ihren theologischen Voraussetzungen her zur Aufnahme schriftlicher Glaubensformeln disponiert waren.

Es scheint, daß auch *Ephraem der Syrer* derjenigen Gruppe von Theologen zugeordnet werden muß, die, obwohl entschiedene Homoousianer, dennoch nichts von einer fortdauernden Autorität der fides Nicaena wissen wollen: „Ich verließ, was nicht geschrieben steht, und hielt mich an das Geschriebene / um nicht wegen dessen, was nicht geschrieben steht / das Geschriebene zu verlieren", singt er in seinem Hymnus gegen die Arianer[35]. Mit solcherart Distanzierung[36] gegenüber der fides

---

[32] Zen., tract. II, 3, 3, 7, CCL 22, 154—155: *Video . . . multos esse tractatus, multas etiam fides, et quidem novellas, et litis labore ac favore nutritas . . . verumtamen ex his omnibus eligendum quid sit non potest nosci aut comprehendi: quia non erit nec proprium, nec firmum, quod habet statum semper incertum: quippe cum unius electio sit alterius reprobatio: vel si omnes omnino amplectandae sint, ut tot quis habeat fides, quot non habet verba, multo magis nihil habebit, quia tractatus, qui eas genuit, vel cotidie generat, adhuc potest generare.*

[33] Zen., tract. II, 3, 4, 10, CCL 22, 155—156: *O quam misera est fides, quam verba concinnant! o quam debilis, cuius cotidie dissipantur variis argumentationibus membra! o quam indefensa, quae regum, judicum, divitum, aliquotiens etiam, quod peius est, gentium desiderat per momenta patrocinia! o quam turpis ac lubrica, de qua ludit aliena sententia! o quam adultera, quae non agnoscit, quo auctore sit nata! o quam ridiculosa, quae duobus confligentibus Christianis, ab alteri eorum, si non transducitur, perfidia, cum transducta fuerit, fides vocatur!*

[34] Zen., Tract. II, 3, 4, 11, CCL 22, 156: *Sed non eo dico ut ingratum faciam doctrinae beneficium, sed ut sciat unusquisque, aliud esse fidem, aliud esse tractatum; nec fidem per tractatum posse vel dari vel nosci vel destrui.* Diese Feststellung ist deshalb nötig, weil der Bischof sich sonst selbst widersprechen würde, denn er ist ja hier selber im Begriff, einen Tractatus zu schreiben. Im übrigen enthält der Tractatus fidei treffende Charakterisierungen der virtus fidei und manche Spitze wohl eher gegen die Arianer als gegen die Nicaener. Wie wenig der Bischof ganz beim Wort genommen werden darf bezüglich dessen, was er gegen den Tractatus fidei sagt, zeigt vor allem das zweite Buch des Tractatus, in dem er ausführlich und im Sinne der Orthodoxie christologische Fragen „traktiert".

[35] Ephr., Hym. 64, 11, CSCO 155, 175.

[36] Die Stelle ist zusammen zu sehen mit Hym. 52, 14, CSCO 155, 140: „Wozu sollten wir ferner neuernd / etwas (hinzutun) zu jener / Wahrheit, die er (d. i. Gott [eigene Anm.]) uns schrieb?

Nicaena rückte man freilich in eine gewisse Nähe zu Leuten vom Schlage eines *Eusebius von Emesa*, die gleicherweise — nur aus anderen Gründen — keinen neuen Text über oder neben der Schrift als Autorität annehmen wollten[37].

2. Wachsende Autorität

Zeno und *Ephraem* werden von der späteren kirchlichen Entwicklung überrollt, *Hilarius* selber wird zum entschiedenen Anwalt der nicaenischen Formel. Es ist jetzt zu fragen, wie und wo und in welchen Stufen sich die bleibende Autorität der fides Nicaena im Schrifttum der Vorephesiner anzeigt. Es geht uns hier zunächst darum, das Faktum dieser Autorität aufzuzeigen, bevor wir die Frage stellen, in welcher Weise die alten Theologen diese Autorität „begründet" bzw. theologisch verstanden haben. Zwei deutlich voneinander abhebbare Formen lassen sich dabei unterscheiden: Eine Zeitlang und bei bestimmten Autoren ist die fides Nicaena lediglich Inbegriff des orthodoxen Glaubens; man bekennt sich zu der Formel, aber man argumentiert noch nicht mit ihr. Auf der zweiten Stufe argumentiert man — z. B. im christologischen Disput — aufgrund der fides Nicaena.

An erster Stelle ist hier natürlich *Athanasius von Alexandrien* zu nennen. Seit dem Konzil von Serdika wird er nicht müde, die fides Nicaena als Bekenntnisformel der Orthodoxen zu propagieren[38]. Von den Kappadoziern ist es besonders *Basilius*, der sich wiederholt und in aller Form zur fides Nicaena bekennt, so z. B. im Brief 159: „Um es mit einem Wort zu sagen: wir achten die von den in Nicaea versammelten Vätern (aufgestellte) Glaubensformel höher als alle, die später geschaffen wurden"[39]. Im Brief an die westlichen Bischöfe, der den desolaten Zustand der Ost-

---

Die Namen, die wir hinzufügten / sie sind, o meine Brüder, den Verwegenen zum Anlaß geworden / für alle häßlichen Zusätze. Fügst du Untersuchungen hinzu / dann hast du Streit hinzugefügt; zitierst du aber, was geschrieben steht (d. h.: die Heilige Schrift [eigene Anm.]) / dann hast du, was verwirrt ist, beruhigt."

[37] Eus. Em., Or. 2, 16, Ausg. E. M. Buytard, Löwen 1953, 1, 55, 12—23: *Cur lis? quia scripturis contenti non sumus, sed ex corde non miscenda miscemus . . . in ea quae scripta sunt, attendite et ablata est lis . . . Noli scribere, sed lege, non tua, sed evangelistarum. Etiamsi recte dicas, tamen, quia tua sunt, das occasionem ad litem.*

[38] Vgl. S. 40—52.

[39] Bas., Ep. 159, 1, Ausg. Y. Courtonne, Paris 1957, 2, 86, 10—12. — Vgl. auch Ep. 52, 1, ebd. 1, 134, 17—24; Ep. 81, ebd. 1, 198, 34—36; Ep. 113, ebd. 2, 17, 32—36; Ep. 114, ebd. 2, 18, 24—32; Ep. 125, 1, ebd. 2, 30, 1—31, 22; Ep. 140, 2, ebd. 2, 61, 1—62, 27; Ep. 226, 3, ebd. 3, 26, 5—9; Ep. 258, 2, ebd. 3, 101, 15—102, 20; Ep. 265, 3, ebd. 3, 132, 13—17.

kirche schildert, erscheint das Bekenntnis zur fides Nicaena als Ziel-
vorstellung aller kirchlichen Erneuerung[40].

Ähnlich massiv, wenn auch wesentlich weniger häufig als *Basilius*, äußert
sich *Gregor von Nazianz*. Auf die Frage, was „Gewißheit" im Glauben
bringe, nennt er die fides Nicaena: „Nichts haben wir jemals höher
geschätzt und können wir höher schätzen, und mit Gott sind wir dieses
Glaubens und werden es bleiben"[41]. Im Werk des *Gregor von Nyssa* ist
das explizite Bekenntnis zur fides Nicaena seltener als bei den beiden
anderen Kappadoziern. Wie sehr diese fides jedoch Prämisse seines
eigenen Denkens ist, geht u. a. aus einer methodischen Kritik an seinem
Gegner *Eunomius* hervor. Dieser sollte, so *Gregor*, statt von ungesicherten
eigenen Überlegungen auszugehen, sich an die Widerlegung der kirchlichen Lehre machen. „Die Kirche lehrt jedoch, sich allgemeinverständ-
lich ausdrückend (ἰδιωτικῶς): daß der eingeborene Gott ‚aus dem Wesen' des wahren Gottes seinem Wesen nach wahrer Gott ist . . ."[42] Indem
Gregor auf diese Weise auf die fides Nicaena anspielt, bekennt er sich
selber zu dieser Formel.

An dieser Stelle ist es angebracht, auch auf den Brief des Konzils von
Konstantinopel (382) an Damasus und die Bischöfe des Westens hinzu-
weisen, in dem die Synodalen die fides Nicaena als „ältesten und mit der
Taufe übereinstimmenden" Glauben bezeichnen[43].

Auch im lateinischen Schrifttum dieser Jahre findet sich das explizite
Bekenntnis zur fides Nicaena, ohne daß aber schon ihr Text als Argument in der Auseinandersetzung verwendet würde. Hier ist unter anderen
Nicetas von Remesiana zu nennen, dem die Forschung seit einiger Zeit das
unter dem Namen des *Nicetas von Aquileia* überlieferte Schriftchen *De
ratione fidei* zusammen mit dem *De spiritus sancti potentia* und dem *De
symbolo* zuschreibt. *De ratione fidei* stellt im Grunde eine Verteidigung
der fides Nicaena dar, aus der der entscheidende Satz *natum de patre,
hoc est de substantia patris, deum de deo, lumen de lumine, deum verum de deo*

---

[40] Bas., Ep. 90, 2, ebd. 1, 196, 19—22: „Auch bei euch soll in aller Zuversicht jene gute Botschaft der Väter verkündigt werden, die die unselige Häresie des Arius vernichtet und die
Kirchen in der gesunden Lehre auferbaut . . ."
[41] Greg. Naz., Ep. ad Cledon. 102, 1, SC 208, 70.
[42] Greg. Nys., Contra Eun. III, 94, Ausg. W. JAEGER, II, 83, 27—29.
[43] Epist. syn. Const., COD 28, 6—18: *Nos enim persecutiones, sive tribulationes, sive minas imperiales,
sive crudelitates iudicum, sive quaslibet alias tentationes haereticorum, libenter sustinuimus pro evangelica
fide, quae in Nicaena Bithyniae a trecentis decem et octo patribus roborata dignoscitur. Hanc enim et
vobis, et nobis, et omnibus qui non subvertunt verbum verae fidei, complacere confidimus, quam scimus
antiquissimam exsistere, et sequacem baptismatis, docentemque nos credere in nomine Patris, et Filii,
et Spiritus sancti.* Vgl. auch Kanon I des gleichen Konzils, ebd. 31, 4—7.

vero, natum non factum, unius substantiae cum patre zitiert wird[44]. Allem neugierigen Fragen und Forschen nach der *qualitas* und *quantitas* des Mysteriums hat das Konzil von Nicaea ein Ende bereitet: „Durch das Studium und die Untersuchung der Heiligen Schrift wurde die Wahrheit offenbar und niedergeschrieben"[45]. In seinem *De spiritus sancti potentia* gibt *Nicetas* eingangs Aufschluß über die Quelle, die er bei seiner Darlegung über die dritte Person (= *potentia*) benutzt. Es ist die Schrift allein. Eine solche explizite Rechtfertigung der Gottheit des Geistes ist übrigens, meint *Nicetas*, für die Gläubigen nicht nötig. Für sie genügt der Hinweis auf die fides Nicaena[46].

Phoebadius von Agen, geistiges Haupt der Nicaener in Gallien nach der Verbannung des Hilarius, verfaßte im Jahre 357 eine schwungvolle Kampfschrift gegen die zweite sirmische Glaubensformel[47]. In diesem seinem *Liber contra Arianos* beruft er sich in aller Form auf die fides Nicaena, die „vollkommene Richtschnur des katholischen Glaubens"[48]. Ein sehr prägnantes Zeugnis für die fides Nicaena der Jahre um 360 liefert ferner *Marius Victorinus*. Im Kontext der Argumentation seiner *Adversum Arium libri quatuor* ist die fides Nicaena noch keine Autorität zugunsten der zu beweisenden Sache (*Victorinus* hält sich in seiner Schrift an die in der Einleitung angekündigte Einteilung in Schriftargumentation — *sacra lectio* — und rationale Durchdringung — *adsertio* — der Lehre von der Wesensgleichheit des Sohnes), wohl aber ein entscheidendes Argument für die Adäquatheit des zur Bezeichnung der Sache verwandten Terminus. Die Pointe seiner Argumentation[49] lautet — und darin liegt sein Bekenntnis zu Nicaea —: gerade der Ter-

---

[44] Nic., de rat. fid. 3, PL 52, 849 D.

[45] Nic., ebd. 849 C.

[46] Nic., de Spir. S. pot. 1, PL 52, 853 A.

[47] PL 20, 13—30.

[48] Nic., Contra Arian. 6, PL 20, 17 A—B: *Ab Episcopis procedit edictum: Nemo unam substantiam dicat: hoc est: Nemo in Ecclesia praedicet Patris et Filii unam esse virtutem. Quid egistis, o beatae memoriae viri, qui ex omnibus orbis partibus Nicaeam congregati, et sacris voluminibus pertractis, perfectam fidei catholicae regulam circuminspecto sermone fecistis, dantes bene credentibus communis fidei dexteras errantibus vero formam credendi? En labor vester, en anxia sollicitudo quo recidit, qua orientis mali semina, quantum in vobis tunc fuit, professione catholica necavistis? Vetatur in Ecclesia praedicari, quod solum sanxistis ob haereses detegendas debere in Ecclesia praedicari. Tollitur quod probastis, et quod damnastis inducitur: quia mendacium astrui, nisi destructa veritate non poterat. Destructioni quidem illa non subjacet, et ut est semper incorrupta durabit; sed manus sibi sacrilegas inferentes, tamquam violatam punivit.*

[49] M. Vict., Adv. Ar. II, 12, CSEL 83, 1, 190, 31—35: *... homoousion vero magis ac magis teneatur, scribatur, dicatur, tractetur, in ecclesiis omnibus praedicetur. Haec enim fides apud Niceam, haec fides apostolorum, haec fides catholica. Hinc Arriani, hinc haeritici vincuntur universi ...*

minus ὁμοούσιος wurde vom ökumenischen Konzil gewählt, und gerade er hat sich zur Durchsetzung der gemeinten Sache bewährt[50].

Für weitere Bekenntnisse zur fides Nicaena mögen noch zwei Zeugnisse stehen, das eine von höchst offiziellem Charakter, das andere sehr repräsentativ für die spezifische Autoritätsform der fides Nicaena im ausgehenden vierten Jahrhundert. *Damasus* fordert die orientalischen Bischöfe auf: „. . . erinnert euch eifrig des von den Aposteln her überlieferten Glaubens, zumal desjenigen, der von den Heiligen Vätern im nicaenischen Konzil schriftlich verkündet wurde"[51]. Im Jahre 386 rechtfertigt *Ambrosius* in einem Brief an Kaiser *Valentinian* seine Nichtteilnahme am kaiserlichen Konsistorium. Dabei bekennt er sich mit folgenden Worten zur fides Nicaena: „Mit gutem Grund verabscheue ich jenes Konzil (= Rimini) und folge dem Tractatus des Konzils von Nicaea, von dem mich weder Tod noch Schwert trennen kann . . . An diesem Glauben halten die gallischen, die spanischen Provinzen fest und bewahren ihn zugleich mit dem gottesfürchtigen Bekenntnis zum (Heiligen)

---

[50] M. Vict., Adv. Ar. II, 9, ebd. 184, 16—185, 51: . . . *quia ecclesia habet Graecos, et quia omnis scriptura vel veteris testamenti vel novi et graece et latine scripta est, si non ponimus graece, interrogati a Graecis, quid respondebimus? Necessario dicendum est* ὁμοούσιος; *ergo ponendum. Quid autem? In scripturis non multa sunt nomina vel graeca vel hebraica aut interpretata aut non interpretata? Ut* ἠλεί, ἠλεί, λαμὰ ζαφθάνει; *item* Golgotha *et* Emmanuel; *item:* si quis non amat deum nostrum Iesum Christum, ἀνάθεμα, μαρὰν ἀθά; *sescenta talia aut interpretata, posita tamen, aut non interpretata et sola posita, ut* anathema, *quod non exprimitur nec latine nec graece, et tamen et positum est et cotidie usurpatur; sicut et* alleluia *et* ἀμήν, *quae in omni lingua incommutabiliter dicuntur. Licet igitur ponere eodem modo* ὁμοούσιον. *Certe verbum, cum tollendum est, aut, quia obscurum est, tollitur, aut, quia contrarium, aut, quia minus vel plus exprimit, aut, quia supervacuum est. Hoc non obscurum est. Nam et nos diximus quid significet; et vos, quia intellegetis, timetis, et Basilius, quia intellegit, mutat. Contrarium autem non est. Nam eum de substantia unum omnes fatemur — substantia est enim deus, spiritus, lumen, quae de deo patre et Christo dicuntur — hoc verbum* ὁμοούσιον, *cum de substantia dicatur, non potest esse contrarium. Sed minus aut amplius exprimitur. Corrigendum potius quam auferendum. Iam vero supervacuum? Quomodo? Quia iam dictum? Et ubi dictum? An quia non utile? Non utile quod excludit haereticos, maxime Arrianos? Quod a maioribus positum, ut murus et propugnaculum? Sed nuper est positum. Quia nuper erupit venenata cohors haereticorum. Quod tamen conditum iuxta veterem fidem — nam et ante tractatum — (a) multi(s) orbis episcopi(s) trecentis quindecim in civitate Nicea qui per totum orbem decretam fidem mittentes, episcoporum milia in eadem habuerunt vel illius temporis vel sequentium annorum; probatum autem ab imperatore imperatoris nostri patre.* — Zur genauen Interpretation des Passus vgl. A. ZIEGENAUS, Die trinitarische Ausprägung der göttlichen Seinsfülle nach Marius Victorinus, München 1972, 272—273. — Vgl. ferner Adv. Ar. I, 45, CSEL 83, 1, 137, 23—26; II, 11, ebd. 187, 1—8. — Zur Widerlegung des arianischen Einwandes, ὁμοούσιος müsse als ἄγραφον, d. h. als Terminus, der nicht aus der Schrift stammt, abgelehnt werden, vgl. Adv. Ar. II, 7. Victorinus beruft sich dabei auf die *ratiocinatio legalis;* vgl. zu diesem Schlußverfahren P. HADOT, De lectis non lecta conponere . . ., Raisonnement théologique et raisonnement juridique, in: TU 63 (1957) 209—220.

[51] Dam., Ep. 7, PL 13, 370C—371A; vgl. auch Ep. 1, hrsg. von E. SCHWARTZ, in: ZNW 35 (1936) 19 ff.; Ep. 3, PL 13, 356 B.

Geist"[52]. — Kennzeichnend für die hier untersuchte Autoritätsphase der fides Nicaena sind Ausdrücke wie προτιμᾶν, ‚sequi‘, ‚amplecti‘ usw., Termini also, die alle eher eine „Entscheidung für" und ein „Bekenntnis zu" bezeichnen als eine Bindung durch etwas bzw. eine Verpflichtung.

Die weiterwachsende Autorität der fides Nicaena wird schließlich darin sichtbar, daß Autoren sich für ihre theologischen Ansichten — und zwar auch in Fragen, mit denen die nicaenischen Väter nicht direkt befaßt waren — auf die fides Nicaena berufen. Solche Berufung setzt natürlich die Autorität des entsprechenden Textes für den Gegner oder Gesprächspartner voraus.

Eine erste Berufung dieser Art findet sich schon bei *Athanasius*, wenn auch nur in negativer Form. Er weist die Irrlehre von der Homoousie des Leibes Christi mit dem Logos durch den Hinweis auf die Schrift und auf die fides Nicaena zurück[53]. Positive Argumentation aufgrund der fides Nicaena finden wir dagegen bei *Epiphanius*. Er „beweist" die Gottheit des Geistes aus dem Text der fides Nicaena[54]. Dieser ist damit eindeutig Glaubensquelle bzw. Glaubensdokument. Als autoritativer Text gilt dabei nicht nur der zweite Artikel, auf den es den Vätern in Nicaea ausschließlich ankam, sondern der gesamte Text des Symbols. Ähnlich sehen wir auch *Damasus* argumentieren. Auch er leitet die Gottheit des Geistes aus der fides Nicaena ab[55]. Durch *Gregor von Nyssa* erfahren wir, daß sich *Apollinarius* für seine Lehre auf die Konzilien von

---

[52] Ambr., Ep. 21, ad Val. 14, PL 16, 1005 (1048) C—1006 A; vgl. auch De fide, Prol. 5, CSEL 78, 6: *De conciliis id potissimum sequar, quod trecenti decem et octo sacerdotes tamquam Abrahae electi iudicio consona fidei virtute victores velut tropeum, toto orbe subactis perfidis, extulerunt, ut mihi videatur hoc esse divinum, quod eodem numero in conciliis fidei habemus oraculum, quo in historia pietatis exemplum.* — Ferner vgl. Gregor von Elvira, De fide orth. c. Arianos, PL 17, 567 A: *Nicaenae autem synodi tractatum omni animi nisu ex tota fide servantes amplectimur; hunc enim tractatum scimus contra omnes haereses invicta veritate oppositum.*

[53] Vgl. S. 55—56.

[54] Epiph., Pan. 74, 14, GCS 37, 332, 15—31: „Auch wir bekennen die Glaubensformel, die in Nicaea aufgestellt worden ist. Beweise uns aufgrund derselben, daß der Heilige Geist in der Gottheit mitgezählt wird!", läßt er die Pneumatomachen sagen und führt dann den geforderten Beweis durch folgende Argumentation: Die fides Nicaena ordnet gleichberechtigt nebeneinander Vater, Sohn und Geist. Das „wir glauben" bezieht sich aber im ersten Artikel nicht auf „Vater", sondern auf „Gott" (denn Gott wird geglaubt); also gilt das gleiche sinngemäß für „Sohn" und „Geist"; auch hier bezieht sich das zu ergänzende „wir glauben" auf ein sinngemäß zu ergänzendes „Gott". Folglich ist in der fides Nicaena der Glaube an die Gottheit des Geistes enthalten.

[55] Dam., Ex. syn. 4, in: ZNW 35 (1936) 22, 29—33: ... *Nicaeni concilii fidem inviolabilem per omnia retinentes sive simulatione verborum aut sensu corrupto coaeternae et unius essentiae trinitatem credentes in nullo spiritum sanctum separamus, sed perfectum in omnibus, virtute, honore, majestate, deitate, cum patre conveneramur et filio* ...

Antiochien und Nicaea beruft. Auch er argumentiert mit einem Textstück der fides Nicaena, das für die Väter von Nicaea selber keineswegs von Bedeutung war, nämlich mit σαρκωθέντα καὶ ἐνανθρωπήσαντα. *Gregor* referiert die Auslegung des *Apollinarius* und bestreitet dabei keineswegs die Erlaubtheit solcher Berufung, sondern nur deren Richtigkeit[56]. Auch *Theodor von Mopsuestia* führt den Beweis für die Gottheit des Geistes in seinen Taufkatechesen aus der fides Nicaena, und zwar obwohl er das Constantinopolitanum kennt[57].

Unter der Rücksicht der in der Auseinandersetzung verwendeten Argumente muß auch der Kampf zwischen *Nestorius* und *Cyrill* als ein Streit um die richtige Auslegung der fides Nicaena betrachtet werden. Beide Gegner argumentieren außer mit Schrifttexten (das versteht sich von selbst) mit der fides Nicaena in der Hand. Gleich der erste Brief des *Nestorius* an *Caelestin* von Anfang 429 begründet die Ablehnung des Titels θεοτόκος mit dem Fehlen dieses Titels in der fides Nicaena[58]. Im Osterbrief des gleichen Jahres an die Mönche stützt sich *Cyrill* zum Beweis der Richtigkeit des Titels θεοτόκος außer auf das Zeugnis des *Athanasius* und der Heiligen Schrift gerade auf die fides Nicaena[59]. In seinem zweiten Brief an *Nestorius* wiederholt *Cyrill* diese Auslegung der fides Nicaena[60]. In seinem zweiten Brief an *Cyrill* weist *Nestorius* seinerseits diese Auslegung mit aller Entschiedenheit zurück, wirft ihm „ober-

---

[56] Greg. Nys., Adv. Apol., Ausg. W. Jaeger III, 1, 143, 4—7: „Was haben diese Ausführungen mit dem Vorausgehenden (d. h. den Konzilstexten) gemeinsam? Wo hat die Synode gegen den Samosatener diesen Lehrsatz aufgestellt? Doch lassen wir die Dinge, die weiter als unsere Erinnerung zurückliegen! Wie kommt er dazu, Derartiges mit den nicaenischen Lehrsätzen zu beweisen?"

[57] Theodor M., Hom. 9, 3, in: Les homélies catéchétiques de Théodore de Mopsueste. Reproduction phototypique et trad. par R. Tonneau et R. Devréesse, StT 145, 217: Die Väter von Nicaea haben, so meint Theodor, durchaus gezielt den Geist in der Glaubensformel miterwähnt, um ihn von den Geschöpfen zu unterscheiden: «Car des gens qui n'avaient admis nulle autre des créatures, n'eussent pas pris soin de mettre dans leur Credo et leur profession de foi, avec le Père et le Fils, l'Esprit Saint, s'ils n'avaient pas voulu distinguer dans cette profession de foi toutes les créatures d'avec la nature incréée. Et ainsi convenait-il qu'avec le Père et le Fils l'Esprit fut nommé et confessé, parce que lui aussi est la nature incréée, qui existe de toute éternité et est cause de tout . . .» Vgl. ebd. 213. 235. 239.

[58] Nest., Ep. ad Cael., ACO I, 2, 18—21: *Hanc enim theotokon vocantes non perhorrescunt, cum sancti illi et supra omnem praedicationem patres per Nicaeam nihil amplius de sancta virgine dixissent, nisi quia dominus noster Jesus Christus incarnatus est ex spiritu sancto et Maria virgine.*

[59] Cyr., Ep. ad mon., ACO I, 1, 1; 12, 28—31: „Weil also (durch die fides Nicaena) bewiesen ist, daß der aus der heiligen Jungfrau Geborene von Natur aus Gott ist, wird, glaube ich, bestimmt jeder ohne Zögern notwendigerweise denken und es auch aussprechen, daß sie Gottesgebärerin genannt wird, und dies mit Recht".

[60] ACO I, 1, 1; 12, 28 ff.

flächliche" Lektüre der fides Nicaena vor[61] und bringt im folgenden seine eigene Auslegung des Textes[62]. In seinem Brief an die Apokrisiare verdeutlicht *Cyrill* schließlich noch seine im Brief an die Mönche vorgetragene Auslegung der fides Nicaena, indem er auf den Einwand antwortet, der Text enthalte nicht den Begriff θεοτόκος: der Titel „Gottesgebärerin" befindet sich zwar nicht dem Wortlaut nach im Text der fides Nicaena, wohl aber liegt er in der inneren Logik seiner Begriffe (τῇ δυνάμει τῶν ἐννοιῶν), insofern nämlich, als die Synode die Menschwerdung des aus dem Vater Geborenen affirmiert[63]. — Unter dem formalen Aspekt der Argumentation ist die christologische Diskussion also wesentlich eine Frage der Auslegung der fides Nicaena, dieser Text ist mithin als entscheidende Autorität in den betreffenden Theologenkreisen anerkannt.

Die wachsende Autorität der fides Nicaena zeigt sich nicht nur darin, daß man sich explizit zu ihr bekennt und die Teile des Textes als Argument verwendet, sie manifestiert sich auch darin, daß ihr Wortlaut als ganzer kommentiert und ausgelegt wird. Als erstes ist hier der *Commentarius in symbolum Nicaenum* vom Ende des 4. Jahrhunderts zu nennen[64]. Für den anonymen Kommentator ist die fides Nicaena eine Art Kompendium der Schrift: alle wesentlichen Gebote des AT und NT sind in ihr zusammengefaßt[65]. Die fides Nicaena stellt, wie vor allem aus dem Schlußsatz hervorgeht[66], ein Kompendium des Heilsglaubens im strikten Sinne des Wortes dar; die fides Nicaena ist eine Art „heiliger Text", freilich nicht von in sich selbst gegründeter Autorität. Denn es gilt die

---

[61] Nest., Ep. ad Cyr., ACO I, 1, 1; 29, 21—22: „Schau dir den Text bitte genauer an, und du wirst finden, daß jener göttliche Chor der Väter nicht die wesensgleiche Gottheit als leidensfähig bezeichnet hat . . ."

[62] Die Worte *dominus, Jesus, Christus, unigenitus* und *filius* sind die *communia nomina deitatis et humanitatis*, gleichsam das Fundament, auf dem die „Überlieferung" von Menschwerdung und Auferstehung und Leiden auferbaut sind (ACO I, 1, 1; 29, 27 ff.). Die gleiche Auslegung der fides Nicaena hatte Nestorius schon in seinem zweiten Brief an Caelestin vorgetragen: Das *unum Dominum Jesum Christum* bezeichnet die *utraque natura, id est Christus* (ACO I, 2, Coll. Ver. 14, 30). Wie wir weiterhin aus dem *Liber Heraclidis* erfahren, der freilich erst aus dem Jahre 451 stammt, gruppierte Nestorius die Aussagen des zweiten Artikels der fides Nicaena konsequent nach seiner Lehre von der Trennung der beiden Naturen und dem gemeinsamen πρόσωπον (Le Livre d'Héraclide, Ausg. F. Nau, 126—128. 150—151).

[63] ACO I, 1, 1; 110, 8 ff.

[64] PLS 1, 220—240.

[65] Com. in sym. Nic., PLS 1, 220: *Fides quae a patribus nostris exposita est cuncta breviter comprehendit: sic enim spiritaliter omnia posuerunt, ut tota legis et prophetarum, evangeliorum et apostolorum praecepta, dum fideliter legitur illic posita esse monstrentur.*

[66] Ebd. 240: *Haec qui non crediderit et istam confessionem usque ad finem vitae non semper tenens et fidelibus dixerit in confessione et gentilibus demonstraverit iubente patre iubente filio spiritu sancto urgente in gehennam missus perpetuas luet poenas.*

Natur des Kommentars zu erfassen: es wird nicht die Bedeutung der verwendeten Termini erklärt, und es werden nicht aufgrund derselben irgendwelche weiterführenden Aussagen gemacht, sondern diese werden durch die Schrift gerechtfertigt. Was die Form der Autorität angeht, steht dieser Commentarius irgendwie zwischen den beiden oben unterschiedenen Formen, dem Bekenntnis zu und der Argumentation aufgrund der fides Nicaena[67].

Wirft man einen Blick in die Predigtliteratur des ausgehenden 4. und beginnenden 5. Jahrhunderts, auf die Predigten etwa eines *Gaudentius von Brescia* oder eines *Maximus von Turin*, so ist man überrascht, daß Nicaea an keiner Stelle erwähnt wird. Selbst da, wo *Gaudentius* ausdrücklich wie in der Praefatio die arianische Problematik anschneidet, fehlt eine explizite Bezugnahme auf das Konzil[68]. Ganz ähnlich ist der Befund bei *Maximus von Turin*. Die Predigt zum Jahresgedächtnis des *Eusebius von Vercelli* kommt auf die *arrianorum detestanda perfidia* zu sprechen und weiß mehrere erbauliche Geschichten aus dem Leben des treuen Nicaeners zu berichten, geht aber über das Konzil schweigend hinweg[69]. Ein ähnliches Stillschweigen hinsichtlich Nicaeas ist in zwei Bekenntnisschriften, im *Libellus de fide*, der Rechtfertigungsschrift des spanischen Mönchs *Bachiarius* aus dem Jahre 383/4[70], und im *Libellus emendationis sive satisfactorius* des Mönchpriesters *Leporius*[71] festzustellen. Auch in den Fragmenten der *Libri tres de Trinitate* des *Pelagius*[72] fehlt jegliche direkte Bezugnahme auf Nicaea, desgleichen im *Libellus fidei Pelagii*, obwohl dort der Terminus ὁμοούσιος vorkommt[73]. Vielleicht darf man aus dieser Beobachtung folgern, daß die fides Nicaena eher in Theologenkreisen und unter Bischöfen Autorität hatte als bei den einfachen Gläubigen und daß sie auch bei Theologen und Bischöfen nicht als ausschließliche Form des Bekenntnisses erscheint.

---

[67] Die Taufkatechesen des Theodor von Mopsuestia sind analoger Natur, sowohl was die darin vorausgesetzte Autorität des Textes der fides Nicaena angeht als auch was die Natur des Kommentars betrifft.

[68] CSEL 68, 4; vgl. auch Tractatus XIX, wo weder in der theologischen Argumentation noch im geschichtlichen Rückblick Nicaea erwähnt wird. In Tractatus XIV ist zwar mehrmals von der *confessio trinitatis* die Rede, es fehlt jedoch jeder Hinweis auf das Konzil von Nicaea (CSEL 68, 127).

[69] CCL 23, 24—26.

[70] PL 20, 1019—1036.

[71] PL 31, 1221—1230.

[72] PLS I, 1544—1560.

[73] PL 45, 1716/18.

3. Sententia divina

Worin sahen die alten Theologen die Autorität der fides Nicaena begründet? Sahen sie den Grund z. B. darin, daß dieser Text von einem Ökumenischen Konzil „definiert" worden war? Oder sind für sie andere Momente ausschlaggebend? Indem wir so fragen, hoffen wir, uns der Konzilsidee der Alten Kirche möglichst unvoreingenommen zu nähern.

Zunächst wird negativ festzustellen sein: Das Konzil von Nicaea ist ins Bewußtsein der vorephesinischen Theologen nicht eigentlich als „ökumenisches" Konzil eingegangen. Zu diesem Ergebnis gelangt man, wenn man die Wahl der Epitheta als in diesem Sinn relevant betrachtet[74]. Das Epitheton οἰκουμενικός bzw. *universalis* oder auch *catholicus* ist relativ selten[75]. Vorherrschend sind andere Epitheta, so vor allem ἡ μεγάλη σύνοδος[76] oder einfach die Selbstbezeichnung der alten Konzilien ἡ ἁγία σύνοδος[77]. Bei den lateinischen Autoren steht meist überhaupt kein Epitheton[78].

Die Ökumenizität als Grund der Autorität der fides Nicaena zeigt sich zumindest terminologisch (in der Auswahl des Epitheton) nicht mit genügender Deutlichkeit an. Wie steht es mit einer anderen Begründung der Autorität: dem bewußten Anknüpfen an das sog. Apostelkonzil? Sehen die vorephesinischen Theologen das Nicaenum in einer Linie mit dem Apostelkonzil, etwa als dessen „Fortsetzung" oder Nachfolge?

---

[74] Das Faktum der Ökumenizität ist natürlich bekannt und wird in steigendem Maß auch als Begründung seiner Autorität herangezogen. Vgl. z. B. Hilarius: *ex omnibus partibus* (CSEL 65, 149); Phoebadius: *ex omnibus orbis partibus* (PL 20, 17); Sulpicius Severus: *ex toto orbe* (CSEL 1, 89); Eusebius von Vercelli: *ab universis catholicis episcopis* (CCL 9, 107). — Wir wollen hier lediglich sagen: terminologisch kommt diese Tendenz aber in der von uns untersuchten Periode noch nicht zum Tragen.

[75] Eusebius, VC III, 6 (GCS 7, 79, 26); Athanasius, Apol. c. Arianos (Ausg. H. G. Opitz II, 1, 93, 20); Epiphanius (GCS 37, 160, 27), geben der Synode von Nicaea das Epitheton οἰκουμενικός. Amphilochius von Iconium nennt sie ὄντως καθολικὴ καὶ ἀποστολική (PG 39, 96). Gregor von Nyssa, Adv. Apol. (Ausg. W. Jaeger, Bd. III, 1, 157, 28), kann sie die κοινὴ σύνοδος nennen; Julius καθολικὴ (*universalis*, PL 8, 888).

[76] Basilius, Ep. 81 (PG 32, 457).

[77] Gregor von Nazianz, Or. 21, 14 (PG 35, 1096); Cyrill von Alexandrien hat eine Vorliebe für ἡ ἁγία καὶ μεγάλη σύνοδος (PG 77, 17. 45. 108 usw.). Varianten dazu sind: τοσαύτη καὶ μεγίστη (Eustathius von Antiochien, Ausg. M. Spanneut, Recherches sur les écrits d'Eustathe d'Antioche 104); ἡ ἁγία καὶ πανεύφημος (Cyrill von Alexandrien, PG 75, 668); *sanctissima synodus* (Hilarius, PL 10, 536); bei Eutherius von Tyana finden wir den Ausdruck ὁ ἱερὸς καὶ μέγας χόρος (Antilogia, Ausg. M. Tetz 243).

[78] Vgl. z. B. Sulpicius Severus, Syn. Nicaena, CSEL 1, 93.

Die Antwort fällt auch hier eher negativ aus. Eine Anknüpfung an das sog. Apostelkonzil für den Konzilsgedanken allgemein, wie immer man sich diese Anknüpfung auch näherhin zu denken hat, ist durch eindeutigere Texte erst für das Ende unseres Zeitabschnitts belegbar, für Nicaea im besonderen scheint es gar keine Belegstellen in diesem Sinne zu geben. Zwar kennt die Alte Kirche das sog. Aposteldekret von Apg 15[79], aber die Idee eines Apostelkonzils[80] scheint sich doch erst im Anschluß an die Konzilserfahrung des 5. Jahrhunderts gebildet zu haben[81]. Auf das Apostelkonzil als Modell oder Vorläufer von Kirchenversammlungen scheint zunächst an einer inhaltlich sehr dichten, aber auch dunklen Stelle im *Hohenliedkommentar* des *Aponius*[82] angespielt zu werden[83].

Da man also für den Anfang des 5. Jahrhunderts mit der Idee des Apostelkonzils als Vorbild von Synoden wird rechnen können — der Kommentar des *Aponius* ist zwischen 405 und 415 in Italien verfaßt —, könnte auch eine andere Stelle in diesem Sinne zu verstehen sein: die Anspielung des *Caelestin* in seinem Brief an die Synode von Ephesus auf die *frequentissima congregatio*[84]. Die Konzilsväter dürfen in einem gewissen Sinne (die Formulierung *Caelestins* ist äußerst vorsichtig!) in ihrer Versammlung eine „Nachfolge" des Apostelkonzils sehen. Die Idee der Anknüpfung an das sog. Apostelkonzil scheint also vor Ephesus in der Luft zu liegen, sie dürfte aber für die Autorität der fides Nicaena im besonderen keine Rolle mehr gespielt haben.

Bevor wir uns bestimmten nicht reflektierten Annahmen und den theologischen Denkansätzen zuwenden, mit denen die Autorität der fides Nicaena „begründet" wird, soll noch ein Blick getan werden auf die Terminologie, mit der man den formalen Akt dessen, was man später unter „Definition" versteht, bezeichnet. Die terminologische Unsicherheit — man schwankt hier zwischen einer Vielzahl von Termini — scheint eine sachliche Unsicherheit zu verraten. Man hat keine klare Vorstellung über die Natur dessen, was in Nicaea eigentlich geschehen

---

[79] Vgl. Klemens von Alexandrien, Strom. IV, 15, 97, 3, GCS 15, 291; Filastrius, Haer. 8, 36, CSEL 38, 20; Ambrosiaster, Com. in Gal. 18, 16, CSEL 81, 18 ff.; Epiphanius, Pan. 28, 4, GCS 25, 316; Augustinus, C. Faust. man. 32, 13, CSEL 25, 772.

[80] Papst Innozenz I. weiß in Ep. 24, 1, PL 20, 548 von Antiochien zu berichten, *ubi et nomen accepit religio Christiana, et quae conventum Apostolorum apud se fieri celeberrimum meruit* ..., und meint damit möglicherweise das Zusammentreffen des Petrus und Paulus in Antiochien von Gal 2, 11, über das ja auch Augustinus und Hieronymus ausführlich diskutierten.

[81] Vgl. S. 419—422.

[82] PLS 1, 844.

[83] Vgl. S. 419—420.

[84] Vgl. S. 420.

ist. Zunächst ist eine Reihe von Substantiven zu nennen, mit denen man das „Produkt" des Konzils von Nicaea, die fides Nicaena, bezeichnet. Man schwankt zwischen δόγμα, was soviel wie Lehrsatz bedeuten dürfte[85], τὰ δεδογμένα[86], τὰ ὁρισθέντα[87] und τὸ τῆς πίστεως σύμβολον[88], τὸ κήρυγμα[89], ὁμολογία[90], διδασκαλία[91], ἁγία πίστις[92] und sogar schon κανών[93] auf griechischer Seite. Dem entspricht auf lateinischer Seite tractatus[94], decreta[95], regula fidei und forma credendi[96], professio sensus nostri[97], professio sancta[98] und schließlich definitio salutaris[99].

Ein Überblick über die verbale Terminologie zeigt dasselbe Schwanken und die gleiche Unsicherheit in der formalen Bestimmung des Ursprungs der fides Nicaena[100].

---

[85] Gregor von Nazianz, Or. 21, 22, PG 35, 1105. Vgl. A. Deneffe, Dogma. Wort und Begriff, in: Schol. 6 (1931) 381—400, 505—538; K. J. Becker, Dogma. Zur Bedeutungsgeschichte des lateinischen Wortes in der christlichen Literatur bis 1500, in: Gr. 57 (1976) 307—350; vor allem M. Elze, Der Begriff des Dogmas in der Alten Kirche, in: ZThK 61 (1964) 421—438.

[86] Eusebius, VC III, 14 (GCS 7, 83, 28).

[87] Athanasius, De decr. Nic. syn. 2, Ausg. Opitz II, 1, 2, 25.

[88] Cyrill von Alexandrien, PG 77, 180. 183 usw.

[89] Basilius, Ep. 90, Ausg. Courtonne 1, 196, 20.

[90] Epiphanius, Pan. 74, 14, GCS 37, 332, 22.

[91] Basilius, Ep. 91, Ausg. Courtonne 1, 198, 34.

[92] Epiphanius, Pan. 76, 7, GCS 37, 348, 16.

[93] Epiphanius, Anc. 119, GCS 25, 149, 23; vgl. auch Gregor von Nazianz, der die fides Nicaena zwar nicht als aufgestellte, aber als von ihm „vorgezogene" mit dem Terminus ὅρος καὶ κανών bezeichnen kann (Ep. 102, SC 208, 70).

[94] Hilarius (CSEL 65, 153); Gregor von Elvira (PL 17, 568); vgl. G. Bardy, ‚tractare', ‚tractatus', in: RSR 33 (1946) 211—235, bes. 215.

[95] Ambrosius (CSEL 78, 50); Hilarius (PL 10, 602); Julius (PL 8, 888).

[96] Phoebadius (PL 20, 17).

[97] Hilarius (PL 10, 100).

[98] Nicetas von Remesiana (PL 52, 850).

[99] Damasus, vgl. ZNW 35 (1936) 19.

[100] Zunächst auf griechischer Seite: Amphilochius (PG 39, 96), Isidor von Pelusium (PG 78, 1163) und Gregor von Nyssa (Adv. Apol., W. Jaeger III, 1, 143, 5, vom Konzil von Antiochien) verwenden den Terminus δογματίζειν; Basilius schwankt zwischen διαγγέλλειν und ἐξαγγέλλειν (Ep. 51 und Ep. 52, PG 32, 392) einerseits und ἐκτίθημι, ἐκδίδωμι, συγγράφειν, γράφειν, διορίζειν (Ep. 114, PG 32, 529; Ep. 125, PG 32, 548; Ep. 265, PG 32, 989; Ep. 81, PG 32, 457. 588; Ep. 125, PG 32, 548. 549) andererseits. Cyrill wechselt zwischen ὁρίζειν bzw. τὸν ὅρον ἐκφέρειν (Ep. 46, PG 77, 240; Ep. 55, PG 77, 293 usw.) und διορίζειν (PG 75, 668). Epiphanius verwendet die Vokabel ὁμολογεῖν (GCS 37, 160, 30); Severian von Gabala βεβαιοῦν (PG 56, 560); Chrysostomus νομοθετεῖν (PG 48, 865); Theodor von Mopsuestia παραδίδωμι (das syrische Äquivalent ist jedenfalls mit dem französischen «transmettre» wiedergegeben, StT 145, 53 und passim); Acacius von Beroea (PG 77, 101) und Liberius (PG 8. 1386) θεσπίζειν. — Auf lateinischer Seite finden wir ebenfalls eine beträchtliche terminologische Variationsbreite: Damasus wählt firmare (PL 13, 356) und auctoritate fundare (vgl. ZNW 35 [1936] 19), Liberius (PG 8, 1353) und M. Victorinus (Adv. Ar. I, 28, 17, CSEL 83, 1, 103) confirmare; Liberius (PG 8, 1384) und Eusebius von Vercelli (CCL 9, 107)

Wenn das Konzil von Nicaea nur relativ selten als ökumenisches Konzil bezeichnet wird und man aus diesem Umstand folgern darf, daß die Ökumenizität also nicht den entscheidenden Grund für seine Autorität darstellt, wenn andererseits eine Anknüpfung an das Apostelkonzil nicht positiv nachweisbar ist und wenn schließlich auch aus der schwankenden Terminologie, mit der man den formalen Akt der „Definition" bezeichnet, sich keine klare Vorstellung über die Autoritätsbegründung erheben läßt, dann ist es ratsam, in anderer Richtung zu suchen. Es werden deswegen im folgenden Aussagen zusammengestellt, in denen die vorephesinischen Theologen die Autorität der fides Nicaena zu „begründen" suchen. Es handelt sich dabei um Theologumena, um den unreflektierten Ausdruck einer Glaubensüberzeugung, mit dem Ziel, den Text der fides Nicaena „aufzuwerten".

Eine Weise der Aufwertung besteht z. B. darin, daß man die personale Qualität der Synodalen heraushebt und zu diesem Zweck das Konzil von Nicaea zu einer Versammlung von Bekennern und Märtyrern hochstilisiert. Das ist der Fall z. B. bei *Ambrosius*. Die fides Nicaena ist eine Märtyrer- und Bekennerconfessio[101]. Auf ähnliche Weise macht *Chrysostomus* seinen Zuhörern die Autorität von Nicaea sichtbar. Es geht im Zusammenhang seiner Predigt jedoch nicht in erster Linie um die fides Nicaena, sondern um den Ostertermin und das Fastendatum. Nicaea war ein Konzil von Glaubens-„Athleten" aus der Zeit der Kirchenverfolgung. Die Autorität der fides Nicaena scheint wesentlich in dieser Bekenner- und Märtyrerqualität der Synodalen und nicht — so ist man versucht zu folgern — in ihrem Bischofsamt begründet[102].

---

conprobare; Innozenz I. (von den Kanones! Ep. 7, PL 20, 503) *definire;* Lucifer von Calaris (CSEL 14, 292), Faustinus (CSEL 35, 7. 9), Rufinus (GCS 9,988) und Sulpicius (CSEL 1, 89) *conscribere;* Lucifer von Calaris (CSEL 14, 113. 162. 265) *describere;* M. Victorinus, (Adv. Ar. II, 9, 48, CSEL 83, 1, 185) *decernere* und *condere;* Hilarius *exponere* (CSEL 65, 149 und PL 10, 523) und *ordinare* (CSEL 65, 151); Phoebadius (PL 20, 17) *sancire.*

101 Ambrosius vergleicht den *Liber sacerdotalis* der fides Nicaena mit dem *Liber propheticus* von Apk 5. Die fides Nicaena ist ein *liber signatus a confessoribus, et multorum iam martyrio consecratus* (De fide III, 15, 128, CSEL 78, 152 f.) — Es handelt sich dabei um die von den Arianern verfolgten Bischöfe: *Librum sacerdotalem quis nostrum resignare audeat, signatum a confessoribus, et multorum iam martyrio consecratum? Quem qui resignare coacti sunt, postea tamen damnata fraude, signarunt: qui violare non ausi sint, confessores et martyres exstiterunt. Quomodo fidem eorum possumus denegare, quorum victoriam praedicamus?*

102 Chrysost., Contra Jud. II, 3, PG 48, 865. Chrysostomus schildert die ἀνδρεία der aus der Verfolgung Überlebenden — es klingt wie ein Topos — in leuchtenden Farben: „Die einen hatten aus den Bergwerken zu berichten und der Bedrängnis in ihnen, andere vom Hunger, wieder andere von zahlreichen Wunden. Da waren welche mit geschundenen Rippen, mit zerfetzten Rücken, mit ausgestochenen Augen; wieder andere konnten auf andere Teile ihres Körpers hinweisen, die Christi wegen verstümmelt worden waren. Und aus solchen ‚Athleten' wurde damals die ganze Synode versammelt . . ." — Immer phantastischere Blüten

Die Versuche, die Autorität der fides Nicaena mit der personalen Qualität der Synodalen zu begründen, sind jedoch relativ selten. Was sich mehr und mehr durchsetzt, ist die Affirmation göttlichen Beistandes. Sehr früh finden sich Aussagen, die das Konzil und die fides Nicaena irgendwie mit Gott, seinem Willen und seinem Urteil in Zusammenhang bringen. So schreibt z. B. schon *Julius* (337—352) in seinem Brief an die Antiochener (341), man habe sich in Nicaea „nicht ohne Gottes Willen"[103] versammelt. Für *Lucifer von Calaris* ist es die *virtus Dei*, die *Arius* aus der Kirche ausschloß[104], ist es Gott selbst, der die Arianer vertrieben hat aus seinem Volke[105]. Bei *Faustinus*, einem etwas späteren Luciferianer, ist die Rede von einer *divina sententia*, die in Nicaea gegen *Arius* ergangen ist[106]. Daß diese Idee vom Konzil als *sententia divina* kaum durch eine solide theologische Reflexion gedeckt ist, vielmehr in bedenklicher Nähe zu vulgärem Wunderglauben steht, zeigt sich darin, daß *Faustinus* die abstoßende Schmählegende über den Tod des *Arius* vor seiner Wiederaufnahme in die Kirche für bare Münze nimmt und dieses *novum genus supplicii* neben die *auctoritas divinarum scripturarum* stellt als Beweis dafür, „ein wie wunderbarer Glaube in Nicaea gegen Arius niedergeschrieben worden ist"[107].

---

trieb in späterer Zeit diese Form der Konzilsaufwertung. Man beachte dabei: Die Verfolger sind die Arianer! „Es war kein Bischof unter jenen 318 Vätern, an dem keine Narbe gesehen worden wäre, mit Ausnahme von 11 Vätern, deren Namen sind . . . (Eusebius von Caesarea ist unter den Narbenlosen!). Alle übrigen waren durch die Martern (und Verfolgungen) der Häretiker teils geblendet, teils waren ihnen die Zähne ausgerissen aus dem Munde, teils waren ihnen die Nägel an Händen und Füßen weggerissen, teils die Ohrmuscheln abgeschnitten, teils die Rippen durch den Druck der hölzernen Schraube (zermalmt) . . . Schrecklich und entsetzlich anzusehen war aber Thomas von Mar'asch . . . (denn) Nase, Ohren und Lippen waren ihm abgeschnitten, seine Zähne waren ausgerissen, Arme und Füße waren ihm abgeschnitten. Denn 12 Jahre war er (von den Ariomaniten) eingekerkert gewesen; ohne Erbarmen hatten sie ihn gepeinigt . . . und jedes Jahr ihm ein Glied abgeschnitten . . . usw." (De sancta Nicaena synodo. Syrische Texte des Maruta von Maipherkat. Ausg. O. Braun, KGSt 3/4, Münster 1898, 52 f.). — Vgl. auch Eusebius, VC III, 9, GCS 7, 81.

[103] *Non citra dei consilium;* οὐκ ἄνευ θεοῦ βουλήσεως (PL 8, 881).

[104] CSEL 14, 18.

[105] *Quos . . . deus pepulerat de populo suo* (CSEL 14, 113).

[106] CSEL 35, 7. Vgl. auch Hilarius, lib. contra Const. 27, PL 10, 602B—603A: *Ipse quoque pridem iam mortuus pater tuus est, cui Nicaena synodus fuit curae, quam tu falsis opinionibus infamatam perturbas, et contra humanum divinumque iudicium cum paucis satellitibus tuis profanis impugnas.*

[107] CSEL 35,9. Im weiteren Kontext des Briefes taucht auch, wie es scheint, zum erstenmal der Begriff *divina auctoritas* im Zusammenhang mit Nicaea auf. Die Synodalen von Rimini und Seleucia *confirmant illam expositionem, quae apud Nicaeam conscripta est, ita ut nihil inde minueretur, eo quod evangelicam fidem verbis inexpugnabilibus explicaret et Arrii impiam doctrinam divina auctoritate damnaret* (CSEL 35, 10). — Papst Damasus (366—384) ist da in seiner *Decretale ad ep. Galliae* wesentlich vorsichtiger, was die „göttliche Autorität" des Konzils von Nicaea angeht. Er spricht lediglich von einem *spiritus annuens, dum fidei confessio fuisset iure firmata* (PL 13, 1190).

Daß Gott selber dem Konzil beistand, kommt vor allem in dem Theologumenon der Inspiration zum Ausdruck[108]. *Eusebius von Caesarea* stellt Nicaea als ein zweites Pfingsten der Kirche dar, wobei das Interesse des Autors jedoch nicht auf der Herabkunft des Heiligen Geistes liegt, sondern auf der Ökumenizität beider Versammlungen[109]. Deutlich wird die Inspiration von Kaiser *Konstantin* selber behauptet[110]. Während *Athanasius* glaubt, auf dieses Theologumenon verzichten zu können oder zu müssen, greift ein Mann wie *Basilius von Caesarea* es vorsichtig auf. Er begründet die Verbindlichkeit der in der fides Nicaena verwendeten Termini mit der Feststellung: „Sie wurden nicht ohne die Wirkung (ἐνέργεια) des Heiligen Geistes ausgesprochen"[111]. Für *Gregor von Nazianz* ist die Einheit der nicaenischen Synodalen eine Wirkung des Heiligen Geistes[112].

Auf lateinischer Seite finden wir bei *Gregor von Elvira* die Idee der Inspiration[113]. Es scheint jedoch, daß man in der lateinischen Kirche in diesem Punkt zurückhaltender ist als bei den Griechen. Hier „begründet" ein *Isidor von Pelusium* die Autorität der fides Nicaena kurz und bündig so: „Der Heiligen Synode, die in Nicaea versammelt wurde, ist zu folgen, ohne daß man etwas hinzufügt oder hinwegnimmt; denn sie ,dogmatisierte', von Gott inspiriert, die Wahrheit"[114].

Besonders klare Aussagen der Inspiration findet man auch bei *Cyrill von Alexandrien*. In seinem ersten Brief an die Mönche beruft er sich zugunsten der Bezeichnung θεοτόκος auf die nicaenischen Väter, „die der Heilige Geist die Wahrheit lehrte, denn nach dem Wort des Erlösers waren nicht sie selbst die Sprechenden, sondern der Geist des Gottes und Vaters war es, der in ihnen sprach"[115]. Im Vergleich zu *Cyrill* ist

---

[108] Vgl. hierzu u. a. BARDY, Inspiration 23—25.

[109] Eusebius, VC III, 6, GCS 7, 79—80; vgl. S. 430—431.

[110] Vgl. S. 64—65.

[111] Ep. 114, PG 32, 529.

[112] Or. 21, 14, PG 35, 1096.

[113] Greg. El., De fide orth. 1, PL 17, 552/3: ... *patres nostri apostolici viri ... quendam obicem veritatis ... sancto Spiritu inundati (Variante: mundati) catholica ratione posuerunt ...*

[114] θεόθεν ἐμπνευσθεῖσα (PG 78, 1163).

[115] Cyr. Alex., Ep. ad mon., ACO I, 1, 1; 12, 27—28; vgl. auch De Trin., PG 75, 668: „Denn man darf wahrlich nichts anderes als dies denken, geschweige denn auf der Zunge haben, sondern man muß vielmehr dem Urteil und den Worten folgen, die durch den Geist geschaffen worden sind ..." Vgl. ebenfalls die Aussagen Cyrills nach 431, z. B. Ep. 17, ACO I, 1, 1; 34, 15 f.: Die fides Nicaena ist das „Symbol des Glaubens, das im Heiligen Geist von der heiligen und großen Synode ... in Nicaea aufgestellt worden ist". Ferner ebd. 35, 12 ff.; ACO I, 1, 4; 19, 24 ff.

Nestorius zurückhaltender, was die Inspiration der nicaenischen Väter angeht[116].

Ein weiteres Theologumenon, das von dem der Inspiriertheit der Synodalen bisweilen kaum unterscheidbar ist, ist die Gegenwart Jesu auf dem Konzil. In voller Ausdrücklichkeit finden wir diese Form der Autoritätsbegründung bei *Ambrosius*. Er „beweist" dabei die Gegenwart Jesu auf dem Konzil durch die Zahl von 318 Konzilsvätern, von der weiter unten die Rede sein wird[117]. Ähnlich begründet auch *Johannes Chrysostomus* die Autorität der fides Nicaena und der Kanones dieses Konzils: „Wenn aber, wo zwei oder drei sind, Christus in ihrer Mitte ist (Mt 18, 20), um wieviel mehr war er gegenwärtig und hat alles bestimmt und verordnet, wo dreihundert und noch viel mehr zugegen waren!"[118]

Auf ein letztes, wohl das meist verwendete Aufwertungstheologumenon, die Anwendung der mystischen Zahl 318 auf die Väter von Nicaea, ist noch hinzuweisen. Wir können uns kurz fassen, denn dieses Theologumenon wurde schon in mehreren Beiträgen ausführlich behandelt[119].

---

[116] In bezug auf den „Ansatz" der fides Nicaena heißt es im (nachephesinischen) *Liber Heraclidis*: «Moi, j'ai dit, que ce n'est pas simplement qu'ils ont commencé par là, mais par un dessein divin» (Ausg. F. NAU 149). «Mais, s'ils (ont commencé) à l'endroit où le Saint-Esprit les a conduits, afin que rien ne manquât . . .» (ebd. 150/1).

[117] Ambr., De fide I, 18, 118, CSEL 78, 51: *Non humana industria, non composito aliquo trecenti decem et octo . . . episcopi ad concilium convenerunt, sed ut in numero eorum per signum suae passionis et nominis Dominus Iesus suo probaret se adesse concilio: crux in trecentis, Iesu nomen in decem et octo est sacerdotibus.*

[118] In Jud. III, 3, PG 48, 865; vgl. auch Aponius PLS 1, 844: . . . *dominus ipse dicit:* si duo vel tres conveniunt super terram, quidquid petierint in nomine meo, ego in medio eorum sum; *id est ea (impetrando) quae per gradus provocant ad cultum divini operis et non in desperationem adducant.* Es folgt der Hinweis: *ecce quo ordine Christum ‚inter sua ubera' ecclesiae ‚commorari' laetatur* . . . — Bei Cyrill kommt dieses Theologumenon in seiner nachephesinischen Interpretation der fides Nicaena (= Ep. 55) zu besonders klarem Ausdruck: „Ihnen (d. h. den Synodalen von Nicaea) war Christus selber Beisitzer; denn er sagte: ‚Wo zwei oder drei in meinem Namen versammelt sind, bin ich mitten unter ihnen' (Mt 18, 20). Wie könnte man daran zweifeln, daß Christus dieser heiligen und großen Synode auf unsichtbare Weise Vorsteher war? Denn das Bekenntnis des lauteren und reinen Glaubens sollte der ganzen Ökumene als unzerstörbares und unerschütterliches Fundament dienen; wie soll da Christus abwesend gewesen sein, wenn er selber nach dem Wort des hochweisen Paulus das Fundament ist (1 Kor 3, 11)?" (ACO I, 1, 4; 50, 16 ff.) Vgl. auch den Schluß dieses Briefes: „Laßt uns vielmehr dem Glauben der Heiligen Väter und der Überlieferung der Heiligen Apostel und Evangelisten folgen. Denn der fleischgewordene Logos selber ist es, der in ihnen spricht . . ." (ACO I, 1, 4; 61, 15 ff.). Diese Gegenwart Christi war für Cyrill auch auf dem Konzil von Ephesus gegeben. Interessant ist dazu der ironisch-bittere Kommentar des Nestorius: «Au milieu de vous siégeait le Christ, lui qui vous a contraints tous à parler et à agir ainsi à ma place» (Le Livre d'Héraclide, Ausg. F. NAU 109).

[119] J. RIVIÈRE, Trois cent dix-huit. Un cas de symbolisme arithmétique chez s.Ambroise, in: RThAM 6 (1934) 349—367, geht ausführlich auf Ambrosius ein und behandelt die Vorgeschichte. AUBINEAU stellt die Belegstellen zusammen. Vgl. dazu auch GOEMANS 292—295, ferner S. 60.

Der erste Theologe, der die an sich mystisch bedeutungsvolle Zahl[120] zur Aufwertung des Konzils von Nicaea verwendet, ist *Hilarius*[121]. Was bei ihm noch im dunkeln bleibt, nämlich die Bedeutung der Zahl 318 darüber hinaus, daß Abraham mit 318 Männern den Feind geschlagen hat (Gen 14, 14), wird bei *Ambrosius* völlig deutlich: Die Zahl symbolisiert die Gegenwart Jesu[122]. Und diese Gegenwart, so scheint es, stellt in den Augen des *Ambrosius* den entscheidenden Grund für die Autorität der fides Nicaena dar[123].

Selbst bei einem Theologen vom Range eines *Gregor von Nazianz* scheint dieses Theologumenon nicht ohne Bedeutung für die Autorität der fides Nicaena[124]. Die genaue Zahl 318 verdrängte übrigens sehr bald — wohl wegen ihrer mystischen Bedeutung — die ungenaueren, niedriger liegenden und wohl historisch zutreffenderen Zahlenangaben, ohne daß jedoch alle Theologen, die die Zahl 318 übernehmen, deren mystische Bedeutung explizit machen[125]. Interessant ist in diesem Zusammenhang noch das Zeugnis des *Severian von Gabala*: es mag zum Beweis dafür stehen, daß bei ein und demselben Autor mehrere Autoritätsbegründungen nebeneinander existieren können. Nach dem Hinweis auf den *consensus omnium* folgt die Erwähnung des θαυμαστόν: „Und siehe das Wunder! Der Neue Bund hat den Alten in seiner Ökonomie nachgeahmt..." Es folgt die Entfaltung des Topos der 318 Väter[126].

---

[120] Vgl. Ambrosius, De fide I, 18, 118, CSEL 78, 51. Vgl. oben Anm. 117.

[121] Hilarius, De syn. 86, PL 10, 538B—539A, spielt — anders als Athanasius — die Zahl der 318 Bischöfe von Nicaea aus gegen die 80, die Paul von Samosata verurteilt haben, und fährt fort: *et mihi quidem ille numerus hic sanctus est, in quo Abraham victor regum impiorum* (Gen 14, 14) *ab eo qui aeterni sacerdotii est forma benedicitur. Illi contra haereticum improbaverunt: numquid et isti non adversum haereticum improbaverunt?*

[122] Vgl. oben Anm. 117.

[123] Vgl. Anm. 52, ferner Liberius, Ep. 3, 2, PL 8, 1384 B: *non enim fortuito casu, sed divino nutu adversus Arii insaniam tantus episcoporum numerus congregatus est, quanto numero beatus Abraham tot milia per fidem profligavit.*

[124] Greg. Naz., Or. 25, 8, PG 35, 1209 A: „Und die glückselige Zahl (der Väter) traf sich damals in Nicaea und stellte die ‚Theologie' innerhalb festumschriebener Termini und Begriffe."

[125] So übernimmt z. B. Athanasius in seinen späteren Schriften die Zahl, ohne ihre mystische Bedeutung zu erklären.

[126] Sev. Gab., Orat. in Gen 24, 2, PG 56, 560—1. — Zur Attribution der Homilie vgl. J. A. DE ALDAMA, Repertorium Pseudochrysostomicum, Paris 1965, nr. 80. — Marcus Eremita wandelt den Topos nicht unwesentlich ab und erweitert ihn: 1. So wie Melchisedech den 318 Brot und Wein darreicht (die für ihn in den Krieg gezogen sind!), bietet auch Christus „den aus dem geistlichen Krieg Heimkehrenden geweihtes Brot und Wein". 2. So wie Abraham dem Melchisedech den Zehnten gab, opfern auch die nicaenischen Synodalen Christus den Zehnten, nämlich den zehnten Teil unserer menschlichen Natur: ihre fünf körperlichen und geistlichen Sinne! (De Melchis. 8, PG 65, 1129—1132). Vgl. den gleichen Topos auch bei Ps.-Athanasius, Hist. de Melchis., PG 28, 529 C.

4. Ansätze zu einer konziliaren Theorie

Die bisher genannten Vorstellungen und Theologumena haben mit Ausnahme des ersten (Nicaea als Märtyrerkonzil) dies gemeinsam, daß sie auf die eine oder andere Weise der fides Nicaena mehr als menschliche Autorität zuschreiben. Die Theologen wollen mit diesen Theologumena ihrer Überzeugung Ausdruck verleihen: Hinter diesem Text steht Gott. Gott verbürgt die Wahrheit dieser Aussage: Hier ist absolute Wahrheit gegeben.

Von dieser unmittelbaren Glaubensüberzeugung ist im folgenden auszugehen, wenn wir fragen, ob in der vorephesinischen Literatur schon Ansätze oder Spuren einer Reflexion vorhanden sind, die versucht, diese unmittelbare Glaubensüberzeugung theologisch „aufzuarbeiten". Wir fragen: Gibt es Elemente einer konziliaren Theorie, und zwar im unmittelbaren Zusammenhang mit der fides Nicaena?

Wir suchen zunächst nach der Grundkategorie, in der die alten Theologen, oder wenigstens bestimmte unter ihnen, die fides Nicaena als göttliche Wahrheit, als Gegebenheit absoluter Wahrheit denken konnten. Diese Grundkategorie scheint bei einem Mann wie *Athanasius* der Paradosis-Begriff gewesen zu sein: Diesen Glauben „hat Christus geschenkt, haben die Apostel verkündet, haben die Väter, die in Nicaea aus unsrer ganzen Ökumene zusammengekommen sind, *überliefert*"[127].

Dafür, daß auch andere Theologen dieser Jahre, vor allem unter den Griechen, die fides Nicaena als absolute Wahrheit im Rahmen des Paradosis-Begriffs zu denken gewohnt waren, gibt es eine Reihe interessanter Zeugnisse. Von besonderem Interesse ist hier *Gregor von Nyssa*. Bei seiner Kritik an Eunomius, dieser verdränge die Namen „Vater", „Sohn" und „Geist" durch philosophische Begriffe, beruft sich der Nyssener auf die Paradosis, die vom Herrn selber ihren Ausgang nimmt und an der unbedingt festzuhalten ist. Er kommt in diesem Zusammenhang, wo in aller Ausdrücklichkeit der Vorgang der göttlichen Paradosis expliziert wird, auf Konzilsentscheidungen zu sprechen[128]. Konzilsentscheidungen — und ohne Zweifel denkt *Gregor* dabei u. a. auch an Nicaea — erscheinen hier als spezifische Zeugnisse und Dokumente der göttlichen Paradosis, gleichsam als deren konkrete Gestalt. Das bedeutet

---

[127] Ath., Ep. ep. 1, PG 26, 1029 A. Vgl. S. 57—58.
[128] Die „göttliche" Tradition besteht nach Gregor erstens aus der „Wahrheit", d. h. Christus selber, und zweitens aus denjenigen, „die die Botschaft des Geheimnisses je und je aufgenommen haben". Diese „Empfänger" der Botschaft gliedern sich ihrerseits 1. in die, „die von Anfang an Augenzeugen und Diener des Wortes gewesen sind", 2. in die, „die nach jenen die

aber: er versteht die Gegebenheit absoluter Wahrheit, auch gerade die der fides Nicaena, von der Paradosis-Vorstellung her und macht sie sich von hierher verständlich.

Eine ganz ähnliche Vorstellung finden wir bei *Basilius*. Auch bei ihm ist die formale Autorität der fides Nicaena die der Paradosis als solcher, und als „Vorgang" der göttlichen Überlieferung kommt der fides Nicaena göttliche Autorität zu: „Als Glaubensformel aber haben wir keine von anderen (d. h. als den Vätern) verfaßte neuere angenommen, auch wagen wir nicht, die Erzeugnisse unseres eigenen Verstandes zu überliefern — wir würden damit die Glaubensbotschaft zu einem menschlichen Ding machen —, sondern was wir von den Heiligen Vätern gelehrt wurden, das verkünden wir denen, die uns danach fragen. Folgendermaßen nun lautet der von den Vätern her (ἐξ πατέρων) in der Kirche eingebürgerte, von den zu Nicaea versammelten heiligen Vätern aufgezeichnete Glaube . . .", und es folgt kurz darauf der Wortlaut der fides Nicaena[129]. Auch *Epiphanius* versteht die Autorität der fides Nicaena von der theologischen Kategorie der Paradosis her. Bei ihm kommt die Idee der in der katholischen Kirche sich vollziehenden göttlichen Paradosis zu besonders klarem Ausdruck[130]. Nach der Aufforderung, durch Lehre und Katechese den von den Aposteln empfangenen Glauben weiterzuüberliefern und zu bewahren, zitiert *Epiphanius* als den zu überliefernden Glauben die fides Nicaena[131] mit der für unsere Fragestellung höchst aufschlußreichen abschließenden Bemerkung: „So lautet also der Glaube, der von den Heiligen Aposteln und in der Kirche, der Heiligen Stadt, von allen heiligen an einem Ort (versammelten) Bischöfen — über 310 an der Zahl — *überliefert* wurde"[132].

---

ganze Ökumene mit den ‚Dogmen' des Evangeliums erfüllt haben", und 3. in die, „die danach zu bestimmten Zeiten bei Zweifeln über den Glauben in gemeinsamer Versammlung die Entscheidung gebracht haben". Von den „Empfängern" der Botschaft insgesamt oder nur von den letzteren, d. h. von den Synoden, heißt es dann: „Ihre schriftlichen Überlieferungen (παραδόσεις) werden in den Kirchen allzeit aufbewahrt" (Contra Eun. I, 157—158, Ausg. W. JAEGER, I, 74, 12—19).

[129] Bas., Ep. 140, 2, Ausg. Y. COURTONNE 2, 61. Vgl. auch Ep. 52, 1, ebd. 1, 134.

[130] Epiph., Anc. 118, GCS 25, 146, 5—11: „Es sollten doch endlich still werden die Leute, die gegen die heilige Jungfrau und keusche Braut Christi, das heißt unsere heilige Mutter, die Kirche (ankämpfen). Denn deren Söhne haben von den Heiligen Vätern, das heißt von den Heiligen Aposteln empfangen, sowohl Glauben zu bewahren als auch ihn ihren eigenen Kindern zu überliefern und zu verkünden. Werdet auch ihr Söhne von diesen her, geliebte Brüder, und überliefert auch euren Kindern diese ‚Didaskalia'".

[131] Die in den Textausgaben abgedruckte Glaubensformel C ist nach KELLY 315—316, durch N zu ersetzen.

[132] Epiph., Anc. 118, GCS 25, 147, 21—23. — Nach B. M. WEISCHER, Die ursprünglich nikänische Form des ersten Glaubenssymbols im Ankyrotos des Epiphanios von Salamis, in: ThPh 53 (1978) 407—414, stammt der zitierte Passus in dieser Form vom Interpolator,

Ein weiterer interessanter Zeuge dafür, daß die Autorität der fides Nicaena von vielen Theologen zunächst — man ist versucht zu sagen: ausschließlich — in der „klassischen" Kategorie der Paradosis[133] gedacht wurde, sind die Katechesen des *Theodor von Mopsuestia*. Er verwendet in seiner Erklärung der fides Nicaena fast ständig den Terminus παραδίδωμι zur Bezeichnung des formalen Aktes der „Konzilsdefinition"[134].

Die fides Nicaena ist von göttlicher Autorität, weil der Heilige Geist die Synodalen inspirierte, weil Jesus unter ihnen weilte. Diese unmittelbare Glaubensüberzeugung wird zwar nicht von allen Theologen, aber doch von maßgebenden Vätern in der theologischen Vorstellung der göttlichen Paradosis gedacht und so theologisch verstanden. Jetzt erhebt sich am Schluß noch die Frage, ob in der vorephesinischen Literatur auch schon Denkansätze zu einer weiteren wichtigen Frage einer konziliaren Theorie vorhanden sind, nämlich der nach den Kriterien, wann de facto solche Paradosis stattfindet. Konkret in Beziehung auf die fides Nicaena gefragt: Woran ist diese fides — auch unter Absehung von ihrem Inhalt — für die Väter als göttliche Paradosis erkennbar? Hier muß sehr vorsichtig geantwortet werden, denn eine eigentliche Reflexion über solche Kriterien findet doch noch kaum statt[135]. Was in unserem Zeitabschnitt sichtbar wird, sind lediglich einige Aussagen, an die eine künftige Reflexion anknüpfen wird. — Etwas schematisierend kann man zwei Stufen in dieser Frage nach den Kriterien der Paradosis unterscheiden. Es gibt Autoren, die sie nebenbei erwähnen, und solche, die mit einem gewissen Nachdruck auf sie hinweisen. Es scheinen dabei Ansätze einer konziliaren Theorie vorzuliegen.

Hilarius berichtet über das Konzil von Nicaea: „Mit Zustimmung aller *(adsensu omnium)* wurden die Arianer als Häretiker verurteilt und

---

der N durch C ersetzte. Der ursprüngliche griechische Text ist in äthiopischer Übersetzung erhalten geblieben und lautet: „Diesen Glauben aber hat sie (d. h. die Kirche) von den heiligen Aposteln empfangen (bzw. er wurde ihr überliefert) und er ist in der heiligen Kirche verblieben (bzw. enthalten). Und wegen Arius wurde er aufgeschrieben (oder unterschrieben) im Buch von Nikaia, der Stadt, von den damals anwesenden 318 Bischöfen". — Ausführliche Erörterung dieses Passus mit Lit. ebd.

[133] Vgl. Y. M. J. CONGAR, Die Tradition und die Traditionen, I, Mainz 1963, bes. 39—64. Dort auch weitere Literaturangaben.

[134] Theod. M., hom. 2, 19, StT 145, 53 «C'est en cette profession (de foi) et dans cette conception que nos pères bienheureux nous ont transmis la foi . . .»; vgl. auch ebd. 133. 135. 160 usw.

[135] Es darf hier vielleicht an die spezielle Rücksicht unserer Untersuchung erinnert werden. Natürlich war die Frage der Einheit und Einstimmigkeit seit jeher für die Konzilspraxis von Bedeutung. Wir fragen aber nach der Entwicklung einer konziliaren Theorie und beschränken uns von der Methode her auf die Untersuchung expliziter Aussagen zur Einheit und Einstimmigkeit, und zwar im unmittelbaren Kontext des Konzils von Nicaea.

wurde das vollkommene Licht der katholischen Einheit aufgestellt"[136].
Er betont also die Einheit der Beschlußfassung. Die dadurch hergestellte
Einheit ist ihrerseits ein *lumen perfectum*. Man wird interpretieren dürfen:
Diese Einheit ist in einem gewissen Sinne ein Wahrheitskriterium für die
fides Nicaena.

Diese Einheit bzw. Einstimmigkeit als Ursprung der fides Nicaena wird
auch von anderen Autoren erwähnt; in fast metaphysischer Sicht z. B.
von *Marius Victorinus*[137], in mehr anschaulicher Weise von *Rufinus von
Aquileia*[138]. Nicht nur beiläufig erwähnt, sondern auch nachdrücklich
betont wird diese Einheit von *Liberius* in seinem Brief an Constantius:
Die Autorität Nicaeas ist am *consensus omnium* erkennbar[139]. Auch *Innozenz I.* sieht die *auctoritas Nicaenae synodi* anscheinend gerade darin begründet, daß dieses Konzil „als einziges die Überzeugung aller Bischöfe
des ganzen Erdkreises offenkundig macht . . ."[140]

Andere Autoren weisen ebenfalls auf diesen *consensus omnium* hin, sehen
darin mehr oder weniger deutlich ein Anzeichen für die göttliche
Paradosis oder auch unmittelbar für die Gegebenheit göttlicher Wahrheit. Interessant ist hier vor allem das Zeugnis des *Severian von Gabala*;
er hebt einerseits mit großem Nachdruck den *consensus omnium* hervor
und versucht andererseits, aus diesem *consensus omnium* die Apostolizität
der fides Nicaena abzuleiten: „Und damit deutlich wurde, daß es der
Glaube der Ökumene ist, gab es unter so viel Versammelten nur sieben,
die anderer Meinung waren und die verurteilt wurden. Die ganze Ökumene (indes) stimmte überein, weil (der Glaube) aus der apostolischen
Masse stammte"[141]. Hier sind deutliche Ansätze einer Konzilstheorie
vorhanden. Es wird über die Einstimmigkeit als Kriterium der Paradosis
bzw. der göttlichen Wahrheit reflektiert.

Bei *Severian von Gabala* wird übrigens auch deutlich, wie der *consensus
omnium* als solcher — auch unter Absehung von der Paradosis-Vorstellung — die Gegebenheit der Wahrheit anzeigt: Die fides Nicaena ist

---

[136] Hil., Collect. Ant. Par. B II, 9, 7, CSEL 65, 149, 23—150, 2.
[137] M. Vict., Adv. Ar. I, 28, CSEL 83, 1, 104, 30—32: *Eadem fides in destructionem aliarum
haereseon effecta est, una cum sit et ab uno incipiens et operata usque nunc.*
[138] Ruf., HE I, 5, GCS 9,2; 964/5: *Vero post diutinum multumque tractatum placet omnibus ac velut
uno cunctorum ore et corde decernitur ,homoousion' scribi debere . . . idque firmissima omnium sententia
pronuntiatur.*
[139] Lib., Ep. 3, 6, PL 8, 1054 B: *. . . sic omnia discutiantur, ut quae fuerint judicio sacerdotum Dei
confirmata — cum constiterit omnes in expositionem fidei quae inter tantos episcopos apud Nicaeam . . .
confirmata est universos consensisse — cum exemplo possit in posterum custodire.*
[140] Innoc., Ep. 24, 1, PL 20, 547 B.
[141] Sev. Gab., Orat. in Gen 24, 2, PG 56, 560/1. Zur Attribution dieser Homilie vgl. DE
ALDAMA nr. 80.

wahr einfach deswegen, weil ihr alle zustimmen: „Wenn du nun fragst
... wer als erster ὁμοούσιος sagte, so können sie (d. h. die Synodalen)
nicht sagen: der da oder der hier. 318 Väter haben vielmehr ihre Stimme
in einhelliger Übereinstimmung erhoben und in Gottesfurcht zusammen-
klingen lassen. Sieh doch, wie vollkommen die Übereinstimmung auf-
leuchtet. Nicht ein erster und ein zweiter begann mit dem ὁμοούσιος,
sondern die ganze Synode des Westens, Südens und Nordens (zugleich).
Denn wo die Wahrheit erscheint, stimmt alles überein"[142]. Ist hier
nicht die Verwendung des philosophischen Wahrheitskriteriums zur
„Versicherung" der überlieferten Wahrheit schon deutlich? Versucht
Severian nicht die Wahrheit der fides Nicaena zu beweisen, indem er sie
aus dem *consensus omnium* ableitet? Kann man nicht den Satz „Wo die
Wahrheit erscheint, stimmt alles überein" umkehren und formulieren:
„Wo alle übereinstimmen, da ist die Wahrheit"?
Der Hinweis auf den *consensus omnium* stellt jedenfalls — im Vergleich zu
anderen Formen der „Aufwertung" der fides Nicaena — die plau-
sibelste, einleuchtendste Form der Autoritätsbegründung dar. Insofern
es sich um ein ursprünglich philosophisches Prinzip[143] handelt, muß das
consensus-omnium-Kriterium erst noch seine spezifisch kirchliche Form
und Begründung finden. Die Tatsache, daß dieses Kriterium auf
philosophisch Gebildete und auf Nichtchristen seine Wirkung nicht
verfehlte, konnte ja noch nicht als seine theologische Rechtfertigung
gelten. Für den Augenblick jedenfalls stehen sich die Gegner des
Prinzips, die eine kritische Revision und ein Überdenken im Lichte der
kirchlichen Tradition verlangen, und die bisweilen sehr unkritischen
Befürworter gegenüber.
Zu den Kritikern gehört z. B. ein *Eutherius von Tyana*, der in seiner *Antilogia* die Consensus-Wahrheit, wenn auch nicht unmittelbar eines Konzils, aber doch einer Mehrheit in der Kirche, in Frage stellt und in jedem
Fall den Schriftbeweis verlangt: „Die Zahl, die ohne Beweis Autorität
beansprucht, vermag Furcht einzujagen, keineswegs aber zu überzeugen.
Wie viele Myriaden werden mich davon überzeugen können, den Tag
für die Nacht zu halten? ... Nun, in irdischen Angelegenheiten werden

---

[142] Sev. Gab., hom. in incarnat. 7, PG 59, 699. Zur Attribution vgl. de ALDAMA nr. 317.
[143] Vgl. H. U. INSTINSKY, Consensus universorum, in: Hermes 75 (1940) 265—278; L.
KOEP, Art. ‚consensus', in: RAC III (1957) 294—303; K. OEHLER, Der consensus omnium
als Kriterium der Wahrheit in der antiken Philosophie und Patristik, in: Antike und Abend-
land 10 (1961) 103—129 (= K. OEHLER, Antike Philosophie und byzantinisches Mittelalter.
Aufsätze zur Geschichte des griechischen Denkens, München 1969, 234—271). Vgl. auch
R. SCHIAN, Untersuchungen über das ‚argumentum e consensu omnium', Spudasmata 28,
Hildesheim 1973.

wir die Zahl, die irrt, nicht respektieren, und bei den himmlischen ‚Dogmen' soll ich der Zustimmung (der Zahl) ohne Beweis folgen und dabei aufgeben, was von alters her mit großer Einstimmigkeit und dem Zeugnis der (Heiligen) Schrift überliefert worden ist"[144]? Man vergleiche mit dieser kritischen Stimme Cassians Formulierung des consensus-omnium-Kriteriums: „Die Zustimmung aller stellt eine Offenbarung der Wahrheit dar, und vollständige Beweisführung fand statt, wo niemand abweichender Meinung ist"[145]. Hier redet jemand einer eher unkritischen Übernahme des consensus-omnium-Kriteriums das Wort. Nicht übersehen werden darf bei dieser Gegenüberstellung, daß beide, sowohl die Befürworter als auch die Gegner oder Kritiker, jeweils durch ihre Parteizugehörigkeit in ihren Stellungnahmen bestimmt sind. Eutherius gehört als Nestorianer der Minderheit an, Cassian als „Cyrillianer" der Mehrheit!

Da Überlegungen dieser Art, das heißt die Diskussion der Frage, inwiefern und inwieweit die Einstimmigkeit Kriterium der παράδοσις, das heißt der überlieferten Wahrheit ist, nicht mehr in den Bereich der vorephesinischen Literatur fallen, es dabei auch nicht mehr um die Autorität der fides Nicaena geht und solche Gedankengänge zudem meist unter dem Einfluß augustinischer Ekklesiologie — man denke z. B. an Prosper von Aquitanien — stehen, soll mit den gemachten Andeutungen die Untersuchung dieser Problematik abgebrochen werden.

Abschließend ist nur noch hinzuweisen auf eine ganz spezifische Form der Autoritätsbegründung der fides Nicaena: die des Papstes Damasus

---

[144] Euth., Antilog. 2, PST 1, 5, 2—6, 1: πλῆθος δὲ χωρὶς ἀποδείξεων αὐθεντοῦν φοβῆσαι μὲν ἱκανόν, πεῖσαι δὲ οὐδαμῶς. ἢ πόσαι μυριάδες πείσουσί με τὴν ἡμέραν νύκτα νομίσαι; ἢ τὸ χαλκοῦν νόμισμα χρυσοῦν εἰδέναι καὶ οὕτω δέχεσθαι; ἢ προσίεσθαι δηλητήριον πρόδηλον ἀντὶ καταλλήλου τροφῆς; εἶτα γηΐνων μὲν ἕνεκα πραγμάτων οὐκ αἰδεσθησόμεθα πλῆθος ψευδόμενον, οὐρανίων δὲ χάριν δογμάτων νεύμασιν ἀναποδείκτοις ἀκολουθήσω τῶν πάλαι καὶ πρόπαλαι μετὰ πολλῆς συμφωνίας καὶ τῶν γραφῶν μαρτυρίας παραδοθέντων ἀναχωρήσας; ἐχαρίσατο. καλὸν οὖν, καλὸν καὶ τὸ ἕνα δικαίως παρρησιάζεσθαι καὶ τὸ πολλῶν συμφωνίαν ἄδικον λύεσθαι. ἀλλὰ σὺ μὲν προτίμησον, εἰ δοκεῖ, τοῦ σωζομένου Νῶε τὸ ὑποβρύχιον πλῆθος, ἐμοὶ δὲ συγχώρησον τῇ τοὺς ὀλίγους ἐχούσῃ κιβωτῷ προσδραμεῖν. καὶ σὺ μέν, εἰ βούλει, τάξον σεαυτὸν μετὰ τῶν πολλῶν ἐν Σοδόμοις, ἐγὼ δὲ συνοδεύσω τῷ Λώτ, κἂν μόνος τῶν ὄχλων συμφερόντως χωρίζηται. πλὴν ἐμοὶ καὶ πλῆθος αἰδέσιμον, οὐ τὸ φεῦγον ἐξέτασιν, ἀλλὰ τὸ παρέχον ἀπόδειξιν, οὐ τὸ πικρῶς ἀμυνόμενον, ἀλλὰ τὸ πατρικῶς διορθούμενον, οὐ τὸ χαῖρον καινοτομίᾳ, ἀλλὰ τὸ φυλάττον πατρῴαν κληρονομίαν. ποῖον δέ μοι καὶ πλῆθος λέγεις; τὸ μισθωθὲν κολακείᾳ καὶ δώροις, τὸ κλαπὲν ἀμαθίᾳ τε καὶ ἀγνοίᾳ, τὸ πεπτωκὸς δειλίᾳ τε καὶ φόβῳ, τὸ προτιμῆσαν πρόσκαιρον ἀμαρτίας ἀπόλαυσιν τῆς αἰωνίου ζωῆς, ἅπερ πολλοὶ φανερῶς ὡμολόγησαν.

[145] Cass., De incarn. 1, 6, CSEL 17, 245: *Indubitatae veritatis manifestatio est auctoritas universorum et perfecta ratio facta est ubi nemo dissentit ... Confirmata enim semel ab omnibus veritate, quidquid contra id venit hoc ipso statim falsitas esse noscenda est quod a veritate dissentit, ac per hoc sufficere ei etiam id solum convenit ad sententiam damnationis quod discrepat a iudicio veritatis.* Vgl. S. 168.

in seinem Brief an die orientalischen Bischöfe. Diese Begründung ist um
so mehr zu beachten, als es sich hier nicht um die private Sicht eines
Theologen handelt, sondern um die autoritative Stellungnahme des
Römischen Stuhles. Der Papst berichtet eingangs, es sei ihm zu Ohren
gekommen, daß gewisse Leute anscheinend immer noch nicht wissen,
an welches Konzil sie sich zu halten haben[146]. Die Eigenart der dann im
folgenden vorgetragenen Begründung für die ausschließliche Autorität
der fides Nicaena besteht nun darin, daß der Papst mit erstaunlicher
Konsequenz, unter Absehung von allen anderen Gesichtspunkten, die
rechtliche Situation ins Auge faßt. So wird zunächst einmal die ganze
Frage nach der rechten fides in den Horizont der Rechts- und Gesetzes-
problematik gestellt: Im *Orbis Romanus* kann es natürlich nur eine einheitliche *lex* geben[147]. Welches der stattgehabten Konzile nun als diese
einheitliche *lex* des *Orbis Romanus* zu gelten habe, wird im folgenden unter
Anwendung ausschließlich juridischer Gesichtspunkte entschieden: Die
Väter haben in Nicaea *Arius* verurteilt und eine *definitio salutaris* des
Glaubens aufgestellt. *Damasus* betont eigens dabei die Anwesenheit von
Bischöfen, „die den sehr heiligen Bischof der Stadt Rom vertraten",
weil dies in seinen Augen für die rechtliche Gültigkeit des Konzils von
Nicaea entscheidend ist. Die folgenden Konzilien sind ungültig aus
rein rechtlichen Gründen. Das Konzil von Rimini, das die fides Nicaena
verleugnete, ist insofern ungültig, als die Unterzeichner bekannt haben,
daß ihnen der Widerspruch zur fides Nicaena gar nicht bewußt gewesen
ist.

Das Argument, Rimini sei ein größeres Konzil gewesen[148] als Nicaea und
habe deswegen Geltung vor diesem, stellt in den Augen des *Damasus*
ebenfalls keine Präjudizierung dar. Der Papst weist auf den wesentlichen
Mangel des Konzils von Rimini hin: Ihm fehlt die Zustimmung des
Römischen Stuhles, „dessen Sentenz vor allem hätte erwartet werden
müssen"; ferner fehlt die Zustimmung des *Vincentius von Capua*[149] und
anderer Bischöfe. Aus dieser Rechtslage ergibt sich: „Daher soll . . . allein

---

[146] Dam., Ex. sym. 1, ZNW 35 (1936) 19, 9—15: *Ex Gallorum atque Venetensium fratrum
relatione conperimus nonnullos non eresis studio (neque enim tantum hoc mali cadere in dei antistites
potest), sed inscientia vel ex simplicitate quorundum scaevis interpretationibus aestuantes non satis
dispicere, quae magis patrum nostrorum sit tenenda sententia, cum diversa concilia eorum auribus
ingeruntur.* — Zur Textüberlieferung des Briefes vgl. die in CPL 1633 angegebene Literatur.
[147] Dam., Ex. sym. ebd. 19, 16—18: *Par est igitur universos magistros legis per orbem Romanum
paria de lege sentire nec diversis magisteriis fidem dominicam violare.*
[148] In Rimini waren 400 Bischöfe versammelt.
[149] Herausragende Gestalt in den dogmatischen und kirchenpolitischen Kontroversen des
vierten Jahrhunderts, möglicherweise identisch mit dem päpstlichen Legaten auf dem
Konzil von Nicaea. Näheres in DCB 4 (1887) 1152, nr. 5.

der Glaube, der in Nicaea mit der Autorität der Apostel *(apostolorum auctoritate)* begründet wurde, mit immerwährender Standhaftigkeit festgehalten werden"[150]. Die fides Nicaena hat in Ausschließlichkeit Autorität, weil allein das Konzil von Nicaea vom Rechtsstandpunkt aus gültig ist. Mit dieser konsequenten Klärung der Rechtslage hat das römische Papsttum einen wichtigen Beitrag zur Autoritätsbegründung der fides Nicaena geleistet, darüber hinaus auch grundsätzlich die Richtung angedeutet, in der die konziliare Theorie zukünftig ihre Entfaltung finden sollte.

---

[150] Dam., Ex. sym. 1, ZNW 35 (1936) 19, 18—20: *Nam cum dudum ereticorum uirus, ut nunc iterum coepit obrepere, ac praecipue Arrianorum blasphemia pullulare coepisset, maiores nostri* CCCXVIII *episcopi atque ex uice sanctissimi episcopi urbis Romae directi apud Nicaeam confecto concilio hunc murum aduersus arma diabolica statuerunt atque hoc antidoto mortalia pocula propulsarunt, ut patrem filium spiritumque sanctum unius deitatis, unius uirtutis, unius figurae, unius credere oporteret substantiae, contra sentientem alienum a nostro consortio iudicantes. quam definitionem salutarem postea aliis tractatibus quidam (corrumpere) et uiolare temptauerunt. sed et in ipso exordio ab isdem ipsis qui hoc apud Ariminum innouare uel tractare cogebantur, emendatum hactenus est, ut subreptum sibi alia disputatione faterentur idcirco quod non intellexissent patrum sententiae apud Nicaeam firmatae esse contrarium. neque enim praeiudicium aliquod nasci potuit ex numero eorum qui apud Ariminum conuenerunt, cum constet neque Romanum episcopum, cuius ante omnes fuit expectanda sententia, neque Vincentii, qui tot annos sacerdotium inlibate seruauit, neque aliorum huiusmodi statutis consensum aliquem commodasse, cum praesertim, ut diximus, idem ipsi qui per inpositionem succubuisse uidebantur, idem consilio meliore displicere sibi fuerint protestati. unde aduertit sinceritas uestra hanc solam fidem quae apud Nicaeam apostolorum auctoritate fundata est, perpetua firmitate esse retinendam ac nobiscum Orientales qui se catholicos recognoscunt, Occidentalesque gloriari.*

Kapitel II

DAS CHALCEDONENSE UND DAS PRINZIP DER WIEDERHOLBARKEIT KONZILIARER GLAUBENSFORMULIERUNGEN

Auf Grund der Konzilszählung, die seit Robert Bellarmin in der römischen Kirche üblich ist, gilt das Zweite Vaticanum als das 21. ökumenische Konzil. Solche Listen anerkannter ökumenischer Konzilien gibt es freilich nicht erst seit der Gegenreformation. Besonders geschichtswirksam war z. B. der Konzilskatalog, den Gregor der Große an der Schwelle zum Mittelalter bezeugt[1]. Auch sein Vorgehen stellt keine Neuerung dar. Schon zu Beginn der zweiten Hälfte des 5. Jh. zählt man die ökumenischen Konzilien in einer Reihe auf. Bei genauerem Zusehen jedoch zeigt sich, daß diese Aufzählung um die Mitte des Jahrhunderts nicht denselben Sinn hat wie gegen Ende. Zunächst bedeutet sie, daß das „Konzil der 318 Väter", d. h. Nicaea, vom folgenden Konzil erneut bekräftigt und appliziert wurde, gegen Ende des anvisierten Zeitabschnitts dagegen steht hinter einer solchen Aufzählung die Vorstellung, daß eine Reihe von Konzilien eigenen Rechts und eigener Autorität stattgefunden habe. Aus unserer heutigen modernen Sicht heraus erscheint eine solche Aufzählung von Konzilien als etwas Selbstverständliches. Wir gehen nämlich stillschweigend von einem univoken Begriff „Ökumenisches Konzil" aus. Gerade dieser univoke Konzilsbegriff kann aber vor der Mitte des 5. Jh. noch nicht vorausgesetzt werden. Was ihm entgegensteht, ist die ganz einmalige Autorität des „Konzils der 318 Väter", das „Wunder von Nicaea"[2]. Kein nachfolgendes Konzil kann ihm einfach konnumeriert werden.

---

[1] Greg. M., Ep. I, 24, MGH. Ep. 1, 36, 19—26: ... *sicut sancti Evangelii quattuor libros, sic quattuor concilia suscipere et venerari me fateor; Nicaenum scilicet, in quo perversum Arrii dogma destruitur; Constantinopolitanum quoque, in quo Eunomii et Macedonii error convincitur, Efesenum etiam primum, in quo Nestorii impietas iudicatur, Chalcedonense vero, in quo Eutychis Dioscorique pravitas reprobatur, tota devotione complector, integerrima approbatione custodio, quia in his, velut in quadrato lapide, sanctae fidei structura consurgit, et cuiuslibet vitae atque actionis exsistat, quisquis eorum soliditatem non tenet, etiam si lapis esse cernitur, tamen extra aedificium iacet.* Zur Bedeutung der Vierzahl vgl. CONGAR, Primat. — Zur modernen Zählung der Konzilien vgl. V. PERI, I concili e le chiese, Rom 1965, 85—89, bes. 62; ferner F. DVORNIK, Which councils are ecumenical? in: JES 3 (1966) 314—328; R. BÄUMER, Die Zahl der allgemeinen Konzilien in der Sicht von Theologen des 15. und 16. Jahrhunderts, in: AHC 1 (1969) 288—313.

[2] Cyril. Alex., De s. trin. 1, PG 75, 668 A—D: „Der von jener heiligen und großen Synode treffend mit Gott definierte und aufgestellte Glaube (ist) Fundament und unerschütterliche, sichere Grundlage für unsere Seelen . . . WLaßt uns ort für Wort niederschreiben den gött-

---

Ziel dieses Kapitels ist es, eine erste, für die Entwicklung eines univoken Konzilsbegriffs entscheidende Phase in den Blick zu bekommen. In der Zeit zwischen dem Ephesinum (431) und dem Ende des 5. Jh. vollzieht sich in der Tat im Zusammenhang mit der Diskussion und der Rezeption des Chalcedonense durch die Großkirche ein schrittweiser Abbau der Monopolstellung des Nicaenums. Eine neue Vorstellung vom Wesen und der Funktion „katholischer Konzilien" bricht sich Bahn.

Wir gehen bei unserer Untersuchung in vier Schritten vor. Als erstes verdeutlichen wir uns die Monopolstellung des Nicaenums zu Beginn der von uns anvisierten Zeitspanne, und zwar in einem doppelten Schritt. Als Ergänzung der vorausgehenden Untersuchungen zur Konzilsidee des Athanasius und des vorephesinischen Schrifttums werfen wir zunächst einen Blick auf die Theorie der fides Nicaena und die ihr entsprechende Konzilsidee. Anschließend befassen wir uns mit der Praxis einiger Konzile im fraglichen Zeitraum, um uns auch unter dieser Rücksicht die Monopolstellung des Nicaenums vor Augen zu führen. Ein dritter Abschnitt geht auf diesen und jenen hervorragenden Moment im Übergang von der alten zur neuen Konzilsidee ein. Abschließend behandeln wir einen markanten Vertreter der neuen Konzilsauffassung, den afrikanischen Theologen Vigilius von Tapsus.

1. Fides Nicaena und Konzilstheorie

Athanasius hatte die Parole ausgegeben: die fides Nicaena ist die Glaubensformel, die zur Überwindung aller Häresien ausreicht, sie ist das „Wort Gottes, das in Ewigkeit bleibt"[3]. Diese Parole fand in der Kirche ein weites Echo. Zeugnis dafür sind u. a. die verschiedenen *expositiones* der fides Nicaena, die in der Kirche zirkulieren. Neben Cyrill von Alexandrien[4] verfaßte auch *Theodotus von Ancyra*[5] eine solche *expositio*[6].

---

lichen und hochheiligen Orakelspruch jener heiligen Synode, das heißt, das adäquate („polierte") und durch seine in jeder Hinsicht wahren Sätze vollkommene Symbol des Glaubens... O lautere Nüchternheit, die zu höchster Vollendung gekommen ist! Boanerges, d. h. Donnersöhne, wird jeder, glaube ich, von denen genannt, die dies festgesetzt haben. Denn sie haben etwas Ungeheures und Übernatürliches ausgesprochen."

[3] Vgl. S. 57—62.

[4] Cyrilli archiep. Alex. in sanctum symbolum, PG 77, 289—320 (=Ep. 55).

[5] Zu Theodotus von Ancyra vgl. G. BARDY, Art. Théodote d'A., in: DThC XV, 1 (1946) 328—330.

[6] PG 77, 1313—1348.

Wir wollen uns eingangs mit einem Passus dieses Werkes befassen,
denn in ihm kommt die einzigartige Bedeutung der Glaubensformel von
Nicaea zu besonders klarem Ausdruck.

Die *Expositio symboli Nicaeni* des *Theodotus von Ancyra*, eines persönlichen Freundes, aber theologischen Gegners des Nestorius, ist möglicherweise abgefaßt kurz nach dem Konzil von Ephesus (431), jedenfalls
vor 446[7]. Im ersten Teil dieser Schrift[8] (cap. 1—7) argumentiert Theodotus auf Schriftbasis gegen Nestorius[9], unmittelbar daran anschließend
führt er aus: „Dasselbe lehrten auch die heiligen Väter, die von den
Aposteln das Mysterium der οἰκονομία empfangen haben. Dasselbe bestimmten die 318 zu Nicaea versammelten Väter. Er (d. i. Nestorius), der
Christus in zwei spaltet, behauptet zwar, er gehorche diesen (Vätern),
in Wirklichkeit jedoch bekämpft er ihre Lehre, denn er leugnet völlig
ihr Glaubensbekenntnis"[10]. Zum Beweis dieser These zitiert Theodotus
die fides Nicaena. Der unmittelbar anschließende Hinweis auf die
Autorität dieses Textes verdient unser Interesse: „Mit diesen Worten
legen uns die Väter den Glauben über den Eingeborenen dar; als κανών
lenken sie unser menschliches Begreifen"[11]. Bei dieser Charakterisierung
der fides Nicaena als ‚Kanon‘ schwebt Theodotus die Grundbedeutung
dieses griechischen Wortes vor Augen[12]: „Denn wie ein Richtholz (κανών) den Gesichtssinn, der sich über die Geradheit eines Holzstückes
täuscht, verbessert, indem er das Krumme sichtbar macht, so berichtigt
dieser Text (λόγος) den Verstand der Menschen, die unseren Glauben
mit ihren Ideen verbiegen und verkehren wollen"[13].

---

[7] Bardy, Théodote 328.

[8] Nach O. Bardenhewer, Geschichte der altkirchlichen Literatur, IV, Freiburg 1924, 198,
ist die *Expositio symboli Nicaeni* „eine klar und gewandt geschriebene Abhandlung, welche ...
ihre Spitze gegen den Nestorianismus kehrt. Cyrillus kämpfte in seiner Auslegung des Nicaenums mit Arianern, Apollinaristen und Nestorianern ... Theodotus beschränkt sich auf den
Nachweis, daß auch die Väter der Vorzeit schon die Lehre von zwei Söhnen verworfen
haben ..."

[9] Theod., Exp. sym. 7, PG 77, 1324 C: „Einer ist es, sagt Paulus (Eph 4, 9), der hinunter-
stieg und der hinaufstieg; nicht ein anderer und ein anderer, sondern einer und derselbe ist
es: keineswegs geteilt, nicht als zwei nach der Einung existierend ... Was als zwei vordem
geschaut wurde, hat die ‚oikonomia‘ zu einem gemacht. Folglich sollen sie nach der unauflös-
lichen Einigung nicht mehr zwei genannt werden. Was die Gnade geeint hat, soll die Vernunft nicht trennen."

[10] Ebd. 8, PG 77, 1324 CD.

[11] Ebd. 8. PG 77, 1325 B.

[12] F. Passow, Handwörterbuch der griechischen Sprache, Leipzig 1841: jede gerade Stange,
grader Stab, grades Holz, besonders um etwas grad, aufrecht oder auseinanderzuhalten, es
zu richten oder zu ordnen, regula ... alles, wodurch man grade Linien bekommt, oder eine
grade Richtung gibt ... Richtholz, Richtscheit, Richtschnur.

[13] Theod., Exp. sym. 8, PG 77, 1325 B.

Der fides Nicaena als ‚Kanon'[14], als Richtschnur des Verstandes folgen, bedeutet für Theodotus näherhin Verzicht auf Fragen und Suchen: „Laßt uns diesen (Vätern?) folgen, indem wir ihren Worten Glauben schenken, statt Probleme zu wälzen. Denn jene (Väter) sagten: wir glauben, und nicht: wir bringen Beweise und Argumente. Laßt uns glauben, daß der Inhalt des (Bekenntnisses) wahr ist, und gänzlich auf alles (überflüssige) vorwitzige Fragen verzichten"[15]. Theodotus verdeutlicht die Aufforderung zu fraglosem Glauben gegenüber der fides Nicaena durch den Hinweis auf das Wesen der Überlieferung: „Über das von den Vätern uns Anvertraute verlangen wir nämlich keine Rechenschaft, vielmehr bekennen wir, daß (alles) so von Gott her geschehen ist"[16]. Die fides Nicaena darf von der Vernunft nicht hinterfragt werden, sie ist nämlich ‚Prinzip' des Glaubens. Theodotus vergleicht die fides Nicaena sogar mit dem ‚Prinzip', der ἀρχή[17], anderer Disziplinen, die ihrerseits genauso wenig hinterfragt und abgeleitet werden. Wer das jeweilige ‚Prinzip' nicht annimmt, schließt sich selber aus dem Lehrer-Schüler-Verhältnis aus: „Wer von dieser Glaubensformel in seinem Denken abweicht, ist demzufolge kein Christ, mag er auch sonst Treffendes über unseren Glauben zu sagen haben. Denn vom ‚Prinzip' der jeweiligen Wissenschaft verlangt auch niemand außerhalb der Kirche eine Ableitung, vielmehr übernimmt man das ‚Prinzip' von seinem Lehrer im Glauben, ohne gegen dasselbe irgendeine Überlegung vorzubringen. Und fürwahr, ‚Prinzip' des Glaubens an den Eingeborenen ist (soll sein) diese Darlegung der Väter"[18]. Im folgenden sucht dann Theodotus zu zeigen, inwiefern Nestorius gegen den ‚Kanon' und das ‚Prinzip' des Glaubens verstößt[19]. Uns interessiert in diesem Zusammenhang nur noch die Schlußbemerkung des Autors, er habe seine Ausführungen nicht auf eigene Einsicht gegründet, sondern „einerseits auf die Heilige Schrift, andererseits auf den Glauben, der von den zu Nicaea versammelten Vätern aufgestellt worden ist"[20]. Diese perfekte Parallelisierung von Schrift und Nicaea als Glaubensquelle ist bezeichnend

---

[14] Zur Begriffsgeschichte von κανών vgl. H. Opel, κανών, Leipzig 1937.
[15] Theod., Exp. sym. 8, PG 77, 1325 BC.
[16] Ebd.
[17] Zu ἀρχή vgl. die *principia circa quae sunt scientiae* des Aristoteles (Anal. post. A 32. 88b 27 ff.), d. h. die Grundbegriffe der einzelnen Wissenschaften, von denen diese auszugehen haben, im Unterschied zu den *principia ex quibus demonstratur*, d. h. den ersten allgemeinen Denkgrundsätzen. — Zur Begriffsgeschichte von ἀρχή vgl. A. Lumpe, Der Terminus ‚Prinzip' (ἀρχή) von den Vorsokratikern bis auf Aristoteles, in: ABG 1 (1955) 104—116.
[18] Theod., Exp. sym. 8, PG 77, 1325 C.
[19] PG 77, 1325 D—1348 D.
[20] Theod., Exp. sym. 24, PG 77, 1348 D.

für die außerordentliche Autorität, die der fides Nicaena zugeschrieben wird.

Die fides Nicaena ist ‚Kanon' der Glaubenserkenntnis und ‚Prinzip' der Glaubensaussagen über Christus. Bevor wir untersuchen, wie diese Monopolstellung sich auf die Konzilspraxis auswirkt, soll zunächst noch ein ‚Konzilstheoretiker' zu Wort kommen: *Capreolus,* der Nachfolger des Aurelius als Erzbischof von Carthago (430—437). Sein Brief an das Konzil von Ephesus wurde den Konzilsakten einverleibt und darf folglich als offizielles Dokument zur Konzilstheorie dieser Jahre betrachtet werden[21]. Im ersten Teil seines Schreibens[22] nennt Capreolus die Gründe, warum die afrikanische Kirche auf dem kommenden Konzil nicht durch eine normale Gesandtschaft *(instructa legatio),* sondern nur durch den Diakon Bessula vertreten ist[23]. Im zweiten Teil[24] gibt der Primas der afrikanischen Kirche seinen Vorstellungen über die Aufgabe des kommenden Konzils — und wir dürfen wohl verallgemeinern: von Konzilien überhaupt — Ausdruck. Zunächst gilt für ihn ganz allgemein: Aufgabe des Konzils ist die Abwehr neuer Lehren und der Widerstand gegen neue Irrtümer, und zwar ‚kraft der alten Autorität': „Zwar bin ich der Überzeugung, daß der katholische Glaube durch die Hilfe unseres Gottes auf einer so großen Synode von ehrwürdigen Bischöfen in jeder Hinsicht sicher sein wird, nichtsdestoweniger fordere ich Eure Heiligkeit auf: neue und kirchlichen Ohren ungewohnte Lehren weist kraft der alten Autorität zurück in der Wirkung des Heiligen Geistes, der bei allem, was ihr tut, euren Herzen beistehen wird, wie wir glauben. Jeder Art neuen Irrtums leistet Widerstand!"[25] Man wird nicht fehlgehen in der Annahme, daß mit der ‚alten Autorität' wesentlich Nicaea gemeint ist. — Worauf es nun speziell ankommt, ist die Vermeidung einer Wiederbehandlung schon verurteilter Irrlehren: „Unter dem Vorwand nochmaliger Diskussion dürfen die zum Schweigen gebrachten Irrtümer nicht erneut gehört werden, die die Kirche längst überwunden hat und die in der Zeit, da sie entstanden sind, von der

---

[21] ACO I, 3; 81—82.
[22] ACO I, 3; 81, 6—28.
[23] Eine Bischofsversammlung zur Wahl einer Konzilsgesandtschaft konnte wegen Kriegswirren nicht abgehalten werden (Vandaleneinfälle). Die Konzilskonvokation des Kaisers, die übrigens Augustinus speziell zugeschickt worden war, war zu spät angekommen.
[24] ACO I, 3; 81, 28—82, 16.
[25] Capr., Ep. ad con., ACO I, 3; 81, 28—33: *Unde postulo vestram sanctitatem, licet credam auxilio dei nostri per tantam synodum venerabilium sacerdotum firmam per omnia fidem catholicam futuram, ut operante sancto spiritu, quem vestris cordibus in omnibus agendis credimus adfuturum, novas doctrinas et ante hoc ecclesiasticis auribus inexpertas antiquae auctoritatis virtute repellite et ita novis quibuscunque erroribus resistite . . .*

Autorität des Apostolischen Stuhles und dem übereinstimmenden Urteil zahlreicher Bischöfe niedergeworfen worden sind"[26].

Nun weiß Capreolus freilich, daß es neue Fragen gibt: „Wenn tatsächlich eine Frage neuerdings aufkommt, dann muß eine Untersuchung angestellt werden, damit das Gebilligte angenommen oder das Verurteilte ausgeschlossen werden kann"[27]. Gegen die erneute Diskussion schon auf früheren Konzilien entschiedener Fragen führt Capreolus im folgenden zwei Gründe an, die höchst aufschlußreich sind für das grundsätzliche Konzilsverständnis des afrikanischen Theologen. Erstens: „Wer sich aber darauf einläßt, erneut zu behandeln, worüber vorher schon ein Urteil gefällt ist, der scheint doch selber an dem Glauben zu zweifeln, den er bis zur Stunde hatte"[28]. Es handelt sich hier um ein Argument gegen jede *retractatio*, wie wir es ähnlich wieder bei Papst Leo finden: eine Konzilsdefinition ‚retractieren' heißt im Grund „Rücknahme" des früher Geglaubten.

Das zweite Argument geht von einem anderen Ansatz aus: der Glaube muß sich selbst durch die Jahrhunderte hindurch identisch bleiben: „Dann gilt es, auch an die nach uns kommenden Generationen zu denken: damit das, was jetzt zum Schutz des katholischen Glaubens definiert wurde, ewige Geltung haben kann, muß an dem, was schon von den Vätern definiert wurde, festgehalten werden. Wenn nämlich ewige Geltung haben soll, was jemand zum festen Bestand des katholischen (Glaubens) festgesetzt hat, dann muß er seine Meinung nicht (nur) mit seiner Autorität, sondern auch mit dem Urteil der Alten bekräftigen. Indem seine Lehre sowohl durch ältere als auch durch neuere ‚Definitionen' gebilligt ist, wird deutlich, daß er selber die eine Wahrheit der katholischen Kirche, die in einfacher Reinheit und unüberwindlicher Autorität von den vergangenen Zeiten bis in unsere Tage fortschreitet, verkündet und festhält"[29].

---

[26] Capr., Ep. ad con., ACO I, 3; 81, 33—82, 1: *... ne eorum quos pridem expugnavit ecclesia et in his temporibus quibus exorti sunt, et apostolicae sedis auctoritas et in unum consonans sententia sacerdotalis frequenter, sub habitu secundae collocutionis vox videatur pridem ablata renovari.*

[27] Capr., ebd. 82, 1—2: *Si quid forte noviter exortum est quaestionis, necesse est aut acceptum probetur aut condemnatum possit secerni.* Vgl. auch die von Ferrandus, Ep. 6, 6, PL 67, 925 C überlieferte Form dieses Satzes: *Habet quidquid forte nuper exoritur, discussionis necessitatem, ut aut recipi probatum aut damnatum possit excludi; ea vero de quibus antea iam iudicatum est, si quis admiserit in retractationem vocari, (nihil aliud) videbitur quam de fide quam nunc usque tenuit, ipse dubitare.*

[28] Capr., Ep. ad con., ACO I, 3; 82, 2—4: *Haec autem de quibus iam pridem iudicatum est, si aliquis dimiserit ad secundam collocutionem vocari, nihil aliud videbitur nisi de fide qua hactenus tenuit, ipse ambigere.*

[29] Capr., ebd. 82, 5—12: *Deinde et propter exemplum posteriorum, ut haec quae pro catholica fide definita sunt, habere possint perpetuam firmitatem, haec quae iam a patribus sunt definita, custodienda*

Ein Konzil kann also nur insoweit mit dem Anspruch auftreten, für die Zukunft bindende Wahrheit zu verkünden, als es bereit ist, die von früheren Konzilien tradierte Wahrheit zu re-affirmieren. Nur unter dieser Bedingung wird identischer Glaube verkündet. Das Konzil wird hier gesehen streng als Vorgang der *traditio,* wie wir es auch bei Athanasius beobachten konnten.

Anderswo, in einem von Ferrandus überlieferten Fragment, bringt Capreolus ein weiteres Argument gegen die *retractatio:* sie stellt die Grundlage von Rechtsakten in allen Lebensbereichen in Frage[30]: „Nichts wird irgendwie Beständigkeit (Gültigkeit) in göttlichen und menschlichen, in kirchlichen wie staatlichen (Rechtshandlungen) erlangen, wenn die Nachkommen nach einem Abstand von Jahren und dem Lauf der Jahrhunderte sich herausnehmen zu verbessern, was mit der entsprechenden Absicht eines richterlichen Urteils abgeschlossen wird, als ob sie die Väter verbessern *(emendare)* oder belehren könnten"[31]. Handelt es sich bei dieser ausdrücklichen Ablehnung der *emendatio* um eine Spitze gegen Augustinus[32]? Man wird dies nicht einfach ausschließen können.

Aus dem Vorausgehenden ergibt sich als großes Anliegen des Capreolus: keine *retractatio* schon behandelter Glaubensfragen. In der Situation, in der dieser Brief geschrieben ist, bedeutet diese Devise: keine erneute Behandlung christologischer Probleme, sondern einfache Verurteilung neuer Formeln und Ausdrücke als solcher. Der Maßstab, an dem das Neue gemessen wird, ist die ‚alte Autorität'. Gemeint ist hiermit möglicherweise das Apostolicum, wahrscheinlicher die fides Nicaena.

Hat man nun beides vor Augen, einerseits die Monopolstellung der fides Nicaena, wie sie u. a. in der *expositio* des Theodotus zum Ausdruck kommt, andererseits die Konzilstheorie des Capreolus, der vom Konzil nichts anderes erwartet als die Affirmation, die Re-affirmation der

---

sunt, quoniam si quis voluerit quae pro catholico statu decreta sunt, in perpetuum permanere, non sua auctoritate, sed et antiquorum sententia debet confirmare quod sensit, ut dum sit tam ab antiquioribus quam a recentioribus definitionibus hoc quod confirmat, probatum, unicam catholicae ecclesiae veritatem a praeteritis temporibus usque ad nostros dies simplici puritate et insuperabili auctoritate currentem semet et dicere doceat et tenere.

[30] Capr., (frg.), PL 67, 925 B: *Nihil in divinis humanisque actibus, nihil tam in sacris quam in publicis rebus obtinere ullam poterit firmitatem, si ea quae debito sententiae iudicialis fine clauduntur, post annorum spatia et quaelibet volumina saeculorum, tamquam in emendatione patrum velut instructor praesumat emendare posteritas.*

[31] Vgl. zu diesem Text den Kommentar des Ferrandus, Ep. 6, 6; PL 67, 925: *Ecce iam non statuta tantum synodalia, sed pene cunctorum firmata iudicia, vocari rursus in examen nimis esse culpabile memorabilis doctor noster Carthaginiensis Ecclesiae profitetur; quomodo ergo nunc olim iudicata iudicabuntur?*

[32] Vgl. S. 92.

antiqua auctoritas, dann erscheint die Konzilspraxis der folgenden Jahre (diskussionslose Verurteilung von Neuerungen) nicht mehr als das Ergebnis des Willkürwillens des jeweiligen Konzilspräsidenten und der ihm hörigen Mehrheit: dieser *Praxis* liegt vielmehr die angedeutete *Theorie* zugrunde. Wie sehr tatsächlich der Brief des Capreolus die Theorie zur Konzilspraxis liefert, ergibt sich übrigens auch aus dem Umstand, daß Cyrill ihn unmittelbar vor der Verurteilungssentenz gegen Nestorius verlesen läßt[33]. Er sieht in ihm anscheinend die grundsätzliche Rechtfertigung seines Vorgehens[34].

Hier ist vielleicht der Ort, noch ein weiteres wichtiges Dokument zu erwähnen: das formelle Verbot der Aufstellung neuer Glaubensformeln durch das Ephesinum auf seiner Sitzung vom 22. Juli: „... die heilige Synode bestimmte, daß es keinem erlaubt ist, eine andere Glaubensformel vorzubringen, aufzuschreiben oder zu verfassen als diejenige, die von den heiligen Vätern definiert wurde, die in Nicaea mit dem Heiligen Geist versammelt waren..."[35] Mit dieser *definitio* wird die allgemeine Überzeugung bzw. die Theorie der Monopolstellung der fides Nicaena zum Kirchengesetz gemacht und damit — wie sich weiter unten zeigen wird — den Gegnern einer authentischen Weiterentwicklung der kirchlichen Lehre und einer neuen Konzilsidee eine machtvolle Waffe in die Hand gelegt[36]. Das Konzil von Ephesus hatte sich selber

---

[33] ACO I, 3; 81—83.

[34] Cyr., Gesta Eph., ACO I, 3; 82, 17—20: „Der eben verlesene Brief des sehr ehrwürdigen und heiligen Bischofs von Carthago, Capreolus, soll den Konzilsakten beigefügt werden; er verlangt, daß die alten Glaubenssätze ihre Geltung behalten, Neuerungen aber, die natürlich erfunden und gottlos gesagt sind, abgewiesen und entfernt werden." — Alle Bischöfe riefen: „Das ist die Meinung von uns allen. So sagen wir alle. Darum bitten wir" (ebd.). — Es folgt die Verurteilungssentenz und die Verurteilungsurkunde, die dem Nestorius übersendet wird (ACO I, 3; 83, 11—15).

[35] Gesta Eph., ACO I, 3; 133, 11—16: *His igitur recitatis decrevit sancta synodus aliam fidem nulli licere proferre vel conscribere vel componere praeter illam quae definita est a sanctis patribus qui Nicaeam per spiritum sanctum convenerunt; illos vero qui audent fidem aliam vel componere vel proferre volentibus converti ad agnitionem veritatis ... si episcopi quidem fuerint aut clerici, alienos esse episcopos ab episcopatu et clericos a clero.* — Das Dekret wurde aufgestellt im Anschluß an den Bericht des Priesters Charisius von der Existenz eines aus Konstantinopel stammenden Glaubensbekenntnisses mit nestorianischem Tenor. Genaueres hierüber in den Konzilsakten ACO I, 3; 128, 1—133, 10. — Die Collectio Casinensis schaltet dieses Dekret auch schon an einer früheren Stelle in die Konzilsakten ein — unmittelbar nach der Verurteilung des Nestorius in der ersten Sitzung: ACO I, 3; 83, 27—84, 9 — und zwar in fast gleichem Wortlaut. Nach I. RUCKER, Ephesinische Konzilsakten in lateinischer Überlieferung, Günzburg, Selbstverlag, 1930, 84, ist die überlieferungsgeschichtliche Frage dieser eingeschalteten Nummer „nur schwer oder überhaupt nicht zu beantworten".

[36] M. JUGIE, Le décret du Concile sur la formule de foi et la polémique anticatholique en Orient, in: EOr 34 (1931) 257—270, sucht — wie uns scheint, kaum überzeugend —, diesem Verbot ,aus dem Kontext' eine abschwächende Bedeutung zu geben.

strikt an diese Bestimmung gehalten. Es stellte bekanntlich keine eigene Glaubensformel auf[37].

Wir werden später auf die eben angeführte Definition des Ephesinums zurückzukommen haben. Bevor wir untersuchen, welche Rolle die fides Nicaena auf den Konzilien spielt, soll zunächst noch gefragt werden, ob ihre Monopolstellung in den Zeugnissen nachephesinischer Theologen gefährdet ist. Da ist als erstes das Zeugnis des *Cyrill* in einem Brief an Acacius von Beroea:

„Daß aber die heilige Synode in der Metropole Ephesus nichts Ungewöhnliches oder Unziemliches oder Unvernünftiges getan hat, kann man aus den Ereignissen sehen. Denn wir sind wegen nichts anderem zusammengekommen ... vielmehr wegen des rechten Glaubens allein haben wir die Zusammenkünfte gemacht. Wir haben das von den heiligen Vätern darüber in Nicaea Definierte bekräftigt und jene heilige und große Synode einstimmig gepriesen in der Überzeugung, daß sie die Definition des lauteren Glaubens genau und ausgewogen aufgestellt hat. Wir waren uns alle darüber einig, daß auf keine Weise irgend etwas von dem Festgesetzten ins Wanken gebracht werden darf. Den Nestorius dagegen haben wir verurteilt, weil er diese (Glaubensformel) falsch ausgemünzt und die Grenzsteine, die unsere seligen Väter aufgestellt haben, überschritten hat. Durch sie nämlich spricht der Heilige Geist"[38].

In einem anderen Brief an den gleichen Acacius verteidigt sich Cyrill gegen den Vorwurf, Ephesus habe eine Neuerung gebracht, man hätte sich einzig an die fides Nicaena halten sollen:

„Dazu sage ich, daß es die einzige Intention der heiligen und universalen Synode in der Metropole Ephesus war, das *symbolum* zu bekräftigen, auf daß alle es so bekannten und glaubten und lehrten ohne irgendeinen Zusatz oder Abstrich; denn es darf ihm nichts hinzugefügt oder weggenommen werden. Deswegen hat sich das Konzil auch gegen Nestorius ausgesprochen, weil er sich nicht an das *symbolum* hielt, sondern vielmehr es beseitigte . . ."[39].

In Brief 76 an Acacius von Melitene verteidigt sich Cyrill insbesondere gegen den Vorwurf, die *Unionsformel* von 433 stelle ein neues Symbol dar: „Keiner hat eine Darlegung des Glaubens von uns verlangt, und

---

[37] Zur Frage, ob und inwieweit Cyrills zweiter und dritter Brief an Nestorius als konziliare Definition anzusehen sind, vgl. A. Deneffe, Der dogmatische Wert der Anathematismen Cyrills, in: Schol. 8 (1933) 64—68 und 203—216; P. Galtier, Les Anathématismes de st. Cyrille et le concile de Chalcédoine, in: RSR 23 (1933) 45—57; dagegen H. M. Diepen, Les douze anathématismes au concile d'Éphèse jusqu'en 519, in: RThom 55 (1955) 300—338, vor allem 312—325.

[38] Cyr., Ep. ad Ac., ACO I, 1, 7; 142, 6—14; vgl. auch ebd. 163, 3—7.

[39] Cyr., Ep. ad Ac., ACO I, 4; 95, 40—96, 3: ... *et ego ad haec dico quia intentio fuit una sanctae et universali synodo quae congregata est in Ephesena metropoli, ut symbolum confirmaret, quatenus et omnes ita confiterentur et crederent ac docerent, neque adiecto quolibet neque detracto; non est enim adicere super eum nec est auferre ab eo. propter hoc enim et contra Nestorium decrevit sicut qui non servaverit illud, quin potius removerit atque oblitteraverit* ... — Zur Geschichte der Formel *neque adiicere neque auferre* vgl. W. C. Van Unnik, De la règle Μήτε προσθεῖναι μήτε ἀφελεῖν dans l'histoire du canon, in: VigChr 3 (1949) 1—36; hierzu Ergänzung und Korrektur bei Ch. Schäublin, μήτε προσθεῖναι μήτ' ἀφελεῖν, in: MH 31 (1974) 144—149.

wir haben auch keine erneuerte (Darlegung) von anderen angenommen. Denn es genügt uns die göttlich inspirierte Schrift, die Wachsamkeit der heiligen Väter sowie das Glaubenssymbol, das ausgewogen und richtig abgefaßt ist für alle möglichen Fragen." Es handelt sich — wie Cyrill weiterhin ausführt — bei der Unionsformel um ein Bekenntnis *(confessio)*, durch das die Monopolstellung der fides Nicaena in keiner Weise angetastet wird. Die schriftliche Abfassung der Unionsformel darf nicht als eine Beeinträchtigung der fides Nicaena mißverstanden werden. Gesetzt den Fall, Nestorius hätte sich in Ephesus schriftlich unterworfen, hätte man dann von einer Neuerung gesprochen? Warum also unterstellt man den Unterzeichnern der Unionsformel die Abfassung eines neuen Symbols, wodurch sie freilich gegen die Bestimmung des Ephesinums sich vergangen hätten? Cyrill weiß wohl: „Die heilige und allgemeine Synode, die sich in Ephesus versammelt hat, bestimmte für die Zukunft notwendigerweise, daß in den Kirchen Gottes keine andere Auslegung des Glaubens eingeführt werde als die bestehende, die die dreimal seligen Väter im Geiste sprechend definiert haben." Damit ist aber, so Cyrill, keineswegs das Verbot einer schriftlichen Lossagung von der Irrlehre gemeint; vielmehr gilt auch nach Ephesus: „Wer von der fides Nicaena, gleichwie auch immer, abgewichen ist, wer im Verdacht steht, absichtlich nicht recht zu glauben und nicht dem apostolischen und evangelischen Glauben zu folgen, meinst Du, daß er durch Schweigen von solcher Schändlichkeit befreit werde oder daß es (nicht) besser sei, daß er Genugtuung leistet und die Echtheit *(virtus)* des in ihm wohnenden Glaubens (schriftlich) kundgibt ...? Wer sich zu solchem Tun entschließt, begeht keine Neuerung, auch stellt er offensichtlich keine neue Darlegung des Glaubens auf, sondern er macht nur denjenigen, die ihn nach seinem Glauben an Christus fragen, denselben deutlicher"[40].

Cyrills Verteidigung der Unionsformel von 433 wirft bezeichnendes Licht auf die *Konzilsidee* dieser Jahre nach Ephesus. Kein Konzilsdekret und kein zwischen den Parteien ausgehandeltes Glaubensbekenntnis wird irgendwie mit dem Anspruch verfaßt, etwas an die Seite von Nicaea zu stellen. Eine dem theologischen Fortschritt entsprechende Neuformulierung zu verfassen, ex consensu ecclesiae, kommt niemand auch nur entfernt in den Sinn. Die Monopolstellung der fides Nicaena, ihr Anspruch, allein Ausdruck kirchlichen Glaubens zu sein, bleibt unangetastet. Die Funktion von Konzilien besteht bei dieser Lage der

---

[40] Cyr., Ep. ad Ac., ACO I, 3; 197, 20—22: *Sufficit enim nobis scriptura divinitus inspirata sanctorumque vigilantia patrum et ad omnia quaelibet habens recte tornatum fidei symbolum.*

Dinge in nichts anderem als in dem Ausschluß falscher Interpretationen
eben dieser fides Nicaena. In dieser Rolle sahen sich zum Beispiel auch
schon die Väter des Konzils von Konstantinopel 381: sie beabsichtigten
nicht, ein neues Credo zu verfassen, sondern lediglich die fides Nicaena
zu bestätigen[41].

In dieser Auffassung von der Rolle der Konzilien unterscheidet sich
Nestorius nicht von seinem Gegenspieler Cyrill. Nach dem Konzil von
Ephesus schreibt er an den Kaiser: „Von Deiner Frömmigkeit nach
Ephesus berufen . . . wollten wir mit allen zusammen ein gemeinsames
Konzil feiern und mit gemeinsamem Dekret den Glauben der Heiligen
Väter, die in Nicaea versammelt waren, bekräftigen." Es folgt ein für
das Konzilsverständnis dieser Jahre bezeichnender Satz: „Denn die
vielen nach jener abgehaltenen Synoden nahmen es sich nicht heraus,
etwas Neues zu formulieren *(innovare)* gegen diese, sondern bestimmten,
daß bei ihr zu bleiben sei"[42].

Ähnlich sieht auch *Johannes von Antiochien* die Monopolstellung der fides
Nicaena und entsprechend die Rolle des Ephesinums:

„Wir stimmten (den orthodoxen Bischöfen in Ephesus) zu, indem wir Nestorius ab-
setzten (verurteilten) und verwarfen. Wir sind gemeinsam der Ansicht, daß der (Glaubens-)
Darlegung, die in Nicaea von den heiligen Vätern aufgestellt wurde, nichts hinzugefügt und
daß nichts von ihr weggenommen werden darf . . . So haben auch wir dieses (Glaubensbekenntnis) bekräftigt, und indem wir es bestätigen, werden wir mit der Gnade Gottes
Bestand haben. In ihm sind wir geboren, gespeist und getauft worden. Dieses (Bekenntnis)
bezieht die in ihm wohnende Kraft und Glaubwürdigkeit aus den göttlich inspirierten Schriften, aus dem, was die Propheten und Evangelisten und die Apostel verkündigt haben,
ebenso wie alle die herrlichen Väter, die nach diesen bis zum Nicaenischen Konzil mit allen
geistlichen Charismen geleuchtet und die nach diesen bis auf uns heute existiert haben.
Diesem Glaubensbekenntnis irgendetwas hinzuzufügen oder etwas von ihm wegzunehmen
oder davon abzuweichen, halten wir für gottlos und gefährlich. Die Grenzen, die unsere
Väter gesetzt haben, zu beseitigen, ist eine gefährliche Sache. Wir verurteilen also jene, die
von diesem (Bekenntnis) abweichend öffentlich in der Kirche (den Glauben) lehren, oder
die ihn verkehrt auslegen oder ihn absichtlich verderben . . ."

Im folgenden geht Johannes näher auf das Problem der *Interpretation*
ein: „Wir wollen aber — und empfehlen es allen — jene Worte gebrauchen und jenen Sinn, der im vorgenannten Symbol enthalten ist, und

---

[41] „Das Konzil von Konstantinopel erklärte sich in der Tat zu irgendeinem Zeitpunkt seiner
Verhandlungen mit C einverstanden und machte von ihm Gebrauch, begriff sich dabei aber
selbst nicht als Verkünderin eines neuen Bekenntnisses. Es hatte die ernstliche Absicht, was
die zeitgenössischen Kirchenmänner auch vollkommen verstanden, einfach das nicaenische
Glaubensbekenntnis zu bekräftigen." KELLY 321—322.

[42] Nest., Ep. ad Theod., ACO I, 4; 30, 7—14: *In Ephesenam civitatem convocati a vestra pietate
et absque mora venientes, voluimus quidem vestris oboedientes litteris sustinere omnes undique adventuros
deo amicissimos episcopos . . . et sic commune cum cunctis celebrare concilium et communi decreto firmare
fidem sanctorum patrum qui Nicaeam congregati sunt. nam multae post illam synodi factae nihil innovare
praesumpserunt contra eam, sed in ea permanendum esse sanxerunt.*

nicht irgendwie von ihm abweichen; wer ihn verdirbt, der sei von allem christlichen Bekenntnis und aller Gemeinschaft getrennt. Wir verstehen ihn aber und empfangen ihn aus der Überlieferung im Verständnis, im Wort und in der Verkündigung *(sermo)* in der Weise wie die vor uns gottgeliebten Bischöfe . . ." Und Johannes zählt auf: Damasus, Athanasius, Basilius usw.[43] Die gleiche Haltung zur fides Nicaena als ausschließlicher Grundlage des kirchlichen Friedens enthielten die *propositiones* des Konzils um Johannes von Antiochien, die Cyrill von Acacius zugeschickt wurden:

„Wir bleiben beim Glauben der Väter, die in Nicaea zusammengekommen sind, der die Lehre des Apostels und der Väter enthält und keines Zusatzes bedarf. Sein Verständnis aber macht offenbar der heiligste und seligste Athanasius . . . in seinem Brief an den seligsten Epiktet, Bischof von Korinth. Wir bleiben also auch bei ihm, weil er eine vollkommene Auslegung vorgenannten Glaubens enthält. Was aber in Briefen und Kapiteln jüngst an Dogmen neu eingeführt wurde (Cyrill!), lehnen wir ab, weil es das, was gemeinsam ist, stört. Wir sind zufrieden mit der Gesetzgebung der alten Väter und folgen dem, der sagte: ‚versetze nicht die ewigen Grenzen, die deine Väter gesetzt haben' (Spr 22, 28)"[44].

2. Fides Nicaena und Konzilspraxis

Anschließend an diese repräsentativen Zeugnisse von *Theologen* wie Cyrill, Nestorius und Johannes von Antiochien wenden wir uns der Konzils*praxis* zu. Welche Rolle spielt die fides Nicaena auf den Konzilien der von uns untersuchten Zeitspanne? Wir werfen einen Blick auf Ephesus 431, und zwar auf die erste entscheidende Sitzung, Konstantinopel 448 und Ephesus 449. In diesem Zusammenhang interessiert uns nicht die Frage nach den eigentlichen *Motiven* dieser Konzilien (kirchenpolitische Machtkämpfe oder dogmatische Fragen); unser Augenmerk gilt vielmehr ihrer *formalen* Seite, der Frage also, welche Bedeutung der fides Nicaena im Ablauf dieser Konzilien zukommt.

---

[43] Joh. Ant., Ep. ad Procl., ACO I, 4; 209, 21—23: *Intellegimus vero eam (scil. fidem) traditamque recipimus circa intellectum et verbum et sermonem, sicut hi qui ante nos fuerunt deo amicissimi episcopi...*

[44] Propos. Ac., ACO I, 4; 92, 32—93, 4: *Permanemus in fide sanctorum patrum qui Nicaeam convenerunt, quae evangelicam et apostolicam doctrinam continet et additamento non indiget. manifestum vero eius efficit intellectum et sanctissimus ac beatissimus Athanasius episcopus Alexandriae atque confessor in epistula ad beatissimum et deo amicissimum Epictetum episcopum Corinthi. permanemus igitur et in ipsa, tamquam integram interpretationem habente praedictae fidei. quae vero nuper superintroducta sunt dogmata vel per epistulas vel per capitula, tamquam quae id quod est commune, turbantia, excutimus, contenti antiqua patrum legislatione et sequentes eum qui dixit:* ne transferas terminos aeternos quos posuerunt patres tui (Spr 22, 28). Vgl. auch ACO I, 3; 190, 32—191, 2; I, 4; 55, 31 ff.; I, 4; 56, 19 ff.; ACO I, 4; 73, 7 ff.; ACO I, 4; 33, 25.

Wir beginnen mit *Ephesus 431*[45]. Was erwartet man vom Konzil? *Nestorius* erhofft sich Aussprache und Diskussion[46]; die beiden *Kaiser* sehen ebenfalls eine ruhige und sachliche Diskussion der theologischen Problematik vor[47]. Wie verläuft nun tatsächlich das Konzil? Der kanonischen Vorschrift einer dreimaligen Vorladung war durch eine viermalige an Nestorius geschickte Delegation entsprochen worden. Nestorius war nicht willens zu erscheinen. So präzisiert *Juvenal von Jerusalem* den weiteren Verlauf des Konzils:

„Was noch aussteht, ist nun zu erledigen gemäß der Vorschrift der Kanones zum Nutzen und Bestand unseres frommen und rechten Glaubens. Zuerst muß der von den 318 in Nicaea versammelten heiligen Vätern und Bischöfen dargelegte Glaube vorgelesen werden. Mit dieser *expositio* sind die Aussagen *(sermones)* über den Glauben zu vergleichen. Wer damit übereinstimmt, soll bestätigt, wer davon abweicht, verstoßen werden"[48].

Die fides Nicaena wird verlesen, anschließend der zweite Brief des Cyrill an Nestorius[49]. Juvenal gibt als erster sein Votum ab: der Cyrill-Brief stimmt mit der fides Nicaena überein, die übrigen Bischöfe folgen seiner Stellungnahme[50]. Derselben Prozedur wird der Brief des Nestorius an

---

[45] Zum Verlauf des Konzils im einzelnen vgl. R. Devreesse, Les actes du concile d'Éphèse, in: RSPhTh 18 (1929) 223—242 und 408—431, ferner P. Th. Camelot, Ephesus und Chalkedon, Mainz 1963, 50—67. Zur Rolle der fides Nicaena vgl. H. du Manoir, Le symbole de Nicée au concile d'Éphèse, in: Gr. 12 (1931) 104—137. Vgl. auch de Vries, Ephesos.

[46] Nest., Ep. ad Joh. Ant., F. Loofs, Nestoriana, 185, 20—186, 2: ... *orate consuete, ut et in his ipsis et in omnibus reliquis a domino Christo impetremus auxilium et digni efficiamur, ut ad invicem colloquamur. manifestum est enim, quia si nos invicem viderimus, dum (deus) nobis hanc ipsam synodum donaverit, quam speramus, ut istud et reliqua, quaecumque fieri oportet ad correctionem generalitatis atque iuvamen, absque scandalo et cum concordia disponemus, ut omnia, quae fuerint ordinata, ex communi et universali decreto dignitatem credulitatis accipiant et nulli occasionem contradictionis efficiant* ...

[47] Sacra, ACO I, 3; 51, 32—38: ... *curet (vestra sanctitas) ne forte quaecumque divisio (ex) odio amplius protendatur, ne forte ex hoc sanctissimae vestrae synodi possit impediri tractatus et integra veritatis inquisitio pro interiecto forsitan inordinato clamore* (der Mönche) *repercuti videatur, magis autem patientissime unumquodque eorum quae dicenda sunt, ad audiendum proponatur quod fuerit visum, et sic omnis per propositionem et resolutionem de vero dogmate perscrutatio absque qualibet perturbatione iudicetur et communi vestrae sanctitatis decreto absque seditione omnibusque placentem suscipiat formam.*

[48] Juv., Gesta, ACO I, 3; 60, 25—29: *Unde agantur reliqua secundum regularum ordinem et quanta conveniunt ad statum rectae nostrae et piae fidei, legatur autem in primis exposita fides a sanctissimis patribus et episcopis qui Nicaea convenerunt* cccxviii, *quatenus huic expositioni collatis de fide sermonibus consonantes quidem confirmentur, discrepantes autem eiciantur.*

[49] ACO I, 3; 60, 30—61, 16. Der unmittelbar anschließende Kommentar des Cyrill lautet: *Audivit sancta et magna haec synodus quae scripsi reverentissimo episcopo Nestorio asserens pro recta fide. certus autem sum quia nullo modo egressus deprehendor a recta fidei ratione aut praetergressus expositum a sancta et magna synodo quae tunc temporibus in Nicaenorum congregata est, symbolum, et peto vestram sanctitatem dicere utrum recte et inreprehensibiliter et consone sanctae illi synodo talia scripserim an non?* (ACO I, 3; 61, 16—22).

[50] Juv., Gesta, ACO I, 3; 61, 23—25: *Perlecta sancta fide Nicaena et epistula sanctissimi et sacratissimi episcopi Cyrilli, idem et quae a sancta synodo exposita sunt, consona inventa sunt, et his piis dogmatibus concordo et consentio.* — Votum der übrigen Bischöfe mit Bezugnahme auf die fides Nicaena: nr. 34—43, ACO I, 3; 61, 26—63, 10.

Cyrill unterworfen. Wieder gibt Juvenal als erster sein Urteil ab: Keinerlei Übereinstimmung des Briefes mit der fides Nicaena. Die übrigen Bischöfe folgen seinem Votum[51]. Zur Verlesung kommen anschließend der Brief des Papstes Caelestin an Nestorius, ferner Cyrills Brief an Nestorius mit den Anathematismen. Man nimmt weiterhin einige mündliche Aussagen des Nestorius zu Protokoll, liest ein Väterflorilegium vor und vergleicht dessen christologische Position mit schriftlichen Aussagen des Nestorius[52]. Der alexandrinische Presbyter Petrus stellt die Diskrepanz zwischen beiden fest[53]. Es folgt die Verlesung des Capreolus-Briefes an das Konzil und die Absetzung des Nestorius, wovon weiter oben schon die Rede war.

Der kurze Blick in die Konzilsakten zeigt: das Konzil hielt sich strikt an das eingangs von Juvenal von Jerusalem angekündigte Verfahren, nämlich die Recht- bzw. Irrgläubigkeit der beiden Kontrahenten Cyrill und Nestorius durch Vergleich ihrer jeweiligen Lehrmeinungen mit der fides Nicaena festzustellen. Damit ist die zentrale Stellung der fides Nicaena auf dem Konzil sichtbar gemacht: sie ist das absolute und entscheidende Kriterium der Orthodoxie. Unterstrichen wird diese zentrale Stellung der fides Nicaena nicht zuletzt dadurch, daß das Anathem mit dem motivierten Votum der Bischöfe unmittelbar nach dem Vergleich des Nestoriusbriefes mit der fides Nicaena ausgesprochen wird, also schon vor der Verlesung des Papstbriefes und des Väterflorilegiums. Papstbrief und Väterflorilegium stellen in den Augen des Konzils die Bestätigung eines schon ergangenen Urteils dar. Deutlicher kann die Monopolstellung der fides Nicaena nicht zum Ausdruck kommen.

Welche Rolle spielt die fides Nicaena auf den Konzilien nach Ephesus 431? Die Akten des Konzils von *Konstantinopel 448* sind zusammen mit den Akten des Konzils von Chalcedon überliefert. Wir besitzen also eine ausgezeichnete Quelle zur Beantwortung unserer Frage.

---

[51] Kommentar des Cyrill zum Brief des Nestorius: *Quid videtur sanctae huic et magnae synodo de nuper lecta epistula? putas videtur et ipsa consona esse definitae fidei in synodo sanctorum patrum qui per tempora congregati sunt in Nicaenorum civitate, an non?* (ACO I, 3; 63, 17—20). — Votum des Juvenal: *Nullo modo consona existit piae fidei expositae a sanctis patribus qui Nicaea fuerunt, et anathematizo ita credentes, etenim aliena omnino haec existunt ab orthodoxa fide* (ACO I, 3; 63, 21 bis 23). — Votum der übrigen Bischöfe: nr. 48—57, ACO I, 3; 63, 23—65, 8.

[52] Nr. 59—117, ACO I, 3; 65, 9—80, 27.

[53] *Et postquam lecta sunt, Petrus presbyter Alexandriae et primicerius notariorum dixit: Ecce manifeste in his* (d. h. einem Zeugnis des Nestorius) *ait quia ante ipsum doctorum nullus haec docuit populos quae ipse locutus est* (ACO I, 3; 80, 28—29).

Nach der Verlesung der Anklageschrift des Eusebius von Dorylaeum gegen Eutyches[54], der Lektüre des zweiten Cyrill-Briefes an Nestorius[55] und des Friedensbriefes des Cyrill an Johannes von Antiochien[56] erklärt *Flavian*, der Präsident des Konzils, auf der zweiten Sitzung[57], den ‚Beschlüssen des rechten Glaubens‘ *(placita fidei)* sei zuzustimmen[58]. Gemeint sind mit den *placita fidei* die gerade verlesenen Briefe des Cyrill. Worin besteht in den Augen des Flavian die spezifische Autorität der Cyrill-Briefe? Diese Briefe „haben den Sinn der heiligen Väter, die in Nicaea seinerzeit versammelt waren, sorgfältig *interpretiert*. Sie lehren uns, was auch wir immer geglaubt haben und immer glauben . . .“ Die Cyrill-Briefe haben die Autorität einer Interpretation der fides Nicaena[59].

Basilius von Seleucia und einige andere Bischöfe beziehen sich in ihrer Stellungnahme nicht auf die fides Nicaena, wohl aber Bischof Valerian: „So bekenne ich wie die 318 zu Nicaea versammelten Väter und wie die heilige Synode in Ephesus bestimmte . . .“[60] Ebenso Longinus von Chersones[61] und Meliphthongus von Juliopolis (Dalmatien)[62]. Bezeichnend auch das Votum des Julian von Kios: „Kein Weiser kann angehen gegen den Glauben, der von den heiligen Vätern in Nicaea ausgelegt wurde und wiederum von der in Ephesus versammelten heiligen und großen Synode“[63]. Ähnlich Sabas, der um die Aussendung eines Sendschreibens in den ‚Osten‘ bittet[64].

Wir stellen in diesem wie in den folgenden Bischofsvoten eine gewisse Konnumerierung von Nicaea und Ephesus fest[65], die jedoch zu interpretieren sein dürfte im Lichte des Flavian- und Julian-Votums: Ephesus interpretiert Nicaea, stellt aber in keiner Weise eine neue Glaubensformel neben oder gar über die fides Nicaena[66].

---

[54] ACO II, 3, 1; 78—81, nr 225. 230. 232. 238.

[55] ACO II, 3, 1; 82—85, nr. 240.

[56] ACO II, 3, 1; 86—90, nr. 246.

[57] Am 12. November. Einzelheiten vgl. HEFELE/LECLERCQ, II, 1, 523 ff.

[58] ACO II, 3, 1; 93, 17 ff., nr. 271.

[59] Konkret folgert Flavian aus den Briefen: *Etenim ex duabus naturis confitemur Christum esse post incarnationem* (ACO II, 3, 1; 93, 28—94, 1).

[60] ACO II, 3, 1; 100, nr. 330.

[61] ACO II, 3, 1; 100, nr. 331.

[62] ACO II, 3, 1; 101, nr. 339.

[63] ACO II, 3, 1; 101, nr. 340: *Nullus sapientum contraire potest expositae fidei a sanctis patribus qui in Nicaea, et iterum a sancta et magna synodo in Epheso metropoli congregata . . .*

[64] Ebd. nr. 342: *Didicimus sanctos patres sequi. etenim patres nostri qui in Nicaea convenerunt, non a semet ipsis locuti sunt quae locuti sunt, sed quod spiritus sanctus dictavit.*

[65] ACO II, 3, 1; 102—3, nr. 343—346, 348—351.

[66] ACO II, 3, 1; 102—3, nr. 345. 351.

Auf der 4. Sitzung[67] des Konzils (15. November)[68] referiert der Konzils-delegat Johannes eine bemerkenswerte Stellungnahme des *Eutyches*: er stimme zwar der *expositio* des Glaubens von Nicaea und Ephesus zu. Sollte jedoch den Vätern eine Täuschung oder ein Irrtum unterlaufen sein, so enthalte er sich sowohl der Kritik als der Zustimmung, vielmehr erforsche er *allein die Schrift*, weil sie sicherer sei als die *expositiones* der Väter[69]. Eutyches beruft sich also auf die *sola scriptura* für den Fall, daß Väterzeugnisse die Zweinaturenformel enthalten. Das genügt *Eusebius von Dorylaeum*, um die Anklage zu erheben, „welchen gottlosen und den Auslegungen der heiligen Väter entgegenstehenden Sinn" Eutyches habe[70]. Kriterium, Kanon, an denen Eusebius die Rechtgläubigkeit des Eutyches mißt, ist nicht die fides Nicaena allein, sondern sind die *expositiones patrum!*

Der Priester Theophilus gibt auf der 6. Sitzung (20. November) ein Gespräch mit Eutyches zu Protokoll, in dem dieser die ‚zwei Naturen' mit der Begründung abgelehnt hatte, diese seien nicht in der Schrift enthalten. Den Einwand, auch das ὁμοούσιος sei nicht in der Schrift zu finden, pariert Eutyches unvorsichtigerweise mit dem Hinweis, dieses befinde sich aber in der *expositio patrum*. Auf Grund dieser Antwort haben seine Gesprächspartner leichtes Spiel. Sie machen ihn auf die Inkonsequenz seiner Position aufmerksam: „Auf die gleiche Weise wie das ὁμοούσιος sich nicht in der Heiligen Schrift befindet, sondern von den heiligen Vätern dargelegt wurde, bezeugen auch dieselben heiligen Väter die zwei Naturen"[71].

In der 7. und letzten Sitzung (22. November) wird ein Schreiben des Kaisers verlesen: der Glaube der Väter von Nicaea und Ephesus ist festzuhalten. Das Verhältnis zwischen beiden Konzilien ist nicht näher bezeichnet. Das folgende Verhör des Eutyches nimmt zwar nicht direkt

---

[67] Nach anderer Zählung: dritte Sitzung.

[68] ACO II, 3, 1; 104, nr. 355 Anfang.

[69] Eutych., Gesta, ACO II, 3, 1; 104, 31—105, 4: *Paratum enim se esse asserebat expositioni sanctorum patrum qui in Nicaea et in Epheso congregati sunt, consentire et suscribere interpretationibus eorum confitebatur; si vero aliquid contigit eos in aliquibus dictis aut falli aut errasse, hoc neque reprehendere neque suscipere, solas autem scripturas scrutari tamquam firmiores sanctorum patrum expositionibus.*

[70] Eus. D., Gesta, ACO II, 3, 1; 106, nr. 376: *Sufficiunt quidem quae prolata sunt . . . ad manifestandum quem habet impium sensum et contrarium expositionibus sanctorum patrum . . .*

[71] Eutych., Gesta, ACO II, 3. 1; 117—118, nr. 451: *Deinde vero qui sanctorum patrum exposuit deum verbum habere duas naturas? ad haec nobis respondentibus: et tu ostende nobis ubi continetur omousion aut quae scriptura haec dixit, respondit idem reverentissimus Eutyches: non continetur in scripturis, in expositione vero patrum iacet. ad haec reverendissimus presbyter Mamas respondens dixit: eo modo sicut homousion in sanctis scripturis non iacet, sed a sanctis patribus expositum est, ita et de duabus naturis idem sancti patres exposuerunt.* (Vgl. auch nr. 456).

Bezug auf Nicaea, Flavian verwahrt sich jedoch gegen den Vorwurf der Neuerung: „Wir führen keine Neuerung ein, sondern unsere Väter legten so aus, und so wie der von ihnen ausgelegte Glaube es enthält, so glauben wir und bei dem wollen wir alle verweilen und keine Neuerung bringen"[72].

Für unseren Zusammenhang ist zu beachten, daß die Gegner des Eutyches schon vor dem Chalcedonense deutlich die Tendenz haben — bei aller theoretischen Betonung der Monopolstellung der fides Nicaena —, praktisch sich auch auf andere Väterautoritäten zu berufen. Die Not, die ‚zwei Naturen' aus der Überlieferung zu belegen, zwingt sie, das Ungenügen der fides Nicaena als ausschließlichen Inbegriff der Tradition klarer als ihre Gegner zu sehen. Sie lassen andere *expositiones patrum* — wenn auch nicht auf gleicher Ebene, aber doch mit Nicaea — gelten. Damit bereiten sie kräftig den Abbau der Monopolstellung der fides Nicaena vor.

Auf dem Konzil von Chalcedon (451) kommen ebenfalls die Akten von Ephesus II (449) zur Verlesung. Wir haben also wiederum Gelegenheit, uns aus erster Hand über die Rolle der fides Nicaena auf diesem Konzil zu informieren[73]. Gleich in den kaiserlichen Einladungsschreiben wird die Monopolstellung der fides Nicaena eingeschärft. Flavian wird beschuldigt, er gehe über Nicaea hinaus[74]. Wer Zusätze zu oder Abstriche von Nicaea machen will, soll vom angekündigten Konzil nichts Gutes erwarten[75].

Dioskur eröffnet die Behandlung der Glaubensfrage mit folgender programmatischen Erklärung: „Unser frömmster und allerchristlichster Kaiser befahl wegen gewisser Vorgänge, diese Synode zu versammeln, nicht damit wir eine Glaubensformel aufstellten — das haben unsere Väter schon besorgt —, sondern damit wir nachforschen, ob diese Vor-

---

[72] Flav., Gesta, ACO II, 3, 1; 126, nr. 525: *Non nos novitatem inducimus, sed patres nostri exposuerunt et sicut exposita ab eis fides habet, sic credentes in his perseverare omnes volumus et nullum aliquid innovare.*

[73] Einzelheiten über den Verlauf vgl. Hefele/Leclercq, II, 1, 584 ff.; W. DE VRIES, Das Konzil von Ephesus 449, eine „Räubersynode"? in: OrChrP 41 (1975) 357—398, sucht einen Teil der gegen die sog. Räubersynode gemachten Vorwürfe zu entkräften. Die Bezeichnung Räubersynode werde der historischen Wirklichkeit nicht gerecht.

[74] Sacr. lit., ACO II, 3, 1; 48, 20—25: *... quoniam beatissimus episcopus Flavianus aliqua de sancta fide movere voluit adversus reverentissimum archimandritam Eutychen et concilium congregans aliqua coepit agere, nos quidem saepius dirigentes ad eundem beatissimum episcopum voluimus quae mota est conturbationem conpescere, persuasi sufficere nobis traditam a sanctis patribus in Nicaena synodo catholicam fidem, quam et sancta synodus quae in Epheso facta est, confirmavit.*

[75] Sacr. lit., ACO II, 3, 1; 49, 21—24: *Eos namque qui aliquid per additamentum aliquod aut imminutionem conati sunt dicere praeter quae sunt exposita de fide catholica a sanctis patribus qui in Nicaea, et postmodum qui in Epheso congregati sunt, nullam omnino fiduciam in sancta synodo habere patimur ...*

gänge den Statuten unserer heiligen Väter entsprechen"[76]. Was Dioskur
im folgenden näherhin als Aufgabe des Konzils bezeichnet, erinnert an
den oben behandelten Brief des Capreolus an das Konzil von Ephesus
431: „Unsere Aufgabe besteht also darin, zunächst das Vorgefallene zu
erforschen und (dann) zu prüfen, ob es mit den Statuten der Väter übereinstimmt. Oder wollt ihr etwa Neuerungen bringen *(innovare)* gegenüber dem Glauben der heiligen Väter?" Das Konzil antwortet: „Wenn
einer eine Neuerung bringt, sei er unter dem Bann. Wenn jemand diskutiert, sei er unter dem Bann! Wir wollen den Glauben der heiligen
Väter bewahren"[77]. Unmittelbar daran anschließend präzisiert Dioskur,
was als ‚Glaube der Väter' zu gelten habe: Nicaea und Ephesus[78], und
zwar unter Zustimmung des Konzils[79]. Bezeichnenderweise folgt nun
sofort die Erklärung des Dioskur: „Auch wenn zwei Synoden genannt
werden, so beziehen sie sich doch auf einen einzigen Glauben"[80]. Aus
dem Zusammenhang ist deutlich, wie diese Betonung der Einzigkeit
des Glaubens beider Konzilien gemeint ist: als einzige Glaubensautorität
hat die fides Nicaena zu gelten. Diese Monopolstellung der fides Nicaena
ist in der Tat der sicherste Weg, die von Flavian verteidigte Formel
ex duabus naturis als häretische Neuerung aufzudecken. Mit anderen
Worten: das silentium des Nicaenums wird als Argument gegen die
‚zwei Naturen' mobilisiert. Dies ist keine schlechte Taktik, stellt man
die allseits anerkannte Monopolstellung dieses Konzils gebührend in
Rechnung.

Ein Glaube (die fides Nicaena), *keine* Diskussion, *keine* (neue) ‚Interpretation': damit sind die Weichen für die Verurteilung des Flavian in
eindeutiger Richtung gestellt. Dioskur erhebt die Anklage[81]: Die Formel
des Flavian stellt eine *retractatio* der fides Nicaena dar! Er verdeutlicht,
wie „fürchterlich und schrecklich" solche Tat ist: die fides Nicaena

---

[76] Diosc., Gesta, ACO II, 3, 1; 62, 24—29: *Piissimus et Christianissimus noster imperator pro
aliquibus quae emerserunt, iussit hanc congregari synodum, non ut fidem nostram exponamus, quam exposuerunt iam patres nostri, sed ut inquiramus quae emerserunt, si conveniant sanctorum patrum nostrorum
statutis. oportet ergo ea quae contingerunt primitus inquirere et nos probare si consonantia sint statutis
a sanctis patribus. aut vultis fidem sanctorum patrum innovare?*
[77] Gesta, ACO II, 3, 1; 62, 30—31: *Si quis innovat, anathema sit. si quis discutit, anathema sit.
sanctorum patrum fidem servemus.*
[78] Diosc., Gesta, ACO II, 3, 1; 64, 18—20: *Ego pro satisfactione cunctorum et firmitate fidei et pro
eversione eorum quae emerserunt, patrum statuta scrutor, qui in Nicaea et in Epheso convenerunt.*
[79] Ebd. Z. 21.
[80] Diosc., Gesta, ACO II, 3, 1; 65, 1—2: *Etsi duae dicuntur synodi, tamen ad unam pertinent fidem.*
[81] Diosc., Gesta, ACO II, 3, 1; 65, 5—8: . . . *si quis praeter quae acta sunt, aut praeter quae placuerunt patribus qui in Nicaeam convenerunt et qui hic congregati sunt, aut inquirit aut discutit aut retractat,
anathema sit.*

‚retractieren' heißt die „Gnade des Geistes kassieren"[82]. Dioskur faßt zusammen: „Niemand darf Definiertes definieren!"[83] Auf Veranlassung des kaiserlichen Kommissars Elpidius tritt nun Eutyches auf. Er schließt sein Bekenntnis zur fides Nicaena mit der Erklärung ab, er respektiere die Bestimmung des Ephesinums, nämlich keinen anderen als den Nicaenischen Glauben zu bekennen[84]. Die Rehabilitierung des Eutyches geschieht mit ausdrücklicher Bezugnahme auf die fides Nicaena. Als erster Bischof gibt Juvenal von Jerusalem das Votum ab: Eutyches ist völlig rechtgläubig, denn er bekennt sich zur Glaubensformel von Nicaea und zu Ephesus[85]. Ähnlich äußern sich die übrigen Bischöfe[86].

Nach Verlesung ihrer Anklageschrift gegen Flavian[87] bekennen sich die Mönche, die für Eutyches Partei ergriffen hatten, von Dioskur aufgefordert[88], zur fides Nicaena. Ausdrücklich schließen sie jedes andere Glaubensbekenntnis aus[89]. Nach Wiederaufnahme der Mönche in die Kirche legt das Konzil sein eigenes Bekenntnis zur fides Nicaena ab[90]. Im Anschluß an die Verlesung des Ephesinums fordert Dioskur auf, darüber zu entscheiden, ob nicht vom Bann dieses Konzils jeder getroffen werde, der in seinem Glauben über die fides Nicaena hinausgeht[91]. Darauf antwortet als erster Thalassius, die fides Nicaena sei ohne

---

[82] Diosc., Gesta, ACO II, 3, 1; 65, 10—14: *Et aliud dico, quod est terribile et formidabile: si, inquit, peccans peccaverit vir in virum, et orabunt pro illo ad dominum, si autem in domino peccaverit, quis orabit pro eo* (1 Sam 2, 25)? *si ergo sanctus spiritus consedit patribus, sicut et manifeste consedit, et ordinavit quae ordinata sunt, qui retractat ea, spiritus cassat gratiam.*

[83] Diosc., Gesta, ACO II, 3, 1; 65, 17, nr. 147: *Nemo ordinat ordinata.*

[84] Eutych., Gesta, ACO II, 3, 1; 67, 14—21: *Hanc fidem et memorata hic anterior sancta et universalis synodus confirmavit, cuius praesul fuit beatae et sanctae recordationis pater noster et episcopus Cyrillus, et definitionem protulit eum qui praeter ista addiderit aliquid aut invenerit aut docuerit, damnationibus quae tunc scriptae sunt, subiacere. quorum exemplaria in codice destinavit mihi memoratus pater noster et episcopus Cyrillus, quae et prae manibus habeo, subiciens igitur me ipsum sanctae synodo, et definitionem eius usque nunc custodivi.*

[85] Juv., Gesta, ACO II, 3, 1; 172, 21—25: *Dum frequenter confiteatur eo quod sequatur expositionem fidei quae in Nicaena synodo habita est, et ea quae prius in magno concilio apud Ephesum gesta sunt, orthodoxum summe eum esse in his quae locutus est, comperi, et ego autem decerno et volo eum in suo monasterio degere et in proprio gradu.*

[86] ACO II, 3, 1; 172—192, nr. 884, 2—884, 114.

[87] ACO II, 3, 1; 192—195, nr. 887.

[88] ACO II, 3, 1; 195, 7—9, nr. 889.

[89] ACO II, 3, 1; 195, 10—13: *Sicut per libellum deo dignus archimandrita noster edocuit vestram sanctitatem, sic sapimus sicut trecenti decem et octo sancti patres in Nicaea sanxerunt et sicut congregata sancta synodus confirmavit; et praeter istam fidem numquam neque intelleximus neque sapuimus aliquid.*

[90] ACO II, 3, 1; 202, 21—203, 3, nr. 914.

[91] Diosc., Gesta, ACO II, 3, 1; 235, 15—22: *Existimo omnibus placere quae sunt exposita a sanctis patribus qui in Nicaea olim congregati sunt, quae et confirmavit et sola tenere definivit quae hic pridem sancta synodus collecta est, deo amabilia et sufficienter habentia. audivimus autem definientes eos ita: siquis praeter haec dixerit aut sapuerit aut retractaverit aut quaesierit, subiaceat sententiae. quid vobis*

Zusatz und Abstrich zu halten, denn solche Veränderungen „pflegen der Glaubensregel, die von den heiligen in Nicaea versammelten Vätern aufgestellt wurde, zu schaden ... Wer anderer Meinung ist, den verabscheue ich als jemand, der den rechten Glauben auflöst"[92]. Ähnlich die übrigen Bischöfe[93]. Dioskur faßt zusammen: Flavian und Eusebius haben gegen die Bestimmung des Ephesinums verstoßen und fallen folglich unter die von diesem Konzil vorgesehene Amtsenthebung[94]. Der eigentliche Titel der Verurteilung ist somit die Aufstellung einer neuen, über Nicaea hinausgehenden Glaubensformel als solcher — nicht eine inhaltliche Abweichung von der fides Nicaena! Hier erreicht die (mißbrauchte) Monopolstellung dieser Glaubensformel einen Höhepunkt.

3. Übergang zu einer neuen Konzilsidee

Der Mißbrauch der fides Nicaena durch die Monophysiten auf dem Ephesinum II hatte darin bestanden, daß diese Glaubensformel nicht als positive, sondern als exhaustive Norm der Orthodoxie verwendet wurde. In Verbindung mit dem fraglichen Verbot des Ephesinum I, neue Glaubensformeln aufzustellen, diente die fides Nicaena als formaljuristische Waffe zur Unterdrückung jeder Art von Entfaltung des in dieser Formel angelegten Glaubensinhalts.

Dieser Mißbrauch ist eine der Ursachen, die zum Abbau der Monopolstellung dieser Formel führen. Dies geschieht jedoch nicht auf einen Schlag, sondern in kleinen Schritten und zunächst sogar gegen den Widerstand der dyophysitischen Mehrheit des Konzils von *Chalcedon*. Als der Kaiser zu Beginn der zweiten Sitzung die Aufstellung einer

---

videtur? unusquisque qualem habet voluntatem, scriptis dicat. non enim possumus haec aut quaerere aut retractare; si vero aliquis inquisivit ultra ista quae dicta sunt et ordinata sunt et placuerunt, nonne iuste subiacebit patrum sententiae?

[92] Thal., Gesta, ACO II, 3, 1; 235, 24—236, 3: *Trecentorum decem et octo patrum in editione fidei laudem illis temporibus divina gratia demonstravit, cui illi accommodantes linguas praedicaverunt; confirmavit vero maxime et quae in hac splendida metropoli convenit sanctorum concordia quam tenere omnino est necessarium sine aliquo additamento aut detrimento, quia haec similiter nocere solent regulae pietatis sancitae a sanctis patribus qui in Nicaea congregati sunt, et confirmatae ab his qui hic ante hoc convenerunt. eos autem qui contraria his sapiunt, abominabor sicut solventes rectam fidem.*

[93] ACO II, 3, 1; 236—237, nr. 948—960.

[94] Diosc., Gesta, ACO II, 3, 1; 238, 9—16: *Quoniam sancta et magna synodus quae iamdudum in Nicaea congregata est per voluntatem dei, rectam nostram et inmaculatam exposuit fidem, quam et nuper hic congregata sancta synodus confirmavit et hanc solam tenere et in ecclesia tradi definivit, ordinans et hoc quatenus nulli liceat alteram fidem praeter hanc vel exponere vel inquirere vel innovare aut penitus commovere de nostra venerabili religione, eos autem qui praeter haec temptant aut sapere aut quaerere aut componere aut omnino quae ordinata sunt, retractare, certis subiecit damnationibus ...*

neuen Glaubensformel verlangt, protestieren die Bischöfe mit Vehemenz: „Niemand wird eine neue Glaubensformel aufstellen! Wir versuchen so etwas nicht. Wir wagen es nicht. Wir haben als Lehrer die Väter, und in ihren Schriften sind die Darlegungen enthalten. Es ist uns nicht erlaubt, darüber hinauszugehen!" Gegen Eutyches genüge Leos Tomus *(forma)* mit ihren Unterschriften. Die kaiserlichen Beamten geben jedoch nicht nach und schlagen die Bildung einer ‚Glaubenskommission' vor. Die Bischöfe rufen: „Wir stellen keine schriftliche Glaubensformel auf. Es gibt einen Kanon *(regula)*, der bestimmt, daß die (vorhandenen) Formeln genügen. Der Kanon verbietet eine neue Formel. Man halte sich an die Lehre der Väter"[95]!

Bekanntlich bleiben die Bischöfe nicht bei ihrer Weigerung, eine neue schriftliche Glaubensformel aufzustellen, und es kommt schließlich auf Grund kaiserlicher Pression zu einer eigentlichen Definition. Diese ist nun gerade in ihrer Struktur höchst aufschlußreich für den Stand der Konzilsidee. Dem sog. *symbolum Chalcedonense* werden nach einer Präambel, die die Notwendigkeit einer ‚Renovierung' des Glaubens *(renovavimus fidem)* betont, die Symbole von Nicaea und Konstantinopel vorangestellt[96]. Damit kehrt sich das Konzil schon durch die Struktur seiner Definition von der Monopolstellung der fides Nicaena ab zugunsten eines Pluralismus synodaler Formulierungen des einen Glaubens.

Bevor es zu dieser ‚pluralistischen' Glaubensdefinition kommt, gibt es jedoch schon andere Schritte gegen die Monopolstellung der fides Nicaena. *Eusebius von Dorylaeum* bestreitet gleich auf der ersten Sitzung des Konzils die monophysitische Interpretation des auf dem Ephesinum aufgestellten Verbots von Neuformulierungen des Glaubens. Als die Ephesusakten von 448 verlesen werden mit dem Bekenntnis des Eutyches zur fides Nicaena und seiner Erklärung, das Ephesinum habe die Aufstellung einer anderen Glaubensformel verboten, unterbricht Eusebius die Verlesung der Akten: „Er (d. h. Eutyches) spricht die Unwahrheit. Es gibt keine solche *definitio*, es gibt keine *regula*, die das vor-

---

[95] Gesta, ACO II, 3, 2; 4, 25—5, 14: *Expositionem alteram nullus facit neque temptamus neque audemus exponere. docuerunt enim patres et in scriptis custodiuntur quae ab eis sunt exposita, et citra ea dicere non possumus ... Emerserunt quae ad Eutychen pertinebant, et super his forma data est a sanctissimo archiepicsopo Romanae urbis et constat nobis et epistulae omnes suscripsimus ... Ista omnes dicimus; sufficiunt quae exposita sunt; alteram expositionem non licet fieri ... In scriptis expositionem non facimus; regula est quae praedicat sufficere quae sunt exposita; regula vult aliam expositionem non fieri. ea quae sunt patrum, teneantur.*

[96] ACO II, 3, 2, 134—138. — Näheres zum sog. Symbolum von Chalcedon vgl. I. ORTIZ DE URBINA, Das Symbol von Chalkedon. Sein Text, sein Werden, seine dogmatische Bedeutung, in: Chalkedon, I, 389—418. Vgl. auch de VRIES, Chalkedon.

schreibt"[97]. Der Einwand zielt darauf ab, der ganzen Argumentation der Monophysiten den Boden zu entziehen. Der Vorwurf, die fragliche Bestimmung des Ephesinums existiere nicht, ist freilich zu hoch gegriffen, und so kann *Dioskur* parieren: „Es gibt vier Codices (hier), die eine solche Definition enthalten. Ist das, was Bischöfe definiert haben, etwa keine Definition? Steht da etwa, daß es (bloß) eine *regula* sei? Es ist keine *regula*; etwas anderes ist nämlich eine *regula*, etwas anderes eine *definitio* . . ."[98] Da kommt *Diogenes von Cycicus* dem bedrängten Eusebius zu Hilfe. Er geht auf den formaljuristischen Gesichtspunkt des Dioskur gar nicht ein. Was mit der *definitio* — oder wie immer man die Bestimmung des Ephesinums bezeichnet — gemeint ist, zeigt die kirchliche Praxis: Tatsache ist, daß die fides Nicaena mehrmals schon Zusätze erfahren hat. Das beweist, daß die Auslegung dieser *definitio* durch die Monophysiten falsch ist. Dieser sachlichen Argumentation gibt er eine polemische Pointe: insofern sich Eutyches nicht auf diese ,erweiterte' fides Nicaena, sondern bloß auf die ursprüngliche Formulierung beruft, stützt er sich auf ein häretisches Glaubensbekenntnis! Diogenes interpretiert also die fragliche *definitio* des Ephesinums im Lichte der faktischen Entwicklung. Die Bestimmung des Ephesinums kann nicht das Verbot bedeuten, die fides Nicaena mit Zusätzen zu versehen, soweit sich diese eben als notwendig erweisen[99].

Dem können die Eutychianer natürlich nicht zustimmen: „Niemand nimmt einen Zusatz an, niemand macht einen Abstrich. Was in Nicaea beschlossen wurde, soll gelten, der katholische Kaiser hat es be-

---

[97] Eus. D., Gesta, ACO II, 3, 1; 67, 22—23: *Mentitus est: non est definitio talis, non est regula hoc praecipiens.*

[98] Diosc., Gesta, ACO II, 3, 1; 67, 24—27: *Quattuor codices sunt, qui hanc definitionem continent. quod definierunt episcopi, non est definitio? numquid habet quia regula est? non est regula; aliud est regula et aliud definitio. accusa quinque synodicos codices; et ego habeo et ille et ille habent, proferant omnes codices.* — Zur Unterscheidung von ,definitio' und ,regula' vgl. J. KARMIRIS, The distinction between the ,horoi' and the canons of the early Synods and their significance for the acceptance of the Council of Chalcedon by the non-chalcedonian Churches, GOTR 16 (1971) 79—107.

[99] Diog., Gesta, ACO II, 3, 1; 67, 28—68, 5: *Dolose praeposuit synodum sanctorum patrum quae in Nicaea facta est; accepit namque additamenta a sanctis patribus propter perversum intellectum Apolinarii et Valentini et Macedonii et qui eis similes sunt, et additum est in symbolo sanctorum patrum* qui descendit et incarnatus est de spiritu sancto et Maria virgine. *hoc namque praetermisit Eutyches sicut Apolinarista; nam Apolinarius suscepit sanctam synodum quae in Nicaea facta est et secundum propriam perversitatem intellegens verba effugit de spiritu sancto et Maria virgine, ut ne omnino unitionem carnis confiteretur. etenim sancti patres qui in Nicaea convenerunt, quod* incarnatus est *dixerunt, sancti autem patres qui post ipsos fuerunt, explanaverunt dicentes de spiritu sancto et Maria virgine.*

fohlen"[100]! — Eine andere Episode des gleichen Konzils ist nicht
weniger aufschlußreich. In der vierten Sitzung klären dyophysitische
Theologen die ägyptischen Mönche über die Problematik auf, die mit
der Berufung auf die fides Nicaena gegeben ist: Jeder beruft sich auf
die Formel, aber es gibt eben verschiedene Interpretationen derselben.
Die Frage lautet, welcher Interpretation der fides Nicaena man folgt,
der monophysitischen oder der dyophysitischen[101]?
Wie stellen sich die *Dyophysiten* selber das Verhältnis zwischen der
chalcedonensischen Formel und der fides Nicaena vor? In aller gewünschten Deutlichkeit gibt auf diese Frage die das Konzil beschließende *allocutio
ad Marcianum* Auskunft. Das Resümee[102] nennt als Tenor des im ganzen
defensiv gehaltenen Dokumentes: Leos *epistula* stellt keine Neuerung
gegen die fides Nicaena dar, sie gehört vielmehr in die Reihe der Dokumente, die nach der großen nicaenischen Synode die jeweiligen Häresien
widerlegt haben. Mit anderen Worten: das Chalcedonense ist kein
Präzedenzfall! Wie argumentiert das Dokument im einzelnen?
Ausgangspunkt ist für den oder die Verfasser das auf dem Ephesinum
definierte Verbot neuer Glaubensformulierungen[103]. Die *allocutio* antwortet auf diesen Einwand zunächst mit einer Unterscheidung. Die
fragliche Definition des Ephesinums *(lex ecclesiae)* verbietet natürlich
die Aufstellung eines neuen *symbolum* (eines *summarium* der Lehre, das
bei der Taufe überliefert wird); sie untersagt aber nicht die Abfassung
neuer Formeln zur Widerlegung der jeweiligen Glaubensgegner[104].
Dieses *symbolum*, d. h. die fides Nicaena, genügt zwar für die Gläubigen,
es ist aber unzureichend für die Verteidigung des Glaubens gegen Irr-

---

[100] Gesta, ACO II, 3, 1; 68, 6—8: *Nemo suscipit adiectionem, nemo diminutionem. quae in Nicaea
constituta sunt, teneant, catholicus imperator hoc iussit.*
[101] Der Mönch Helpidius hatte ausgesagt: *Ego credo sicut trecenti decem et octo patres qui apud
Nicaeam, et qui in Epheso Nestorium damnaverunt, et permaneo in constitutis sicut exposuerunt*
(ACO II, 3, 2; 125, 11—13). Darauf erklärt ihm und den anderen Mönchen der Archidiakon
Aëtius, ACO II, 3, 2; 125, 15—24: *Sanctum hoc magnumque concilium sic credit sicut trecenti decem
et octo sancti patres qui apud Nicaeam tunc congregati sunt et exposuerunt. hoc symbolum et ipsi custodiunt
et omnes advenientes edocent; quoniam autem inter haec discordiae sunt per aliquos generatae et adversus
has repugnantes sancti patres Cyrillus et Caelestinus et nunc sanctissimus et beatissimus papa Leo
epistulas interpretantes symbolum, non fidem aut dogma exponentes dederunt, quas veneratur omne
universale concilium et consentit et interpretationem earum tradit cupientibus edoceri, et vestra dilectio
huic sententiae totius sanctae synodi conquiescit et anathematizat Nestorium et Eutychen tamquam
novas introducentes aut non?*
[102] ACO II, 3, 3; 114, 9—14.
[103] Alloc., ACO II, 3, 3; 114, 23—4: *Asserens quod non licuerit cuiquam exponere fidem praeter
patres qui apud Nicaeam concorditer convenerunt.*
[104] Alloc., ACO II, 3, 3; 114, 24—125, 2: *Unam quidem esse velut principali loco trecentorum decem
et octo patrum doctrinae confessionem lex nobis ecclesiae praecipit, quam velut commune sanctorum*

lehrer. Zu deren Widerlegung braucht es neue Formeln: „Denn wenn alle sich zufrieden geben würden mit dem aufgestellten Glauben und den Weg der Frömmigkeit nicht durch Neuerung verletzten, dann würde es den Männern *(filii)* der Kirche wohl anstehen, nichts weiter zu behaupten, als was mit Gewißheit im *symbolum* erklärt ist. Da aber viele vom rechten Pfad abirren und sich einen Weg der Lüge zurechtmachen, müssen wir sie bekehren, indem wir die Wahrheit aufspüren. Ihre Erfindungen und Irrtümer müssen wir durch heilsame, entgegenlautende Sätze *(oppositiones)* widerlegen. Unsere Absicht ist dabei nicht, für den Glauben jeweils irgend etwas Neues an den Tag zu bringen, als ob dem Glauben etwas abginge. Vielmehr geht es darum, ihren Neuerungen etwas Hilfreiches entgegenzusetzen"[105]. Neue Formeln sind immer nur Antwort auf häretische Neuerungen, sie entstammen nie dem Bedürfnis des Glaubens selber!

Der zweite Teil[106] der Erwiderung auf den gegnerischen Einwand führt den Beweis für die vorgelegte Interpretation der ephesinischen *definitio* aus der Geschichte. Die Kirche hat tatsächlich die fides Nicaena durch Zusätze ergänzt. Es gibt also in der ‚Tradition‘ einerseits das eine *symbolum* und andererseits aktuelle antihäretische Formeln. Die *allocutio* erläutert die einzelnen Zusätze zur fides Nicaena der Reihe nach[107]. Es gibt nicht nur zahlreiche Präzedenzfälle für antihäretische Formeln, selbst das spezielle Verhältnis zwischen Leos Tomus und dem Konzil von Chalcedon hat sein Vorbild in der Geschichte. So wie Leo hat auch „der große Basilius, der Diener der Gnade, (zunächst) in einem Brief mit aller Klarheit die Subsistenzen behandelt und die Lehre über den Heiligen Geist zuverlässig überliefert". Dann holte auch er sich den

---

decretum ad eorum qui vocantur in adoptionem filiorum tradimus firmitatem; adversus eos autem qui veritati resistunt, variae nobis certaminum causae tributae sunt a piis viris congruenter adhibitae contra ea quae ab his fallaciter inferuntur. et credentibus quidem sufficit ad utilitatem fidei indiscussa perspectio ad confessionem pii dogmatis devotos pertrahens animos, his autem qui doctrinam rectam pervertere moliuntur, ad singula quae male pariunt, oportet occurrere et eorum obiectis congrua quaeque providere.

[105] Alloc., ACO II, 3, 3; 115, 2—9: *Nam si omnes contenti fidei constituto et pietatis semitam nulla innovatione turbarent, deceret ecclesiae filios nihil amplius excogitare quam symbolo constat esse declaratum; sed quia multi a recta linea per anfractus erroris exorbitant novum quoddam sibimet iter mendacii construentes, necesse nobis est veritatis eos inventione convertere commentaque eorum devia salutaribus oppositionibus refutare, non ut novum ad pietatem quasi fidei desit semper aliquid exquirentes, sed ut contra ea quae ab illis innovata sunt, excogitantes quae salubria iudicantur.*

[106] Alloc., ACO II, 3, 3; 115, 10—119, 16.

[107] Alloc., ACO II, 3, 3; 115, 10—12: *Et ut mansuetudini vestrae quod dicimus, evidenter appareat, ab ipsis fidei sermonibus inchoemus, sanctorum patrum qualiter quisque de his senserit, decreta subdentes.* — Im einzelnen führt der Autor dann im folgenden aus, wie und warum die Artikel über den Sohn und den Geist im Nicaenum erweitert und verdeutlicht werden mußten.

schriftlichen *consensus* seiner Mitbischöfe[108]. Ähnlich ging Damasus vor. „So handelten später alle, die vielerorten sich gegen die verschiedenen Neuerungen der Häretiker versammelten und einstimmig gemeinsame Dekrete über den Glauben verfaßten. Was sie in brüderlichem *consensus* gebilligt hatten, machten sie jeweils den Abwesenden deutlich bekannt"[109].

In diese Kategorie von Verteidigungsschriften der fides Nicaena gehört für die *allocutio* schließlich auch Ephesus. Gerade das schriftliche Bekenntnis zur θεοτόκος wird betont. Was das Verbot des Ephesinums angeht, ein neues Bekenntnis abzufassen, so darf dies doch nicht in erster Linie gegen die Verteidiger der Rechtgläubigkeit geltend gemacht werden[110]. Es zielt naturgemäß auf die Gegner des Glaubens ab. „Denn jedes Gesetz hält die Schlechten von Übertretungen ab, nimmt aber nicht dem Richter seine Befugnis"[111]. Damit kommt die *allocutio* also auf den eingangs erwähnten Einwand zurück. Die *definitio* des Ephesinums kann niemals das Verbot der Verteidigung des rechten Glaubens, d. h. aber der fides Nicaena, zum Ziel und Inhalt haben! Schlagender Beweis ist u. a. das Beispiel des Cyrill selber. In seinen Briefen gegen Nestorius gab er seinem Glauben in aller Deutlichkeit Ausdruck[112].

Der Autor der *allocutio* zieht das Fazit seiner Argumentation: „Man sollte endlich damit Schluß machen, uns den Brief des bewunderungswürdigen Vorsitzenden der römischen Kirche als bedenkliche Neuerung vorzuwerfen. Vielmehr soll man ihn widerlegen, wenn er nicht mit der

---

[108] Alloc., ACO II, 3, 3; 117, 24—27: *Sic magnus ille Basilius minister gratiae subsistentiarum per epistulam evidentiam iure declaravit et sancti spiritus doctrinam diligentius tradidit, consacerdotum suorum eliciens etiam subscriptione consensum.*

[109] Alloc., ACO II, 3, 3; 117, 29—118, 2: *Ita et qui postmodum ubique varias adversus haereticorum congregati sunt novitates, commune de fide decretum unanimiter ediderunt, ea quae fraterno consensu probaverant, absentibus evidentissime intimantes.*

[110] Alloc., ACO II, 3, 3; 118, 6—12: *Sic et apud Ephesum id quod de dei genitrice iudicatum est, scripto firmatum est et de deitate atque humanitate domini testimonia cum propria subscriptione protulerunt manu et lingua naturarum professionem in una persona pariter approbantes. si quis autem censet huc usque consistere eos qui fidem pro facultate defendere cupiunt, maxime quidem hoc praeceptum haereticis promulgare debebit, illos ab inpugnatione removens, non avertens a protectione pastores.*

[111] Alloc., ACO II, 3, 3; 118, 12—13: *Omnis enim lex iniustos a delictis cohibet, non iudices a potestate discingit.*

[112] Alloc., ACO II, 3, 3; 118, 18—21: *Si enim per epistulas ecclesiae dogma declarari pro unaquaque quaestione dignum culpa iudicant, ipsum in primis beatissimum Cyrillum quilibet poterit denotare, qui litteris suis Orientalibus quod sentiebat, expressit.* Ähnliche Argumente werden auch später immer wieder vorgetragen, vgl. z. B. Johannes Maxentius, libellus de fide 7, ACO IV, 2; 4, 20—24: *Nemo enim recte reprehenditur retractare synodum, nisi qui de ipsius statutis iudicans, non pro ipsa, sed contra ipsam patrum proferre temptat sententias, sicut haeretici faciunt. Qui autem non contra ipsam, sed pro ipsa patrum sententias proferunt, defensores sunt, non retractores concilii.* Vgl. auch ebd. 3, 16—34.

Heiligen Schrift übereinstimmt, wenn er nicht in Übereinklang steht mit der Glaubensüberzeugung der früheren Väter . . ., wenn er nicht zum Nutzen der fides Nicaena dient . . ."[113] Zum Schluß wird der Vorwurf der Neuerung zurückgegeben an die Adresse der Häretiker. Diese sind für Neuformulierungen des Glaubens verantwortlich, denn sie formulieren neu, — ohne Not, obwohl kein Gegner sie provoziert[114].

Wie ist dieses Dokument einzuordnen in die Gesamtentwicklung der Konzilsidee dieser Jahre? Man wird wohl sagen müssen: Insofern als die Konzilsdefinition von Chalcedon (zusammen mit dem Tomus Leonis) einerseits in eine Reihe gestellt wird mit den übrigen nachnicaenischen Glaubensformeln, diese aber alle zusammen nur als je fällige Aktualisierungen der fides Nicaena aufgefaßt werden, wird theoretisch immer noch der Monopolstellung des Nicaenums das Wort geredet. Andererseits ist freilich damit eine Entwicklung eingeleitet, die zur Ablösung der Monopolstellung führen mußte. Vorerst jedoch gilt noch: Chalcedon ist die Negation der Negation von Nicaea, keineswegs aber eine Glaubensformel im Range der fides Nicaena. Gerade im Vergleich zu den Ausführungen späterer Autoren fällt die geringe Betonung der Kirche als eigentliches Subjekt des Konzils auf. Chalcedon erscheint fast als die Einzelleistung Leos, der von Gott der Kirche geschenkt worden war — wie vordem Basilius und all die anderen Glaubenskämpfer. Freilich ist Leos Tomus ‚bekräftigt' vom consensus der Brüder. Das Konzil ist noch nicht gesehen als neues Engagement der Kirche als solcher für die Wahrheit, und zwar gewissermaßen in Unabhängigkeit von der Autorität des Nicaenums.

Die taktische Devise der *Monophysiten* auf dem Konzil von Chalcedon hatte gelautet: keine andere Glaubensformel als die nicaenische. Nach dem Konzil wird diese Devise zum Schlachtruf, zum beharrlich verfochtenen strategischen Programm. Wir können uns kurz fassen, da detaillierte Studien vorliegen[115]. Kaiser *Basiliscus* proklamiert 475 in

---

[113] Alloc., ACO II, 3, 3; 118, 27—30: *Non igitur nobis admirandi Romanae urbis praesulis epistulam velut innovationis offendiculum criminentur, sed si non est divinis scripturis coaptata, redarguant, si non praecedentium patrum sententiis adunata, si non impiorum accusationem continet, si non defensionem Nicaenae fidei profert . . .*

[114] Alloc., ACO II, 3, 3; 119, 3—7: *Qui enim sponte sua nullo contra confligente professionem verbis propriis defert, hic ut elatus forsan non immerito comprobatur; qui vero eis qui prava sentiunt, obluctatur, is contra inimicorum adinventiones linguam prudenter exercet, quae ab illis male prolata sunt, veritatis nitens ratione dissolvere.*

[115] Vgl. u. a. R. HAACKE, Die kaiserliche Politik in den Auseinandersetzungen um Chalkedon (451—553), in: Chalkedon, II, 95—177; W. H. C. FREND, The Rise of the Monophysite Movement, Cambridge 1972, 143—183.

seinem Enkyklion die Alleingeltung der fides Nicaena durch Reichsgesetz:

>>... in der Absicht, die Einheit der heiligen Kirche herbeizuführen, bestimmen wir: die Grundlage und Garantie für die Wohlfahrt der Menschheit[116], d. h. das σύμβολον der einst mit dem Heiligen Geist in Nicaea versammelten 318 heiligen Väter soll ausschließliche Geltung haben, und zwar als einzige eigentliche Definition des unfehlbaren Glaubens[117]; denn dieses (σύμβολον) genügt sowohl zur Beseitigung ... aller Häresie als auch zur Vereinigung (ἕνωσις) der makellosen und heiligen Kirchen Gottes<<[118].

Das Konzil von Konstantinopel von 381 „zur Bekräftigung eben des göttlichen *symbolum"* und die „beiden ökumenischen Synoden"[119] behalten ebenfalls Gültigkeit. Ungültig dagegen soll sein der Tomus Leonis mitsamt dem ganzen Chalcedonense, d. h. „alles, was in der Definition des Glaubens und in der Erklärung eines (des?) *symbolum* als Interpretation, Belehrung, wissenschaftliche Erörterung, Ergänzung oder sonstwie in einem Kanon als Neuerung gegen das heilige Symbol der 318 Väter gesagt und verfaßt wurde ..."[120]

Das Enkyklion wurde bekanntlich vom gleichen Kaiser Basiliscus 476 formell widerrufen[121]. Es sollte jedoch nicht das letzte Eintreten eines Kaisers für die fides Nicaena als einziger Grundlage des Reichsglaubens darstellen. Auch das *Henotikon* des Kaisers *Zenon*[122] erklärt die fides Nicaena zum einzig gültigen Reichsglauben:

„Wir sind der Tatsache eingedenk, daß ausschließlich der rechte und wahre Glaube, den ausschließlich die in Nicaea versammelten 318 heiligen Väter in Anwesenheit der Gottheit dargelegt, die in Konstantinopel zusammengekommen 150 heiligen Väter aber bekräftigt haben, ‚Prinzip' (= ἀρχή), Bestand, innere Kraft und unüberwindbarer Schutzschild unseres Reiches darstellt ..."[123]

Jedes andere Glaubensbekenntnis wird ausdrücklich ausgeschlossen[124]. Die Aufkündigung von Chalcedon ist nicht fulminant wie im Enky-

---

[116] Enkyklion Basiliskou, Ed. E. SCHWARTZ, Codex Vaticanus gr. 1431, eine antichalkedonische Sammlung aus der Zeit Kaiser Zenos, ABAW.PPH 32, 6 (1927) 49—51, hier 50, 4.
[117] En., SCHWARTZ, Vaticanus 50, 8—9.
[118] En., SCHWARTZ, Vaticanus 50, 3—9.
[119] En., SCHWARTZ, Vaticanus 50, 13—14.
[120] En., SCHWARTZ, Vaticanus 50, 18—21.
[121] Vgl. HAACKE 115.
[122] Vgl. HAACKE 120 ff.
[123] Enot., SCHWARTZ, Vaticanus 55, 1—4.
[124] *Alterum symbolum aut mathema aut terminum fidei aut fidem citra praedictum sanctum symbolum trecentorum X et VIII sanctorum patrum ... neque habuimus neque habemus neque habebimus ...*
[SCHWARTZ, Vaticanus 55, 23—26.]

klion, aber nicht weniger eindeutig[125]. Die kaiserliche Gesetzgebung legt dem Reich als ausschließliche Form des Reichsglaubens die fides Nicaena auf. Die Theologen tun das Ihre. Sie ‚rechtfertigen‘ die Monopolstellung des Nicaenums. Der monophysitische Patriarch von Alexandrien, *Timotheus Aelurus*[126], macht sich mit beißender Ironie lustig über das Konzil von Chalcedon[127]. Mit folgendem Dilemma sucht er das Ansehen des Konzils zu zerstören:

„Ceux qui se sont réunis à Chalcédoine ... ou ils ont bien agi à Éphèse ... et ils ont mal agi à Chalcédoine ce qui est la vérité; ou ils ont bien agi à Chalcédoine, comme ils le disent, et on voit qu'ils ont violé leur parole à Éphèse, de sorte que de toute manière ils tombent sous leur anathème, qu'ils ont porté sur leur tête soit à Éphèse, soit à Chalcédoine"[128].

Timotheus bringt die Grundschwierigkeit gegen eine neue Definition mit aller wünschenswerten Klarheit zum Ausdruck — und er scheint es nicht einmal mala fide zu tun: „Was erneuert wird, verändert sich in etwas, was es vorher nicht war, und zwar nach der Willkür derer, die es erneuern ..."[129]

Nach diesem kurzen Ausblick auf die monophysitische Reaktion, die Re-affirmation der Monopolstellung der fides Nicaena, wenden wir uns wieder der *großkirchlichen* Entwicklung zu mit der Frage: Wie sehen die Anhänger des Konzils von Chalcedon das Verhältnis zwischen der neuen Formel und der fides Nicaena? Ausgezeichnete Quelle zur Beantwortung dieser Frage ist der *Codex Encyclius*, die leider nicht vollzählige Sammlung der bischöflichen Stellungnahmen auf ein von Kaiser Leo I. im Jahre 458 durchgeführtes Referendum[130].

---

[125] *Omnem vero qui aliud quicquam sapuit aut sapit aut nunc aut aliquando aut in Chalcedoneam aut in quacumque synodo anathematizamus* ... [SCHWARTZ, Vaticanus 56, 10—12.]

[126] Vgl. BARDENHEWER, IV, 79—82 und R. GRAFFIN - F. NAU, PO, 13, 165—166.

[127] Tim. Ae., Histoire, PO 13, 209, 3—7: „Après la mort du bienheureux Théodose, lorsque régna Marcien, il y eu encore un concile à Chalcédoine; lorsque tous les évêques s'y furent réunis, ils renièrent Notre-Seigneur par écrit et ils reconstruirent ici l'impiété des deux natures qu'ils avaient détruites à Éphèse; ils blasphémaient le Christ, ils se jouaient, comme en un théâtre, des enseignements de la foi orthodoxe ..."

[128] Tim. Ae., Histoire, PO 13, 210.

[129] Tim. Ae., Histoire, PO 13, 217. — Vgl. auch: „... comment renouvelez-vous ce qui est constamment le même et ne peut endurer l'ombre des changements? Vous faites connaître par-là que vous voulez innover une augmentation ou une diminution par votre enseignement et non selon le Christ" (Contre Chalc., PO 13, 222). Ferner: „Comment osent-ils dogmatiser dans une définition de foi, car si la foi des saints Pères suffit, comme ils l'ont décrété, pour l'enseignement orthodoxe, qu'y avait-il besoin d'introduire deux natures dans le Christ et de les placer dans la définition de la foi, lorsque les saints Pères avaient anathématisé à Éphèse ceux qui oseraient faire cela!" (Contre Chalc., PO 13, 223/4).

[130] ACO II, 5; zur Überlieferungsgeschichte vgl. FLICHE/MARTIN, IV, 282, Anm. 2; ferner GRILLMEIER, Christologie, Kap. III: ‚Die Rezeption des Konzils von Chalcedon in den Bischofskirchen, der die Repräsentativität und tatsächliche Freiheit der im *Codex Encyclius*

Als erstes springt bei der Durchsicht der bischöflichen Voten ins Auge, was schon bei den Konzilsakten von Chalcedon beobachtet werden kann: die orthodoxen Konzilien werden eines nach dem anderen in einer Reihe aufgezählt[131]. Als eines für viele stehe das Zeugnis der Bischöfe von Kreta: „. . . wir glauben, daß das heilige Konzil von Chalcedon mit der Auslegung des Glaubens der 318 in Nicaea versammelten Väter . . . übereinstimmt, ebenso mit dem, was von den 150 in der Kaiserstadt Konstantinopel versammelten Bischöfen definiert worden ist, nicht weniger mit dem, was in Ephesus bekräftigt wurde . . ."[132] Diese Aufzählung der orthodoxen Konzilien in einer Reihe, zumal da sie immer häufiger wird, bedeutet — zunächst freilich bloß optisch, auf die Dauer jedoch auch tatsächlich — eine Relativierung des Nicaenums. Das ‚Konzil der 318 Väter‘ bleibt zwar das erste und fraglos grundlegende Konzil, nichtsdestoweniger: es ist von jetzt an in eine Reihe eingeordnet. Damit wird eine Konzilsidee vorbereitet, in der die nachnicaenischen Konzilien als eigenständige Momente der kirchlichen Tradition erscheinen und nicht bloß als Bekräftigung der fides Nicaena.

Wie nicht anders zu erwarten, sind sich die befragten Bischöfe über die inhaltliche Übereinstimmung des Chalcedonense mit dem Nicaenum einig[133]. Gewisse Nuancen treten jedoch in ihrer Stellungnahme auf, wenn es darum geht, das formale Verhältnis der neuen Formel zur alten zu kennzeichnen. Einige davon hier festzuhalten, dürfte für unsere Fragestellung aufschlußreich sein.

Eine solche Nuance besteht z. B. in der ausdrücklichen Weigerung gewisser Bischöfe, die beiden Formeln auf die gleiche Ebene zu stellen. Man betont die Differenz zwischen der fides Nicaena und der Definition von Chalcedon. Mit der fides Nicaena, dem Taufsymbol, schreibt

---

zusammengetragenen Bischofsvoten, die Rolle des Kaisers in Glaubensfragen, die Stellung Chalcedons im Gefüge der konziliaren Tradition und das inhaltliche Verständnis der chalcedonensischen Christologie im Spiegel des *Codex Encyclius* untersucht; DERS., Auriga mundi, zum Reichskirchenbild der Briefe des sog. Codex Encyclius (458), in: Mit Ihm und in Ihm, christologische Forschungen und Perspektiven, Freiburg usw. 1975, 386 bis 419.

[131] Für Chalcedon vgl. ACO II, 3, 1; 78, 18, ebd. 99, 4; II, 3, 2; 105, 19; 106, 6; 106, 10. — Zum Problem der Konnumerierung des Constantinopolitanum auf dem Chalcedonense vgl. RITTER 214—215.

[132] CE 48, ACO II, 5; 97, 6—13: *De his autem, quae nos vestra pietas sancivit indicare, ego (et) per me consacerdotes Cretae consistentes insinuamus quia sanctum Calchedonense concilium concordare credimus expositioni fidei trecentorum decem et octo patrum in Nicaena urbe congregatorum . . nec non et his quae postea definita sunt a sanctis centum quinquaginta sacerdotibus in civitate regia Constantinopolim congregatis nec non his quae in Ephesia synodo roborata sunt . . .*

[133] Ausnahmen: Die Anhänger des Timotheus Aelurus, CE 4, ACO II, 5; 21—22 und Amphilochius von Side, vgl. CE 2, 5; 24, Anm. zu Zeile 9.

Epiphanius von Perge, „wollen wir das gegenwärtige Leben verlassen, und auf Grund desselben glauben wir, dem Herrn Christus vorgestellt zu werden"[134]. Das Chalcedonense dagegen ist ein „Schild gegen die Häretiker"[135], kein *mathema fidei*. Die Formel von Chalcedon ist überhaupt nicht für das Volk, sondern nur für die Bischöfe bestimmt, „damit sie etwas in der Hand haben, um entgegenstehende Meinungen aus dem Feld zu schlagen"[136]. Das Chalcedonense ist kein Taufsymbol wie Nicaea, sondern eine „Scheltrede gegen verdorbene Häretiker"[137]. Auch die Bischöfe von *prima Armenia* heben auf die Differenz zwischen beiden Konzilien ab, nicht im Inhaltlichen, wohl aber im Formalen: „Wir betrachten die vom heiligen Konzil von Chalcedon vorgebrachte Definition nicht als ein Glaubenssymbol, sondern als eine Definition, die zur Vernichtung des nestorianischen Irrwahns aufgestellt wurde . . ."[138] Die Bischöfe räumen sogar eine gewisse Mißverständlichkeit der Formel von Chalcedon ein; es ist mit ihr nicht anders als mit der Heiligen Schrift, die ja auch vor falscher Auslegung nicht gesichert ist[139]. Diese Stimmen sind jedoch in der Minderzahl; die Mehrzahl der Bischöfe[140] beschränkt

---

[134] CE 31, ACO II, 5; 58, 40—59, 1: . . . *cum ea de praesenti vita optamus egredi et Christo domino per hanc credimus praesentari.*

[135] Ebd. 59, 3—5: . . . *Calchedonensem quoque (definitionem) suscipimus veluti scutum eam contra haereticos opponentes et non mathema fidei existentem.*

[136] Ebd. 59, 4—7: *Non enim ad populum a papa Leone et a sancto Calchedonensi concilio scripta est, ut ex hoc debeant scandalum sustinere, sed tantummodo sacerdotibus, ut habeant quo possint repugnare contrariis.*

[137] Ebd. 59, 14—17: . . . *idem sanctissimus vir litteris suis declaret quia non est symbolum neque mathema epistula quae tunc ab eo ad sanctae memoriae nostrum archiepiscopum Flavianum directa est, et quod a sancto concilio dictum est, sed haereticae pravitatis potius increpatio.*

[138] CE 36, ACO II, 5; 70, 15—22: *Igitur indicamus prolatam definitionem a sancto Calchedonensi concilio non sicut fidei symbolum, sed sicut definitionem esse positam ad peremptionem Nestorianae vesaniae et exclusionem eorum qui salutem incarnationis domini nostri Jesu Christi denegare noscuntur, ut agnoscant omnes qui ob hoc scandalum patiuntur, quia neque nos post orthodoxum symbolum* cccxviii *sanctorum patrum aut augmentum aut deminutionem in his quae sic perfecte et a sancto spiritu sunt definita, suscipimus (et) fidem aliam nescimus, quia neque est nec patimur hoc audire, licet quidam esse dicant.*

[139] Ebd. 70, 22—29: *Si vero quibusdam volunt calumniari verbis, etiam hoc vestrae serenitati indicare confidimus quoniam ea quae illis videntur esse dubia, ad intellegentium sic respicere noscantur affectum. Sunt enim quaedam in definitione quae (si) recte intellegantur, orthodoxa sunt; si vero aliquis ea aliter velit inspicere, inveniet hanc sensus dubios parientem. multi siquidem et scripturas divinas non intellegentes sicut scriptae sunt, propriae blasphemiae dogmata genuerunt, quos dominus Christus sua clementia . . . convertat . . .*

[140] Als Ausnahme muß in gewisser Weise das Votum des Julian von Kios betrachtet werden. Er hebt auf eine Reihe von Momenten ab, die dem Konzil formale Autorität geben: Anwesenheit Christi, Zahl der versammelten Bischöfe, Gegenwart der Evangelien bei der Versammlung und Beratung, eifriges Gebet der Synodalen, Freiheit vor kaiserlicher Pression: *Supplicamus igitur vestrae potentiae ut inviolabiliter conservetis ea quae a Christo per ipsum de ipso bene sunt constituta, ubi enim tantorum erat congregata multitudo pontificum et sanctorum praesentia evangeliorum*

sich darauf, so wie z. B. *Anatolius von Konstantinopel,* die inhaltliche Übereinstimmung von Chalcedon mit Nicaea zu bekräftigen. Man sieht insofern im Chalcedonense eine Bekräftigung der fides Nicaena, als dieses Konzil Abweichungen vom „unantastbaren und unverletzlichen Symbol der 318 heiligen Väter" ausschließt[141].

In diesem Zusammenhang — der Feststellung inhaltlicher Übereinstimmung zwischen beiden Konzilien — taucht ein wichtiger Begriff auf, um ihr gegenseitiges Verhältnis zu bestimmen: das Chalcedonense stellt die richtige *Interpretation* des Nicaenums dar[142]. So schreiben *Basilius von Seleucia*[143] und die Bischöfe der Provinz Isauria über das Chalcedonense: „Jene Synode bedurfte zahlreicher Beweisgründe und vieler Worte, nicht um irgendwelche Neuerung gegen die schon richtig aufgestellten Definitionen einzuführen, sondern um mit Hilfe einer ausführlichen Interpretation[144] den Anschlag der Räuber der Wahrheit gegen das (Tauf)symbol abzuwehren"[145]. Ähnlich äußern sich die Bischöfe von Nova Epirus[146]. *Pergamius von Antiochien* in Pisidien geht ausführlicher auf den Einwand der Monophysiten ein, das Nicaenum bedürfe keiner Interpretation, es interpretiere sich selber[147]. Das

---

et frequens simul oratio, illic creaturae totius opificem invisibili virtute credimus fuisse praesentem. terror enim tunc nullus fuit imperialis auctoritatis . . . (CE 34, ACO II, 5; 66, 30—34); vgl. auch 83, 37; 45, 4; 56, 29, wo sich Hinweise auf die Größe der Versammlung befinden.

[141] CE 13, ACO II, 5; 25, 34—26, 1: *Illa siquidem deo amabilis ac venerabilis synodus* . . . *non aliam innovavit fidem, non peremit antiquitus existentem non adiecit aliquid olim confessioni contraditae, non imminuit eam quae semper custoditur et salvat, sed trecentorum* XVIII *sanctorum patrum symbolum incontaminabile et inviolabile a domesticis fidei custodiri et eis qui inbuntur ab impietate, cum terrore tradi praecepit.*

[142] Schon vor dem Chalcedonense ist von der Interpretation der fides Nicaena die Rede; vgl. S. 242.

[143] Zu seiner Christologie vgl. M. van Parys, L'évolution de la doctrine christologique de Basilie de Séleucie, in: Irén. 44 (1971) 493—514.

[144] Genaueres darüber, wie sich Basilius diese ‚Interpretation' vorstellt — Cyrill mit seinen Briefen als *praeceptor* des Chalcedonense — vgl. Grillmeier, Christologie.

[145] CE 27, ACO II, 5; 47, 34—37: *Multis etenim rationibus eguit illa synodus multisque verbis, non quo novitates aliquas contra definitiones iam bene fixas introduceret, sed ut* interpretatione latiori conamen contra symbolum meditatum latronibus veritatis auferret (ACO II, 5; 47, 34—37) (Hervorhebung v. Verf.). Vgl. auch, was Basilius von Seleucia, dieser bedeutende Zeuge für die Christologie dieser Jahre, unmittelbar vor dem zitierten Passus als Argument für die Gültigkeit des Chalcedonense nennt: 1) Konformität mit der Schrift und der Lehre des Nicaenums und des Constantinopolitanums, 2) Vernichtung des Monophysitismus.

[146] CE 47, ACO II, 5; 96, 11—14: *Et licet plurimis sermonibus extendatur expositio fidei catholicae Calchedone celebrata, tamen ad illas respicit quarum in praecedentibus probat fecisse memoriam et veluti paucarum illarum est interpretatio syllabarum.*

[147] CE 29, ACO II, 5; 52, 30—32: . . . (Fides Nicaena) *neque augmentum neque detractionem hoc posse recipere neque opus habere quamlibet interpretationem, cum per se, aiunt, videatur interpretatum* . . .

Chalcedonense, so bekräftigt er, brachte tatsächlich die rechte Medizin, die die Krankheit des Eutyches heilte[148].

Eine glückliche Formel zur Verhältnisbestimmung der beiden Konzilien bringen auch die Bischöfe der phönizischen Meeresküste: „Dieses (Konzil) hat stattgefunden, nicht um die Lehre der Vorfahren, die in Nicaea waren, zu schmälern, sondern vielmehr um ... die Intention ihrer (Glaubens)formel deutlich zu machen"[149]. Wieder andere Bischöfe, so die aus Phynicia secunda Libisania, bestimmen das Verhältnis zwischen Nicaea und Chalcedon als das von *fundamentum* und *sanctio* ... Ansatzpunkt für diese Sicht ist die Betonung der inhaltlichen Übereinstimmung[150]: „Wo nämlich die hochweisen Architekten das Fundament des richtigen und nicht veränderbaren Glaubens legten, dort werden die Sanktionen der vorgenannten Väter aufgebaut"[151]. Mögen einige Bischöfe auch mehr und mehr Nicaea und Chalcedon auf eine Ebene stellen — auch Chalcedon ist ‚Anker' des Glaubens![152] —, so fehlt es doch auch nicht an Stimmen, die die Vorrangstellung von Nicaea betonen. Die Synodalen von Chalcedon haben das Symbol von Nicaea als Grundstein genommen und bestimmt, daß dieses allein bei der Taufe verwendet werde, schreiben die isaurischen Bischöfe[153]. Bischof *Sebastian* von einem nicht näher bezeichneten Bischofssitz vergleicht das Konzil von Chalcedon mit der zu ihrem eigenen Aufweis sich selbst genügenden Sonne. Will er damit sagen, daß die Wahrheit dieses Konzils auch ohne Vergleich mit der fides Nicaena erkennbar ist? Vielleicht[154].

---

[148] Ebd. 52, 37—53, 3: *Sic enim et isti neque temporum diversorum languores haeresum scientes nec medicinam congruam infirmis oportune prolatam ab spiritalibus medicis, sanctis scilicet et orthodoxis sacerdotibus qui per tempora synodos impleverunt inspicientes, harum rerum non habentes discretionem superfluos et erroneos in suis precibus posuerunt sermones.*

[149] CE 25, ACO II, 5; 43, 22—26: *Qua de re nostram aperte sententiam declaramus quia nulla ratione aut modo discordat ab expositione sanctorum patrum (Nicaea) congregatorum. nec tamquam minus habeat doctrina maiorum qui Nicaea fuerunt, hoc gestum est, sed ut per Calchedonense concilium illorum expositionis reveletur intentio.*

[150] CE 26, ACO II, 5; 45, 6—8: *Si ea, quae a patribus Calchedone congregatis sancita sunt, infirma iudicaverimus, et ea quae decreta sunt, sine dubitatione destruimus. horum namque illa non peremptio, sed robur existunt.*

[151] Ebd. 45, 10—12: *Ubi enim fundamentum rectae et immobilis fidei posuerunt sapientissimi architecti, illic praedictorum patrum sanctiones aedificatae sunt.*

[152] CE 14, ACO II, 5; 27, 9: *Quod concilium velut ancoram cautam firmamque servamus ...*

[153] CE 27, ACO II, 5; 49, 17—21: *Nam et post expositionem subtilissimam harum litterarum rursus patres qui sanctum concilium Calchedonense celebraverunt, symbolum patrum Nicaenorum pro lapide sumentes ubique hoc solum circumferri et praedicari ad inluminationem fidelium sancierunt.*

[154] CE 17, ACO II, 5; 30, 21—25: *Hoc autem in ordine primo, piissime, nosse te supplicamus, quia sicut soli ad demonstrandum quia sol est, nihil minus est, ita et illi magno sanctoque et universali Calchedonensi concilio bonorum quidem omnino nihil deest; neque enim eget augmentum neque detractionem, cum sit a sancto spiritu velut divino quodam sale conditum.*

Zum rechten Verständnis wird man seine bildliche Ausdrucksweise in den Zusammenhang seiner weiteren Ausführungen stellen müssen: das Chalcedonense „schließt in sich die alten Konzilien in der Kraft des Heiligen Geistes ein"[155].

Einigermaßen aus dem Rahmen der übrigen Stellungnahmen fällt das Votum des *Baradotus*. Er bringt nämlich ein erstaunliches Schriftargument gegen die monophysitische These von der Monopolstellung der fides Nicaena. Die Altapostel haben die neue Predigt des Paulus nicht abgewiesen, sondern angenommen! An diesen Altaposteln, den ‚Lichtern der Welt', sollten sich die Monophysiten ein Beispiel nehmen und dementsprechend das Chalcedonense rezipieren[156]. Der theologisch gewagte Vergleich ist höchst aufschlußreich für das aufkommende Bewußtsein eines Fortschrittes der Lehrentwicklung in der Kirche.

Das Bekenntnis des *Juvenal von Jerusalem* zum Konzil von Chalcedon setzen wir an den Schluß dieses kurzen Einblicks in den *Codex Encyclius*. Es gehört nicht zu den Bischofsvoten auf die Anfrage des Kaisers, sondern wurde vorher verfaßt[157]. Hier wird deutlicher als in den Voten des etwas späteren *Codex Encyclius* die Kirche als Subjekt der Überlieferung gesehen. Nicaea und Chalcedon erscheinen nacheinander — in den Augen des Juvenal anscheinend gleichberechtigt — als entscheidende Momente dieser Überlieferung. Nach dem Zitat von Mt 16, 16—18 fährt Juvenal fort: „In diesem Bekenntnis hat die Kirche Gottes ihr festes Fundament, und die Kirche hat diesen Glauben, den uns die heiligen Apostel überliefert haben, bewahrt, und sie wird ihn bis zum Ende der Welt bewahren, (den Glauben), den das heilige und große und universale Nicaenische Konzil der 318 Väter ausgelegt hat und dem auch das heilige, ebenfalls große und universale, jüngst in Chalcedon versammelte Konzil gefolgt ist"[158]. Mit diesem Zeugnis kommen wir der Sicht des Vigilius von Tapsus nahe, von dem abschließend gehandelt werden soll.

---

[155] Ebd. 31, 8—9: ... *solumque vobis sufficiat Calchedonense concilium, tamquam solum omnia orthodoxorum antiqua concilia in semet ipso spiritus sancti virtute constringat.*

[156] CE 21, ACO II, 5; 37, 28—33: *Et non contradixit Petrus et reliqui apostoli Paulo, sed verba Pauli cum gratia susceperunt permanentes in vera fide, quae per Paulum eis adiecta est. et si isti (qui) cum essent lumina mundi et multo tempore cum Christo domino conversati, susceperunt sermonem Pauli, quem in novissimo deus elegit, quanto magis debent qui missi sunt a Timotheo ad vestrum imperium suscipere doctrinam sancti concilii ...*

[157] Vgl. E. HONIGMANN, Juvenal of Jerusalem, DOP 5 (1950) 258/9.

[158] CE 4, ACO II, 5; 9, 8—13: *Super hanc confessionem (Mt 16, 16—18) roborata est ecclesia dei et fidem quam nobis sancti tradiderunt apostoli, hanc ecclesia custodivit et custodiet usque ad finem mundi, quam et sanctum magnumque et universale concilium Nicaenum trecentorum decem et octo sanctorum patrum exposuit quamque sanctum quoque magnumque et universale concilium nuper congregatum Calchedone secutum est. huic neque adici neque subtrahi potest ...*

4. Die neue Konzilsidee

Der bei Juvenal und auch schon bei anderen Autoren des *Codex Ency-clius* beobachtete Ansatz, d. h. die deutlichere Erfassung der Kirche als Subjekt des Glaubens und des Konzils wesentlich als des Moments der ,Tradition', kommt bei einem afrikanischen Autor[159] zur Entfaltung. *Vigilius von Thapsus*[160] gilt in Fragen der Doktrin als wenig origineller Kopf[161]. Für uns besteht seine Bedeutung darin, daß er sich ex professo mit der Geschichte der kirchlichen Konzilien befaßt und dabei einer Konzilsidee das Wort redet, die repräsentativ sein dürfte für das ausgehende 5. Jh.[162]

Das fünfte Buch seiner Schrift *Contra Eutychen*[163] stellt eine Verteidigung des chalcedonensischen Konzils dar. Gleich zu Beginn setzt sich Vigilius mit dem bekannten Einwand der Monophysiten auseinander, das Konzil habe Neuerungen gebracht[164]. Vigilius antwortet:

,,Sie (d. h. die Monophysiten) kennen (eben) nicht die Regel und Gewohnheit *katholischer Konzilien,* auf den nachfolgenden Konzilien neue Dekrete entsprechend den Erfordernissen der neu aufkommenden Häresien jeweils so aufzustellen, daß unumstößlich bleibt, was vorher auf früheren Konzilien gegen alte Häretiker verkündet worden war"[165].

Was ist an dieser Antwort neu oder auffallend? Im Unterschied zu früheren Autoren begnügt sich Vigilius nicht mit der Affirmation oder dem Nachweis, daß das Konzil von Chalcedon als solches — als dieses spezielle Konzil — nicht im Widerspruch zu Nicaea definiert, er spricht vielmehr ganz generell von einer *regula,* bzw. einer *consuetudo* katholischer Konzilien: diese definieren grundsätzlich Neues in der Weise, daß das

---

[159] Scharfen Blick für hermeneutische Fragen, insonderheit für die verschiedenen Aspekte des Traditionsproblems, zeichnet die afrikanische Kirche seit Tertullian aus. Auch der ,Konzilstheologe' Facundus von Hermianae gehört neben Capreolus in diese große Tradition afrikanischer Theologie.

[160] Zu Leben und Werk vgl. G. BARDY, Art. Vigile de Th., in: DThC XV, b (1950) 3005—8. Einziges festes Datum zu seinem Leben: er nimmt an der von Hunerich einberufenen Konferenz der afrikanischen Bischöfe in Karthago am 1. Februar 484 teil.

[161] Vgl. BARDY, Vigile 3007/8: ,,La doctrine de Vigile de Thapse n'appelle pas de remarques spéciales. Il est naturel de le voir lutter surtout contre les ariens, qui, de son temps, sont les maîtres de l'Afrique . . . Il exprime la doctrine orthodoxe en formules claires, aux contours arrêtés . . .

[162] Zur Datierung von Vigilius' Schrift *Contra Eutychen* vgl. BARDY, Vigile 3006: ,,sans doute aux environs de 480, peut-être plus tard".

[163] Näheres hierzu BARDY, Vigile 3005/6.

[164] Vig., c. Eutych., 5, 2, PL 62, 135 D: *Deinde alia nova, quam quae concilio Nicaeno statuta fuerant, Chalcedonensem synodum decrevisse criminantur . . .*

[165] Vig., ebd. 135 D: *Nescientes regulam et consuetudinem conciliorum catholicorum, sic nova posterioribus conciliis, prout necessitas emergentium haereticorum exegerit, sancire decreta, ut tamen invicta maneant quae dudum antiquioribus conciliis contra veteres haereticos fuerant promulgata.*

Alte geltend bleibt. Weil diese Fähigkeit zum Wesen katholischer Konzilien gehört, besitzt sie auch das Chalcedonense! Mit andern Worten:
das Fehlen von Widersprüchen zwischen Chalcedon und Nicaea wird
aus einem katholischen Konzilsprinzip abgeleitet. Das ist zunächst eine
bloße Behauptung.

Den Beweis dafür, daß es eine solche *consuetudo* katholischer Konzilien
gibt, führt Vigilius denn auch aus der Geschichte: „(Die Monophysiten)
scheinen nicht zu wissen, daß die an verschiedenen Orten versammelten
Bischöfe nach der Synode von Nicaea gegen aufkeimende neue, ver-
rückte Irrlehren zahlreiche Glaubenskonstitutionen verfaßt haben"[166].
So wurde nach dem Nicaenum die Wesenseinheit des Geistes mit dem
Vater definiert[167], in Alexandrien wurde eine *regula* über die Gottheit des
Geistes verfaßt, *definitiones* stellte man gegen das Konzil von Sirmium
auf. In Serdica definierte man sieben *capitula*. Gegen Photinus wurden
zahlreiche *sanctiones* aufgestellt. Bei all diesen Konzilien handelte es sich
ganz offensichtlich um Zusätze zur fides Nicaena[168]. Aus der Konzilsgeschichte bezieht Vigilius übrigens ein weiteres Argument gegen die
Monophysiten: sie sind keineswegs die ersten Häretiker, die sich auf
die fides Nicaena berufen, um gegen die vorgeblichen ‚Neuerungen‘
ihrer Verurteilung zu protestieren. Ihre Taktik ist vielmehr ‚traditionell‘.
Macedonius und Apollinarius verteidigen sich auf die gleiche Weise[169].

---

[166] Vig., ebd. 136 A: *(Die Monophysiten) nesci(unt), multas fidei constitutiones, post Nicaenam
synodum contra novorum haereticorum insanas eruptiones, diversis in locis congregatos episcopos edisse.*
[167] Vig., ebd. 135 D: *Nam si post Nicaeni concilii statuta nihil amplius licet recipere, qua auctoritate Spiritum sanctum unius cum Patre substantiae audeamus asserere, quod ibi constat omnino tacitum
fuisse?*
[168] Vig., c. Eutych. 5, 3, PL 62, 136 A—D: *Et primo quidem apud Alexandriam Athanasius,
Eusebius, Lucifer per legatum, et aliquanti qui nuper de exsilio fuerant reducti, convenientes, quanquam
essent numero pauci, sed meritis magni, plenissimam contra Macedonium, de Sancti Spiritus deitate confessionis regulam conscripserunt; eiusdemque eum, cuius Pater et Filius, substantiae demonstrantes: contra
quos ille, sicut et isti faciunt, Nicaeni concilii auctoritate nitebatur, asserens, eos a Patrum sententiis
declinasse, nova et, ut ipse dicebat, impia de Spiritu Sancto decernendo, quae ibi constat tradita non fuisse.
Qua impietatis praescriptione Apollinaris quoque de incarnati Verbi pessima interpretatione contra Ecclesiam utitur. Denique adversus sacrilegam impiae professionis unitatem, quae per Osium, Valentem,
Ursatium et Germinium, caeterosque similis pravitatis apud Sirmium fuerant conscripta, universi Orientales episcopi convenientes, alias, id est duodecim sententiarum definitiones ediderunt, quae Nicaeno concilio
non continentur. Item apud Sardicam omnium provinciarum Orientis episcopi congregati ... hanc,
inquiunt expossimus fidem. In qua reperiuntur septem definitionum capitula Nicaenae expositioni
addidisse, quae illi negabant, contra quos concilium fuerat congregatum. Illius vero catholici concilii apud
Sirmium contra Photinum ex toto Oriente congregati, quis sufficiat multiplices fidei sanctiones comprehendere, quae, apud Nicaenam synodum quia talis rei necessitas nulla fuerat, non sunt omnino sancita,
quae nullus fidelium audet respuere, aut cunctatur recipere, si non vult cum Photino anathematis eorum
sententiae subiacere?*
[169] Vgl. Anm. 168 Mitte von *contra quos* bis *utitur.*

Was bei diesem geschichtlichen Aufweis der These von der Existenz einer *regula et consuetudo conciliorum catholicorum* unser besonderes Interesse verdient, ist die neue Konzilsidee, die dieser Argumentation ex traditione zugrunde liegt: die Konzilien nach Nicaea werden nicht mehr bloß als Bestätigung, als Interpretation der fides Nicaena gewertet; sie stehen vielmehr für Vigilius auf gleicher Ebene wie Nicaea selbst. Es handelt sich bei ihnen um selbständige Momente der kirchlichen Tradition in ihrer Auseinandersetzung mit der Häresie. Nicaea ist damit eindeutig relativiert. Es ist nicht mehr das Konzil schlechthin, sondern nur ein Konzil, ein Konzil freilich, mit dem die folgenden Synoden, weil es eben katholische Konzilien sind, nicht in Widerspruch stehen können. Entscheidend aber ist die Feststellung: es gibt nach Nicaea *multae fidei constitutiones.*

Im Zusammenhang der Schrift gegen Eutyches beschränkt sich Vigilius auf den geschichtlichen Aufweis der *regula et consuetudo conciliorum catholicorum.* Auf die Frage, wie solche ‚Neuerung‘ in der Formel ohne ‚Neuerung‘ im Glauben möglich sei, geht er an Ort und Stelle nicht ein. Er verweist jedoch auf seine Schrift *Dialogus contra Arianos*, wo er diese Frage näherhin behandelt hat[170].

Dieser Dialog ist ein fingiertes Streitgespräch des Athanasius mit verschiedenen Häretikern. Nach Ausscheiden des Sabellius und Photinus stehen sich schließlich noch Athanasius und Arius vor dem Streitrichter Probus gegenüber. Einig sind sich die beiden Kontrahenten in der Annahme des Prinzips, daß als besiegt zu gelten hat, wer lehrt, was nicht aus der Überlieferung stammt[171]. Gerade dieser Vorwurf trifft nach Meinung des Arius auf die Homousianer zu; denn sie lehren, was nicht in der Heiligen Schrift steht. Athanasius sucht diesen anscheinend treffenden Einwand zu widerlegen, indem er behauptet: gerade der neue Terminus ὁμοούσιος gibt wieder, was die Schrift seit jeher überliefert. Die Kirche führt eine neue Formel ein, um die alte Wahrheit unmißverständlich überliefern zu können:

„Wenn eine neue Häresie entsteht, geht die Kirche seit eh und je so vor, daß sie zur Abwehr (solcher) frechen Neuerungen die Termini *(vocabula)*, mit denen die gemeinte Sache bezeichnet wird, verändert und das Wesen der Sache deutlicher ausdrückt, ohne daß dabei die Sache selbst verändert wird. Diese (neuen Bezeichnungen) entsprechen (sollen entsprechen)

---

[170] Vig., ebd. 136 A. Näheres zu dieser Schrift vgl. BARDY, Vigile 3006.
[171] Vig., c. Arian. 1, 17, PL 62, 192 B: . . . *illum debere pravitatis errore notari, qui nova et inusitata verborum commenta sectatur, adiiciens apostolicis dogmatibus quod ab eisdem constat traditum non fuisse* (vgl. 158 A).

den (wirklichen) Eigenschaften der (gemeinten) Sache und zeigen deutlicher, daß sie von alters her existiert und nicht einen neuen Ursprung besitzt"[172].

An einer anderen Stelle bringt Vigilius den gemeinten Sachverhalt, das Verfahren kirchlicher Konzilien gegen häretische Lehrmeinungen, in folgender paradoxen Formulierung zum Ausdruck: „. . . (Athanasius machte geltend), es ist von jeher in der Kirche üblich, die Häretiker, sobald sie die Grenzen *(termini)* des apostolischen Glaubens in ihrer schändlichen, trügerischen Vermessenheit überschritten haben, gerade durch *die* Sätze unauflöslich (gleichsam) in Fesseln zu legen, durch die sie selber dem katholischen Glauben die Freiheit rauben und ihn in die Schlingen ihres Unglaubens einfangen wollten"[173]. Ein beachtlicher Satz über das Verfahren — und das Wesen — kirchlicher Konzilien!
Den Beweis für seine These, daß die Kirche den alten Glaubensinhalt in neuen Formeln überliefert, führt Vigilius auch in der vorliegenden Schrift aus der Geschichte[174]. Das erste Konzil, das eine solche ,Neuformulierung' vornahm, fand für Vigilius in Antiochien statt. Dort nämlich ersetzte man den Namen ,Jünger' durch ,Christen'[175]. Indem Vigilius auf diese Weise die Tradition der ,Neuformulierung' der je identischen Wahrheit auf die Apostel selber zurückführt, gibt er ihr die höchst mögliche Legitimation. Er fährt fort: „Die Verwendung neuer Begriffe, diese Methode *(forma)*, die die Apostel der Kirche überliefert haben, hielt die Kirche fest: gegen die jeweiligen Häretiker stellte

---

[172] Vig., c. Arian. 1, 20, PL 62, 194 A: *Ecclesiasticae semper moris est disciplinae, si quando haereticorum nova doctrina exsurgat, contra insolentes quaestionum novitates rebus immutabiliter permanentibus nominum vocabula immutare, et significantius rerum naturas exprimere; quae tamen existentium causarum virtutibus congruant, et quae magis easdem antiquitus fuisse demonstrent, non ortus novitatem insinuent.* Der gleiche Gedanke wird später noch einmal wiederholt, in der Konklusion des Athanasius (c. Arian. 1, 22, PL 62, 195 B) und des Proclus (ebd. 1, 23, 195 D).

[173] Vig., c. Arian. 3, 4, PL 62, 232 B: *Sed dum iterum ac saepius proprietatem vocabuli pure et specialiter in scripturis positi flagitaret (Arius), id Athanasius allegabat ecclesiasticae consuetudinis esse, quando apostolicae fidei terminos insolens et temeraria haereticae fraudis audacia praeterisset, his propositionum nexibus inenodabiliter vinciretur, quibus ipsam catholici sensus libertatem intra perfidiae suae laqueos implicatam retinere putabat.*

[174] Vig., c. Arian. 1, 20, PL 62, 194 A.

[175] Vig., c. Arian. 1,20, PL 62, 194 A—B: *In ipso Christianae religionis praedicationis initio, omnes, qui credebant Domino nostro Jesu Christo, non* Christiani, *sed* discipuli *tantummodo nominabantur. Et quia multi dogmatum novorum auctores exstiterant, doctrinae obviantes apostolicae, omnesque sectatores suos* discipulos *nominabant: nec ulla erat nominis discretio inter veros falsosque discipulos, sive qui Christi, sive qui Dosithei . . . sectatores, qui se Christo credere fatebantur, noluerunt ut uno discipulorum nomine censerentur. Tunc apostoli convenientes Antiochiam, sicut eorum Luca narrante indicant Acta, omnes discipulos novo nomine, id est* Christianos *appellant: discernentes eos a communi falsorum discipulorum vocabulo . . .*

sie, je nachdem es der gesunde Glaube verlangte, neue, voneinander abweichende Formeln auf"[176].

Auch diesen Satz beweist Vigilius aus der Geschichte. Er bringt Beispiele, diesmal aus der nachapostolischen Zeit: die Kirche bezeichnet den Vater als *ingenitus*, seit ihn die Sabellianer als *genitus ex virgine* erklären[177]. *Impassibilis* nennt die Kirche den Vater, seit die gleichen Sabellianer ihn als *passus* bekennen. Ähnliches tut die Kirche, wenn sie vom Sohn aussagt *lumen de lumine*, eine Formel, die sich im Apostolicum nicht befindet![178] Je überall die gleiche Methode: *nominum novitates* zur Verteidigung der *antiqua fides!*

Fassen wir zusammen. Worum geht es Vigilius? In beiden Schriften ringt er mit dem Problem der Identität des Glaubens. Er sieht sie in Frage gestellt, als durch das ὁμοούσιος des Nicaenums die Heilige Schrift überschritten wird. Er sieht sie nochmals in Frage gestellt, als dieser neue Inbegriff der Tradition, die fides Nicaena, durch Chalcedon transzendiert wird. Die Lösung der Aporie glaubt Vigilius im faktischen Vorgehen der Kirche vorgezeichnet zu finden: sie affirmiert identischen Glauben in je und je wechselnden Formeln. Also ist zwischen den Formeln und der gemeinten Sache zu unterscheiden. Wo ist aber der authentische Ort der *traditio* von Formel zu Formel? Es sind die ‚katholischen Konzilien', die jeweils den alten Glauben in neuen Formeln überliefern. Darin besteht ihre Funktion. Die Konzilien als solche realisieren die Identität des Glaubens.

Diese Konzilsidee impliziert einen neuen, komplexeren Begriff von Tradition. Der Inbegriff der Tradition ist nicht mehr ausschließlich die fides Nicaena. Sie wird vielmehr konstituiert von den Definitionen aller ‚katholischen Konzilien'. Damit ist die fides Nicaena grundsätzlich relativiert. Der Schritt ist getan vom ‚Konzil der 318 Väter' zu den ‚katho-

---

[176] Vig., c. Arian. 1, 21, PL 62, 194 C: *Hanc ergo ab apostolis traditam in novis utendo nominibus formam Ecclesia retinens, contra diversos haereticos prout sanae fidei ratio postulabat, diversas edidit nominum novitates.*

[177] Vig., c. Arian. 1, 21, PL 62, 194 C: *Denique Patri novum innascibilitatis nomen Ecclesia imposuit. Cum enim Sabelliana haeresis genitum ex virgine Patrem voluisset asserere, ingenitum contra hanc confitendo Ecclesia tradidit Patrem. Et utique in divinis Scripturis ingenitum numquam legimus Patrem. Potest ergo Sabellius audaciam suam in huius calumniae vertere quaestionem, et simili, ut tu, propositionis genere uti, quo dicat: Cur divinis Scripturis sine ullo prospectu pudoris violentiam facitis, profitendo innascibilem Patrem, quod scriptum ostendere non valetis?*

[178] Vig., c. Arian. 1, 21, PL 62, 194 C—195 A: *Item, quia eum non solum genitum, sed et passum, impio dogmate idem Sabellius profitetur episcopi vestri dudum Syrmium convenientes in unum, inter caeteras fidei quas promulgaverunt sanctiones, dixerunt Patrem impassibilem esse: quod religiose eos sancteque statuisse probamus . . . Rursum prosequuntur iidem qui Syrmio convenerant, et hanc religiosae confessionis fidem de Filio statuunt. Deum inquiunt de Deo, lumen de lumine . . . Ostendite mihi, utrum in eadem fidei forma, id est in authentico symbolo, quod apostoli tradiderunt, hoc scriptum legeritis.*

lischen Konzilien der Kirche'. Mit dem genannten Stichwort ‚*katholisches Konzil*' ist die Problematik genannt, mit der wir uns in weiteren Untersuchungen zu beschäftigen haben. Mit der Relativierung der fides Nicaena, der Beseitigung der Monopolstellung des Nicaenums, stellt sich mit erhöhter Dringlichkeit die Frage: Auf Grund welcher Kriterien hat ein Konzil als ‚katholisches Konzil' zu gelten?

Diese Frage war im Grunde schon einmal gestellt, in der Zeit nach dem Nicaenum mit seiner Serie von Konzilien und Gegenkonzilien. Damals kam man über Ansätze nicht hinaus. In der Not machte sich die Kirche den Schlachtruf des Athanasius zu eigen: die fides Nicaena genügt. Keine weiteren Glaubensformeln! Die theologische Entwicklung zwang die Kirche, wie wir im Vorhergehenden gesehen haben, diese in der Not geborene Parole aufzugeben. So stellt sich erneut die Frage nach den Kriterien, an denen der verpflichtende Charakter eines Konzils abgelesen werden kann. Daß es u. a. Päpste des 5. und 6. Jh. sind, die vornehmlich im Zusammenhang des acacianischen Schismas in dieser Frage nach den Kriterien einen bedeutenden Beitrag zur Entwicklung der Konzilsidee leisteten, ist wohl kein Zufall: es ist Tradition und Charisma der römischen Kirche, zur Klärung von Rechtsfragen beizutragen.

DAS ZWEITE CONSTANTINOPOLITANUM UND DIE NÄHERE BESTIMMUNG DER FORMALEN AUTORITÄT DER KONZILIEN

Sollten die Ergebnisse der beiden vorausgehenden Kapitel in etwa zutreffen, so hat man sich die Entfaltung der Konzilsidee seit Nicaea (325) in zwei großen Schritten vorzustellen. Die Rezeption der fides Nicaena stellt den ersten Schritt dar. Sie ist kein selbstverständlich aus der Abhaltung einer ökumenischen Kirchenversammlung folgender, sondern ein aus besonderen geschichtlichen Umständen sich ergebender Vorgang. Die Kirche bekennt sich fortan grundsätzlich zur Existenz einer die Schrift mit Verbindlichkeit auslegenden positiven Norm. Mit der Rezeption des Konzils von Chalcedon erfolgt der zweite Schritt, die fides Nicaena verliert ihre Monopolstellung als Glaubensnorm; es wird prinzipiell mit der Möglichkeit einer Pluralität von positiven, von Konzilien aufgestellten Normen gerechnet, die die Schrift mit Verbindlichkeit auslegen.

Wie man die bleibende Gültigkeit solcher positiver, von Konzilien aufgestellter Normen begründete und welche Kriterien man erarbeitete, um den verpflichtenden Charakter z. B. der Konzilsdefinition von Chalcedon deutlich zu machen, mit diesen und ähnlichen Fragen hatte sich schon unser Kapitel über Leo den Großen befaßt. Wir knüpfen jetzt unmittelbar an den bei Leo erkennbaren Stand der Konzilsproblematik an, was seine innere Berechtigung nicht zuletzt darin hat, daß die im folgenden behandelten Autoren im Grunde nichts anderes tun, als Leoninische Ansätze zu entfalten und zu präzisieren. Gerade im Blick auf die Entwicklung der Konzilsidee im ausgehenden 5. und beginnenden 6. Jh. ergibt sich mit Deutlichkeit: die entscheidenden Impulse und Ideen gehen von Leo dem Großen aus.

Die beiden oben angedeuteten Schritte in der Entwicklung ihrer Konzilsidee vollzog die Kirche nicht in friedlicher, stiller Reflexion, gleichsam sine ira et studio, sondern in leidenschaftlichen theologischen und kirchenpolitischen Kämpfen. Auch die in diesem Kapitel zu referierenden Ideen sind nicht das Ergebnis stiller Gelehrtenarbeit, sondern Argumente aus Kampf- und Streitschriften in zwei Krisen, in denen die betreffenden Autoren Partei ergriffen. Papst Felix II. (III.) (483—492) und Gelasius I. (492—496) schreiben im Zusammenhang des Acacianischen Schismas[1], Ferrandus von Karthogo, Facundus von Hermiane und Pelagius/Gregor als Parteigänger im Dreikapitelstreit[2]. Auch Aussagen allgemeinster Art über Konzilien haben jeweils nichts anderes im Auge als die Verteidigung des Konzils von Chalcedon. Zur rechten Bewertung der vorgebrachten Thesen und Meinungen über die Natur und den Sinn von Konzilien ist weiterhin zu beachten, daß es sich in beiden Krisen, vordergründig zumindest, um Personenfragen handelt, nicht unmittelbar um Fragen der Lehre, und zwar interessanterweise in beiden Fällen in jeweils umgekehrtem Sinn: die Päpste beziehen sich im Acacianischen Schisma auf Chalcedon, um die rechtmäßige Exkommunikation der Person des Acacius und anderer unter Beweis zu stellen; die beiden afrikanischen Theologen berufen sich auf das Konzil von Chalcedon, um — diesmal umgekehrt — die Unrechtmäßigkeit der Exkommunikation des Ibas von Edessa und des Theodor von Mopsuestia aufzuzeigen, eine These, der wiederum von den nachfolgenden Päpsten widersprochen wird.

1. Wahre Konzilien

Unter den Nachfolgern Leos des Großen bietet erst *Felix II. (III.)* (483—492) einen bedeutenderen Beitrag zur Konzilsidee. *Hilarus*[3], Leos unmittelbarer Nachfolger (461—468), sein einstmaliger mutiger Legat auf dem zweiten Konzil von Ephesus (449), befaßt sich in seinen Briefen fast ausschließlich mit südgallischen Problemen. Er urgiert die Abhaltung von Provinzsynoden und die Berichterstattung an die *sedes apostolica*[4] ganz im Sinne und Geiste seines großen Vorgängers[5]. Auch

---

[1] Vgl. Chalkedon, III, 841, nr. 357—371, bes. E. Schwartz, Publizistische Sammlungen zum Acacianischen Schisma, ABAW.PPH 10, 1934, 161—261. Ferner I. E. Anastasiou, Relation of popes and patriarches of Constantinople in the frame of imperial policy from the time of the Acacian schism to the death of Justinian, in: I patriarcati orientali nel primo millenio, OrChrA 181 (1968) 55—69.

[2] Vgl. Chalkedon, II, 164—175, bes. 164, Anm. 87 (Lit.).

[3] Vgl. Caspar, Papsttum, I, 483—495.

[4] Hil., Ep. 8, 2, MGH.Ep. 3, 27, 3—15: *Per annos itaque singulos ex provintiis, quibus potuerit congregari, habeatur episcopale concilium: ita ut oportunis locis atque temporibus secundum dispositionem fratris et coepiscopi nostri Leontii, cui sollicitudinem in congregandis fratribus delegavimus, metropolitanis per litteras eius admonitis celebretur: ut si quid usquam vel in ordinandis episcopis vel presbyteris aut cuiuslibet loci faciendis clericis contra praecepta apostolica reperitur admissum, aut in eorum conversatione quidpiam reprobatur, communi omnium auctoritate resecetur in ea praecipue celebritate conventus, quae praesidente Christo Deo nostro et veneranda sit sanctis et formidanda perversis. Nec cuiquam licebit a regulis evagari, quas sibi iuxta canonum definitiones unita fraternitas in commune praefixerit: quum imminente quotannis examine ita singuli actus suos dirigunt, ut his discussio iudicii optari magis debeat quam timeri. In dirimendis sane gravioribus causis et quae illic non potuerint terminari, apostolice sedis sententia consulatur.*

[5] Vgl. auch Ep. 9, 2, MGH.Ep. 3, 28, 18—29, 2 und Ep. 11, 1, MGH.Ep. 3, 29, 23—37.

bei *Simplicius*, unter dessen Pontifikat (468—483) sich die Dinge im Orient bedenklich zuspitzten[6], finden wir in der Konzilstheorie nichts, was über Leos Gedanken hinausführt. So ruft er im Brief an die chalcedonensisch gesinnten Mönche der Reichshauptstadt 476 die grundsätzliche Unantastbarkeit des Chalcedonense in Erinnerung[7]; im gleichen Sinne mahnt er 477 Kaiser Zenon[8]. Auch die mehr angedeutete als ausgeführte Begründung dieser Unantastbarkeit des Chalcedonense bleibt in den Bahnen seines Vorgängers[9]: Eine neue Synode ist nur erlaubt für den Fall, daß neue Irrtümer und Probleme auftreten[10].

Gleich der erste Brief *Felix'* II. (III.) indes verdient schon eher unser Interesse[11]. In ihm teilt der neugewählte Papst, noch im März 483, Kaiser Zenon seine Erhebung auf den Stuhl Petri mit. Er benutzt die Gelegenheit, den Kaiser für eine chalcedonfreundliche Politik zu gewinnen, und zwar nicht nur durch beschwörende Appelle, sondern auch durch einen Versuch, den Kaiser von der Wahrheit dieses Konzils zu überzeugen. Dabei geht er psychologisch geschickt vor. Er führt Kaiser Zenon gleichsam den Wahrheitsbeweis vor, der seinen Vorgänger Kaiser Leo bewogen haben soll, am Konzil von Chalcedon unerschütterlich festzuhalten.

---

[6] Höhepunkt ist das 482 von Kaiser Zenon erlassene, von Acacius verfaßte sog. Henotikon, eine Glaubensformel, die zwischen Monophysiten und Dyophysiten vermitteln will, tatsächlich aber gegen Chalcedon gerichtet ist.

[7] Sim., Ep. 4, 2, CSEL 35, 134, 17—22: *Unde insolubile esse non dubium est, vel quod ante decreverunt in unum convenientes tot Domini sacerdotes vel quod singuli per suas ecclesias constituti eadem nihilominus sentientes, diversis quidem vocibus sed una mente dixerunt damnantes errorum exsecrabilium auctores pariter et sequaces* (Anspielung auf das kaiserliche Referendum von 458, die Antwortsammlung des Codex Encyclius). Es geht um die Abwehr neuer Konzilspläne, die mit der Rückkehr des verbannten Patriarchen Timotheus Aelurus nach Alexandrien zusammenhingen.

[8] Sim., Ep. 6, 4, CSEL 35, 138, 6—10: *Calcedonensis synodi constituta vel ea, quae beatae memoriae prodecessor meus Leo apostolica eruditione perdocuit, intemerata vigere iubeatis, quia nec ullo modo retractari potest, quod illorum definitione sopitum est . . .*

[9] An Acacius schreibt Simplicius i. J. 476, Ep. 5, CSEL 35, 130, 12—14: *. . . apud christianissimum principem etiam nostro nomine agere suppliciter atque insinuare non desinas, ut quae totiens et bene statuta sunt, nulla obreptione violentur . . .* Vgl. auch Ep. 7, 5, Schwartz, Schisma 122, 10 bis 14, an denselben Acacius: *Ne aliquis dubius rationis et trepidus mentis exspectet novi aliquid post Calchedonense concilium contra definitiones ipsius retractari, quia per universum mundum insolubili observatione retinetur* (allgemeine Rezeption) *quod sacerdotum universitate est constitutum* (ökumenisches Konzil) *et sicut apparuit, caelestis totiens ultionis adsertione firmatum.*

[10] Sim., Ep. 2, 3 (an Acacius, a. d. J. 476), CSEL 35, 132, 14—21: *Hortor ergo, frater carissime, ut modis omnibus faciendae synodi perversorum conatibus resistatur, quae non alias semper indicta est, nisi cum aliquid in pravis sensibus novum aut in assertione dogmatum emersit ambiguum, ut in commune tractantibus, si qua esset obscuritas, sacerdotalis deliberationis inluminaret auctoritas, sicut primum Arrii ac deinde Nestorii, postremum Dioscori atque Eutychis fieri coegit impietas.*

[11] Einzelheiten zum Pontifikat dieses Papstes vgl. Caspar, Papsttum, II, 25—44.

Der Papst beginnt seine Argumentation mit dem Hinweis, daß das Chalcedonense den königlichen Weg der Mitte zwischen Nestorius und Eutyches beschreitet[12]. Das Konzil verkündet das Christusgeheimnis so, „wie es in der Heiligen Schrift erwähnt und überliefert wird und wie es alle Bischöfe in der Vergangenheit gemäß der Norm des nicaenischen Konzils verkündet haben"[13]. Beweis für diesen Konsens der Verkündigung seit Nicaea sind einerseits die dem Ephesinum und die dem Brief Leos an Kaiser Leo[14] beigefügten Väterzeugnisse[15] — sie bezeugen in erster Linie den vertikalen Konsens der Verkündigung —, andererseits das von Kaiser Leo veranstaltete Referendum über Chalcedon (458). Aus ihm, den im *Codex Encyclius* gesammelten Bischofsvoten, ergibt sich der horizontale Konsens der Kirche. Kaiser Leo, so führt Felix aus, veranstaltete diese Umfrage unter dem Eindruck der einstimmigen Väterzeugnisse. Der horizontale und vertikale Konsens mit dem Chalcedonense bestimmten ihn, das Konzil unangetastet gelten zu lassen[16]. Was aber folgt aus der Tatsache, daß Chalcedon übereinstimmt mit dem horizontalen und vertikalen Konsens der Kirche? Ganz einfach: daß es die Wahrheit lehrt; denn, so fährt der Papst fort, es ist zu bedenken, daß „das wahr ist, was katholische (Glaubens-)Lehrer des ganzen Erdkreises im Zusammenklang mit der Heiligen Schrift in übereinstimmenden Zeugnissen allerorten laut bekundet haben, lange bevor eine bestimmte Frage aufkam ..."[17] Was aber wahr ist, heißt es weiter, darf nicht erneut behandelt werden. „Nicht nur im vorliegenden Streitfall würde der katholische Glaube vernichtet, sondern überhaupt allen Irrlehrern die Gelegenheit geboten, ganz offen ihren Kampf wieder aufzu-

---

[12] Felix, Ep. 1, 11, SCHWARTZ, Schisma 67, 13—17: *Quae congregatio memorabilis, quemadmodum verba divina nos instruunt, neque in dextram neque in sinistram limitem rectae dispositionis excedit, sed via ut scriptum est, regia mediaque gradiendo hinc atque inde Nestorii et Eutychetis sacrilega commenta detestans ...*

[13] Vgl. Anm. 15.

[14] Leo, Ep. 165, (JK) ACO II, 4, 113—131.

[15] Felix, Ep. 1, 11, SCHWARTZ, Schisma 67, 17—68, 1: *... ita magnae pietatis praedicat sacramentum et omnipotentis dei patris consubstantiale consempiternumque verbum ... divina simul humanaque gessisse ... eatenus profiteatur quatenus et librorum memorat traditio divinorum et Nicaeni concilii formam secuti cuncti retro praedicavere pontifices, sicut eorum tam Epheseno plurima conpetenter inserta conventui ... quam datis ad augustae memoriae Leonem papae sanctae memoriae Leonis epistolis capitula subiecta testantur.*

[16] Ebd. 68, 1—4: *... quibus vir ille* (d. h. der Kaiser Leo) *permotus consulens etiam totius Orientis episcopos eorumque responsa subscriptionesque super synodi Calchedonensis approbatione suscipiens eam nullatenus passus est mutilari.*

[17] Vgl. die folgende Anm.

nehmen, wenn, was einmal von den Alten insgesamt entschieden wurde, erneut behandelt wird"[18].

Warum verdient dieser Passus unsere Beachtung? Weil der Papst hier eindeutiger als seine Vorgänger, klarer selbst als Leo der Große, die Autorität des Konzils in der Übereinstimmung mit dem horizontalen und vertikalen Konsens der Kirche begründet sieht: Chalcedon ist wahr, weil es lehrt, was *vetustas* und *universitas* übereinstimmend lehren[19]. M. a. W., Chalcedon realisiert den Begriff katholischer Wahrheit. Worin besteht genauerhin der Beitrag des Papstes[20] zur Konzilstheorie? Er besteht nicht darin, daß er neue Gründe beibringt für die formale Autorität eines Konzils als solchen. Felix gibt vielmehr, ausgehend vom katholischen Wahrheitsbegriff, ein Kriterium an die Hand, gute von schlechten Konzilien zu unterscheiden[21]. Er führt den Nachweis, daß Chalcedon ein „gutes" Konzil ist, indem er zeigt: das Konzil realisiert den horizontalen und vertikalen Konsensus der Kirche. Wenn Felix also auf die Autorität des Konzils von Chalcedon pocht, so tut er es nicht, ohne ein entscheidendes Kriterium zu nennen, an dem diese erkannt werden kann. Dies verdient — gerade im Blick auf die später zu behandelnden beiden afrikanischen Theologen — hervorgehoben zu werden. Der Standpunkt des Papstes lautet: keine Revision von Chalcedon, nicht deswegen weil Konzilien grundsätzlich nicht revidiert werden können, sondern weil Konzilien, die evidentermaßen (Beweis sind die

---

[18] Felix, Ep. 1, 12, SCHWARTZ, Schisma 68, 4—9: *Quo magis Christiana mente perpendetis et hoc esse verum quod cum divinis assertionibus catholicorum de toto orbe doctorum longe antequam huiusmodi quaestio nasceretur, consona ubique dicta cecinerunt, et ideo nulla iteratione refovenda, quae constat iure damnata, ne non solum causa praesens in omne catholici nominis tendat excidium sed etiam cunctis haeresibus publica bella resumendi pandatur occasio, si quolibet modo quod semel a veteribus universaliter decisum est, retractetur.*

[19] Nicht nur der Gedanke selber, auch die Formulierung erinnert unwillkürlich an die Fassung des katholischen Traditionsprinzips durch Vinzenz von Lerin: *In ipsa iterum catholica ecclesia magnopere curandum est, ut id teneamus, quod ubique, quod semper, quod ab omnibus creditum est; hoc est enim vere proprieque catholicum. Quod ipsa vis nominis ratioque declarat, quae omnia fere universaliter comprehendit. Sed hoc ita demum fit, si sequamur universitatem, antiquitatem, consensionem.* Commonitorium II, 3. Ed. JÜLICHER, 3, 20—25. — Die Konzilien sind für Vinzenz ein Modell für das Zusammenfallen von *vetustas* und *universitas*. Vgl. S. 158. — Vielleicht kann man sogar in dem *catholicum nomen* im Text des Felix (s. Anm. 18) ein Echo auf diesen Text hier sehen.

[20] Nach CASPAR, Papsttum, II, 23 stammt dieser Brief schon aus der Feder des nachmaligen Papstes Gelasius. Vgl. Näheres bei H. KOCH, Gelasius im kirchenpolitischen Dienste seiner Vorgänger, der Päpste Simplicius (468—483) und Felix III. (483—492), SBAW. PPH, 1935, H. 6. Ferner N. ERTL, Gelasius unter Felix III, in: AUF 15 (1937) 56—112.

[21] Siehe weiter unten bei Gelasius.

Väterflorilegien und der *Codex Encyclius*) katholische Wahrheit, *vetustas* und *universitas*[22], realisieren, nicht „retraktierbar" sind.

2. Gute und schlechte Synoden

Noch unter Felix kam es zum Bruch mit dem Osten. Am 28. Juli 484 verhängte die römische Synode den Kirchenbann über Acacius[23]. Im Rahmen dieser Arbeit ist es nicht unsere Aufgabe, auf die näheren geschichtlichen Umstände dieses für das weitere Verhältnis zwischen Ost und West unheilvollen Schismas, das übrigens erst unter Papst Hormisdas 519 beendet werden konnte, einzugehen[24]. Ebensowenig ist hier ein Urteil über die Gestalt und die Kirchenpolitik des *Gelasius* (492 bis 496) zu fällen[25], darüber, ob es sich um „römische Größe in dieser catonischen Strenge des Standpunktes, diesen Stolz der Minderheit gegen die Menge, dieser unerbittlichen Abwehr", und um Abkehr „vom cyprianischen Geiste des Liebesbundes und von ökumenischer Gesinnung" handelt[26]. Uns geht es im folgenden vielmehr nur darum, einen, wie es scheint, bisher nicht oder nicht genügend beachteten Teilaspekt in der theoretischen Rechtfertigung seiner Politik ans Licht zu heben, nämlich seinen Beitrag zur Entfaltung der Konzilstheorie.

Von ihr gilt, was auch von den übrigen Theorien des Papstes[27] zu sagen ist: sie haben eine apologetische Zielsetzung, sollen den römischen Primat zur Geltung bringen und stehen im Dienst der päpstlichen Kirchenpolitik. Deutlich ist jedoch andererseits zu sehen: diese apolo-

---

[22] Andere Aspekte der Konzilstheorie dieses Papstes, so die These, daß vom Bann des Konzils getroffen wird, wer Gemeinschaft mit den vom Konzil Exkommunizierten aufnimmt, selbst lange Zeit nach dem Konzil (vgl. Brief 14, 3 und 15, 2), ferner die Vorstellung, daß die sedes apostolica als *executrix* des Chalcedonense handelt (Ep. 17, 2), kommen in größerer Deutlichkeit bei Gelasius zur Sprache und werden deshalb dort behandelt.

[23] Einzelheiten bei CASPAR, Papsttum, II, 25—40. — Lit. vgl. Anm. 3.

[24] Einzelheiten in der in Anm. 3 angegeb. Literatur.

[25] „Gelasius I . . . ist eine Gestalt, groß und eigenwüchsig genug, um Zustimmung und Abwehr noch bei den Parteien einer späteren Nachwelt zu erregen. Sein Bild weist . . . verglichen mit den harmonischen Linien des Bildes Leos des Großen schroffere und herbere Umrisse auf. Seine geistigen Züge hatten ein Zeitalter geprägt, das aus der gesicherten Umhegung des universalen Imperium Romanum in das Chaos einer neuen werdenden Welt herausgerissen war." CASPAR, Papsttum, II, 81.

[26] CASPAR, Papsttum, II, 52.

[27] Berühmt und vielbeachtet ist neben seiner Primatstheorie (vgl. hierzu u. a. CASPAR, Papsttum, II, 61—63, ferner W. ULLMANN, The growth of papal Government in the Middle Ages, London 1962, 17—28) vor allem seine Lehre über das Verhältnis päpstlicher und kaiserlicher Gewalt; vgl. hierzu CASPAR, Papsttum, II, 63—77, ferner KISSLING 123—147; L. KNABE, Die gelasianische Zwei-Gewalten-Theorie, Berlin 1936; F. DVORNIK, Pope Gelasius and Emperor Anastasius, Festschr. F. Dölger, in: ByZ 44 (1951) 111—116; J. L. NELSON, Gelasius I's doctrine of responsibility, a note, in: JThS 18 (1967) 154—162.

getische Abzweckung nimmt den vorgetragenen Theorien nichts von ihrer inneren Kohärenz und Stringenz, im Gegenteil!

Des Gelasius Beitrag zur Konzilstheorie findet sich im wesentlichen in Brief 26 an die dardanischen Bischöfe aus dem Jahre 495. Die dortigen Bischöfe sehen sich der wachsenden Propaganda der Acaciuspartei ausgesetzt. Gelasius hält es für angebracht, ihnen eine umfassende Rechtfertigung des römischen Standpunktes in der Frage des Schismas zu liefern. Der gegnerischen Kritik und Propaganda, die behauptete, der Papst habe sich bei der Absetzung des Acacius nicht an die Kanones, also das Kirchenrecht, gehalten, begegnet Gelasius seinerseits mit einer prinzipiellen Behandlung des kirchenrechtlichen Aspekts des Konfliktes. Man wird bei seinen Ausführungen streng unterscheiden müssen zwischen den prinzipiellen Aussagen des Papstes einerseits und der Begründung andererseits, die zum großen Teil im Hinweis auf die traditionelle Praxis der Kirche besteht.

Wieso ist Acacius rechtens exkommuniziert? Zur Beantwortung dieser Frage beruft sich Gelasius zunächst auf folgendes allgemeine Prinzip: „. . . was immer zum Nutzen des Glaubens, der Wahrheit, der katholischen und apostolischen *communio* betreffs einer jeden Häresie, in welcher Zeit auch immer sie hervorgerufen wurde, gemäß der Richtschnur der (Heiligen) Schrift und der Verkündigung der Vorfahren in einer Versammlung, die einmal stattgefunden hat, festgesetzt wurde, (muß) in der Folge unerschütterlich und fest bestehen bleiben; was festgesetzt wurde, (darf) in derselben Angelegenheit nicht erneut behandelt werden, was immer man auch von einer solchen erneuten Behandlung erwartet"[28]. Nicht so sehr der Tenor dieser Aussagen verdient unsere Aufmerksamkeit, nämlich das generelle Verbot der Wiederbehandlung einer auf einem Konzil entschiedenen Frage, als vielmehr die Einschränkung dieses Prinzips der Nichtrevidierbarkeit, eine Einschränkung, die dem Sinn nach einem Bedingungssatz gleichkommt[29]. Die vorliegende ge-

---

[28] Gel., Ep. 26, 1, CSEL 35, 370, 6—12: *. . . in unaquaque haeresi quolibet tempore suscitata, quidquid pro fide pro veritate pro communione catholica atque apostolica secundum Scripturarum tramitem praedicationemque maiorum facta semel congregatione sanxerunt, inconvulsum voluerint deinceps firmumque constare nec in eadem causa denuo quae praefixa fuerant retractari qualibet recenti praesumptione permiserint.* — Wir haben in der Übersetzung die prinzipielle Aussage herausgelöst aus der Berufung auf die traditionelle Praxis der Kirche: *. . . patres nostri catholici doctique pontifices . . . sanxerunt . . . voluerint . . . permiserint.* — Zu *trames* vgl. P. Courcelle, Trames veritatis. La fortune patristique d'une metaphore Platonicienne (Phédon 66 b), in: Mél. E. Gilson, hrsg. von C. J. O'Neil, Milwaukee 1959, 203—210.

[29] Statt *quidquid* könnte ebensogut stehen: *si quid pro fide, pro veritate, pro communione catholica atque apostolica etc. sancitum;* vgl. Anm. 30, wo die Reihenfolge umgestellt ist.

nauere Fassung bzw. Definition dessen, was als ein unantastbares Konzilsdekret zu gelten hat, benennt eine Reihe von Kriterien, an denen die Qualität einer Synode erkannt werden kann. Daß diese Interpretation zutreffend ist, ergibt sich eindeutig aus Cap. 6 des gleichen Briefes. Hier unterscheidet Gelasius in einer Art Exkurs zwischen „guten" und „schlechten" Synoden. Es werden dort die gleichen Kriterien — nebst einigen anderen und in anderer Reihenfolge — genannt wie hier: „. . . eine gut verlaufene Synode, d. h. eine solche, die gemäß der Heiligen Schrift, der Tradition der Väter, den kirchlichen Kanones zum Nutzen des katholischen Glaubens und der *communio* veranstaltet wurde, eine (Synode), die von der ganzen Kirche rezipiert und die vor allem vom Apostolischen Stuhl gebilligt wurde . . ."[30]

Vergleicht man die Gelasianische Fassung des Prinzips der Nicht-revidierbarkeit von Konzilsdefinitionen mit der des Leo — *nihil de bene compositis retractetur* —, so erkennt man unschwer, worin die Weiterentwicklung, die Entfaltung, bei Gelasius liegt: er bestimmt näherhin das *bene compositum*, das freilich auch schon bei Leo bedingenden Sinn hatte.

Bei dieser näheren Bestimmung des *bene compositum*, d. h. der Aufzählung der ein gutes Konzil auszeichnenden Kriterien, ist nun weiterhin beachtenswert die Reihenfolge: 1. Übereinstimmung mit der Heiligen Schrift, 2. Übereinstimmung mit der Tradition, 3. Beobachtung der Kanones, d. h. des Kirchenrechts, 4. Rezeption durch die Gesamtkirche, 5. „vor allem" Bestätigung durch den Apostolischen Stuhl. Es fällt auf, daß die inhaltlichen Kriterien an erster Stelle genannt werden, auch hier wieder zu allererst die Schriftkonformität eines Konzils. Unter den formalen Kriterien (Beobachtung des Kirchenrechts, Rezeption durch die Gesamtkirche, Bestätigung durch den Römischen Stuhl) steht die römische Approbation zwar an letzter Stelle, dies wird aber aufgewogen durch das „vor allem", das diesem letzten Kriterium wiederum einen ganz besonderen Rang einräumt. Bei der Aufzählung der negativen Kriterien, also den Kennzeichen einer „schlechten" Synode, ist der Nicht-Rezeption durch die Gesamtkirche ein *merito* hinzugefügt: zu Recht, billigerweise, lehnt die Kirche ein gegen Schrift, Tradition und Kirchenrecht abgehaltenes Konzil ab[31].

---

[30] Gel., Ep. 26, 6, CSEL 35, 380, 5—9: . . . *per bene gestam synodum, id est secundum Scripturas sanctas, secundum traditionem patrum, secundum ecclesiasticas regulas pro fide catholica et communione prolatam, quam cuncta recepit Ecclesia, quam maxime sedes apostolica comprobavit.* — Eine *male gesta synodus* dagegen ist eine solche *contra scripturas sanctas, contra doctrinam patrum, contra ecclesiasticas regulas, quam tota merito Ecclesia non recepit et praecipue sedes apostolica non probavit*; ebd. 380, 2—3.
[31] Vgl. die vorausgehende Anm.

In diesem Zusammenhang stellt sich die Frage der Praktikabilität dieser Konzilstheorie. Vor allem möchte man wissen, wer in der Kirche befugt ist, die Kriterien anzuwenden, d. h. eine Synode als „gut" oder „schlecht" einzustufen. Im Kontext von Cap. 6 ist das ganz eindeutig der Römische Stuhl. Gelasius rechtfertigt mit der vorgetragenen Theorie, nämlich mit der Unterscheidung von zwei Arten von Konzilien, „guten" und „schlechten", das tatsächliche Vorgehen des Römischen Stuhles gegen die sog. Räubersynode. Andererseits ist festzuhalten: explicitis verbis zumindest spricht der Papst niemand das Recht ab, die genannten Kriterien in Anwendung zu bringen.

Weiter drängt sich die Frage auf, welches denn nun unter den formalen Kriterien das letzte, entscheidende, ausschlaggebende ist; denn die mehr inhaltlichen Kriterien, welche da sind: Schriftkonformität und Übereinstimmung mit der Tradition, kommen hier ja praktisch sowieso nicht in Betracht, da jede Partei Schriftkonformität und Übereinstimmung mit der Tradition für sich in Anspruch nimmt. Gelasius geht auf diese Frage zwar nicht ausdrücklich ein, aus dem gesamten Duktus der Gedanken und dem unmittelbaren Kontext wird man jedoch schließen müssen: die Approbation durch den Apostolischen Stuhl ist letztentscheidend für die Qualität einer Synode. Andererseits rechnet Gelasius jedoch mit einem übereinstimmenden Urteil von Gesamtkirche und Römischem Stuhl[32].

Fragt man nach der Begründung seines Prinzips der Nichtrevidierbarkeit im obigen Sinn als „gut" zu qualifizierender Synoden, so stößt man bei Gelasius auf zwei Arten von Rechtfertigung: einerseits eine mehr spekulative ganz in den seit Leo traditionellen Bahnen: Revidierbarkeit bedeutet nicht enden wollenden Streit. Es ist ein Beweis aus der Konsequenz der Annahme des Gegenteils[33]. Andererseits bringt Gelasius eine mehr ‚theologische' Begründung, was zu seiner Zeit nichts anderes

---

[32] Vgl. Gel., Ep. 26, 5, CSEL 35, 379, 18—380, 1: *In qua pontificibus innumeris, qui latrocinio corruerant Epheseno, veniam poscentibus sola concessit et in sua perfidia permanentes nihilominus sua auctoritate prostravit. Quam congregatio, quae illic pro veritate reparanda conlecta fuerat, est secuta, quoniam, sicut id, quod prima sedes non probaverat, constare non potuit, sic quod illa censuit iudicandum, Ecclesia tota suscepit.*

[33] Gel., Ep. 26, 1, CSEL 35, 370, 12—23: *. . . quoniam si decreta salubriter cuiquam liceret iterare, nullum contra singulos quosque prorsus errores stabile persisteret Ecclesiae constitutum ac semper iisdem furoribus recidivis omnis integra definitio turbaretur. nam si limitibus etiam praefixis positarum semel synodalium regularum non cessant elisae pestes resumptis certaminibus contra fundamentum sese veritatis attollere ut simplicia quaeque corda percutere, quid fieret, si subinde fas esset perfidis inire concilium, cum, quaelibet illa manifesta sit veritas, numquam desit quod perniciosa depromat falsitas, tametsi ratione vel auctoritate deficiens, sola tamen intentione non cedens?*

heißen kann als Berufung auf die Tradition[34]. Gelasius formuliert seine Konzilstheorie als kirchliche Praxis seit eh und je[35].

„Gute" Konzilien dürfen also nicht „retraktiert" werden, ihre Definitionen und damit die von ihnen ausgesprochenen Exkommunikationen behalten bleibende Gültigkeit. Wie ist die unmittelbare kirchenrechtliche Konsequenz dieses Grundsatzes, also seine Anwendung auf den Fall des Alcacius? Gelasius stellt das Prinzip auf und „begründet" es gleichzeitig, indem er es als traditionelle Lehre formuliert: wer immer sich einem verurteilten Irrtum anschließt, den trifft der schon ausgesprochene Kirchenbann; ein neuer Prozeß und eine neue Verurteilung ist nicht notwendig[36]. Warum nicht? Weil es nichts zu klären oder zu untersuchen gibt[37]. Gelasius fügt Beispiele aus der Kirchengeschichte an, die sein Prinzip belegen sollen: ob man den Fall des Sabellius, des Arius, des Eunomius, Macedonius oder des Nestorius nimmt, niemals gab es mehrere Prozesse, einen für die Urheber, weitere für die Nachfolger, sondern immer nur einen einzigen[38].

Im weiteren Verlauf des Briefes geht der Papst näher auf das Verhältnis zwischen der *prima sedes* und den als rechtmäßig anerkannten Konzilsdefinitionen ein. Auch hier bleibt er, was die Grundidee angeht, Leos

---

[34] Den Papst Gelasius kennzeichnet ein „strenger Traditionalismus, der nunmehr durch eine Welt von dem griechischen Geiste spekulativer Theologie getrennt, aber auch von der freieren Geistigkeit Augustins, der noch die Entfaltung des Dogmas als eine ständige Verbesserung der Erkenntnis der aufeinanderfolgenden Synoden ansah, verschieden ist. Folgen wir den Vätern, dann ist Frieden und Eintracht — das ist die Quintessenz bei Gelasius I: es ist die eigentlich römische Ausprägung theologischer Haltung für alle Zeiten geworden." CASPAR, Papsttum, I, 47.

[35] Vgl. Anm. 28. — Man kann sich fragen, ob CASPAR, Papsttum, II, 59, Gelasius ganz gerecht wird, wenn er schreibt: „eine bis zu äußerster Vereinfachung zusammengeschobene Überschau der verwickelten dogmengeschichtlichen Vorgänge und ein neues Zeugnis für den die Geschichte meisternden Geist der päpstlichen Doktrin."

[36] Gel., Ep. 26, 2, CSEL 35, 370, 23—371, 7: *Quae maiores nostri divina inspiratione cernentes necessarie praecaverunt, ut contra unamquamque haeresem quod acta synodus pro fide communione et veritate catholica atque apostolica decrevisset, non sinerent novis posthac retractationibus mutilari, ne pravis occasio praeberetur quae medicinaliter fuerant statuta pulsandi; sed auctore cuiuslibet insaniae ac pariter errore damnato sufficere iudicarunt ut, quisque aliquando huius erroris communicator existeret, principali sententia damnationis eius esset obstrictus;* vgl. auch Ep. 27, 3; (THIEL 424); tract IV, 2 und 10; (THIEL 560 und 566).

[37] *Manifeste quilibet vel professione sua vel communione posset agnosci.* Ebd.

[38] Gel., Ep. 26, 2, CSEL 35, 371, 9—372, 9: *Et ut priora taceamus, quae diligens inquisitor facile poterit vestigare, Sabellium damnavit synodus nec, ut sectatores eius postea damnarentur, necesse fuit singulas viritim synodos celebrari sed pro tenore constitutionis antiquae cunctos, qui vel pravitatis illius vel communionis existere participes, universalis Ecclesia duxit esse refutandos. sic propter blasphemias Arrii forma fidei communionisque catholicae, Nicaeno prolata conventu Arrianos omnes vel quisquis in hanc pestem sive sensu seu communione deciderit sine retractatione concludit. sic Eunomium, Macedonium, Nestorium synodus semel gesta condemnans ulterius ad nova concilia venire non sivit sed universos quocum-*

Ansatz verpflichtet, bringt jedoch dessen letzte Konsequenz in prägnanter Formulierung zum Ausdruck: keinem Stuhl obliegt so sehr die „Exekution" eines von der Gesamtkirche anerkannten Konzilsbeschlusses wie dem ersten Bischofssitz, d. h. Rom[39]. Die Exkommunikation des Acacius ist in diesem Sinne als „Exekution"[40] der Verurteilungssentenz des Chalcedonense zu betrachten und somit völlig rechtens vollzogen. Wir brauchen in diesem Zusammenhang nicht näher auf die in diesen Sätzen enthaltene Primatsproblematik einzugehen; es liegen hierzu Studien vor[41].

Gelasius gibt im folgenden (Cap. 3) aus seiner Sicht einen Bericht über die Vorgänge, die schließlich zur Exkommunikation des Acacius führten. Abschließend, bevor er dialektisch/polemisch die Position des Römischen Stuhles verteidigt (Cap. 4), schreibt der Papst: „Was die

---

que modo in haec consortia recidentes tradito sibi limite synodali refutavit Ecclesia nec umquam recte cessisse manifestum est qualibet necessitate cogente novis ausibus, quae fuerant salubriter constituta, temerasse. Propterea in tempestate quoque persecutionis Arrianae plurimi catholici sacerdotes de exiliis pace reddita respirantes sic cum catholicis nihilominus fratribus ecclesias composuere turbatas, ut non tamen illius synodi Nicaenae quidquid de fide et communione catholica et apostolica definierat inmutarent, nec nova quemquam pro lapsu damnatione percellerent sed illius tenore decreti, nisi resipuissent, censerent esse damnatos.

[39] Gel., Ep. 26, 3, CSEL 35, 372, 9—18: *Quibus convenienter . . . ex paterna traditione perpensis confidimus, quod nullus iam veraciter Christianus ignoret uniuscuiusque synodi constitutum, quod universalis ecclesiae probavit adsensus, nullam magis exsequi sedem prae ceteris oportere quam primam, quae et unamquamque synodum sua auctoritate confirmat et continuata moderatione custodit, pro suo scilicet principatu, quam beatus Petrus apostolus domini voce perceptum ecclesia nihilominus subsequente et tenuit semper et retinet.*

[40] Gel., Ep. 10, 4, SCHWARTZ, Schisma 16, 33—17, 6: *Eufimius vero miror si ignorantiam suam ipse non perspicit, qui dicit Acacium ab uno non potuisse damnari. Itane non perspicit secundum formam synodi Calchidonensis Acacium fuisse damnatum? nec novit aut se nosse dissimulat, in qua utique per numerosam sententiam sacerdotum erroris huius auctores constat fuisse damnatos, sicut in unaquaque haeresi a principio Christianae religionis et factum fuisse et fieri manifesta rerum ratione monstratur, decessoremque meum executorem fuisse veteris constituti, non novae constitutionis auctorem? quod non solum praesuli apostolico facere licet, sed cuicumque pontifici, quo scilicet quemlibet locum secundum regulam haereseos ipsius ante damnatae a catholica communione discernant.* — Vgl. schon Felix II: „. . . (apostolica sedes) *quae nunc exsecutrix utique saepe dicti Calchedonensis concilii pro fide catholica tunc probati non debuit esse iteratrix . . .*" Ep. 17, 2, SCHWARTZ, Schisma 79, 23—25.

[41] Vgl. u. a. CASPAR, Papsttum, II, 61 f. zu vorliegendem und damit in Zusammenhang stehenden Sätzen des Gelasius aus anderen Briefen: „Der Papst als Bestätiger, Hort und Wahrer der Synodalbeschlüsse über den Glauben, nur an sie gebunden, völlig frei dagegen in seiner Jurisdiktionsgewalt, auch gegenüber Synoden . . ." — „Das Neue war die positive Aussage über einen päpstlichen Jurisdiktionsprimat, der sich aktiv als eine oberste Kirchengewalt über die ganze Kirche auswirkt und passiv zur Folge hat, daß der Papst vor kein Forum zitiert werden kann. Erst mit diesen Sätzen ist die neue Lehre von Gelasius I. aus früheren Ansätzen frei entwickelt und zur vollen Ausprägung gebracht worden; sie sind in das Dekret Gratians aufgenommen worden und Bossuet hat auf sie sein Urteil gegründet, daß kein Papst Großartigeres über die Machtfülle seines Stuhles ausgesagt habe." Weitere Lit. in Anm. 27.

nötige Sorgfalt angeht, so hat der Römische Stuhl nichts unterlassen. So wie die Schrift es vom Häretiker sagt, erscheint Acacius auf Grund seines eigenen Urteils verurteilt und zwar gemäß der Norm der Synode von Chalcedon, durch die der Irrtum, mit dem er (d. h. Acacius) Gemeinschaft eingegangen ist, ausgelöscht wurde. Der Apostolische Stuhl hat ... Acacius rechtens aus der (Kirchen-)Gemeinschaft mit ihm entfernt"[42].

Gelasius setzt sich auch mit Argumenten der Gegenseite auseinander. Sie berief sich einerseits auf Chalcedon, wo doch eine *retractatio* von Ephesus II stattgefunden hatte[43]. Natürlich, antwortet Gelasius, aber warum? Weil „schlechte" Synoden tatsächlich revidiert werden müssen[44]. Das Prinzip der Nichtrevidierbarkeit gilt grundsätzlich nur für „gute" Synoden. Und wieder nennt er die Kriterien, auf die wir weiter oben schon eingegangen sind[45]. Gelasius bringt die Problematik auf die kurze Formel: „eine ‚schlechte' Synode mußte durch eine ‚gute' beseitigt werden; dafür, daß eine ‚gute' Synode durch eine andere revidiert werde, gibt es keinen Grund. Die Wiederbehandlung würde ihren Beschlüssen die Kraft nehmen"[46].

Ein anderes Argument der Gegenseite gegen die päpstliche Konzilstheorie lautete — wir finden es nicht in Brief 26, sondern in Traktat IV des Gelasius formuliert —: Konzilien sind entweder ganz anzunehmen oder ganz zu verwerfen. Ist es nicht inkonsequent, einerseits für die Verurteilung des Acacius sich auf Chalcedon zu berufen, aber anderer-

---

[42] Gel., Ep. 26, 4, CSEL 35, 375, 1—9: *Ita et sedes apostolica, quod ad necessariam diligentiam respiceret, nil omisit, et Acacius secundum formam synodi Chalcedonensis, qua error cui communicavit elisus est, sicut de haeretico homine scriptum est,* suo iudicio condemnatus *apparuit, iusteque sedes apostolica, quae utique se Alexandrinum Petrum damnasse, non etiam solvisse meminerat, ne per Acacii pristinam communionem Petri quoque conlegium, cui Acacius communicarat, incideret, ipsum competenter Acacium a sua communione submovit.*

[43] Gel., Ep. 26, 6, CSEL 35, 380, 17—18: *Qui si forsitan dixerint eo tenore Ephesenam quoque synodum non licuisse mutari ...*

[44] Gel., Ep. 26, 6, CSEL 35, 380, 18—381, 1: *... rursus haec eadem, quae supra deprompsimus, planius repetita perpendant, id est quia contra fidem, contra veritatem communionemque catholicam vereque Christianam non recte gesta synodus, legitima synodo pro fide, veritate, communioneque catholica vereque christiana modis omnibus secludenda est et iniusta synodus iusta synodo submovenda ...*

[45] Gel., Ep. 26, 6, CSEL 35, 381, 1—14: *Pro fide autem et veritate et communione catholica bona synodus vereque Christiana semel acta nulla nec potest nec debet novae synodi iteratione convelli sed secundum bene gestam synodum recteque praefixam, si quis ab eius tramite deviarit, consequenter ac sufficienter eius definitione plectendus meritoque illius subiacet constitutis. nec opus est per singulos quosque deviantes iureque plectendos novas rursus synodos introduci, cum ex illius tramite, quae auctorem cum errore damnavit, quisquis quolibet modo quolibet titulo complex eiusdem fuerit factus erroris et eius se contagione vel communione polluerit, competenter et particeps eiusdem damnationis existat, eiusque poena teneatur obstrictus, cuius maluit inire consortium.*

[46] Gel., Ep. 26, 6, CSEL 35, 383, 3—5: *... mala synodus bona debuit submoveri, bona vero synodus nulla causa est cur alia debeat synodo retractari, ne ipsa retractatio eius constitutis deroget firmitatem.*

seits Kanon 28 eben dieses Konzils nicht anzuerkennen?[47] Gelasius
widerlegt den Einwand mit der gleichen Unterscheidung, mit der er
die Theorie einer unbedingten Geltung der Konzilien unter Absehung
von ihrer ‚Qualität' abgelehnt hatte: Konzilien gelten in dem Maße,
als sie ‚gut' sind, d. h. als sie der Schrift, der Tradition, dem Kirchenrecht gemäß sind und die Zustimmung der gesamten Kirche und des
Römischen Stuhles gefunden haben. Kanon 28 des Chalcedonense wurde
aber weder vom Römischen Stuhl je approbiert noch von der Gesamtkirche rezipiert[48]. Die Begründung freilich, die Gelasius für diese seine
These von der eventuell nur teilweisen Gültigkeit von Konzilsbeschlüssen vorlegt, wirkt befremdlich: Auch in der Heiligen Schrift befänden
sich gute und weniger gute Dinge; die einen sind zu verehren und zu
befolgen, die anderen jedoch nicht![49]
Stellen wir abschließend fest: von einer unbedingten Geltung von
Konzilsdekreten kann bei Papst Gelasius keine Rede sein. Sie gelten
vielmehr nur, wenn bestimmte Bedingungen erfüllt sind. Sowohl das
Konzil als ganzes als auch jeder einzelne Teil desselben hat sich in seiner
Qualität auszuweisen und wird in seinem Anspruch gemessen im Hinblick auf die Heilige Schrift, die Tradition, das Kirchenrecht, die
Stellungnahme des Römischen Stuhles und die Meinung der Gesamtkirche. Fraglich bleibt freilich, ob diese Aufgliederung in eine Mehrzahl von Kriterien mehr ist als bloße Theorie, Theorie, die verdeckt,
was doch in praxi letztentscheidend ist: das Votum des Römischen
Stuhles. Ist die letztentscheidende Instanz, das ausschlaggebende Kriterium für die Qualität und die Geltung eines Konzils in den Augen
des Papstes nicht doch die Stellungnahme der *sedes apostolica?*

---

[47] Gel., Tract. 4, 1, SCHWARTZ, Schisma 7, 23—25: *Ne forte, quod solent, dicant quod si synodus
Calchidonensis admittitur, omnia constare debeant quae illic videntur esse deprompta; aut enim ex toto
eam admitti oportere aut si ex parte repudiabilis est, firmam ex toto constare non posse.*
[48] Gel., Tract. 4, 1, SCHWARTZ, Schisma 7, 25—8, 10: *Cognoscant igitur quoniam illud secundum
scripturas sanctas traditionemque maiorum secundum canones regulasque ecclesiae pro fidei communi et
veritate catholica et apostolica, pro qua hanc fieri sedes apostolica delegavit factamque firmavit, a tota
ecclesia indubitanter ammitti; alia autem quae per incompetentem praesumptionem illic prolata sunt vel
potius ventilata, quae sedes apostolica gerenda nullatenus delegavit, quae mox a vicariis sedis apostolicae
contradicta manifestum est, quae sedes apostolica etiam petente Marciano principe nullatenus approbavit,
quae praesul ecclesiae Constantinopolitanae tunc Anatolius nec se praesumpsisse professus est et in apostolicae sedis antistitis non negavit posita potestate, quae ideo, sicut dictum est, sedes apostolica non recepit,
quia quae privilegiis universalis ecclesiae contraria probantur, nulla ratione subsistunt.*
[49] Gel., Tract. 4, 1, SCHWARTZ, Schisma 8, 10—13: *Quid enim? quia in libris sanctis, quos utique
veneramur et sequimur, (quoniam) quorundam illic et profanitates esse feruntur, et scelera gesta nar-
rantur, ideo a nobis pariter aut veneranda sunt aut sequenda, quia in illis sanctis libris et venerabilibus
continentur? ...*

3. Nicht revidierbar und unteilbar

Gelasius I. stirbt 496. Seinen Nachfolgern Anastasius (496—498) und Symmachus (498—514) gelingt es nicht, das acacianische Schisma zu beenden. Erst als mit Kaiser Justin I. (518—527) eine chalcedonfreundliche Ausrichtung der Kirchenpolitik einsetzt, kommt es unter Papst Hormisdas Ostern 519 zur feierlichen Beilegung der Kirchenspaltung. Doch der Kampf um Chalcedon geht weiter. Er erreicht 544 einen neuen Höhepunkt mit der Verurteilung der Drei Kapitel, d. h. der Werke des Theodor von Mopsuestia, des Theodoret von Cyrus und des Briefes des Ibas an den Perser Maris durch Kaiser Justinian (527—565), den Neffen des Justin[50]. 546 wendet sich der römische Diakon Anatolius an den Diakon *Ferrandus* von Karthago[51], eine theologische Autorität seiner Zeit[52], mit der Bitte um Stellungnahme zum kaiserlichen Drei-Kapitel-Erlaß. Ferrandus gibt nach einigem Zögern — denn die afrikanische Bischofssynode hat noch nicht Stellung genommen — sein Votum ab. Es enthält grundsätzliche Aussagen zur Konzilsautorität, die unser Interesse verdienen[53].

Gleich zu Beginn seines Antwortschreibens betont Ferrandus die völlige Übereinstimmung seines Standpunktes mit dem römischen[54]. Das will nicht übersehen werden. So wie auch den übrigen Gegnern des kaiserlichen Dreikapiteledikts ist dem afrikanischen Theologen klar, daß dessen Spitze nicht gegen die drei verurteilten Theologen gerichtet ist, sondern daß mittels ihrer Verurteilung die Autorität des Konzils von

---

[50] Einzelheiten über den Dreikapitelstreit bei CASPAR, Papsttum, II, 243—286; HEFELE/ LECLERCQ, III, 1—156; E. SCHWARTZ, Zur Kirchenpolitik Justinians, SBAW. PPH, 1940, 2, 32—81, jetzt in: Gesammelte Schriften IV, Berlin 1960, 276—328; E. CHRYSOS, The ecclesiastical policy of Justinian in the Dispute concerning the three Chapters and the Fifth Ecumenical Council. Analecta Vlatadon 3, Thessaloniki, Kleronomia 1969; W. DE VRIES, The three chapters controversy, WuW, Suppl. 2, 1974, 73—82; R. SCHIEFFER, Das V. ökumenische Konzil in kanonischer Überlieferung, in: ZRGS.K 90 (1973) 1—34.

[51] Zu Ferrandus vgl. CASPAR, Papsttum, II, 249—51, ferner G. BARDY, Art. „Ferrand" in: Cath., 4 (1956) 1196—7; M. JOURGON, Art. „Ferrand" in: DSp 5 (1964) 181—183; A. JÜLICHER, Art. „Ferrandus", in: PRE 6 (1909) 2219—2221; W. PEWESIN, Imperium, Ecclesia universalis, Rom. Der Kampf der afrikanischen Kirche um die Mitte des 6. Jahrhunderts, Geistige Grundlagen römischer Kirchenpolitik, Stuttgart 1937, 18—45.

[52] „In Ferrandus hat die zu kurzem neuem Leben wiedererstandene Kirche Afrikas dem Abendlande noch einmal einen Baumeister seiner Kirchentheorie geschenkt." CASPAR, Papsttum, II, 249.

[53] Ep. 6, PL 67, 921—28.

[54] Fer., Ep. 6, 1, PL 67, 922 A: *Simpliciter tamen, compellente iussione vestra, quod credimus loquimur, ut scire dignemini, quia vobiscum corde, vobiscum fide, vobiscum secundum bonam spem, vobiscum in caritate non ficta. Quaecumque enim sapienter, breviter, veraciter intimatis, eadem credimus, eadem sentimus, eadem loquimur.*

Chalcedon erschüttert werden soll. Entsprechend konzentriert Ferrandus seine Antwort auf die Verteidigung der Autorität eben dieses Konzils. Wie tut er das? Im wesentlichen dadurch, daß er die prinzipielle Nicht-revidierbarkeit universaler Synoden herausarbeitet und einsichtig macht. Zum leichteren Verständnis seiner Ausführungen unterscheidet man am besten zwei Aspekte seiner Konzilstheorie: die grundsätzliche Nicht-revidierbarkeit ökumenischer Synoden[55] einerseits und ihre Unteilbar-keit andererseits. Gerade der zweite Aspekt ist für ihn bedeutsam, inso-fern das Dreikapiteledikt in der Sicht des Ferrandus einer Revision eines Teiles des Chalcedonense gleichkommt, die er ablehnt[56].

Den ersten Aspekt seiner Konzilstheorie formuliert er als Prinzip folgendermaßen: „Was immer auf einem Konzil und einer Versammlung der Heiligen Väter festgesetzt wird, muß für alle Zeit ewige Gültigkeit behalten"[57]. Was den genaueren Sinn dieses Prinzips angeht, so ergibt sich einerseits, daß das ‚was immer' im Sinne von ‚alles was' zu ver-stehen ist; andererseits muß man nicht notwendig darin mit W. Pewesin eine Spitze gegen die römische Konzilsdoktrin sehen, wie sie in der Formulierung des Gelasius vorliegt[58]. Denn Ferrandus bestreitet keines-wegs das Prüfungsrecht des Römischen Stuhles, wie Pewesin zu unter-stellen scheint[59], es geht ihm vielmehr darum, festzustellen, daß Konzi-lien, insofern und insoweit sie einmal von der Kirche rezipiert und über-liefert sind, als ganze für verbindlich angesehen werden müssen. M. a. W., das Recht auf *examinatio* eines gerade erfolgten Konzilsbeschlusses durch den Römischen Stuhl steht gar nicht zur Debatte, sondern einzig und

---

[55] Ferrandus gebraucht die alte afrikanische Terminologie; er spricht von „universalia concilia"; vgl. LUMPE.

[56] Fer., Ep. 6, 2, PL 67, 922 B: *Non expedit antiquorum patrum qui Chalcedonensi noscuntur inter-fuisse concilio vituperari deliberationem, retractari iudicium, mutari sententiam: ne synodus venerabilis apud omnes ecclesias Orientis et Occidentis per annos tam plurimos sine aliqua dubitatione firmata, perdat subito reverentiam suam; nec possit in definitionibus fidei robur inflexibile custodiri, si coeperit ex aliqua parte fragilis aut reprehensione digna convinci.*

[57] Ebd.: *Quidquid semel statuitur in concilio et congregatione sanctorum patrum, perpetuam debet obtinere iugiter firmitatem.*

[58] „Der Grundgedanke dieser Verteidigung Chalkedons ist der der Übereinstimmung aller Aussagen des Konzils mit der Offenbarung. Das hat die Folge, daß das Prinzip der *totalen* Verbindlichkeit des Konzils mit aller Stärke herausgestellt wird … Hier aber liegt die erste Differenz gegenüber der gelasianischen Argumentation." Es folgt der Hinweis auf Gelasius Tract 4, 1, PEWESIN 25.

[59] Zur „Qualität" des Chalcedonense gehört gerade: *ibi fuit in legatis suis sedes apostolica, primatum tenens universalis Ecclesiae*, Ep. 6, 5, PL 67, 924 D; vgl. auch: *universalia concilia, prae-cipue illa, quibus Ecclesiae Romanae consensus accessit* … Ep. 6, 7, PL 67, 926 A; *quae … ad beati (Petri) memoriam perducta diligentius examinantur* … Ep. 6, 7, PL 67, 926 B; vgl. auch (apostо-lica sedes), *qua consentiente quidquid definivit illa synodus, accepit robur invictum.* Ep. 6, 6, PL 67, 925 CD.

allein die Frage der Revision eines seit langem als ganzes oder teilweise rezipierten Konzils. Denn das ist genau der Fall des Chalcedonense im Jahre 544[60]. Die Pointe des Prinzips der Nichtrevidierbarkeit von Konzilien ist nicht, wenn man so will, konziliaristisch, sondern traditionalistisch. Der Akzent liegt eindeutig auf der Respektierung der Tradition, also des vertikalen Konsenses der Kirche, und nicht auf dem unbedingt anzuerkennenden Urteil der universalen Kirche, also des horizontalen Konsenses, dem sich ggf. auch die römische Kirche zu beugen hat. Diese Frage, noch einmal, steht hier nicht zur Debatte[61].

Konzilsbeschlüsse dürfen nicht revidiert werden. Wie begründet unser Autor dieses Prinzip? Begründenden Sinn hat schon der Satz, der unmittelbar auf die Formulierung des Prinzips folgt: „durch jene sehr weisen Richter hat die katholische Kirche ausgesprochen, was die katholische Kirche zu bewahren hatte, vielmehr, was sie bis heute bewahrt hat"[62]. Das Konzil ist formell ein richterlicher Akt der tradierenden Kirche als solcher. In der Konzilsdefinition geschieht der für das Wesen der Kirche konstitutive Akt der Überlieferung. Die Revision einer Konzilsdefinition trifft die Kirche deswegen in ihrem Wesen.

Ein weiterer Grund für die Nichtrevidierbarkeit von Konzilsdefinitionen ist die hohe religiöse Autorität, die sie besitzen. Über ihnen steht nur noch die Autorität der Heiligen Schrift[63]. Hier taucht bei Ferrandus eine Note auf — bei Facundus werden wir sie auch zu registrieren haben —, die bei Gelasius fast völlig fehlte: Konzilien sind religiöse Autorität. Man schuldet ihnen entsprechend Ehrfurcht, Gehorsam. Zweifel und Fragen sind nicht erlaubt. Das „prüft alles; was gut ist, haltet fest" des Apostels (1 Thess 5, 21) darf auf sie nicht angewandt werden. Deswegen keine Revision, sondern bereitwillige Annahme[64]. Vielleicht kann auch

---

[60] Solche nachträgliche *retractatio* eines Konzils, selbst wenn sie durch die sedes apostolica vorgenommen würde, würde Ferrandus natürlich ablehnen und wird — wie wir sehen werden — Facundus selbst um den Preis eines Schismas für unzulässig halten.

[61] Vgl. die Formulierung des Prinzips selbst, wo von dem *concilium et congregatio sanctorum patrum* die Rede ist; vgl. ferner den unmittelbaren Kontext: *verbis apostolicis suadeam ministros sedis apostolicae gloriosos: state, et tenete traditiones, quas didicistis* (2 Thess 2, 15) Ep. 6, 2, PL 67, 922 B; *qua enim fronte cantabimus*, quanta audivimus, et cognoscimus ea, et patres nostri narraverunt nobis (Ps 76, 3), ebd.

[62] Fer., Ep. 6, 2, PL 67, 922 C: *Per illos sapientissimos iudices Ecclesia catholica dixit, quod catholica Ecclesia custodiret, vel potius quod usque nunc custodivit.*

[63] Fer., Ep. 6, 7, PL 67, 926 A: *Universalia concilia, praecipue illa, quibus Ecclesiae Romanae consensus accessit, secundae auctoritatis locum post canonicos libros tenent.*

[64] Fer., Ep. 6, 7, PL 67, 926 B—C: *Sicut legentibus Scripturam divinitus inspiratam non licet aliquid reprehendere, quamvis minime valeant altitudinem coelestis oraculi comprehendere, sed pius lector et quod non intelligit credit, ut quod credit mereatur intelligere; sic omnino nec aliter concilia quae vetustas firmavit et custodivit devota posteritas oboedientiam de nobis exigunt, nullam relinquentes dubitandi*

die Warnung vor dem Gericht über Tote noch als Begründung der
Unrevidierbarkeit von Konzilsdefinitionen betrachtet werden: das Gericht über Tote steht nur Gott selber zu[65], wahrscheinlicher jedoch bezieht sich diese Überlegung nur unmittelbar auf die drei im Kapitelstreit
betroffenen längst verstorbenen Bischöfe.

Ferrandus führt auch einen Traditionsbeweis für seine These der Nichtrevidierbarkeit von Konzilien. Er zitiert ausdrücklich zwei Texte des
Capreolus, des ehemaligen Bischofs von Karthago, den ersten aus
einem sonst nicht bekannten Brief an Kaiser Theodosius[66], und einen
weiteren aus dessen Brief an das Konzil von Ephesus[67]. Um seiner These
von der Nichtrevidierbarkeit von Konzilien Nachdruck zu geben, bestreitet Ferrandus im Zusammenhang dieses Traditionsbeweises, daß
die ehemaligen Gegner des Ibas-Briefes die Möglichkeit zur Appellation
gegen die Entscheidung des Chalcedonense gehabt hätten. Das Konzil
ist, so Ferrandus, Letztinstanz[68]. Die Konsequenz schließlich einer Re-

---

necessitatem. Longe illa sunt, de quibus Apostolus dicit: omnia probate; quod bonum est tenete;
ab omni specie mali abstinete vos (1 Thess 5, 21—22). *Quae autem finiuntur iudicantibus episcopis
sanctis, et ad beati (Petri) memoriam perducta diligentius examinantur atque firmantur, sequenda sunt,
amplectanda sunt: in retractatione sub qualibet pietatis occasione teneri non debent.*

[65] Fer., Ep. 6, 7, PL 67, 926 C: *Quid prodest cum dormientibus habere certamen, aut pro dormientibus
Ecclesiam perturbare? Si quis adhuc in corpore mortis huius accusatus et damnatus, antequam mereretur
absolvi, de saeculo raptus est, absolvi non potest ulterius humano iudicio. Si quis accusatus et absolutus in
pace Ecclesiae transivit ad Dominum condemnari non potest humano iudicio. Si quis accusatus ante diem
sacerdotalis examinis repentina vocatione praeventus est, intra sinum matris Ecclesiae constitutus, divino
intelligendus est iudicio reservatus: de hoc nullus homo potest manifestam proferre sententiam; cui si
Deus indulgentiam dedit, nihil nocet nostra severitas, si supplicium praeparavit, nihil prodest nostra
benignitas.*

[66] Fer., Ep. 6, 6, PL 67, 925 B: *Nihil in divinis humanisque actibus, nihil tam in sacris quam in
publicis rebus obtinere ullam poterit firmitatem, si ea quae debito sententiae iudicialis fine clauduntur,
post annorum spatia et quaelibet volumina saeculorum, tamquam in emendatione patrum velut instructor
praesumat emendare posteritas.*

[67] Fer., Ep. 6, 6, PL 67, 925 C: *Habet quidquid forte nuper exoritur, discussionis necessitatem, ut aut
recipi probatum, aut damnatum possit excludi. Ea vero de quibus antea iam iudicatum est si quis admiserit
in retractationem vocari, videbitur de fide quam nunc usque tenuit ipse dubitare.* — Ferrandus hat offensichtlich beim Kommentar dieses Passus den ganzen Brief an das Konzil in Händen, wenn er
schreibt: *vox igitur adempta volentibus male assumpta defendere, quomodo iterum restituetur?* Weiter:
*vel qua spe confidenter assumant aliquid definire, videntes talium virorum iudicia repente cassari? quo-
modo successoribus nostris poterit placere quod agimus, si per nos docebuntur, irritum facere quod prae-
cessores suos gessisse cognoverint.* Ep. 6, 6, PL 67, 925 D — 926 A. Vgl. hierzu den Brief des
Capreolus, S. 235—237.

[68] Fer., Ep. 6, 6, PL 67, 925 C—D: *Si tunc aliquis accusator epistolae cuius catholica esse dictatio
claruit ad maiora iudicia provocaret, appellationi forsitan secundum consuetudinem locus pateret; sed
quo iret? aut ubi maiores reperiret in Ecclesia iudices? ante se habens in legatis suis apostolicam sedem,
qua consentiente, quidquid illa definivit synodus, accepit robur invictum? Vox igitur adempta volentibus
male assumpta defendere, quomodo iterum restituetur? quis erit post tantos ac tales pontifices negotii iam
peracti novus et idoneus cognitor? ex quibus mundi partibus aut civitatibus meliores antiquis episcopis
congregabuntur episcopi, quibus potestas detur sententias emendare maiorum?*

vidierbarkeit von Konzilien wäre der bedrohliche Gedanke, daß selbst Nicaea angetastet werden könnte![69] Eine für Ferrandus absurde Vorstellung!

Wir kommen zum zweiten Aspekt der Konzilstheorie des afrikanischen Theologen, der für die Verteidigung des Ibas-Briefes von ausschlaggebender Bedeutung ist: Konzilien sind in ihrer Totalität irrtumsfrei. Deswegen gilt vom Chalcedonense: „Das Konzil von Chalcedon ist als ganzes wahr, insofern das Konzil von Chalcedon etwas Ganzes ist. Keines seiner Teile darf einer Kritik unterworfen werden. Des Heiligen Geistes unaussprechliche und geheimnisvolle Macht hat gewirkt, wovon immer wir wissen, daß es auf dem Konzil gesagt, verhandelt, beurteilt und festgesetzt wurde"[70]. Kaiser Justinian wird in seiner *confessio rectae fidei* diese These von der totalen Geistgewirktheit eines Konzils entschieden zurückweisen: Verpflichtenden Charakter hat nur, was eindeutig vom Konsens des gesamten Konzils getragen ist, und nicht jede auf Konzilien geäußerte und ohne Widerspruch in den Akten festgehaltene Meinung[71].

Wie beweist Ferrandus seine These von der integralen Irrtumslosigkeit von Konzilien? Die „Quelle", aus der die Dekrete hervorgehen, die Kirche, ist eine und dieselbe; aus ihr können nicht zweierlei Wasser strömen, Süßwasser und Salzwasser, sagt er in einem Bild. Wer das Prinzip der integralen Irrtumslosigkeit der Konzilien leugnet, bringt die gesamte Verkündigung des Evangeliums ins Wanken[72]. Außerdem

---

[69] Fer., Ep. 6, 7, PL 67, 926 A: *Habeo dicere: si retractentur Chalcedonensis decreta concilii, de Nicaena synodo cogitemus, ne simile periculum patiatur.*

[70] Fer., Ep. 6, 3, PL 67, 923 A: *Totum concilium Chalcedonense, cum est totum concilium Chalcedonense, verum est: nulla pars illius habet ullam reprehensionem; quidquid ibi dictum, gestum, iudicatum novimus atque firmatum, sancti Spiritus operata est ineffabilis et secreta potentia.*

[71] Justinian, Edictum, in: E. SCHWARTZ, Drei dogm. Schriften J.'s, ADAW. PH 18, 1938, 101, 3—8: *Oportet autem etiam illud attendere eos qui veritatem perscrutantur, quod forsitan in conciliis quaedam a certis ibi convenientibus dicuntur, aut per favorem, aut per contrarietatem aut per ignorantiam. Nemo autem attendit ea quae per partem a quibusdam dicuntur: sed sola illa, quae ab omnibus communi consensu definiuntur. Si enim aliquis secundum illos voluerit attendere eiusmodi contrarietates, unaquaeque synodus invenietur semetipsam destruens.*

[72] Fer., Ep. 6, 2, PL 67, 922 C—D: *Fons est signatus catholica Ecclesia, Iacobus vero apostolus clamat:* numquid fons de eodem foramine emanat dulcem et amaram aquam? (Jak 3, 11). *Si dulcis aqua manavit ad proferendas fidei definitiones ex ore pristinorum sacerdotum, quomodo fieri potuit ut ex ore eorum, non aliorum, quasi ex eorum foramine manaret in negotio venerabilis Ibae episcopi, non dulcis aqua, sed amarior felle? Cum timore ac tremore dico, sed tamen dico: si tunc in quolibet negotio propinavit fidelibus amarum gustum Chalcedonensis concilii laudabilis disputatio, demus manus haereticis, ut liceat eis salutaris antidoti potionem quasi mortiferam criminari, nobis praebentibus occasionem,* dum in verbis pugna est, dum de novitatibus quaestio est, dum de ambiguis occasio est, dum de auribus querela est, dum de studiis certamen est, dum de consensu difficultas est. *Quae verba non mea, sed beati Hilarii, in secundo libro contineri quem ad Constantium imperatorem* (c. 5, CSEL 65, 200, 9—12) *scribit, beatitudo vestra plenius novit.*

bedeutet seine Leugnung die unzumutbare Unterstellung, daß die Konzilsväter mit der Annahme des Ibas-Briefes als Licht ausgeben, was in Wirklichkeit Finsternis war[73].

Ferrandus macht sich den Einwand: kann man nicht annehmen, daß ihr eigener Glaube zwar intakt war, daß die Konzilsväter aber „einem falschen Bekenntnis unvorsichtigerweise zugestimmt haben"? Die Antwort lautet: das Konzil ist unteilbar. Rechnet man damit, daß ein Teil falsch ist, so ist notwendig das ganze Konzil dem Verdacht des Irrtums ausgesetzt[74]. Die wissentlich oder unwissentlich erfolgte Rezeption eines de facto häretischen Ibas-Briefes bedeutete den Triumph seiner Gegner: das Konzil befände sich in einem fundamentalen Selbstwiderspruch: auf der einen Seite verurteilt es Nestorius, auf der anderen Seite rezipiert es sein Dogma[75].

Erhellend für die Konzilstheorie des Afrikaners ist im weiteren Verlauf des Briefes ein Passus, in dem Gründe genannt werden, warum gerade das Chalcedonense bleibende Geltung beanspruchen darf. Hier werden Kriterien genannt, an denen das Chalcedonense als ein „gutes" Konzil erkannt werden kann. Entscheidend ist vor allem: Das Konzil begann und endete in brüderlichem Frieden. Frieden ist hier zu verstehen als totaler Konsens. Träger, Zeugen dieses totalen Konsenses — und insofern Kriterien für die Qualität des Konzils — sind die Legaten des Römischen Stuhles, die Inhaber der anderen bedeutenden Bischofssitze, die große Schar *(ingens turba)* der übrigen Konzilsteilnehmer, die in Einmütigkeit ihre Entschlüsse faßten. Auch die Anwesenheit des Kaisers wird im Sinne einer Komponente dieses totalen Konsenses verstanden[76]. Be-

---

[73] Fer., Ep. 6, 6, PL 67, 922 D—923 A: *Clamat Isaias:* Vae his qui ponunt tenebras lucem? (Jes 5, 20); *et nos audemus asserere quia patres nostri tenebras lucem esse dixerunt, quando epistolam Nestorio faventem damnare noluerunt, imo etiam suscipere voluerunt? Ergone patribus nostris coaptabitur prophetica maledictio:* vae his qui ponunt tenebras lucem? *Nonne ipsi fuerunt sicut luminaria in mundo, verbum vitae continentes, quorum fides imposuit silentium perfidis? quibus recte credentibus omnis credidit mundus?*

[74] Fer., Ep. 6, 3, PL 67, 923 A—C: *An dicitur: bene crediderunt, sed Ibae venerabilis epistolam male susceperunt? in sua confessione veraces fuerunt, sed fallaci confessioni praebuerunt incautam consensionem? Quis ferat tortuosas inutilium questionum contentiones? Si pars aliqua displicet in concilio Chalcedonensi, cum periculo displicendi totum placet. Vas electionis sanctissimus Paulus manifeste profitetur:* modicum fermenti totam massam corrumpit (1 Kor 5, 6). *Si in illa massa sanctarum definitionum, vel exigui fermenti potest acida commixtio reperiri, tota massa iudicabitur noxia; vel certe, ut magna extenuemus, inutilis ad efficiendum* panem qui confirmat cor hominis (Ps 103, 16).

[75] Man würde sagen: *Ecce congregata apud Chalcedonem synodus (cui dare) magnum pondus auctoritatis minime dubitatis, uno atque eodem tempore Nestorium damnavit, et Nestorii revocavit errorem, recipiens epistolam fidei catholicae omnino contrariam.* Ep. 6, 3, PL 67, 923 C.

[76] Fer., Ep. 6, 5, PL 67, 924 C—925 A: *Merito tunc praesente Marciano imperatore religioso, sacerdotes omnes qui concilium pacis mentibus pacificis inchoatum definitionibus ecclesiasticae pacis convenientibus finierunt, in pace fraterna redierunt ad suarum plebium loca, sine odio, sine invidia, sine*

zeichnenderweise schließt die Aufzählung dieser positiven Eigenschaften des Chalcedonense mit dem Satz: „Deswegen hatte das Urteil (dieses Konzils) Bestand und blieb in seiner unantastbaren Festigkeit bestehen ..." Weil Chalcedon, wie die genannten Kriterien zeigen, ein „gutes" Konzil war[77], deswegen darf es nicht revidiert werden. Offensichtlich greift Ferrandus hier, wie auch schon Gelasius vor ihm, das Leoninische Prinzip auf *de bene compositis nihil retractetur*, wenn auch nicht dem Wortlaut, so dem Sinne nach[78]. In der Substanz gibt dieser Gedankengang die Position des Gelasius wieder: An Chalcedon ist festzuhalten, denn es war ein „gutes" Konzil[79].

Der dritte und letzte Teil des Briefes[80], in dem Ferrandus mit äußerstem Freimut dem Kaiser das Recht abspricht, Religionsedikte mit bischöf-

---

contentione, concordes, unanimes, commune testimonium perhibentes. Ibi fuit in legatis suis sedes apostolica, primatum tenens universalis Ecclesiae; ibi aliarum venerabilium sedium pontifices, astuti ut serpentes, simplices ut columbae, ibi ex minoribus civitatibus ingens turba pastorum, dominici gregis caulas pastorali sollicitudine gubernantium. Nemo ibi damnavit aliquem nolentibus caeteris, nemo absolvit nolentibus caeteris; omnes sibi consentientes et Doctoris gentium verba libenter implentes oboedierunt dicenti sibi: obsecro vos, fratres, ut id ipsum dicatis omnes, et non sint in vobis schismata (1 Kor 1, 10).

[77] Im folgenden werden in etwa umgekehrter Reihenfolge z. T. noch einmal diese Kriterien, diesmal negativ formuliert, aufgezählt: *Ideo eorum iudicium mansit, et in sua stabilitate permansit nullatenus immutandum, quia iudicantium sacerdotum nec dignitas fuit inferior, nec numerus parvus, nec auctoritas minor, nec ignobilis electio, nec superflua praesumptio, nec insipiens deliberatio, nec vulgaris assensus, nec infructuosus labor, nec tranquillitati Ecclesiarum contrarius finis. Ad sedandas praeteritas contentiones venerunt, praesentes amputaverunt, etiam futuras mitigaverunt.* Ep. 6, 5, PL 67, 925 A.

[78] Fer., Ep. 6, 5, PL 67, 925 AB: *Nemo culpare festinet bene deposita* (an: *disposita*), *nemo recta corrigere.*

[79] Wir betonen diese Übereinstimmung in der Substanz zwischen Gelasius und Ferrandus, weil PEWESIN 26 „eine tiefe Differenz zwischen Gelasius und Ferrandus" feststellen zu müssen glaubt. Mit Berufung auf 926 B (von uns zitiert in Anm. 64) schreibt er: „Denn wie das Prinzip der totalen Verbindlichkeit, so ist für Ferrandus das der unbedingten Verbindlichkeit des Konzils von Chalcedon gegeben ..." — Im folgenden nimmt PEWESIN übrigens selber die Behauptung einer „tiefen Differenz" z. T. wieder zurück, wenn er zugibt, daß des Ferrandus „Sätze, die das Konzil in seiner Totalität zur unbedingten Norm erheben, sich doch nicht auf das Universalkonzil an sich, sondern auf das rezipierte Universalkonzil, mit diesem Akzente, beziehen" (27). — Treffender als PEWESIN scheint uns CASPAR, Papsttum, II, 251, das Verhältnis zwischen gelasianischer und ferrandischer Konzils- und Kirchentheorie zu bestimmen, wenn er schreibt: „Das war echte abendländische Kirchentheorie, an neuen Problemen weitergewachsen, in feinster geistiger Blüte wie sie eben seit eh und je nur in Afrika zuhause war. Und wieder wie bei Cyprian und Augustin deckte sie sich nicht völlig mit römischer päpstlicher Theorie, sondern beide Kreise berührten sich nur sozusagen mit einem Segment. Bei Gelasius I. war die ganze versteckte Polemik gegen das Henoticum trotz der traditionalistischen These von der Unverletzlichkeit von Chalcedon doch abgestellt und zugespitzt auf den Primat Petri und des apostolischen Stuhles, bei Ferrandus war die ‚hinzukommende Zustimmung' des apostolischen Stuhles nur Akzidens; die Substanz aber war die alte vorreichskirchliche und vorpäpstliche Synodaltheorie".

[80] Vgl. die Zusammenfassung durch Ferrandus selber: *Dignetur itaque beatitudo vestra istas regulas ordine et sermone quo potuimus intimatas diligenter attendere, et (si nostra placet humilis persuasio) custodire. Ut concilii Chalcedonensis vel similium nulla retractatio placeat; sed quae semel*

licher Subskription zu erlassen[81], ist für die Konzilstheorie des Afrikaners insofern noch von Belang, als einerseits (noch einmal) mit aller
wünschenswerten Klarheit der Trennungsstrich gezogen wird zwischen
Konzilsdekreten und Schriften „einzelner"[82], andererseits der Begriff
der Rezeption *(plena confirmatio)* einer Konzilsdefinition en passant erläutert wird. Worin besteht dieselbe? Darin, daß ein Konzilsbeschluß
der ganzen Kirche zur Kenntnisnahme gegeben wird, keinen Widerspruch auslöst, vielmehr als mit dem Glauben der Apostel übereinstimmend bekräftigt wird und den Konsens des Apostolischen Stuhles
findet[83].

Zusammenfassend können wir die Konzilstheorie, die von Ferrandus
der Verteidigung des Chalcedonense zugrunde gelegt und anläßlich der-

---

statuta sunt, intemerata serventur. Ut pro mortuis fratribus nulla generentur inter vivos scandala. Ut
nullus libro suo per subscriptiones plurimorum dare velit auctoritatem, quam solis canonicis libris Ecclesia catholica detulit. Ep. 6, 10, PL 67, 927 D — 928 A.

[81] Fer., Ep. 6, 8, PL 67, 926 D — 927 B: *Potest unusquisque rectam praedicans fidem, quod sentit
scribere non tamen ad subscribendum quae ipse scripserat, alios provocare. Quantum laboraverunt in
praedicatione verbi, post apostolos, sanctissimi illi praeclarique doctores, quibus per Spiritum sapientiae
et scientiae concesserat Dominus docere catholicos et haereticos expugnare? libros tamen suos a nemine
subscriptos posteri reliquerunt . . . sit unicuique liberum, postquam legerit, quod unus homo dictaverit,
non ita dicta eius accipere quasi canonicas scripturas; sed cogitare quid eligat, quid respuat, quid sequatur
statim, quid cum prudentioribus arbitretur fratribus conferendum; nulla fiat neccessitas generare sibi
praeiudicium subscribendo, ne aliud postea sentiat, si aliud postea sentiendum revelata demonstraverit
veritas: patienter autem ferat pius scriptor sollicitudinem piam requirentium veritatem, nec festinet auditorum tenere manum, sed per suavem sensum paratus meliora sentientibus consentire.*

[82] Fer., Ep. 6, 9, PL 67, 927 C: *Sola enim sunt . . . in canonicis libris praecepta divina, et in generalibus
synodis paterna decreta, non refutanda nec respuenda, sed custodienda et amplectenda; praecipiente sacra
scriptura audi fili, legem patris tui, et ne spernas consilium matris tuae* (Spr. 1, 8; 6,
20). *Lex enim patris fulget, quantum mihi videtur, in canonicis libris; consilium matris in universalibus
conciliis continetur.* Dieselbe scharfe Trennungslinie zwischen Konzilsdekreten und Schriften
einzelner, noch so berühmter Väter, findet sich in der *Collatio cum Severianis* (einem Streitgespräch zwischen Chalcedonensern und Monophysiten aus d. J. 532), und zwar unter Berufung auf Apg 15, ACO IV, 2, 175, 33—176, 7: *Nos ea, quae epistolis eius* (d. h. des Cyrill
von Alexandrien) *synodicis consentiunt, suscipimus; quae autem non consentiunt, neque damnamus
neque velut legem ecclesiasticam sequimur. synodicas autem eius dico . . . epistolas quae a sanctis conciliis et
susceptae et confirmatae sunt. nam contrarias his neque damnamus neque sicut illas, suscipimus, quia et in
Actibus sanctorum apostolorum invenimus quia dispensationis gratia beatus Paulus Timotheum circum-
cidit . . . sed et beatus Petrus dispensative aliquotiens quidem cum gentilibus comedebat, aliquotiens vero
subtrahebat se et secernebat ab eis; postquam vero utrique in Hierosolymis ascenderent et cum omnibus
apostolis vel senioribus illud decretum decreverunt . . .* (Apg 15, 28, 29), *ab eo tempore quidem ea quidem
quae communi consensu scripta sunt et a sancto Spiritu confirmata, sicut legem ecclesiasticam suscipimus;
quae autem dispositionis gratia ab unoquoque singillatim facta sunt, neque aemulamur neque damnamus.* —
Näheres hierzu bei FREND 265—267.

[83] Fer., Ep. 6, 9, PL 67, 927 C—D: *Ubi propterea qui conveniunt tales sacerdotes statuta sua subscri-
bunt, ut dubium non relinquatur a quibus est habita disputatio: caeterum praeter illos qui statuunt quae
statuenda sunt, nullus cogit ultra subscribere; sufficere enim iudicatur ad plenam confirmationem, si
perducta in notitiam totius Ecclesiae nullum offendiculum moveant, vel scandalum fratribus, sed apostolicae fidei convenire firmentur, apostolicae sedis roborata consensu.*

selben entfaltet wird, folgendermaßen charakterisieren: Von der ganzen Kirche rezipierte und vom Römischen Stuhl approbierte Konzilien haben in ihrer Ganzheit ewige Gültigkeit. Sie haben Anspruch auf Unterwerfung und Gehorsam für alle Zeit.

4. Ante et post definitionem

Mitstreiter des Ferrandus gegen das Dreikapiteledikt Kaiser Justinians war ein anderer Afrikaner, *Facundus von Hermiane*, der Verfasser der bedeutsamsten Streitschrift in dieser Auseinandersetzung um Chalcedon und die innere Struktur der Kirche. Er verfaßte sein Werk ,*Pro defensione trium capitulorum libri XII*'[84] nicht in seiner Heimat Afrika, sondern am Ort selbst der Auseinandersetzung, in Konstantinopel, wo er zusammen mit Datius von Mailand und dem römischen Apokrisiar Stephan als Wortführer der Opposition wirksam war[85].

Wir befassen uns im folgenden in einem doppelten Schritt mit dieser großen Verteidigungsschrift[86]; erstens werden wir die über das Gesamtwerk hin verstreuten Aussagen über Konzilien zusammenstellen, zweitens einem Passus am Ende des fünften Buches, in dem in umfassender Weise die Konzilstheorie des Verfassers zum Ausdruck kommt, besondere Beachtung schenken.

Vor dem ersten Schritt ist kurz auf die Quellen hinzuweisen, die Facundus im engeren Zusammenhang der Konzilsproblematik verwendet[87].

---

[84] CCL 90 A.

[85] Einzelheiten zu Facundus von Hermiane bei Caspar, Papsttum, II, 258—261; Pewesin 45—162; ferner A. Dobroklonskij, Die Schrift des Facundus, Bischof von Hermiane, pro defensione trium capitulorum (Moskau 1880) (russisch), besprochen von A. Harnack, in: ThLZ 15 (1880) 632—635; Hefele/Leclercq, III, 1—145 (geschichtlicher Hintergrund); F. Tollu, Art. „Facundus d'Hermiane", in: Cath. 4 (1956) 1053; E. Chrysos, Zur Datierung und Tendenz der Werke des Facundus von Hermiane, in: Kl. 1 (1969) 311—324; J. M. Clément und R. Van der Plaetse, Einleitung zu Facundi episcopi ecclesiae Hermianensis opera omnia, CCL 90 A, Turnhalt 1974, VII—XIII. Eine zweite Auflage des Werkes dürfte 550/1 erschienen sein.

[86] „Würdig trat dieser zweite Afrikaner neben den Diakon Ferrandus, den anderen Herold der abendländischen Kirchentheorie in dieser Zeit des aufsteigenden Cäsaropapismus. Es weht in der Tat aus seinen Worten etwas vom Geiste des großen Ambrosius, und wie jener stand auch er in der Front gegen Osten voran vor dem derzeitigen Nachfolger Petri . . ." Caspar, Papsttum, II, 261.

[87] Was die Quellen zur übrigen Problematik des Werkes angeht, vgl. u.a. Pewesin 150—158, Exkurs I, Die 19 Fragmente des 1. justinianischen Dreikapiteledikts aus Pro defensione trium capitulorum, ferner L. Abramowski, Reste von Theodorets Apologie für Diodor und Theodor bei Facundus, Studia Patristica I, TU 36, 1957, 61—9. Häufig zitierter Autor ist neben anderen selbstverständlich Augustinus: Def. 11, 6, 7, CCL 90 A, 349 und 6, 5, 47 bis 48; 192; vgl. auch CCL 90 A, index scriptorum, 447—463.

Zunächst ist hier Ferrandus zu nennen, auf dessen weiter oben analysierten Brief Facundus eigens hinweist[88]. Gelasius ist für den Bischof von Hermiane entscheidende Autorität erst in seiner Schrift *Contra Mocianum*, die er nach seinem Bruch mit Vigilius, also als Schismatiker, verfassen wird[89]. Aber auch schon im vorliegenden Werk beruft sich Facundus auf Gelasius[90]. Allen anderen Autoritäten voran steht jedoch für Facundus Papst Leo der Große, aus dessen Briefen er zum Teil lange Passagen zur Verteidigung seiner Konzilstheorie anführt. So zitiert er im zweiten Buch, wo er die grundsätzliche Nichtrevidierbarkeit des Chalcedonense behauptet, Brief 162 Leos an Kaiser Leo und kommentiert die Worte des Papstes[91]. Noch ausführlicher kommt Leo zu Wort im abschließenden 12. Buch[92].

Was nun die über das Gesamtwerk verstreuten Elemente einer Konzilstheorie angeht, so ist als erstes die scharfe Abhebung der Konzilsdekrete von der Meinung einzelner Väter bzw. lebender Theologen zu nennen. Dieses Anliegen, das Facundus mit Ferrandus teilt, ergibt sich aus der Grundtendenz seiner Schrift, nämlich der Verteidigung des Ibas-Briefes gegen Cyrill-Argumente und überhaupt aus der Frontstellung gegen das kaiserliche Dreikapiteledikt. In diesem Sinne betont z. B. der Bischof von Hermiane den absoluten Vorrang der vom Ephesinum approbierten Cyrill-Texte vor anderen Schriften des gleichen Vaters[93].

---

[88] Fac., Def. 4, 3, 8—9, CCL 90 A, 123: *In ipsa vero consultationis epistola non tacetur quod haec immissione Acephalorum, quos ut diximus, Semieutychianos significantius appellare possumus, contra Chalcedonense concilium et decreta papae Leonis, mota fuerint per eos qui sub nomine catholico ipsorum parti studium praebent. Sed et ille qui consultus fuerat rescribens interrogantibus, retractandam non esse docuit epistolam quam universalis synodus approbavit: quoniam si fuerit, non ipsius tantum sed omnium conciliorum statuta deducerentur in dubium.*

[89] Vgl. zu dieser Schrift vor allem PEWESIN 128—149, Wirkung und Zusammenbruch der afrikanischen Opposition gegen Justinian. Die späteren Schriften des Facundus. — *Contra Mocianum* ist abgedruckt in CCL 90 A, 401—416. Facundus beruft sich in dieser Schrift zur Verteidigung seines Bruches mit Rom gegen die von Mocianus geltend gemachte Autorität des Augustinus in seinem Verhalten gegenüber den Donatisten auf die Politik des Gelasius im acacianischen Schisma. Vgl. CCL 90 A, 403; zu der Frage der Verurteilung im Frieden der Kirche Verstorbener vgl. ebd. 414.

[90] Def. 5, 4, 27—29; 153—154.

[91] Def. 2, 5, 5—7; 62 und 2, 6, 6; 65, wo Brief 164 (ACO II, 4, 110, 27—111, 1) zitiert wird. Facundus verdeutlicht: *Et ideo prudentissimus vir, nullam penitus dans occasionem quaerentibus, denuntiabat dicens: nihil prorsus de bene compositis retractetur. Ergo si nihil, nec illud quod parvum putatur admisit.* Def. 2, 6, 6; 65. — Vgl. 67 (Brief 114: ACO II, 4, 71, 2—5); 159 (Brief 162: ACO II, 4, 106, 33—107, 10); 55, wo sich Facundus für das Fortleben der Väter in ihren Dekreten auf Leo, Brief 106 (ACO II, 4, 61, 1—4) beruft.

[92] CCL 90 A, 377—378 wird Brief 156 (ACO II, 4, 101, 34—102, 16), ebd. 378—9 Brief 162 (ACO II, 4, 105, 25—27), ebd. 379 Brief 160 (ACO II, 4, 108, 5—12), ebd. 379—380 Brief 161 (ACO II, 4, 108, 26—33) zitiert.

[93] Fac., Def. 1, 5, 23, CCL 90 A, 32: *Sed nec ex dictis beati Cyrilli, quae alia, sicut credendum est, intentione prolata simul male intelligunt, contra horum evidentiam merito possunt obicere: quoniam vel*

Wie für Ferrandus haben auch für Facundus Konzilsdekrete religiöse Autorität; sie verlangen vom Gläubigen ehrfürchtige Unterwerfung; Dunkelheiten und schwer Verständliches in ihnen ist providentiell. Wie bei der Heiligen Schrift sind solche Stellen zur Erprobung und Läuterung des Glaubens von Gott zugelassen[94].

Revision eines von der ganzen Kirche rezipierten Konzils ist unvereinbar mit der der Religion geschuldeten Ehrfurcht[95]. Einmal vergleicht Facundus den Gewißheitsgrad der Wahrheit, die ihm ein Konzilsdekret vermittelt, mit der Gewißheit um seine eigene Existenz[96].

Worin liegt der maßgebliche Grund für die Autorität des Konzils, in der Beschlußfassung als solcher oder in der Rezeption des Konzils durch die Kirche? Ohne Zweifel erkennt Facundus schon der Beschlußfassung als solcher einen verpflichtenden Charakter zu[97], aber entscheidendes Gewicht gibt der Konzilsdefinition die Rezeption durch die Kirche und die Tradition in der Kirche[98].

---

si ab his testimoniis Patrum quae in Ephesina synodo firmata sunt dissonare creduntur non possunt praeferri sive conferri decretis synodalibus, quae suscipit universalis Ecclesia.

Für das wachsende Bewußtsein einer Unterscheidung zwischen öffentlichen, synodalen Äußerungen und Texten einerseits und privaten andererseits vgl. Rusticus, c. Aceph. disp., PL 67, 1176 C: *... Dei ecclesia familiaribus non intendit, neque hypomnisticis* (Aide-mémoire), *neque iis quae ad unum et domesticum fiunt, sed his quae ad synodos aut a synodis dogmatice et publice et definite de his quae in quaestione veniunt conscribuntur.*

[94] Fac., Def. 12, 2, 3—6, CCL 90 A, 376—377: *Cognoscant igitur quod his difficultatibus* (der Schrift) *fidem ac pietatem Ecclesiae suae Christus exerceat ... Unde si quam reverentiam deferimus etiam synodalibus constitutis ab Ecclesia universali receptis, in omnibus quae obscura in eis et ad intelligendum difficilia reperimus, divinam voluntatem cognoscere et approbare debemus.*

[95] Fac., Def. 2, 1, 6, CCL 90 A, 43: *Quid opus erat eiusdem synodi* (nämlich Chalcedon) *retractare decreta, non solum contra religionis reverentiam, sed etiam contra ipsius humanitatis pudorem, quae consensu totius ecclesiae ... inviolata manserunt?*

[96] Fac., Def. 10, 1, 10, CCL 90 A, 296—297: *Ergo si cupiunt ut cum illis hanc synodum* (nämlich Chalcedon) *ego quoque reprehendam, tale aliquid ad eam destruendum idoneum requirant ac proferant, quod tam certum mihi sit, quam certum mihi est esse me.*

[97] Anders kann man wohl kaum Def. 7, 6, 8; 214 verstehen, wo es heißt, Cyrill hätte an sich das Recht gehabt, die Orientalen zur Unterwerfung unter das Ephesinum zu zwingen; tatsächlich verzichtet er auf die Forderung der Unterwerfung und ist zur Unionsformel bereit. Vgl. hierzu auch Pewesin 79, der sogar mit Bezug auf diese Stelle vom „Gedanken der unmittelbaren Zwangsgewalt" spricht.

[98] Das kommt in folgender Überlegung zum Ausdruck: *Si quis autem dicit quod Ibas atque Orientales et aliarum provinciarum episcopi (una quippe horum omnium causa est) etiam in his quae non intelligebant, auctoritatem Ephesini concilii sequi debuerint: ipse quoque primum considerare debet quod etiam synodus Chalcedonensis considerasse credenda est, quoniam tantis dissentientibus, quia fuerant simul in ipsum concilium convenire, non tanta illo tempore quanta nunc est, eius esse posset auctoritas, cum necdum etiam iudicio magnae Chalcedonensis synodi firmaretur. Nam et ipsa multum roboris auctoritati addit antiquitas.* Def. 7, 6, 6; 213. Vgl. auch das Argument *a fortiori* für die Nichtrevidierbarkeit des Chalcedonense Def. 2, 6, 12; 66: *Si vero beatissimus Leo, quamvis recentioris concilii et nulla ante sui decessoris assertione defensi, quidquam in disceptationem revocare non passus est, quomodo ab his creditur quartus decimus successor eius sanctus Vigilius novum posse aliquid iudicare?* — Richtig

Auf das Prinzip der Nichtrevidierbarkeit des von der Kirche rezipierten Konzils braucht nicht näher eingegangen zu werden; denn Facundus wiederholt den Grundsatz zwar mehrmals, das ex professo dieser Frage gewidmete Kapitel[99] bringt zur Begründung dieses Prinzips jedoch keine neuen Argumente und Gedanken. Es beschränkt sich auf ausführliche Zitate aus Leo-Briefen[100]. Auch der anderswo ausgesprochene Gedanke, daß das Festhalten am Chalcedonense zum Frieden und zur Einheit nicht nur der Kirche, sondern auch des Staates notwendig sei, ist natürlich nicht neu[101]. Traditionell ist auch die Warnung vor staatlicher Bevormundung der Konzilien, die Facundus im 12. Buch ausspricht[102]. Der Überblick über einzelne Elemente seiner Konzilstheorie sei abgeschlossen mit seinem Kommentar zu Mt 18, 20, einem traditionell auf Konzilien bezogenen Schriftwort. Es geht Facundus im Zusammenhang um eine Aufwertung des Chalcedonense; in ihr kommt außer einer gewissen Konzilsromantik doch auch seine persönliche Überzeugung vom letzten Grund der Konzilsautorität zum Ausdruck:,,Wo zwei oder drei in meinem Namen versammelt sind, da bin ich mitten unter ihnen' (Mt 18, 20). Christus, der nicht nur von seinen Bischöfen, sondern auch von seinem ganzen Volk, dessen Glauben und Erwartung von der Autorität derselben abhängt, gläubig angefleht wird, gibt als erstes allen Versammelten ,ein Herz und eine Seele' (Apg 4, 32), so daß niemand von ihnen eine andere Meinung zu haben sucht als die Wahrheit. Wie oft geben hierbei kluge Männer weniger Klugen, eine Mehrheit der Minderheit nach, weil Er in ihrer Mitte ist (oder: zwischen den Parteien die Mitte hält)! Wie oft wirkt er mit seinem Wissen sogar durch Un-

---

PEWESIN 73: „Weder die Art der Berufung (durch den Kaiser) noch die Zusammensetzung (überprovinzlicher Art), noch die Zahl der Bischöfe und ihr Rang charakterisieren letztlich das Universalkonzil als solches; die ökumenische Geltung ist sein Kriterium. Nicht in der Institution an sich liegt der autoritäre Rang, sondern in der Rezeption . . .“

[99] Def. 12, 2; 376—381.

[100] Vgl. weiter oben und Anm. 92. — Ins Unermeßliche wird dabei die Autorität Leos erhoben: *Ille tamen, velut aeterna lege praefixus in quodam suae dignitatis et fidei firmamento, sic luce veritatis irradiat, et quasi clarissima tuba suae auctoritatis intonat inquietorum ausibus inhibendis, et dicit . . . Def. 12, 2, 13; 378.*

[101] Fac., Def. 2, 6, 5, CCL 90 A, 65: *Quid enim iam integrum, vel quid constare possit immobile, si tanti concilii sententia, vel sicut imperfecta suppleri, vel sicut dubia rursum discuti videretur? Non autem in sola fidei definitione conciliorum valet auctoritas, verum etiam in omnibus quae pro pacis et unitatis observantia, cuius maxima sapientibus cura est, modeste ibi fuerint ac bene composita.*

[102] Fac., Def. 12, 3, 27—28, CCL 90 A, 387: *Memor etiam praedictus Augustus (Kaiser Leo) quod nusquam coactum concilium nisi falsitati subscripsit, sicut in Arimino factum est Constantio compellente et apud Ephesum opprimente Dioscuro, confirmationem sacerdotum dimisit examini, quorum et commissa est potestati: quae tunc vere facta creditur, si non saecularis potestatis sententiae subscribatur. Aliud est enim, cum in concilio locum iudicis inter alios episcopos quisque tenens, quod sentit subscriptione designat; aliud autem, cum sicut testis adducitur, et quod est deterius, nolens placito alieno subscribit.*

wissende, er, der alles zu wirken vermag über das hinaus, was wir er-
bitten oder begreifen, und der versprochen hat, daß er ‚mit uns sei alle
Tage bis zur Vollendung der Welt‘ (Mt 28, 20). Möge doch die weltliche
Gewalt in diesen Angelegenheiten sich nie anmaßen, was ihr nicht übertragen ist (und) was sie niemals mit Erfolg sich angemaßt hat. Im übrigen
kann Christus den in seinem Namen versammelten Bischöfen nicht fern
sein: denn da er die allmächtige Wahrheit ist, kann er in keiner Weise
lügen, so wie er auch (tatsächlich) jener Synode nicht fern war, die in
der Behandlung des Glaubens der gemeinsamen Lehre aller Väter gefolgt ist . . .‟[103]

Der Haupttext zur Konzilstheorie unseres Afrikaners befindet sich an
einer für das gesamte Werk zentralen Stelle[104]. Facundus rechtfertigt
hier das methodische Vorgehen in der Gesamtanlage seiner Streitschrift.
Zum besseren Verständnis ist der nähere und weitere Kontext zu beachten. Facundus hält sich im großen und ganzen an die von ihm angekündigte Disposition[105]. Während der erste Teil (Buch II—IV) der Auf-
deckung der eigentlichen Absicht der Gegner der Drei-Kapitel gewidmet ist — es geht ihnen um die Diskriminierung des Konzils von Chalcedon —, sucht der zweite Teil den Nachweis zu führen, daß der Ibas-
Brief vom Konzil von Chalcedon angenommen wurde (Buch V). Das
vorletzte Kapitel dieses Buches (Cap. 4) bemüht sich um den Beweis,
daß Leo ausdrücklich das ganze Konzil außer Kanon 28 approbiert hat.
Mit diesem Nachweis, daß das Konzil den Brief rezipiert hat, sieht der

---

[103] Fac., Def. 8, 7, 20—23, CCL 90 A, 258: Ubi sint duo vel tres congregati in nomine meo,
ibi sum in medio eorum (Mt 18, 20). *Nam fideliter invocatus non solum a sacerdotibus, sed ab omni
quoque populo suo cuius fides et exspectatio ex illorum auctoritate dependet, primum dat omnibus congregatis unum cor et animam unam, ut nullus eorum suam velit esse sententiam, nisi quae fuerit veritatis.
nesotiens ibi doctiores indoctioribus, et plures paucioribus, illo eorum medio cedunt? quotiens etiam per
Qucientes scienter operatur ipse qui potest omnia facere supra quam petimus aut intelligimus; et qui
promisit quod nobiscum sit omnibus diebus usque ad consummationem saeculi? Utinam sibi numquam
saecularis potestas, quod ei creditum non est in his negotiis usurparet, quae numquam feliciter usurpavit.
Caeterum congregatis in suo nomine sacerdotibus suis Christus deesse non potest: quia cum sit omnipotens
veritas, mentiri nullatenus potest, sicut nec illi synodo defuit, quae in causa quidem fidei omnium communiter Patrum doctrinam secuta est. In Theodori vero, non unius Cyrilli, vel si concedamus, quod dicitur,
quia nec posset, cuius contraria sibi esse videbatur, vel incerta sententia, sed aliorum Patrum secuta est,
quos et auctoritate et numero et ratione praeferre debuerat.*
[104] Def., 5, 5, 3—5; 157.
[105] Fac., Def. 2, 1, 11—12, CCL 90 A, 44: . . . *hoc ordine totam causam tractare disposui, ut prius
evidentium documentorum prolatione demonstrarem quod in evacuationem memorati magni concilii, et
decretorum papae Leonis, haereticorum fautores haec egerint. Deinde quoniam frustra confingitur, supradic-
tam epistolam venerabilis Ibae ab eodem Chalcedonensi concilio non fuisse susceptam; sed cum ostendi non
possit, tali mendacio nos in eius condemnationem adducere voluerunt. Postremo autem probabo non posse
iuste culpari sanctam synodum quod eam pronuntiavit orthodoxam.* — Vgl. zur Disposition PEWESIN
158—160, Exkurs II, Der Aufbau von Pro defensione.

Verfasser seine eigentliche Aufgabe als gelöst an. Ausdrücklich betont er, daß die folgenden Bücher (VI—XII), also der ganze dritte Teil seines Werkes, in dem die rationale Begründung des Vorgehens des Konzils von Chalcedon gegeben wird, an sich nicht mehr nötig ist[106]. Warum an sich nicht mehr nötig? Weil die Annahme des Briefes durch das Konzil einschließlich der Approbation durch den Papst mehr als alle Vernunftbeweise zählt[107]. Wieso? Weil es Sinn und Wesen der Konzilien ist, Fragen ein für allemal zu entscheiden. Darin besteht ihr eigentlicher Nutzen *(utilitas)*. „Was wir mit unserem Verstand nicht fassen, das sollen wir auf Grund der Autorität glauben. Sobald uns die Vernunft nicht mehr weiterhilft, soll uns sogleich der Glaube vor dem Fall bewahren"[108]. Ein Konzil ist demnach dazu da, die Fragen der Vernunft abzuschließen zugunsten der Glauben erheischenden Autorität. Diese Theorie bedeutet im Hinblick auf die Ibas-Brief-Problematik: die Frage nach der Rechtgläubigkeit darf nicht mehr gestellt werden; sie ist durch das Konzil ein für allemal entschieden.

Für Facundus ist die Ibas-Brief-Problematik ein mit Nicaea oder Konstantinopel vergleichbarer Fall. Auch hier ist es nicht erlaubt zu sagen: „Beweise zunächst, daß der Vater und der Sohn gleichen Wesens sind, damit ich glaube, daß diese Frage durch das Konzil von Nicaea beendet ist; und beweise (zunächst), daß der Heilige Geist dem Vater und dem Sohne gleichwesentlich ist, weil ich sonst nicht glauben kann, daß das Konzil von Konstantinopel so entschieden hat"[109]. Wer leugnet, daß

---

[106] Fac., Def. 5, 5, 20, CCL 90 A, 160: *Verum his quae dicenda fuerant sufficienter, ut arbitror, explicatis, et ab huius epistolae discussione longe repulsis haereticis: quia per subreptiones eorum multa vitia sunt eidem epistolae false atque fallaciter imputata: hac necessitate compulsus instructioni parvulorum nostrorum, ne scandalizentur in talibus, non quasi grandis ut Leo, sed inter illos grandiusculus, ministerii mei quoniam hoc et ipse beatus Leo concessit, non nego quantulumcumque praesidium: sub hac conditione duntaxat ut non in mea, quam redditurus sum, ratione meritum causae constituam, quam profecto pervidis terminatam, sed potius in auctoritate magnae synodi, quam inter haereticorum fluctus ac turbines, sicut ancoram habemus animae tutam et firmam.*

[107] Fac., Def. 5, 5, 1—2, CCL 90 A, 156—157: *Sed quia evidenti ac multiplici documentorum convictione monstratum est, mendaciter negari quod epistolam venerabilis Ibae Chalcedonensis synodus pronuntiavit orthodoxam, et simul apparuit quod eam nec beatus Leo Nestorianam iudicaverit, nam procul dubio etiam manifesta sententia vehementique damnaret: sufficit nobis ad defensionem ipsius epistolae, quod eam tanta synodus, et ipsius auctor synodi, vir apostolicus, et in doctrina veritatis toto orbe notissimus, approbavit. Haec est prima et immobilis ac secura nostra ratio, quae nos tuetur ac firmat adversus omnes contradicentium quaestiones: ut, sicut Apostolus dicit (2 Thess 2, 2), non cito moveamur a nostro sensu, neque terreamur, vel si minus hinc possumus dare, sive accipere rationem, cur synodus orthodoxam iudicavit.*

[108] Fac., Def. 5, 5, 3, CCL 90 A, 157: *Neque enim est alia conciliorum faciendorum utilitas, nisi ut quod intellectu non capimus, ex auctoritate credamus, et sicubi nobis ratio minus occurrerit, fides ne labamur cito succurrat.*

[109] Fac., Def. 5, 5, 3—4, CCL 90 A, 157: *Nam si post decretum disceptare licuerit, ut dicatur: prius probetur epistola illa quod recta sit, ut credatur fuisse suscepta; non est quare iam concilia congregentur,*

dies der Sinn der Konzilien ist, nämlich Fragen ein für allemal zu entscheiden, macht dieselben geradezu zum Mittel, Streitfragen und
Gegensätze in der Kirche zu zementieren und zu perpetuieren[110].
Aus dieser Theorie folgt eine wichtige praktische Konsequenz: „Deswegen kann die Art und Weise der Untersuchung (ordo quaerendi) nach
der Definition eines durch die Zustimmung der gesamten Kirche bekräftigten Konzils nicht mehr die gleiche wie vorher sein. Vorher verlangte die Vernunft, daß der fragliche Brief vom Konzil als anzunehmen-
der beurteilt wird, wenn er sich als orthodox beweisen läßt; jetzt dagegen verlangt die Vernunft, daß (dieser Brief) als orthodox beurteilt
wird, wenn er als von der Synode angenommener bewiesen wird"[111].
An diese praktische Konsequenz seiner Konzilstheorie hat sich Facundus
in der Methode seiner Argumentation im Vorausgehenden strikt gehalten: Buch V galt dem Nachweis des Faktums der Annahme des
Briefes durch das Konzil von Chalcedon. „Nach der Definition" gilt
deswegen: der Brief ist orthodox. Der Vorwurf, er, Facundus, könne die
Rechtgläubigkeit des Briefes nicht beweisen, ist aus dem angegebenen
Grunde, d. h. dem Wechsel des ordo quaerendi, nicht stichhaltig[112].

---

nec terminatae, immo nec terminabiles dicantur quaestiones, quarum probatio semper exigitur: cur
enim non dicatur similiter probetur prius quod unius essentiae sint Pater ac Filius ut credatur hoc
Nicaeno concilio terminatum; et quia consubstantialis est Patri ac Filio Spiritus Sanctus, quia non aliter
credi potest quod hoc synodus Constantinopolitana decreverit.

[110] Fac., Def. 5, 5, 4, CCL 90 A, 157: Atque ita quaestionibus universis in antiquo statu manentibus
non solum nihil synodorum constitutionibus absolutum esse videbitur, sed etiam ad perpetuandas lites
quaestionum in eis memoria reservata.

[111] Fac., Def. 5, 5, 5, CCL 90 A, 157: Et ideo non idem modus esse debet atque ordo quaerendi, post
definitionem concilii totius Ecclesiae consensione firmati, qui fuit ante definitionem. Tunc enim ratio
poscebat ut si orthodoxa probaretur illa epistola, suscipienda iudicaretur a synodo: nunc autem ratio
poscit ut, si suscepta probetur a synodo, iudicaretur orthodoxa. — Vgl. hierzu die u. E. zu pauschale
Kritik von PEWESIN 67 f.: „Überall wird bei Facundus der dialektische Geist von dem auto-
ritativen überwunden, die ratio durch die auctoritas mediatisiert... Die Einbeziehung der
kirchlichen Institution (gemeint ist das Konzil) in den Zusammenhang des theologischen
Streites ist der Punkt, an dem die disputatorische Erörterung aufgehoben, zu einem bloßen
Scheingefechte gemacht wird."

[112] Fac., Def. 5, 5, 6—8, CCL 90 A, 157—158: Hanc observantiam tenentibus, nihil nobis praevalebit
haereticorum calliditas, si iudicare non praesumamus quod intelligere non valemus. Quanquam nonnihil
intelleximus: intelleximus enim haereticorum fraudes, erroresque convincimus. Non ergo parum est, quod
veraciter dedocemus errorem, etsi plenam docere non possumus veritatem. Indessen meint Facundus,
daß, wenn er auch bisher keinen positiven Beweis beigebracht hat, ihm doch die Widerlegung der Gegner gelang: ... Ad Jeremiam Dominus dicit: Ecce dedi verba mea in os tuum,
et constitui te hodie super gentes, et regna, eradicare et effodere, et disperdere et reaedificare
et replantare (Jer 1, 10). Iubetur itaque propheta prius eradicare et effodere, et disperdere errores
atque mendacia, et reaedificare et plantare scientiam et veritatem. Hoc perfectum est opus, et iste praedica-
toris est finis: quem si non valemus attingere, certum est tamen nos aliquid incepisse. Nam eradicavimus,
et effodimus, et disperdidimus quod eradicandum et effodiendum, et disperdendum fuit; et si minus
possumus etiam reaedificare et replantare, melioribus hoc reservamus, et simus interea Patrum auctoritate
contenti.

Eine weitere Klärung seiner Position bringt der Einwand, die Rechtgläubigkeit des Ibas-Briefes könne nicht durch Berufung auf das Konzil
von Chalcedon bewiesen werden, denn dieses Konzil sei gerade wegen
der Annahme des betreffenden Briefes als nestorianisch zu betrachten.
Hier antwortet Facundus, seine Konzilstheorie mit der Unterscheidung
zwischen *ante* und *post definitionem* im Rücken: „den Eutychianern
schulde ich in dieser Frage nichts", m. a. W., eine Diskussion über die
Rechtgläubigkeit des Ibas-Briefes setzt die Klärung der grundlegenden
Frage nach der Rechtgläubigkeit des Konzils voraus[113].

Bleibt es also, was den Beweis für die Rechtgläubigkeit des Ibas-Briefes
angeht, bei der Autorität des Konzils? Ist Autorität das letzte Wort des
Facundus?[114] Noch einmal betont der Bischof von Hermiane: an sich
genügt die Definition, aber unsere *parvuli* müssen belehrt werden: ihnen
sind *rationes* zu zeigen, damit, „was im Glauben geglaubt wird, auch von
der Vernunft erkannt wird, nämlich daß die große Synode gerechter-
weise nicht kritisiert werden darf, wenn sie den Brief (des Ibas) als orthodox beurteilt hat. Wir hatten versprochen, bei der Disposition unseres
Werkes, diesen Punkt als letzten zu behandeln"[115]. Das *meritum causae* ist
erreicht, der entscheidende Wahrheitsbeweis ist erbracht: der Ibas-Brief
ist von der Autorität des Konzils gedeckt. Aber diese Autorität ist nicht
ohne *rationes*. Diese *ratio causae* ist zu suchen und jedermann aufzuzeigen[116]. Die Bücher VI bis XI sind dieser Aufgabe gewidmet. Die
Bedeutung des Passus V, 5 erhellt unmittelbar: was vorausgeht und was
folgt, steht unter dem Vorzeichen und der Klammer der in ihm formu-

---

[113] Fac., Def. 5, 5, 10, CCL 90 A, 158: *Non enim me rationis ordo permittit ut eis respondeam, cur ita
patres nostri super epistola venerabilis Ibae decreverint. Prius est enim ut fateantur nobiscum quod etiam
concilio Epheseno firmatum docuimus, Dominum nostrum Jesum Christum in duabus naturis esse credendum, de quo est inter nos atque illos principalis dissensio; et ita demum facti amici, rationem sibi dari
postulent paterni iudicii.* — Ausdrücklich beruft sich Facundus (159) für diesen seinen Standpunkt auf Leos Brief 162 (ACO II, 4, 106, 33—107, 10).
[114] Fac., Def. 5, 5, 18, CCL 90 A, 159—160: *Cernis igitur, religiose princeps, ad huius epistolae
defensionem sufficere nobis in praesenti tempore, quod eam probavimus orthodoxam a synodo iudicatam,
nec a beato Leone, sicut fingebatur, expulsam, sed potius cum omnibus quae ibi sunt de fide statuta
firmatam. Quamobrem sufficit nobis, ut dictum est, horum sola probatio. Siquidem neque catholicus
quisquam potest tantae synodi auctoritati resistere, neque nos ratio sinit cum Eutychianis, nedum inter
nos, principali quaestione finita, de sententia super epistola Ibae confligere . . .*
[115] Vgl. Anm. 106. Fortsetzung Def. 5, 5, 21, CCL 90 A, 160: *Huic ergo nos devotione atque
oboedientia religantes obiecta primum oblatrantibus mole paternae sententiae, quam super epistola saepe
dicta prolatam docuimus, in quodam placidissimo fidei portu causae rationem vel inveniendam quaeremus,
vel ostendamus inventam: ut quod fide creditur, etiam intelligentia cognoscatur, non posse iuste reprehendi
magnam synodum, quoniam eam iudicavit orthodoxam: quod in huius operis divisione, ultimo loco nos
promisimus ostensuros.*
[116] Vgl. vorausgehende Anm.

lierten Konzilstheorie: die Definition bestimmt den *ordo quaerendi*, d. h.
Ziel und Methode der Darlegung.

Ohne Zweifel, unser Afrikaner hat einen klaren, eindeutigen Begriff von
Konzil: Konzil ist Autorität, an der sich der Glaube festhält. Kann man
sagen: bis der Glaube zur Einsicht wird? Interessant ist jedenfalls in
diesem Zusammenhang sein Kommentar zu Joh 6, 51—52: die Funktion
der Autorität ist Stiftung der Einheit und so die Ermöglichung des
Lernens. Autorität ist der konkrete Weg zur Einsicht[117].

Das Konzil im Spannungsfeld von *auctoritas* und *ratio*! Unübersehbar
ist, wer im Hintergrund dieses Konzilsbegriffs steht: Augustinus,
„dessen Gestalt", wie Pewesin schreibt[118], „für diese Afrikaner der Mitte
des sechsten Jahrhunderts, die noch gleichsam seinen lebendigen Atem
spürten, da sie ihm zeitlich und räumlich nahestanden, von der größten

---

[117] Fac., Def. 12, 1, 39—42, CCL 90 A, 372—373: *Ecce est ille spiritus rationis impatiens, et auctoritati contumax quo aguntur haeretici, qui scandalizari et separare semetipsos magis sunt prompti quam discere. Ignorantia vero piorum mansuete opportunitatem praestolantium disciplinae, servantium unitatem spiritus in vinculo pacis, ita in consequentibus aperitur. Adiungit enim illic evangelista sic referens:* Dixit ergo Jesus duodecim: nunquid et vos vultis abire (Joh 6, 68) *quod nisi aeque mysterium non intelligentibus, sed non aeque immitibus et auctoritati contumacibus, minime diceretur. Cur enim interrogarentur, utrum et ipsi abire vellent, si quod mystice dictum fuerat cognovissent? nam mysterium cognoscentes scandalizari et abire non possint. Sed interrogati sunt ut responderent, utrum eos, quamvis non intelligentes, quod dictum est, boni tamen magistri teneret auctoritas; et nobis pietatis et mansuetudinis huius salubre in eis praeberetur exemplum, ut sicubi non intelligimus, auctoritati cedamus. Denique sic ibi interroganti Domino respondit et Petrus, ut non ideo se diceret nolle abire, quod mysterium intellexerit, sed quia quid illud quod a tali magistro diceretur ad vitam aeternam procul dubio pertineret. Ait enim:* domine, ad quem ibimus? verba vitae aeternae habes: et nos credidimus, et cognovimus quia tu es Christus Filius Dei (Joh 6, 69). *Quod si mysterium intellexisset, haec potius diceret: domine, cur abeamus non est, cum credamus nos corporis et sanguinis tui fide salvandos. Multum itaque differt inter haereticorum immitem proterviam corpus Ecclesiae discindentem, vel in Ecclesia corde ficto latentem, et minus capacem catholicorum intelligentiam doctrinae Christi subiectam, et servantem unitatem spiritus in vinculo pacis.* — Vgl. in diesem Zusammenhang auch die Ausführungen des Facundus über die Kirche als *schola veritatis*, Def. 12, 1, 27—28, CCL 90 A, 370: *Quocirca omnes, qui in discipulatu sunt veritatis, et semetipsos rationi dociles et subjectos auctoritati praebent Ecclesiae, si aliter sapiant de his quorum fide mundantur, vel propter incapacem intelligentiam suam, vel minus rem animadvertendo quam opus est, impie procul dubio tanquam haereticos exsecrantur. Qui enim statuit in corde suo firmus hoc credere, quod in talibus doctrina et fides habet Ecclesiae, quamvis non perfecte omnia de hisdem sapiat vel loquatur, quia tamen suae scientiae non confidit, et multa in quibus errat aut dubitat, ab Ecclesia recte teneri non dubitat, ubi positus velut in schola veritatis habet pium discendi propositum; non est dicendus inimicus ipsius veritatis, quod est haereticus, sed perficiendus potius discipulus.*

[118] Pewesin 56. — Vgl. auch Pewesin 56, Anm.24: „Wie kein anderer wird in der Schrift des Facundus Augustin gepriesen. Während Facundus im allgemeinen für die Väter das Beiwort beatus oder sanctus genügt, häuft er bei Augustinuszitaten das Lob . . ." Charakteristische Beispiele finden sich etwa Def. 1, 3, 16; 14 / 1, 4, 25; 23 / 1, 6, 16; 40 / 6, 5, 46; 192. — Zur Fortwirkung Augustins gerade im Zusammenhang der vorliegenden Problematik vgl. W. Schulz, Der Einfluß der Gedanken Augustins über das Verhältnis von ratio und fides in der Theologie des 8. und 9. Jahrhunderts, in: ZKG 34 (1923) 323—359 und 35 (1924) 9—39.

Bedeutung war". Auch bei Augustinus, so glaubten wir feststellen zu können[119], ist Konzil als Autorität begriffen in der für ihn typischen Spannung zu *ratio/intellectus*.

Es ist jedoch zu fragen, ob die beiden Afrikaner dasselbe meinen, wenn sie das gleiche sagen, wenn beide das Konzil im Spannungsfeld *auctoritas/ratio* sehen. Selbst wenn man nämlich unterstellt, daß Augustinus Universalkonzilien für irreformabel hält — eine These, die nicht bewiesen werden kann —, selbst wenn außerdem der Traditionalismus des Facundus als Tribut an den Zeitgeist gebührend in Rechnung gestellt wird, so scheint nichtsdestoweniger bei beiden ein fundamental verschiedenes Verständnis von *auctoritas* vorzuliegen und eine je verschiedene Art und Weise, dieselbe auf *ratio/intellectus* zu beziehen. Ist es nicht bei Facundus der einzelne Gläubige, der lernen und einsehen muß, was die Kirche, man ist versucht zu sagen: die Hierarchie, unterschieden von ihm und ihm gegenüber, schon je eingesehen und begriffen hat?[120] Ist es nicht bei Augustinus demgegenüber die Kirche als ganze, die auf Autorität angewiesen ist, und die als ganze — gerade auch auf ihren Konzilien — auf *auctoritas* gestützt, zu immer tieferem *intellectus* in das Heilsmysterium kommt? Liegt hier nicht eine dynamische, dort eine im Grunde statische Konzilsidee vor, insofern hier die Kirche selber, dort nur der einzelne Gläubige fortschreitet von der *auctoritas* zum *intellectus*?

5. ‚Causa fidei‘ und ‚negotia privata‘

Einen letzten Beitrag zur Entwicklung der Konzilsidee in dem hier untersuchten Zeitabschnitt leistet — immer noch im Zusammenhang des Drei-Kapitel-Streites — ein Vertreter des Römischen Stuhles. Über der Verurteilung der Drei-Kapitel war es auf dem Reichskonzil von 553 zum Schisma gekommen, nicht zuletzt wegen des unglücklichen Schwan-

---

[119] Vgl. S. 99—101.

[120] Fac., Def. 12, 1, 29—30, CCL 90 A, 370: *Imperfectus iste profecto nihil sui cordis adinventione confictum propria quadam auctoritate docere praesumit, sicut quidam haeretici, neque talia docentes sequitur; sed auctoritati divinarum litterarum innititur, atque ubi earum intelligentiam non fuerit assecutus (in multis siquidem, pro illarum magna profunditate, humanus caligat aspectus) cognoscens quid inde statuerit universalis Ecclesia, errori suo pia cordis humilitate renuntiat, quia nunquam sibi ne aliter saperet interdixit. Sicut ergo sunt perfectiores quidam, qui magno sapientiae dono praevalent mente contemplari, quae tantummodo creduntur ab aliis in fide perfectis, ita multi sunt imperfecti in Ecclesia Christi, et tamen in servanda eius unitate perfecti: qui cum per ignorantiam suam in plurimis errent, in nullo tamen errare credunt Ecclesiam cuius se confidunt unitate salvari.*

kens des Papstes Vigilius[121]. Seinen Nachfolgern war die fast unlösbare Aufgabe gestellt[122], die verlorene Einheit wieder herzustellen. Von diesen Bemühungen[123] um die Wiederherstellung der Kirchengemeinschaft zeugen vor allem die Briefe des Papstes *Pelagius II.* (579—590)[124] an die schismatischen illyrischen Bischöfe[125]. In einem ersten Brief war Pelagius auf die Argumente der Gegenseite nicht eingegangen, sondern hatte sich mit einem Glaubensbekenntnis und dem Appell, das Schisma aufzugeben, begnügt. In einem zweiten, dem genauso wenig Erfolg beschieden war wie dem ersten, hatte er das Prinzip der Lösung dann kurz angedeutet[126]. Im dritten Brief[127] an die Schismatiker, die ihre Argumente, z. T. zumindest, von Facundus beziehen[128], setzt sich der Papst, d. h. wahrscheinlich Gregor der Große, der mutmaßliche Verfasser[129] des Briefes, ausführlich mit den Argumenten der illyrischen Bischöfe auseinander[130].

Der erste Hauptteil des päpstlichen Schreibens[131] geht auf das formale Argument der Schismatiker ein, nämlich ihre Berufung auf den Rö-

---

[121] Vgl. Caspar, Papsttum, II, 234—286.

[122] Caspar, Papsttum, II, 286—305.

[123] Vgl. den für unsere Problematik interessanten Beitrag Pelagius I. über die authentische Interpretation der ökumenischen Konzilsbeschlüsse durch „die apostolischen Stühle": ... *quod celsitudo vestra dicit: ubi convenire debeamus et quasi synodum facere, istud canones nulli permittunt, post universalem synodum et post iudicium quod tamquam uno ore prope quatuor milia episcopi tam in metropolitanis suis quam singulares Constantinopoli protulerunt, iterum contentiones ad medium revocare. Sed nec licuit aliquando nec licebit, particularem synodum ad diiudicandum generalem synodum congregari. Sed quotiens aliqua de universali synodo aliquibus dubitatio nascitur, ad recipiendam de eo quod non intellegunt rationem, aut sponte ii qui salutem animae suae desiderant, ad apostolicas sedes pro percipienda ratione conveniunt ... aut si forte ... ita obstinati et contumaces exstiterint ut doceri non velint, eos ab eisdem apostolicis sedibus aut attrahi ad salutem quoque modo necesse est, aut, ne aliorum perditio esse possint, secundum canones per saeculares opprimi potestates* (!). Ep. 59 (JK 1018), Ed. P. M. Gassò, Monserrat 1956, 157—158.

[124] ACO IV, 2; 105—132 und MGH. Ep. 1, 2, 442—467.

[125] Zum geschichtlichen und politischen Hintergrund dieses Schismas vgl. P. Richard, Art. „Aquilée", in: DHGE 3 (1924) 1112—1142, dort 1118—1119; H. Fuhrmann, Studien zur Geschichte mittelalterlicher Patriarchate II, in: ZSRG. K 71 (1954) 1—84, hier 43—61.

[126] Pelag., Ep. 2, ACO IV, 2, 109, 44—45: *Nam privatae causae quae illic* (d. h. auf dem Chalcedonense) *post definitionem fidei actae sunt, non solum minime confirmavit, sed et retractari atque diiudicari concessit.*

[127] ACO IV, 2, 112—132.

[128] ACO IV, 2, 115, 34—35: die illyrischen Bischöfe bezeugen die gleiche Version des Passus aus dem *Codex Encyclius* wie Facundus (Def. 2, 5, 13, CCL 90 A, 63). Auch die Leo-Zitate dürften der Kampfschrift des Facundus entnommen sein, vgl. ACO IV, 2, kritischer Apparat.

[129] E. Schwartz spricht sich entschieden gegen die Verfasserschaft Gregors aus, vgl. ACO IV, 2, XXIII. Caspar, Papsttum, II, 311, dagegen hält das alte Zeugnis des Paulus Diaconus in diesem Sinn aufgrund von Form und Ton des vorliegenden Briefes für glaubhaft.

[130] Caspar, Papsttum, II, 367—373; ferner A. Grillmeier, Vorbereitung des Mittelalters, in: Chalkedon II, 791—839, hier 830—834.

[131] Nr. 13—61, ACO IV, 2, 113, 33—119, 29.

mischen Stuhl. Pelagius/Gregor sucht zu zeigen, daß die Berufung auf Leos „Konzilstheorie" und „Konzilspraxis" (seine Bestätigung des Chalcedonense)[132] ebenso unberechtigt ist wie der Rekurs auf das Vorgehen des Vigilius in fraglicher Angelegenheit[133]. Wie widerlegt der Papst den Rekurs auf Leos „Konzilstheorie?"[134] Seine Argumentation ist höchst einfach. Er stellt die von den Schismatikern zitierten Texte, z. B. den Satz *nihil prorsus de bene compositis retractetur*, in ihren Kontext[135]. Dabei wird deutlich: das Prinzip bezieht sich ausschließlich auf die *causa fidei*[136]. Und so lautet das Fazit des Textstudiums: „Wenn (Leo) das Verbot aufstellte, Definiertes niederzureißen, so fügte er auf der Stelle die Aufforderung hinzu, den katholischen Glauben zu bewahren, und zeigte somit, daß er (bei seinem Verbot) nicht die Revision von speziellen Fällen, sondern einzig das Glaubensbekenntnis im Auge hatte"[137].

Wie Leo näherhin seine prinzipiellen Aussagen über die Nichtrevidierbarkeit von Konzilien verstanden hat, ergibt sich übrigens auch, so Pelagius, aus der „Konzilspraxis" desselben Papstes: Indem Leo nur die Glaubensdefinition des Chalcedonense bestätigte, räumte er für das

---

[132] Nr. 13—51, ACO IV, 2, 113, 33—118, 9.

[133] Nr. 52—61, ACO IV, 2, 118, 10—119, 29.

[134] Wofür sich die Schismatiker genauerhin auf Leo berufen, ist nicht überall mit letzter Klarheit ersichtlich. Berufen sie sich nur auf die faktisch erfolgte päpstliche Bestätigung des Konzils oder vielmehr auf seine Lehre von der Nichtrevidierbarkeit von Konzilsentscheidungen? Die von ihnen zitierten Leo-Texte jedenfalls (ACO IV, 2, 114, 6—24) heben auf die päpstliche Konzilslehre als solche ab und nicht auf die faktische Bestätigung des Konzils durch Papst Leo.

[135] Pelag., Ep. 3, ACO IV, 2, 114, 1—4: *Sed quia semper dictandi ordo tanta sibimet conexione subiungitur ut et praecedentia subsequentibus serviant et subsequentia ex praecedentibus suspendantur, eorum sensum quae prolata sunt, melius pandimus, si infra supraque legentes, vel quo tendunt vel unde pendeant, demonstremus.*

[136] ACO IV, 2, 114, 28—118, 9. — Eingeschlossen in die Diskussion von Leo-Texten ist ACO IV, 2, 115, 33—116, 17, ein Passus aus dem *Codex Encyclius*. Es handelt sich, so der Papst, um ein unechtes Zitat. Statt *neque unum iotam vel apicem possumus aut commovere aut commutare eorum quae apud Chalcedonem decreta sunt* müsse es heißen: *neque unum iotam vel apicem possumus aut commovere aut violare eorum quae ab ea recte sunt et inculpabiliter definita.* — Die Konsultation möglich alter, weil zuverlässiger Codices lag Gregor auch in anderen Fragen am Herzen: Vgl. Ind. 4, Ep. 14, MGH. Ep. 1, 393, 23—29. *Caritas ergo vestra vetustos omnino codices eiusdem synodi requirat et illic videat, si quid tale invenitur, mihique eundem codicem, quem invenerit, transmittat, quem mox legero, retransmitto. Novis enim codicibus passim non credat. Ex qua re dubius factus sum et nihil adhuc volui de hac causa praedicto fratri meo Ioanni episcopo rescribere. Romani autem codices multo veriores sunt quam Graeci, quia nos vestra sicut non acumina, ita nec imposturas habemus (!).* Vgl. auch Ind. 8, Ep. 135, MGH. Ep. 2, 134, 4—15.

[137] Pelag., Ep. 3, ACO IV, 2, 115, 1—3: *Cum prohiberet definita convelli, admonitionem protinus de custodia catholicae fidei subiunxit, et quia non hoc de retractandis causis specialibus, sed de sola fidei professione dixisset, indicavit.*

Übrige die Möglichkeit eines abweichenden Urteils ein[138]. Deswegen gilt: „Alle privaten Angelegenheiten, die auf dem Konzil verhandelt worden waren, dürfen nach der Meinung des Papstes erneut verhandelt werden"[139]. Pelagius/Gregor schließt die Kommentierung einer weiteren Serie von Zitaten[140] ab, indem er den gleichen Grundsatz negativ formuliert: „Einzig und allein das Glaubensbekenntnis darf nicht revidiert werden"[141].

Der zweite Hauptteil des Briefes stellt im Vergleich zum mehr formalen ersten eine Sachargumentation dar. Der Papst rechtfertigt inhaltlich die Verurteilung der Drei-Kapitel[142]. Uns interessiert an seinen Ausführungen nur die Frage, wie er die Nichtrezeption des Ibas-Briefes zu beweisen sucht. Der Inhalt des Ibas-Briefes steht zum Konzil von Chalcedon in deutlichem Gegensatz. Mit dieser Feststellung und den entsprechenden Hinweisen setzt die Argumentation des Papstes ein[143]. Nun kann aber das Konzil unmöglich sich selber widersprechen, ist es doch Kundgabe des einen Geistes und des einen Glaubens[144]. Als Konsequenz, zunächst rein apriorisch, ergibt sich: der Brief kann nicht rezipiert sein. Doch der Papst begnügt sich nicht mit dieser apriorischen Beweisführung. Indem er innerhalb der Konzilsakten zwischen der *causa fidei* und den *negotia privata* unterscheidet[145], stützt er seine apriorische Überlegung am Text ab: die Konzilsakten bezeugen, daß die Drei-Kapitel keinen in-

---

[138] Pelag., Ep. 3, ACO IV, 2, 115, 4—6: *Illa namque nunc in vestra quaestione vertuntur, quae ipse quoque prodecessor noster beatus Leo diiudicat, dum non nisi ea quae apud Chalcedonem de fide sunt statuta, confirmat.*

[139] Ebd. 115, 31—32 . . . *cuncta privata negotia quae mota in synodum fuerant retractari concessit.*

[140] ACO IV, 2, 116, 18—117, 27.

[141] Ebd. 117, 28—29 . . . *ergo cuncta res, quae retractari non debet, sola est professio fidei . . .*

[142] Nr. 62—96, ACO IV, 2, 119, 30—126, 8 über Theodor, Nr. 97—123, ACO IV, 2, 126, 9—129, 8 über den Ibas-Brief, Nr. 124—142, ACO IV, 2, 129, 9—131, 15 über Theodoret.

[143] Pelag., Ep. 3, ACO IV, 2, 126, 10—11: *Cuius tota series si sollerter aspicitur, sanctae Chalcedonensi synodo quam sit adversa, pensatur.* Beweis: ACO IV, 2, 126, 11—28.

[144] Pelag., Ep. 3, ACO IV, 2, 126, 34—39: *Sed absit hoc, absit ab illo venerando concilio, ut sibimet contraria sapiat et vel superiora subsequentibus discordia praeferat vel inferiora praecedentibus inpugnatura subiungat. Sancta enim fides, quae uno illic spiritu accepta est, uno sensu credita, una est etiam voce praedicata, et idcirco in cunctis mundi partibus forma nostrae professionis facta est, quia in prae(di)-cantium vocibus sibimet ipsa dissimilis non est.*

[145] Zu fragen wäre, ob sich die Gegenüberstellung *causa fidei / negotia privata* an der Unterscheidung des römischen Rechts inspiriert: *publicum ius est quod ad statum rei Romanae spectat, privatum quod ad singulorum utilitatem* (Ulpianus, Dig. 1, 1, 1, 2 = Inst. 1, 1, 4), in bezug auf die die Spätklassiker die Regel aufgestellt haben: *publicum ius privatorum pactis mutari non potest* (Papinianus, Dig. 2, 14, 38). Zum Ganzen vgl. M. KASER, Das Römische Privatrecht, München 1955, I, 172—175; H. MÜLLEJANS, Publicus und Privatus im römischen Recht und im älteren kanonischen Recht unter besonderer Berücksichtigung der Unterscheidung Ius publicum und Ius privatum, München 1961, 16—34.

tegrierenden Bestandteil des Chalcedonense darstellen[146]. Daß diese Unterscheidung zwischen einem unveränderlichen Kern des Konzils und sehr wohl veränderlichen, peripheren Teilen nicht aus der Luft gegriffen ist, zeigt Pelagius/Gregor im anschließenden Traditionsbeweis: Leo selbst praktizierte schon die obengenannte Unterscheidung zwischen *causa fidei* und *negotia privata*[147]. So lautet das Ergebnis: „Ungeachtet der Tatsache, daß Ibas selber sich von diesem Brief distanziert und daß andererseits ein Beweis für seine Annahme (durch das Konzil) nur schwerlich oder gar nicht erbracht wird, würde jeder das Recht haben, ihn zu verwerfen, selbst wenn ihn Bischöfe des fraglichen Konzils unterschrieben hätten. Denn mögen die Teilnehmer des Konzils auch (große) Autorität gehabt haben, bei der Regelung privater Angelegenheiten steht ihnen diese nicht zu Gebote. Dieses Recht auf Revision und ein abweichendes Urteil hatte Leo seinerzeit in seinen Briefen eingeräumt"[148].

Wir fassen zusammen. Indem Pelagius/Gregor im ersten Teil des Briefes das Leoninische Prinzip der Nichtrevidierbarkeit von Konzilien auf die

---

[146] Der Abschluß der *causa fidei* ist, so der Papst, äußerlich durch die Unterschrift der Bischöfe erkennbar. Diese befinden sich in den chalcedonensischen Akten schon in der 6. Sitzung. Auch der Umstand, daß unmittelbar anschließend an diese Sitzung, nämlich in der 7., die Kanones folgen, ja auf dieselben schon in der 6. Sitzung hingewiesen wird, beweist in den Augen des Papstes die Richtigkeit der vorgebrachten Unterscheidung. ACO IV, 2, 127, 10—128, 2. — Diese Lösung ist, wie GRILLMEIER, Mittelalter 832, richtig bemerkt, ein Kunstgriff. Er wird der historischen und theologischen Problematik, d. h. der Tatsache, daß der Ibas-Brief sehr wohl vom Konzil, ja sogar von den päpstlichen Legaten rezipiert worden war, natürlich nicht gerecht. Vgl. jedoch H. DIEPEN, Les trois chapitres au concile de Chalcédoine, Osterhout 1953, 94—106; ferner CAMELOT, Ephesus 170—174. Zur redaktionellen Verschiebung der Kanones in der Überlieferung der chalcedonensischen Konzilsakten vgl. E. SCHWARTZ, ABAW. PPH 32, 2, 1925, 12, Anm. 3 u. S. 18; DERS., SBAW 27 (1930) 611.

[147] Pelag., Ep. 3, ACO IV, 2, 128, 3—6: *Sed cur de his extensa ratione agimus, qui tanta prodecessoris nostri Leonis auctoritate fulcimur? ipse namque, sicut multa superius epistolarum eius adtestatione docuimus, gesta multiplicia causarum specialium reprobando, auctoritatem synodi in sola fidei definitione constrinxit.* Es folgen Belege aus Leo-Briefen, u. a. Ep. 119: ACO II, 4, 74, 23—28: *si quid sane ab his fratribus quos ad sanctam synodum vice mea misi, praeter id quod ad causam fidei pertinebat, gestum esse perhibetur, nullius erit penitus firmitatis, quia ad hoc tantum ab apostolica sunt sede directi, ut excisis haeresibus catholicae essent fidei defensores. quidquid enim praeter speciales causas synodalium conciliorum ad examen episcopale defertur, potest aliquam diiudicandi habere rationem, si nihil de eo est a sanctis patribus apud Nicaenam definitum.* Pelagius/Gregor verdeutlicht: *specialis quippe synodalium conciliorum causa est fides; quidquid ergo praeter fidem agitur, Leone docente ostenditur quia nihil obstat, si ad iudicium revocetur.* ACO IV, 2, 128, 30—32. — Die in ACO IV, 2, 128, 13—27 versuchte Widerlegung des Einwandes, der oben zitierte Leo-Text beziehe sich ausschließlich auf Kanon 28, vermag freilich nicht zu überzeugen.

[148] Pelag., Ep. 3, ACO IV, 2, 129, 3—8: *Et quamvis ab eadem epistola alienum se Iba respondeat, quamvis quia adprobata sit, aut difficulter aut nullatenus demonstratur: licenter tamen unusquisque eam reprehenderet, etamsi episcopi in dem concilio residentes suis illam subscriptionibus approbassent,*

causa fidei eingrenzt und in diesem Sinne näher bestimmt[149], leistet er einen beachtlichen Beitrag zur Formalisierung des Konzilsbegriffs: Konzile sind nichtrevidierbare Glaubensentscheidungen als solche. Mit dieser Bestimmung kommt eine Entwicklung zu ihrem Höhepunkt, die in gewisser Weise die Umkehrung der älteren Konzilsauffassung darstellt, für die gerade die Personenfragen im Mittelpunkt standen[150]. Die Unterscheidung im zweiten Teil des Briefes zwischen *causa fidei* und *negotia privata* innerhalb der Konzilsakten mag im vorliegenden Fall nicht mehr als ein Kunstgriff und dazu noch ein recht gewaltsamer sein, kommenden Generationen wird sie nichtsdestoweniger als höchst nützliches Interpretationsprinzip zur Verfügung stehen. Mit ihrer Hilfe kann Konzilsautorität, wird sie wie bei Ferrandus und Facundus ins Spiel gebracht, auf das rechte Maß beschnitten werden.

---

quia postquam beato Leone scribente ius retractandi et diiudicandi conceditur, etiamsi qua esse poterat eorum qui interfuerant, in privatis negotiis auctoritas, vacuatur.

[149] Später scheint Gregor diese Unterscheidung zwischen *causa fidei* und *negotia privata* bzw. *personarum* noch forciert zu haben: *De personis vero, de quibus post terminum synodi aliquid actum fuerat, eiusdem piae memoriae Iustiniani temporibus est ventilatum; ita tamen, ut nec fides in aliquo violaretur, nec de eisdem personis aliquid aliud ageretur, quam apud eandem sanctam Chalcedonensem synodum fuerat constitutum.* Ind. 3, Ep. 10, MGH. Ep. 1, 170, 6—9. Ferner Ind. 4, Ep. 37, MGH. Ep. 1, 273, 24—30: *De illa tamen synodo, quae in Constantinopoli postmodum facta est, quae a multis quinta nominatur, scire vos volo, quia nihil contra quattuor sanctissimas synodos constituerit, vel senserit; quippe quia in ea de personis tantummodo non autem de fide aliquid gestum est, et de eis personis, de quibus in Calcedonensi concilio nihil continetur. Sed post expressos canones facta contentio et extrema actio de personis ventilata est.*

[150] Es war die Person des Paul von Samosata, die auf dem Konzil von Antiochien 268 verurteilt wurde; es war im ursprünglichen Verständnis zumindest die Person des Arius, über die in Nicaea das Anathem ausgesprochen wurde, usw.

Kapitel IV

DAS ZWEITE NICAENUM
UND DIE PROBLEME DER REZEPTION

Dem zweiten Nicaenum[1] im Rahmen einer Untersuchung der Konzilsidee ein eigenes Kapitel zu widmen, erscheint aus mehreren Gründen
angezeigt. Mit ihm, dem letzten von der Ostkirche anerkannten Ökumenischen Konzil, geht vor dem Ausbruch des Photianischen Schismas
eine historische Periode zu Ende. Das Konzil gibt also Gelegenheit,
Bilanz zu ziehen. Sich mit dem zweiten Nicaenum näherhin zu befassen,
legt auch die besondere Quellenlage nahe. Die *Libri Carolini* (= LC)
stellen nämlich eine ausgezeichnete Textbasis dar, um einen Aspekt der
Konzilsidee, nämlich die Rezeption, genauer zu untersuchen. Schließlich
meldet sich in der entschiedenen Weigerung der fränkischen Theologie,
das zweite Nicaenum anzunehmen, eine neue, vom Osten weitgehend
emanzipierte Theologie zu Wort, insbesondere auch was die Konzilstheorie angeht. Hier das charakteristisch Neue zu erfassen, bedeutet den
Ausgangspunkt der westlichen, mittelalterlichen Phase der Entfaltung
der Konzilsidee zu bestimmen.

---

[1] Zum geschichtlichen Hintergrund vgl. E. Ewig, in: HKG (J) III, 1, 1966, 91—97; E.
Amann, in: HE, VI, 1937, 120—127; Hefele/Leclercq, III, 2, 1061—1091; E. Caspar,
Das Papsttum unter fränkischer Herrschaft, in: ZKG 54, (1935) 132—264, hier 183—200;
A. Hauck, Kirchengeschichte Deutschlands, Leipzig ²1900, 307—331; J. Haller, Das
Papsttum, Idee und Wirklichkeit, II, Esslingen ²1962, 11—15; L. W. Barnard, The Graeco-
Roman and Oriental Background of the Iconoclastic Controversy, Leiden 1974. — Eine
inhaltliche Analyse der Konzilsakten von Nicaea II bietet G. Lange, Bild und Wort, die
katechetischen Funktionen des Bildes in der griechischen Theologie des sechsten bis neunten
Jahrhunderts, Würzburg 1969, 158—181; über die Vorgeschichte (bis 752) informiert D. H.
Miller, The Roman Revolution of the Eighth Century: A Study of the Ideological Background of the Papal Separation from Byzantium and Alliance with the Franks, in: MS 36
(1974) 79—133; interessant für den geistesgeschichtlichen Kontext ist W. Edelstein,
Eruditio und Sapientia. Weltbild und Erziehung in der Karolingerzeit, Freiburg 1965; über
die nur scheinbare Einmütigkeit zwischen Byzanz und Rom in der Bilderfrage vgl. G. Ostro-
gorski, Rom und Byzanz im Kampf um die Bilderverehrung (Papst Hadrian I und das VII.
Ökumenische Konzil von Nikäa), in: Sem. Kondakovianum 6 (1933) 73—87; über die
unserer Fragestellung naheliegende Problematik der Autorität allgemein vgl. K. F. Morrison, Tradition and Authority in the Western Church (300—1140), Princetown 1969,
160—210; über die zögernde Rezeption im Osten, P. Henry, Initial Eastern Assessments of
the Seventh Oecumenical Council, in: JThS 25 (1974) 75—92. Leider nicht zugänglich war
uns die Studie von P. Brown, A Dark-Age Crisis: Aspects of the Iconoclastic Controversy,
in: English Hist. Rev. 88 (1973) 1—34; vgl. die Zusammenfassung und Kritik dieses Artikels
durch P. Henry, What was the Iconoclastic Controversy About? in: ChH 45 (1976) 16—31.

1. Die alte Konzilstheorie

a) *Sinn und Wesen des Konzils*

Die ersten Versuche der Alten Kirche, das Konzil theologisch zu reflektieren, verstehen dasselbe von der Paradosis, der Überlieferung, her. Sehr deutlich ließen sich solche von der Paradosis ausgehende Ansätze einer konziliaren Theorie bei Athanasius ausmachen. Das Konzil ist für ihn seinem Wesen nach Paradosis im aktiven und passiven Sinn des Wortes. Den Glauben des Nicaenums „hat Christus geschenkt, haben die Apostel verkündet, haben die Väter, die in Nicaea aus unserer ganzen Ökumene zusammengekommen sind, *überliefert*"[2]. Ähnliche von der Paradosis ausgehende Ansätze einer Konzilstheorie ließen sich auch bei anderen Theologen, zumal der griechischen Kirche, aufzeigen[3]. Ein zweiter Aspekt ist in der theologischen Reflexion des vierten Jahrhunderts über das Nicaenum erkennbar, wir meinen den Rekurs auf das *consensus-omnium*-Prinzip, der meist mit dem Theologumenon der Inspiration[4] verbunden ist. Beide Aspekte, der Paradosis-Gedanke und das *consensus-omnium*-Prinzip — nennen wir sie den vertikalen und horizontalen Konsens[5] — finden wir auch am Endpunkt der von uns anvisierten Zeitspanne in aller wünschenswerten Deutlichkeit als constitutiva des Konzils affirmiert.

Dies werden die Texte im Zusammenhang des zweiten Nicaenums, die wir im ersten Teil dieses Kapitels näher auf ihre Konzilsidee hin analysieren wollen, deutlich machen. Bevor wir uns jedoch diesen Konzilsdokumenten zuwenden, sei noch auf einen Text aufmerksam gemacht, der fast 150 Jahre vor dem zweiten Nicaenum gleichsam eine Synthese der Konzilsidee der Alten Kirche enthält.

In der Tat, die *Epistula Encyclica Martins I.* vom 31. Oktober 649 zum Abschluß der Lateransynode bezeugt auf eindrucksvolle Weise die Kontinuität der altkirchlichen Konzilsidee zwischen den beiden Nicaenen. Nach mehr inhaltlichen Auseinandersetzungen mit seinen monotheletischen Gegnern kommt Martin in seiner ‚Encyclica' schließlich auf die formale Seite des soeben abgeschlossenen Konzils zu sprechen. Auch die Gegner berufen sich für ihre Lehre natürlich auf die Überlieferung. Papst Martin bestreitet ihnen das Recht dazu; dabei stellt er seine Ausfüh-

---

[2] Ath., Ep. ep. 1, PG 26, 1029; vgl. S. 57—58.
[3] Vgl. S. 223—225.
[4] Vgl. S. 220—221.
[5] In Anlehnung an die Sprachwissenschaft könnte man auch von diachronischem bzw. synchronischem Konsens sprechen.

rungen über das zu Ende gegangene Konzil in den Zusammenhang der Überlieferungsproblematik: „Sie haben es gewagt, zur Täuschung der einfachen Gläubigen und zur Vertuschung ihrer eigenen Torheiten, neben anderem Unzulässigem von diesen ungültigen Lehrsätzen (δόγματα) ihrer gottlosen Neuerung schriftlich (ἐγγραφῶς) zu erklären — wohl eine Anspielung auf die ‚Ekthesis'[6] von 638 und den ‚Typos' vom September 647 — ‚dieselben seien die rechtgläubigen Dogmen (τῆς εὐσεβείας τὰ δόγματα), die uns ‚die Augenzeugen von Anfang an und die Diener des Wortes' (Lk 1, 2) und die ganze Reihe von deren Nachfolgern (διάδοχοι), die inspirierten Väter der Kirche und die heiligen fünf ökumenischen Synoden, überliefert haben (διαδίδωμι)'"[7]. Warum kam es zur römischen Synode? „Zuzusehen, so der Papst, daß auf solche Weise die katholische Kirche[8] bekämpft wird, dachten wir, sei gefährlich und fordere den göttlichen Unwillen heraus. Damit wir nicht wegen unserer Untätigkeit und als Leute ohne Sinn und Erfahrung für die Unterscheidung zwischen Gut und Böse verurteilt werden, sind wir bereitwillig mit der Gnade Gottes in dieser christusgeliebten Stadt der Römer zusammengekommen. Wir wollen der rechtgläubigen Verkündigung der Kirche neue Kraft geben, wir wollen andererseits die gottlosen Lehrsätze der Neuerung beseitigen"[9]. Das Konzil selber versteht sich dabei als ‚Nachahmung' (μίμησις) der heiligen Väter. Entsprechend offenbaren die Konzilien der Väter Sinn und Wesen der eben zu Ende gegangenen Synode: „Wir tun es in der Nachfolge der uns vorangegangenen heiligen Väter, die durch lautere Einmütigkeit (ὁμόνοια) und gottwohlgefälliges Zusammenkommen (ἐπὶ τὸ αὐτὸ θεοφιλὴς συνέλευσις)

---

[6] Neuerdings hat R. RIEDINGER, Aus den Akten der Lateransynode von 649, in: ByZ 69 (1976) 17—38, die *Ekthesis* näher untersucht und ist dabei zu interessanten Ergebnissen gekommen. R. zeigt in seiner Quellenanalyse, ebd. 23—29, daß die *Ekthesis* etwa zur Hälfte eine Paraphrase nach dem *Edictum de recta fide* des Justinian vom Juli 551 darstellt. Vgl. den Text der *Ekthesis* nach dem Cod. Vat. gr. 1455 in einer besseren als bei MANSI 10, 991—998 gegliederten Form, ebd. 21—23.

[7] Martin, Ep. encycl., MANSI 10, 1176 A. — Wir übersetzen nach dem griechischen Text; zum Verhältnis des griechischen und lateinischen Textes vgl. E. CASPAR, Die Lateransynode von 649, in: ZKG 51 (1932) 75—137, 75—93. RIEDINGER 29—37 zeigt durch Vergleich von Bibelzitaten in Konzilsreden, daß dieselben nicht vom Lateinischen ins Griechische, sondern umgekehrt vom Griechischen ins Lateinische übersetzt wurden und folgert daraus, daß der Anteil der griechischen Mönche im Gefolge des Maximus am Konzil noch bedeutsamer gewesen sein mußte, als es CASPAR im oben genannten Artikel schon angenommen hatte. In seinem Korrektursatz, ebd. 37—38 zieht RIEDINGER sehr einschneidende Folgerungen aus seinen Beobachtungen, darüber S. 494, Anm. 156.

[8] καθολικὴ ἐκκλησία. — Zu Einzahl und Plural vgl. die treffenden Bemerkungen von Y. CONGAR, Conscience ecclésiologique en Orient et en Occident du VIe au XIe siècle, in: Ist. 6 (1959) 187—236, hier 202—203.

[9] Martin, Ep. encycl., MANSI 10, 1176 A—B.

alle Häresie vernichtet und alle Häretiker geschlagen haben, indem sie die katholische Kirche aus dem Irrtum dieser Leute befreiten"[10]. Der Papst nennt dann die beiden entscheidenden Aspekte, den horizontalen und vertikalen Konsens, den die Konzilien der Väter verwirklicht haben: „Was nämlich aus heiliger Zusammenkunft (συνδρομή) und zudem aus der geistlichen Übereinstimmung (πνευματικὴ συμφωνία) mit den heiligen Vätern erwachsen ist, hat eine starke, für die Feinde unüberwindliche Kraft (δύναμις)"[11].

Wie sieht konkret die Verwirklichung dieses doppelten Konsenses, des horizontalen und des vertikalen, aus? Wie wird er im Vollzug des Konzils praktisch sichtbar? Papst Martin fährt fort: „Deswegen sind auch wir in ungeteilter Gemeinschaft des Geistes (ἀδιαίρετος κοινωνία τοῦ πνεύματος) zusammengekommen (= horizontaler Konsens) . . . und haben durch Vergleich der Konzilsakten sorgfältig den deutlichen Unterschied herausgestellt zwischen den göttlichen Sätzen der heiligen Väter und der fünf ökumenischen Synoden auf der einen und den Lehrsätzen der gottlosen Häretiker auf der anderen Seite, der alten und derer, die in jüngster Zeit aufgestanden sind und ihre gottlose ‚Ekthesis‘ des Glaubens samt dem noch gottloseren ‚Typos‘ abgefaßt haben"[12]. Durch diesen vertikalen Vergleich wurde die Lehrabweichung, die Häresie, ermittelt[13]. Aufgrund dieser Unterscheidung kam es zur ausdrücklichen Erneuerung des Konsenses unter seinem doppelten Aspekt, dem positiven und dem negativen: „Deswegen haben wir die heiligen Väter mit allen ihren heiligen Lehren (κήρυγμα) zusammen mit allen, die mit uns eindeutig diese Väter und diese Schriften annehmen, definitiv (ὁριστικῶς) bestätigt (κυρόω). Die gottlosen Häretiker dagegen haben wir mit allen ihren unheiligen Lehrsätzen, der ‚Ekthesis‘ des Glaubens

---

[10] Martin, Ep. encycl., Mansi 10, 1176 B.

[11] Martin, Ep. encycl., Mansi 10, 1176 B—C. — Zur Bekräftigung zitiert Martin drei Schriftstellen: „Aufgrund der Aussage von zwei oder drei Zeugen soll eine Sache entschieden werden" (Mt 18, 16; Dtn 19, 15), „Eine dreifache Schnur wird nicht so bald zerreißen" (Koh 4, 12), „Ein Bruder, dem der Bruder Beistand leistet, ist wie eine feste hochgelegene Stadt" (Spr 18, 19).— Vielleicht ist auch das ἤτοι mit ‚das heißt‘ zu übersetzen, wie es der lateinische Text tut (hoc est). Dann würde nur auf den horizontalen Konsens angespielt, das ἁγίων πατέρων wäre schwieriger zu verstehen.

[12] Martin, Ep. encycl., Mansi 10, 1176 C. — Dieser Aussage entspricht tatsächlich der Vorgang des Konzils. Vgl. hierzu S. 500.

[13] Martin, Ep. encycl., Mansi 10, 1176 C—D: „Wir beabsichtigen damit allen Lesern den Unterschied zwischen Licht und Finsternis vor Augen zu führen, d. h. zwischen der Wahrheit der Väter und der Falschlehre der Häretiker, und (wir zeigen damit), daß keine Gemeinschaft (κοινωνία) zwischen den Häretikern und den Heiligen Vätern besteht, sondern daß die gottlosen Häretiker in Wort und Sinn von den gottgeliebten Männern sich unterscheiden wie Aufgang und Untergang der Sonne (Osten und Westen?)."

und dem noch gottloseren ,Typos', zusammen mit allen, die ihnen oder ihren Darlegungen Gehör schenken, sie verteidigen oder sich für sie einsetzen, mit dem Bann belegt"[14]. Man kann diese Konsenserneuerung mit ihren zwei Seiten, dem Bestätigen (Definieren) und dem Verurteilen, zusammen mit dem vorausgehenden vertikalen ,Vergleich' als constitutiva des Konzils bezeichnen. Was folgt, die Rezeption durch die Kirche, gehört zwar auch noch zum Konzil, macht aber nicht dessen eigentliches Wesen aus: „Unsere Absicht dabei war, führt der Papst weiter aus, daß ihr alle, die ihr fromm und rechtgläubig in der ganzen Ökumene wohnt, sobald ihr von unserem gottesfürchtigen Tun Kenntnis erhaltet, einträchtig mit uns zur Sicherung und Festigung (ἀσφάλεια) der katholischen Kirche ebenso handelt, und alle heiligen Väter bestätigt (κυρόω), indem ihr schriftlich ihnen und uns bezüglich des orthodoxen Glaubens zustimmt, andererseits alle Häretiker mit dem Bann belegt, die früher und jetzt schamlos unseren heiligsten Glauben bekämpft haben, mitsamt der gottlosen ,Ekthesis' des Glaubens, dem noch gottloseren ,Typos', und denen, die sie bzw. ihre törichten Darlegungen annehmen. Als Frucht eures rechtgläubigen Bekenntnisses werdet ihr dann das Heil eurer Seelen erben"[15].

Wir brauchen in unserem Zusammenhang nicht auf die Frage einzugehen, ob und inwieweit die Lateransynode sich tatsächlich als ökumenische Synode verstand[16], uns interessiert im eben zitierten Passus die Aussage über die formale Seite des Konzils, seine Rezeption durch die Kirche. Rezeption besteht nach Martin im Mitvollzug des Konzilskonsenses nach seiner doppelten Seite, dem κυροῦν und dem ἀναθεματίζειν. Und zwar soll dieser Vollzug schriftlich erfolgen. Beachten wir, gerade im Blick auf den zweiten Teil dieses Kapitels, daß die Gläubigen „in der ganzen Ökumene" nicht so sehr zur kritischen Prüfung, als vielmehr zur Bestätigung, eben zum Mitvollzug des Konsenses aufgefordert werden. Der Kreislauf des Konsenses schließt sich somit: die Ökumene rezipiert den Konsens, der von ihr — in Gestalt des horizontalen Konsenses auf dem Konzil — ausgegangen war.

Wir kommen nun zu den Texten im Zusammenhang des zweiten Nicaenums. Sie erläutern bzw. ergänzen die in Papst Martins Enzyklika angesprochenen Momente der alten Konzilstheorie. *Tarasius*, die Schlüsselfigur des zweiten Nicaenums, wird am 25. Dezember 784 zum Patri-

---

[14] Martin, Ep. encycl., MANSI 10, 1176 D.
[15] Martin, Ep. encycl., MANSI 10, 1176 E—1177 A, nach dem Lateinischen.
[16] Zu dieser historischen Problematik vgl. CASPAR, Papsttum, II, 559—561.

archen ernannt. In seinem vorher zu datierenden sog. *Apologeticus*[17] nennt der ehemalige Geheimsekretär der Kaiserin Irene als *Ziel* des von ihm geforderten Konzils die Wiederherstellung der kirchlichen Einheit: „Nichts ist im Angesichte Gottes so angenehm und wohlgefällig wie unsere Einheit und daß wir eine katholische Kirche werden, wie wir ja auch im Symbol unseres reinen Glaubens bekennen. Ich bitte, Brüder ... unsere sehr frommen und rechtgläubigen Kaiser, daß eine ökumenische Synode versammelt werde, damit wir, die wir einem Gott gehören, eins werden ...“[18]. Die *Sacra*, d. h. das Einberufungsschreiben Kaiser Konstantins VI. vom 24. September 787[19], mit der die erste Sitzung des zweiten Nicaenums eröffnet wird, sieht das *Wesen* der ökumenischen Synode im Vollzug des doppelten Konsenses, des horizontalen[20], und des vertikalen[21]. Es nimmt nicht wunder, daß der Kaiser auf die kaiserliche Einberufung der Konzilsväter abhebt: „Durch seine (Gottes?) Gnade und Inspiration

---

[17] Taras., Apol., Mansi 12, 986—990; Ed. C. de Boor, I, Nachdruck Hildesheim 1963, 458—460, PG 98, 1423—1428. — Zum allgemeinen theologischen Niveau dieser Synode vgl. H. G. Beck, in: HKG (J) III, 1, 1966, 41—42: „Sowohl die Handhabung der ratio theologica wie vor allem des Traditionsbeweises war gegenüber der Synode von 680 in erschreckendem Maße verfallen. Mit dem Alten Testament wurde auf eine Weise verfahren, die kaum die Billigung eines einzigen Synodalen des siebten Jahrhunderts gefunden hätte. Im Nachweis der kirchlichen Überlieferung machen alle möglichen Legenden und Wundermärchen wesentlich tieferen Eindruck als wohlformulierte skeptische Bemerkungen älterer Väter, die man entweder überhaupt nicht berücksichtigt oder mit einer Handbewegung vom Tische wischt ... Theologiegeschichtlich bedeuten die Verhandlungen der Synode einen Tiefstand der östlichen Theologie. Man darf annehmen, daß diejenigen Theologen, die sich mit der Bilderverehrung ‚theologisch‘ befaßten, in einer verschwindenden Minderheit waren ...“
[18] Taras., Apol., Ed. de Boor, 459, 28—460, 2. — Tarasius fährt fort: „Damit wir, die wir der Dreiheit gehören, geeint sind, einer Seele und gleicher Achtung voreinander, wir, die wir unserem Haupte Christus gehören, ein zusammengefügter und zusammengehaltener Leib werden (Kol 2, 19), wir, die wir dem Heiligen Geist gehören, nicht gegeneinander, sondern miteinander sind, wir, die wir der Wahrheit gehören, dasselbe sinnen und sagen und kein Streit und keine Zwietracht unter uns herrsche, ‚damit der Frieden Gottes, der alles Sinnen übersteigt, uns alle bewahre (Phil 4, 7)‘“ ebd. 460, 2—7.
[19] Vgl. F. Dölger, Regesten der Kaiserurkunden ... Nr. 346.
[20] Const., Sacra, Mansi 12, 1003 B: „In besonderer Weise wollen wir uns um die rechte Ordnung (εὐταξία) der heiligen Kirchen Gottes (vgl. hierzu Congar, Conscience ecclésiologique) kümmern; wir sind entschlossen, die Einheit der Bischöfe des Westens, Nordens, Ostens und Südens allzeit zu verwirklichen. Durch Gottes Gnade sind sie durch ihre Stellvertreter mitsamt den Antworten auf die Synodalschreiben des sehr heiligen Patriarchen zugegen. Das nämlich ist von alters her das Synodalgesetz (νόμος συνοδικός) der katholischen Kirche, das das Evangelium vom einen Ende der Erde bis zum andern empfangen hat.“
[21] Const., Sacra, Mansi 12, 1003 C: „So werdet ihr der von alters her von unseren Vätern festgesetzten rechtgläubigen Überlieferung (εὐσεβῶς παραδοθεῖσα θεσμοθεσία) folgen und die heiligen Kirchen Gottes werden in Ordnung und Frieden verbleiben.“

haben wir euch, ihr seine sehr heiligen Bischöfe, die ihr seines Bundes[22] unblutige Opfer verwaltet, versammelt, damit euer Urteil den Definitionen der Synoden nacheifere, die den rechten Glauben festgelegt haben . . ."[23]. Ein wesentliches, wenn auch oft nicht realisiertes und insofern theoretisches Moment der kirchlichen Synode, die Freiheit der Synodalen, vergißt der Kaiser nicht zu erwähnen: „Einem jeden gewähren wir volle Redefreiheit (ἄδεια), damit er ohne jede Furcht seine Meinung äußere. Eine möglichst genaue Prüfung und eine möglichst freimütige Äußerung der Wahrheit (παρρησιάζομαι) sind beabsichtigt, damit die Zwietracht der Kirchen beseitigt werde und uns alle das Band des Friedens umschlinge"[24].

Von beträchtlichem Interesse für das Verständnis der Konzilstheorie, nämlich, daß das Konzil der Vollzug eines doppelten Konsenses, eines horizontalen und vertikalen, darstellt, ist sodann eine ‚Regieanweisung‘ des Tarasius zu Beginn der vierten Sitzung (1. Oktober 787): „In den vorausgehenden Sitzungen hat, wie es im Buch der Sprüche heißt, ‚unsere Zunge die Wahrheit gesprochen‘ (Spr 8, 7)[25]. Dabei hat uns der Hauch (πνοή) des Herrn, des Allherrschers, belehrt. Denn in den (Synodal-)Briefen der ehrwürdigen Patriarchen aus dem Osten und dem Westen, die vorgelesen worden sind, kam unsere Übereinstimmung (σύμφωνοι) zum Ausdruck"[26]. Damit ist eindeutig der horizontale Konsens gemeint. Tarasius fährt bezeichnenderweise fort: „Doch weil der Prophet uns vorschreibt: ‚Auf den hohen Berg steige empor, der du Sion die Frohbotschaft bringst, verkünde mit Kraft, erhebe deine Stimme, der du Jerusalem die Frohbotschaft bringst, verkündet und habt keine Furcht‘ (Jes 40, 9), so laßt uns, ihr Priester und Männer, diesem Auftrag des Propheten entsprechend verkünden und unsere Stimmen erheben, indem wir der katholischen Kirche, dem wahren Sion und der himmlischen Stadt unseres Königs Christus, Frieden verkünden. Wie aber

---

[22] Wörtlich im Plural.

[23] Const., Sacra, MANSI 12, 1003 B. — Konstantin betont das Interesse des Staates am Gelingen des Konzils: „So sehr nämlich setzten wir uns für die Wahrheit ein und bemühen wir uns um den rechten Glauben in unserer Sorge für den (guten) Zustand der Kirche und bei unserem Bestreben, daß die überlieferte Ordnung festgehalten werde, daß wir an die erste Stelle Frieden und Ordnung der katholischen Kirche (εἰρηνικὸς δίαιτα) stellen. Erst an die zweite Stelle setzen wir die strategischen Pläne, die uns beschäftigen, und die politischen Fragen, mit denen wir uns abgeben. Unermüdlich waren wir dafür tätig, diese heilige Synode zu versammeln", ebd. 1003 C—D.

[24] Const., Sacra, MANSI 12, 1003 D.

[25] ἀλήθειαν ἐμελέτησεν ὁ λάρυξ ἡμῶν. μελετάω kann auch bedeuten: ‚eine von einem andern ausgearbeitete Rede einüben‘.

[26] Taras., Gest. Nic., MANSI 13, 4 A.

wird das geschehen? Man bringe in unsere Mitte die Schriften der hochberühmten heiligen Väter und lese sie uns vor. Indem wir aus ihnen schöpfen, soll jeder von uns die ihm anvertraute Herde tränken"[27].

Dem horizontalen Konsens „durch die (Synodal-)Briefe der ehrwürdigen Patriarchen aus dem Osten und Westen" der dritten Sitzung soll der vertikale Konsens mit dem Väterzeugnis in der vierten Sitzung folgen. Handelt es sich um eine bloße Nebeneinanderordnung beider Konsense, gleichsam deren Addition? Die Berufung auf Jes 40, 9 deutet in eine andere Richtung. Wer mit den Vätern übereinstimmt, verkündigt gleichsam vom Berge herab, seine Stimme wird in der ganzen Ökumene vernommen, sagt Tarasius durch das Schriftwort in einem schönen Bilde. Der vertikale Konsens gibt dem horizontalen seine durchschlagende Kraft: „So wird denn unsere Stimme ‚auf der ganzen Erde erschallen und bis zu den Grenzen der Erde die Kraft unserer Worte' (Ps 18, 5). Denn dann verschieben wir nicht die Grenzen, die unsere Väter gesetzt haben, sondern aufgrund apostolischer Belehrung halten wir fest an den Überlieferungen, die wir empfangen haben"[28].

Der Römische Stuhl spielte beim Zustandekommen dieses doppelten Konsenses übrigens eine nicht unbedeutende Rolle. Tarasius kommt darauf in seinem Brief an Hadrian beim Abschluß des Konzils in einem auch sonst bemerkenswerten Abschnitt zu sprechen: „Nach Verlauf

---

[27] Taras., Gest. Nic., Mansi 13, 4 A—B.

[28] Taras., Gest. Nic., Mansi 13, 4 B—C. — Den inneren Zusammenhang zwischen Ökumenisch und Apostolisch, in diesem Sinne zwischen horizontalem und vertikalem Konsens, bringt Gelasius von Cycicus treffend in der Einleitung seines Syntagmas zum Ausdruck. Zunächst charakterisiert er als Ursprung der kirchlichen Überlieferung Christus selbst. Diesen Glauben „hat die Kirche ‚nicht von Menschen und durch Menschen' (Gal 1, 1) empfangen, sondern von Jesus Christus selber, unser aller Heiland und Gott." Derselbe hat nach seinem Heilswerk auf Erden und nach seiner Himmelfahrt „den göttlichen und anbetungswürdigen ‚Horos' dieses heiligen und unbefleckten Glaubens selber (δι' ἑαυτοῦ) festgelegt . . ." Konkret geschieht diese ‚Festlegung' (ἔπηξε) in der apostolischen Verkündigung. Gemäß dem Taufbefehl (Mt 28, 19—20) ist diese apostolische Verkündigung ‚ökumenisch'. „Diesen heiligen und anbetungswürdigen ‚Horos' des rechten und reinen Glaubens empfingen die heiligen Apostel vom Herrn und verkündeten ihn der ganzen Kirche Gottes unter dem Himmel, so daß das Prophetenwort, das sagt ‚Auf der ganzen Erde erschallte ihre Stimme und bis zu den Grenzen der Ökumene ihre Rede' (Ps 18, 5) dabei erfüllt wurde". Als der Satan diesen „Horos und diese anbetungswürdige Gabe, die uns durch die heiligen Apostel vom Sohne Gottes gegeben ist", zu verderben versuchte, versammelte Kaiser Konstantin die ökumenische Synode von Nicaea. Prooem. 1, 13—19; GCS 28, 4, 11—5, 15. — Aus dem Zusammenhang ist klar, was hier gemeint ist: nicht der ökumenische Konsens als solcher führt zum reinen Glauben zurück, sondern der ökumenische Konsens, insofern er auf die apostolische Verkündigung zurückgeht. Der ökumenische Konsens ist relevant, weil er in der Verkündigung der Apostel gründet. Das Ökumenische Konzil führt zur Reinheit des Glaubens zurück, weil es den apostolischen Glauben als solchen wieder zur Geltung bringt.

eines Jahres wurden die gottgeliebten Bischöfe noch einmal von unseren frommen Kaisern nach Nicaea ... berufen. Wir traten die Reise an zusammen mit den gottgeliebten Männern, Euren (beiden) Stellvertretern, und denen, die aus dem Osten gekommen waren (Pentarchie!), und gelangten in die eben genannte Metropole. Wir nahmen unsere Plätze ein und machten Christus zum Anführer (κεφαλή) (des Konzils). Es lag nämlich auf einem heiligen Thron das heilige Evangelium, das uns allen, den versammelten geweihten Männern, zurief: ‚Sprecht ein gerechtes Urteil‘ (Joh 7, 24), richtet zwischen der heiligen Kirche Gottes und der Neuerung, die geschehen ist! Als der Brief Eurer Heiligkeit an allererster Stelle vorgelesen wurde, genossen wir in gemeinsamem Chor alle zusammen die geistlichen Speisen wie in einem königlichen Festmahl, das Christus durch Euren Brief den Schmausenden bereitete. Wie ein Auge für den ganzen Leib hast du den geraden Weg zur Wahrheit gezeigt. Die auseinandergerissenen Glieder wurden so wieder vereinigt, und die wahre Eintracht setzte sich durch, die katholische Kirche fand zur Einheit zurück. Zusammen mit Eurem Brief wurden auch die uns zugesandten Schreiben aus der östlichen ‚Diözese‘ verlesen (= horizontaler Konsens). Sie offenbarten die lautere Schönheit der Väterüberlieferung. Die Wahrheit gewann Kraft (δύναμις) und Festigkeit, als zahlreiche Vätertestimonien vorgelesen wurden (= vertikaler Konsens). Auf diese Weise wurde von uns allen, die wir durch Gottes Wohlgefallen versammelt waren, das rechte und untadelige (Glaubens-)bekenntnis (ὁμολογία) abgelegt, das ihr uns geschickt habt und das wir unseren gottesfürchtigen Kaisern weitergeleitet haben"[29].

b) Absoluter Anspruch und Kriterien

In einem der vorausgehenden Zitate wurde der horizontale Konsens auf göttliche *Inspiration* zurückgeführt[30]. Wir sind diesem Theologumenon auch schon an den Anfängen der Entwicklung der Konzilsidee begegnet[31]. Wir treffen auf dieses Element der alten Konzilstheorie auch an anderen Stellen der Konzilsakten. Im Synodalbrief an die Kaiser lesen wir: „So wie Hände und Füße entsprechend den Anleitungen der Seele sich bewegen, so haben wir, vom Geist Gnade und Kraft empfangend und die hilfreiche Mitwirkung Eurer Majestät erfahrend, die fromme Lehre kundgetan und die Wahrheit verkündet"[32]. Im Brief des Konzils

---

[29] Taras., Ep. ad Hadr., MANSI 13, 459 C—E.
[30] „Dabei hat uns der Hauch des Herrn, des Allherrschers, belehrt"., ebd.
[31] Vgl. S. 220—221.
[32] Ep. syn. Nic., MANSI 13, 404 C.

an den Klerus von Konstantinopel heißt es: „Aufgrund der Inspiration und Einwirkung des Heiligen Geistes (τοῦ ἁγίου πνεύματος ἐπιπνοίᾳ καὶ ἐνεργείᾳ) zusammengekommen, haben wir alle übereingestimmt: der Osten, der Norden, der Westen und der Süden sind zu einer Einheit (μία ἑνότης) gelangt"[33].

Der in der Konzilsdefinition zum Ausdruck kommende Konsens wird also letztlich auf den Heiligen Geist, auf göttliche Inspiration, zurückgeführt. Eigentliches Subjekt der Synode ist der Heilige Geist selber. Entsprechend heißt es im ‚Horos' des Konzils: „. . . wir folgten der inspirierten Lehre unserer Heiligen Väter und der Überlieferung der katholischen Kirche. Denn wir wissen, daß diese (Überlieferung) Sache des in ihr wohnenden Heiligen Geistes ist[34] . . ." Gilt der Heilige Geist gleichsam als eigentliches Subjekt des Konzils, dann versteht man den Anspruch der Synode auf bedingungslose Annahme und Unterwerfung. Wir haben diesen Aspekt der Konzilsidee, den *absoluten Anspruch* eines rechtmäßigen Konzils auf Annahme, ausführlich bei einem Theologen wie Theodor Abû Qurra untersucht[35]. Während dieser arabisch schreibende Theologe entsprechend dem prinzipiellen Charakter seines Konzilstraktates ganz allgemein Diskussion und Infragestellung von Konzilsdekreten ausschließt, äußert sein Zeitgenosse, der Patriarch von Konstantinopel *Nicephorus* (806—815), gerade im Blick auf das zweite Nicaenum ähnliche Gedanken[36]

Nach einem knappen Bericht über die Vorgeschichte des Konzils, nämlich die Annahme des Patriarchenthrones durch Tarasius unter der Bedingung, daß ein ökumenisches Konzil versammelt werde, fährt der Patriarch in seinem *Apologeticus minor* etwa aus dem Jahre 814 oder Anfang 815 fort: „Nachdem er von allen die Zusicherung erhalten hatte, wurde er zum Patriarchen (ἀρχιερεύς) gemacht. Mit Gottes Hilfe kam man ans Ziel. Eine Synode wurde nach Gesetz und Vorschrift gefeiert, denn es waren auch Stellvertreter da und Synodalbriefe (γράμματα συνοδικά) der Inhaber der übrigen Bischofssitze. Die Definition der Synode(?) wurde von der ganzen Ökumene rezipiert (δέχομαι); auch die Kaiser hatten zugestimmt. Diese Definition darf nicht problematisiert werden (περιεργάζεσθαι). Wie die andern sechs heiligen Synoden jeweils Definitionen aufgestellt haben und niemand dagegen Widerspruch er-

---

[33] Ep. syn. Nic., MANSI 13, 408 E — 409 A.
[34] Ep. syn. Nic., MANSI 13, 377 C, vgl. auch MANSI 13, 404 B.
[35] Vgl. S. 184—185.
[36] Zu seinem Leben und Werk vgl. P. O'CONNELL, The Ecclesiology of st. Nicephore (758 bis 828), Rom 1972, 37—67.

hob — denn die Kaiser folgten in diesen Zeiten noch dem Urteil der Bischöfe, nahmen es an und bekräftigten es — und kein Rechtgläubiger nach der Verkündigung (ἐκφώνησις) einen Zweifel äußerte, sondern alle Christen das Verkündigte (Promulgierte) annahmen (δέχομαι) in der Überzeugung, daß es vom Heiligen Geist besiegelt ist, so ging es auch bei der eben genannten siebten Synode: ihre Definition wurde überall als aus der göttlichen Gnade hervorgegangen angenommen (ἀπόδεκτος γέγονε). Übrigens erneuerte und bestätigte sie die alte, vorher in der Kirche bestehende Überlieferung und brachte nichts eigenes Neues. Deswegen muß zweifelsohne die entsprechende Definition von den Christen unbedingt beobachtet werden"[37]. Nicht weniger deutlich betont Nicephorus in seinem *Apologeticus pro imaginibus* von 816/7 die Konzilsautorität. Interessant ist an diesem Text, daß neben den auch sonst bezeugten Aspekten der Konzilsidee, wie Konsens des Konzils, Inspiration, Rezeption durch die ganze Kirche, eine bestimmte Zeitspanne für die Rezeption, nämlich etwa 30 Jahre, genannt werden[38].

---

[37] Niceph., Apolog. minor pro s. imag. 5, PG 100, 840 B—C. — Etwa 7 Jahre später kommt Nicephorus noch einmal indirekt auf den Anspruch des zweiten Nicaenums auf unbedingte Annahme zu sprechen. „Außerdem (d. h. außer den Konzilien von Ephesus, Chalcedon und Konstantinopel III) verschmähten sie (d. h. die Ikonoklasten) die zweite nicaenische Synode, die kanonisch und von Gott inspiriert (κανωνικῶς καὶ ἐνθέως) versammelt wurde, und in der auch die übrigen apostolischen Patriarchalthrone zusammengekommen waren . . . Diese heilige Synode hat den von Anfang an in der Kirche herrschenden, von den Aposteln und Vätern kommenden (ἀποστολικῶς καὶ πατρικῶς) Brauch dogmatisiert und bekräftigt (δογματίσασα ἐκύρωσε)". Capitula XII, SpicRom X, 2 (1844) 152—156, cap. 7, hier 154. — Über die Differenz dieser Edition zu der des Papadopoulos/Kerameus, in: Analecta Hierosol. Stach. I, (1891) 454—460, vgl. V. Grumel, Les ‚douzes chapitres contre les iconomaques‘ de saint Nicéphore de Constantinople, in: REByz 17 (1959) 127—135, hier 129 f.
[38] Niceph., Apol. pro s. imag. 25, PG 100, 597B—600A: „Alle, die da von fast überall her unter der Sonne und aus jedem Land zusammengekommen waren und beieinandersaßen, richteten sich einzig nach der Richtschnur der Wahrheit; weil sie Christus hatten, der ihnen den Frieden schenkte, erstrahlte ihnen Einstimmigkeit und Einmütigkeit von der Gnade von oben. Dazu nämlich hält von jeher das Gesetz in der Kirche an, Zweifelhaftes und Umstrittenes in der Kirche Gottes durch ökumenische Synoden zu lösen und festzusetzen, und zwar durch das einstimmige Urteil der auf den apostolischen Sitzen hervorragenden Patriarchen. Sie verjagten die dunkle Nacht des vorausgehenden Irrtums. Vom Heiligen Geiste rings umgeben, mit den Waffen der frommen Lehre ausgerüstet, haben sie die Häupter der gesetzlosen Feinde zerschlagen. Sie haben das unter Christen seit Ewigkeit dauernde, in der Kirche von alten Zeiten an überlieferte und deswegen ehrfurchtgebietende und angesehene ‚Dogma‘, wie es sich ziemt, bekräftigt und keinerlei Neuerung eingeführt oder etwas Neues und Vorwitziges sich ausgedacht. Vom göttlichen Hauch von oben bewegt haben sie Unfehlbares und Unbestreitbares (ἀσφαλὲς καὶ ἀναμφήριστον) erlangt. Sie wurden belohnt (bekränzt) mit der hellstrahlenden Kraft der Wahrheit. Alle späteren Bischöfe haben, weil sie Gott im Sinne tragen und vom rechten Glauben erfüllt sind, dieses ‚Dogma‘ besiegelt. Die frommen und gläubigen Kaiser haben es angenommen und begrüßt, das ganze christ-

Das entschiedene Eintreten für die Konzilsautorität ist nichts Neues. Für einen Theologen wie *Leontius von Byzanz* († nach 543) ist die Konzilsdefinition von nicht hinterfragbarer Autorität: „Die Lösung jeder Ungewißheit in Dingen, die (beiden Seiten) umstritten sind, ist nach den kirchlichen Kanones das Urteil der Synoden. Wer gegen diese Synoden ankämpft, steht auf nicht gegen einzelne Personen, sondern gegen die gesamte Christenheit"[39]. Wie begründen unsere Theologen diesen Anspruch des Konzils auf absolute Unterwerfung, auf unbedingte Annahme? Theodor Abû Qurra führt einen bemerkenswerten, aus Apg 15 und Dtn 17,8—13 kombinierten Schriftbeweis[40], andere, frühere Autoren, z. B. Leo der Große, argumentieren mehr formaljuridisch[41]. Hier sei noch auf die beachtenswerte Argumentation eines Theologen aus dem 6. Jahrhundert, des *Leontius von Jerusalem*, hingewiesen[42]. Er leitet die Richtigkeit der chalcedonensischen Definition — man möchte sagen typisch griechisch — aus dem Glauben an die göttliche Vorsehung (πρόνοια) ab.

Im Zusammenhang geht es um die Widerlegung des (bekannten) Einwandes der Monophysiten gegen das Chalcedonense, einige Synodalen seien Nestorianer gewesen. Leontios schreibt: „Machen wir ihnen ruhig einmal dieses Zugeständnis (nämlich daß einige Nestorianer auf dem Konzil waren) — wir wollen unsere Erwiderung nicht unnütz in die Länge ziehen, denn wir wissen, daß ihr Einwand leicht zu widerlegen ist —: Bloß fünf Gerechter wegen wurde Sodoma und ganz Gomorrha gerettet, wo doch der Lärm der Gesetzlosigkeit bis zum Himmel aufstieg (Gen 18, 16—33), wie sollte nun hier (d. h. beim Chalcedonense) wegen zwei oder drei Häretikern (δεισιδαιμονέω), die unerkannt sich in ihrer Mitte befanden, die ganze heilige Menge und das heilige Volk (λαός) der 630 Bischöfe von Gott im Stich gelassen worden sein, sodaß sie die Wahrheit wegen ihres gottlosen Sinnes nicht erschauten[43], und

---

liche Volk hat es in seine Arme geschlossen und verharrt ehrerbietig dabei. Inzwischen sind nahezu 30 Jahre vergangen und haben das ‚Dogma' angenommen und bekräftigt. Auch wir haben es, weil es voll rechten Glaubens ist, angenommen (ἀποδέχομαι) und unterschrieben (= räumliche und zeitliche Rezeption)".

[39] Leont. Byz., solutio arg. a Severo obiectorum, PG 86, b, 1929 C—D: λύσις γὰρ πάσης ἀπορίας κατὰ κάνονας ἐκκλησιαστικούς, τῶν ἀμφοτέροις τοῖς μέρεσιν ἀμφιβητουμένων, ἡ τῶν συνόδων ἐπίκρισις. καὶ ὁ πρὸς ταύτας ἀπομαχόμενος, οὐκέτι πρὸς ἕνια πρόσωπα, πρὸς ὅλον δὲ τὸν Χριστιανισμὸν στασιάζων εὑρίσκεται.
[40] Vgl. S. 174—183.
[41] Vgl. S. 116—119.
[42] Sein Traktat *Contra Monophysitas*, PG 86 b, 1769—1902, stammt aus den Jahren 538—544, vgl. LThK VI, 968.
[43] διαθρέω = durchschauen.

dies obwohl Gott gesagt hatte: ‚Wo zwei oder drei in meinem Namen versammelt sind, da bin ich mitten unter ihnen' (Mt 18, 20)? Gottes Nachlässigkeit (παρόρασις) erstreckte sich übrigens nicht nur auf sie (d. h. die Synode und die Zeitgenossen), sondern ohne Ausnahme auf die ganze heilige Kirche Christi auf dem ganzen Erdenrund (οἰκουμένη), die Kirche aller Völker und Nationen. Denn die auf dem Konzil damals definierten Anschauungen (φρόνημα) sollten nicht nur für eine kurze Zeit, sondern für alle Zeit weiter überliefert werden, mit Gottes Hilfe, wie wir sehen, bis auf den heutigen Tag. Versündigt sich nicht gegen den Glauben an die göttliche Vorsehung (τῆς θείας προνοίας λόγος), wer bestreitet, daß der Glaube an das Heilsgeheimnis Christi (τῆς πίστεως τῆς οἰκονομίας Χριστοῦ λόγος) durch die heiligen Synoden der Ökumene verkündigt und in den folgenden Geschlechtern bestätigt wird?"[44]

Rechtmäßig zustandegekommene und abgehaltene ökumenische Konzilien haben einen absoluten Anspruch auf Annahme. Was aber ist ein rechtmäßig (κανονικῶς) versammeltes ökumenisches Konzil? Woran, an welchen *Kriterien*, ist seine Rechtmäßigkeit, und damit sein absoluter Anspruch, erkennbar? Sehr aufschlußreich für diese Frage ist die ausführliche Stellungnahme des zweiten Nicaenums zum ‚Horos' der Ikonoklastensynode von 753. Dieser Text, eine Satz für Satz vornehmende Widerlegung, stammt höchst wahrscheinlich aus der Feder des Patriarchen *Tarasius*[45]. Gegen den Anspruch dieses Konzils von 753 auf Ökumenizität werden Gründe geltend gemacht, aus denen sich mittelbar die

---

[44] Leont. Jer., Contra Monophys., PG 86, b, 1877 B—D. — „Gesetzt den Fall, fährt unser Autor fort, ihr laßt euch durch das Argument mit der göttlichen Vorsehung nicht zur Annahme der heiligen Synode bewegen, ihr bleibt vielmehr bei eurem Verdacht, einige Mitglieder der Synode seien bei ihrer früheren Ansicht geblieben und hätten insgeheim der Häresie des Nestorius auch damals noch angehangen, mögen sie auch (äußerlich) sich den Ausführungen der Versammlung (κοινόν) angeschlossen haben. Überlegen wir! Ist es in diesem Fall recht, die Synode zu verurteilen? Sagt, war es nicht möglich, daß jemand zunächst zwar irrte, dann aber eines besseren belehrt wurde und den rechten Glauben bekannte? Nun, gerade das ist deutlich. Sie haben diesen Schritt getan, d. h. sie haben in dem Augenblick den Glauben unverfälscht bekannt, wenn sie es nicht schon vorher taten, als sie die Meinung des Nestorius schriftlich mit dem Bann belegten. Ist etwas derartiges nicht (wenigstens) möglich? Entsprechend ist es ja auch andererseits nicht unmöglich, daß andere Konzilsväter auf dem Konzil zwar den rechten Glauben hatten, nachher aber in Gottlosigkeit gefallen sind. Hat nicht auch Paulus, der ehemalige Verfolger, nachher den Glauben verkündigt, den er vorher vernichten wollte? Hat nicht Judas, der vorher den Herrn verkündigte, als sie von ihm zu zweit ausgesandt wurden, ihm nachher nachgestellt? Und dann, selbst wenn im Augenblick des Konzils einige Konzilsväter nicht den rechten Glauben hatten, nichtsdestoweniger aber den rechten Konzilsverhandlungen ihre Zustimmung gaben, welchen Vorwurf kann man daraus dem Konzile machen? Sagt man doch, es komme nur Gott zu, Herz und Nieren zu prüfen." Ebd. 1877 D—1880 B.

[45] G. Ostrogorsky, Geschichte des byzantinischen Staates, München ³1963, 149.

Kriterien eines rechtmäßigen Konzils ergeben. Zunächst wird ganz allgemein der Anspruch auf Ökumenizität abgelehnt: „Wie kann sich die Synode groß und ökumenisch nennen, die die „Vorsitzenden" (πρόεδροι) der übrigen Kirchen nicht rezipierten (δέχομαι) und der sie nicht zustimmten (συμφωνέω), die sie vielmehr mit dem Bann verfolgten"[46]? Dann wird ausgeführt, was genauerhin unter Rezeption bzw. Zustimmung der ‚übrigen Kirchen' zu verstehen ist: „Bei der Synode wirkte nämlich weder der damalige römische Papst bzw. seine Mitarbeiter (σύνεργος) mit, ... noch stimmten die Patriarchen des Ostens, nämlich Alexandriens, Antiochiens und der heiligen Stadt (Jerusalem), bzw. Vertreter der mit diesen verbundenen Hierarchie zu (συμφωνοῦντες)"[47]. Man beachte den feinen terminologischen Unterschied zwischen der päpstlichen und der sonstigen patriarchalischen Rezeption. Vom Papst wird ‚Mitwirkung', von den übrigen Patriarchen ‚Zustimmung' verlangt. Bei der (fehlenden) päpstlichen ‚Mitwirkung' werden zwei Formen unterschieden: „entweder durch Stellvertreter (τοποτηρήτης) oder durch eine Enzyklika (ἐγκύκλιος ἐπιστολή) wie es kirchenrechtlich für Synoden vorgeschrieben ist"[48].

Die fehlende formelle Rezeption durch die 5 Patriarchalsitze[49], vor allem durch Rom, stellt den sichtbarsten, weil kirchenrechtlich greifbaren und aufweisbaren Defekt des Konzils von 753 dar. Weniger deutlich greifbar ist die in einem Bild zum Vorwurf gemachte fehlende faktische Rezeption durch die Ökumene: „Ihr Wort ist in Wahrheit dunkler Rauch, der die Augen törichter Menschen verfinstert und nicht ‚ein Licht, das auf einen Leuchter gestellt ist, um die, die im Haus sind, zu erleuchten (nach Mt 5, 15)'. Denn nur an einem einzigen Ort (τοπικῶς) wie im Verborgenen, und nicht von der Bergeshöhe der Orthodoxie aus haben sie ihr Wort erschallen lassen. Ihre Stimme ging nicht wie bei den Aposteln ‚über die ganze Erde aus und bis zu den Grenzen der Erde ihre Worte (Ps 18, 5)', so wie das bei den sechs ökumenischen Synoden

---

[46] Gesta Nic., refutatio, Mansi 13, 208 E; weiteres zu Text und Interpretation vgl. S. 322.
[47] Gesta Nic., refutatio, Mansi 13, 208 E—209 A.
[48] Gesta Nic., refutatio, Mansi 13, 208 E.
[49] Wie streng man — zumindest formaljuridisch — an der Idee der Pentarchie festhielt, zeigen z. B. die Unterschriften der vierten Konzilssitzung des zweiten Nicaenums. Nach dem päpstlichen Legaten Petrus und dem Konstantinopler Patriarchen Tarasius unterschreibt Johannes „durch Gottes Barmherzigkeit Priester und patriarchalischer Synkellos (associate of patriarche) als Vertreter der drei apostolischen Sitze, Alexandrien, Antiochien und Jerusalem" (Mansi 13, 133 C). Vgl. auch die formelle Zustimmung zum Brief der Ostpatriarchen (Mansi 12, 1145—1153), ferner die ausdrückliche Feststellung, daß die Abwesenheit der drei Sitze kein Präjudiz gegen das ökumenische Konzil darstellt (Mansi 12, 1133 D—E).

der Fall war". Die beiden bisher genannten Kriterien, ausdrückliche kirchenrechtliche, formelle Rezeption durch die Patriarchen, faktische Rezeption durch die Ökumene sind formaler Natur. Ein ‚materiales‘ Kriterium schließt sich an. Das Ikonoklastenkonzil stimmt inhaltlich nicht mit den vorausgegangenen Konzilien überein, darf also nicht siebte ökumenische Synode genannt werden: „Wie aber darf man die Synode die siebte nennen, wo sie doch nicht mit den sechs heiligen ökumenischen Synoden vor ihr übereinstimmt (συμφωνέω)?"[50] Der Sache nach ist mit diesem letztgenannten inhaltlichen Kriterium nichts anderes gemeint als die Übereinstimmung eines Konzils mit Schrift und Tradition. Denn Schrift und Tradition verbindlich vorzulegen, ist Anspruch der Synode. Unter dieser Voraussetzung erkennt man unschwer in vorliegender Definition[51] eines rechtmäßigen Konzils die zeitgemäße Weiterentwicklung der schon von Papst Gelasius aufgestellten Kriterien: eine rechtmäßige Synode ist eine „solche, die gemäß der Heiligen Schrift, der Tradition der Väter, den kirchlichen Kanones, zum Nutzen des katholischen Glaubens und der ‚communio‘ veranstaltet wurde, eine

---

[50] Dieser Vorwurf wird wiederum durch ein Bild näher verdeutlicht: „Was als ein siebtes eingeordnet wird, muß den Dingen entsprechen, die in der Zählung vor ihm liegen; was nämlich keinen Anteil hat an dem, mit dem es gezählt wird, wird auch nicht mit ihm aufgezählt. Wenn z. B. jemand 6 Goldmünzen in einer Reihe aufgezählt hat und dann eine Kupfermünze dazulegt, dann nennt er diese letzte eben wegen des verschiedenen Materials (διὰ τῆς ὕλης ἑτεροούσιον) nicht siebte (Gold-)Münze. Denn Gold ist ein kostbares und wertvolles Metall, Kupfer aber ist billig und wertlos. Entsprechend gilt: weil dieses Konzil nichts Goldenes und nichts Wertvolles in seinen Lehrsätzen hat, vielmehr mit Kupfer vermengt und verfälscht ist, (ja), voller todbringender Gifte ist, ist sie nicht wert, den sechs hochheiligen, mit den durch die goldenen Worte des (Heiligen) Geistes aufstrahlenden Synoden zusammengezählt zu werden." MANSI 13, 209 A—C. — Vgl. den bissigen Kommentar der Franken zu diesem Vergleich: mag die Ikonoklastensynode einer kupfernen Münze vergleichbar sein, die der Ikonodulen ist jedenfalls keiner goldenen, sondern einer bleiernen Münze gleichzusetzen! LC (vgl. Anm. 78) 197, 44—198, 7.

[51] Vgl. auch die von V. PERI, I concili e le chiese, Rom 1965, 33, Anm. 25, angezeigte Definition eines rechtmäßigen Konzils in der *Vita sancti Stephani iunioris, monachi et martyris*, aus der Feder des Konstantinopler Diakons Stephan, PG 100, 1144 B—C: πῶς δὲ καὶ οἰκουμενικὴ, πρὸς ἣν οὐδὲ ὁ Ῥώμης εὐδόκησε, καίπερ κάνονος προκειμένου, μὴ δεῖν τὰ ἐκκλησιαστικὰ δίχα τοῦ Πάπα Ῥώμης κανονίζεσθαι, οὐδὲ ὁ Ἀλεξανδρείας, ἵν’ εἴπω, οὔτε ὁ Ἀντιοχείας ἢ ὁ Ἱεροσολύμων; ποῖ οἱ αὐτῶν λίβελλοι, ἵνα ἡ ψευδοσύλλογος ὑμῶν σύνοδος οἰκουμενικὴ κηρυχθῇ; πῶς δὲ καὶ ἑβδόμη, ἡ τὰς πρὸ αὐτῆς ἕξ μὴ ἐπακολουθήσασα; πᾶν γὰρ ἕβδομον ἔπεται τῷ πρώτῳ καὶ τῷ δευτέρῳ, τρίτῳ, τετάρτῳ τε καὶ πέμπτῳ, καὶ ἐπακολούθως τοῦ ἕκτου γίνεται τὸ ἕβδομον. ὑμεῖς δὲ τῶν ἕξ τὰς παραδόσεις ἀθετήσαντες τρόπῳ ποίῳ ἑβδόμην σύνοδον ἐπωνυμάσατε, ἀπορῶ. PERI veröffentlicht am a.a.O. ebenfalls die Überarbeitung dieser Definition durch Symeon Metaphrastes († um 1000). Vgl. auch in diesem Zusammenhang J. GILL, The life of Stephen the Younger by Stephen the Deacon, Debats and Loans, in: OrChrP 6, (1940) 114—136, hier 126.

Synode, die vor allem vom Apostolischen Stuhl gebilligt wurde"[52]. Das ‚Zeitgemäße‘ der Definition ist die Differenzierung der ‚ganzen Kirche‘ als ‚Pentarchie‘. Die Vorordnung der formalen vor die materialen Kriterien in der Definition des zweiten Nicaenums im Gegensatz zu Gelasius, wo zunächst Schrift und Tradition, dann erst die formalen Kriterien genannt sind, sollte auch nicht übersehen werden.

Nicht ohne Interesse ist in diesem Zusammenhang die Feststellung, daß die beiden Kriterien eines rechtmäßigen Konzils, — nimmt man die beiden ersten als horizontale Rezeption zusammen, sieht man in der Übereinstimmung mit Schrift und Tradition (bzw. den vorausgegangenen Konzilien) den vertikalen Konsens — sich aus dem weiter oben beschriebenen Wesen des Konzils ergeben.

Insofern die im Vorausgehenden analysierte Definition eines rechtmäßigen Konzils aus den Akten des zweiten Nicaenums stammt, also gewissermaßen vom Konzil selber approbiert ist, kommt ihr ein größeres Gewicht zu als Definitionen, wie sie von einzelnen Theologen vorgelegt werden. Elemente einer Konzilsdefinition lassen sich z. B. aus folgendem Passus des *Nicephorus* herausschälen: Diese Synode (d. h. das zweite Nicaenum) ist „höchster Autorität und voll glaubwürdig, denn sie ist ökumenisch, mit dem Vorzug allseitiger Freiheit ausgestattet, keinem Tadel und keiner Kritik ausgesetzt. Nichts Unpassendes kann man ihr vorwerfen oder ihr nachsagen. Denn sie wurde im höchsten Grade gesetz- und rechtmäßig versammelt und abgehalten: nach den von alters her bestimmten göttlichen Gesetzen hatte Führung und Vorsitz (προῆγε κατ᾽ αὐτὴν καὶ προήδρευεν) ein nicht unbeträchtlicher Teil aus dem Westen des Reiches, d. h. aus dem Alten Rom — ohne Rom (wörtlich: ohne die Römer) erhält (nämlich) kein in der Kirche diskutiertes ‚Dogma‘, mag es auch sonst längst als Rechtssatzung und heiliger Brauch gelten, endgültige Billigung. Denn Rom fiel bezüglich des Priestertums die Führerrolle zu. Das Führeramt unter den Aposteln wurde ihm nämlich anvertraut —, ferner (hatten Führung und Vorsitz Bischöfe) aus Byzanz — d. h. aus Neu-Rom, der Stadt, die jetzt in dieser Gegend Vorsitz hat und aufgrund des Kaisertums an erster Stelle steht —, das die auf heiligen Priestersitzen niedergelassenen Bischöfe leitet und sich durch den Glanz seiner Tugend auszeichnet. Diese aus dem Ostteil des Reiches zusammengekommenen (Bischöfe) haben an Stelle der Inhaber der apostolischen Throne (gemeint sind Antiochien, Alexandrien,

---

[52] Vgl. S. 277—278. — Dafür, daß in der späteren Tradition die Definition des Gelasius beachtet wurde, haben wir das Zeugnis des Anastasius bibliothecarius. Mansi 10, 694 D—E.

Jerusalem) ihr Wort zugunsten der göttlichen ,Dogmen' vorgebracht, heilige Männer, hervorragend in Leben und Wort"[53].

An Kriterien für die Rechtmäßigkeit des Konzils kennt Nicephorus also im wesentlichen vier (nimmt man den Hinweis auf die Freiheit hinzu, sind es fünf): 1. die Teilnahme und führende Rolle des Alten Rom, 2. die ebenfalls führende Rolle des Neuen Rom, 3. die Mitwirkung (durch Vertretung zumindest) der übrigen apostolischen Sitze, 4. die Rezeption durch die Gesamtkirche und zwar für einen bestimmten Zeitraum[54]. Unschwer läßt sich die fundamentale Übereinstimmung dieser Definition einer rechtmäßigen Synode mit der des zweiten Nicaenums, die wir oben analysiert haben, feststellen, — mit einem, freilich wichtigen Unterschied: Weil der Gesamttraktat des Nicephorus den Ikonoklasten fehlende Schrift- und Väterbegründung nachzuweisen sucht, ist dieses Kriterium, nämlich der vertikale Konsens, nicht eigens in die Konzilsdefinition aufgenommen.

Es stellt sich die Frage, ob die *Epistula Hadriani*[55], mit der der Papst sich 790 entschieden bei Karl dem Großen für die Annahme des zweiten Nicaenums einsetzte[56], noch in diesem, sieht man einmal von der *Epistula encyclica* Martins I. ab, den griechischen Quellen gewidmeten Abschnitt zu behandeln ist. Tatsächlich ist es angebracht, diese umfängliche lateinische *defensio* des zweiten Nicaenums unter das Stichwort ,Alte Konzilstheorie' einzuordnen — und zwar ganz abgesehen von der inhalt-

---

[53] Niceph., Apol. pro s. imag. 25, PG 100, 597 A—B. — Zur Übersetzung und ausführlichen Interpretation dieses schwierigen Passus vgl. O'CONNELL 131—134, 168—169, 181—184; dort auch weitere Literatur; eine hervorragende, zusammenfassende Darstellung der byzantinischen Sicht des römischen Primats bringt Y. CONGAR, L'ecclésiologie du haut Moyen-Age, Paris 1968, 357—370, ebd. reiche Literaturangaben.

[54] Vgl. die Fortsetzung des hier zitierten Textes in Anm. 38.

[55] MGH. Ep. 5, 6—57.

[56] Die Akten des Konzils von Nicaea (787) waren in einer miserablen, an wichtigen Stellen falschen, in Rom angefertigten Übersetzung, wohl 789 an Karl abgesandt worden. 790 beauftragte der König einen seiner Theologen mit der Widerlegung der Konzilsakten. Eine thesenartig abgefaßte Denkschrift, das sog. *Capitulare de imaginibus*, wird an den Papst abgeschickt. Hadrian antwortet wohl noch im Jahre 790 auf die im *Capitulare* zusammengestellten Einwände gegen das Konzil. Diese *Epistula Hadriani* wird in der Endredaktion der LC vom Jahre 791, der groß angelegten Widerlegung des zweiten Nicaenums, wohl noch berücksichtigt, kann aber den Standpunkt Karls nicht ändern. — Über die Zuordnung der in Frage kommenden Quellen vgl. vor allem W. VON DEN STEINEN, Entstehungsgeschichte der Libri Carolini, in: QFIAB 21 (1929/30) 1—93, dort über die *Epistula Hadriani* S. 50—59. Zu diesem Brief speziell vgl. K. HAMPE, Hadrians I. Verteidigung des 2. Nicänums gegen die Angriffe Karls des Großen, in: NA 21 (1896) 85—113. Eine sehr hilfreiche Einführung in die hier und im folgenden zu analysierenden Dokumente gibt G. HAENDLER, Epochen Karolingischer Theologie. Untersuchungen über die karolingischen Gutachten zum byzantinischen Bilderstreit, Berlin 1958, 11—65. — Die Studie von A. GIBBONI, Adriano I e Carlo Magno, in: PalCl 48 (1969) 1062—1076, war mir leider nicht zugänglich.

lichen, bilderfreundlichen Position des Dokuments. Erstens nämlich enthält die *Epistula Hadriani* keine von der Konzilstheorie der griechischen Quellen positiv abweichenden Elemente. Die massive Affirmation des päpstlichen Primats gleich zu Beginn des Schreibens[57] geht zwar weit über die Aussagen der griechischen Theologen, z. B. eines Nicephorus, hinaus[58], steht aber nicht in positivem Widerspruch zu diesem Aspekt der Konzilsidee. Zweitens sind die Antworten des Papstes besonders unbefriedigend zu den Capitula des Capitulare, der ersten Stellungnahme der Franken zum zweiten Nicaenum, in denen die neue Konzilstheorie anklingt.

Entweder versteht Hadrian den Einwand der fränkischen Theologie nicht, oder er will nicht verstehen. So bezeichnet das Kapitel 52 ein universelles *scrutinium* als Voraussetzung eines ökumenischen Konzils[59]. Hadrian geht auf diesen eminent interessanten Aspekt der fränkischen Konzilstheorie mit keiner Silbe ein. Ähnlich entgeht ihm in Kapitel 48 völlig, daß die fränkische *reprehensio* eine prinzipielle Kritik an der Schriftauslegung des zweiten Nicaenums darstellt[60]. Seine Antwort[61] verrät völliges Unverständnis für die Tragweite des Einwandes. Drittens schließlich enthält die *Epistula Hadriani* einige wenige Elemente, die positiv der ,Alten Konzilstheorie' zuzuordnen sind. Die starke Betonung des römischen Primats ist schon erwähnt. In Kapitel 29 kommt Hadrian von sich aus, ohne von der fränkischen *reprehensio* veranlaßt zu sein, auf die Pentarchie zu sprechen[62]. Die Feststellung, daß die an Konzilstheorie leider sehr arme, um nicht zu sagen, sich hierüber völlig ausschweigende, *Epistula Hadriani* dem ersten Teil unserer Untersuchung zuzuordnen ist, dürfte nicht ganz ohne Interesse sein. Sie macht nämlich deutlich, daß die Grenzlinie zwischen ,alter' und ,neuer Konzilstheorie'

---

[57] Hadr., Ep. ad Carol., MGH. Ep. 5, 6, 27—29: *Ecce cura ei totius ecclesiae et principatus committitur. Et ipse vice sua vicariis suis pontificiis relinquere dinoscitur ecclesiam curam gerendi.*
[58] Über die Diskrepanz zwischen römischer und griechischer Auffassung vom Primat zur Zeit des zweiten Nicaenums vgl. DE VRIES, Nicäa (787).
[59] Hadr., Ep. ad Carol., MGH. Ep. 5, 39, 9—12: *Quod inutiliter et incaute Greci ecclesiam catholicam anathematizare conati sunt in eorum synodo, eo quod imagines non adoret, cum utique prius debuerint omnino scrutari, quid unius cuiusque partis ecclesia de hac causa sentire vellet.*
[60] Hadr., Ep. ad Carol., MGH. Ep. 5, 37, 3—7: *Quod non parvi sit piaculi scripturas sanctas aliter intellegere, quam intellegende sunt, et ad hos sensus usurpatas accommodare, quos ille non continent, sicut in erronea synodo . . . gestum est.*
[61] Hadr., Ep. ad Carol., MGH. Ep. 5, 37, 8—9: *Hae subiecte reprehensiones non ex synodo, sed de sensu tracte sunt.* Es folgt ein Augustinus-Zitat.
[62] Hadr., Ep. ad Carol., MGH. Ep. 5, 29, 30—33: *Quam iustitiam . . . ecclesia Constantinopolitana amplectans, quando ab errore conversa est, fecit pacem, quia tantummodo ipsa sola sedes Constantinopolitana resistebat olitane orthodoxe fidei. Nam sedis Alexandrina seu Antiochena et Jerusolimatana semper nobiscum tenuerunt priscam traditionem . . .*

nicht zwischen Alt- und Neu-Rom, nicht zwischen griechischer und lateinischer Kirche, sondern zwischen dem Frankenreich und der restlichen Christenheit verläuft.

2. Die neue Konzilstheorie im Westen

a) Horizontaler Konsens

Die neue Konzilstheorie klang im *Capitulare de imaginibus* an, sie kommt in den LC zu klarem Ausdruck. Die päpstliche Replik auf das *Capitulare* blieb am Hof des Frankenkönigs[63], was die umstrittene Sache angeht, die Bilderverehrung, ohne Wirkung[64]. Es ist hier nicht der Ort, auf die Sachproblematik einzugehen[65]. Auch die Frage nach den Motiven der fränkischen Weigerung, das Nicaenum anzunehmen, d. h. ob dieselben mehr politischer[66] oder mehr religiöser oder gar dogmatischer Art waren, darf hier unerörtert bleiben[67]. Vielleicht trifft doch noch am ehesten Harnacks Urteil zu, der in den LC ein Dokument des „Selbst- und Kraftgefühls der fränkischen Kirche" sieht[68]. Uns interessieren nicht die Motive, aus denen die Ideen, in Sonderheit, die neue Konzilsidee von den fränkischen Theologen[69] produziert werden, sondern diese Idee

---

[63] Zum Hof Karls des Großen vgl. W. VON DEN STEINEN, Der Neubeginn, in: Karl der Große, Lebenswerk und Nachleben, hrsg. von W. BRAUNFELS, II, Das Geistige Leben, Düsseldorf 1965, 9—27, ferner die in Anm. 1 genannte Studie von W. EDELSTEIN, vor allem aber F. BRUNHÖLZL, Geschichte der lateinischen Literatur des Mittelalters, I, Von Cassiodor bis zum Ausklang der karolingischen Erneuerung, München 1975, 243—315 und 545—553 (Lit.).

[64] „In der Sache wichen die LC in keinem Punkt von dem früheren Kapitular ab, sondern gingen ihren Weg unbeirrt von den päpstlichen Einwänden zu Ende: es handelte sich um keine Diskussion mit Replik und Duplik, sondern um zwei Kundgebungen, die ohne direkte Polemik zwischen König und Papst, ja unter Vermeidung einer solchen, aneinander vorübergingen." CASPAR, Fränkische Herrschaft 185.

[65] Vgl. hierzu die in Anm. 1 genannten Studien.

[66] „Que des raisons d'ordre exclusivement politique soient au point de départ de cette hostilité, on n'en saurait disconvenir. L'année 787, qui avait vu la réunion du synode, avait également consommé la rupture entre Irène et Charlemagne." AMANN, HE, VI, 124.

[67] Vgl. hierzu die gute Zusammenfassung über die Entwicklung der Forschung bei HAENDLER 13—17.

[68] „Was aus den Büchern wirklich spricht, ist das Selbst- und Kraftgefühl der fränkischen Kirche, welches mit jugendlicher Dreistigkeit hervorbricht, die ältere und weisere Schwester schadenfroh des Irrtums überführt und den unmündigen byzantinischen Kaiser und die Regentin geradezu in Anklagezustand versetzt, vom Papste ein förmliches Prozeßverfahren verlangend." Lehrbuch der Dogmengeschichte, III, Tübingen⁴ 1910, 304.

[69] Die Frage der Verfasserschaft der LC beschäftigt die Forschung seit geraumer Zeit. Der nominelle Verfasser ist Karl der Große; welcher Theologe aber diesen „most ambitious treatise of its age, both in theological importance and political implication" (A. FREEMAN,

selber. Breitesten Raum nimmt in diesem gelehrten[70], kritischen[71], übersensiblen[72] Werk der fränkischen Theologie die Widerlegung des vom Konzil vorgelegten Schrift- und Väterbeweises ein[73]. Unser Interesse gilt im folgenden nicht dieser Seite der LC, sondern ausschließlich ihrer Kritik an der griechischen Konzilstheorie. Mit den relativ wenigen

Theodulf of Orléans and the libri Carolini, in: Spec. 32 [1957], 663—705 [665]) verfaßt hat, ist unter den Forschern, vor allem A. FREEMAN, die für Theodulf von Orleans, und L. WALLACH, der für Alkuin eintritt, nach wie vor umstritten. Vgl. zur Verfasserfrage die eben genannte Studie von A. FREEMAN, ferner DIES., Further Studies in the Libri Carolini, in: Spec. 40 (1965) 203—289; L. WALLACH, Charlemagne and Alcuin, Diplomatic Studies in Carolingian Epistolography IV: Charlemagne's Libri Carolini and Alcuin, in: Tr. 9 (1953) 127—154, hier 143—149 (Beweise für die Autorschaft Alcuins); DERS., Alcuin and Charlemagne, New York 1959, 169—177; DERS., The Unknown Author of the Libri Carolini, in: Didascaliae, Studies in Honor of A. M. Albareda, hrsg. v. S. PRETE, New York 1961, 469 bis 515 (Auseinandersetzung mit A. Freeman). — Ob die Frage der Verfasserschaft zugunsten von Theodulf „definitiv geklärt" ist, wie E. EWIG annimmt (in: HKG(J) 3, 1, 92), wird sich erst nach der Publikation der von L. WALLACH, Ambrosiaster und die Libri Carolini, in: DA 29 (1973) 197—205, hier 197, angekündigten Widerlegung von A. Freeman 1971 herausstellen. Auch BRUNHÖLZL 290 urteilt vorsichtig: „Was nun Theodulfs neuerdings angenommene Beteiligung an den Libri Carolini betrifft, so gibt es zwar gelegentlich gedankliche Berührungen, und auch der polemische Ton wäre ihm wohl zuzutrauen; nach Lage der Dinge aber wird man über die Konstatierung der Möglichkeit nicht hinausgehen dürfen, solange nicht ein bisher unbekanntes oder übersehenes Zeugnis auftaucht. Ein Vergleich mit anderen Schriften Theodulfs ist schon deshalb von fragwürdigem Wert, weil die wenigen mit Sicherheit von ihm stammenden Prosaschriften zwanzig und mehr Jahre jünger sind." — Von höchstem Interesse sind außer dem Text der LC selber die Randglossen des Vaticanus Latinus 7207. Es besteht gute Wahrscheinlichkeit dafür, daß Karl selber der Autor dieser Glossen ist. Näheres hierzu bei W. VON STEINEN, Karl der Große und die Libri Carolini, in: NA 49 (1931) 207—280 (Liste der Randglossen S. 209—212); A. FREEMAN, Further Studies in the Libri Carolini III, The Marginal Notes in Vaticanus Latinus 7207, in: Spec. 46 (1971) 597—612 (Liste der Randnoten 608—612). — Zu den vom Verfasser der LC benutzten Quellen, u. a. dem *liber de divinis scripturis*, vgl. D. DE BRUYNE, La composition des Libri Carolini, in: RBen 44 (1932) 227—234, zum Problem der lateinischen Übersetzung, L. WALLACH, Ambrosii verba retro versa e translatione Graeca (Libri Carolini II, 15), in: HThR 65 (1972) 171—189.

[70] „... bei aller inneren Einfachheit ein Werk von größtem Wissensstolz und Wissensanspruch, ein Werk bis zum Rande geladen mit Distinktionen und Syllogismen und kunstvollen Stilfiguren, mit gedanklich scharfer Polemik und breiter, schwerer Beweisführung." VON STEINEN 219.

[71] „So wird hier neben aller Anerkennung der kirchlichen, und speziell der römischen Lehrautorität, doch das Recht der Kritik in einer Weise geltend gemacht, wie wir es im Mittelalter selten finden: — ohne daß wir deshalb berechtigt wären, aufklärerische Tendenzen oder deistische Anschauungen in der Schrift zu wittern." HAUCK/WAGENMANN, Art. Karolingische Bücher, in: RE 10 (1901) 88—97, hier 96.

[72] „The acts of the council are reviewed and critically scrutinised with merciless intensity"... R. G. HEATH, The Schism of the Franks and the 'Filioque', in: JEH 23 (1972) 97—113, hier 103. HEATH spricht von einer „hypersensitive orthodoxy of the Franks", ebd. 104.

[73] Zum Aufbau der Schrift vgl. H. BASTGEN, Das Capitulare Karls des Großen über die Bilder oder die sogenannten Libri Carolini, in: NA 36 (1911) 631—666, hier 634—648; H. BARION, Der kirchenrechtliche Charakter des Konzils von Frankfurt 794, in: ZSRG. K 19 (1930) 139—170, hier 147.

einschlägigen Stellen hat sich die Forschung zwar schon beiläufig befaßt[74], aber sie hat nicht, wie das folgende zeigen wird, die kühne und
geschichtsträchtige Neuheit der fränkischen Konzilstheorie gebührend
herausgestellt[75].

Bevor wir die Aufmerksamkeit auf das Neue dieser Theorie richten,
dürfte es ratsam sein, zunächst auf die fundamentale Kontinuität mit der
‚griechischen' Konzilstheorie hinzuweisen. Selbstverständlich sehen die
fränkischen Theologen nicht weniger als die griechischen in dem, was
wir den doppelten Konsens genannt haben, das Wesen des Konzils[76].
Das wirklich universale Konzil wird einerseits konstituiert durch den
horizontalen Konsens[77]. Zur Bezeichnung dieses Konsenses wird sogar
der Terminus *adsensus omnium* verwendet[78]. Zum andern ist konstitutiv
für das Konzil der vertikale Konsens, die Übereinstimmung mit Schrift
und Tradition, bzw. den vorausgegangenen sechs Konzilien. Diese
Anschauung ist die Voraussetzung der ganzen Argumentation der LC

---

[74] Vgl. z. B. Bastgen, Capitulare 659—666; Barion, Frankfurt 148—155; H. Bacht,
Hinkmar von Reims, ein Beitrag zur Theologie des allgemeinen Konzils, in: Unio Christianorum, Festschrift f. L. Jaeger, hrsg. v. O. Schilling, Paderborn 1962, 223—242, hier
239—242.

[75] Über die Probleme der Überlieferung der LC insgesamt, die Echtheitskontroverse in der
Neuzeit usw. informiert Bastgen, Capitulare 15—51 und 455—533.

[76] Vgl. unter dieser Rücksicht auch Karls Brief an Elipandus vom Frankfurter Konzil
aus (794): *Ad impletionem vero huius gaudii fraterna cogente caritate iussimus sanctorum patrum synodale ex omnibus undique nostrae ditionis ecclesiis congregare concilium, quatenus sancta omnium unanimitas firmiter decerneret, quid credendum sit de adoptione carnis Christi, quam nuper novis adsertionibus
et sanctae Dei universali ecclesiae antiquis temporibus inauditis vos ex vestris scriptis intulisse cognovimus. Immo et ad beatissimum apostolicae sedis pontificem de hac nova inventione nostrae devotionis ter
quaterque direximus missos, scire cupientes, quid sancta Romana ecclesia, apostolicis edocta traditionibus
de hac respondere voluisset inquisitione. Necnon et de Brittanniae partibus aliquos ecclesiasticae disciplinae
viros convocavimus, ut ex multorum diligenti consideratione veritas catholicae fidaei investigaretur et
probatissimis sanctorum patrum hincinde roborata testimoniis absque ulla dubitatione teneatur. Idcirco
vobis per singulos libellos dirigere curavimus, quid praedictorum unanimitas pia patrum et pacifica
perscrutatio auctoritate ecclesiastica inveniret, statuisset, confirmaret.* MGH. Conc. II, 1, 159, 33—160,
4. Ferner: *Certissimum itaque ibi erit divinae miserationis auxilium, ubi una est totius ecclesiae caritas
et una verae fidaei confessio. Ad multitudinem populi Christiani et ad concilii sacerdotalis unanimitatem
revertimini. Si enim duorum vel trium sancto pioque consensui secundum suam promissionem Dominum
esse praesentem non dubitamus, quanto magis ubi tot sanctissimi patres, tot venerabiles fratres, tot filii
piae matris ecclesiae in nomine illius pacifica conveniunt unanimitate, eum adesse medium non dubitamus
et illorum regere consilia, qui sui nominis laudem querere dinoscuntur.* Ebd. 162, 31—37.

[77] Vgl. dazu S. 311—313.

[78] Wir benutzen die Edition von H. Bastgen, MGH. Conc. II, supplementum, Hannover/
Leipzig 1924 (Codex Vaticanus 7207 und ParBibl. Arsen. 663). PL 98, 999—1248 enthält
den Codex Arsenal 663. Eine Liste von Verbesserungen zur Edition von Bastgen, der an verschiedenen Stellen den Codex Vat. Lat. falsch gelesen hat, vgl. bei A. Freeman 287—289. —
*Aut quae patientia aut prudentia in hoc negotio illis utilior esset, quam ut ecclesiam per diversas partes
mundi constitutam suis apicibus consulerent et, quod omnium adsensus decrevisset, prudenter et patienter
sancirent.* LC III, 12, Bastgen 127, 6—8.

gegen das zweite Nicaenum. Der entscheidende Grund für die Ablehnung dieses Konzils ist für die Franken ja der angeblich fehlende vertikale Konsens[79]. Zumindest in verbaler Kontinuität mit der alten Konzilstheorie steht auch, was die Franken über die eminente Rolle des
Römischen Stuhles sagen. Derselbe überragt nicht aufgrund von Synodalgesetzen *(nullis synodicis constitutis)* die übrigen Sitze — man darf
interpretieren: auch was die Erstellung des Konzilskonsenses angeht[80].
Daß einem tatsächlich universalen Konzil Gehorsam und Annahme geschuldet ist, wie es die alte Konzilstheorie vorsieht, wird mit keinem
Wort bestritten, im Gegenteil ausdrücklich gesagt[81].
Bei den Gründen formaler Art nun, die gegen die Annahme des zweiten
Nicaenums vorgebracht werden, ist zu unterscheiden zwischen z. T.
grotesker oder billiger Polemik und echten theoretischen Überlegungen.
Zu ersterer gehört z. B. die Kritik am Anspruch der Synode, auf den Willen Gottes hin zusammengetreten zu sein[82], hierhin gehört auch der Vorwurf, ein Weib, die Kaiserin, habe das Konzil geleitet[83]. Mit dieser
Polemik brauchen wir uns nicht weiter zu beschäftigen.
Um das Neue an der karolingischen Konzilstheorie in den Blick zu bekommen, scheint es methodisch ratsam zu sein, das Kernstück der östlichen und westlichen Konzilstheorie, nämlich die jeweilige Auffassung
vom doppelten Konsens, der das Konzil konstituiert, zu vergleichen.
Was zunächst den horizontalen Konsens angeht, so negieren die LC
schlankweg, daß er vom Konzil realisiert wird. Das Konzil selbst, seine
Theologen und Verteidiger, wie Nicephorus und Papst Hadrian dagegen sehen diesen horizontalen Konsens als gegeben an. Der Widerspruch beider Positionen hat seinen Grund augenscheinlich darin, daß
man hier etwas anderes unter dem horizontalen Konsens versteht als
dort[84]. Für die Griechen besteht der horizontale Konsens, wie wir oben
gesehen haben, in der Mitwirkung des Papstes und der vier übrigen
‚apostolischen Throne‘, d. h. er wird im Grunde durch die Pentarchie

---

[79] Vgl. u. a. LC III, 1, Bastgen 125, 14—18: *. . . impossibile est et eorum statutis* (d. h. des
zweiten Nicaenums) *adsensum praebere et antiquis patrum institutionibus parere, cum videlicet inter
se diversa sint et quantum lux tenebris . . . tantum eorum instituta a sanctorum patrum institutis distant...*
[80] I, 6; 20, 24.
[81] LC III, 12, Bastgen 125, 5—14: *Adgregata igitur synodo, si . . . ea, quae necessario statuenda
erant, prudenter statuerent . . . et nostrae partis sive ceterarum mundi partium ecclesiae eorum statutis
parerent.* — Vgl. hierzu auch IV, 28, das später zu analysieren ist.
[82] LC III, 14, Bastgen 130, 1—3.
[83] LC III, 13, Bastgen 127, 25—26.
[84] Daß diese verschiedenen Auffassungen im Feuer der Polemik, eventuell aus purer politischer Motivation, entwickelt werden, nimmt ihnen nichts an innerer Geschlossenheit und
Stringenz, im Gegenteil!

konstituiert. Wie müßte der *horizontale Konsens* dagegen nach fränkischer Auffassung aussehen? Wer müßte an ihm beteiligt sein? Und wie müßte er sichtbar gemacht werden?

Die LC gehen auf diese Fragen in III, 11 und 12 in der gewünschten Deutlichkeit ein. Was im Kapitel 52 des *Capitulare de imaginibus* mit dem vorgängigen *scrutinium* schon angedeutet war, wird hier genauer ausgeführt. Zunächst ist von hohem Interesse, daß die LC ihre Kritik an der Verurteilung der Bilderverehrer auf eine Schriftbasis stellen, nämlich auf Mt 18, 15 ff. Das Vorgehen der Griechen ist nicht schriftgemäß, denn sie haben die von Mt 18, 15 ff. vorgeschriebene ‚Mehrstufigkeit' des Verfahrens der Konsenserstellung nicht beachtet[85]. Wie hätte die griechische Kirche konkret die Anweisungen von Mt 18, 15 ff. verwirklichen sollen? Wie hätte ein schriftgemäßes Konzil vorgehen müssen? *More ecclesiastico* hätte die griechische Kirche mit den ‚Kirchen der ganzen Welt' in einen brieflichen Gedankenaustausch treten müssen und zwar *consulendo sive scrutando*, d. h. um sich Rat zu holen und Nachforschungen zu betreiben. Eine Gesandtschaft hätte in die Kirchen der Nachbarprovinzen geschickt werden sollen mit der Frage: Sollen die Bilder verehrt oder sollen sie nicht verehrt werden? Auf diese Weise sich bei den anderen Kirchen Rat holend, hätte die griechische Kirche ein doppeltes erreicht: erstens hätte sie für sich selber ein Urteil gefällt, auf das sie nicht zurückzukommen brauchte. Denn die Grundlage eines solchen Urteils wäre ja der Konsens der Mehrheit der Kirchen, der seinerseits auf dem vertikalen Konsens der apostolischen Tradition aufruht. Zweitens gäbe tatsächlich ein solches auf dem Mehrheitskonsens aufruhendes Urteil die Voraussetzung ab für den Ausschluß einer Kirche, die solchem Mehrheitskonsens sich nicht anschließen will[86]. Ein in wirklichem Mehrheitskonsens gründendes Konzil hätte also durchaus das Recht gehabt, eine andere Kirche mit dem Bann zu belegen.

---

[85] LC III, 11, BASTGEN 123, 18—23: *Ecclesiasticae tubae predicatio intonat peccantem fratrem primo clam corripiendum; qui si audire noluerit, seorsum adhibitis fratribus vel corrigendi studio vel conveniendi testimonio admonendus est; qui si illos audire contempserit, tunc multis res notescenda est, ut detestationi eum habeant et qui nequivit salvari pudore, saltim obprobriis salvetur; qui si neque multorum admonitioni adsensum prebuerit, ethnicorum sive publicanorum more detestandus est.*

[86] LC III, 11, BASTGEN 123, 24—33: *Cui predicationi non mediocriter illorum ecclesia contraire videtur, quae totius mundi ecclesias, priusquam more ecclesiastico per epistolare eloquium consulendo sive scrutando alloquatur, presumptive sive incaute anathematizare conatur. Debuerat enim ad circumiacentium provinciarum ecclesias legationem sciscitativam facere, utrum imagines adorari aut non adorari deberent, ut iuxta cuiusdam sapientis vocem per consilium et sequenda sequens et vitanda vitans non eam iu postmodum paenitere constaret, sed quicquid de hac re plures secundum apostolicam institutionem tenere vellent ecclesiae, ipsa quoque teneret et, quae pluribus consentientibus antiquis institutionibus obniti temptaret et obstinata mente ab universitate ecclesiastici corporis se dirimere vellet, hanc detestationi multaret.*

Hier aber ist, so die fränkischen Theologen, das Gegenteil geschehen: die *unius partis ecclesia,* deren *consensus* nicht universal, sondern nur regional sein kann, maßt sich die Exkommunikation der übrigen Kirchen an und das noch in einer Frage, in der der vertikale Konsens fehlt![87] Die Selbstbezeichnung ,ökumenisch' ist reine Anmaßung, denn tatsächlich handelt es sich um eine Synode, die *sine conhibentia* (ohne Hinzuziehung, Einschluß) der Mehrheit der katholischen Kirche versammelt worden war. Mit aller Entschiedenheit bestehen die fränkischen Theologen — gegen den Bannfluch des zweiten Nicaenums — auf dem Anspruch, *corpus Christi* zu sein[88].

Was ist neu an dieser Konzeption des horizontalen Konsenses gegenüber der griechischen? Zunächst das Entscheidende, das auffallend Neue: der für das Konzil relevante Konsens, der *consensus universitatis ecclesiastici corporis,* wird nicht durch die ,Pentarchen', d. h. die Patriarchen von Rom, Byzanz, Alexandrien, Antiochien und Jerusalem, konstituiert, sondern durch eine davon verschiedene Mehrheit von Kirchen *(plures consentientes).* Statt des qualitativen, könnte man sagen, wird hier ein betont quantitativer Aspekt eingeführt. Katholischer Konsens ist nicht der Konsens der ,apostolischen' Sitze, sondern der Konsens der Mehrheit der Kirchen, gleich wo diese auch immer sich befinden. ,Stimmberechtigt' sind nicht nur die fünf, sondern prinzipiell alle Kirchen. Die Stimmen werden nicht mehr gewogen wie bisher, sondern gezählt. Am Rande sei bemerkt: erstens, diese Theorie enthält eine besondere Spitze gegen das traditionelle Verständnis der Rolle des Römischen Stuhles. Ohne daß der Papst mit einer Silbe erwähnt wird, ist doch stillschweigend und unter der Hand bestritten, daß sein Votum das der Kirchen des Abendlandes ,repräsentiert'. Zweitens: die fränkische Forderung, nicht mehr den Pentarchal-, sondern den Mehrheitskonsens als konzilskonstitutiv zu betrachten, entspricht durchaus der realen Situation der damaligen Kirche. Infolge innerer Krisen (Monophysitismus) und des äußeren Drucks und Erfolgs des Islams spielte von den östlichen Patriarchaten praktisch nur noch Byzanz eine eigenständige kirchenpolitische Rolle. Alexandrien, Antiochien und Jerusa-

---

[87] LC III, 11, BASTGEN 123, 33—37: *Nam quis furor est quaeve dementia, ut unius partis ecclesia rem, quae neque ab apostolis neque ab eorum successoribus statuta est, nitens statuere totius mundi ecclesias conetur anathematizare, et conpellantur aut apostolicis institutis contraire aut ab illis prolato vanissimo anathemati subiacere?*

[88] LC III, 11, BASTGEN 124, 9—14: *Nisi ergo eos vetusta pernicies . . . stimulis suae nequitiae inflammaret, nec synodum ob adorandas imagines sine cohibentia plurimarum catholicarum et Deo fidelium ecclesiarum adgregatam universalem nominare curarent nec tot tantasque ecclesias, que utique corpus Christi sunt, tam insolenter anathematizare auderent . . . vgl. auch 124, 40.*

lem stellten keine Machtzentren der Christenheit mehr dar. Ein solches war im Westen, vor allem im Frankenreich, herangewachsen und fühlte sich durch den Römischen Stuhl nicht gebührend vertreten.

Uns scheint, daß die Interpretation noch einen Schritt weiter zu gehen hat. Dadurch, daß nicht mehr die Patriarchalsitze als konsenskonstitutiv angesehen werden, sondern die Mehrheit der Kirchen schlechthin, ganz gleich ob sie qualifiziert apostolischen Ursprungs sind oder nicht, wird die Idee einer idealen Repräsentanz durch den Begriff der realen Repräsentanz ersetzt. Was die fränkischen Theologen verlangen, ist in seiner Konsequenz nichts anderes, als daß die Synodalen als Repräsentanten ihrer jeweiligen ‚Lokalkirchen' betrachtet werden. Ohne daß der Begriff der Repräsentanz verwendet würde, wird damit zum ersten Mal, soweit wir sehen, in der Geschichte der christlichen Synode der Sache nach der Gedanke angedeutet, daß die Synode die empirische Kirche tatsächlich repräsentiert, vergegenwärtigt, vertritt. Freilich wird man den hier implizierten Repräsentationsgedanken noch von dem für die mittelalterlichen Konzilien charakteristischen unterscheiden müssen. Nicht um Repräsentation der einzelnen Stände der Kirche geht es; die Forderung der fränkischen Theologen nach Mehrheitskonsens statt Patriarchalkonsens scheint vielmehr nur die Idee einer paritätischen Repräsentanz der Lokalepiskopate zu implizieren. Insofern als das Konzil noch wesentlich als Bischofsversammlung konzipiert ist, gehört die fränkische Konzilstheorie noch zur Konzilsidee der alten und nicht der mittelalterlichen Kirche[89].

Daß die Stimmen der Kirchenmehrheit als solcher konsenskonstitutiv sind und nicht das Votum der ‚Pentarchen', ist ohne Zweifel das entscheidend Neue an der fränkischen Konzeption des horizontalen Konsenses.

---

[89] Zu diesem Unterschied zwischen altkirchlicher und mittelalterlicher Konzilskonzeption vgl. den wichtigen Artikel von A. HAUCK, Die Rezeption und Umbildung der allgemeinen Synode im Mittelalter, in: HV 10 (1907) 465—482, besonders: „Die neue Institution wurde ohne irgendwelchen Widerspruch von der Kirche angenommen und hat sich während der nächsten Jahrhunderte in keiner Weise verändert: die letzte allgemeine Synode der alten Kirche war genau das gleiche, was die erste war: eine vom Kaiser entbotene Versammlung des Episkopats, die unter seiner Autorität tagte. Der wesentliche Unterschied von der späteren Vorstellung ist klar: es fehlt vollständig der Gedanke einer Vertretung der gesamten Christenheit. Denn die Bischöfe handelten nicht als Vertreter der Kirche, sondern ausschließlich als Bischöfe. Als solche waren sie die Träger des Charismas veritatis und demgemäß die berufenen Richter über Wahrheit oder Irrtum in der Lehre." (466) — HAUCK sieht in Innozenz III. den Schöpfer des für das Mittelalter charakteristischen Universalkonzils. In der Tat, daß die Lateranense von 1215 versammelte nicht mehr nur den Episkopat, sondern die Leiter der Christenheit. Hierzu Näheres ebd. 469—472. Zum Gedanken der Repräsentation neuerdings H. HOFMANN, Repräsentation. Studien zur Wort- und Begriffsgeschichte von der Antike bis ins 19. Jahrhundert, Berlin 1974.

Interesse verdient daneben aber auch, was die fränkischen Theologen über den Modus sagen, wie solcher Mehrheitskonsens festgestellt werden kann. Es hat zu geschehen *consulendo sive scrutando*[90], d. h. durch gegenseitige Beratung und Unterrichtung, oder wie es an einer anderen Stelle sinngemäß heißt: *audiendo* bzw. *adloquendo*[91].

b) Vertikaler Konsens

Wir kommen zum zweiten Aspekt des Konzilskonsenses, dem *vertikalen*. Auch im Bezug auf ihn bringt die fränkische Theologie mitten im Feuer der Polemik neue, geschichtsträchtige Gedanken im Vergleich zur griechischen Konzilstheorie zur Sprache. Nicht als ob die fränkische Theologie den vertikalen Konsens nicht mehr als konzilskonstitutiv betrachtet — das Gegenteil ist der Fall: sie hält ihn für schlechthin notwendig — aber sie konzipiert ihn anders als die Griechen. Die LC entwickeln neue Vorstellungen darüber, wie dieser Konsens erstellt werden kann, wahrgenommen werden muß. Analysieren wir einige Texte, um das Gemeinte zu verdeutlichen! Zugunsten der Bilderverehrung hatte das zweite Nicaenum sich u. a. auf Traumgesichte berufen[92]. Die LC dagegen sehen als *authentica auctoritas*, d. h. als beweiskräftige Texte ausschließlich die Heilige Schrift und die *catholici patres* an[93]. Ganz prinzipiell wird formuliert: *Res ergo dubia et in contentionem veniens non decet adstrui apochriforum neniis* („Gewäsch"), *sed aut divine legis oraculis aut eorum doctorum, qui a catholica et apostolica Ecclesia recipiuntur, salutaribus monitis et luculentissimis documentis*[94]. Der Träger des vertikalen Konsenses wird fest und klar eingegrenzt. Konkret wird hier angespielt auf das *Decretum Gelasianum de libris recipiendis vel non recipiendis*[95], das schon ganz zu Beginn[96] der LC als für die fränkische Theologie verbindlich bezeichnet worden war.

Wichtiger noch als die Bestimmung des authentischen Trägers des vertikalen Konsenses, d. h. der ausschließlich in Frage kommenden Quellen, ist deren ‚vernünftige' Handhabung und Verwendung. Die breit angelegte Schriftargumentation der Griechen samt den Väter-

---

[90] Vgl. Anm. 86.
[91] LC III, 12, BASTGEN 126, 7—9: *... et quae non solum respondere, antequam audias, verum etiam sanctam ecclesiam anathematizare, antequam adloquatur, tuos sequaces compellis ...*
[92] Gest. Nic. II, Actio IV, MANSI 13, 34.
[93] LC III, 26, BASTGEN 158, 35—38: *Ad rem ergo dubiam et quae in questionem venit roborandam non somniorum ludificatrix vanitas, sed divinorum librorum sive catholicorum patrum authentica est requirenda auctoritas;* vgl. auch 161, 12—16.
[94] LC III, 30, BASTGEN 167, 18—20.
[95] Hrsg. v. E. v. DOBSCHÜTZ, in: TU 38, 4 (1912) 3—13.
[96] LC I, 6, BASTGEN 20, 4—11.

florilegien der Konzilsakten[97] schieben die Franken mit einem kühlen ‚non ad rem' zur Seite. Warum? Die Griechen vergewaltigen die Schrift, sie schieben ihr einen Sinn unter, meinen die Franken, den sie nicht hat. Ist solche Verdrehung des Sinnes eines Textes ganz allgemein zu vermeiden, dann gilt das erst recht bezüglich der Heiligen Schrift[98]. Es genügt keineswegs, wie es die Griechen in den Konzilsakten tun[99], Schrifttexte und Väterflorilegien zu zitieren. Das ‚ad rem' muß bewiesen werden. Und das geht nur in sorgfältiger Prüfung der Texte. Kritische Auslegung muß das Zitat, soll es beweiskräftig sein, begleiten. Wer wahllos und unkritisch Texte zitiert, gleicht dem faulen Knecht im Gleichnis, der sein Geld nicht den Wechslern gab (Mt 18, 32), sondern es vergrub[100]. Worauf es ankommt, ist, daß solche Texte vorgelegt werden, die tatsächlich die vom Konzil behauptete Lehre beweisen. Andernfalls kann jeder x-beliebige das Gegenteil des Definierten behaupten[101]. Mit einem Wort: die Franken verlangen nüchterne, kritische Exegese; Argumente statt bloßer Zitate. Mehrmals fällt im Zusammenhang dieser Forderung das Stichwort *probatio*. Der Fehler, den die Griechen in ihrem Konzil begehen, ist, daß sie urteilen, ohne zu prüfen. Sie verstoßen damit gegen die elementare Lehre ihrer eigenen

---

[97] Vgl. P. van den Ven, La patristique et l'hagiographie au concile de Nicée de 787, in: Byz 25—27 (1955—1957) 325—362.

[98] LC IV, 11, Bastgen 190, 37—191, 10: *Cum ergo illi imaginum adorationem modo divinorum eloquiorum commatibus* (Abschnitte) *inconpetenter adhibitis, modo ignotorum quorundam doctorum dictis, modo apochriforum neniis adprobare affectent, animadvertere debent rem se impossibilem agendam arripuisse, cum videlicet nec divinorum eloquiorum testimonia ad peregrinos sensus violenter nec valeant nec debeant usurpari nec ignotorum praedicatio, quorum* spiritus *necdum* probati *sunt, an ex Deo sint, in testimonium debeat produci nec apochriforum frivolis rebus ambiguis et necdum deliberatis firmitas valeat exhiberi. Quoniam si cuiuslibet verba falsitatis fuco nequaquam vitianda sunt, multo minus divina eloquia, quae sunt eloquia casta, argentum igne examinatum, quodammodo ad alias res, quam ordo se habet, usurpanda sunt; et cum in humanis negotiis viles sive ignotae personae ad ea, quae in quaestionem veniunt, adprobanda, minime admittantur, multo minus in tantis rebus, quae caelestis magisterii eruditione indigent, incognitorum doctorum aut apochrifarum scripturarum testimonia admittenda.*

[99] Ganz unkritisch waren freilich auch die Griechen nicht. Auch sie versuchten echte und unechte Väterschriften zu unterscheiden. Vgl. Mansi 13, 293 B und 325 A.

[100] LC IV, 11, Bastgen 191, 11—17: *Probandae namque sunt scripturae et subtili examinatione perscrutandae et sanctorum patrum testimoniis roborande, quae ad res dubias adfirmandas intra sanctam ecclesiam in testimonium sunt producende, quoniam et* servus nequam *in evangelio eo, quod* pecuniam nummularii *non dederit, a Domino arguitur. Unde dare nobis convenit* pecuniam nummulariis, *ne forte cum eodem servo arguamur, quam tunc nummulariis inpendimus, cum scripturas quaslibet sanctorum patrum examini discernendas inpertimus.*

[101] LC IV, 11, Bastgen 192, 5—9: *Haec ergo omnia dum singillatim sive in libris, qui inscribuntur ‚Gesta Patrum', sive in omnibus passim dogmatibus fuerint prudenti examine quaesita et summa industria reperta, confidenter sunt eorundem librorum dogmata vel testimonia ad res dubias confirmandas in medium deducenda; nec poterit talis pecunia a quolibet inprobari, quae per tales trapezitas tanti examinis indagatione valuit adprobari.*

Rhetoriker: *primum namque unaqueque res probanda est et postea iudicanda*[102]. Solches Prüfen vor dem Urteilen, solches nüchterne, kritische Argumentieren vor dem Definieren ist eine Forderung der Tugend und zwar der *moderatio*, des rechten Maßhaltens[103]. Wir werden später noch auf diesen Aspekt der fränkischen Konzilstheorie, nämlich die theologische Rechtfertigung der kritischen Grundhaltung, zurückzukommen haben. Das Stichwort—es fällt nicht hier, sondern in einem anderen Kontext[104]— für die neue fränkische Konzeption des vertikalen Konsenses, d. h. der Art und Weise, wie derselbe sichtbar, greifbar gemacht werden muß, lautet jedenfalls *ratio*. *Ratio* nicht im Sinne von plattem Rationalismus, sondern verstanden als nüchterner, kritischer Sinn.

Auf eine wichtige Konsequenz dieser Forderung nach kritischer Nüchternheit beim Aufweis des vertikalen Konsenses ist aufmerksam zu machen. ‚Materie‘ solchen Konsenses sollten nicht beliebige Dinge sein, sondern *res necessariae et fidelibus profuturae*. Mit Zweifelhaftem und Unnötigem sollte ein Konzil erst gar nicht befaßt werden[105]. Man wird interpretieren dürfen: beim Konzil muß es sich um wirkliche Glaubensfragen handeln. Der geistige Abgrund, der die Griechen von den Franken trennt, wird darin sichtbar, daß der Bilderstreit für die Franken offensichtlich keine Glaubensfrage darstellt und insofern eine ‚überflüssige‘ Konsensmaterie[106] ist.

Wer die Forderung nach einem „vernünftigen“, kritischen, vertikalen Konsens für das Konzil selber aufstellt, wird konsequenterweise der *ratio* auch bei der Annahme des Konzils eine Rolle zuweisen und nicht einer unkritischen Unterwerfung unter die Konzilsdefinition das Wort reden. In der Tat stellen die LC die Rolle der *ratio* bei der Annahme

---

[102] LC IV, 8, Bastgen 188, 16—20: *Quod cum pluribus sive divinarum sive mundanarum legum exemplis possit adprobari, ipsorum quoque rhetorum documentis potest adstrui, qui primum genus posuerunt deliberativum, secundum demonstrativum, tertium iudiciale, ut videlicet quicquid deliberatio aut abnuendum aut sequendum repererit, demonstratio id aut laudabile aut reprehensibile demonstret, iudiciale aut poenis aut premiis sententiam det, ne, si non iudiciale hec duo sequentia genera praecedant, versis in contrarium causis deliberationis examine praeposito, demonstrationis ordine neglecto, aliter res quelibet, quam iustum est, iudicetur.*

[103] LC IV, 8, Bastgen 188, 16—20: *In omnibus igitur rebus moderatio sive mediocritas habenda est, et memoria retinendum est illud philosophicum* ne quid nimis. *Quae moderatio probationis semper societate mulcenda est. Non enim ait Apostolus:* Omnia absque moderatione et absque probatione comburite, sed omnia, *inquit,* probate et, quod bonum est, retinete (1 Thess 5, 1).

[104] *execratio sine ratione,* LC III, 11, Bastgen 124, 5.

[105] LC III, 12, Bastgen 125, 5—14: *Aggregata igitur synodo, si in ea ecclesiastico more egissent res necessarias et fidelibus profuturas pertractantes … et ea, quae necessario statuenda erant, prudenter statuerent et quae dicenda, diligenter dicerent et spreto supervacuo et extraordinario anathemate res utiles perdocerent, res vero ambiguas aut certe inutiles silentio multarent, et nostrae partis sive ceterarum mundi partium ecclesiae eorum statutis parerent.* Vgl. auch III, 10; 123, 7—12.

[106] LC III, 17, Bastgen 140, 7—23.

eines Konzils dadurch heraus, daß sie zwischen zwei Kategorien von Konzilien unterscheiden: *irreprehensibiles*, d. h. unanfechtbare, und *reprehensibiles*, anfechtbare. Diese rezipiert die Kirche nicht, jene rezipiert sie. Das Wort *ratio* kommt nicht vor, aber die Sache ist da. Ein Konzil hat sich vor der (theologischen) Vernunft zu verantworten. Sie ist entscheidend für die Rezeption[107]. Diese Überprüfung der Autorität durch die *ratio* nimmt ihr Maß aber wiederum am vertikalen Konsens, d. h. an der rezipierten Autorität.

Nachdem die Konzilstheorie der LC aus dem Gesamttraktat in ihren wesentlichen Zügen und vor allem in ihrer Neuheit dargestellt ist, ist nun auch IV, 28 in die Betrachtung miteinzubeziehen. Wir haben diesen Passus absichtlich an den Schluß gestellt, denn die dort gemachten Aussagen sind u. E. nicht so prinzipiell gemeint, wie sie zugestandenermaßen auf den ersten Blick aussehen und wie sie von Autoren wie Bastgen[108], Wallach[109], Bacht[110] usw. verstanden werden. Der Autor der LC weiß sonst gut zu disponieren; er kündigt seine Thesen an und entfaltet sie konsequent. Es ist deswegen völlig unwahrscheinlich, daß er im letzten Kapitel etwas anderes bringt als eine *conclusio*. Ist Kapitel IV, 28 aber eine Konklusion, dann heißt das für die Interpretation: es wird trotz allem Anschein nichts Neues mehr gesagt, sondern das Bekannte rhetorisch wirksam zusammengefaßt. U. E. ist das Kapitel nichts anderes als ein eleganter Kunstgriff. Der Kunstgriff besteht darin, daß die Selbstbezeichnung des Nicaenums, nämlich *universalis*, als Stichwort — mit negativem Vorzeichen versehen — für das Fazit der LC (das Konzil

---

[107] LC I, 11, Bastgen 30, 29—40: *Unde non solum ille reprehendendus est, qui usitatioribus interpretationibus praetermissis pene inusitatum quid protulit, sed et omnis illa synodus, quae ei in pluribus somnianti adsensum praebuit, quae non solum dicenti non resistit, sed etiam dicta in volumine taxavit. Cum ergo sancta ecclesia secundum sanctorum patrum institutionem omne, quod inreprehensibile est, recipiat, omne quod reprehensibile, abiciat, hanc quoque eorum synodum, que utique reprehensibilis est, abicit. Et si hanc, quae reprehensibilis est, non abicit, neque eas, que inreprehensibiles sunt, suscipit. Suscipit autem eas, quae inreprehensibiles sunt; hanc igitur quia reprehensioni patet, penitus suscipere non debet. Illas enim synodos sancta et universalis recipit ecclesia, quae pro diversis fidei sive religionis causis diversis locis seu temporibus a doctis et catholicis viris celebratae a sana sobriaque doctrina nullatenus deviare perhibentur.* Vgl. auch LC IV, 17, Bastgen 205, 17—25: *Quod in eadem synodo scribitur eo, quod praefatus Epiphanius de quodam dixit:* ex proprio ventre locutus, *quamquam rebus ad fidem pertinentibus nullum afferat praeiudicium et huic negotio, de quo sermo est, nec quicquam vel inroget vel deroget, ideo tamen a nobis non est praetermissum, quoniam indoctum quid sonat et insulsum, et quia nec debent nec possunt a tali scriptura novae quaelibet constitutiones ecclesiae prorogari, quae tot modis potest reprehendi. Omne enim quod inreprehensibile est, hoc recipit sancta catholica ecclesia; quod autem in pluribus reprehenditur, hoc ab ecclesiastico dogmate abdicatur. Nec debet illius lectionis, quae reprehensionibus et talibus nugis est plena, de adorandis imaginibus observari censura.*

[108] Bastgen, Capitulare 662—663.
[109] Wallach 175—177.
[110] Bacht 241—242.

ist nicht ‚katholisch‘) verwendet wird. Elegant ist der Kunstgriff insofern, als stillschweigend mit einem doppelten Begriff von *universalis*
operiert wird. Die in der Selbstbezeichnung eindeutig gemeinte und auch
vom Autor so verstandene räumliche Universalität *(universalis* im eigentlichen Sinn)[111] wird mit Hilfe von Etymologie und einigen Ketten-
schlüssen, die der Autor auch sonst liebt[112], unter der Hand zur Lehr-
universalität, d. h. zur Reinheit der Lehre, zur katholischen Doktrin
(universalis im uneigentlichen Sinne)[113]. Das rhetorisch elegante Manöver
setzt schon mit dem ersten Satz des Kapitels an, wo zwei Aspekte des
universalis unterschieden werden: *puritas universalis fidei* und *auctoritas
universarum ecclesiarum*[114]. Was der Autor dann im folgenden ausführt,
sollte man besser nicht als prinzipielle Unterscheidung verschiedener
Typen von Kirchenversammlungen bezeichnen. Es handelt sich vielmehr um einige geschichtliche ‚Belege‘ für die gewagte, weil un-
gebräuchliche Verwendung des Begriffs *universalis* zur Bezeichnung der
Reinheit der Lehre[115]. Dem Autor selber entgeht übrigens nicht sein
ungewöhnlicher Sprachgebrauch. Vom orthodoxen Partikularkonzil
sagt er bezeichnenderweise: *fortasse dici potest universale*[116].

---

[111] LC IV, 28, Bastgen 227, 14—17: *Quod frustra suam synodum universalem nominant, quam tamen
constat, ab universali non fuisse adgregatam ecclesia.* — Man beachte die totale Diskrepanz zwischen
dieser Kapitelüberschrift, mit der eine Widerlegung des Anspruchs auf räumliche Universalität angekündigt wird, und dem corpus des Artikels, in dem nur noch von einer Lehruni-
versalität die Rede ist.

[112] Vgl. Anm. 107.

[113] LC IV, 28, Bastgen 228, 1—8: *Omne quod ecclesiasticum est, catholicum est, et omne quod catho-
ilcum est, universale est; omne autem quod universale est, profanis vocum novitatibus caret. Omne igitur,
quod ecclesiasticum est, profanis vocum novitatibus caret. Nam si haec synodus vocum novitatibus careret et
antiquorum patrum dogmatibus contenta esset, universalis dici poterat. Non autem antiquorum Patrum
dogmatibus contenta est, non igitur universalis dici potest. ‚Universitas‘ namque ‚ab uno cognominatur‘,
quod uno multoties verso propagatur; nam multitudo unitatum vertendo in unum collecta universitas
dicitur.*

[114] LC IV, 28, Bastgen 227, 17—23: *Inter cetera deleramenta, quae in eadem synodo vel gesta vel
scripta dicuntur, hoc quoque non omnibus eorum deleramentis minus est, quod eandem synodum universalem
noncupant, cum neque universalis fidei inconvulsam habeat puritatem neque per universarum ecclesiarum
gesta constet auctoritatem. Sicut enim ecclesia universalis est, quae Greco eloquio catholica dicitur, ita
nimirum omne, quicquid ab eius unitate non discedit, catholicum nuncupari potest. Omnis enim doctrina
christiana vel quelibet constitutio sive traditio talis esse debet, ut universali conveniat ecclesie.*

[115] LC IV, 28 Bastgen 227, 27—38: *Cum ergo duarum et trium provinciarum praesules in unum
conveniunt, si antiquorum canonum institutione muniti aliquid praedicationis aut dogmatis statuunt, quod
tamen ab antiquorum Patrum dogmatibus non discrepat, catholicum est, quod faciunt, et fortasse dici
potest universale; quoniam, quamvis non sit ab universi orbis praesulibus actum, tamen ab universorum
fide et traditione non discrepat. Quod crebro factum in plerisque mundi partibus quibusdam necessitatibus
incumbentibus scimus. Multa enim concilia gesta sunt, quorum institutionibus sancta munitur et corro-
boratur ecclesia. Si vero duarum aut trium provinciarum praesules in unum convenientes nova quaedam
statuere cupientes conventicula quaedam faciunt, quia non cum universi orbis ecclesia sentiunt, sed ab ea
quadam ex parte dissentiunt, non est catholicum quod faciunt, et ideo universale nuncupari non potest.*

[116] Vgl. die vorausgehende Anm.

Freilich kann man fragen, warum der Autor es vorzieht, durch eine rhetorisch gelungene Konklusion zu brillieren, statt auf die in der Kapitelüberschrift angeschnittene Problematik, nämlich den Anspruch des Nicaenums auf räumliche Universalität einzugehen. Warum greift er nicht auf III, 11—12 zurück, wo dieser Anspruch des Nicaenums widerlegt wurde? Man kann vermuten: In der Konklusion will der Autor ‚auf sicher gehen‘. Für die grundlegend neue Bestimmung des konzilsrelevanten Konsenses (Mehrheit der Kirchen statt Pentarchie) fehlten nicht nur die Begriffe, sondern vor allem die Begründung aus Schrift und Tradition! Die Konklusion — das Konzil darf nicht rezipiert werden, denn seine Lehre ist nicht katholisch (*universalis* im uneigentlichen Sinn) — steht dagegen als echtes Fazit der LC auf festen Füßen.

c) ratio und *auctoritas*

Es ist in unserem Zusammenhang nicht möglich, die Konzilstheorie der LC in den größeren Rahmen der Karolingischen Theologie einzubinden bzw. sie auf ihre Quellen hin zu untersuchen[117]. Möglich aber ist ein kurzer Hinweis darauf, wie die Franken selber ihre neuen Vorstellungen ‚theologisch‘ begründen. Schon in den LC fällt auf, daß das Vorgehen der Griechen auf dem zweiten Nicaenum von den Franken als Verstoß gegen ganz bestimmte Tugenden betrachtet wird, näherhin gegen die *mansuetudo* und *patientia*[118], die *modestia*[119], die *prudentia*[120], die *sapientia*[121], vor allem die *humilitas*[122]. Anderseits berufen sich die Franken für ihre neue Konzeption des vertikalen Konsenses auf eben solche Tugenden[123]. Der horizontale Konsens soll *prudenter et patienter* zustande kommen[124].

Was ansatzweise in den LC anklingt, nämlich eine ‚theologische‘, genauer ethische *Begründung* der neuen Konzilstheorie, wird in aller Breite in einem anderen Dokument der karolingischen Zeit entfaltet, dem

---

[117] Vgl. z. B. für die Christologie und Gotteslehre W. SCHULZ, Der Einfluß Augustins in der Theologie und Christologie des 8./9. Jahrhunderts, Halle 1913.

[118] Vgl. die Überschrift zu III, 12: *quod magna ex parte mansuetudinem et patientiam abiecerint in non continendo se suum et inordinate loquendo.* BASTGEN 125, 3—4; vgl. ferner 125, 8; 126, 20; 126, 8; 127, 6; 127, 8; 127, 28.

[119] BASTGEN 125, 37.

[120] BASTGEN 125, 38; 127, 6; 127, 8.

[121] BASTGEN 126, 13.

[122] LC III, 11, BASTGEN 124, 39—125, 2: *Si ergo illi, de quibus sermo est, custodem virtutum, magistram bonorum, humilitatem amplecterentur, nec corpus Christi, quod est ecclesia, inpudentissime anathematizare temptarent nec ob suae, imo vane laudis appetitum pro re tam inutili tamque inofficiosa synodum adgregarent.*

[123] Vgl. IV, 11, BASTGEN 192, 5—9, zitiert in Anm. 101.

[124] LC III, 12, BASTGEN 127, 6—8, zitiert in Anm. 78.

Libellus Synodalis Parisiensis von 825[125]. Dieser Libellus setzt sich zusammen aus einem theologischen Gutachten zur Bilderfrage[126], einem Briefentwurf für Ludwig den Frommen an Papst Eugen II.[127], einem weiteren Briefentwurf für den Papst an den byzantinischen Kaiser Michael[128]. Das theologische Gutachten enthält einige für die neue Konzilstheorie relevante Aussagen. Nach dem Hinweis darauf, daß das zweite Nicaenum sich auf den Brief Hadrians an Konstantin und Irene stützte[129], wird der Vorwurf unzulässiger Schrift- und Väterexegese erneut gegen das Nicaenum erhoben[130]. Dann wird Hadrian selber scharf kritisiert. Sein an Karl gerichteter Brief zur Verteidigung des zweiten Nicaenums enthält nach Auffassung der fränkischen Theologen *absona, inconvenientia*, ist nicht ad rem und weder mit *veritas* noch *auctoritas* vereinbar[131]. Hadrians Aufgabe wäre es gewesen, den Irrtum zu korrigieren, statt dessen hat er ihn *incaute* verteidigt[132]. Der von der *veritas* sich entfernenden *auctoritas*[133], d. h. dem Papst, die Wahrheit zu eröffnen, ist Ziel der Pariser Konzilsversammlung. Nolens volens wird die *auctoritas*, d. h. die

---

[125] MGH. Conc. 2, 1, 473—551; vgl. A. W. ECKHARDT, Zur Überlieferung des Pariser Konzils von 825, in: ZKG 65 (1953/4) 126—128. Über die politischen Zusammenhänge dieses Konzils vgl. HAENDLER 43—55; eine theologische Analyse ebd. 102—138, ferner HEFELE/LECLERCQ, IV, 1, 43—49.

[126] MGH. Conc. 2, 1, 481, 1—520, 31.

[127] MGH. Conc. 2, 1, 520, 32—523, 5.

[128] Ebd., 523, 6—532, 31. — Tatsächlich verwendete Ludwig nicht diese Briefvorschläge, sondern beauftragte zwei Theologen, aus dem Libellus der Synode einen Auszug zu machen, der dem Papst überbracht werden sollte, die *Epitome libelli Synodalis Parisiensis*, MGH. Conc. 2. 1, 535, 33—551, 5. An den Papst richtete der Kaiser einen eigenen Brief, ebd. 534, 5—535, 8.

[129] MANSI 12, 1055—1071.

[130] Lib. syn. Par., MGH. Conc. 2, 1, 481, 25—29: *Et ut id verum esse, quod nitebantur adstruere, demonstrarent, quaedam sanctarum scripturarum testimonia et sanctorum patrum dicta ad suum superstitiosum errorem confirmandum violenter sumpserunt et eidem suo operi incompetenter aptaverunt, quoniam non eo sensu, quo dicta, nec eo intellectu, quo a sanctis patribus exposita, ab illis esse produntur prolata vel intellecta.*

[131] Lib. syn. Par., MGH. Conc. 2, 1, 481, 33—482, 8: ... *ipse rursus favendo illis, qui eius instinctu tam superstitiosa tamque incongrua testimonia memorato operi inseruerant, per singula capitula in illorum excusationem respondere quae voluit, non tamen quae decuit conatus est. Talia quippe quaedam sunt, quae in illorum obiectionem opposuit, quae remota pontificali auctoritate et veritati et auctoritati refragantur. Sed licet in ipsis obiectionibus aliquando absona, aliquando inconvenientia, aliquando etiam reprehensione digna testimonia defensionis gratia proferre nisus sit, in fine tamen eiusdem apologiae sic se sentire et praedicare ac praecipere de his, quae agebantur, professus est, sicut a beato papa Gregorio institutum esse constabat. Quibus verbis liquido colligitur, quod non tantum scienter quantum ignoranter in eodem facto a recto tramite deviaverit. Nisi enim in conclusione obiectionum suarum retinaculis veritatis, beati scilicet Gregorii institutis, astrictus iter devium praecavisset, in superstitionis praecipitium omnino labi potuisset.*

[132] Lib. syn. Par., MGH. Conc. 2, 1, 482, 26—29: ... *pars illa, quae debebat errata corrigere suaque auctoritate huiusce superstitioni errori obniti, ipsa prorsus eidem superstitioni non solum resistere, verum etiam incauta defensione contra auctoritatem divinam et sanctorum patrum dicta nitebatur suffragari* ...

[133] Ebd. 482, 33: ... *auctoritas deviare videbatur ab ipsa veritate* ...

sedes apostolica, der eröffneten Wahrheit ‚nachgeben'[134]. Selber von Wahrheit aufgrund von *ratio*[135] überzeugt, kann der Papst schließlich nicht anders, als die Wahrheit lehren[136].

Der nicht abgeschickte, zur Vorlage ausgearbeitete Brief des Kaisers erteilt dem Papst entsprechend dem Vorschlag des Gutachtens[137] in seinem Mittelstück[138] eine beachtliche Lektion über das Recht der Gläubigen auf *ratio: Idcirco ergo summopere cavendum est, ne homini rationali rationem desideranti atque poscenti ullo modo ratio interdicatur, nisi tantum in his, ut supra commemoratum est, ineffabilis tanta ac talis occurrat sublimitas, cui merito universa humana se substernat ratiocinationis humilitas*[139]. Wer Gewißheit sucht, darf nicht mit menschlichen *adinventiones* abgespeist werden, denn auch der Gläubige hat ein Recht auf *ratio*[140]. All dies ist gesagt im Hin-

---

[134] Ebd. 482, 34—35: ... *dum se in medium osten(dit) (veritas), etiam ipsa auctoritas volens nolensque veritati ced(et) atque succumb(et)*.

[135] Was konkret unter *ratio* zu verstehen ist, ist im vorgeschlagenen Papstbrief an den Kaiser ausgeführt, ebd. 524, 1—526, 23; vgl. die Zusammenfassung ebd. 526, 27—30: *Ideo ergo totius huius rationis talis est summa, ut qui volunt propria memoria vel sana doctrina in locis competentibus absque ullo inlicito cultu pictas vel fictas habeant imagines, qui autem nolunt absque ullo inlicito contemptu taliter habentes vel habitas imagines, nullatenus spernant*. Es folgt unter der Überschrift *auctoritates* das Väterargument, das die *ratio*, man wird interpretieren dürfen: die theologische Überlegung, stützt: *videamus, si eadem auctoritas praemissam rationem congruendo affirmare debeat an non* (ebd. 526, 42—43).

[136] Lib. syn. Par., MGH. Conc. 2, 1, 483, 3—6: *Sic quippe refragator vinculis veritatis modo blandiendo, modo honorando, modo secundum rationem veritatem demonstrando subtiliter astrictus non audebit aliter docere, quam quod veritas habet, nec poterit aliter tenere, quam quod veritatis documentum aliis tenendum tradiderit*.

[137] Ebd. 483, 3—12.

[138] Die fränkischen Theologen leiten ihr Schreiben ein mit allgemein klingenden *(his summatim praemissis)*, aber speziell auf den Papst gemünzten Ausführungen über entschiedenen und männlichen Einsatz für Frieden und Einheit in der Kirche. Ohne solchen Einsatz für Frieden und Einheit, der *secundum qualitatis suae modum*, d. h. wohl entsprechend der Stellung in der Kirche, verlangt wird, gelangt niemand zum Ziel der irdischen Pilgerschaft, zum ewigen Reich, ebd. 520, 32—521, 21. — Das Mittelstück (521, 22—522, 31) behandelt zunächst allgemein das Recht des Gläubigen auf Vernunft (522, 22—40) und scheint dann daraus die spezielle Verpflichtung des Papstes abzuleiten, zwischen den streitenden Parteien als vernünftiger Richter zu fungieren, in Sonderheit gegen den Satan, der die Kirche zu spalten sucht, den Kampf um die kirchliche Einheit zu führen (521, 40—522, 29). Die Pflicht des Papstes zu solchem Einsatz für die Einheit entspricht seiner privilegierten Stellung in der Kirche, beschwören die fränkischen Theologen den Papst: *et cum universus ei* (d. h. dem Satan) *ecclesiasticus ordo merito obviare debeat, nullus tamen sub hac conditione maiore constringitur debito quam ille, qui tanto in sede apostolica illorum auctoritate pro eorum reverentia in universali mundo ac tali honorari meruit privilegio; qui tamen universalis merito non dicitur, si pro universali ecclesiae statu viribus, quibus valet, non agonizatur* (ebd. 522, 25—29).

[139] Ebd., 521, 37—40.

[140] Lib. syn. Par., MGH. Conc. 2, 1, 521, 32—36: *Ideoque poene ab omnibus desideratur, optatur, quaeritur, ut ratione praeeunte, comitante vel subsequente in omnibus vel de omnibus, unde certus esse desiderat, salva et anteposita semper et ubique divina auctoritate, non prius qualibet humana adinventione opponatur quam utili ratione instruatur et, undecumque certus esse desiderat, pleniter imbuatur*.

blick auf die griechischen und päpstlichen ‚Definitionen' über die Bilderverehrung. Im Klartext heißt das: das Konzil samt Papstbrief halten einer
‚vernünftigen' *(ratio)* Überprüfung ihres Schrift- und Väterbeweises nicht
stand. Dem Konzil fehlt *ratio*, deswegen hat es keinen verpflichtenden
Charakter. Mag die Begründung des Rechts auf *ratio* auch etwas weit
hergeholt sein — die Pariser Theologen leiten es, so scheint es, mittelbar aus den theologischen, unmittelbar aus den Kardinaltugenden ab[141]
— das Anliegen der Franken ist deutlich. Auch beim Konzil geht es um
Theologie, um vor der Vernunft verantwortete Auslegung von Schrift
und Tradition. Die karolingischen Theologen haben die *ratio* wieder
entdeckt. Die neue Konzilstheorie trägt deutlich ihren Stempel.

In ihrem Kampf gegen das zweite Nicaenum berufen sich die fränkischen
Theologen gegen unkritisch vorausgesetzte *auctoritas* auf *ratio*, d. h.
kritische Prüfung der *auctoritas*. Sie reflektieren ausdrücklich über das
Verhältnis beider Größen im Blick auf Konzil und Papst. Mehr noch:
sie wenden sich mit ihrem Gutachten zur Bilderfrage an die im Papst
personifizierte *auctoritas*, um ihr *ratio* ‚beizubringen'. Daß Rezeption so
ausdrücklich unter diesem Stichwort *ratio/auctoritas* bedacht und diskutiert wird, ist sicher neu, ist ein Aspekt der neuen Konzilstheorie der
Franken. Wir wollen zum Abschluß fragen, wie neu, wie alt die Sache
ist, um die es unter den Begriffen *ratio/auctoritas* im Grunde geht. Die
Sache, um die es geht, ist die aktive Aneignung der Konzilsdefinition,
die das Recht auf Überprüfung der Entscheidungen und Dekrete ökumenischer Konzilien mit einschließt. Gibt es in dem von uns anvisierten
Zeitabschnitt Quellen, aus denen solche Überprüfung belegt werden
kann?

Einen sehr aufschlußreichen Text in dieser Hinsicht liefert uns das
14. Konzil von Toledo aus dem Jahre 684[142]. Die Synode findet statt
auf Befehl des westgotischen Königs Ervigius, den Papst Leo II. über

---

[141] Lib. syn. Par., MGH. Conc. 2, 1, 521, 22—32: *Qui igitur, ut universo ecclesiastico ordini revelante
Spiritu sancto notum est, inter cetera pietatis documenta testante apostolo fides, spes, caritas praeminent,
ipsaeque rursum virtutes per prudentiam, temperantiam, fortitudinem atque iustitiam auctore Deo
inviolabiliter conserventur, ita rursus illae quattuor ad humanam derivatae sobriam conversationem per
rationem, discretionem, honestatem atque utilitatem habentur atque utuntur; nullusque istis carens illas
perfecte habere potuit nec eis rite, istis spretis, aliquando uti praevaluit. Et quamvis sint quaedam ex
eis humanam rationem excedentes, ut sunt nonnulla quae sola fide attingi possunt et ob hoc ineffabilia vel
incomprehensibilia dicuntur auctoritate tamen divina in sacris voluminibus, sanctorum etiam catholicorum
patrum edictis, Deo revelante, qualiter eadem tenenda vel confitenda sint, sufficienter repperiunter.*
Zur Rolle der Kardinaltugenden vgl. S. Mähl, Quadriga virtutum. Die Kardinaltugenden
in der Geistesgeschichte der Karolingerzeit (= BAKG 9), Köln/Wien 1969, bes. 53 ff.
[142] Mansi 11, 1085—1092; PL 84, 505—510; J. Vives, Concilios visigoticos e hispano-
romanos, Barcelona/Madrid 1963, 441—448; vgl. auch Hefele/Leclercq, III, 1, 550—551;

die Verurteilung des Monotheletismus durch das dritte Constantinopolitanum benachrichtigt hatte[143]. Der Papst lädt die spanischen Bischöfe
ein, die *instituta synodalia* mit ihrer *auctoritas* zu unterstützen und im
Königreich bekannt zu machen[144]. Unmittelbar nach Erhalt der *gesta
synodalia* war den Bischöfen eine gemeinsame Beratung und Behandlung
nicht möglich. Denn die päpstlichen Dokumente waren nach Abschluß
des 13. Konzils von Toledo (4. November 683) in Spanien angekommen.
Es war schon Winter und die Bischöfe auf der Heimreise begriffen.
König Ervigius ordnete deswegen an, daß an Stelle eines General-
konzils separate Synoden in den einzelnen Provinzen abgehalten werden
sollten, um dem päpstlichen Verlangen zu entsprechen[145]. Die einzelnen
Bischöfe sollen jeder für sich die Akten des Konzils bearbeiten. Diese
Bearbeitung besteht in drei Momenten: *suscipere, perlegere, approbare*[146].
Approbare wird man durch ,billigen', ,seine Zustimmung geben' zu
übersetzen haben.

Im folgenden wird noch deutlicher, was die spanischen Theologen unter
der vom Papst anbefohlenen Annahme des Konzils verstehen: eine
synodale Überprüfung der Konzilsakten. Rezeption ist hier nicht ein-
seitig verstanden als ein Akt passiver Unterwerfung und gehorsamer
Annahme, sie schließt die Prüfung, ob das Konzil seinem Anspruch,
Zeuge der Tradition zu sein, gerecht wird, keineswegs aus. Die im November 684 zu Toledo versammelten Bischöfe der carthagenischen

---

[143] Epist. ad episcopos Hispaniae, PL 96, 414.

[144] Conc. Tolet., Vives 442: *In cuius etiam gratioso epistulae tractu ad hoc omnes praesules Hispaniae
invitati sunt, ut praedicta synodalia instituta quae miserat nostri etiam vigoris manerent auctoritate
suffulta, omnibusque per nos sub regno Hispaniae patescerent divulganda.*

[145] Interessant ist in diesem Zusammenhang das Bemühen des Königs und der Kirchenleitung um einen echten, d. h. von den einzelnen Provinzen mitgetragenen Konsens der spanischen Kirche: *(Ervigius) strenuo et invicto celsitudinis suae iussu nos omnes praeciperet adgregari in
unum, hoc dedit speciale edictum, ut quia sicut oportebat pro tantae rei negotio pertractando generale
concilium fieri varia adversitatum incursio non sineret, saltem adunata per provincias concilia fierent, et
siquidem hic primum a nobis in urbe regia incursio non sineret, saltim adunata quibusque provinciis
singulare haberetur concilium, quod quidquid (hic) actum per Toletanam synodum reliqui primarum
sedium praesules suorum vicariorum relatibus comperissent, id etiam in postmodum ipsi per discreta
provinciarum suarum concilia gesta essent illis omnibus in toto communia, utpote ab ipsis edita
atque ipsis coram positis roborata quae utique per legatos suos confirmanda decreverant, quo ex hoc unum
et indivisibile fieret cunctorum Spanorum praesulum totam Hispaniam vel Galliam synodale edictum
ex quo omnium metropolitanum fuisset et assensibus promulgatum.* Vives 441—442. — Die Konzilsakten enthalten über den Ablauf der Ereignisse einige Unstimmigkeiten, vgl. Einzelheiten hierzu bei F. X. Murphy, Julian of Toledo and the Condemnation of Monotheletism
in Spain, in: Mélanges J. de Ghellinck, I, Gembloux, 1951, 361—377, hier 362—367.

[146] Conc. Tolet., Vives 443: *. . . praefatas gestorum regulas pertractandas suscepimus, susceptas
perlegimus, approbantes in his . . . recti dogmatis sensum, inculpandae disputationis edictum, apostolicae
traditionis stylum.*

Kirchenprovinz überprüfen zusammen mit den Stellvertretern fünf anderer spanischer Kirchenprovinzen (= horizontaler Konsens) den vom dritten Constantinopolitanum behaupteten vertikalen Konsens, d. h. die Übereinstimmung seiner Definition mit Schrift und Tradition. Konkret geschieht das durch Vergleich der Konzilsdefinition mit denen der vorausgegangenen ökumenischen Synoden[147]. Das Ergebnis der Überprüfung lautet: *Et ideo supradicti acta concilii in tantum a nobis veneranda sunt et recipienda constabunt, in quantum a praemissis conciliis non disciscunt, imo in quantum cum illis concordare videntur. Habebunt ergo sui ordinis locum quae sublimationis habent et meritum. Unde his conciliis ea ipsa subnectenda decernimus quorum et auctoritate fulta probamus . . . Post Chalcidonense*[148] *igitur concilium haec debito honore, loco et ordine conlocanda sunt, ut cuius glorioso themate fulgent ei et loci et ordinis coabtentur honore*[149]. Nach der formellen Approbation durch das ‚Generalkonzil' ist freilich keine Diskussion des definierten Dogmas mehr erlaubt. Eigens warnen die Bischöfe vor solcher Diskussion[150].

---

[147] Conc. Tolet., Vives 444: *Adeo nos primum omnes Carthaginis provinciae pontifices pari animorum iudicio praedicta gesta cum antiquis conciliis conferentes, adsistentibus quoque nobis vicariis reverendissimorum sublimiumque primatum sedium episcoporum . . . iterato ea ipsa gesta probavimus decretis quidem illis synodalibus et praecipuis in omnibus consona et Nicaenae quidem Constantinopolitanae vel Ephesinae fidei concordantia, Chalcidonensi vero tam unita, utpote ipsis verbis edita vel libata, quippe quibus sumpta videtur pene omnis ipsius styli praecurrentis materia.* — In diesem Sinne interpretiert auch K. Voigt, Staat und Kirche von Konstantin dem Großen bis zum Ende der Karolingerzeit, Stuttgart 1936, 169 vorliegenden Passus: „Die Bischöfe traten aber der von dem allgemeinen Konzile getroffenen und vom Papste gebilligten Entscheidung durchaus nicht ohne weiteres bei, sondern erst, nachdem sie selbst die Fragen der zwei Willen und der zwei Energien sorgfältig geprüft hatten. Indem sie aber erklärten, die Beschlüsse des neuen allgemeinen Konzils stimmten mit denjenigen der Konzilien von Nicaea (325), Konstantinopel (381), Ephesus (431) und Chalcedon (451) überein und seien hinter denjenigen des Konzils von Chalcedon einzureihen, erkannten sie nur jene vier älteren allgemeinen Konzilien an und lehnten stillschweigend die von den Päpsten angenommenen Beschlüsse des V. allgemeinen Konzils von Konstantinopel (553) über die Verdammung der ‚drei Kapitel' ab."

[148] Es fällt auf, daß die spanischen Theologen das zweite Constantinopolitanum von 553 nicht erwähnen. Der Grund liegt darin, daß die spanische Kirche ihre Kenntnis über den Dreikapitelstreit afrikanischen Theologen verdankt, die Justinian und seinem Konzil feindlich gesinnt sind. Entsprechend führt das Konzilskapitel des Isidor von Sevilla nur die vier ersten Konzilien auf. Vgl. S. 354—355.

[149] Conc. Tolet., Vives 444—445. — Der Sinn von *tantum quantum* ist nicht einschränkend, als ob die Bischöfe sagen wollten: wir nehmen das Konzil nur insoweit an, als es mit den genannten Konzilien übereinstimmt, den ‚Rest' rezipieren wir nicht. Der Sinn ist vielmehr: wir rezipieren das Konzil, insofern, weil es mit den vorausgegangenen Synoden übereinstimmt. — Zu ‚recipere' vgl. A. Lumpe, Zu ‚recipere' als gültig annehmen, anerkennen im Sprachgebrauch des römischen und kanonischen Rechts, in: AHC 7 (1975) 118—135.

[150] Conc. Tolet., Vives 446: *Neque enim quae sunt divina discutienda sunt, sed credenda: non enim se Deus discutere iubet sed credere. Credamus ergo non sensibus nostris sed indubitatis conciliorum priscorum dogmatibus iam praemissis.*

Wir hatten es im Vorausgehenden mit zwei Fällen von Rezeption eines ökumenischen Konzils zu tun. Im Fall der Franken wurde die Rezeption mit Berufung auf die Tradition verweigert, im Fall der spanischen Bischöfe wurde sie, ebenfalls mit Berufung auf die Tradition geleistet. Als übergeordnetes Kriterium erweist sich in beiden Fällen das Bestehen oder Nichtbestehen des vertikalen Konsenses[151]. Primat des vertikalen vor dem horizontalen Konsens bedeutet zwar nicht unmittelbar Primat des Inhaltlichen, des Glaubensinhaltes über formale Autorität. Denn auch der vertikale Konsens schließt formale Autorität ein, und umgekehrt bezieht sich der horizontale Konsens notwendig auf einen Glaubensinhalt. Mittelbar jedoch kommt im Primat des vertikalen Konsenses über den horizontalen der Primat der inhaltlichen über die formale Autorität zum Ausdruck. Der vertikale Konsens ist deswegen letztlich ausschlaggebend, weil die Wahrheit des Glaubens von ihrem Wesen her eine überlieferte ist. Wir beschließen unsere Untersuchung mit dem Hinweis auf einen Text, in dem dieser Primat der inhaltlichen über die formale Autorität einen klassischen Ausdruck gefunden hat. In den *Gesta Bizyae*[152] vom August/September 656 bestreitet *Maximus Confessor*, der Mitstreiter Papst Martins, mit dessen Konzilstheorie wir dieses Kapitel eingeleitet haben, daß Konzilien durch kaiserliche Bestätigung ihre Gültigkeit erlangen, wie sein Diskussionspartner Theodosius behauptet. Nicht kaiserliche, d. h. staatlich-kirchliche, formale Autorität, sondern die εὐσεβὴς πίστις, die ὀρθότης δογμάτων, d. h. der Glaubensinhalt, macht die Synoden letztlich gültig[153]. Man wird den

---

[151] Dies ist zumindest so nach der Konzilstheorie. Auf einem ganz anderen Blatt steht geschrieben, wieweit Konzilstheorien jeweils Funktion politischer Überlegungen sind. Für Karl haben wir das oben angedeutet. Für die Ostgoten wären entsprechende Untersuchungen anzustellen.

[152] PG 90, 136—172; MANSI 11, 45—60 bringt nur den lateinischen Text; zu diesen Acta vgl. R. DEVREESSE, La vie de S. Maxime le Confesseur et ses recensions, in: AnBoll 46 (1928) 5—49, über die Acta von Bizya, S. 34—35; ferner P. SHERWOOD, An annotated dateliste of the works of Maximos the confessor, in: StAns 30 (1952) 56. Vgl. auch J. PELIKAN, ‚Council or father or scripture': The Concept of Authority in the Theology of Maximos Confessor, in: The Heritage of the Early Church (Festschrift Florovsky), OrChrA 195 (1973) 277—288.

[153] Gesta Bizyae, PG 90, 145 C—148 A: εἰ τὰς γενομένας συνόδους αἱ κελεύσεις τῶν βασιλέων κυροῦσιν, ἀλλ' οὐχὶ εὐσεβὴς πίστις, δέξωνται καὶ τὰς κατὰ τοῦ ὁμουσίου γενομένας συνόδους, ἐπειδὴ κελεύσει βασιλέων γεγόνασι ... Maximus zählt auf: Tyrus, Antiochien, Seleucia, Konstantinopel, Nice in Thracien, Sirmium, Ephesus (449), dann fährt er fort: ὅλας γὰρ ταύτας κέλευσις βασιλέων ἤθροισε, καὶ ὅμως πᾶσαι κατεκρίθησαν διὰ τὴν ἀθεΐαν τῶν κυρωθέντων ἀσεβῶς δογμάτων ... ἐκείνας οἶδεν ἁγίας καὶ ἐγκρίτους συνόδους ὁ εὐσεβὴς τῆς ἐκκλησίας κανών, ἃς ὀρθότης δογμάτων ἔκρινεν. Die *Gesta Bizyae* liegen neuerdings in französischer Übersetzung vor, vgl. J. M. GARRIGUES, Le martyre de saint Maxime le Confesseur, in: RThom 76 (1976) 410—452, hier 427—443.

Einspruch des Maximus gegen kaiserliche Autorität in Glaubensfragen sicher nicht mit dem Protest der Franken gegen die päpstliche und synodale Autorität gleichsetzen dürfen. Hier wird der Glaube vor sakralpolitischer, letztlich doch staatlicher, dort vor kirchlicher, d. h. vom Glaubensinhalt selbst legitimierter Autorität in Schutz genommen. Beiden, den Franken und Maximus, ist jedoch anderseits ein Anliegen gemeinsam: der Primat des Glaubensinhaltes über formale Autorität. Beidemal geht es letztlich um die Freiheit des Glaubens gegenüber der Institution, sei diese Institution nun der Staat, sei sie die Kirche. Maximus erinnert an die alte Wahrheit, daß die Autorität im Dienste des Glaubens steht und nicht umgekehrt.

Kapitel V

ASPEKTE DER KONZILSIDEE NACH KONZILSSYNOPSEN DES 6. BIS 9. JAHRHUNDERTS

Bisweilen ist der Blick über den Zaun der eigenen Disziplin recht aufschlußreich. Die ikonographische Darstellung der Konzilien z. B. vermittelt dem Historiker der Konzilsidee äußerst wertvolle Erkenntnisse. Von seinen schriftlichen Quellen her ist ihm zwar bekannt, daß es bildliche Darstellungen von Konzilien gegeben hat — so seit dem Beginn des 8. Jahrhunderts im Kaiserpalast zu Konstantinopel, ferner im Milion, dem Herzen der Hauptstadt und des Reiches, dem byzantinischen Pendant zum Forum Romanum, und im Narthex von St. Peter in Rom und Neapel und anderswo[1]. Aber erst seit den Arbeiten von S. Salaville[2], H. Stern[3], A. Grabar[4] und vor allem der umfassenden Studie von Chr. Walter[5] weiß er aufgrund von z. T. ausgezeichneten Reproduktionen, wie solche Konzilsdarstellungen aussehen.

Aus der Fülle des z. B. von Walter ausgebreiteten und zusammengetragenen Materials sei nur eine Miniatur, die Darstellung des zweiten Konzils von Nicaea aus dem Menologium Basilius' II., erwähnt. In einer Exedra sitzen auf einer erhöhten, halbkreisförmigen Bank sechs Bischöfe, alle mit einem Buch in der Hand. Durch entsprechende Gesten sind zwei oder drei von ihnen als redend gekennzeichnet. Beherrschend im Zentrum des Bildes steht ein Kreuz, aufgerichtet auf einem mehrstufigen Podest. Links vom Kreuz sitzen drei Bischöfe; unmittelbar rechts vom Kreuz, also an ganz zentraler Stelle, hat der Kaiser auf einem von der Bank der übrigen drei Bischöfe unterschiedenen, überhöhten Thron seinen Platz. Nur seine Füße, nicht die der Bischöfe, ruhen auf einem Schemel. Mitten im Halbkreis liegt auf dem Boden niedergestreckt eine Person, offensichtlich der verurteilte Häretiker, über den die

---

[1] Sammlung von diesbezügl. Texten aus dem 8. bis 9. Jh. bei A. GRABAR, L'iconoclasme byzantin, dossier archéologique, Paris 1957, 48—50.

[2] L'iconographie des septs conciles oecuméniques, in: EOr 25 (1926) 144—176.

[3] Les représentations des conciles dans l'Eglise de la Nativité à Bethléem, in: Byz. 11 (1936) 101—152 und Byz. 13 (1938) 415—459; DERS., Nouvelles Recherches sur les images des conciles dans l'Eglise de la Nativité à Bethléem, in: CAr 3 (1948) 82—115.

[4] A. GRABAR, Le schéma iconographique de la Pentecôte, in: Seminarium Kondakovium 2 (1928) 223—229; vgl. auch Anm. 1.

[5] L'iconographie des conciles dans la tradition byzantine, Paris 1970.

Orthodoxie ihren Sieg und Triumph feiert. Hinter den vorsitzenden Bischöfen und dem Kaiser werden die Köpfe weiterer Bischöfe sichtbar[6]. Andere Konzilsdarstellungen bevorzugen eine leicht abgewandelte Anordnung von Kaiser und Bischöfen; statt des Kreuzes kann auch ein aufgeschlagenes Evangelium im Zentrum des Raumes stehen. Der Grundtypus des Bildes und die Grundidee, die es zum Ausdruck bringt, sind aber immer die gleichen[7].

Mehr noch als die Darstellung eines einzelnen Konzils interessiert in unserem Zusammenhang die Abbildung der ganzen Reihe von Konzilien, vor allem wenn sogar die Namen der führenden Bischöfe in ihrem jeweiligen Nimbus festgehalten sind[8]. Solche Konzilsikonographie ist nämlich unmittelbar von den Texten inspiriert, denen vorliegende Untersuchung gewidmet ist[9]. Es handelt sich dabei um Texte, die mehr oder weniger ausführliche, mehr oder weniger schematische Resümees der von der Kirche rezipierten Konzilien enthalten. Wir bezeichnen diese Resümees im folgenden als „Synopsen", einmal weil dieses Wort nicht nur eine Nebeneinanderstellung wie im Fall der Evangeliensynopse, sondern auch eine knappe Zusammenfassung bzw. vergleichende Übersicht bezeichnen kann und weil es andererseits als Titel dieser Art von Texten handschriftlich gut belegt ist[10]. Es lassen sich zwei Arten solcher Synopsen unterscheiden: auf der einen Seite selbständige Schriften, auf der anderen Passagen bzw. Kapitel aus Reden oder Schriftwerken. Die erste Gruppe zerfällt ihrerseits in anonyme Synopsen und namentlich gezeichnete. Zu den anonymen Synopsen gehört auch das sog. *Synodicum*

---

[6] Vgl. WALTER 12 und 37—38.

[7] „On peut supposer que la présentation de l'image fut déterminée par celle des inscriptions, fixe depuis l'Antiquité: indication du lieu, de ceux qui avaient prêté leur autorité au décret, c'est-à-dire l'empereur et de nombreux membres du clergé, et enfin l'hérétique expulsé ou condamné. Comme une iconographie officielle ne s'adapte pas facilement, on n'attend pas de modifications importantes, lorsque ces images figurent dans un contexte liturgique. On ne changerait que des détails: portraits plus exacts des membres du clergé, hérétiques mis à l'écart plutôt que condamnés, introduction de thèmes d'origine liturgique, tels que les miracles." WALTER 162.

[8] Vgl. CHR. WALTER, The names of the council fathers at saint Sozomenos Cyprus, in: REByz 28 (1970) 189—206.

[9] Die Nahtstelle zwischen Ikonographie und Textinterpretation ist eigentlich noch enger als hier angedeutet. Die berühmten Mosaikfresken der Bethlehemer Geburtskirche ersetzen nämlich bei der Darstellung der Reihe der ökumenischen und partikularen Synoden die sonst üblichen Porträts der führenden Konzilsteilnehmer durch einen Text, der zur Kategorie der hier zu analysierenden Konzilssynopsen gehört. Vgl. w. unten und vor allem die Anm. 3 genannte Studie von STERN.

[10] Vgl. J. A. MUNITIZ, Synoptic Greek Accounts of the Seventh Council, in: REByz 32 (1974) 147—186, hier 147, Anm. 1.

vetus; wegen seiner außergewöhnlichen Länge und anderer Eigentüm-
lichkeiten widmen wir diesem Text jedoch einen eigenen Abschnitt.
Diese Synopsen verdienten an sich eine viel ausführlichere Behandlung,
als es im Rahmen dieser Untersuchung möglich ist. Denn es ist damit zu
rechnen, daß sie eine erheblich bedeutsamere Rolle in der Tradition des
kirchlichen Glaubens spielten, als bisher angenommen wurde; sie brachten die meist differenzierteren Konzilsdefinitionen in vereinfachter Form
unter das Kirchenvolk. Eine besonders bedauerliche Begrenzung dieser
Arbeit besteht darin, daß nicht auf Handschriften, sondern ausschließlich auf veröffentlichte Texte Bezug genommen wird. Ferner wird das
komplexe Problem der wechselseitigen literarischen Abhängigkeit dieser
Synopsen nicht angeschnitten. Ohne umfangreiche Manuskriptunter-
suchungen lassen sich auch Klassifizierungsversuche sinnvollerweise
nicht vornehmen, die zu einem exakteren Verständnis dieser Synopsen
notwendig wären. Zeitlich werden nur Synopsen aus dem 6. bis 9. Jahrhundert erfaßt. Die untere Grenze ergibt sich aus dem Umstand, daß
noch frühere Synopsen kaum Relevantes zur Konzilsidee enthalten, die
obere Grenze wird durch das Schisma des Photius nahegelegt, mit dem
eine neue Epoche der Kirchengeschichte beginnt.

1. Passagen und Kapitel über Konzilien

Die erste Gruppe von Konzilssynopsen besteht, wie gesagt, aus Passagen
bzw. Kapiteln. Solche Passagen können sich z. B. in Reden befinden, die
auf Konzilien gehalten wurden, bzw. in Schriften, die im Zusammenhang mit Konzilien stehen. Natürlicher Ort, Sitz im Leben, von Ausführungen über Konzilien ist nämlich das Konzil selber. In einem der
vorausgegangenen Kapitel haben wir uns der Sache nach schon mit dieser
Kategorie von Synopsen befaßt[11]. Wir knüpfen hier also unmittelbar an
unsere Ausführungen über die Konzilsaufzählungen des *Codex Encyclius*
an.
Gleich die Rede, mit der Kaiser *Justinian* das fünfte allgemeine Konzil
eröffnet, enthält eine solche Aufzählung der rechtgläubigen Konzilien.
Diese Synopse hat im Rahmen der Rede das Ziel, die Behauptung zu
illustrieren, daß die Kaiser es sich immer angelegen sein ließen, „durch
die Versammlung der überaus frommen *(religiosissimorum)* Bischöfe"

---

[11] Vgl. S. 259.

die Kirche vor Häresie zu bewahren[12]. Worauf Justinian mit diesem Abriß der Konziliengeschichte[13] hinaus will, ist dabei eindeutig: er will den Einsatz der jeweiligen Kaiser für die Orthodoxie dokumentieren. Die Kaiser berufen die jeweiligen Konzilien ein, und sie machen ihre Beschlüsse zu Staatsgesetzen[14]. Aber die Pointe liegt noch woanders: die Rolle der Kaiser beschränkt sich bei dreien der vier genannten Konzilien nicht auf die Einberufung und die staatliche Durchsetzung der Dekrete,

---

[12] Justin., sacr., ACO IV, 1; 8, 19—22: *Semper studium fuit orthodoxis et piis imperatoribus patribus nostris pro tempore exortas haereses per congregationem religiosissimorum episcoporum amputare et recta fide sincere praedicata in pace sanctam dei ecclesiam custodire.*

[13] Justin., sacr., ACO IV, 1; 8, 22—9, 37: *Quapropter et Constantinus piae recordationis Arrio blasphemante et dicente non esse filium consubstantialem deo patri, sed creaturam et ex non extantibus factum esse congregauit Nicaeae ex diuersis diocesibus trecentos decem et octo sanctos patres et, cum ipse etiam concilio interfuisset et adiuuasset eos qui consubstantialem filium patri confessi sunt, condemnata Arriana impietate studium habuit rectam fidem obtinere. exposito itaque sancto symbolo uel mathemate fidei per hoc sancti patres confessi sunt consubstantialem esse filium deo patri, quod usque tunc apud plurimos dubitabatur, sed et Theodosius senior piae recordationis Macedonio negante deitatem sancti spiritus et Apolinario uel Magno eius discipulo in dispensatione incarnati dei uerbi blasphemantibus et dicentibus sensum humanum non recepisse deum uerbum, sed carni unitum esse animam inrationabilem habenti, congregatis in regia urbe centum quinquaginta sanctis patribus, cum et ipse particeps fuisset concilii, damnatis praedictis haereticis una cum impiis eorum dogmatibus fecit rectam praedicari fidem. secuti enim idem sancti patres expositam rectam fidem a trecentis decem et octo sanctis patribus explanauerunt de deitate sancti spiritus et perfecte de dispensatione incarnati dei uerbi docuerunt, iterum Nestorio impio alium dicente deum uerbum et alium Christum et hunc quidem natura filium dei patris, illum autem gratia filium impie introducente et sanctam gloriosam semper uirginem dei genetricem esse negante, cum paene omnes Orientales partes sua impietate adimplesset idem Nestorius, Theodosius iunior piae recordationis congregauit priorem Ephesenam sanctam synodum cui praesidebant Caelestinus et Cyrillus sancti patres, et directis iudicibus qui deberent concilio interesse, compulit et ipsum Nestorium ibi peruenire et iudicium propter eum procedere. et tali examinatione facta secuti idem sancti patres per omnia ea quae de fide definita sunt ab anterioribus sanctis patribus, condemnauerunt Nestorium una cum eius impietate. his ita subsecutis cum insurrexissent contra Cyrillum sequaces Nestorii impii, festinauerunt, quantum in ipsis fuit, refutare condemnationem contra Nestorium factam; sed praedictus piae recordationis Theodosius uindicans ea quae ita recte contra Nestorium et eius impietatem fuerant iudicata, fecit firmiter obtinere contra eum factam condemnationem. et post haec iterum cum Eutyches demens emersisset negando consubstantialem nobis esse carnem domini, multis interea motis tam Constantinopoli quam Ephesi tanta pro illo facta est haereticorum circumuentio, ut etiam eiceretur propter eum Flauianus religiosae memoriae regiae urbis episcopus. piae autem recordationis Marcianus congregauit Calchedone sanctos patres et magna contentione inter episcopos facta non solum per suos iudices, sed etiam per se ipsum in concilio peruenit et ad concordiam omnes perduxit. qui sancti patres in omnibus secuti ea quae pro fide definita sunt a praedictis tribus sanctis conciliis et quae iudicata sunt de haereticorum damnatione et impietate eorum, damnauerunt et anathematizauerunt Eutychen dementem et impia eius dogmata nec non et Nestorium cum impiis eius dogmatibus, quoniam et tunc festinauerunt quidam defendere Nestorium et impia eius dogmata. super haec autem idem in Calchedone sancti patres anathematizauerunt eos qui aliud synbolum tradiderunt aut tradunt praeter hoc quod expositum est a trecentis decem et octo sanctis patribus et explanatum a centum quinquaginta sanctis patribus.* — Über die Rolle der Synode in der Theologie des Justinian vgl. H. ALIVISATOS, Die kirchliche Gesetzgebung des Kaisers Justinian I., NSGTK 17, Berlin 1913, 62—66.

[14] Justin., sacr., ACO IV, 1; 9, 37—10, 4: *His itaque omnibus per diversa tempora subsecutis piae recordationis nostri patres ea quae in unoquoque concilio iudicata sunt, legibus suis corroborauerunt et confirmauerunt et haereticos qui definitionibus praedictorum sanctorum quattuor conciliorum resistere et ecclesias conturbare conati sunt, expulerunt.*

die Kaiser nehmen aktiv am Konzil selber teil. Konstantin „hilft" in Nicaea I bei der Definition[15], Marcian greift in die Konzilsverhandlung nicht nur durch seine Beamten, sondern in höchst eigener Person ein und stellt Einmütigkeit unter den Bischöfen her[16]. Man hat den Eindruck, daß Justinian sogar die Leitung des Konzils für den Kaiser beansprucht. Jedenfalls fällt es auf, daß er nur für Ephesus, wo der Kaiser bekanntlich nicht zugegen war, den bischöflichen Konzilsvorsitz erwähnt[17]. Es ist deutlich, Justinians Konzilssynopse dient der Rechtfertigung der eigenen Konzilspolitik; sie bringt die kaiserliche Konzilsidee zum Ausdruck: dem Kaiser steht — selbst bei voller Respektierung der Rollenteilung zwischen den Bischöfen und dem Kaiser — eine aktive Mitwirkung auf den Konzilien zu.

Justinian beruft sich auf die Konziliengeschichte, um sein Recht unter Beweis zu stellen; die Bischöfe tun das gleiche, um die Kaiser an ihre Pflichten zu erinnern. Dem sechsten ökumenischen Konzil gingen mehrere Partikularsynoden voraus. Die *Mailänder Synode* von 680 unter Bischof Mansuetus hält dem Kaiser Konstantin Pogonatus eine Konzilssynopse als Spiegel vor[18]. Der Kaiser soll sich ein Beispiel nehmen an seinen Vorgängern, die die jeweiligen Häresien durch Konzilseinberufungen bekämpft haben. Bezeichnenderweise wird in dieser Konzilssynopse[19] nicht die aktive Rolle der Kaiser auf den Konzilien betont, vielmehr auf ihre Milde und Güte abgehoben[20].

Die Konzilssynopse des *Sermo acclamatorius ad imperatorem Constantinum*[21], mit dem das dritte Constantinopolitanum (680/1) seinen feierlichen Abschluß findet, bringt klar die Konzilsidee der führenden Theologen dieses Konzils zum Ausdruck: Konzilien sind Gemeinschaftsveranstaltungen von Kaiser und Papsttum. Auf ihrer effektiven Zusammenarbeit ist der Friede von Reich und Kirche gegründet. Kon-

---

[15] Vgl. Anm. 13.
[16] Vgl. Anm. 13. — Der Chronist Georgios Monachos läßt in einer griech. Überarbeitung des ursprünglichen Textes die genannte Pointe der kaiserlichen Konzilssynopse bezeichnenderweise entweder ganz weg oder schwächt sie ab. Vgl. zu Einzelheiten E. Chrysos, „Tmemata ton praktikon tes e synodou para byzantinois chronographois", in: Kl. 2 (1970) 377—401, hier 379—383.
[17] Vgl. Anm. 13.
[18] Ep. ad Const. imp., PL 87, 1261 D: *Habes quippe, probatissime imperator, specula, in quibus tuas actiones imaginari debeas.* Vgl. CPL 1170.
[19] PL 87, 1261 D—1264 B.
[20] *Amplissimus princeps* (Konstantin), *mansuetissimus et tranquillissimus Theodosius* etc. ebd. 1262 C—D.
[21] Mansi 11, 661 A—664 A.

stantin und Silvester versammelten gemeinsam das Nicaenum[22], Theodosius und Damasus das erste Constantinopolitanum[23]. Dieses notwendige Zusammenwirken ist nicht immer konfliktfrei. Im einen Fall kann es bedeuten, daß der Kaiser auf den Papst hört — so ist es in Chalcedon gewesen —, im andern, daß der Papst dem Kaiser beipflichtet —, so war es im zweiten Constantinopolitanum[24]. Auch das zu Ende gehende Konzil bedeutet einen grundlegenden Konsens zwischen Kaiser und Papst[25]. Einzig Ephesus wird nicht im Schema kaiserlich-päpstlichen Zusammenwirkens gesehen: die dominierenden Gestalten sind Caelestin und Cyrill[26]. Daß das kaiserlich-päpstliche Zusammenwirken nicht von allen Theologen als für die Konzilien wesentlich betrachtet wird, zeigt die Konzilssynopse des Kanon I des auch sonst als antirömisch bekannten Quinisextum (691)[27]. In der Aufzählung der sechs vorausgegangenen Konzilien werden nur die Kaiser genannt, die Konzilspäpste werden mit keiner Silbe erwähnt[28]. Genau die gleiche Konzilsidee kommt übrigens im Horos der Ikonoklastensynode von 753 bei der Aufzählung der vorausgegangenen Konzilien zum Ausdruck[29], wenn man die Nennung der Kaiser und das Verschweigen der Papstnamen in diesem Sinne interpretieren darf.

Konzilssynopsen, in denen das Historische völlig hinter dem Dogmatischen zurücktritt, die also im Grunde nichts anderes sind als ein Bekenntnis zur definierten Lehre der Konzilien, lassen sich übrigens nicht auf ihre Konzilsidee hinterfragen. Das ist z. B. der Fall bei der Konzils-

---

[22] Serm. accl., Mansi 11, 661 A—B: *Sic utique et omnium synodorum hucusque conventus effecti sunt adversus id, quod tumultuabatur et reluctabatur tam principibus quamque priscis patribus semper armatis. Arius divisor partitor trinitatis insurgebat; et continuo Constantinus semper Augustus et Silvester laudabilis, magnam atque insignem in Nicaea synodum congregabant, per quam ipsa trinitas tam fidei symbolum dictavit, quamque adversus Arianam malitiam sententiam promulgavit . . .*

[23] Ebd., 661 B: *Macedonius spiritu denegabat deitatem: sed maximus imperator Theodosius et Damasus fidei amans protinus obstiterunt . . .*

[24] Serm. accl., Mansi 11, 661 D—E: *Leonis igitur tuba tamquam leonis rugitus viriliter vociferans ex Roma interim archimandritam bestiam perterruit . . . hanc igitur divinitus scriptam tabulam Marcianus sacratissimus imperator et Anatolius Constantinopolitanus antistes cum omni Chalcedonensi a Christo congregata collectione amplexi sunt . . . sicut et Vigilius post haec Justiniano piissimo consonuit et quintum concilium constitutum est . . .*

[25] Serm. accl., Mansi 11, 664 A—B: *. . . Audacter dicimus tamquam per organa Spiritus per nos et una nobiscum, quod excisum erat, retexuisti . . . ad invicem omnes consonantes atque consentientes et Agathonis sanctissimi patris nostri et summi papae dogmaticis litteris ad vestram fortitudinem missis consentientes . . . unum de sancta trinitate dominum nostrum Jesum Christum etiam incarnatum praedicamus in duabus perfectis naturis indivise inconfuseque laudandum.*

[26] Ebd. 662 C.

[27] Vgl. Artikel „Trullanische Synoden" in LThK[2] X, 381—382.

[28] JEGH, II, 17—21 (= Mansi 11, 936—940). — Honorius wird freilich unter den verurteilten Häretikern des dritten Constantinopolitanums erwähnt!

[29] Mansi 13, 233 B—237 D.

synopse im Synodalbrief des konstantinopolitaner Patriarchen Tarasius (784—806) aus dem Jahre 785[30], der in Actio III des zweiten Nicaenums (787) zur Verlesung kam[31]. Auch die Konzilssynopse aus dem *Synodicum* des Theodor von Jerusalem[32], das in der gleichen Actio dieses Konzils verlesen wurde, wirft für die Konzilsidee nicht mehr ab als die Konzilaufzählung im Schlußtext des achten allgemeinen Konzils[33].

Konzilssynopsen finden sich selbstverständlich nicht nur in Konzilsreden oder Schriften, die in unmittelbarem Zusammenhang mit Konzilien stehen. Unter der Rücksicht der Geschichtswirksamkeit sind sogar an erster Stelle Konzilssynopsen aus sonstigen Schriften zu nennen. Neben den weiter unten zu besprechenden Konzilskapiteln des Cassiodor und des Isidor von Sevilla ist hier vor allem auf die Konzilssynopse *Gregors des Großen* hinzuweisen[34]. Y. Congar hat zur historischen Einordnung und Interpretation das Notwendige gesagt[35]. Deutlich ist in dieser Synopse der Vorrang der vier ersten Konzilien affirmiert. „Zu einer Struktur der Vierheit zu gelangen und einen vierfachen Kanon zu besitzen, schien die Garantie dafür zu sein, zu einer göttlichen Struktur gelangt zu sein oder sie zu besitzen. Es gab vier Himmelsrichtungen, vier Tugenden, vier Seiten oder Winkel, vier Flüsse des Paradieses, vier Evangelien, vier Hauptkonzile, vier Hauptkirchenväter . . .“[36] Der Vierzahl kommt damit im Zusammenhang der Konzilsidee eine ähnliche Bedeutung zu wie der Zahl 318: beidesmal verhindert die Zahl eine nivellierende Durchnumerierung und bringt die innere Hierarchie der Konzilien zum Ausdruck[37].

Von einem Zeitgenossen Gregors, dem alexandrinischen Patriarchen *Eulogius* (580—607), besitzen wir eine Konzilssynopse[38], die besonderes historisches Interesse kennzeichnet. Eulogius gibt den zeitlichen Ab-

---

[30] Vgl. V. GRUMEL, Les regestes des actes du patriarcat de Constantinople, I, 2, Rom 1936, Nr. 352.
[31] PG 98, 1464 B—1465 A.
[32] MANSI 12, 1138 E—1142 E. Zu erwähnen ist einzig der Hinweis des Patriarchen von Jerusalem auf die Annahme der Partikularsynoden: *Non autem refutamus, sed oppido confirmamus et admittimus etiam locales sanctas synodes . . .* Ebd. 1143 A.
[33] MANSI 16, 180 B—181 C.
[34] Greg. M., Ep. I, 24; vgl. S. 231.
[35] CONGAR, Primat 92—95.
[36] CONGAR, Primat 124—125; Einzelbelege ebd. 119—124.
[37] Über den weiteren geschichtlichen Weg des Viererprimats und seine theologische Rechtfertigung vgl. CONGAR, Primat 95—125.
[38] Sermo de trinitate et incarnatione, Einleitung (Fragment), PG 86, 2; 2942 D—2944. Weitere Exzerpte dieser Schrift vgl. ThQ 78 (1896) 362—78.

stand der Konzilien an[39] und erwähnt die zahlreichen Partikular-synoden[40]. Ein kirchenpolitisches Motiv bestimmt ihn vielleicht, wenn er, wo immer möglich, die Häretiker als Konstantinopolitaner charakterisiert[41].

Eine interessante Konzilssynopse befindet sich weiter in der *Epistula Synodica* des *Sophronius von Jerusalem* an Sergius von Konstantinopel, die kurz nach 634 geschrieben wurde[42]. Wie schon bei Gregor finden wir auch hier zunächst eine deutliche Affirmation des Primats der vier ersten Konzilien[43]. Innerhalb dieser vier wird jedoch nochmals eine Hierarchie festgestellt[44]. Nicaea kommt der erste Rang zu[45]. Wiederholt wird jedoch andererseits verneint, daß dieser Vorrang Nicaeas eine Zweitrangigkeit der drei folgenden Konzilien bedeutet[46]. Wie Gregor setzt Sophronius im folgenden das fünfte allgemeine Konzil von den vorausgegangenen ab[47]. Die Annahme der fünf Synoden bedeutet ihrerseits das Bekenntnis zu einer einzigen Definition, zu einem einzigen Symbolum[48]. Der bei

---

[39] Das erste Constantinopolitanum 55 J. nach Nicaea, Ephesus 51 J. nach dem 1. Constantinopolitanum, das Chalcedonense 25 J. nach Ephesus und das 2. Constantinopolitanum fast 100. J. nach dem Chalcedonense.

[40] PG 86, 2; 2944 C.

[41] Arius ist zwar alexandrinischer Priester und Dioskur ein alexandrinischer Bischof, Macedonius, Nestorius und Eutyches sind aber alle drei Konstantinopolitaner.

[42] PG 87, 3; 3184 C—3188 B.

[43] Soph., Ep. syn., PG 87, 3, 3184 C: τέτταρας τοίνυν ἐπὶ τῶν ἐνθέων τῆς Ἐκκλησίας δογμάτων μεγάλας καὶ ἱερὰς οἰκουμενικὰς συνόδους δεχόμεθα, εὐαγγελικαῖς φαιδρονομένας λαμπρότησι, καὶ χαρακτήρων εὐαγγελικῶν ἀγλαϊζομένας ποσότητι.

[44] Ebd. 3184 D: τούτων πρωτεύειν φαμὲν τὸ ἐν Νικαίᾳ τῶν τριακοσίων δέκα καὶ ὀκτὼ θεοφόρων πατέρων συνέδριον, ὅπερ ἐκ θείας ἀθροισθὲν ἐπινεύσεως τῆς Ἀρείου λύττης καθαιρεῖ τὰ μιάσματα.

[45] πρωτεύειν scheint nach Auskunft der Wörterbücher keine zeitliche Bedeutung zu haben.

[46] Soph., Ep. syn., PG 87, 3, 3184 D—3185 A: Μετ' ἐκεῖνο δὲ τῷ χρόνῳ, οὐ δόξῃ καὶ χάριτι, συναθροίζεται δεύτερον ἄθροισμα τὸ ἐν βασιλίδι συνειλεγμένον τῶν πόλεων . . . τρίτον μετὰ τοῦτο μόνῳ τῷ χρόνῳ δοξάζω τὸν συνέδριον τὸ ἐν Ἐφέσῳ τὸ πρότερον ἐκ θείας ἐνεδρεύσαν βουλήσεως . . . καὶ τέταρτον μετὰ τὰ τρία τῷ χρόνῳ μόνῳ θεόσοφον ἀθροίζεται σύνταγμα τῶν ἑξακοσίων ὁμοῦ καὶ τριάκοντα πανυμνήτων πατέρων καὶ δαδούχων τῆς πίστεως ὅπερ ἐν Χαλκηδόνι μὲν τὴν θείαν ποιεῖται θεόθεν συνέλευσιν . . .

[47] Soph., Ep. syn., PG 87, 3, 3185 C: Ἐπὶ ταύταις δὲ ταῖς μεγάλαις καὶ οἰκουμενικαῖς πανσέπτοις τε καὶ πανιεροῖς τῶν ἁγίων καὶ μακαρίων πατέρων ὁμοτίμοις ἀθροίσεσι τέσσαρσι, καὶ πέμπτην ἁγίαν ἄλλην παρὰ ταύτας καὶ μετὰ ταύτας συστᾶσαν, οἰκουμενικὴν δέχομαι σύνοδον, τὴν ἐν βασιλίδι καὶ αὐτὴν γενομένην τῶν πόλεων . . .

[48] Soph., Ep. syn., PG 87, 3, 3188 B: Ταύταις ταῖς ἁγίαις καὶ μακαρίαις πέντε συνόδοις ἑπόμενος ἕνα καὶ μόνον ὅρον ἐπίσταμαι πίστεως, καὶ μάθημα ἕν οἶδα καὶ σύμβολον, ὅπερ ἡ πάνσοφος καὶ μακαρία ἐν Νικαίᾳ τριακοσίων δέκα καὶ ὀκτὼ θεοφόρων πατέρων θεσπεσία πληθὺς ἐξ ἁγίου προσεφθέγξατο πνεύματος, ὁ καὶ ἡ ἐν Κωνσταντουπόλει τῶν ἑκατὸν πεντήκοντα θεοπνεύστων πατέρων ἐπεκύρωσεν ἄθροισις, καὶ ἡ ἐν Ἐφέσῳ πρώτη τῶν διακοσίων ἐνθέων πατέρων ἐβεβαίωσε σύνοδος, καὶ ἡ τῶν ἐν Χαλκήδονι ἑξακοσίων τριάκοντα πανιερῶν πατέρων προσεδέξατο καὶ ἐκράτυνε σύμβασις, καὶ ἀπαράτρωτον καὶ ἀρραγὲς καὶ ἀσάλευτον διαπρυσίως ἔφη φυλάττεσθαι.

Sophronius zu beobachtende Primat der vier ersten Konzilien hält sich jedoch in der morgenländischen Tradition — zumindest in den Konzils-synopsen — nicht durch. Beweis ist z. B. die Konzilssynopse der *Epistula ad Leonem III Papam* des *Nicephorus* von Konstantinopel[49], die Ende 811, Anfang 812 zu datieren ist[50]. Von einem Vorrang der vier ersten Konzilien oder einem solchen Nicaeas ist keine Rede mehr. Die Synopse nennt weder die Namen der jeweiligen Kaiser noch die der Päpste; nur die Zahl der anwesenden Väter wird angegeben[51].

Die im folgenden zu besprechenden Konzilssynopsen des Cassiodor, des Isidor von Sevilla und des Anastasius Sinaita stellen im Vergleich zu den oben behandelten etwas völlig Neues dar. In der Tat, die betreffenden Autoren widmen den Konzilien im Gesamtzusammenhang ihres Werkes ein eigenes Kapitel. Dieser zunächst rein literarische Umstand sollte in seiner Bedeutung für die Geschichte der Konzilsidee nicht verkannt werden. In ihm kommt nämlich zum Ausdruck, welchen Platz unter-dessen die Konzilsidee im Rahmen des kirchlichen Lebens und Glaubens erlangt hat. Ein eigenes Kapitel über Konzilien bedeutet: das Konzil ist als eigenständige Größe in das kirchliche Bewußtsein eingegangen.

Das Kapitel *De quattuor synodis receptis* des *Aurelius Cassiodor* (ca. 485 bis ca. 580) befindet sich in seiner Schrift *De institutione divinarum litterarum*[52], dem „wichtigsten Werk Kassiodors, dessen Rolle als Mitt-ler zwischen der Antike und dem Mittelalter nicht überschätzt werden kann und das für die Entwicklung des abendländischen Mönchtums entscheidend geworden ist ...“[53]. Ziel der Schrift ist es, eine Anweisung und Handreichung zum Studium der theologischen und profanen Literatur zu geben. Im Zentrum dieses Bildungsprogramms steht selbst-verständlich die Heilige Schrift. Von ihren einzelnen Büchern und ihren Auslegern ist im ersten Hauptteil (cap. 1—9) die Rede. Es folgt anschließend ein programmatisches Kapitel über die Reihenfolge weiter-

---

[49] PG 100, 192 B—193 C. — Hier sei noch auf *De sex primis oecumenicis conciliis* (JEGH, II, 317—320) hingewiesen. Diese Synopse, ein Exzerpt aus der noch unedierten *Refutatio et Eversio*, die dem Konstantinopler Patriarchen Nicephorus zugeschrieben wird (vgl. O'CONNELL 63—66), resümiert die Lehre der 6 ersten ökumenischen Synoden, ohne — kuri-oserweise — den Ort der Versammlung zu nennen. Die beiden ersten Kirchenversammlun-gen sollen dabei über die ‚Theologie', die beiden folgenden über die ‚Ökonomie' gehandelt haben. Sehr auffallend ist auch der Umstand, daß das zweite Nicaenum nicht genannt wird.
[50] Vgl. GRUMEL, Nr. 384.
[51] 318 — 150 — 200 — 630 — 165 — 170 — 150.
[52] PL 70, 1105—1220, hier 1123.
[53] R. HOLM, Art. Cassiodorus, in: RAC II (1954) 915—926. 922.

führender Studien *(de sex modis intelligentiae,* cap. 10)[54]. Im Anschluß hieran, bevor Fragen der Schrifteinteilung *(divisio scripturae)*, der Texterstellung *(emendatio)* usw. behandelt werden, steht das Konzilskapitel[55].

Die Konzilsidee kommt also in den Blick im Zusammenhang der Ausführungen über Schriftstudium und -interpretation. Das Konzilskapitel ist Teil einer biblischen Hermeneutik. Gerade im Vergleich zu Augustinus, in dessen *De doctrina christiana* jeder Hinweis auf Konzilien fehlt, wird der Fortschritt der Konzilsidee sichtbar. Es ist übrigens bezeichnend, daß Cassiodor seine Ausführungen über Konzilien nicht zu den *sex modi intelligentiae* hinzuzählt, sondern sie von ihnen als eigenes Kapitel abhebt: die Konzilien enthalten den Inbegriff der *modi intelligentiae.* Welche Konzilsidee kommt in der Konzilssynopse des Cassiodor zum Ausdruck? *Universalia sanctaque concilia fidei nostrae salutaria sacramenta solida(verunt)*[56]. Stichwort des Konzilskapitels ist also das *solidare,* d. h. die Festigung des Glaubens und die Vermeidung des Irrtums[57]. Die Konzilien sichern und schützen die Heilsgeheimnisse, sie zeigen den Weg zum Mysterium des Glaubens, sie führen hin zur Mitte der Schrift. Von den vier aufgezählten Konzilien heißt es, daß die Kirche sie „zu Recht" anerkannt hat[58]. Damit scheint angedeutet: es gibt Kriterien für die Qualität eines Konzils. Ein solches Kriterium ist z. B. die Glaubenshilfe, die es gewährt, das Licht, mit dem es die Gläubigen erleuchtet[59]. Durch die Aufstellung von *regulae ecclesiasticae* — gemeint sind wohl in diesem Zusammenhang Konzilsdefinitionen — und die

---

[54] Zum Verständnis des Schrifttexts sind die *introductores scripturae divinae* Tyconius, Augustinus *(De doctrina christiana)*, Hadrian (εἰσαγωγή), Eucherius *(Formulae spiritalis intelligentiae, Instructiones ad Salonium)* und Junilius *(Instituta regularia divinae legis)* zu studieren, es folgen die *expositores librorum*, die *catholici magistri*, die *diversi patres* und schließlich die *collocutio peritissimorum seniorum.*

[55] Cass., Inst. div. lit. 1, 6, PL 70, 1123 B—C: *Dicamus nunc quemadmodum universalia sanctaque concilia fidei nostrae salutaria sacramenta solidaverint; ut ibi cognoscentes verae religionis arcanum, pestiferos vitemus errores. Primo loco Nicaena synodus legitur constituta, deinde Constantinopolitana, tertia Ephesina prior, quarta Chalcedonensis. Quas merito sancta probat Ecclesia; quae tanta fidei nostrae lumina praestituerunt, ut in nullum perversitatis scopulum (si tamen Domino protegente custodimur) caecatis mentibus incidere* (ed. incedere) *debeamus. Nam sanctissimi Patres injuriam rectae fidei non ferentes, regulas quoque ecclesiasticas ibidem statuere maluerunt, et inventores novarum haeresum pertinaces divino gladio perculerunt, decernentes nullum ulterius debere novas incutere quaestiones; sed probatorum veterum auctoritate contentos, sine dolo et perfidia decretis salubribus obedire. Sunt enim nonnulli qui putant esse laudabile, si quid contra antiquos sapiant, et aliquid novi, unde perire videantur, inveniant.*

[56] Ebd. 1123 B.

[57] Vgl. Anm. 55 und schon vorher: *Nunc de sex modis intelligentiae aliquid disseramus, ut saepius illuc redeuntes pestiferos vitemus errores.* Ebd. 1122 C.

[58] Vgl. Anm. 55.

[59] Der Relativsatz: *quae tanta fidei nostrae lumina praestituerunt* hat begründenden Sinn.

Verurteilung von Häretikern leisten die Konzilien ihre konkrete Glaubenshilfe[60]. Mit einem besonderen Hinweis auf den *Codex Encyclius* endet das Konzilskapitel des Cassiodor[61]. Abschließend sei noch darauf aufmerksam gemacht, daß die Synopse, die vor 560 anzusetzen ist, das zweite Constantinopolitanum (553) noch nicht als allgemeines Konzil aufzählt.

Ein Werk von tiefgreifender Wirkung auf das Mittelalter sind auch die *Etymologiarum libri XX* des *Isidor von Sevilla*[62]. Im 6. Buch dieser Realenzyklopädie des gesamten theologischen und profanen Wissens seiner Zeit[63] geht Isidor ohne erkennbare Systematik auf die Heilige Schrift, die Inspiration, den Kanon, die Sakramente, Liturgie, den Osterzyklus, Bibliotheken, Handschriften, Bücher, Schreibmaterialien usw. ein[64]. Die Konzilien werden zwischen den *canones evangeliorum* (cap. 15), Evangelientabellen oder -synopsen, und dem *cyclus paschalis* (cap. 17) unter dem Titel *De canonibus conciliorum* behandelt[65]. Die Ausführungen über die Konzilien[66], die entsprechend der Arbeitsweise Isidors von etymologischen Erklärungen eingerahmt sind[67], lassen

---

[60] Der der ganzen Konzilsidee zugrunde liegende Traditionalismus unseres Autors und seiner Zeit kommt in den Schlußsätzen seiner Konzilssynopse zum Ausdruck.

[61] Ebd. 1123 C: *Chalcedonensis autem synodi testis est codex Encyclius, qui eius reverentiam tanta laude concelebrat, ut sanctae auctoritati merito iudicet comparandam.*

[62] Vgl. vor allem J. FONTAINE, Isidore de Séville et la culture classique dans l'espace wisigothique, Paris 1959, 763—84.

[63] Buch I—III behandelt die 7 artes liberales, Buch IV die Medizin, Buch V die Jurisprudenz, Buch VI u. VII die Theologie, Buch VIII Religionsgeschichtliches, Buch IX—XX Profanwissenschaften.

[64] Die Abschnitte sind dabei jeweils so angelegt, daß der Sacherklärung des betr. Wortes seine Etymologie vorangestellt wird.

[65] *canon* wird bezeichnenderweise in zwei völlig verschiedenen Bedeutungen verwendet: ‚Tabelle' und ‚Regel'.

[66] PL 82, 243 A—245 A. — Isidor benutzte zur Abfassung von Etym. 6, 16 die praefatio (PL 84, 91—92) der wohl von ihm selbst zwischen 589 und 620—631 verfaßten Hispana Collectio. Vgl. CH. MUNIER, Saint Isidor de Séville est-il l'auteur de l'Hispana chronologique? in: SE 17 (1966) 230—241. 236. Quelle dieses Prologs ist das decretum Ps-Gelasianum *de libris recipiendis et non recipiendis*, hrsg. v. DOBSCHÜTZ, TU 38, 4; 34—36.

[67] Isidor, Etym. 6, 16, 1, PL 82, 243 A: *Canon autem Graece, Latine regula nuncupatur. Regula autem dicta, quod recte ducit, nec aliquando aliorsum trahit. Alii dixerunt regulam dictam vel quod regat, vel quod normam recte vivendi praebeat, vel quod distortum pravumque quid corrigat.* Etym. 6, 16, 11—12, PL 82, 244 B—245 A: *synodus autem ex Graeco interpretatur comitatus vel coetus. Concilii vero nomen tractum est ex more Romano. Tempore enim quo causae agebantur, conveniebant omnes in unum, communique intentione tractabant. Unde et concilium a communi intentione dictum, quasi communicilium. Nam cilia oculorum sunt. Unde et considium, consilium, d in l litteram transeunte. Coetus vero conventus vel congregatio a coeundo id est conveniendo in unum. Unde et conventus est nuncupatus; sicut conventus coetus, vel concilium a societate multorum in unum.* — Leider konnte nicht eingesehen werden A. ROTA, La definizione isidoriana di ‚concilium' e le sue radici romanistiche, in: Atti del Congresso intern. del Diritto Romano e di Storia del Diritto, IV, Mailand 1953, 211—225.

sich in vier Teile gliedern: 1. Ursprung der Konzilsinstitution (nr. 2 bis 3)[68], 2. besondere Rolle Nicaeas (nr. 4)[69], 3. Primat der vier ersten Konzilien (nr. 5 + 10)[70], 4. kurze Charakterisierung dieser vier Konzilien mit Angabe der Zahl der Konzilsväter, der Kaiser- und Häretikernamen bzw. des häretischen Lehrpunktes (nr. 6—9)[71]. Die Synopse schließt mit dem Bekenntnis zu weiteren Konzilien, falls es solche gibt[72]. Bedeutsam im Konzilskapitel des Isidor ist vor allem die Affirmation des Viererprimates. Congar kommentiert: „Aller Nachdruck muß auf die Worte *principaliter, principales* gelegt werden (sie bedeuten: die Prinzipien der übrigen enthaltend) und auf das Wort *auctoritatem*, welches den Wert bezeichnet, welche eine Sache von ihrem Ursprung her bekommt. Wenn die vier Konzile mit den Evangelien oder den Flüssen des Paradieses verglichen werden können, dann deshalb, weil sie das Wesentliche des Glaubens formuliert haben, in dem das ewige Leben beginnt"[73].

Etwa 20 Jahre später als die Etymologien des Isidor ist der *Viae dux* des *Anastasius Sinaita* anzusetzen[74]. 19 von 24 Kapiteln dieses Handbuches zur Bekämpfung der Häresien befassen sich mit der Widerlegung des Monophysitismus. Die fünf Einleitungskapitel enthalten taktisch-praktische Ratschläge zur Methode und Vorbereitung der Diskussion mit Ketzern, προγυμνάσια, προθεωρία, einen Katalog dogmatischer Begriffe (ὅροι), konkrete Anleitung zum Diskussionsbeginn, einen Abriß der Ketzergeschichte und zum Schluß das Kapitel *De sanctis synodis*[75]. Was die Konzilien angeht, so gilt es zu wissen: gegen welche Häresien und aus welchem Anlaß die ökumenischen Konzilien abgehalten, wo,

---

[68] Isidor, Etym. 6, 16, 2—3, PL 82, 243 A: *Canones autem generalium conciliorum a temporibus Constantini coeperunt. In praecedentibus namque annis, persecutione fervente, docendarum plebium minime dabatur facultas. Inde Christianitas in diversas haereses est scissa, quia non erat licentia episcopis in unum convenire, nisi tempore supradicti imperatoris. Ipse namque dedit facultatem Christianis libere congregari.* — Bezeichnend für die abendländische Konzilsidee ist die Reduktion der Rolle des Kaisers: er berief nicht das Konzil, er gab nur Versammlungsfreiheit!

[69] Isidor, Etym. 6, 16, 4, PL 82, 243 B: *Sub hoc etiam sancti patres in concilio Nicaeno de omni orbe terrarum convenientes, iuxta fidem evangelicam et apostolicam, secundum post apostolos symbolum tradiderunt.*

[70] Isidor, Etym. 6. 16, 5, PL 82, 243 B: *Inter caetera autem concilia quattuor esse (scimus) venerabiles synodos, quae totam principaliter fidem complectuntur, quasi quattuor Evangelia vel totidem paradisi flumina. Ebd. 10, 244 B: —Quattuor hae sunt synodi principales fidei doctrinam plenissime praedicantes.*

[71] Ebd. 6—9, 243 B—144 B.

[72] Ebd. 244 B: *Sed etsi qua sunt concilia quae sancti patres spiritu Dei pleni sanxerunt, post istorum quattuor auctoritatem omni manent stabilita vigore . . .*

[73] CONGAR, Primat 97—98.

[74] Etwas nach 641, nach M. RICHARD, REByz 25 (1967) 41.

[75] PG 89, 97 D—101 B.

wann und warum Provinzialsynoden durchgeführt wurden[76]. Man sieht: Konziliengeschichte ist fortan ein Kapitel der Apologetik, Konzilienkenntnisse gehören zum nötigen Wissen des Theologen. In der Konzilssynopse selber fällt auf, daß bei allen fünf Konzilien die Kaiser zwar genannt werden, nicht aber die Päpste, ferner, daß zwischen Ephesus und Chalcedon auf die Lokalsynode (τοπικὴ σύνοδος) des Flavian und die sog. „Räubersynode" des „alexandrinischen Bischofs" hingewiesen und bei einigen Konzilien der Zeitabstand angegeben wird.

2. Anonyme Konzilssynopsen

Im Vorausgehenden befaßten wir uns mit Ansätzen von Konzilssynopsen. Es handelte sich insofern um Ansätze, als die betreffenden Texte keine selbständigen Schriften, sondern Abschnitte bzw. Kapitel von Schriften oder Reden darstellen. Wenn wir uns nun im folgenden einer ersten Kategorie selbständiger Schriften zuwenden, so darf diese Einteilung nicht so verstanden werden, als ob diese Synopsen jenen zeitlich nachfolgten. Das Gegenteil ist der Fall. Es ist sogar damit zu rechnen, daß der eine oder andere, vielleicht sogar die Mehrzahl der im vorausgehenden Abschnitt behandelten Texte literarisch von den jetzt zu besprechenden anonymen Konzilssynopsen abhängt.

Auf die Existenz vieler solcher anonymer Konzilssynopsen in den Handschriftensammlungen ist in der Vergangenheit wiederholt hingewiesen worden[77]. J. A. Munitiz hat jüngst[78] eine größere Zahl handschriftlicher Synopsen im Hinblick auf ihren Bericht über das siebte ökumenische Konzil untersucht und kommt dabei zu höchst interessanten Ergebnissen bzw. Vermutungen, was die Natur, das Alter und die mutmaßlichen Verfasser von Zusätzen zu diesen Synopsen angeht. Vor allem folgert er aus der großen Anzahl der vorhandenen Manuskripte und der

---

[76] Anast. Sin., Viae dux 5, PG 89, 97 D—100 A: Ἀναγκαῖον δὲ τὸν φιλόπονον καὶ τοῦτο ἐπίστασθαι, φημὶ δὴ τὸ περὶ τῶν ἁγίων καὶ οἰκουμενικῶν συνόδων, τὸ τίνος χάριν, κατὰ ποίων αἱρέσεων γεγόνασι αὖται, οὐ μὴν δὲ ἀλλ᾽ ὅτι καὶ ἕτεραι διαφοραὶ τοπικαὶ πρὸ αὐτῶν τε καὶ μετὰ ταύτας γεγόνασι σύνοδοι ἐν διαφόροις τόποις περὶ διαφόρων κεφαλαίων.

[77] Vgl. Fabricius 338, Anm. a; vor allem aber hat F. Dvornik, Le schisme de Photius, histoire et légende, Paris 1950, Appendixe III, 605—611, eine Liste anonymer griech. Synopsen aus den Nationalbibliotheken von Paris, Wien, Brüssel und London zusammengestellt und einige theologisch relevante Einzelheiten daraus mitgeteilt. Vgl. auch Ders., Greek Uniats and the number of Oecumenical Councils, in: Mélanges Eugène Tisserant, II StT 232, Rom 1964, 93—101, hier 93.

[78] Munitiz.

Art der Zusätze und Änderungen, daß es sich um offizielle Texte handelt[79]. Einer dieser offiziellen Texte liegt für das siebte ökumenische Konzil in zwei stark voneinander abweichenden Fassungen vor. Munitiz glaubt aufgrund einer Reihe von Beobachtungen, die in den Pariser Handschriften schwächer bezeugte Version („Second Text") als die ältere nachweisen zu können[80]. Neben anderem deutet das Incipit der Synopse[81] auf die nähere Bestimmung des Textes hin: es handelt sich um ein Lehrdokument, das zur Klerikerausbildung, zur Novizenunterweisung, aber auch zur Belehrung eines größeren Publikums verwendet wurde[82]. Aus der Tatsache, daß mehrere Handschriften nur sechs ökumenische Konzilien verzeichnen, darf gefolgert werden, daß dieser offizielle Lehrtext schon vor dem siebten allgemeinen Konzil in Gebrauch war.

Aus dem von uns anvisierten Zeitraum sind, soweit wir sehen, lediglich drei oder vier anonyme Synopsen veröffentlicht. Entsprechend der in der Einleitung angegebenen Abgrenzung auf veröffentlichte Texte befassen wir uns im folgenden ausschließlich mit diesen Synopsen[83]. Von großem Interesse für die Entwicklung der Konzilsidee ist die von V. N. Beneševic[84] edierte „Unterweisung (εἴδησις) über die heiligen ökumenischen und lokalen Synoden", die nach Munitiz kurz nach 553 abgefaßt sein dürfte[85]. Diese Synopse besteht aus einer Liste von dreizehn Konzilien. In die Reihe der lokalen Synoden — Antiochien, Ancyra, Neocaesarea, Serdika, Gangra, Antiochien, Laodicea — ist zwischen Neocaesarea und Serdica das Nicaenum, erstaunlicherweise ohne die Bezeichnung „ökumenisch", recht ungeschickt zwischengeschoben[86]. An Laodicea schließt sich die Serie der restlichen vier ausdrücklich als ökumenisch bezeichneten Synoden an, wobei zwischen Chalcedon und Konstantinopel II eine lokale Synode gegen Severus von Antio-

---

[79] Offiziell ist der Text freilich nicht in dem Sinn, daß eine kirchliche Körperschaft oder Instanz, z. B. das Konstantinopler Patriarchat ihn promulgierte oder auch nur approbierte. „Offiziell" bedeutet nur das Faktum, daß der gleiche Konzilsbericht immer wieder abgeschrieben, ergänzt und weiter tradiert wurde.

[80] Munitiz 175—176 hält es für wahrscheinlich, daß dieser „Second Text" kurz nach dem Zweiten Nicaenum (787), vielleicht von Nicephorus („the most likely person") verfaßt wurde, der „First Text" dagegen erst nach 866 „in the light of Photius' letter".

[81] Χρὴ γινώσκειν, Hardouin, ACED, V, 1485.

[82] Munitiz 153.

[83] Veröffentlichte Synopsen aus der Zeit nach 900, vgl. Walter 199, Anm. 21.

[84] Kanoničeskij Sbornik XIV titulov, St. Petersburg 1905, 73—79.

[85] Munitiz 174.

[86] Instr., Beneševic 74, 19—20: „Und im übrigen wurde die Synode in Nicaea gegen den gottlosen Arius versammelt. Auch sie stellte 20 Kanones auf."

chien eingereiht ist[87]. Das kirchenrechtliche Interesse dieser Synopse zeigt sich daran, daß bei der Mehrzahl der Synoden die Zahl der verabschiedeten Kanones angegeben wird. Im Vergleich zu den ökumenischen Synoden, denen nur wenige Zeilen gewidmet sind[88], werden die lokalen von Antiochien gegen Paul von Samosata, Ancyra, Serdika und Konstantinopel gegen Severus von Antiochien sehr ausführlich behandelt. Als Muster möge dafür der Bericht über die Synode von Antiochien stehen: „Zur Zeit des römischen Kaisers Aurelian wurde Paul von Samosata, Bischof der Theopoliten[89] oder Antiochener, zum Anführer einer schlimmen Häresie. Er nannte nämlich Christus, unseren wahren Gott, einen bloßen Menschen, der wie die Propheten göttlicher Gnade gewürdigt sei. Als die Kirchenleiter davon erfuhren, kamen sie in immer größerer Zahl in Antiochien zusammen. Ihre Führer waren Hymenaeus von Jerusalem, Gregor der Wundertäter von Neocaesarea, dessen Bruder Athenodorus, Firmilian von Caesarea in Kappadozien, Helenus von Tarsus. Zunächst versuchten sie, durch Vorschläge und Beratungen Paul von seinem Irrglauben abzubringen. Als sie ihn aber als unheilbar krank erkannten, entkleideten sie ihn aufgrund einer einstimmig gefaßten Entscheidung des Priestertums und entfernten ihn aus der Kirche. Da er Widerstand leistete und die Kirchenleitung widerrechtlich festhielt, bat die heilige Synode Kaiser Aurelian um Unterstützung und setzte ihn über die (Amts-)Anmaßung des Paulus ins Bild. Obwohl der Kaiser Heide war, unterwarf er den Protestierenden dem Beschluß seiner Glaubensgenossen, ihn aus ihrer Gemeinschaft zu entfernen. Und so wurde der gottlose Paulus durch den Archonten der Stadt aus der Kirche vertrieben und der Glaube gefestigt"[90].

Aufschlußreich an dieser Notiz über das Konzil von Antiochien ist nicht nur im allgemeinen die offensichtliche Stilisierung der bei Eusebius[91] gefundenen Nachrichten im Sinne der zeitgenössischen Konzilsidee, interessant ist vor allem, wie selbstverständlich dem Verfasser der Synopse das Zusammenwirken von Staat und Kirche erscheint, „obwohl der Kaiser noch Heide war". Sicher nicht ohne Absicht wurde

---

[87] Die vergleichsweise äußerst breite Behandlung der Vorgeschichte dieser Synode (Chalcedon wird in 7 Zeilen abgehandelt, diese lokale Synode in 37) dürfte Hinweise zur Bestimmung der genaueren kirchenpolitischen Position des oder der Autoren enthalten.

[88] Vgl. z. B. die Notiz zu Konstantinopel I: „Und im übrigen wurde die heilige ökumenische Synode in Konstantinopel gegen Macedonius versammelt, der gegen den Heiligen Geist gelästert hatte. Von ihr gibt es 7 Kanones." BENEŠEVIC 75, 22—24.

[89] Theopolis: Beiname von Antiochien seit den Erdbeben von 526 und 528, vgl. G. DOWNEY, A history of Antioch in Syria, Princeton 1961, 529 f.

[90] BENEŠEVIC 73, 3—74, 2.

[91] HE VII, 27—30.

dieses bei Eusebius am Rande erwähnte zufällige Faktum der kaiserlichen Unterstützung des Konzils an die Spitze der Synopse gestellt. Nicht nur die ökumenischen Konzilien, nicht erst Nicaea sind staatskirchliche Gemeinschaftsveranstaltungen, will der Verfasser damit sagen, schon im ersten partikularen Konzil, dem von Antiochien gegen Paul von Samosata, ist das Wesen dieser Einrichtung offenbar geworden. Nicht ohne Interesse ist auch, wie das Zustandekommen und der Verlauf des Konzils von Serdika (342) in unserer Synopse geschildert wird. Von Konstantius wird berichtet, daß er alles tat, um das Nicaenum, d. h. „das von ihm durch die Gnade des heiligen Geistes Definierte durch eine andere Synode umzuwerfen und ungültig zu machen. Da informierte der Bischof der Kirche der Römer den orthodoxen Kaiser des Westreiches Konstans, den Sohn Konstantins des Großen und Bruder des genannten Konstantius, über die Maßnahmen seines Bruders gegen die Orthodoxie. Der Westkaiser äußerte seinen Unwillen und drohte seinem Bruder brieflich mit Krieg, wenn er nicht aufhöre, die Orthodoxie zu befeinden. Beide Kaiser beschlossen darauf, eine Bischofssynode der westlichen und östlichen Reichshälfte in Serdika zu versammeln und zu entscheiden, ob das in Nicaea Definierte gültig sein solle oder nicht. Zahlreiche Bischöfe aus dem Westen und Osten kamen zusammen. Ihre Führer waren Protogenes von Serdika und Hosius, Bischof von Cordoba. Nach eingehender Untersuchung stellte die heilige Synode eine einstimmige Definition (ὅρος) auf, die das heilige Symbol der Väter von Nicaea bekräftigte und alle unter Kirchenbann stellte, die Entgegengesetztes dachten und lehrten. Außerdem wurden 22 Kanones aufgestellt"[92]. Auch hier ist die komplexe Geschichte deutlich im Sinne der zugrunde liegenden Konzilsidee stilisiert: Der Arianismus wurde schließlich und endlich überwunden durch das Zusammenwirken der staatlichen und kirchlichen Macht. Höchst bedeutsam auch, was in den Augen des Autors die Voraussetzung für das Gelingen des Konzils war: das gemeinsame Vorgehen des West- und Ostkaisers. Daß die Initiative für die Konzilsveranstaltung, überhaupt die Sorge um die Reinerhaltung des Glaubens, vom römischen Bischof ausging, will auch nicht übersehen werden. Bemerkenswert ist ferner, daß sich die Rolle des Kaisers auf die Einberufung des Konzils beschränkt, auf dem Konzil selber tritt er nicht mehr in Erscheinung[93]. Die Führung des Konzils

---

[92] Beneševic 74, 21—75, 13.
[93] Bei keiner der ökumenischen Synoden ist von Einberufung oder Mitwirkung des Kaisers die Rede. Lediglich von Konstantinopel II heißt es, daß die Synode unter Justinian stattfand. Beneševic 77, 21.

liegt in den Händen zweier Bischöfe, eines westlichen und eines östlichen. Deutlicher als es hier im Bericht über Serdika geschieht, kann kaum der Idee Ausdruck gegeben werden, daß Konzilien und sie allein[94] die Kraft haben, Häresien zu überwinden.

Die „Unterweisung über die heiligen ökumenischen und lokalen Synoden" schließt mit einem Passus von höchster Bedeutung. Der Verfasser antwortet nämlich auf die Frage, wie ökumenische von lokalen Synoden unterschieden werden können: „Wenn wir zahlreiche Synoden erwähnten, aber nur fünf ökumenisch nannten — nämlich die in Nicaea, die in Konstantinopel, die in Ephesus, die in Chalcedon und die wiederum in Konstantinopel gegen Origenes und Theodor zusammengekommene fünfte Synode —, so müssen die Leser wissen, daß auch die übrigen von uns genannten Synoden in gleicher Weise wie jene von der Kirche rezipiert sind. Alles von ihnen Definierte nimmt die Kirche als apostolische Gesetze entgegen[95]. Nur fünf Synoden jedoch werden ökumenisch genannt in Anbetracht dessen, daß Hohepriester durch kaiserliche Anordnung im Gesamtterritorium des römischen Staates herbeigerufen wurden und in eigener Person erschienen oder Stellvertreter entsandt haben, (zweitens) weil in jeder der fünf Synoden die Untersuchung den Glauben betraf und eine Entscheidung (ψῆφος) oder eine dogmatische Definition (ὅρος δογματικός) aufgestellt wurde. Denn die (Synode) von Nicaea hat das heilige Symbol oder Credo[96] überliefert (παραδίδωμι), die in Konstantinopel hat entsprechend dasselbe heilige Symbol erweitert und verdeutlicht, die erste in Ephesus hat die Kapitel des seligen Cyrill angenommen und sie zur Zahl der richtigen Dogmen zugelassen (ἐγκρίνειν), die in Chalcedon hat die dogmatische Definition (δογματικὸς ὅρος) gegen den Eutyches und seine abwegige Häresie ausgerufen (ἐκφωνέω), die fünfte Synode in Konstantinopel (schließlich) hat in 14 Kapiteln die Dogmen der Orthodoxie verkündet (κηρύττω). Die übrigen Synoden aber waren Teilsynoden (μερική): es wurden nicht die Bischöfe der ganzen Ökumene herbeigerufen, und die Synoden stellten nichts Dogmatisches auf, sondern trafen die ihnen jeweils richtig erscheinenden Maßnahmen zur Festigung des auf den vorausgegangenen heiligen Synoden dogmatisch Definierten oder zur Entfernung von Leuten, die sich diesen Synoden frech und gottlos wider

---

94 Nicht einmal der große Vorkämpfer der Orthodoxie gegen den Arianismus, Athanasius, wird erwähnt!
95 Der letzte Satz ist nach Varianten übersetzt, BENEŠEVIC 78, 8.
96 μάθημα in der Bedeutung von Credo vgl. u. a. Codex Justinianus 1, 1, 7, 11.

setzten, oder zur Behandlung von Kanones und von Streitfällen im Hinblick auf die Kirchenzucht"[97].

Während die zweite der für das ökumenische Konzil genannten Bedingungen, die Aufstellung einer den Glauben betreffenden Definition[98], relativ eindeutig ist, gibt die erste Anlaß zu Fragen. Was ist eigentlich das Entscheidende: die *kaiserliche* Einberufung als solche, also die Mitwirkung des Staates, oder die *ökumenische* Einberufung, die per accidens, d. h. weil der Kirche die Mittel dazu fehlen, nur vom Kaiser durchgeführt werden kann, oder ist gar die tatsächliche *Teilnahme* von Bischöfen der ganzen Ökumene konstitutiv für eine ökumenische Synode? Man hat — vor allem von der folgenden negativen Formulierung her[99] — den Eindruck, daß das entscheidende Moment für die Konstituierung einer ökumenischen Synode die ökumenische Berufung als solche und nicht die tatsächliche ökumenische Zusammensetzung darstellt. Diese ökumenische Berufung freilich kann nur der Kaiser vornehmen, und insofern ist seine Mitwirkung für das Konzil de facto wesentlich. Wir werden im folgenden dem Echo dieser Konzilsdefinition, die die folgenden fünf Jahrhunderte beherrschte, wieder begegnen.

---

[97] Instr., Beneševic 78, 1—79, 5: Ἐπειδὴ δὲ πολλῶν μνησθέντες συνόδων πέντε μόνας οἰκουμενικὰς ὠνομάσαμεν· τουτέστι τὴν ἐν Νικαίᾳ· καὶ τὴν ἐν Κωνσταντινουπόλει· καὶ τὴν ἐν Ἐφέσῳ· καὶ τὴν ἐν Χαλκηδόνι· καὶ τὴν αὖθις ἐν Κωνσταντινουπόλει κατὰ Ὠριγένους καὶ Θεοδώρου συνελθοῦσαν πέμπτην σύνοδον· δεῖ εἰδένει τοὺς ἐντυγχάνοντας, ὅτι καὶ αἱ λοιπαὶ σύνοδοι αἱ παρ' ἡμῶν ἐξονομασθεῖσαι, ὁμοίως ταύταις δεκταὶ τῇ ἐκκλησίᾳ ὑπάρχουσι· καὶ πάντα τὰ παρ' αὐτῶν ὁρισθέντα ὡς ἀποστολικοὺς μόνους ἡ ἐκκλησία ὁρίζεται· οἰκουμενικαὶ δὲ κατὰ τοῦτο ἐκλήθησαν μόναι αἱ πέντε σύνοδοι, διότι ἐκ κελεύσεως βασιλικῶν κατὰ πᾶσαν τὴν τῶν Ῥωμαίων πολιτείαν ἀρχιερεῖς μετεκλήθησαν καὶ δι' ἑαυτῶν παρεγένοντο, ἢ τοποτηρητὰς ἀπέστειλαν· καὶ ὅτι ἐν ἑκάστῃ τῶν πέντε αὐτῶν συνόδων περὶ πίστεως ἢ ζήτησις γέγονε· καὶ ψῆφος ἤτοι ὅρος δογματικὸς ἐξενήνεκται· ἡ μὲν γὰρ ἐν Νικαίᾳ τὸ ἅγιον σύμβολον ἤτοι μάθημα παραδέδωκεν· ἡ ἐν Κωνσταντινουπόλει ὁμοίως τὸ αὐτὸ ἅγιον σύμβολον ἐπλάτυνε καὶ διεσάφησεν. ἡ ἐν Ἐφέσῳ πρώτη, τὰ τοῦ μακαρίου Κυρίλλου δεξαμένη κεφάλαια. ταῦτα τοῖς ὀρθοῖς ἐνέκρινε δόγμασιν· ἡ ἐν Χαλκηδόνι τὸν κατὰ τοῦ Εὐτυχοῦς καὶ τῆς πεπλανημένης αὐτοῦ αἱρέσεως δογματικὸν ὅρον ἐξεφώνησεν· ἡ δὲ ἐν Κωνσταντινουπόλει πέμπτη σύνοδος, ἐν δεκατέσσαρσι κεφαλαίοις τὰ τῆς ὀρθοδοξίας ἐκήρυξε δόγματα· αἱ δὲ λοιπαὶ σύνοδοι μερικαὶ γεγόνασιν. οὐ τῶν κατὰ πᾶσαν τὴν οἰκουμένην ἐπισκόπων μετακληθέντων· οὐ δογματικόν τι ἐκθέμεναι· ἀλλ' ἢ πρὸς βεβαίωσιν τῶν δογματικῶς ταῖς προλαβούσαις ἁγίαις συνόδοις ὁρισθέντων ἢ πρὸς καθαίρεσιν τῶν ἀσεβῶς αὐταῖς ἐναντιωθῆναι τολμησάντων. ἢ περὶ κανόνων καὶ ζητημάτων εἰς ἐκκλησιαστικὴν ὁρώντων εὐταξίαν τὰ δόξαντα καλῶς ἔχειν διατυπώσασαι.
— Vgl. den von R. Devreesse, Le 5. concile et l'œcuménicité byzantine, Miscellanea G. Mercati, III, StT 123, 1—15, hier 15, Anm. 52, zitierten Text, der zum größten Teil wörtlich mit vorliegendem übereinstimmt.
[98] Man beachte, wie Ephesus und Konstantinopel II in das vorgegebene Schema hineingezwängt werden.
[99] Eine Teilsynode ist eine solche, in der „nicht die Bischöfe der ganzen Ökumene herbeigerufen wurden", Beneševic 78, 21—79, 1.

Der zweite Text, mit dem wir uns näher befassen wollen, wurde 1938 von H. Stern veröffentlicht[100] und von ihm auf das Ende des 7. bzw. den Anfang des 8. Jahrhunderts datiert[101]. Halten wir zunächst fest, was diese Synopse mit der vorausgehenden gemeinsam hat. Beide Synopsen enthalten neben den ökumenischen Konzilien auch Partikularsynoden. Unterschiedlich dagegen sind die Reihenfolge und teilweise die Namen der Provinzialsynoden. Die Reihenfolge lautet für vorliegende Synopse: Ancyra, Karthago, Gangra, Serdika, Antiochien, Laodicea, Nicaea I, Konstantinopel I, Ephesus, Chalcedon, Konstantinopel II, Konstantinopel III und Nicaea II. Die Synopse verschränkt also nicht die beiden Konzilsserien, die lokalen und die ökumenischen, ineinander, so daß eine chronologische Reihenfolge entsteht, sondern stellt sie einfach hintereinander.

Welche Konzilsidee kommt in dieser Synopse zum Ausdruck?[102] Was die sechs ökumenischen Konzile angeht[103], so ist der Text jeweils nach dem gleichen Schema konstruiert. Es sei am Beispiel von Nicaea I aufgezeigt: „1. Die heilige Synode a) zu Nicaea der b) 318 heiligen Väter c) gegen Arius, d) der den Sohn und Logos des Vaters als geschaffen erklärte, wurde e) unter Kaiser Konstantin dem Großen versammelt. 2. Die heilige Synode definierte und bekannte den eingeborenen Sohn und Logos des Vaters, durch den alles geworden ist, gleichewig und gleichen Wesens mit dem Vater, gezeugt, nicht geschaffen, 3. und sie stellte Arius unter den Kirchenbann[104]." Die Formulierung für das fünfte und sechste ökumenische Konzil weicht — abgesehen von einigen theologisch unbedeutenden Einzelheiten — nur in einem Punkt von den Berichten über die ersten vier Konzilien ab: dort heißt es „das Konzil definierte und bekannte", hier heißt es „das Konzil bestätigte und bekräftigte". Die abweichende Formulierung ist nicht zufällig. Sie trägt dem Primat der vier ersten Konzilien Rechnung. Die folgenden bekräftigen nur, was jene grundgelegt haben.

Auch die Berichte über die sechs Partikularsynoden sind nach ein und demselben Schema verfaßt. Es sei aufgezeigt an der Formulierung über

---

[100] STERN 421—423. — Das Hauptmanuskript, das STERN der Veröffentlichung zugrunde legte, ist ein christlich-arabischer Text aus dem 15. Jh.: Paris, Bibliothèque Nationale, fond arabe, nr. 236. Dieser Text stimmt — außer was die Reihenfolge der Synoden angeht — mit den Mosaikinschriften der Bethlehemer Geburtskirche überein, soweit diese erhalten sind. Einzelheiten hierzu bei STERN 417—419.

[101] STERN 457; GRABAR 52—53, stimmt grosso modo dieser Datierung zu.

[102] Wir lehnen uns im folgenden z. T. an STERN 433—442 an.

[103] Das 7. allgemeine Konzil wurde erst nachträglich hinzugefügt.

[104] STERN 421.

Laodicea: „Die heilige Synode in Laodicea in Phrygien der 25 Bischöfe fand statt wegen Montanus und Manes und sonstiger Häresien. Die heilige Synode stellte diese Männer als Häretiker und Feinde der Wahrheit unter den Kirchenbann"[105]. Warum läßt unsere Synopse Laodicea Montanus und Manes verurteilen, obwohl dem Verfasser aus den Vorlagen, nämlich den Kanonessammlungen, bekannt sein mußte, daß dieses Konzil nur mit Disziplinarfragen beschäftigt war? Der Grund ist klar: Die herrschende Konzilsidee verlangte, daß alle wichtigen Häresien von Konzilien verurteilt sein mußten. Und Manes und Montanus werden von allen Historikern zu den bedeutenderen Häretikern gezählt[106].

Schließlich müssen wir uns noch mit der anonymen Synopse befassen, auf die Munitiz in genannter Studie speziell aufmerksam macht[107]. Der entscheidende Unterschied zu den beiden vorausgehenden besteht darin, daß nur die sechs bzw. sieben ökumenischen Konzilien aufgezählt und die Partikularsynoden nicht genannt werden. Im übrigen wird das gleiche Schema zugrunde gelegt, aber erheblich ausführlicher berichtet[108]. Auffallend ist in dieser Synopse die stereotype Aufzählung von Kaiser, Papst und Patriarch von Konstantinopel, und zwar durchgehend in dieser Reihenfolge, mit einer einzigen — verständlichen — Ausnahme, nämlich Ephesus. Sogar das zweite Constantinopolitanum läßt unsere Synopse unter dem Dreigestirn Kaiser, Papst und Patriarch von Konstantinopel stattfinden. Die dieser Aufzählung zugrunde liegende Konzilsidee bzw. Ekklesiologie ist deutlich: die erste Autorität

---

[105] STERN 427.

[106] Für weitere Einzelheiten vgl. STERN 438—442.

[107] Sie ist u. a. abgedruckt in HARDOUIN, ACED V, 1485—1490, ferner bei G. A. RHALLES, M. POTLES (Hrsg.), Syntagma I, Athen 1852, 370—374. Auf ältere Ausgaben und ihre Differenzen weist MUNITIZ 148 hin. Dort auch 178—182 die abweichenden Versionen für das 7. allgemeine Konzil: First Text, Second Text, Alternative Texts 1 bis 6. Der den genannten Ausgaben zugrundeliegende Bruxellensis 11376 wurde von Munitiz selber neu ediert, vgl. Byz. 47 (1977) 253—257.

[108] Die Notiz zum 1. Constantinopolitanum lautet: „1. Die zweite heilige ökumenische Synode der b) heiligen 150 Väter fand a) in Konstantinopel e) unter Kaiser Theodosius dem Großen, dem römischen Papst Damasus, dem Konstantinopler Patriarchen Nectarius und Gregor dem Theologen c) gegen den gottlosen Macedonius statt, der räuberisch den Patriarchenthron an sich gerissen hatte und d) den Heiligen Geist lästerte. Denn er sagte, derselbe sei nicht Gott, sondern der Gottheit des Vaters fremd. 3. Daher verurteilte sie ihn zusammen mit seinen Gesinnungsgenossen als Glaubensfeind und sprach über ihn den Kirchenbann aus. 2. Sie erklärte den Heiligen Geist als wahren Gott und Herrn und Lebendigmacher und verkündigte, daß er gleichen Wesens mit dem Vater und dem Sohne existiere, einer und derselben Gottheit und Macht, wie das Glaubenssymbol es enthält, das sie selber durch die Gnade des Heiligen Geistes deutlicher ausgerufen haben. Zusammen mit ihm und Gleichgesinnten haben sie ferner noch unter Kirchenbann gestellt die Lästerung des Apollinarius von Laodicea, der behauptet, das Fleisch unseres Herrn sei ohne Seele, und bekräftigt, dasselbe habe eine Seele und zwar eine unseren Seelen gleichwesentliche". RHALLES/POTLES 370—371.

in der Kirche ist der Kaiser, ihm nachgeordnet ist an zweiter Stelle der
Bischof des alten Rom, an dritter Stelle der Bischof von Neu-Rom.
Aufschlußreich für die Konzilsidee ist schließlich noch der Bericht vorliegender Synopse über das siebte allgemeine Konzil. Er liegt, wie oben
schon vermerkt, in zwei stark voneinander abweichenden Fassungen
vor[109]. Der Hauptunterschied des Zusatzes zur ursprünglich nur sechs
Konzilien zählenden offiziellen Konzilssynopse ist in beiden Versionen
die Zahl der genannten Patriarchen. Für die Konzilien eins bis sechs
werden durchgehend nur der Papst und der Patriarch von Konstantinopel genannt, der „First" und „Second Text" dagegen nennen beide
fünf Patriarchen. Damit wird deutlich, daß zur Zeit der Abfassung des
Zusatzes über das siebte allgemeine Konzil die Pentarchie, d. h. die
Teilnahme aller fünf Patriarchen am Konzil, als wesentlich für die
Konstituierung des Konzils betrachtet wird[110]. Der Verfasser des Be-
richtes über die vorausgegangenen sechs Konzile hatte demgegenüber
an der Pentarchie noch kein sichtbares Interesse.
Vergleicht man den „First Text" mit dem „Second Text", lassen sich
noch einige nicht ganz unbedeutende Unterschiede feststellen. Beide
Texte nennen zwar bei der Aufzählung von Kaiser und Patriarch den
Kaiser an erster Stelle, der „Second Text" setzt aber statt des mehr-
deutigen ἐπί[111] das eindeutige „im achten Jahre des Konstantin und
der Irene". Während der „First Text" das Konzil einfach „unter dem
Kaiser Konstantin und Irene, seiner Mutter, unter Hadrian, dem Papst
zu Rom, Tarasius von Konstantinopel, Politanus von Alexandrien, Theodoret von Antiochien und Elias von Jerusalem" stattfinden läßt, differen-
ziert der „Second Text": das Konzil fand im achten Jahr des Kaisers
Konstantin statt. Die Leitung des Konzils (ἡγέομαι) hatten die beiden
Stellvertreter des Papstes, der Patriarch von Konstantinopel und die
Stellvertreter der Patriarchen von Alexandrien, Antiochien und Jerusa-

---

[109] „First Text", vgl. MUNITIZ 178, „Second Text" ebd. 180—182. Die „Alternative Texts"
1 bis 6 können außer Betracht bleiben, da sie entweder unter den uns interessierenden Rücksichten nicht voneinander abweichen oder schwer zu datierende Paraphrasen oder verkürzte
bzw. erweiterte Wiedergaben des „First" bzw. „Second Text" darstellen. Vgl. MUNITIZ
167—169.
[110] Auch die von ST. LEMOYNE, Varia Sacra, I, Lyon 1685, 81—123 abgedruckte Synopse,
deren Zusatz zum 7. allgemeinen Konzil MUNITIZ 183—185, nach dem Paris. Graec. 1630
ediert hat, bezeugt die Pentarchie: „Die Vorkämpfer und führenden Männer waren Hadrian,
Papst von Rom, der durch seine Apokrisiare wirksam war, Tarasius, Patriarch von Konstantinopel und die anderen drei Patriarchen, die auch durch ihre Apokrisiare (wirksam waren)…"
Ebd. 183.
[111] Nach LIDELL-SCOTT, Greek English Lexicon: in der Zeit, unter der Herrschaft, in Gegenwart dieser oder jener Person.

lem. Ist diese klare Kennzeichnung der Konzilsführung im „Second Text" nur aus dem allgemein mehr wissenschaftlichen Charakter dieses Textes im Vergleich zum „First Text" zu erklären[112] oder kommt darin auch eine theologische Vorstellung über das Wesen eines Konzils zum Ausdruck: das Konzil selbst ist wesentlich Sache der Bischöfe, nicht des Kaisers? Nicht übersehen werden sollte schließlich, daß der Papst in beiden Versionen als erster unter den fünf Patriarchen genannt wird[113].

3. Namentliche Synopsen

Die namentlich gezeichneten Konzilssynopsen, mit denen wir uns im folgenden befassen wollen, dürften alle mehr oder weniger von den anonymen beeinflußt sein. Das galt schon von dem weiter oben erwähnten Konzilskapitel des *Anastasius Sinaita* († nach 700), das gilt auch von seinem kurz *De haeresibus et synodis* betitelten Werk[114], das nach H. G. Beck[115] dem *Viae dux* nahe verwandt ist. Insofern schon Athanasius und Hilarius im 4. Jahrhundert Schriften über Konzilien verfaßt haben[116], stellt die Konzilienschrift des Anastasius keine schlechthinnige Neuerung dar, andererseits ist es jedoch von Inhalt und Form her deutlich, daß der Sinaite nicht an diese ältere Tradition anknüpft, sondern eine gradlinige Entfaltung aus dem Konzilskapitel des *Viae dux* bietet. Die Eigenart dieser Schrift — und diejenige der im folgenden zu besprechenden — kann man sich durch den Vergleich mit dem anonymen Traktat *De sectis* verdeutlichen, den J. Speigl gerade auch unter Rücksicht der dort enthaltenen Konzilslehre analysiert hat[117]. Hier wie dort ist ausführlich von Konzilien die Rede, der Unterschied liegt

---

[112] Darauf weist MUNITIZ 171 schon im Blick auf die Nennung der Stellvertreter statt der Patriarchen hin.

[113] Vgl. hierzu MUNITIZ 173: „Whereas four of the Alternative Texts (1—4) and the Synodicon Vetus, place the Patriarch of Constantinople before the Pope of Rom in the presidency of the Council (as was effectively the case), the two main texts (and the shortened version of the Second) scrupulously preserve the honorary order of precedence among the five Patriarchs that had been established in the IVth century, and that was observed in the official lists of the Acta. The recognition of the primacy of Rome (at least in this honorary sense) is as obvious as that of the need for a quintuple Patriarchate for an ecumenical Council."

[114] JEGH II, 257—271.

[115] Kirche und theologische Literatur im byzantinischen Reich, München 1959, 443.

[116] *Epistula de Synodis Arimini in Italia et Seleuciae Isauria celebratis*, PG 26, 681—792 und *Liber de Synodis seu Fide Orientalium*, PL 10, 471—546.

[117] Der Autor der Schrift *De Sectis* über die Konzilien und die Religionspolitik Justinians, in: AHC 2 (1970) 207—230. — Zu *De Sectis* vgl. auch CH. MOELLER, Le cinquième concile oecuménique et le magistère ordinaire au VI. siècle, in: RSPhTh 35 (1951) 413—423.

hauptsächlich darin, daß die ökumenischen Konzilien bei Anastasius und seinen Nachfolgern Strukturprinzipien der Schrift darstellen, was bei *De sectis* nicht der Fall ist. Titel[118] und einleitendes Kapitel der Schrift zeigen die enge Verwandtschaft mit dem älteren Schrifttyp der Häretikerkataloge. Entsprechend steht auch der obligatorische Topos vom teuflischen Ursprung aller Häresien am Anfang[119]. Gegen den vierten τρόπος teuflischer Häresie tritt das Nicaenum zusammen. Von ihm und den beiden folgenden Konzilien ist nur ganz kurz die Rede[120], wesentlich ausführlicher wird das Chalcedonense behandelt. Grund zu dessen Versammlung war nicht so sehr die Glaubensfrage als vielmehr die Bestrafung des Mordes an Flavian und die Wiedergutmachung gegenüber dem Papst. Was gab es wiedergutzumachen? Die ‚Räubersynode‘ war zusammengetreten ohne ‚Vollmacht‘[121] des Papstes, „was unerlaubterweise geschah und sonst niemals geschehen ist"[122]. Dieser Vorwurf erscheint Anastasius so wichtig, daß er ihn wenige Zeilen später nochmals erhebt[123]. Er greift damit die berühmte Formulierung des päpstlichen Legaten Lucensius wörtlich auf, mit der dieser gleich zu Beginn des Konzils von Chalcedon den Ausschluß des Dioskur verlangt, begründet und erreicht hatte[124]. Nach relativ breiter Darstellung der Nachgeschichte des Chalcedonense weist Anastasius auf die notwendige Kenntnis weiterer Konzilien hin[125], bevor er auf das zweite Constantinopolitanum zu sprechen kommt. Beim Bericht über dieses Konzil fällt einerseits auf, daß von einer Einberufung durch den Kaiser nicht ausdrücklich bzw. eher ausdrücklich nicht die Rede ist, andererseits die

---

[118] Anast. Sin., κεφάλαιον, ἐν ᾧ κατ᾽ ἐπιτομὴν διὰ βραχέων περὶ τῶν ἐξ ἀρχῆς αἱρέσεων καὶ τῶν συνόδων τῶν γενομένων κατ᾽ αὐτῶν, JEGH II, 257.

[119] Anastasius unterscheidet des Näheren 4 Phasen der teuflischen Wirksamkeit: Leugnung der Inkarnation, Kirchenverfolgung, Irrlehre über den Geist (Montanus und Manes), Leugnung der Homoousie (JEGH II, 258—259).

[120] Anast. Sin., De haer. et syn., JEGH, II, 259.

[121] ἐπιτροπή: Erlaubnis, Vollmacht, Aufsicht; power to decide, guardianship, stewardship.

[122] Anast. Sin., De haer. et syn., JEGH II 261: Ἡ οὖν σύνοδος Χαλκηδόνος οὐ τοσοῦτον χάριν πίστεως συνεκροτήθη, ὅσον δι᾽ ἐκδίκησιν τοῦ φονοῦ τοῦ εἰς Φλαβιανὸν γεγενημένου, καὶ μάλιστα ἐκτὸς ἐπιτροπῆς τῆς ἀποστολικῆς Ῥωμαίων καθέδρας γενομένης τῆς τοιαύτης ληστρικῆς συνόδου, ὅπερ οὔτε ἐξὸν γενέσθαι, οὔτε γέγονέ ποτε.

[123] χωρὶς ἐπιτροπῆς τοῦ ὁσιωτάτου πάπα Ῥώμης, JEGH II 261.

[124] Lucensius, Conc. Chalc., actio I, ACO II, 1, 1; 65, 31—32: σύνοδον ἐτόλμησαν ποιῆσαι ἐπιτροπῆς δίχα τοῦ ἀποστολικοῦ θρόνου, ὅπερ οὐδέποτε γέγονεν οὐδὲ ἐξὸν γενέσθαι. Dieser Vorwurf stimmt übrigens nicht ganz, denn Papst Leo hatte zum Konzil seine Zustimmung gegeben, ja sogar einen Stellvertreter geschickt. Näheres hierzu bei KNELLER 58—91, der auf diesen Satz und seine Wirkgeschichte aufmerksam macht.

[125] Anast. Sin., De haer. et syn., JEGH II 263—264: κἀκεῖνο δὲ ἀναγκαῖον εἰδέναι, ὡς γεγόνασι καὶ ἕτεραι σύνοδοι διάφοροι τοπικαὶ κατὰ διαφόρους καιροὺς καὶ τόπους περὶ διαφόρων ζητημάτων τε καὶ πραγμάτων ἐκκλησιαστικῶν κατὰ διαφόρων αἱρέσεων.

„Führung" des Konzils durch die vier Patriarchen eigens hervorgehoben wird[126]. Weil auch die nachträgliche Bestätigung des Konzils durch den Papst erwähnt wird, dürfte hier ein Zeugnis für die Pentarchie vorliegen[127]. Ähnlich wie über Konstantinopel II ist der Bericht über Konstantinopel III angelegt. Anastasius hebt auf die Pentarchie ab und weist auf die Stellvertreter des Papstes besonders hin[128]. Bei der Darstellung der Vorgeschichte dieses Konzils geht Anastasius auch auf die Rolle des Honorius und seine Verurteilung ein[129]. Dem ökumenischen Konzil selber seien Konzilien in Konstantinopel und Rom vorausgegangen. Das „Lokalkonzil" (τοπικὴ σύνοδος) des römischen Bischofs Martin

---

[126] Anast. Sin., De haer. et syn., JEGH II, 264: Μετὰ οὖν τὰς τέσσαρας συνόδους ἡ πέμπτη συνήχθη ἡ ἁγία σύνοδος ἐπὶ Ἰουστινιανοῦ τοῦ τῆς εὐσεβοῦς λήξεως, ἧς ἡγοῦντο Εὐτύχιος Κωνσταντινουπόλεως, Ἀπολλινάριος Ἀλεξανδρείας, Δομνηνὸς Ἀντιοχείας, Εὐστόχιος Ἱεροσολύμων. Αὐτὸς δὲ οὐ παρῆν, πίστει γὰρ εἰς τὸν θρόνον, μετὰ τὴν Μακαρίου ἐκβολὴν, προχειρισθείς, εἰς τὴν ἁγίαν ἐξεδήμησε πόλιν, τοποτηρητὰς δὲ προεβάλετο τὸν αὐτοῦ τόπον πληρώσαντας. — Zur Reihenfolge der Patriarchalsitze vgl. E. CHRYSOS, Die Bischofslisten des V. ökumenischen Konzils (553), Bonn 1966, 152—155.

[127] Anast. Sin., De haer. et syn., JEGH II, 264: ὁ δὲ ἁγιώτατος πάπας Ῥώμης Βιγίλλιος ἐν τῇ συνόδῳ μὲν οὐ παρῆν, οὐδὲ τοποτηρητὰς ἔσχεν ἐν αὐτῇ, πᾶσι δὲ τοῖς ἐν αὐτῇ γενομένοις συνέθετο. Die römische Version der Idee der Pentarchie finden wir bei Anastasius Bibl., MANSI 16, 7 D, formuliert. Die Pentarchie wird als eines der Kriterien für die Ökumenizität eines Konzils genannt: *Deinde quia cum Christus in corpore suo, quod est ecclesia, tot patriarchales sedes, quot in cuiusque mortali corpore sensus locaverit, profecto nihil generalitati deest ecclesiae, si omnes illae sedes unius fuerint voluntatis, sicut nihil deest motui corporis, si omnes quinque sensus integrae communisque fuerint sanitatis. Inter quos videlicet sedes quia Romana praecellit, non immerito visui comparatur: qui profecto cunctis sensibus praeeminet acutior illis existens, et communionem, sicut nullus eorum, cum omnibus habens.* — Zur Pentarchie vgl. DE VRIES, IV. Konzil, und CONGAR, 1274—1974, Structures ecclésiales et conciles dans les relations entre Orient et Occident; in: RSThPh 58 (1974) 355—390, hier 373—75. — Ferner R. VANCOURT in: DThC 11 (1932) 2269—2281; F. DVORNIK, Byzance et la primauté romaine, Paris 1964, 89—93; S. SALAVILLE, De ‚quinivertice ecclesiastico corpore' apud S. Theodorum Studitam, in: AAV 7 (1911) 170 ff.

[128] Anast. Sin., De haer. et syn., JEGH II, 265: Μετὰ χρόνους πολλούς, ἐν Κωνσταντινουπόλει συναθροίζεται ἡ ἁγία καὶ οἰκουμενικὴ ἕκτη σύνοδος, ἐπὶ Κωνσταντίνου, τοῦ τῆς εὐσεβοῦς λήξεως· ἡγεῖτο δὲ αὐτῇ Γεώργιος ὁ Κωνσταντινουπόλεως, Θεοφάνης Ἀντιοχείας, ὑπ' αὐτῆς χειροτονηθεὶς τῆς συνόδου, διὰ τὸ τὸν προηγησάμενον Μακάριον καθαιρεθῆναι. Ὁ μὲν οὖν τῆς Ἀλεξανδρέων καὶ Ἱεροσολύμων θρόνος τηνικαῦτα πατριαρχῶν ἐχήρευον, τοῦ τῶν Ἀγαρηνῶν ἔθνους τὰς τοιαύτας ἐπαρχίας κατέχοντος· ηὑρέθησαν δὲ τοποτηρηταὶ καὶ ἀποκρισιάριοι ἑκατέρωθεν ἐν τῇ συνόδῳ· Ἀπέστειλε δὲ καὶ ὁ ἁγιώτατος πάπας Ῥώμης Ἀγάθων ἐκ προσώπου αὐτοῦ τοποτηρητὰς ἐν αὐτῇ·

[129] Von den Gegnern des Sophronius wird gesagt, daß sie überall nicht unbeträchtliche Scharen in Bewegung brachten: συνέβη γὰρ καὶ τὸν τῆς πρεσβυτέρας Ῥώμης, πάπαν Ὀνώριον συνδέσθαι τούτοις κακῶς δι' οἰκονομίαν τινὰ . . . κατέκρινε τε καὶ ἀναθήματι καθυπέβαλεν Ὀνώριον τὸν πάπα γενόμενον; ebd. JEGH II, 267 und 270. Zu Honorius und den monotheletischen Streitigkeiten vgl. neuerdings G. KREUZER, Die Honoriusfrage im Mittelalter und in der Neuzeit, Stuttgart 1975, 58—75.

habe die Häretiker verurteilt[130]. Zum Schluß erwähnt der Sinaite noch
das sog. Quinisextum[131]. Deutlich ist bei ihm die Tendenz, neben den
ökumenischen Synoden auch die Partikularkonzilien zu nennen. Am
Endpunkt dieser Entwicklung steht dann das *Synodicum vetus*, auf das
wir weiter unten eingehen wollen.

De haeresibus et synodis[132] des konstantinopler Patriarchen *Germanus*
(715—730), bald nach dem Erscheinen des ersten Edikts Leos des
Isauriers gegen die Bilder oder bald nach 726/27 anzusetzen[133], ist ausführlicher als die Schrift des Anastasius angelegt[134]. Als erste σύνοδος το-
πική wird die Antiochener Synode gegen Paul von Samosata genannt. Für
die ersten drei oder vier ökumenischen Konzilien scheint Germanus die
Pentarchie zu affirmieren, eindeutig ist dies jedoch nicht[135]. Nur für zwei
Konzilien, Nicaea und Chalcedon, hebt Germanus ausdrücklich die
Einberufung durch den Kaiser hervor[136], in den übrigen Fällen begnügt

---

[130] Anast. Sin., De haer. et syn., JEGH II, 268 f.

[131] Ebd. 271.

[132] PG 98, 40—88. — Vgl. auch Rhalles/Potles 339—369.

[133] „Innere Gründe zwingen wohl auch dazu, Germanus das ihm von Ehrhard abge-
sprochene Werkchen über die 6 ökumenischen Synoden zu belassen, jedenfalls die uns vorliegende Rezension, die bald nach 727 verfaßt sein wird." Beck 474. — Zu Germanus vgl.
L. Lamza, Patriarch Germanos I. von Konstantinopel (715—730). Versuch einer endgültigen chronologischen Fixierung des Lebens und Wirkens des Patriarchen. Das östliche
Christentum, NF 27, Würzburg 1975.

[134] Die Zielangabe der Schrift lautet: Ἡμῖν δὲ νῦν ἐπονοήθη πρὸς τὰς ὑμετέρας
ἐρωτήσεις, ἐν ἐπιδρομῇ τὰς συνόδους καὶ τὰ δόγματα αὐτῶν, καὶ τὴν τῆς κινήσεως
αὐτῶν καὶ συνελεύσεως αἰτίαν ἐξειπεῖν· εἰ καὶ μικρὸν ἄνωθεν τὸν λόγον ἠγάγομεν, καὶ
ποίας ἕκαστος τῶν αὐτῶν ἐπισήμων Πατέρων ἐξῆρχε συνόδου, καὶ τίνος τὸ τηνικαῦτα
βασιλεύσαντος, καὶ τίς πρὸς ποίαν παρετάξατο αἱρετικὴν φάλαγγα. (De haer. et syn. 43,
PG 98, 81 A).

[135] Für Nicaea werden zunächst die Bischöfe von Alexandrien, Rom, Antiochien und Jerusalem genannt, dann nach einer Reihe anderer u. a. Hosius, der Diakon Alexander als Vertreter
des ‚großen Metrophanes', des Bischofs von Konstantinopel (49 D—52 A). — Für Konstantinopel I beginnt die Aufzählung der Patriarchen mit Meletius von Antiochien, dem tatsächlichen Präsidenten des Konzils; es folgen die beiden Gregore (Gregor von Nazianz war
Bischof von Konstantinopel), Caelestin von Rom, Timotheus von Alexandrien und Cyrill
von Jerusalem (60 D). — Für Ephesus lautet die Reihenfolge der ‚Vorsitzenden' (προέδρευε):
Cyrill von Alexandrien, Caelestin von Rom, Juvenal von Jerusalem, Acacius von Melitene
(Patriarchat Konstantinopel). Konstantinopel und Antiochien können verständlicherweise
nicht aufgezählt werden (64 A). — Für Chalcedon werden nacheinander genannt: die Stellvertreter des Papstes (παρῆσαν), Anatolius von Konstantinopel (προεδρεύων), Juvenal von
Jerusalem, Eusebius von Dorylaeum, Maximus von Antiochien, Anastasius von Thessa-
lonike (65 C).

[136] Für Nicaea wird sogar das „Mitsitzen" des Konstantin mit den Bischöfen vermerkt: Τοῦ
δὲ Ἀρειανικοῦ καπνοῦ εἰς μεγάλην πυρὰν ἀναφθέντος, καὶ πανταχόσε δια-
δραμόντος, καὶ τὴν οἰκουμένην δακρύων ἐμπλήσαντος, θεόθεν αἰθρίας ἡμῖν ἐκ τῶν
διωγμῶν γεγενημένης, καὶ τοῦ ἐπιφανοῦς βασιλέως Κωνσταντίνου τοῦ μεγάλου τὸ βασί-
λειον ἀναδησαμένου κράτος, κἀνταῦθα παραγεγονότος, ἀνδρὸς ἐναρέτου καὶ πλήρη τὸν

er sich mit der Nennung des Kaisers, unter dem das Konzil abgehalten wurde. Aus der Tatsache, daß er nur für die ersten vier Konzilien die Anwesenheit bzw. Vertretung des Papstes erwähnt, darf vielleicht gefolgert werden, daß er dieselbe nicht als wesentlich für die Konstituierung eines Konzils betrachtet. Wichtiger jedenfalls als der Beitrag des Papstes scheint für Germanus die Rolle des Kaisers zu sein. Prototyp des christlichen Kaisers ist ihm offensichtlich Konstantin der Große, dessen Einsatz für die Kirche er in leuchtenden Farben schildert und dessen Fehler er zu entschuldigen sucht[137]. Germanus findet zwar auch für Leos Wirken lobende Worte, fügt aber ausdrücklich hinzu, daß ihm kein Erfolg beschieden war. Erst Kaiser Marcian rettete die Kirche[138]. Interessanter als die Ausführungen zu den ökumenischen Synoden ist, was Germanus in einem abschließenden Paragraphen über die Unterscheidung von ökumenischen und partikularen Synoden zu sagen hat. Was ist eine Partikularsynode? Es ist eine Synode, in der 1. nur lokale Probleme behandelt werden, 2. die Kaiser nicht „mitsitzen" bzw. die nicht von ihnen einberufen worden ist. Per definitionem waren die Synoden der vorkonstantinischen Zeit Partikularsynoden, da es noch keine christlichen Kaiser gab. Bekannte Partikularsynoden sind z. B. die Synoden von Gangra, Serdika, Laodicea, Antiochien, Neocaesarea, Ancyra[139]. Entsprechend ist eine ökumenische Synode eine solche, in

---

τοῦ Θεοῦ φόβον ἐν τῇ καρδίᾳ κατέχοντος, τῷ κόσμῳ καὶ τῇ Ἐκκλησίᾳ ἡμῶν μάλιστα ἐπιφανέντος, τὴν τῶν ἱερῶν ὁμήγυριν συνήγαγε. καὶ σύνοδον ἐν Νικαίᾳ συγκροτεῖσθαι προσέταξεν. ἥτις ἤδη ἐπὶ αὐτοῦ καὶ γεγένητο, παρόντος αὐτοῦ καὶ τοῖς ἱερεῦσι συνεδρεύοντος. (De haer. et syn. 13, PG 98, 49 C—D).

[137] Der Kaiser schickte Athanasius in Verbannung, um ihn vor der Nachstellung der Arianer zu schützen (53 B). Die Rückberufung aus dem Exil geht auf eine Anordnung Konstantins zurück (56 A). Vgl. hierzu Athanasius, Apologia secunda 87, OPITZ 166.

[138] Germ., De haer. et syn. 27—28, PG 98, 65 B—C: Ἐν Ῥώμῃ δὲ Λέων ὁ μέγας προεδρεύων ἱερεύς, παντοίως ἠγωνίζετο γράφων πρὸς ἅπαντας, καὶ πρὸς αὐτὸν τὸν ἐν ἁγίοις Φλαβιανὸν ἔτι τότε περιόντα, ὅτε τὰ Εὐτύχους ἐτολμᾶτο· ἠνύετο δὲ οὐδέν, τῆς αἱρετικῆς ἐπικρατούσης.
Μετ' οὐ πολὺ δὲ θεόθεν Μαρκιανὸς ὁ βασιλεὺς ἀνίσταται, ἀνὴρ ἔνθεος, καὶ εἰδὼς μελετῆσαι τὸ εὔτακτον, καὶ πρὸς τοῦτο ἐξ ἀταξίας συνελάσαι τὰ πράγματα· συνάγει τοίνυν ἐν Χαλκηδόνι τῇ πλησίον ἡμῶν πόλει τοὺς ἱερεῖς, χλ' Πατέρων συναθροίσας ὁμήγυριν.

[139] Germ., De haer. et syn. 46, PG 98, 84 B—C: Κἀκεῖνο δὲ ὑμᾶς τῶν ἀναγκαίων γινώσκειν, ὡς καὶ ἕτεραι γεγόνασι τοπικαὶ σύνοδοι, καὶ κανόνας τούτων κατέχομεν, εἰ καὶ μὴ κυρίως τῷ ἀριθμῷ τῶν ἓξ συναριθμοῦνται συνόδων· ὥσπερ ἡ ἐν Γάγγραις, ἐπεὶ δὲ καὶ ἡ ἐν Σαρδικῇ, καὶ Λαοδικείᾳ, καὶ Ἀντιοχείᾳ, καὶ Νεοκαισαρείᾳ, καὶ Ἀγκύρᾳ, καὶ εἴ τις ἑτέρα τοιαύτη γέγονε τοπικὴ σύνοδος. Αἱ μὲν γὰρ καὶ τοπικῶν, ὡς λέλεκται, ζητήσεων ἕνεκα συνέστησαν, μήτε βασιλέων συνεδρευσάντων αὐταῖς, ἢ προστάξει αὐτῶν ἴσως συνεληλυθότων τῶν ὅλων αὐτῶν, τινῶν δὲ αὐτῶν καὶ πρὸ τῆς καταστάσεως τῶν Χριστιανῶν βασιλέων γεγενημένων. Αἱ δὲ κυρίως οἰκουμενικαὶ σύνοδοι κρατούμεναι παρ' ἡμῖν, αὗταί εἰσι· — Es folgt die Liste der 6 Konzilien mit jeweiliger Nennung des Kaisers.

der überregionale Probleme verhandelt werden und die vom Kaiser einberufen wird bzw. auf der der Kaiser gegenwärtig ist. Da das erste Merkmal einer ökumenischen Synode, der überregionale Charakter eines Problems, ein kaum zu praktizierendes Kriterium darstellt, ist sie am einfachsten an ihrem kaiserlichen Charakter zu erkennen: eine Synode ist ökumenisch aufgrund kaiserlicher Einberufung oder Anwesenheit[140]. In diesem Zusammenhang sei auf die Bemerkung des Germanus hingewiesen, durch die im *Codex Encyclius* gesammelten Provinzialsynodenbeschlüsse habe das Chalcedonense seine eigentliche Gültigkeit erlangt[141]. Gegen Ende seiner Konzilssynopse arbeitet Germanus, nachdem er noch des Näheren auf den ausgebrochenen Bilderstreit eingegangen ist (cap. 40—42), den inneren logischen Zusammenhang der sechs ökumenischen Konzilien heraus[142] und den entsprechenden Zusammenhang der verurteilten Häresien. Wohl in der Absicht, diesen recht augenscheinlich zu machen, antizipiert er bei der Formulierung des auf einem Konzil definierten Glaubens jeweils schon die Lehre des folgenden. So definiert für Germanus schon Ephesus, was erst ausdrückliche Lehre von Chalcedon ist, und Konstantinopel II, was erst Konstantinopel III formuliert[143]. Diese Stilisierung ist Ausdruck des theologischen Postulats der schlechthinnigen Identität des je von den Konzilien definierten Glaubens.

Die Konzilssynopse des *Photius*[144], die von Grumel auf Mai 866 datiert wird[145], gehört genaugenommen nicht in diesen Abschnitt, sondern in den ersten, da es sich nicht um eine selbständige Schrift, sondern nur um einen Briefteil handelt. Ihn hier zu besprechen, ist jedoch vertretbar, weil er auch als selbständige Schrift *De synodis* überliefert wird[146]. Die Konziliensynopse gehört dem ersten, dogmatischen Teil des an den Bulgarenfürsten Michael geschriebenen Briefes an. Einige charakteristische Aspekte der Konzilsidee des Photius kommen in dieser Synopse

---

[140] Vgl. damit S. 360/1 die Ausführungen der von BENEŠEVIC veröffentlichten Synopse.
[141] Germ., De haer. et syn. 31, PG 98, 69 B: πλείους ἢ χίλιοι ἐπίσκοποι καθυπέγραψον, καὶ τὴν σύνοδον ἐπεκύρουν, καὶ πάλιν ἡ αὐτὴ ἡ λεγομένη τετάρτη ἐν Χαλκηδόνι σύνοδος τὸ ἴδιον κράτος ἐλάμβανεν.
[142] Germ., De haer. et syn. 47, PG 98, 84 C: ἄλυσις, ὥσπερ εἰπεῖν, καὶ σειρὰ ἀδιάσπαστος, ἀλλήλων ἐχομένη καὶ ἐκκρεμαμένη.
[143] Germ., De haer. et syn. 25, PG 98, 64 B: τέλειόν τε τὸν αὐτὸν ἕνα υἱὸν ἐν θεότητι καὶ τέλειον ἐν ἀνθρωπότητι ὁμολογοῦμεν. Ebd. 72 C: καθ᾽ ἑτέραν τε φύσιν, θελητικόν τε καὶ ἐνεργητικὸν τὸν Κύριον ἡμῶν Ἰησοῦν Χριστὸν τῆς ἡμῶν ἕνεκεν σωτηρίας ὑπάρχειν ὁρίσαντες . . .
[144] Ep. VIII, 5—20, PG 102, 629—656. — Vgl. auch RHALLES/POTLES, 1, 375—388.
[145] GRUMEL Nr. 478.
[146] Vgl. J. HERGENRÖTHER, Photius, III, Regensburg 1869, 243.

zum Ausdruck. Sie vermerkt für jedes Konzil den Ort der Versammlung, die Zahl der teilnehmenden Bischöfe, die Namen der Kaiser und der leitenden Kirchenmänner, schließlich referiert sie in einiger Breite die wahre und die falsche Lehre[147]. Photius zeigt zunächst ein deutliches Interesse an der Pentarchie. So ragen in Nicaea vor allen anderen hervor Alexander von Konstantinopel, die römischen Priester Vitus und Vincentius (als Vertreter des Papstes), Alexander von Alexandrien, Eustatius von Antiochien und Macarius von Jerusalem[148]. Für Konstantinopel I wird die Pentarchie sichtbar, wenn man die päpstliche Bestätigung des Konzils durch Damasus gebührend in Betracht zieht[149]. Für Ephesus freilich können nur drei und für Chalcedon und Konstantinopel III nur vier Patriarchen genannt werden. Für Konstantinopel II und Nicaea II wird wiederum deutlich die Pentarchie affirmiert[150]. Der konstantinopler Patriarch wird in allen Konzilien außer Konstantinopel I und Ephesus vor Rom genannt[151]. Offensichtlich ist Photius der Vorrang des konstantinopler Sitzes vor dem römischen ein wichtiges Anliegen. Neu-Rom, das will Photius durch die Ordnung seiner Aufzählung zum Ausdruck bringen, ist erster Sitz der Christenheit[152]. Indirekt zumindest kommt der Führungsanspruch des konstantinopler Stuhls auch zum Ausdruck in der Art und Weise, wie der Fall des Häretikers Nestorius „erklärt" wird. Dieser ist seiner Herkunft nach kein Konstantinopolitaner, sondern ein Antiochener, und vor allem: er ist nicht auf korrekte Weise Bischof von Konstantinopel geworden![153]
Des weiteren scheint bemerkenswert: Das Konzil ist eindeutig Sache der Kirche bzw. der Bischöfe. Eine betont distanzierte Haltung gegenüber der Rolle des Kaisers auf den Konzilien kommt darin zum Aus-

---

[147] Photius, De syn. 5, PG 102, 632 A: ῏Ων (d. h. der ökumenischen Synoden) ἀπάρχομαι τὴν ἀφήγησιν, καὶ τόπον, καὶ ἀριθμὸν τοῦ πλήθους, καὶ τοὺς ἀρχηγοὺς ἑκάστης χάριν εὐμαθίας ταῖς οἰκείαις συνυποτυπούμενος πράξεσιν.

[148] Ebd. 632 B—633 A.

[149] Ebd. 636 A—B.

[150] Ebd. 644 C und 649 C—D.

[151] Ebd. 632 B, 641 A, 644 C.

[152] Der Terminus, mit dem die „führenden Bischöfe" bezeichnet werden, als deren erster jeweils der Konstantinopler genannt wird, wechselt dabei auffallenderweise von Konzil zu Konzil: Nicaea (προέχοντες) 632 B, Chalcedon (λογάδες) 641 A, Konstantinopel II (ἡγοῦν-το καὶ προέλαμπον) 644 C, Konstantinopel III (ἀρχηγοί) 648 A, Nicaea II (ταξιάρχοι καὶ πρωτόστατοι) 649 C. — Von Vigilius heißt es: καὶ Βιγίλιος ὁ τῆς 'Ρώμης τὴν ἱερὰν λαχὼν ἐφορίαν, παρὼν μὲν τῇ πόλει, οὐ παρὼν δὲ τῇ συνόδῳ, ὅς καὶ μὴ πρό-θυμος εἰς τὴν συνδρομὴν τῆς ἱερᾶς ὁμηγύρεως κατέστη, ἀλλ' οὐδὲν ἔλαττον ὅμως τὴν κοινὴν τῶν πατέρων πίστιν ἐπεκύρου λιβέλλῳ. Photius, De syn. 15, PG 102, 644 C.

[153] Ebd. 637 D.

druck, daß Photius nur im Falle von Nicaea I[154] die kaiserliche Berufung erwähnt, sonst aber die Konzilien lediglich in die Regierungszeit des betreffenden Kaisers einordnet. Zur Konzilsidee des Photius gehört, darauf sei abschließend hingewiesen, daß er im Konzil eine κρίσις ἀληθείας[155] sieht, ein Urteil über die Wahrheit, das die „unfehlbaren (ἀπλανής) Dogmen der katholischen und apostolischen Kirche bekräftigt und bestärkt"[156].

4. Synodicum vetus

Ein „insigne antiquitatis monumentum, quod non modo multa parvis comprehendit, sed etiam varia docet alibi quaerenda incassum", nennt sein letzter Herausgeber, J. A. Fabricius[157], das *Synodicum vetus*[158], mit dem wir uns abschließend befassen wollen. Der Straßburger Theologe Johannes Pappus hatte das Werk von einem gewissen Andreas Darmarius käuflich erworben[159] und 1601 erstmals veröffentlicht[160]. Der vollständige Titel gibt eine erste Vorstellung vom Inhalt der Schrift[161]. Bevor wir diese Synopse auf die ihr zugrundeliegende Konzilsidee be-

---

[154] Photius, De syn. 7, PG 102, 633 A: (von Konstantin) Ἐφ' οἷς ἅπασιν, καὶ ὁ μέγας καὶ ἀξιάγαστος Κωνσταντῖνος, τῆς Ῥωμαϊκῆς ἀρχῆς ἰθύνων τὰ σκῆπτρα, διέπρεπε, τὴν σύνοδον ἀθροίζων, καὶ λαμπροτέραν τῇ παρουσίᾳ ἀπεργαζόμενος.

[155] Ebd. 632 A.

[156] Ebd. 645 D—648 A.

[157] Fabricius 360—421.

[158] Fabricius 358.

[159] Die Art und Weise wie das *Synodicum vetus* auftauchte, gab Harnack 1893 zwar Veranlassung, kritisch nach der Echtheit der Schrift zu fragen („Der Umstand, daß es zuerst Andreas Darmarius ans Licht gebracht hat, ruft den stärksten Verdacht hervor". Altchristliche Literatur I, Leipzig 1893, 245. Vgl. auch das Echo auf diese Bemerkung Harnacks bei Hefele/Leclercq, I, 128, Anm. 3, und P. de Labriolle, Sources du Montanisme, Paris 1913, CXXXV), aber die weitere Forschung ließ sich, soweit wir sehen, von Harnacks Pessimismus nicht beeindrucken, sondern geht nach wir vor von der Echtheit der Schrift aus. Vgl. Beck 598, der lediglich auf die antiphotianische Tendenz des Synodicum vetus aufmerksam macht.

[160] Über MM und weitere Drucke des Textes vgl. Harless, in: Fabricius 358—359, Anmerkungen. Sehr nützlich ist der Abdruck bei Hardouin, ACED, V, 1491—1549, wegen der besonders am Anfang des Textes zahlreichen Randglossen, in denen auf die vom Autor benutzten Quellen und auf mehrere offensichtliche Irrtümer hingewiesen wird. Von einer neuentdeckten, vollständigeren Hs des Synodicum vetus berichtet F. Dvornik, The patriarch Photius in the light of Recent Research, Berichte vom internat. byzant. Kongreß, München 1958, III, 2 S. 34, Anm. 119; ders., Councils 319, Anm. 9, kündigt eine Edition des Syn. vet. auf der Basis aller verfügbaren MM durch John Parker an.

[161] Συνοδικόν, περιέχον ἐν ἐπιτομῇ ἀπάσας ἀπὸ τῶν ἀποστόλων γεγονυίας ὀρθοδόξους καὶ αἱρετικὰς συνόδους, μέχρι τῆς ὀγδόης, τῆς ἐπὶ τῇ τοῦ Φωτίου, καὶ τοῦ Πάπα Ἰωάννου ἑνώσει. Fabricius 360.

fragen wollen, sind zunächst noch einige Bemerkungen zu ihrer genaueren Charakterisierung zu machen. Aus dem Vergleich mit den im Vorausgehenden genannten Konzilssynopsen ergibt sich deutlich ihre Eigenart: Während dort immer nur die jeweiligen ökumenischen Konzilien und eine ganz beschränkte Zahl lokaler Synoden behandelt wurden, stellt das *Synodicum vetus* den ersten Versuch einer Erfassung und chronologischen Einordnung aller in der Kirche abgehaltenen Konzilien, sowohl der ökumenischen als der partikularen, dar. Wegen seiner Neuheit und der enormen Schwierigkeiten seiner Durchführung verdient dieser Versuch hohen Respekt. Das *Synodicum vetus* stellt gewissermaßen den Anfang der Konziliengeschichtsschreibung dar, und man muß lange warten, bis das hier Begonnene nach Anlage und Umfang wesentlich verbessert wird[162].

Wie ist die Schrift genauerhin angelegt? Im Stil einer Chronik sammelt der Verfasser Nachrichten über Konzilien, beginnend mit dem Apostelkonzil bis zu den Konzilien des 9. Jahrhunderts gegen Photius und Ignatius. Die vornicaenischen Konzilien behandelt er schematischer als die nachnicaenischen. Vor Nicaea werden stereotyp Ort der Versammlung, Name des leitenden Bischofs, Thematik des Konzils, oft die Zahl der Bischöfe genannt. Nach Nicaea, zumal für die Konzilien zwischen diesem und Konstantinopel I, hat man eher den Eindruck einer fortlaufenden Geschichte, einer knappen Zusammenfassung des Kampfes zwischen Arianern und Orthodoxen. Neu gegenüber den Vorgängern, wenn man die in den vorausgegangenen Abschnitten besprochenen Texte so bezeichnen will, ist vor allem die prinzipielle Miterfassung der häretischen Versammlungen. Darin zeigt sich zweifelsohne ein deutlicheres Hervortreten rein historischen Interesses als bei den Vorgängern. Dem entspricht übrigens auch eine meist äußerst knappe, freilich oft sehr treffende Kennzeichnung des Konzilsthemas[163].

---

[162] Aus diesem Grunde nimmt es auch nicht wunder, daß die ältere Konziliengeschichtsschreibung sich — wenn auch meist in sehr kritischer Weise — immer wieder auf das *Synodicum vetus* bezieht (z. B. WALCH passim; oder auch HEFELE/LECLERCQ passim) und Konzilsausgaben, wie MANSI, jeweils das betr. Kap. des Synodicum zitieren.
Über die antimontanistischen Synoden des *Synodicum vetus* vgl. J. A. FISCHER, Die antimontanistischen Synoden des 2./3. Jahrhunderts, in: AHC 6 (1974) 241—273, hier 250—258.

[163] Vgl. für das Apostelkonzil, Syn. vet. 1, FABRICIUS 360: Σύνοδος θεία καὶ ἱερά, συναθροισθεῖσα ἐν Ἱεροσολύμοις, ὑπὸ τῶν θεοδιδάκτων ἁγίων Ἀποστόλων, καὶ μυσταγωγῶν πρεσβυτέρων, καὶ τῶν σὺν αὐτοῖς ἀδελφῶν: κατὰ τῶν ἐπιχειρησάντων πιστῶν Φαρισαίων, κρατύνειν τὴν ἐν σαρκὶ περιτομήν, καὶ τηρεῖν τὰ νόμιμα ἔθη μετὰ τὸ εἰσδέξασθαι καθάπαξ τοὺς πιστούς, τὴν ἐν πνεύματι καὶ ἀληθείᾳ προσκύνησιν καὶ λατρείαν: καὶ χάριτι καὶ νόμῳ δουλεύειν, οἱονεὶ δυσὶ κυρίοις: ὅπερ ἀπεῖπεν ὁ τῶν ὑπὲρ νοῦν ἀγαθῶν πάροχος, καὶ τῆς κατάρας τοῦ νόμου ἐξαγορησάμενος ἡμᾶς Χριστὸς ὁ Θεὸς ἡμῶν.

Charakteristisch für die Gesamtanlage des *Synodicum vetus* ist die grundsätzliche Einordnung der ökumenischen Synoden in die Serie der Partikularsynoden und der häretischen Kirchenversammlungen. Damit werden die allgemeinen Konzilien in gewisser Weise relativiert, was auch dadurch zum Ausdruck kommt, daß ihnen verhältnismäßig nicht mehr, bisweilen sogar weniger Raum gegeben wird als den übrigen. Erstaunlich knapp ist vor allem die Notiz über Chalcedon ausgefallen, ohne daß der Verfasser dabei irgendwelche antichalcedonensischen Tendenzen sichtbar werden ließe[164]. Die Frage der Gesamttendenz der Schrift bedürfte — wie viele andere Fragen — einer genaueren Untersuchung. L. Allatius nannte den Verfasser des Synodicums ‚auctor valde pius, quisquis ille fuerit‘[165]. Er war ohne Zweifel ein begeisterter Anhänger der damaligen Orthodoxie, im kirchenpolitischen Streit seiner Zeit ein eindeutiger Parteimann des Ignatius gegen Photius[166]. Andererseits sind freilich — aus heutiger Sicht — die Mängel dieser Schrift nicht zu übersehen. Zunächst, was ihren Umfang angeht, hält der Verfasser nicht, was er im Titel seiner Schrift verspricht[167]: Die Synopse enthält sicher nicht alle, sondern nur einen Teil der bis zur Abfassung abgehaltenen Synoden. Es werden ja im ganzen nur rund 150 Konzile genannt; ca. 40 westliche Synoden (davon allein 25 in Rom) stellen nur einen kleinen Bruchteil der uns heute bekannten Westkonzilien dar. Ferner ist der Quellenwert des *Synodicum vetus*, wie leicht begreiflich, nicht für die einzelnen Teile gleich anzusetzen. Sehr kritisch war die Forschung[168] immer schon gegenüber seinen Nachrichten über die vornicaenischen Konzilien, ist doch offensichtlich seine eigene Quelle ausschließlich Eusebius. Wesentlich positiver beurteilt wird, was es über die Konzilien der jüngeren Zeit, z. B. über die Anfänge des Monotheletismus bzw. über das Konzil Nr. 149 gegen Ignatius von Kon-

---

[164] Syn. vet. 90, Fabricius 395: Ἀλλὰ καὶ Πουλχερία ἡ εὐσεβὴς Ἀυγούστη διεγείρειν τὴν σύνοδον οὐ κατώκνησε, σύνοδον οἰκουμενικὴν τετάρτην ἐν Χαλκηδόνι, τῶν ἑξακοσίων τριάκοντα θεοφόρων πατέρων ἀθροίσασθαι. Ἥτις ἁγία σύνοδος καθελοῦσα Εὐτυχῆ καὶ Διόσκορον, τὰς δύο φύσεις Ἰησοῦ Χριστοῦ τοῦ θεοῦ ἡμῶν ἀδιαιρέτως καὶ ἀσυγχύτως ἐτράνωσε τε καὶ ἀνεκήρυξεν.

[165] Zitiert von Fabricius 359.

[166] Vgl. Dvornik, Photius, der das *Synodicum vetus* als „document ignatien" (101) „provenant du milieu hostile à Photius" (122) bezeichnet.

[167] Unterstellt man einmal, daß der Titel vom Verfasser und nicht von Pappus, seinem ersten Herausgeber, stammt, der auch den Bericht über das 8. ökumenische Konzil hinzugefügt hat, freilich mit Kennzeichnung seines Namens. Vgl. Fabricius 419.

[168] Vgl. u. a. Walch, ferner Hefele/Leclercq.

stantinopel zu berichten weiß. Hier scheint er aus Quellen zu schöpfen, über die wir nicht mehr verfügen[169].

Wenn wir nun die Frage nach der Konzilsidee dieser Schrift stellen, so darf vor allem die Tatsache nicht übersehen werden, daß die Schrift in ihrer Existenz ein mächtiges Zeugnis für die Stärke des Konzilsgedankens jener Zeit ablegt. Denn Geschichte schreibt man nur von Dingen, die interessieren, die von großer Aktualität sind. Das historische Interesse des Verfassers dokumentiert besser als explizite Erklärungen die Intensität der Konzilsidee seiner Zeit. Welche ihrer Aspekte finden in seiner Konziliensynopse unmittelbaren, greifbaren Niederschlag? Da ist zunächst die Vorstellung der „apostolischen Sukzession" des kirchlichen Konzilsgeschehens. Sie kommt einerseits darin zum Ausdruck, daß das Apostelkonzil als erstes Konzil der langen Reihe fungiert, was keineswegs eine Selbstverständlichkeit ist, wie ein Blick auf die Vorgänger zeigt, die alle das Apostelkonzil unerwähnt lassen. Demselben Zweck dient auch die deutliche Stilisierung der ersten nachapostolischen Synoden: Wenn vier der ersten fünf die Teilnehmerzahl zwölf haben, so ist das ein deutlicher Hinweis auf das Apostelkollegium, genauer auf das Apostelkonzil[170]. Einen ähnlichen Sinn, d. h. die Sichtbarmachung des Anspruchs, „apostolische Sukzession" darzustellen, hat der auffallende Umstand, daß die Gesamtzahl der mit dem Osterfeststreit befaßten Bischöfe etwa 120 beträgt[171].

Das jeweilige Konzil steht nun für den Autor entweder eindeutig in der apostolischen Sukzession oder nicht. Dieser dogmatische Charakter seiner Konzilsidee kommt vor allem in der stereotypen Bezeichnung der vornicaenischen[172] Konzilien zum Ausdruck: Von 32 tragen 27 den

---

[169] Zum Quellenwert über die Anfänge des Monotheletismus vgl. J. L. van Dieten, Geschichte der Patriarchen von Sergios I. bis Johannes VI. (610—715), Amsterdam 1972. Exkurs II: Die griechische Überlieferung über die Anfänge des Monotheletismus, 179—218. Vgl. in diesem Zusammenhang auch W. Lackner, Zu Quellen und Datierung der Maximosvita, in: AnBoll 85 (1967) 285—316, der die Abhängigkeitsverhältnisse anders als van Dieten beurteilt. — Zum Quellenwert der Nachricht über die anti-ignatianischen Synoden vgl. Dvornik, Photius 101, 107, 122.

[170] Es kann sich hier nur um eine Fiktion handeln, denn die einzige Quelle, aus der der Autor für diese Konzilien schöpft, Eusebius' Kirchengeschichte, gibt keine Zahlen an.

[171] Man kann jedenfalls die Angaben so verstehen, daß sich zählen läßt: 10 mal 12 + 1; der fiktive Charakter dieser Zahl ergibt sich aus dem gleichen Grunde, der oben angegeben ist.

[172] Nach dem Nicaenum kommt die Bezeichnung τοπικός oder μερικός nur noch vereinzelt vor (Nr. 48 + 78 + 144). Offensichtlich betrachtet der Verf. jedoch alle nicht als ökumenisch bezeichneten Synoden als τοπικοί, d. h. als Partikularsynoden.

Titel θεία καὶ ἱερὰ τοπικὴ σύνοδος[173]. Entsprechend wird den nicht in der apostolischen Sukzession stehenden Konzilien entweder die Bezeichnung „Konzil" überhaupt verweigert[174], oder sie haben abwertende Epitheta[175].

Wir sagten schon, daß die Notizen über die ökumenischen Konzilien meist recht knapp sind. Um so mehr zählt, was berichtet wird. Es fällt deswegen ins Gewicht, wenn bei sechs von sieben ökumenischen Konzilien die Einberufung durch den Kaiser eigens erwähnt wird[176] und bei drei von sieben die Kaiser zu den „Vorsitzenden" gezählt werden[177]. Unterstellt man, daß die Reihenfolge der „Vorsitzenden"[178] überhaupt von Belang ist, muß in diesem Zusammenhang auffallen, daß kein Sitz durchgehend an erster Stelle genannt, sondern abgewechselt wird: zweimal steht Rom an erster Stelle, zwei- (oder dreimal) Konstantinopel, einmal Alexandrien. In diesem Zusammenhang kann man auch die Frage stellen, ob unser Autor Interesse an der Pentarchie zeigt. Dies läßt sich nicht mit Sicherheit beantworten; die Textbasis ist zu schmal[179].

Aufschlußreich schließlich für die Art und Weise, wie der Verfasser das Verhältnis Rom/Konstantinopel sieht, ist zunächst einmal die Tatsache, daß er im Grunde nichts Negatives über Rom berichtet und keinerlei Animosität gegen das „ältere Rom"[180] an den Tag legt. Positiv aufschlußreich sind zwei weitere Momente: Erstens, Inhaber des Römischen Stuhles werden weit öfter als diejenigen anderer Sitze sehr lobend erwähnt. Sogar Liberius wird „Herold der apostolischen Lehren" genannt[181]. Von Damasus heißt es, daß er „sich entschied, für die

---

[173] Vier Synoden haben den Titel θεία καὶ ἱερὰ μερική und eine wird ἀσφαλὴς ἀνεξέταστος μερική genannt. Bei letzterer handelt es sich um die Synode des Polycrates von Ephesus gegen Victor von Rom, das einzige Konzil, das nicht offen als häretisches gekennzeichnet wird (Nr. 8, 362). Bei den nachnicaenischen Konzilien kann dafür auch stehen: ἁγία (Nr. 44, 71, 74, 99, 127, 129, 133) oder ὀρθοδόξα (Nr. 63, 64) oder θεόπνευστος (Nr. 93).

[174] Sie heißen dann z. B. συνέδριον πονηρόν (Nr. 79), συνέδριον ἀθεοτάτων — ἄθεος — (Nr. 91, 97, 110).

[175] Z. B. μιαρά (Nr. 97, 123) oder αἱρετική (Nr. 101, 103, 119, 121, 125).

[176] Bei Konstantinopel I (Nr. 75) wird lediglich auf die Regierungszeit des Kaisers hingewiesen.

[177] In Nicaea I an 7. Stelle und in Konstantinopel I an 3. oder 4. Stelle und in Konstantinopel II an 4. Stelle.

[178] Der Vorsitz wird 5mal stereotyp mit ἐξῆρχον προκαθεζόμενοι bezeichnet. Von Cyrill heißt es, daß er in Ephesos ἐξῆρχε, für Chalcedon werden die „Vorsitzenden" gar nicht genannt.

[179] Die Anwesenheit von 5 Patriarchen wird nur für Konstantinopel III und Nicaea II berichtet, möglicherweise, weil dies die Quellen nahelegen. Für Nicaea I werden zusätzlich unter den „Vorsitzenden" Hosius und der Kaiser aufgezählt.

[180] Nr. 104.

[181] Nr. 51.

apostolischen Dogmen alles zu sagen und zu tun"[182]. „Leo der Große"[183] ist ein „Vorkämpfer der apostolischen Dogmen"[184], ein „zweiter Apostel"[185]. Martin ist zum „gleichen Eifer wie der göttliche Maximus entflammt"[186]. Andererseits wird freilich nicht verschwiegen, daß Honorius Monothelet ist[187]. Das zweite Moment stellt die Titulatur des Papstes dar. Die Bezeichnung πάπας bleibt praktisch dem römischen Bischof vorbehalten[188], die Inhaber der übrigen Hauptsitze werden dagegen als ἀρχιεπίσκοπος, πατριάρχης, ἀρχιερεύς, ἱεράρχης oder μητροπολίτης tituliert. Die fast exklusive Bezeichnung des römischen Bischofs als πάπας scheint irgendwie auf eine Sonderstellung unter den Hauptsitzen hinzudeuten.

5. Konzilsidee und Konziliengeschichte

Fragen wir nun abschließend im Blick auf das ausgebreitete Textmaterial, welche Aspekte der Konzilsidee besonders festgehalten werden können. Was Aufmerksamkeit verdient, ist zunächst einmal die Existenz dieser Texte überhaupt. Nichts bringt deutlicher die Stellung und Bedeutung der Konzilsidee im kirchlichen Leben des 6. bis 9. Jahrhunderts zum Ausdruck als die Entstehung dieser neuen, kurz *de synodis* genannten Textgattung bzw. das Auftreten von Kapiteln über Konzilien in Schriften mit enzyklopädischem oder ähnlichem Charakter. Diese Feststellung gewinnt an Gewicht, wenn Munitiz' These vom offiziellen Charakter der anonymen Schriften *de synodis* zutrifft. Es wäre dann damit zu rechnen, daß die Konzilsidee nicht nur auf Theologenebene oder im kirchenpolitischen Kräftespiel wirksam war, sondern bis in den katechetischen Unterricht hinunter unmittelbar ins Kirchenvolk getragen wurde. Die konkrete Glaubensverkündigung hätte unter dem Zeichen der Konzilsidee gestanden. Verkündet worden wäre der von den Konzilien definierte Glaube als solcher. Das wachsende Interesse für das Konzil kommt sodann in den Texten selber darin zum Ausdruck, daß nicht mehr nur ökumenischer Synoden, sondern auch einer Reihe

---

[182] Nr. 65.
[183] Nr. 88.
[184] Nr. 89.
[185] ἰσαπόστολος, Nr. 94.
[186] Nr. 132.
[187] Nr. 130.
[188] 31 mal von 33 lautet der Titel des römischen Bischofs πάπας, nur 2mal wird er als Bischof bezeichnet (Nr. 29); nur einmal heißt andererseits ein Bischof πάπας, nämlich der Patriarch von Alexandrien (Nr. 35).

von Partikularkonzilien gedacht wird. Grundsätzlich ist diese Einbeziehung der Partikularsynoden in die „Konziliengeschichte" richtig;
denn bestimmte sog. Partikularsynoden wie die von Antiochien gegen
Paul von Samosata und die von Alexandrien unter Athanasius im Jahre
362 spielten ja, was die Geschichtswirksamkeit angeht, eine bedeutsamere
Rolle als gewisse sog. ökumenische Synoden oder kamen diesen zumindest gleich. Die tatsächliche Auswahl freilich der in unseren Texten
genannten Partikularsynoden ist, gemessen an unserer heutigen Kenntnis vom Verlauf der Geschichte, weniger befriedigend!
Ein weiteres Anzeichen für die intensive Beschäftigung mit dem Konzilsgedanken ist die deutliche terminologische Unterscheidung zwischen
lokaler und ökumenischer Synode und der Versuch, beide Größen klar
zu definieren. Freilich hatte sich schon seit Nicaea I allmählich die Idee
durchgesetzt, daß es neben den traditionellen kirchlichen Synoden verschiedener Größenordnung noch eine besondere Synode, eben die
ökumenische, gebe, aber jetzt erst werden dieselben durch die negative
Bezeichnung Teilsynode bzw. Ortssynode der ökumenischen gegenüber
eindeutig abgewertet und ihr schlechthin untergeordnet. Nicht als ob
es nicht schon seit dem 4. Jahrhundert Unterscheidungen zwischen
Konzilien gegeben hätte, man unterschied *concilia universalia, generalia,
plenaria, provincialia, particularia, perfecta* usw.[189]. Was aber bisher, soweit
wir sehen, fehlte, ist eine eindeutige terminologische Gegenüberstellung
von nur zwei Arten von Konzilien, die wesensmäßig und nicht nur
graduell voneinander verschieden sind.
Was die Natur vor allem der sog. ökumenischen Synode angeht, so
zeigt das vorgelegte Material einen relativ hohen Konsens darüber, daß
das Konzil eine kirchlich-staatliche Gemeinschaftsveranstaltung darstellt. Freilich gehen dann zwischen Ost und West und zwischen den
einzelnen Theologen des Ostens die Meinungen beträchtlich auseinan-
ander, wenn es darum geht, die Rolle des Staates, konkret des Kaisers,
genauer zu bestimmen. Kommt ihm nur die Einberufung des Konzils
zu, oder hat er auch eine aktive Rolle auf dem Konzil selber? Gehört er
zu den eigentlichen „Vorsitzenden" einer Synode? Ebenso wenig wie
über die Rolle des Kaisers läßt sich ein Konsens über diejenige des Bischofs von Rom feststellen. Bedeutende östliche Theologen halten ein
Konzil ohne die „Erlaubnis" des Papstes für schlechterdings illegitim,
andere dagegen sehen anscheinend in der Teilnahme des Papstes kein

---

[189] Vgl. Lumpe 14—21; ders., Zur Geschichte des Wortes σύνοδος in der antiken christlichen
Gräzität, in: AHC 6 (1974) 40—53.

Konstitutivum für das Konzil. Unmittelbar im Zusammenhang mit der Frage bezüglich der notwendigen Teilnahme des Papstes am Konzil steht das Problem der Rangordnung unter den „Vorsitzenden". Auch hier läßt sich kein Konsens feststellen[190]. Bisweilen wird der Papst konsequent an erster Stelle genannt. In einem Falle (Photius) wird er mit der gleichen Konsequenz dem Patriarchen von Konstantinopel untergeordnet. In einem anderen Punkt dagegen scheint sich ein gewisser Konsens nach dem fünften allgemeinen Konzil herauskristallisiert zu haben: zur Konstituierung eines ökumenischen Konzils gehört die Teilnahme der fünf Patriarchen (Pentarchie).

Was den Rang und die Bedeutung der ökumenischen Synoden selber angeht, so ließ sich am Beginn der von uns behandelten Zeitspanne deutlich die Affirmation einer gewissen Hierarchie der Konzilien beobachten. Später dagegen wurde nicht mehr auf den Primat der vier ersten Konzilien abgehoben. In der allerletzten von uns herangezogenen Schrift, dem *Synodicum vetus*, kam schließlich der Gedanke der „apostolischen Sukzession" des kirchlichen Konzilsgeschehens mit größerer Deutlichkeit als bei den anderen Synopsen zum Ausdruck.

Ziel dieses Kapitels war es, frühe Konzilssynopsen auf ihre Konzilsidee hin zu befragen. Rückblickend ist festzustellen, daß diese Befragung gleichzeitig zu einer Studie über die Anfänge der Konziliengeschichtsschreibung[191] wurde. In der Tat, das *Synodicum vetus*, der erste Versuch einer umfassenden — nach damaligen Begriffen umfassenden — Synopse aller Konzilien, erweist sich deutlich als Endpunkt einer Entwicklung. Am Anfang dieser Entwicklung steht der — man möchte sagen — selbstverständliche Rückblick von Theologen, die in schriftlicher Stellungnahme zum Konzil oder in mündlicher Rede vor der Konzilsversammlung der vorausgegangenen Konzilsveranstaltungen gedenken. Sie tun es, wie wir gesehen haben, nicht ohne manchen Aspekt ihrer Konzilsidee, ihrer eigenen Vorstellung von Konzilien, hineinzuweben — absichtlich oder unabsichtlich, das können wir auf sich beruhen lassen. In einer Konzilsversammlung an vorausgegangene Konzilien zu erinnern, zumal um dem Hörer diskret eine Lehre zu erteilen, ist, wie wir sagten, sehr naheliegend. Ähnlich naheliegend ist es,

---

[190] Dies gilt freilich nur, wenn das *Synodicum vetus* mit dem Apostelkonzil und nicht erst mit der Synode von Antiochien gegen Paul von Samosata beginnt wie es z. B. im Paris. Graec. 572 der Fall ist, auf den LECLERCQ, in: HEFELE/LECLERCQ, I, 128, Anm. 3 hinweist.
[191] Wir verstehen unter diesem Begriff nicht die im Rahmen einer Kirchengeschichte gebotene Behandlung einzelner Konzilien (Rufinus, Sokrates usw.), sondern die methodische Beschränkung auf dieses Thema.

einen Rückblick auf die stattgehabten Konzilien zu tun, wenn man den Glauben der Kirche, den geschichtlich gewordenen Glauben der Kirche, bekennt. Hier liegt ein weiterer Impuls, oder wenn man so will, ein weiterer „Sitz im Leben", Konziliengeschichte zu treiben. Auch hier fließt natürlich die eigene Vorstellung in die Darstellung der Vergangenheit ein.

Ein weiterer ferner Vorläufer des *Synodicum vetus* sind schließlich „Bildungsprogramme", Hermeneutiken, Enzyklopädien. Hier ist ein Kapitel über Konzilien fällig. Das Interesse an der Konziliengeschichte wird wachgehalten, angeregt, gefördert. Dieses Interesse schlägt sich insbesondere in den zahlreichen Schriften nieder, die sich mit der Ketzergeschichte befassen. Nichts macht die Bedeutung der Konzilsidee in der von uns angezielten Zeit sichtbarer als die Tatsache, daß die Ketzergeschichte *(de haeresibus)* über *de haeresibus et synodis* zur Konziliengeschichte *(de synodis)* wird. Um Mißverständnisse auszuschließen: die aufgezeigte Entwicklung ist nicht die einer literarischen Form, sondern der Weg einer Idee, eines Interesses. Die Idee, die im *Synodicum vetus* zur Verwirklichung kommt, ist schon keimhaft in der Konzilsrede des Justinian enthalten.

Dritter Teil

Die Konzilsidee der Alten Kirche unter religions- und kulturgeschichtlicher Rücksicht

Im Vorausgehenden befaßten wir uns im wesentlichen mit dem altkirchlichen konziliaren ‚Selbstverständnis'. Wir fragten: Wie spiegelt sich die Konzilsidee der Alten Kirche im Zeugnis einzelner Theologen, welche Momente lassen sich im Spannungsfeld der Konziliengeschichte beim Prozeß ihrer Entfaltung unterscheiden? Im folgenden wechseln wir unseren Gesichtspunkt. Nicht um ‚Selbstverständnis' und Artikulation dieses ‚Selbstverständnisses' geht es uns, sondern um ‚Einflüsse' auf die Konzilsidee ‚von außen'. Um auf sie aufmerksam zu werden, ‚hinterfragen' wir die altkirchliche Konzilsidee paradigmatisch in drei voneinander sehr verschiedenen, ja disparaten Elementen. Wir ‚hinterfragen' die Schriftbasis, die kaiserliche Mitwirkung und den Konzilsvorgang als solchen.

Wir legen im ersten Kapitel eine Hypothese vor, nach der die lukanische Konzilsidee von Apg 15 Elemente einer Einrichtung des Judentums, nämlich des Sanhedrins widerspiegelt. Um Mißverständnissen vorzubeugen, sei eigens betont, daß unsere Hypothese sich nicht auf den historischen Ursprung der Konzilsinstitution bezieht. Wir leiten das Bischofskonzil nicht aus dem jüdischen Sanhedrin ab. Wir sagen lediglich: das seit dem 5. Jh. auf die kirchliche Konzilsidee einwirkende theologische Modell könnte seinem Grundmuster nach aus dem alttestamentlich-jüdischen Bereich stammen. Die Unterscheidung zwischen dem Ursprung der Institution und dem Ursprung des leitenden theologischen Modells ist u. E. durchaus legitim. M. a. W. wir rechnen damit, daß die Konzilsinstitution als solche sich aus dem zeitgenössischen religiösen Vereinswesen entwickelt hat, das reflexe theologische Selbstverständnis aber weitgehend aus Apg 15 gewonnen wurde.

Wir haben in der Einleitung zum zweiten Teil betont, daß der entscheidende Impuls für die Entfaltung der Konzilsidee vom ersten Nicaenum ausgegangen war. Für das altkirchliche konziliare ‚Selbstverständnis' ist nun das Nicaenum das erste Konzil, bei dem ein Kaiser mitgewirkt hat. An diesem Element der altkirchlichen Konzilsidee, der Mitwirkung des Kaisers, setzt unsere zweite ‚Hinterfragung' an. Was bedeutet unter religions- und kulturgeschichtlicher Rücksicht diese Mitwirkung des Kaisers? Im Rahmen dieser Studie ist es nicht möglich, das Phänomen in seiner ganzen Breite aufzurollen; wir befassen uns mit einem exemplarischen Fall, der Mitwirkung Konstantins auf dem Konzil von Nicaea nach dem Zeugnis des Eusebius von Caesarea.

Im dritten Kapitel schließlich analysieren wir eine Reihe von Konzilsprotokollen mit dem Ziel, weitere religions- und kulturgeschichtliche Einflüsse auf die Konzilsidee der Alten Kirche auszumachen.

Kapitel I

DIE KONZILSIDEE DES LUKAS ODER DER ALTTESTAMENTLICH/JÜDISCHE EINFLUSS

Nach den modernen Handbüchern und Nachschlagewerken hat Apg 15 als der klassische Locus Scripturisticus für die Konzilsinstitution zu gelten. Die lukanische Perikope spielte diese Rolle nicht von Anfang an, es brauchte eine gewisse Zeit, bis sie in den eindeutigen Zusammenhang des kirchlichen Konzilsgeschehens gebracht wurde. Erst gegen Ende der von uns anvisierten Zeitspanne wird Apg 15 zum klassischen Schriftbeweis und das Apostelkonzil zum Modell und zum ersten ‚Fall‘ einer Synode. Bevor wir uns jedoch mit dem Echo dieser lukanischen Perikope in der altkirchlichen Literatur befassen, soll sie zunächst selber eingehend untersucht werden. Wir fragen im ersten Teil dieses Kapitels nach der Konzilsidee des Lukas, im zweiten verfolgen wir dann ihren Weg durch die altkirchliche Literatur.

1. Die Konzilsidee des Lukas

Zunächst einige Vorbemerkungen: Es soll die *Konzils*idee des Lukas untersucht werden. Zwar ist es gemeinhin üblich, das Apg 15 Geschilderte als Apostelkonzil zu bezeichnen, aber einige Autoren scheinen sich damit eher einem bestehenden Sprachgebrauch anzupassen als der Überzeugung Ausdruck zu geben, daß die von Lukas beschriebene Versammlung tatsächlich eine Vorläuferin der später von der Kirche abgehaltenen Konzilien war[1]. Wir dagegen meinen — gerade im Blick auf die Entwicklung der Konzilsidee, die wir in den vorausgehenden

---

[1] Vgl. STÜRMER 17: „Die Zusammenkunft des Jahres 48 (?) wird gewöhnlich Apostelkonzil genannt. Damit wird jedoch ein späterer Brauch in die frühchristliche Zeit zurückprojiziert"; vgl. auch J. DAUVILLIER, Les temps apostoliques, II, Paris 1970, 246: „Pas plus que cette assemblée n'est un concile apostolique, on ne saurait la qualifier de concile, au sens que ce terme a pris ensuite dans l'histoire de l'Eglise". Ferner F. C. FENSHAM, Die Konvensie van Jerusalem — 'n Keerpunt in die Geschiedenis van die Kerk, in: NGTT 10 (1969) 32—38 (vgl. NTAb 14, Nr. 228) und P. ZINGG, Das Wachsen der Kirche, Beiträge zur Frage der lukanischen Redaktion und Theologie, Freiburg/Schweiz 1974, 188, Anm. 4. Neuestens J. A. FISCHER, Das sogenannte Apostelkonzil, in: Konzil und Papst, Historische Beiträge zur Frage der höchsten Gewalt in der Kirche, Festgabe für H. Tüchle, hrsg. von G. SCHWAIGER, München usw. 1975, 1—17, bes. 7—9.

Kapiteln darzulegen suchten —, daß das Apg 15 Berichtete zu Recht den Namen Konzil trägt. Denn die wesentlichen Momente, die sich im Laufe der Geschichte als konstitutiv für Kirchenversammlungen herausbilden sollten, sind schon in dieser ersten Versammlung greifbar: 1) Es handelt sich um eine Versammlung von „Kirchenleitern", und zwar nicht nur derjenigen einer einzigen örtlichen Gemeinde[2]. 2) Diese Versammlung faßt einen Beschluß, dem verpflichtender Charakter zuerkannt wird. 3) Es geht dabei um eine den Glauben bzw. die Sitten betreffende Frage[3]. 4) Dieser Beschluß oder diese Entscheidung wird schriftlich abgefaßt und virtuell in der ganzen Kirche feierlich proklamiert. 5) „Petrus" spielt auf diesem Konzil eine entscheidende Rolle. 6) In der Mitwirkung der Gemeinde am Zustandekommen des Aposteldekrets kann man ein der Rezeption durch die Kirche analoges Moment oder sogar eine moderne Form der Beteiligung „von unten" sehen. Damit sind die wesentlichen Elemente gegeben, die den geschichtlich gewordenen Begriff des Konzils bestimmen. Es ist also im folgenden von Konzil nicht in einem abgeschwächten, sondern im eigentlichen Sinn die Rede. Der einzige Grund u. E., hier nicht den Begriff Konzil zu verwenden, wäre der Umstand, daß es sich nicht um eine Versammlung von Bischöfen, sondern um eine Zusammenkunft der „Apostel und Ältesten" handelt. Ohne die absolute Einmaligkeit und Unwiederholbarkeit der apostolischen Zeit irgendwie in Frage stellen zu wollen, wird man jedoch darauf hinweisen können, daß der Kreis der das Konzil konstituierenden Personen auch im Laufe der späteren Entwicklung nicht fest umschrieben ist. Und von einer reinen, ausschließlichen Apostelversammlung ist ja auch schon in Apg 15 nicht mehr die Rede, insofern als zur Versammlung auch schon „Älteste" gehören.

Zweitens: Gegenstand unserer Untersuchung ist die Konzils*idee* des Lukas. Damit ist gemeint: Die historische Problematik berühren wir nur indirekt. Wir beschränken uns ausdrücklich darauf, das, was Lukas erzählt, zu analysieren und näherhin zu bestimmen. Das Verhältnis von Apg 15 zu Gal 2,1 ff., d. h. die Frage, was nun denn im Bericht des Lukas historisch ist und was nicht und wie beide Schriftstellen miteinander in Verhältnis zu setzen sind, liegt außerhalb unseres Gesichts-

---

[2] Womit freilich noch nicht gesagt ist, daß es sich um das erste *allgemeine* Konzil handelt, wie P. GAECHTER zu beweisen sucht: „Die Versammlung in Jerusalem war ein allgemeines Konzil in dem uns aus der späteren Kirchengeschichte geläufigen Sinn." G. folgert den allgemeinen Charakter der Versammlung aus dem Umstand, daß auch nichtjerusalemitische Älteste an ihr teilgenommen haben sollen. Vgl. P. GAECHTER, Geschichtliches zum Apostelkonzil, in: ZKTh 85 (1963) 339—354, hier 345.

[3] Vgl. die Definition eines allgemeinen Konzils S. 360—361.

punktes. Um unser Desinteresse an der historischen Problematik deutlich zu machen, sprechen wir von der Konzilsidee des Lukas.

Näher bestimmt werden muß schließlich noch, was wir unter Konzilsidee des *Lukas* verstehen. Wir schließen ausdrücklich den Kodex D, den sog. „westlichen" Text, in unsere Untersuchung ein[4]. Sicher hat E. Haenchen recht, wenn er schreibt, daß „so gut wie immer" der D-Text sekundär ist[5], aber der „westliche" Text ist doch andererseits ein sehr früher Text — er stammt nach R. P. C. Hanson wahrscheinlich aus der ersten Hälfte des zweiten Jahrhunderts[6] — und enthält gerade in Apg 15 interessante Abweichungen. Darin spiegelt sich eine ganz frühe Interpretation der Konzilsidee. Mag auch nicht mehr der ursprüngliche Verfasser der Acta hier sprechen, so kommt doch ein sehr früh zu datierender Überlieferungsstrang zu Wort[7].

a) Forschungsstand

In unserem Zusammenhang kann und braucht es nicht unsere Aufgabe zu sein, einen umfassenden Forschungsbericht über Apg 15 vorzulegen[8]. Haenchen nennt in seinem Kommentar zur Apostelgeschichte B. Weiss, Fr. Spitta, O. Bauernfeind und M. Dibelius als „charakteristische Beispiele" für den Weg der Forschung zur gegenwärtig vorherrschenden Auslegung dieses zentralen[9] Kapitels der Apostelge-

---

[4] Vgl. den kurzgefaßten Forschungsbericht bei A. WIKENHAUSER/J. SCHMID, Einleitung in das Neue Testament, Freiburg 1973, 374—376.

[5] E. HAENCHEN, Die Apostelgeschichte, 11. durchgesehene Aufl., Göttingen 1957, 50; vgl. auch J. DUPONT, Etudes sur les Actes des Apôtres, Paris 1967, 75, der schreibt: „Les auteurs sont pratiquement unanimes aujourd'hui pour considérer comme seul authentique le texte ,oriental' du décret (en quatre termes) et à interpréter ses prescriptions dans un sens non pas moral mais rituel."

[6] „... a good case can be made for assuming that the ,Western' text of Acts gives evidence of the activity of an interpolator ... and that this interpolator must have been at work very early indeed, as early as 150 or even earlier." R. P. C. HANSON, Interpolations in the ,Western' Text of Acts, in: NTS 12 (1965/66) 211—230, hier 217.

[7] Zur allgemeinen Bedeutung von Textvarianten zum Verständnis des biblischen Textes vgl. E. J. EPP, The theological tendency of Codex Bezae Cantabrigiensis in Acts, Cambridge 1966, The problem and present-day Textual Criticism 12—21.

[8] Vgl. speziell zu Apg 15 die Forschungsberichte von W. G. KÜMMEL, Das Urchristentum, III, die Geschichte der Urkirche, in: ThR 17 (1948/49) 3—50, hier 28—33; E. GRÄSSER, Die Apostelgeschichte in der Forschung der Gegenwart, in: ThR 26 (1960) 93—167, hier 118—120 und 127—129. Literatur zu Apg 15 bei A. J. und M. B. MATTIL, A Classified Bibliography of Literature on the Acts of the Apostles, Leiden 1966, Nr. 5754—5944 (S. 410—423), Nr. 1512—1525 (S. 118—119) und Nr. 3137—3180 (S. 229—232); vgl. ferner die bei DAUVILLIER 251—252 angegebene Literatur, außerdem B. M. NEWMAN/E. NIDA, A Translator's Handbook of the Acts of the Apostles, London 1972, 287—302.

[9] „So ist Kap. 15 nicht nur literarisch, sondern auch sachlich der Mittelpunkt des ganzen Buches." H. CONZELMANN, Die Apostelgeschichte, Tübingen 1963, 87.

schichte. Er faßt diesen Weg folgendermaßen zusammen: Die Forschung betrachtete dieses Kapitel „zunächst als ein Konglomerat von Quellen. Es galt, dieses Gemenge zu sortieren und aus der verläßlichsten Quelle zu ersehen, was eigentlich geschehen war. Der biblische Autor kam nur als Lieferant von mehr oder minder zuverlässigen Nachrichten in Frage. Je weiter die Forschung fortschreitet, desto mehr tritt die Quellenfrage zurück. Der biblische Autor kommt wieder in Sicht, und zwar nicht bloß als Tradent von Quellen. Es wird deutlich, daß er nicht für ein von Historismus geplagtes Geschlecht des 20. Jahrhunderts geschrieben hat, sondern mit seiner Erzählung seiner Generation die Gewißheit verschaffen wollte, daß ihr Heidenchristentum in Ordnung war, von Gott und den verantwortlichen Menschen gebilligt"[10].

Das Problem, mit dem die Forschung bis zur bahnbrechenden Neuorientierung durch Dibelius[11] beschäftigt war, war die historische Frage nach dem Verhältnis von Apg 15 zu Gal 2,1 ff. Mehr und mehr wurde die historische Zuverlässigkeit des lukanischen Berichts in Frage gestellt[12]. Dem sog. „Aposteldekret", dem Dibelius[13] noch den Charakter einer Quelle belassen wollte, wird von Haenchen in konsequenter Anwendung der Kompositionsanalyse dieser Charakter abgesprochen[14]. Für das Gesamt von Apg 15 gilt nach Haenchen: „Historischen Wert ... besitzt die lukanische Darstellung des Apostelkonzils nicht"[15]. Die Position von Haenchen blieb zwar nicht unwidersprochen. Auf katholischer Seite waren es vor allem P. Gaechter[16] und F. Mussner[17], die Lukas als Historiker zu verteidigen suchten. Auf protestantischer Seite

---

[10] HAENCHEN, Apostelgeschichte 403—404.

[11] M. DIBELIUS, Das Apostelkonzil (1947), in: Aufsätze zur Apostelgeschichte, Göttingen, 4. Aufl. 1961, 84—90, hier 90: „Die Darstellung der Verhandlung bei Lk ist nur literarisch-theologisch und kann auf geschichtlichen Wert keinen Anspruch machen. Das Endergebnis, das Aposteldekret, stammt nicht von dieser Zusammenkunft."

[12] Zu den apriorischen Lösungstypen und den einzelnen Versuchen, Apg 15 und Gal 1,2 ff. ins Verhältnis zu bringen, vgl. im einzelnen DUPONT 56—75 (Stand der Frage um 1950).

[13] „Er wollte einen Abschluß gewinnen. Er folgte dabei der Neigung des antiken Historikers seiner Darstellung den Wortlaut von Urkunden, wirklichen oder fingierten, einzuverleiben (vgl. in Acta noch 23, 26—30) ... Literarisch paßten sie (d. h. die Klauseln) gut zu der Art, wie Lukas von der Begebenheit redet: ans Ende einer einberufenen Versammlung ... mit mehreren Rednern gehört ein ‚Dekret'." DIBELIUS 88—89.

[14] „Lukas hat also nicht, wie man es sich gelegentlich vorgestellt hat (vgl. DIBELIUS 89), diese vier Forderungen einem alten Dokument entnommen, das er irgendwo gefunden hat, sondern er hat eine lebendige Tradition beschrieben, die man wahrscheinlich schon damals auf die Apostel zurückgeführt hat." HAENCHEN, Apostelgeschichte 417.

[15] HAENCHEN, Apostelgeschichte 410.

[16] GAECHTER 339—342.

[17] F. MUSSNER, Die Bedeutung des Apostelkonzils für die Kirche, in: Ekklesia, Festschrift M. Wehr, Trier 1962, 35—46, hier 35—38.

war es R. Bultmann, der Bedenken vorbrachte, insbesondere am „Aposteldekret" als „überliefertem Text" festhalten zu müssen glaubte[18]. Aber das waren nur vereinzelte Stimmen. Insgesamt hat man den Eindruck, daß zumindest die deutschsprachige Forschung[19] die Position Haenchens in ihrer Allgemeinheit übernommen hat. Weniger Zustimmung scheint seine besondere Meinung vom nichtschriftlichen Charakter der im „Aposteldekret" vorliegenden Tradition gefunden zu haben. So scheint u. a. auch Conzelmann, der im übrigen Haenchen weitgehend folgt, in Apg 15, 20.29 einen Lukas vorliegenden Text zu sehen, wenn er schreibt: „Und daß das Dekret harmonisch aus der Verhandlung herauswächst, sollte man nicht behaupten"[20].

Während über die Natur der im „Aposteldekret" vorliegenden Tradition (schriftlich oder mündlich?) und über ihre Datierung (vor oder nach dem in Gal 2,1 ff. beschriebenen Treffen?) die Meinungen auseinandergehen, scheint sich unter katholischen und protestantischen Forschern ein Konsens darüber gebildet zu haben, daß das „Aposteldekret" nicht auf dem Gal 2,1 ff. bezeichneten Treffen beschlossen worden sein kann[21].

---

[18] Vgl. R. BULTMANN, Zur Frage nach den Quellen der Apostelgeschichte, in: New Testament Essays, Studies in Memory of Thomas Walter Manson, hrsg. von A. J. B. HIGGINS, Manchester 1959, 68—80, hier 71: „Es ist wahrscheinlich, daß das Dekret wirklich ein dem Autor überlieferter Text war." Vgl. auch HAENCHENS Antwort, Quellenanalyse und Kompositionsanalyse in Act 15, in: Judentum, Urchristentum, Kirche, Festschrift für J. Jeremias, BZNW 26 (1960) 153—164, hier: 163 f.: „In summa: alle Anstöße in Act 1—15 erklären sich zwanglos aus der lukanischen Rechtfertigung der gesetzesfreien Heidenmission. Die Hypothese einer Quelle, welche eigentlich Verhandlungen nach dem Apostelkonzil darstellte, versagt dagegen."

[19] Zur englischsprachigen Forschung vgl. u. a. J. C. O'NEILL, The Theology of Acts in its Historical Setting, London 1961, Kap. IV, Jewish Christians and Gentile Christians, 94—116 (116): „Luke has used the history of Paul's visits to Jerusalem, which he knows were of great importance in the early days of the reception of Gentile Christians, to show Christians in his own day how they should settle their problem of the relations between Jewish and Gentile Christian. We should not be surprised that his work reflects the situation in the first half of the second century better than it portrays the events in the life of the primitive Church." Die hier vorausgesetzte Spätdatierung der Apg ist, darauf sei hingewiesen, sehr umstritten; Näheres bei WIKENHAUSER/SCHMID 372—374.

[20] CONZELMANN 87: „Der Bericht ist leichter zu erklären, wenn man annimmt, Lk habe seine Nachrichten über das Konzil zu Szenen gestaltet und das Dekret aus eigenen Erwägungen ist eingeführt."

[21] Vgl. WIKENHAUSER/SCHMID 365—366: „Die Erkenntnis hat sich immer mehr durchgesetzt, daß das Aposteldekret unmöglich den Abschluß und Höhepunkt des Konzils gebildet haben kann. Es ist nämlich soviel wie unvorstellbar, daß Paulus sich dazu herbeigelassen hätte, diesem Dekret seine Zustimmung zu geben ... Man muß die Darstellung der Apostelgeschichte insofern als ungeschichtlich bezeichnen, als sie dieses Dekret als Bestandteil der Beschlüsse des Konzils bringt. Dieses kann sehr wohl, etwa um solchen Verhältnissen wie den Antiochenischen vorzubeugen, bei einer späteren Gelegenheit und in Abwesenheit des Paulus erlassen worden sein." — Ähnlich urteilt T. HOLTZ, Die Bedeutung

Geht man davon aus, daß Apg 15 und Gal 2,1 ff. auf dasselbe Ereignis Bezug nehmen, so ist jedoch nach der vorherrschenden Meinung der Forscher Gal 2,1 ff. der „einzige Bericht"[22] über dasselbe, über den wir verfügen[23]. Ohne Zweifel wird die Diskussion über den Geschichtswert von Apg 15 weitergehen[24], und es ist nicht ausgemacht, daß die radikale Skepsis gegenüber dem Historiker Lukas weiterhin das Feld beherrscht. In Anbetracht des augenblicklichen Standes der Forschung erscheint es uns jedenfalls ratsam, davon auszugehen, daß Lukas in

des Apostelkonzils für Paulus, in: NT 16 (1974) 110—148, hier 124: „Daß es nicht wie Act XV berichtet, auf dem Apostelkonzil beschlossen sein kann und darüber hinaus Paulus entweder überhaupt unbekannt oder von ihm nicht anerkannt war, ist — gewiß zu Recht — die heute weitgehend vertretene Meinung. Es ist vielmehr sehr wahrscheinlich bald nach dem uns beschäftigenden Konflikt an die Gemeinden Syriens und Ciliciens gerichtet worden . . ."

[22] HAENCHEN, Apostelgeschichte 410.

[23] Vgl. auch H. KASTING, Die Anfänge der urchristlichen Mission, München 1969, 116, Anm. 164: „Es darf heute als gesichert gelten, daß nur Gal 2 einen ungefähren Eindruck von den eigentlichen Vorgängen auf dem Konzil vermittelt (DIBELIUS, HAENCHEN, CONZELMANN)." Ferner: Peter in the New Testament, hrsg. von R. E. BROWN, K. P. DONFRIED und J. REUMANN, Minneapolis 1973, 52—53: „Indeed, it may be the dominant view in current critical scholarship that Luke composed the scene from only two basic living traditions or memories: first, that at Jerusalem leaders such as Paul, Peter, and James had come to an agreement that Gentiles could be admitted to Christianity without being circumcised (a tradition confirmed for us by Paul in Galatians); and second, that in some mixed Christian communities, by custom going back to apostolic times, Gentiles had to observe certain Jewish regulations concerning impurity on order to permit fellowship with Jewish Christians." — Die Herausgeber bezeichnen die hier wiedergegebene Position als „prominent in modern scholarship", weisen aber auch auf Versuche hin, die lukanische und paulinische Darstellung zu harmonisieren und damit zu zeigen, daß der lukanischen Darstellung „a considerable body of historical data" entspricht; ebd. 53. So kann man z. B. Agp 15 als die Verschmelzung zweier Jerusalemer Treffen betrachten. Das erste, mit Gal 2, 1—10 identische, in dem das Übereinkommen zwischen Petrus und Paulus zustande kommt, wird von Lk in Apg 15, 1—11 (oder 12) wiedergegeben, endet also mit der Rede des Petrus. Beim zweiten Treffen, bei dem Paulus nicht gegenwärtig ist und das Lk in Apg 15, 13 ff. wiedergibt, kommt es zum Aposteldekret für die Heidenchristen in Antiochien, Syrien und Zilizien. Anlaß ist der Gal 2, 11 ff. berichtete Streit zwischen Paulus und Petrus. Näheres zu dieser Hypothese ebd. 54.

[24] Vgl. Y. TISSOT, der im Zusammenhang der Frage nach dem Ursprung des Aposteldekrets in der „westlichen" Fassung dasselbe vor das Apostelkonzil ansetzt (321), Les prescriptions des presbytres (Acts 15, 41 d), exégèse et origine du décret dans le texte syro-occidental des actes, in: RB 77 (1970) 321—346, und M. SIMON, The Apostolic Decree and its Setting in the Ancient Church, in: BJRL 52 (1970) 437—460, der die Auffassung vertritt, daß Paulus in 1 Kor 5—10 die Kenntnis des Aposteldekrets voraussetzt (452); vgl. auch S. DOCKX, Chronologie de la vie de saint Paul, depuis sa conversion jusqu'à son séjour à Rome, in: NT 13 (1971) 261—304; vgl. ferner T. FAHY, The Council of Jerusalem, in: IThQ 30 (1963) 232—261, der jedoch auf den augenblicklichen Forschungsstand überhaupt nicht eingeht; V. MANCEBO, Gal 2,1—10 y Act 15 (Estado actual de la cuestión), in: EstB 22 (1963) 315—350, der die Probleme u. E. minimalisiert; C. H. TALBERT, Again: Paul's Visits to Jerusalem, in: NT 9 (1967) 26—40, nach dem Paulus selber den Galatern das Aposteldekret mitgeteilt haben soll; I. H. MARSHALL, Luke: Historian and Theologian, London 1970, 184—185.

Apg 15 „von keiner genauen Überlieferung beraten, in *freier Komposition eine dramatische Szene im Leben der Urkirche* gezeichnet hat"[25].

Ohne Zweifel ist es die Stärke der kompositionsanalytischen Methode, eine Auslegung von großer innerer Geschlossenheit vorzulegen und anderseits die Annahme von Quellen weitgehend überflüssig zu machen. Lukas erzählt, zeichnet, malt in Apg 15, wie er es tut, weil er eine Intuition, eine, bestimmte Vorstellung von Kirche, vom Verhältnis von Judentum zu Heidentum usw. vor Augen hat. Eine Idee von Konzil, die ihrerseits Funktion seines Kirchenbildes oder Kirchenbegriffs ist[26], inspiriert ihn bei seiner anschaulichen Schilderung. Natürlich ist es den Vertretern der kompositionsanalytischen Methode nicht möglich, alle Einzelheiten des Textes aus der zugrunde liegenden theologischen Idee, dem supponierten Kirchenbegriff abzuleiten. Deswegen greifen sie auf rhetorisch/literarische Kategorien und Kriterien zurück. Als Beispiel für die Behandlung anderer Einzelheiten stehe hier die Auslegung von vv 4 ff. durch Conzelmann: „Daß das Problem nicht referierend vorgetragen wird, sondern daß der Streit nun auch in Jerusalem aufbricht, ist nicht ein Indiz dafür, daß in v 3 ff. eine andere Quelle erscheint als in 1 ff., sondern hat literarische Gründe: nur so kann die Lösung zur eindrucksvollen Szene gestaltet werden"[27]. Das Detail des Textes hat also „literarische Gründe". Die rhetorische Kategorie der „eindrucksvollen Szene" wird herangezogen.

Hier liegt u. E. die Schwäche der kompositionsanalytischen Methode einerseits und ihre Ausbaufähigkeit anderseits. Denn es ist doch zu fragen: Was ist eine „eindrucksvolle Szene"? Was ist eine „dramatische Szene"? Darf der Ausleger sein Verständnis von „eindrucksvoller Szene" einfach voraussetzen, wie es offensichtlich die Autoren der kompositionsanalytischen Methode tun? Der Ausleger „empfindet" die Darstellung von Apg 15 als „eindrucksvoll". Muß er nicht fragen: Aufgrund welcher Elemente *damaliger* Vorstellungen und Ideen war sie es

---

[25] HAENCHEN, Quellenanalyse 164. — O. BAUERNFEIND, Die Apostelgeschichte, Leipzig 1939, 181 und 191, scheint das Stichwort gegeben zu haben von dem „einen übersichtlichen Bild, das die Wahrheit der Einigung in faßbarer Form festhielt", bzw. von der „einen großen Szene, bei der die Führer in Gegenwart der gesamten Gemeinde verhandeln". Das Stichwort wird von HAENCHEN, Apostelgeschichte 403, aufgegriffen, ebenfalls von CONZELMANN 82—83.

[26] Vgl. in diesem Sinne CONZELMANN 81: „Es geht nicht mehr um die Zulassung der Heiden als solche, sondern um die Bedingungen der Aufnahme. Dieselben können nach dem lukanischen *Kirchenbegriff* nur von der Urgemeinde festgestellt werden"; ebd. 87: „Die passive Rolle des Paulus' ergibt sich einfach aus dem Zwang des lukanischen *Kirchenbegriffs*: Die Freiheit vom Gesetz kann nur von Jerusalem aus deklariert werden."

[27] CONZELMANN 82—83.

wirklich? Muß er nicht zeigen oder zu zeigen versuchen, wieso gerade die von Lukas gewählte Form der Darstellung „Eindruck" machte auf seine Leser und von ihnen als überzeugend empfunden werden konnte? M. a. W. muß der Ausleger nicht die Frage nach Vorlagen, Modellen, Materialien, die in der „freien Komposition" verwendet wurden, stellen?

Damit kein Mißverständnis entsteht: Es sollen keineswegs mit dieser Hinterfragung der von der kompositionsanalytischen Methode ins Spiel gebrachten rhetorischen Kategorien durch eine Hintertür wieder Quellen in den Text eingeführt werden. Nicht um Quellen geht es, sondern um Inhaltliches, Motive. Zu fragen wäre z. B. konkret: Warum wird überhaupt eine Versammlung geschildert? Warum werden vor und nach dem „Konzil" Delegationen geschickt? Warum wird ein Brief abgefaßt und feierlich versandt? Warum wird der Entscheidung der Versammlung offensichtlich höchste Autorität in der Kirche zugeschrieben? Genügt hier im Ernst der Hinweis auf den „Kirchenbegriff"? Müßte nicht der allgemeine Hinweis auf „literarische Gründe" spezifiziert werden, indem gezeigt wird, warum so und nicht anders?

Denkbar jedenfalls wäre es doch, um es zunächst hypothetisch zu formulieren, daß die Schilderung des Lukas deswegen als „eindrucksvolle Szene" empfunden wurde, weil sie Gegebenheiten lukanischer Gemeinden widerspiegelt. Eine höchstinstanzliche Entscheidung wird geschildert, weil lukanische Gemeinden Entscheidungsgremien besitzen. In die Vergangenheit der 48er Jahre wird auf höchste Ebene projiziert, was die lukanische Gemeinde der 90er Jahre auf niederer Ebene praktiziert? Und hier nun der entscheidende Punkt dieser an der Praxis, der Erfahrung, der Gemeinde sich inspirierenden „Rhetorik": Wäre nicht zu zeigen, daß die verwandten Elemente jüdischen Ursprungs sind? Hat die von der Gemeindeerfahrung inspirierte Idee des Apostelkonzils nicht Züge des jüdischen Synhedriums?[28] Daß die lukanische Gemeinde

---

[28] Synhedrium bedeutet wörtlich Sitzung, eigentlich „Zusammensitzung". Es bezeichnet die verschiedenen Zusammenkünfte mehrerer Personen und zu verschiedenen Zwecken: Besprechung, Beratung, Beschlußfassung, Urteilsfällung. Neben dieser wenig präzisen Bedeutung gibt es im NT und bei Josephus noch eine andere: Synhedrium ist die „Übersetzung des hebräischen Beth Din ha-Gadol, einer fest umrissenen Institution mit vorgeschriebener Mitgliederzahl, geregeltem Vorsitz, festem Versammlungsort (Quaderhalle) — ohne daß allerdings die neuzeitliche Gewaltenteilung vorausgesetzt werden darf. Nach der Zerstörung des Tempels wird das Beth Din ha-Gadol mit dem aramäischen Lehnwort Sanhedrin bezeichnet. Im Hebräischen ist die Übersetzung von Synhedrium: Jeschiwah mit der gleichen Doppelbedeutung". F. E. MEYER, Einige Bemerkungen zur Bedeutung des Terminus „Synhedrion" in den Schriften des Neuen Testamentes, in: NTS 14 (1968) 545—551, hier 546—547.

sonstige Elemente jüdischen Ursprungs übernommen hat, ist ja bekannt. Man denke z. B. an das Amt der Ältesten, die Rolle der Tradition usw. Der Gedanke kann in unserem Zusammenhang nicht weiter verfolgt, ein Beweis für die vorgebrachte Hypothese nicht erbracht werden. Es fehlen hier noch die nötigen Vorarbeiten. Es kann hier gleichsam nur der zweite Schritt vor dem ersten getan werden: Wir können nicht zeigen, daß das Apostelkonzil spätjüdische, synhedriale Strukturen der lukanischen Gemeinde widerspiegelt, sondern nur, daß es mit Elementen geschildert wird, die dem jüdischen Synhedrium *ursprünglich* zugehören. Das „missing link" wäre der exakte historische Aufweis, daß die lukanische Gemeinde praktizierte, was gerade im Apostelkonzil sichtbar wird: wesentliche Elemente des jüdischen Synhedriums.

b) Zum jüdischen Synhedrium

Beim Aufweis der synhedrialen Elemente in der lukanischen Konzilsidee dürfte es methodisch ratsam sein, zunächst das augenfälligste Element zu nennen und erst im Anschluß daran die Verse 15, 1 — 35 unter der Rücksicht einer Analogie zum jüdischen Synhedrium zu analysieren. Das augenfälligste synhedriale Element ist nun ohne Zweifel das Kernstück der Konzilsidee des Lukas, nämlich die Funktion der Apostel und Ältesten als „oberster Gerichtshof und maßgebliche *Lehrinstanz für die Gesamtkirche*, die in dem Dekret eine verbindliche Entscheidung über die den Heiden aufzuerlegenden Minimalforderungen des Gesetzes trifft"[29]. Solche höchstinstanzliche Entscheidung der Apostel und Ältesten ist „durchaus nach Analogie des jüdischen Synhedriums und also nicht mehr nur nach Art eines Synagogenvorstandes zu denken", schrieb G. B. Bornkamm[30] treffend. Er verweist also zum Verständnis des Apostelkonzils auf das jüdische Synhedrium. Worin besteht dessen Funktion und Natur?[31] Eine sehr allgemeine Definition gibt H. Mantel: „The supreme political, religious and judicial body in Palestine during the Roman period, both before and after destruction of the Temple, until the abolishment of the patriarchat (c. 425 C. E.)"[32]. J. Hamburger definiert: „Höchste Reichsbehörde in Staats-, Rechts- und Religionssachen

---

[29] G. Bornkamm, Art. πρέσβυς etc. in: ThWNT VI (1959) 651—683, hier 663.
[30] Ebd. 663.
[31] Mit der Geschichte des Synhedriums brauchen wir uns in unserem Zusammenhang nicht näher zu befassen; vgl. hierzu u. a. E. Schürer, Geschichte des jüdischen Volkes im Zeitalter Jesu Christi, II, Leipzig 1907, 238—248; E. Lohse, Art. συνέδριον, in: ThWNT VII (1964) 859—861. Vom jüdischen Gesichtspunkt aus vgl. den sehr informativen Beitrag von S. Kraus, The great synod, in: JQR 10 (1898) 347—377.
[32] H. Mantel, Art. Sanhedrin, in: EJ 14 (1971) 836—839, hier 836.

der Juden in Palästina in der zweiten Hälfte des zweiten jüdischen Staatslebens und nach demselben"[33].

Sucht man nach einer genaueren Bestimmung des Synhedriums, so stößt man auf stark voneinander abweichende Positionen der jüdischen und der nichtjüdischen Forschung. Letztere stützt sich vor allem auf die hellenistischen Quellen (Josephus und das NT). Aus ihnen ergibt sich, daß es *nur einen einzigen* Sanhedrin bzw. ein einziges Synhedrium gegeben hat, und daß dieses vor der Zerstörung des Tempels im wesentlichen eine politische und richterliche Funktion hatte und entsprechend vom König oder Hochpriester geleitet wurde. Die jüdische Forschung dagegen geht von den tannaitischen Quellen aus. Für sie ist der Sanhedrin wesentlich eine gesetzgeberische Körperschaft, die sich mit Fragen der Religion befaßt und nur in seltenen Fällen als Gerichtshof in Aktion tritt. Um auch den neutestamentlichen und hellenistischen Quellen über das Synhedrium gerecht zu werden, unterscheidet so A. Buechler[34] zwei Synhedrien, ein politisches und ein religiöses. Jenem steht der Hochpriester vor, letzteres ist aus Schriftgelehrten zusammengesetzt[35].

Ganz gleich aber, wie viele Synhedrien es gab, ein einziges, zwei[36] oder drei[37], jedenfalls hatte auch ein einziges Synhedrium eine religiöse Funktion, nämlich vor allem die Interpretation des Gesetzes. In diesem Sinn schreibt J. Z. Lauterbach, der Buechler weitgehend folgt: „In general it decided all doubtful questions relating to the religious law (Sanh 88b) and rendered the final decision in regard to the sentence of the teacher who promulgated opinions contradicting the traditional interpretation of the law (,zaken mamreh') Sanh XI, 2—4"[38].

---

[33] Real-Encyclopädie für Bibel und Talmud, Wörterbuch, Strelitz 1883, II, 1147—1148.

[34] Das Synhedrium in Jerusalem und das große Beth-Din in der Quaderkammer des Jerusalemischen Tempels, 9. Jahresbericht der israelisch/theologischen Lehranstalt in Wien, 1902, 1—252.

[35] Zusammenfassung der abweichenden Meinungen über Zahl, Natur und Funktion des Synhedriums bei MANTEL 838.

[36] MEYER unterscheidet ausgehend von Apg 4, 5 ff. und 5, 21 und 27 ff. auch in den Evangelien zwischen dem „Kronrat der Saduzäer" und dem Beth Din ha-Gadol, dem späteren Sanhedrin, der sich u. a. mit „Ketzereiprozessen" und Fragen des Kultus und Ritus zu befassen hatte. — Auch J. SPENCER KENNARD, The Jewish Provincial Assembly, in: ZNW 53 (1962) 25—51, spricht sich mit der Unterscheidung zwischen Beth ha-Midrash, einer „Pharisee Assemblee", und dem Sanhedrin, der „Ethnic Assembly" (römischer Provinziallandtag) für eine Zweiheit des Synhedriums aus.

[37] B. HOENIG, The Great Sanhedrin, New York 1953, 12, versucht die Existenz von 3 verschiedenen Gremien nachzuweisen, eines politischen, dessen Zusammensetzung sich aus den jeweiligen Machtverhältnissen ergab, eines priesterlichen und eines schriftgelehrten. Das letztere war der „Große Sanhedrin". Er war „a religious body devoted to the interpretation of the biblical and traditional law, the Halakah".

[38] Art. Sanhedrin, in: JE 11 (1905) 41—44.

Einzelheiten über Sitzungen, Förmlichkeiten, Ort, Verhandlungsweise, Aburteilung usw. erfahren wir aus dem Mischnatraktat Sanhedrin[39]. Obwohl derselbe das Bild der Behörde von Jabne (Jamnia), also des nach der Zerstörung des Tempels neugegründeten Synhedriums, zeichnet und es daher nicht möglich ist, die Regeln dieses Traktates ohne weiteres auch als in der Zeit vor 70 gültig vorauszusetzen, wird andererseits doch manches noch aus der Zeit vorher stammen und ist deshalb für uns höchst aufschlußreich. Die Sitzungen des Großen Synhedriums fanden in der Quaderhalle des Tempels zu Jerusalem statt, seit 30 n. Ch. in einem Raum im äußersten Vorhof neben dem östlichen Eingang. Als vollgültig werden nur die Entscheidungen angesehen, die an diesem Ort gefällt wurden (Sanh 86b). Wir werden darauf später noch zurückzukommen haben. 71 Mitglieder konstituieren das große Synhedrium. Aus ihrer Mitte wählten die Mitglieder des Synhedriums den Vorsitzenden (Nassi), seinen Stellvertreter (Abbethdin), die Referenten (Chacham) und zwei oder drei Protokollanten. Von Hillel I ab blieb jedoch der Vorsitz mit einer Ausnahme bei dessen Nachkommen. Das Synhedrium saß in einem Halbkreis, in seiner Mitte der Vorsitzende und seine Stellvertreter (Sanh 88b). Die Verhandlungen waren öffentlich und mündlich. Auf weitere Einzelheiten brauchen wir nicht einzugehen[40]. Unser Interesse gilt den Befugnissen des Synhedriums als religiöser Instanz: „Die Gesetzesauslegung mit den an dieselbe sich anknüpfenden Verordnungen, die Gesetzeserleichterungen sowie die Gesetzeserschwerungen, die Bildung neuer Institutionen u. a. m. bildeten . . . die Hauptteile seiner Befugnisse und Tätigkeiten"[41].

Die Zuständigkeit des Synhedriums in Fragen der Gesetzesauslegung läßt sich übrigens durch einige Nachrichten des Neuen Testamentes und anderer Quellen erhellen. Das Jerusalemer Synhedrium verurteilte Jesus wegen Gotteslästerung zum Tode (Mk 14, 64 par)[42], verhörte und verwarnte Petrus und Johannes (Apg 4, 5 ff.), verhängte die Prügelstrafe über die Apostel, weil sie den Namen Jesus verkündigten

---

[39] Vgl. S. Kraus, Die Mischna, Text, Übersetzung und ausführliche Erklärung, IV. Seder 4. und 5. Traktat. Sanhedrin-Makkot, Gießen 1933, Einleitung 1—53.

[40] Dem Halbkreis des Synhedriums gegenüber saßen 3 Reihen von Gelehrten von je 23 Mann, die zwar nicht stimmberechtigt, aber zur Diskussion zugelassen waren. Beim Eintritt des Nassi standen alle auf, bei dem des Abbethdin nur die erste Reihe. Sanh. 37a. Näheres u. a. bei Kraus 42—47 und 151—159.

[41] Hamburger, II, 1153.

[42] Vgl. hierzu die ausführliche Erörterung der Problematik bei J. Blinzler, Der Prozeß Jesu, 4. Aufl., Regensburg 1969, 137—229, mit Exkursen über die Geschichtlichkeit der Synhedrialverhandlung, der Geltung des mischnischen Strafrechts in der Zeit Jesu und die Kompetenz des Synhedriums.

(Apg 5, 40), was offenbar als Gotteslästerung angesehen wurde. Gegen Paulus wurde vom Synhedrium wegen Falschinterpretation der Thora verhandelt (Apg 23, 28 ff. und 22, 30 ff.), Jakobus wurde wegen „Gesetzesübertretung" zusammen mit anderen Christen zum Tode verurteilt (Josephus, Ant XX, 9, 1). Das Synhedrium ist bei seiner Gesetzesauslegung oberste Instanz. Konnte ein Gesetzeslehrer oder Gelehrter sich nicht mit der Entscheidung des Synhedriums einverstanden erklären, so war ihm unbenommen, theoretisch bei seiner Meinung zu beharren, und er durfte sie sogar im Kreis seiner Jünger weiter vortragen. Aber was die Praxis angeht, so war die Entscheidung des Synhedriums auch für ihn bindend. Er durfte nicht zur Befolgung seiner Minderheitsmeinung auffordern, sonst wurde er zum „zaken mamreh", d. h. zum „rebellierenden Gelehrten"[43].

Eine Einrichtung des Synhedriums interessiert in unserem Zusammenhang noch besonders: das Rechtsinstitut des „Schaliach", des offiziellen Gesandten. Es handelt sich vor allem um Rabbinen, „die von der Zentralbehörde in die gesamte Diaspora ausgesandt werden; für sie ist die Bezeichnung „Schaliach" im eigentlichen Sinne zum Fachwort geworden. Ihre Aufgabe ist vielseitig genug, aber immer durch die Autorität, die in ihren Aussendern hinter ihnen steht, ermöglicht"[44]. Diese Bevollmächtigten des Großen Synhedriums gehen z. B. mit der Aufgabe in die Diaspora, den Kalender durch Einfügung eines Schaltmonats zu ordnen, nachdem diese Interkalation durch einen Synhedrialbeschluß verfügt worden war. Nach 70 senden sie Liebesgaben für die palästinensischen Gelehrten, da ohne solche Hilfe der Lehrbetrieb, und das heißt die Erschließung der Halacha, nicht hätte fortgesetzt werden können. Ihre Aufgabe ist aber auch die Visitation der Diaspora. Aus dem dritten Jahrhundert gibt es Nachrichten, daß drei hervorragende Rabbinen in die Ortschaften Palästinas „ausgesandt" wurden, um Bibel- und Mischna-

---

[43] Sanh 11, 2. — Im Zusammenhang geht es um die Anwendung der „Mehrheitsregel"· Schriftgrundlage ist die Talmudauslegung von Ex 23, 2: „Wo es eine Kontroverse zwischen dem Individuum und den vielen gibt, folgt die Halakah den vielen" (Ber 9a). Die richtige Auslegung ist die von der Mehrheit der Ausleger vertretene; selbst eine himmlische Stimme ändert daran nichts. Eine weisere Minderheitsmeinung, so meinten einige Gelehrte, sei einer weniger weisen Mehrheitsmeinung vorzuziehen. Andere hielten daran fest, daß der Mehrheitsmeinung, wie immer sie zu qualifizieren ist, jedenfalls zu folgen sei. Wieder andere hielten dafür, daß die weisere Minderheitsmeinung der Mehrheitsmeinung gleichgewichtig sei, also keine bindende Entscheidung gefällt sei. Näheres vgl. Artikel „majority rule" in: EJ 11 (1971) 804—806.

[44] K. H. RENGSTORF, Art. ἀπόστολος, in: ThWNT I (1933) 414—420 (Das spätjüdische Rechtsinstitut des ‚Schaliach' 416). Zum Apostelbegriff vgl. jetzt J. ROLOFF, Apostolat — Verkündigung — Kirche, Gütersloh 1965.

ſehrer einzusetzen. „Doch scheinen analoge Verfahren, durch ‚Gesandte' den Zusammenhang zwischen Mutterland und Diaspora, geistlicher Behörde und außerpalästinensischen Gemeinden zu pflegen, schon einer viel früheren Zeit anzugehören. Als ein derartiger ‚Schaliach' der Zentralbehörde geht z. B. Paulus Apg 9, 1 ff. nach Damaskus"[45]. Die Institution geht wohl bis in die frühe nachexilische Zeit zurück. Schon 2 Chr 17, 7—9 dürfte in diesem Sinne zu verstehen sein, wenn es von Josaphat heißt, daß er fünf Beamte, neun Leviten und zwei Priester „ausgesandt" habe, „um in den Städten Judas zu lehren".

Im Blick auf unser Thema, die Auslegung von Apg 15, ist von besonderer Bedeutung, daß diesen Gesandten der Zentralbehörde, so Gamaliel I und Simeon b. Gamaliel I, Sendschreiben mitgegeben werden[46]. Verschiedene Nachrichten des Josephus deuten auf das nämliche Institut hin[47]. Von den Briefen, durch die die Beschlüsse der Zentralbehörde, in unserem Fall die neue Interkalation, mitgeteilt werden, sind die Beglaubigungsschreiben, die den Gesandten mitgegeben werden, zu unterscheiden. Einen solchen Brief haben wir aus der Feder des Patriarchen Jehuda II: „Hiermit senden wir euch einen großen Mann, einen Boten (Schaliach) von uns, der uns gleichkommt, bis er zu uns zurückgelangt"[48]. Mit ähnlichen Briefen wird Paulus als Exekutivbeamter des Jerusalemer Synhedriums ausgestattet (Apg 9, 2; 22, 5).

Auch die Kirchenschriftsteller bringen einige Nachrichten, die Licht auf das Schaliach-Institut werfen. Justin weiß, daß die Juden in die ganze Welt „auserlesene Männer" (ἄνδρες ἐκλεκτοί) aussenden, um die gottlose Häresie der Christen zu verleumden[49]. Ausführlicher ist, was Eusebius schreibt: „Wir fanden in den alten Schriften, daß die in Jerusalem wohnenden Priester und Ältesten des jüdischen Volkes Schriftstücke (γράμματα) verfaßt haben und dieselben zu allen Völkern gesandt haben, um bei den Juden überall die Lehre Christi zu verdächtigen als eine neue und Gott entfremdete Häresie, indem sie durch Briefe (ἐπιστολή) kundgaben, daß sie dieselbe nicht annehmen möchten . . . Ihre ‚Apostel' aber, die papiernen Briefe tragend . . . durchliefen die ganze Erde, indem sie das Wort bezüglich unseres Erlösers verdächtigten. Noch jetzt nämlich ist es Sitte der Juden, ‚Apostel' zu ernennen, die enzyklische Schreiben (ἐγκύκλια γράμματα) ihrer Führer austragen"[50].

---

[45] RENGSTORF 417.
[46] Sanh 11b, Tossef, ebd. II, 6; vgl. Midr.Tann. Dtn 176.
[47] Jos., Vita, 7, 39, 40, 44, 45, 60.
[48] J. Chag I, 8, 76d; j. Ned. X, 42b.
[49] Just., Dialog. 17, vgl. 108 und 117.
[50] Eus. Caes., Com. in Jes XVIII, 1 ff.; PG 24, 212D—213A.

Epiphanius, der gebürtige Palästinenser, berichtet von einem gewissen Josephus, der früher Synhedrist gewesen, dann aber Christ geworden war: „Dieser war Mitglied einer bei ihnen bestehenden Behörde. Sie kommen gleich nach dem Patriarchen und heißen ‚Apostel'. Sie treffen sich beim Patriarchen und haben häufig bei Tag und bei Nacht andauernde Sitzungen mit ihm, auf denen sie ihn beraten und ihm über das Gesetz vortragen[51] ... Dieser (Josephus) wurde mit Briefen ins Land der Kilikier gesandt. Als er dort ankam, erhob er von jeder Stadt Kilikiens die Zehnten und Erstlinge von den in der Provinz wohnenden Juden ... Als eifriger und lauterer ‚Apostel' — so wird nämlich bei ihnen, wie ich sagte, jenes Amt genannt — wirkte er zur Herstellung der Gesetzlichkeit (κατάστασις εὐνομίας), was zu vollbringen ihm aufgetragen war, indem er viele der eingesetzten Synagogenobersten und Priester und Ältesten und Gemeindediener ... absetzte und ihrer Würde enthob ...“[52] Neben der Erhebung von Geld ist es also nach diesem Bericht des Epiphanius die Aufgabe des offiziellen Synhedrial-Gesandten, Disziplin und Ordnung in der Diaspora aufrechtzuerhalten[53]. Was ihre Zahl angeht, so scheinen sie allein, zu zweit, zu dritt oder in größerer Zahl, in der Regel jedoch zu zweit, entsandt worden zu sein[54].

c) Synhedriale Elemente in Apg 15

Kommen wir nach diesem kurzen Blick auf das Jerusalemer Synhedrium und seine Funktion als Höchstinstanz zur Entscheidung von Gesetzesfragen auf Apg 15 zurück! Geht man davon aus, daß die in Apg 15 „berichtete" Entscheidung zugunsten der Gesetzesfreiheit nicht nur „nach Analogie des jüdischen Synhedrium ... zu denken" ist[55], sondern von Lukas in dieser Analogie geschildert, gemalt, als „dramatische Szene" gestaltet ist, dann ergeben sich aus dieser Konzilsidee natürlich Konsequenzen für die Einzelauslegung. Auf sie soll im folgenden aufmerksam gemacht werden.

Da ist zunächst das Vorspiel des Apostelkonzils in Antiochien (v 1—2). Warum der in Antiochien ausgebrochene Streit nicht an Ort und Stelle, etwa durch die Hinzuziehung eines oder mehrerer Apostel, gelöst wird,

---

[51] Epiph., Pan. 30, 4, GCS 25, 338, 20—24.
[52] Pan. 30, 11, GCS 25, 346, 6—17. — Vgl. auch Hieronymus, Com. in ep. ad Gal. I, PL 26, 311 C.
[53] Weitere Nachrichten, vor allem aus den talmudischen Quellen, über die Tätigkeit des Schaliach bei S. Kraus, Die jüdischen Apostel, in: JQR 17 (1905) 370—382, hier 374 ff., zusammengefaßt in Artikel ‚Apostel', in: EJ 3 (1929) 1—10.
[54] Vgl. Rengstorf 382.
[55] Bornkamm 663.

sondern von dort nach Jerusalem verlegt wird, bleibt in der Einzelauslegung bei Haenchen und Conzelmann völlig unerörtert[56]. Unterstellt man
Lukas eine synhedriale Konzilsidee, so kann eine Entscheidung nur in
Jerusalem fallen. Die dramatische Verlegung des Schauplatzes findet von
hierher ihre einleuchtende Erklärung.

Stattet Lukas sein Gemälde des Apostelkonzils mit synhedrialen Zügen
aus, dann ist das Subjekt von ἔταξαν (Vulgärtext) nicht mehr unbedingt
die Antiochenische Gemeinde, wie alle modernen Kommentatoren
außer T. Zahn, so weit wir sehen[57], annehmen. Die „Anordnung", nach
Jerusalem zu gehen, könnte sehr wohl von den v 1 erwähnten „Leuten
aus Judäa" ausgehen, d. h. von den Männern, die sich gewissermaßen als
Synhedrial-Gesandte ausgeben. Mag die Frage, wer den Befehl, nach
Jerusalem zu gehen, gegeben hat, auch letztlich auf der Basis des Vulgär-
texts nicht entschieden werden können, der D-Text ist hier eindeutig:
„Die aber von Jerusalem herabgekommen waren, befahlen dem Paulus
und Barnabas und einigen anderen, zu den Aposteln und Ältesten
nach Jerusalem hinaufzuziehen, damit sie von ihnen wegen dieser
Streitsache gerichtet (κριθῶσιν) werden"[58]. Haenchen sieht in dieser
Variante ein Zeugnis für „die sich herausbildende Sitte, kirchliche
Streitigkeiten vom übergeordneten Amt entscheiden zu lassen"[59]. Vielleicht liegt die Pointe nicht so sehr im Rekurs auf das übergeordnete
Amt als vielmehr in der Vorstellung des Interpolators, daß das Apostelkonzil tatsächlich eine Art Ablösung des jüdischen Synhedriums darstellt: Gesandte des neuen christlichen Synhedriums „befahlen" Paulus
und Barnabas die Reise nach Jerusalem, damit sie dort „gerichtet
werden". Gerade in letzter Wendung kommt die synhedriale Konzeption
des Apostelkonzils zu prägnantem Ausdruck. Die Apostel und Ältesten
fungieren als „maßgebliche Lehrinstanz für die Gesamtkirche". Paulus
und Barnabas haben ihre Lehre von der Gesetzesfreiheit der Heidenchristen dem Jerusalemer Gericht zu unterbreiten. Der Interpolator
hat mit seinem ἵνα κριθῶσιν die synhedrialen Züge der lukanischen Konzilsidee erheblich verschärft. Während der Vulgärtext nun in v 5 nicht

---

[56] J. MUNCK, The Acts of Apostles, New York 1967, 137 hält immerhin den zugrunde
liegenden Begriff des Apostelamtes für auffällig im Vergleich zu dem der Paulusbriefe: „One
special point is worthy of notice, namly the conviction in the church of Antioch that it was
only necessary to make the journey to Jerusalem in order to find the apostles at home and
to put any matter whatsover before them and the elders. There is certainly a wide gap between this view and the Pauline conception of an apostle. The apostles are here conceived
as an authority always residing and available in Jerusalem".

[57] T. ZAHN, Apostelgeschichte des Lukas, Leipzig 1921, 498.

[58] Bezae Codex Cantabrigiensis, ed. F. H. SCRIVENER, Cambridge 1864, 380.

[59] HAENCHEN, Apostelgeschichte 389, Anm. 1.

dieselben Männer gegen Paulus und Barnabas in Jerusalem auftreten
läßt wie in Antiochien, identifiziert der D-Text die Ankläger ausdrücklich: „Die ihnen befohlen hatten, zu den Ältesten hinaufzuziehen,
erhoben sich, und die aus der Partei der Pharisäer gläubig geworden
waren, behaupteten, man müsse sie beschneiden und ihnen gebieten,
das Gesetz des Mose zu halten"[60]. Haenchen kommentiert die Variante:
„Anscheinend wird dadurch die Erzählung straffer. In Wirklichkeit
schafft er (d. h. der D-Text) eine neue ... nicht bemerkte Schwierigkeit: Die Autoritätsstellung dieser Männer wird im Rahmen der Jerusalemer Gemeindeorganisation unbegreiflich und steht im Widerspruch zu
15, 24"[61]. Wer im Interpolator jedoch eine Hand sieht, die die synhedrialen Züge der lukanischen Konzilsidee noch verdeutlicht und schärfer
herausarbeitet, wird die Autoritätsstellung dieser Männer nicht unbegreiflich finden. Diese Männer halten sich eben für offizielle Beauftragte des neuen christlichen Synhedriums, das verantwortlich ist für die
richtige Auslegung des Gesetzes.
Ist Lukas bei der dramatischen Darstellung des Apostelkonzils von einer
synhedrialen Konzilsidee inspiriert, dann fällt auch auf die umstrittenen
vv 6 und 12 deutliches Licht. Bekanntlich streiten sich die Ausleger
darüber, ob in vv 6 und 12 eine „Sondersitzung der Kirchenleitung"[62]
geschildert wird, oder ob in v 6 sinngemäß (wie das einige Varianten tun)
das πλῆθος von v 12 zu ergänzen ist, also die Gesamtgemeinde als anwesend gedacht wird. Nicht nur katholische Ausleger[63], auch protestantische, sehen bisweilen in vv 6—21 eine „Sonderversammlung"[64].
Welche der beiden Auslegungen richtig ist, hängt von der Bedeutung
von πλῆθος in v 12 ab. Die Ausleger, die in vv 6—21 eine Versammlung des „Führungsgremiums der Weltchristenheit" sehen[65], verweisen
zu Recht darauf, daß πλῆθος „die Gesamtheit der zur geschlossenen
Beratung Berufenen" bezeichnen kann[66]. Namentlich könne die geschlossene Plenarversammlung des jüdischen Synhedriums als πλῆθος
bezeichnet werden (vgl. Lk 23, 1 und Apg 23, 6). Es liegt auf der Hand:

---

[60] Scrivener 381.
[61] Haenchen, Apostelgeschichte 390, Anm. 1.
[62] Haenchen, Apostelgeschichte 390.
[63] Vgl. u. a. Gaechter 342.
[64] Vgl. G. Stählin, Die Apostelgeschichte, Göttingen 1962, 201—202: „Jetzt wird eine
Sitzung der doppelten Führungsgruppe anberaumt, die den maßgebenden Gemeindebeschluß
vorbereiten soll. Zu dieser Sitzung wurde sowohl die antiochenische Abordnung als auch
die judaistische Gruppe zugezogen; dagegen war die Gemeinde wohl nicht dabei."
[65] Stählin 202.
[66] Gaechter 342.

Diese Option für πλῆθος im Sinne von „geschlossener Plenarversammlung" erhält eine erhebliche Stütze, setzt man für die lukanische Schilderung der Apostelversammlung überhaupt eine synhedriale Konzilsidee voraus.

„Vor den Augen des Lukas steht *eine* große Szene, bei der die Führer in
Gegenwart der gesamten Gemeinde verhandeln; nur dieser entscheidende Akt ist für seine Leser von Wichtigkeit . . ."[67] Lassen wir einmal
die „Gegenwart der Gesamtgemeinde" auf sich beruhen, so ist doch mit
diesem Kommentar der Abschnitt vv 6—21 treffend charakterisiert. Die
richtige Anschaulichkeit bekommt diese „eine große Szene" aber erst,
wenn unterstellt wird, daß Lukas in Analogie zum jüdischen Synhedrium erzählt und schildert.

Zuzugeben ist freilich, daß die synhedriale Konzilsidee nichts abwirft,
um die Rolle des Petrus und Jakobus klarer zu erfassen[68]. Vielmehr ist
hier, soweit wir überhaupt etwas über den Verlauf von Synhedrial-
verhandlungen wissen, auf den Kontrast abzuheben. Kann man im
äußersten Fall in v 7 eine Anspielung auf ein Verhör sehen, so ist doch
im übrigen der Verlauf grundsätzlich anderer Natur. Undenkbar ist
vor allem in einer Synhedrialverhandlung prophetische Rede, die der
D-Text dem Petrus zuschreibt: „Als sich aber viel Streit erhob, stand
Petrus im Geiste (nach anderen Varianten: im Heiligen Geiste) auf und
sprach"[69]. Dem entspricht v 28, wo ebenfalls vom Heiligen Geist die
Rede ist. Unterstellt man, daß nach Auffassung zumindest eines Teiles
des zeitgenössischen Judentums mit dem Tode der letzten Propheten
die Prophetie erloschen ist[70], würde der Interpolator gerade mit dem
Zusatz, daß Petrus im Geiste gesprochen habe, auf das Wiederaufleben
der Prophetie abgehoben haben (vgl. dazu Apg 2, 17 ff.). Darin läge
neben allem anderen der entscheidende Kontrast zwischen der jü-

---

[67] BAUERNFEIND 191.
[68] Oder ist mit E. STAUFFER, Zum Kalifat des Jakobus, in: ZRGG 4 (1952) 193—214,
hier 201, in Jakobus „der Präsident des Großen Synhedriums der Christenheit, das seinen
Sitz in Jerusalem hatte", zu sehen? E. BROWN, u.a. 50, beantwortet die Frage, ob Jakobus von
Lukas Petrus dadurch übergeordnet werde, daß er die zweite und entscheidende Rede hält,
u. E. richtig mit dem Hinweis, daß alle auf dem Konzil auftretenden Personen wichtige
Rollen haben, und fährt fort: „. . . the overriding theme in the chapter, as elsewhere in
Acts, is found in the term homothymadon, ,one-mindedness' (15, 25) . . ."; vgl. dagegen
die Behandlung der Frage des Konzilsvorsitzes durch E. RAVAROTTO, De Hierosolymitano
Concilio (Act Cap. 15), in: Anton. 37 (1962) 185—218, hier 207—208, und GAECHTER 351;
vgl. auch J. H. CREHAN, Peter at the council of Jerusalem, in: Scrip. 6 (1953/4) 175—180;
M. MIGUENS, Pietro nel concilio apostolico, in: RivBib 10 (1962) 240—251.
[69] SCRIVENER 381.
[70] Vgl. STRACK/BILLERBECK, Kom. z. NT, München 1922, I, 127.

dischen und der christlichen Synhedrialversammlung. Wenn derselbe Kodex D in v 12 das Schweigen ausdrücklich als Zustimmung zur Rede des Petrus deutet[71], diese ausdrückliche Zustimmung zur Rede des Jakobus nicht erwähnt wird, so kann das mit dem Geistcharakter der Petrusrede zusammenhängen[72].

Das ἐγὼ κρίνω von v 19 der Jakobusrede ist unter den Auslegern bekanntlich auch umstritten. K. Lake übersetzt: „I decree" und kommentiert: „It is the definite sentence of a judge, and the ἐγώ implies that he is acting by an authority which is personal"[73], hält dieseÜbersetzung und Interpretation jedoch nur für „probable"[74]. Andere Ausleger, z. B. Haenchen, übersetzen lediglich mit „ich halte es für recht" und interpretieren „ich meine"[75]. Unterstellt man bei der ganzen Erzählung die Idee einer Synhedrialentscheidung über die Auslegung des Gesetzes, hier Amos 9, 11—12, so könnte κρίνω die Übersetzung des hebräischen „dîn", des terminus technicus für die abschließende Schlußfolgerung der Schriftauslegung darstellen[76]. Es wäre etwa mit „ich komme zum Schluß" wiederzugeben. G. Lampe kommentiert 15, 22 sehr treffend im Rahmen einer synhedrialen Konzilsidee: „After this decision the church of Jerusalem sends a large delegation of leading men ... to act like envoys of a Christian Sanhedrin and convey the council's letter to Antioch"[77]. Haenchen dagegen sieht in der Delegation, die Paulus und Barnabas begleitet, lediglich eine Ehrung der antiochenischen Gemeinde und eine Betonung der Autorität der Jerusalemer[78]. Als „Gesandte des christlichen Sanhedrin" sind Judas und Silas konsequenterweise nicht als Schreiber (γράψαντες διὰ χειρὸς αὐτῶν), sondern als Überbringer des Briefes zu verstehen.

Während der Beschluß zur Absendung der Delegation und eines Briefes von den Aposteln, den Ältesten und der Gemeinde gefällt wird, führt

---

[71] „Die Ältesten stimmten den Worten des Petrus zu, es schwieg die ganze Versammlung." SCRIVENER 382.

[72] Anders EPP 103: „Thus D once again supports the Pauline viewpoint in the debate, and all in all, the Judaizers come out rather poorly in the D-text".

[73] F. J. FOAKES/KIRSOPP LAKE (Hrsg.), The Beginnings of Christianity, IV, London 1933, 177.

[74] Der D-Text jedenfalls scheint κρίνω so verstanden zu haben; er schwächt nämlich bezeichnenderweise ab: διὸ ἐγὼ τὸ κατ᾽ ἐμὲ κρίνω, um seiner Gesamtlinie entsprechend die Autorität des Jakobus zu mindern; vgl. LAKE 177.

[75] HAENCHEN, Apostelgeschichte 388 und 394.

[76] Vgl. W. BACHER, Die exegetische Terminologie der jüdischen Traditionsliteratur (1905), unveränderte Reproduktion, Hildesheim 1965, 21.

[77] G. W. H. LAMPE, St. Luke and the Church of Jerusalem, London 1969, 25.

[78] HAENCHEN, Apostelgeschichte 397, Anm. 2.

der Briefkopf als Absender nur die Apostel und Ältesten auf[79]. Diese Unterscheidung der Subjekte von Gemeindebeschluß und Briefabsender entspricht nicht nur konsequent der Annahme, daß in vv 6—21 ein Leitungsgremium unter Ausschluß der Gesamtgemeinde getagt hatte, sie ist auch für andere Synhedrialbeschlüsse belegt. Josephus berichtet von leidenschaftlicher Anteilnahme des Volkes, den entscheidenden Brief schreiben aber allein die πρῶτοι bzw. das κοινόν, d. h. die Synhedristen[80]. οἷς οὐ διεστειλάμεθα (v 24) kommentiert Haenchen zwar sehr richtig, wenn er schreibt: „Daß die Apostel Boten mit wirklicher Vollmacht hätten senden können, bleibt dabei vorausgesetzt"[81], nennt aber keinen einleuchtenden Grund. Er besteht u. E. im Hinweis auf die synhedriale Konzilsidee des Lukas.

Wir kommen zum Kernstück des Briefes, v 28. Haenchen kommentiert das ἔδοξεν γὰρ τῷ πνεύματι τῷ ἁγίῳ καὶ ἡμῖν: „Die himmlische und die legale irdische Instanz, die von jener geleistet wird, stehen nebeneinander"[82]. ἔδοξεν ist die reguläre Formel offizieller Dekrete und öffentlich gefaßter Entschlüsse[83]. Von besonderem Interesse jedoch ist eine rabbinische Parallele, auf die E. Nestle aufmerksam macht: „This ἔδοξεν (Act 15, 28) is quite in accordance with the manner in which religious bodies used to formulate their decisions in Jerusalem . . . there is no better translation for this ‚ušefar‘ than ἔδοξεν: ‚it seemed good to myself and to my colleagues‘"[84]. Es handelt sich um ein Schreiben des Rabban Gamaliel an seine Kollegen in der Diaspora in Babylon, Medien, Griechenland usw[85]. Geht man mit Haenchen davon aus, daß der Brief kein wirklicher Brief ist[86], sondern von Lukas frei gestaltet wurde, dann

---

[79] Haenchen, Apostelgeschichte 397, Anm. 1, kommentiert in der Konsequenz seiner Gesamtauslegung, nach der es keine Sondersitzung der Gemeindeleitung gibt: „‚ἔδοξε bezeichnet hier nicht, wie Lukas 1, 3, einen privaten Entschluß, sondern einen öffentlichen Beschluß, der geltendes — heiliges — Recht schafft. An diesem Beschluß ist nicht nur die Kirchenleitung (Apostel und Älteste) beteiligt, sondern auch die daneben genannte Gemeinde, die freilich im Kopf des Schreibens nicht wieder mit aufgeführt wird."

[80] Vita 60.

[81] Haenchen, Apostelgeschichte, 398.

[82] Haenchen, Apostelgeschichte 399, vgl. O. Holtzmann, Das Neue Testament, Gießen 1926, 397, zu v 28: „eine verhängnisvoll amtlich dogmatische Formel, die einen sicher nur durch Übereinkunft zustande gekommenen Beschluß als unumstößlich heilige Ordnung hinstellt: Die katholische Konzilstheorie tritt in Sicht".

[83] Belege bei W. Bauer, WbzNT s. v. δοκέω.

[84] E. Nestle, Acts 15, 28, in: ET 10 (1898) 143—144, hier 144.

[85] G. Dalman, Aramäische Dialektproben, Leipzig 1896, 3.

[86] Conzelmann 86 scheint Haenchen zu folgen, wenn er schreibt: „Und Haenchen weist darauf hin . . ., daß das Schreiben mit seinem zielstrebigen Aufbau nicht ein wirklicher Brief, sondern ein literarisches Gebilde ist . . . Es ist nicht eine Antwort auf eine vorgelegte Frage, sondern Rahmung eines ‚Dekretes‘".

ist er, wie die beigebrachte Parallele zeigt, in seinem Kernstück echten Synhedrialbriefen und -entscheidungen gut nachempfunden. Andererseits ist freilich wahr, daß das Schreiben nicht in jüdischem, sondern griechischem Briefstil abgefaßt ist. „Das Aposteldekret hat ein Gesamtprotokoll, wie es klassischer nicht gedacht werden kann"[87]. Die Idee des Apostelkonzils als christliches Synhedrium wirkte sich also offensichtlich nicht auf den Stil des Apostelbriefes (vv 23—29) aus. Aber etwas anderes ist wichtiger als der Stil, nämlich die Tatsache, daß überhaupt ein Brief geschrieben und daß dieser Brief mit einer feierlichen Delegation abgesandt wird. Gewiß ist dies auch eine „eindrucksvolle Szene" im Sinne der Kompositionsanalyse, ein ohne Zweifel effektvoller Abschluß der anschaulichen Schilderung des Apostelkonzils. Der Brief und die Aussendung einer Delegation ergeben sich aber darüber hinaus geradezu zwangsläufig aus der synhedrialen Konzilsidee des Lukas. Judas und Silas tragen als autorisierte Delegierte die Entscheidung des christlichen Synhedriums in die einzelnen Gemeinden, so wie nach den oben referierten Quellen die „Gesandten" des Synhedriums dessen Beschlüsse in der Diaspora verkündet und erklärt haben. „Nach Verlauf einiger Zeit wurden sie von den Brüdern mit dem Friedensgruß feierlich verabschiedet zu denen, welche sie abgesandt hatten (ἀποστείλαντες αὐτούς)"[88]. Silas und Judas waren also „Gesandte" gewesen, haben als „Scheluchim" des christlichen Synhedriums in Antiochien gewirkt und kehren nach Erfüllung ihrer Mission, der Promulgation und Erklärung des Synhedrialschreibens, wieder zur Zentralbehörde zurück.

d) Dtn 17, 8 ff. im Zusammenhang der Konzilsidee

Über welche exakten Nachrichten Lukas verfügte, als er sich daran machte, die großartige Szene des Apostelkonzils zu gestalten, wissen wir nicht. Klar geworden sein dürfte aber aus den bisherigen Ausführungen, daß er bei dieser Komposition Elemente verwendet, die *ursprünglich*[89] dem jüdischen Synhedrium zuzuordnen sind. Da ist vor allem die Konzeption des Konzils selbst als einer höchstinstanzlichen Entscheidung

---

[87] O. ROLLER, Das Formular der paulinischen Briefe, Stuttgart 1933, 133, vgl. die dort ausgeführte Analyse.

[88] Der Textus Receptus fügt hinzu: „Aber Silas beschloß, dort zu bleiben." Der Interpolator des D-Textes gleicht ebenfalls den Widerspruch mit v 40 aus: „Silas schien es richtig, daß sie bleiben und Judas trat die Reise allein an." Vgl. B. M. METZGER, A textual Commentary on the Greek New Testament, London 1971, 439.

[89] Wir sagen: ursprünglich, weil wir, wie oben angedeutet, mit dem „missing link" der christlichen Gemeindepraxis rechnen, durch die diese synhedrialen Elemente vermittelt sein können.

durch die dazu befugte Behörde. Deutlich synhedriale Züge werden auch im Vorspiel des Konzils in Antiochien (v 1—2) sichtbar: Die „Leute aus Judäa" treten als Visitatoren des neuen christlichen Synhedriums auf, ohne dazu freilich, wie sich später herausstellt (v 24), legitimiert zu sein. Auch das Nachspiel in Antiochien (vv 30—33) mit der feierlichen Überbringung der brieflichen Entscheidung des Konzils ordnet sich in das Gesamtbild des christlichen Synhedriums ein. Auf die Unterschiede und Kontraste braucht nicht eingegangen zu werden; sie liegen auf der Hand und wurden z. T. oben schon angesprochen.

Einen Aspekt der synhedrialen Konzilsidee des Lukas haben wir bisher nur kurz gestreift. Das Apostelkonzil findet in Jerusalem statt. Man kann diesen Umstand gewiß aus dem „Kirchenbegriff" oder dem theologischen Gesamtentwurf des Lukas ableiten. Von unserem Ansatz her gibt es aber auch eine andere bedenkenswerte Erklärung. Welche? Werfen wir zunächst noch einmal einen Blick auf eine unserer Quellen, nämlich den Mischnatraktat Sanhedrin. In ihm wird das Große Synhedrium mit Dtn 17, 8 ff., also mit der Einrichtung des obersten Gerichtshofes, in Verbindung gebracht: „Bezüglich des gegen das (oberste) Gericht sich auflehnenden Gelehrten heißt es: ‚Wenn dir die Entscheidung einer Sache unbekannt ist' (Dtn 17, 8) . . . Haben diese etwas darüber gehört, so sagen sie es, wenn aber nicht, so kommen alle zum großen Gericht in der Quaderhalle, von dem die Gesetzeskunde für ganz Israel ausgeht, wie es heißt: ‚Die Stätte, die der Herr erwählen wird' (Dtn 17, 10). Wenn er heimkehrt und so lehrt, wie er früher gelehrt hat, so ist er frei, wenn er aber eine Entscheidung für die Praxis trifft, so ist er strafbar, denn es heißt: ‚Der Mann aber, der vermessen handelt' (Dtn 17, 12) . . ."[90] Die rabbinische Exegese nimmt hier also eine kontinuierliche Existenz des Synhedriums von Mose bis auf die talmudische Zeit an. Historisch stellt sich die Sache freilich nicht so einfach dar. Denn der „oberste Gerichtshof von Jerusalem, den die deuteronomistische Gesetzgebung voraussetzt (Dtn 17, 8 ff. und 19, 16 ff.), und dessen Einsetzung die Chronik auf Josaphat zurückführt (2 Chr 19, 8), ist eben nur ein *Gerichtshof*, der lediglich Recht zu sprechen hat, nicht ein regierender oder doch an der Regierung wesentlich mitbeteiligter Senat, wie das Synhedrium der griechisch-römischen Zeit"[91]. Wie historisch aus diesem in Dtn 17, 8 ff.[92] angesprochenen obersten Gerichtshof das später anzu-

---

[90] Sanh 86b, Ed. GOLDSCHMIDT, VII, 362—363; vgl. auch die folgende Gemara, 363—371.
[91] SCHÜRER 239.
[92] Zur Auslegung vgl. P. BUIS, Le Deutéronome, Paris 1969, 274—276; vgl. auch F. HORST, Das Privilegrecht Jahwes, Göttingen 1930, 104—108.

setzende Synhedrium wurde, braucht uns jedoch hier nicht zu beschäftigen[93]. Wichtig für uns ist vielmehr die Erkenntnis, daß man sich zur Zeit der Abfassung des Traktates Sanhedrin auf Dtn 17, 8 ff. berufen hat. M. a. W. dieser Text wurde als die Schriftbasis für die Institution des Sanhedrin angesehen. Das bedeutet: Zur synhedrialen Idee gehört wesentlich der Verweis auf Dtn 17, 8 ff. Für die oder den Verfasser des Traktats Sanhedrin stellt dieser Schrifttext eine Art Gründungsurkunde dar. Daran kann kein Zweifel sein. Mehr noch: Diese rabbinische Auffassung wird auch in der Neuzeit noch von jüdischen Gelehrten vertreten. In diesem Sinne schreibt Hamburger: „Die Große Synode wurde unter den makkabäischen Fürsten nach dem Muster der erloschenen ‚Großen Synode' und mit Bezug auf das ‚Kollegium der Ältesten von 70 Personen unter Moses' (Num 11, 16.24) sowie mit Berücksichtigung des in 5 Moses 17, 9 bezeichneten Obergerichts neu organisiert und mit dem griechischen Namen ‚Synhedrium' belegt"[94]. Wie dem auch sei, Synhedrium und Dtn 17, 8 ff. gehören zusammen. Damit wird die Frage unvermeidbar: Sieht Lukas diesen Zusammenhang? Steht im Hintergrund seiner synhedrialen Konzilsidee Dtn 17, 8 ff.?

In gewisser Weise hat E. Stauffer, der auch für Apg 1, 12—26 die Verwendung jüdischer Vorstellungen nachzuweisen versucht[95], diese Frage in bejahendem Sinne beantwortet, wenn er Apg 15, 1 ff. kommentiert: „Vier Jahre später (48) schickt Jerusalem wieder einmal einige Vertrauensleute nach Antiochien, diesmal vielleicht mehr offiziös als offiziell, mehr Agitatoren als Visitatoren. Jedenfalls aber sieht sich

---

[93] Einen gerafften geschichtlichen Überblick über die Entwicklung der israelitischen Rechtsprechung und die israelitischen Gerichtshöfe bietet R. DE VAUX, Das Alte Testament und seine Lebensordnungen, Freiburg 1960, I, 245—250, hier 247: „Die Vorschriften, die Dtn 16, 18 ff. und 17, 8—13 berichtet werden, muß man mit den Reformen Josaphats in Verbindung bringen, wie sie II Chr 19, 4—11 dargestellt werden. Der König bestellte in jeder befestigten Stadt Richter, die sich als unbestechlich erweisen mußten. In Jerusalem setzte er einen Gerichtshof ein, der aus Priestern, Leviten und aus Oberhäuptern israelitischer Familien bestand und in erster Instanz auch die Fälle aus anderen Städten zu richten hatte ... Möglicherweise ist dieser Bericht literarisch von Deuteronomium beeinflußt, möglich ist es auch, daß er bestimmte Verhältnisse aus der Zeit des Chronisten widerspiegelt, doch braucht man deswegen nicht an seinem wesentlichen Geschichtswert zu zweifeln."

[94] HAMBURGER, II, 1148; vgl. ebd. 1149: „Das Synhedrium vereinigte, wie bereits erwähnt, beide im Pentateuch genannten Institute, das des Ältestenkollegiums und das des im 5. Mose 17,9 genannten Obergerichts." Wir können diese historische Frage, nämlich ob tatsächlich das Synhedrium unter Berufung auf Dtn 17, 8 ff. gegründet bzw. neu organisiert wurde, auf sich beruhen lassen, für unsere Überlegung genügt die Feststellung, daß die Institution des Synhedriums mit großer Wahrscheinlichkeit zur Zeit der Abfassung der Apostelgeschichte u. a. auf Dtn 17, 8 ff. zurückgeführt wurde.

[95] Vgl. E. STAUFFER, Jüdisches Erbe in urchristlichem Kirchenrecht, in: ThLZ 77 (1952) 201—206.

Antiochien veranlaßt, eine hochoffizielle Delegation mit Paulus und Barnabas an der Spitze nach Jerusalem zu entsenden. Das ist (was man bisher noch nicht erkannt hat) die sinngemäße Anwendung der Vorschriften von Dtn 17, 8 ff. und Sanhedrin 11, 2[96]." Wir sagen, Stauffer hat in gewisser Weise die Frage bejaht, denn sein Gesichtspunkt ist radikal von dem unsrigen unterschieden. Er meint: Das Apostelkonzil findet tatsächlich in Jerusalem statt, wie es Lukas schildert, denn die apostolische Generation hielt sich an die Vorschrift von Dtn 17, 8 ff., und nach dieser Vorschrift mußten Streitfälle in der Gesetzesauslegung in Jerusalem entschieden werden. Wir dagegen fragen, ob Lukas in seiner „freien Komposition" von Apg 15 sich an Dtn 17, 8 ff. inspiriert. Leider muß es bei der Frage bleiben. Eine Antwort scheint uns nicht möglich zu sein. Wenn auch einiges im Text vielleicht darauf hindeutet[97], daß Lukas Dtn 17, 8 ff. vor Augen hat, so läßt sich u. E. jedoch nichts Sicheres ausmachen.

Was bedeutet dieses teilweise negative Ergebnis für unsere spezielle Fragestellung, nämlich die Entwicklung der Konzilsidee der Alten Kirche? Wie wir in einem der vorausgegangenen Kapitel gezeigt haben[98], wird Dtn 17, 8 ff. gegen Ende der patristischen Epoche[99] neben Apg 15

---

[96] STAUFFER 202. — Vgl. aber auch schon HOLTZMANN 394 zu v 15, 2: „Jerusalem ist also auch hier, wie schon 8, 14; 11, 1.22, die entscheidende Zentralstelle nach jüdischem Vorbild Dt 17, 8—13". Vgl. weiter E. STAUFFER, Petrus und Jakobus in Jerusalem, in: Begegnung der Christen (Festschrift O. Karrer, hrsg. von M. ROESLE und O. CULLMANN, Stuttgart/ Frankfurt 1959) 361—372, ferner die unveröffentlichte Dissertation von G. STROTHOTTE, Das Apostelkonzil im Lichte der jüdischen Rechtsgeschichte, Erlangen 1955, der wir einige Quellenverweise verdanken.

[97] So die Selbstverständlichkeit, mit der die Frage der Gesetzesfreiheit in Jerusalem behandelt wird. Das περὶ τοῦ λόγου τούτου (v 6) könnte das ῥῆμα von Dtn 17, 8 aufgreifen.

[98] Vgl. S. 175—176.

[99] Dtn 17, 8—13 scheint erst durch Theodor Abû Qurra in den Zusammenhang der Konzilsidee gebracht worden zu sein. Einige Ansätze dazu gibt es freilich schon in der älteren Tradition. Die Schriftstelle wird, aufs Ganze gesehen, in der patristischen Zeit zwar nur relativ selten zitiert, Cyprian aber beruft sich gleich 5mal auf Dtn 17, 12—13, um die bischöfliche Autorität zu unterstreichen und die Bestreiter vor der göttlichen Strafe zu warnen (ep. 3, 1; 4, 4; 43, 7 — nur v 12 —; 59, 4; 66, 3; vgl. M. A. FAHEY, Cyprian and the Bible: A Study in Third-Century-Exegesis, Tübingen 1971, 92—93). Augustin dagegen zitiert die Stelle in seinem ganzen Werk nicht. (Vgl. A. M. LA BONNARDIÈRE, Biblia Augustiana, AT, Le Deutéronome: ÉtAug, Paris 1967, 53.) Hieronymus sieht in Dtn 17, 8—13 die Pflicht des Priesters eingeschärft, sich in der Auslegung des Gesetzes auszukennen (*sacerdotis enim est scire legem, et ad interrogationem respondere de lege.* In Aggaeum II, 11/15, CCL 76 A, 734—735.) Rabanus Maurus wird dagegen aus Dtn 17, 8—11 eine Mahnung zu gerechter Ausübung des den Priestern der Kirche anvertrauten Richteramtes sehen (Enarrat. super Dtn II, PL 108, 902D—903C), ähnlich die Glossa ordinaria (PL 113, 469D—470A). Auf griechischer Seite geht Theodoret von Cyra auf die Schriftstelle kurz ein. Während er sie im supponierten Wortsinn auslegt (Quaest. in Dtn 17, PG 80, 424—25), legt Cyrill von Alexandrien eine allegorische Interpretation vor. Die Priester der Kirche üben in ihrer

als Hauptschriftargument für die Konzilsinstitution der Kirche herangezogen. Aus den vorausgegangenen Ausführungen dürfte deutlich geworden sein, in welchem Sinne dieser selbe Text auch schon beim allerersten Auftauchen der Konzilsidee in der christlichen Kirche Pate steht.
Die Konzilsidee des Lukas ist zwar höchstwahrscheinlich nicht unmittelbar von diesem alttestamentlichen Schrifttext inspiriert, sie steht aber
ohne Zweifel in der Wirkgeschichte dieses Schriftwortes, insofern Idee
und Geschichte des jüdischen Synhedriums untrennbar mit Dtn 17, 8 ff.
verbunden sind.

2. Das Echo von Apg 15 in der altkirchlichen Literatur

Wir kommen zum zweiten Punkt, der Frage nach dem Echo der lukanischen Konzilsidee. Die im folgenden vorgelegten Texte erheben
keinen Anspruch auf Vollständigkeit. Zwei Gruppen lassen sich deutlich
unterscheiden. In der ersten wird das Apostelkonzil unter irgendeiner
Rücksicht in Analogie zu den Bischofssynoden gesehen, m. a. W. die
Konzilsidee ist thematisch. In der zweiten Gruppe ist das dagegen nicht
der Fall. Hier ist dann noch einmal zu unterscheiden. In dem einen Teil
der Texte wird ausschließlich (oder fast ausschließlich) auf das Apostel-
dekret Bezug genommen, in dem andern ist auch ein gewisses Interesse
für diesen oder jenen Aspekt der Apostel*versammlung* vorhanden.

a) Keine Thematisierung der Konzilsidee

Beginnen wir mit der letzteren Sorte von Texten, bei der wir uns kurz
fassen können, da die Problematik des Aposteldekrets in unserm Zusammenhang nicht näher interessiert[100]. *Cyprian* bezieht sich in seinem umfangreichen auf uns gekommenen Werk nur ein einziges Mal[101] auf

---

Eigenschaft als „Typos" Christi das diesem vorbehaltene Richteramt aus. Auch Cyrill sieht
in der Stelle eine Ermahnung zu gerechter Ausübung dieses Richteramtes (De adoratione in
spiritu . . ., libr. XIII, PG 68, 881C—884C). Procopius von Gaza (Com. in Dtn, PG 87 A,
913C—16A) weist darauf hin, daß die Priesterleviten Typos der 70 Ältesten sind, „denen
die schwierigen Urteil überwiesen werden". Auch über die patristische Epoche hinaus wird
Dtn 17, 8—13 eine Rolle spielen. Die Schriftstelle steht am Beginn mehrerer Kanonessammlungen der Gregorianer, so in den *Diversorum Patrum Sententiae sive Collectio in LXXIV
titulos digesta*, Ausg. T. GILCHRIST, Vatikan 1973, 19; vgl. auch P. FOURNIER/G. LE BRAS,
Histoire des Collections canoniques en occident, II, Paris 1932, 17.
[100] Hierzu u. a. G. RESCH, Das Aposteldekret nach seiner außerkanonischen Textgestalt,
TU 28, 3 (1905), bes. 7—19; L. CERFAUX, Le chapitre XV des Actes à la lumière de la littéra-
ture ancienne, in: Recueil Lucien Cerfaux, Etudes d'Exégèse et d'Histoire Religieuse, II,
Gembloux 1954, 105—124 = StT 121 (1946) 107—126.
[101] Vgl. FAHEY 690.

Apg 15, 28—29. Er zitiert die Stelle zusammen mit Ps 2, 1 f. und Mt 11, 28 als Testimonium für den Satz: *grave fuisse iugum legis quod nobis abiectum est et leve esse iugum domini quod a nobis susceptum est*[102].

Methodius belegt durch Apg 15 die Abschaffung des alttestamentlichen Gesetzes: „Und damit wir nicht allmählich, das Gesetz für abgetan erklärend, in viele Worte ausgehen, wohlan, wie die Apostel weisen wir es völlig ab"[103]. Ähnlich *Eusebius von Caesarea*, der Apg 15, 10 zitiert[104], und *Pacianus*, der sich in einem anderen Kontext, nämlich der Frage nach den verschiedenen Arten von Sünde auf Apg 15, 24—25 und 28—29 beruft[105]. In der gleichen Sache nimmt *Augustinus* in seinem *Speculum* auf Apg 15, 19—20 Bezug, um eine falsche Interpretation der Stelle abzuweisen[106].

Andere Autoren dieser ersten Gruppe von Texten interessieren sich nicht nur für den Inhalt des Apostel*dekrets*, sondern auch für den einen oder anderen Aspekt der Apostel*versammlung* als solcher. An erster Stelle ist hier *Irenaeus* zu nennen, der von allen frühchristlichen Autoren am ausführlichsten auf Apg 15 Bezug nimmt. In einem sehr systematisch angelegten antignostischen Schriftbeweis[107] für die Einzigkeit Gottes beruft sich der Bischof von Lyon an entscheidender Stelle, nämlich am Höhepunkt seines Beweisganges, auf das Zeugnis des Apostelkonzils. Er referiert zunächst knapp die Vorgeschichte der Versammlung und zitiert dann im Wortlaut die Petrus- und Jakobusrede[108]. Das Zitat der Petrusrede leitet er bezeichnenderweise ein: (cum) *universa Ecclesia convenisset in unum, Petrus dixit*[109]. Das Zitat der Jakobusrede beschließt er nicht weniger bezeich-

---

[102] Cyprian, Test. 119, CSEL 3, 1, 184, 4—8.
[103] Es folgen umfangreiche Zitate aus Apg 15; Methodius, De Cibis 6, 6—8; GCS 27, 434, 14—435, 16.
[104] Eusebius, Dem. Ev. I, 3, 42; GCS 17, 22—26.
[105] Pacianus, Paraenesis ad Paen. IV, 1—2; Ed. Rubio Fernandez 140, 18—31.
[106] Augustinus, Spec. 29, CSEL 12, 199, 18—200, 2 (Zur Echtheit vgl. CPL 272): *Ubi videmus apostolos eis qui ex gentibus crediderunt nulla voluisse onera legis imponere, quantum attinet ad corporalis abstinentiam voluptatis, nisi ut observarent ab his tribus, id est ab eis quae idolis immolarentur et a sanguine et a fornicatione. Unde nonnulli putant tria tantum crimina esse mortifera, idolatriam et homicidium et fornicationem, ubi utique et adulterium et omnis praeter uxorem concubitus intelligitur, quasi non sint mortifera crimina quaecumque alia sunt praeter haec tria quae a regno dei separant . . .*
[107] Irenaeus geht in *Adversus Haereses* aus vom mehr globalen Zeugnis des Heiligen Geistes, des Apostels Paulus, Christi, des Schöpfers und der Kreaturen (II, 6—8). Dann folgt der genauere Nachweis aus den vier Evangelien (III, 9—11). Aus der Apostelgeschichte werden zunächst Petrus, Philippus, Paulus und Stephanus als Einzelzeugen vorgeführt (III, 12, 1—13). Den Abschluß des ganzen Beweisganges stellt das Zeugnis des Apostelkonzils dar (III, 12, 14—15).
[108] Irenaeus, adv. haer. III, 12, 14; SC 211, 240—244.
[109] Irenaeus, adv. haer. III, 12, 14, SC 211, 238, 18—239, 19.

nend: *et cum haec dicta essent et omnes consensissent, scripserunt eis sic*[110]. Für Irenaeus ist das Apostelkonzil also die Versammlung der ganzen Kirche und sein Dekret das Ergebnis eines *consensus omnium*. Diese Aussagen sind um so gewichtiger, als sie völlig beiläufig erfolgen[111]. Im Anschluß an den positiven Beweis für die Einzigkeit Gottes befaßt sich der Bischof von Lyon mit denjenigen seiner Gegner, die das Zeugnis des Paulus gegen das des Lukas ausspielen, bzw. nur das Zeugnis des Paulus gelten lassen wollen (III, 13—14). Festzuhalten ist auch der Versuch des Irenaeus, Apg 15 und Gal 2 zu harmonisieren[112].

Auch für *Tertullian* behandelt Apg 15 und Gal 2 die gleiche *materia*. Auch er kommt wie Irenaeus im Zusammenhang antignostischer Schriftargumentation auf das Aposteldekret zu sprechen. Auch ihn interessiert wie den Bischof von Lyon der Inhalt des Dekrets in erster Linie und nicht die Versammlung als solche. Die Art und Weise jedoch, wie er beiläufig die Entstehung des Dekrets kennzeichnet, ist für uns von höchstem Interesse. Der Galaterbrief, so Tertullian, bestätigt die *scriptura Apostolicorum;* in dieser Schrift findet man die gleiche *materia* behandelt, nämlich, daß einige die Notwendigkeit der Beschneidung behaupteten, daß darauf die Apostel über diesen Punkt ‚konsultiert' wurden und daß diese *ex auctoritate spiritus* den Bescheid gaben, den Menschen keine Lasten aufzulegen, die die Väter selber nicht tragen konnten[113]. Was in diesem knappen Hinweis auf die Apostelversammlung auffällt, ist die Verwendung eindeutig juridischer Termini und zwar *consulere, ex auctoritate* und *renuntiare*[114]. Offensichtlich werden die Apostel als ein Kollegium von Rechtsexperten konzipiert, die man in einer strittigen Frage

---

[110] Irenaeus, adv. haer. III, 12, 14, SC 211, 242, 5—6.

[111] Für sein eigenes Beweisziel folgert er knapp und bündig aus dem Aposteldekret: *Manifestum est igitur ex his omnibus quoniam non alterum Patrem esse docebant, sed libertatis novum Testamentum dabant his qui nove in Deum per Spiritum sanctum credebant. Ipsi autem ex eo quod quaererent an oporteret circumcidi adhuc discipulos necne, manifeste ostenderunt non habuisse se alterius Dei contemplationem.* Adv. haer. III, 12, 14, SC 211, 244, 19—25.

[112] Irenaeus, adv. haer. III, 13, 3, SC 211, 256, 6—11: *Si quis igitur diligenter ex Actibus apostolorum scrutetur tempus de quo scriptum est ascendisse Hierosolymam propter praedictam quaestionem* (d. h. Beschneidung), *inveniet eos qui praedicti sunt a Paulo annos concurrentes. Sic consonans et velut eadem tam Pauli adnuntiatio quam et Lucae de apostolis testificatio.*

[113] Tertull., adv. Marc. V, 2, 7, CCL 1, 667, 20—28: *Exinde decurrens ordinem conversionis suae de persecutore in apostolum scripturam Apostolicorum confirmat, apud quam ipsa etiam epistulae materia recognoscitur, intercessisse quosdam, qui dicerent circumcidi oportere et observandum esse Moysi legem, tunc apostolos de ista quaestione consultos ex auctoritate spiritus renuntiasse non esse imponenda onera hominibus, quae patres ipsi non potuissent sustinere. Quodsi et ex hoc congruunt Paulo Apostolorum Acta, cur ea respuatis iam apparet, ut deum scilicet non alium praedicantia quam creatorem . . .*

[114] Heumann s. v.

konsultiert[115]. Besonders bemerkenswert ist die nähere Bestimmung der Rechtsquelle: *ex auctoritate spiritus*[116]. Übrigens ist diese Formulierung nicht singulär. An einer anderen Stelle, nämlich *De pudicitia* 12, 3, findet sie sich noch einmal und zwar wiederum im Bezug auf Apg 15[117]. Offenbar handelt es sich dabei um eine feste Vorstellung des Afrikaners.

Wie ist die Bezeichnung *ex auctoritate spiritus* näherhin zu verstehen? Es ist bekannt, daß Tertullian den Begriff der *auctoritas* aus dem römischen Privatrecht entlehnt hat. Christus hat den Aposteln die Offenbarung anvertraut und sie gleichsam zu deren Eigentümern *(auctores)* gemacht, mehr noch: die Apostel haben das alleinige Eigentumsrecht über dieselbe. Aber die Apostel sind nicht nur ‚Alleinbesitzer‘ der Offenbarung, sie haben auch die Vollmacht, verpflichtende Verhaltensregeln zu erlassen. „Sie tun das als Geistträger, insofern sie aufgrund der *auctoritas* des Heiligen Geistes bindende Entscheidungen fällen können"[118]. Genau dieser Sachverhalt ist mit der Bezeichnung *ex auctoritate spiritus* an unserer Stelle gemeint.

Vom Apostoldekret *ex auctoritate spiritus* bis zum Konzilsdekret *ex auctoritate spiritus* ist zwar noch ein weiter Weg, aber der erste Schritt ist gemacht. Der Afrikaner interpretiert Apg 15 als Rechtsinstanz, die als solche mit der *auctoritas* des Geistes ausgestattet ist.

Ein höchst interessantes Zeugnis für den Weg der lukanischen Konzilsidee durch die Geschichte der Alten Kirche ist sodann das 24. Kapitel der *Didaskalie* aus der ersten Hälfte, vielleicht sogar aus den ersten Jahrzehnten des dritten Jahrhunderts. Die ganze Didaskalie gibt sich nämlich als eine auf der Apostelversammlung von Jerusalem verfaßte Schrift! Das Ziel und die Bestimmung der Versammlung ist dabei eindeutig die Überwindung von Spaltung und Häresie. Konkret handelt es sich um den Marcionismus, judenchristliche Irrtümer und den Enkratis-

---

[115] *consulere* hat u. a. die spezielle Bedeutung: einen Rechtskundigen zu Rate ziehen, um Rat fragen.

[116] *ex auctoritate* und *renuntiare* korrespondieren nach Auskunft der Quellen, vgl. *Cuius* (d. h. Caesaris) *orationem legati domum referunt, atque ex auctoritate haec Caesari renuntiant ...* Caesar, 1 BC 35; *id cum P. Licinius pontifex non esse recte factum collegio primum, deinde ex auctoritate collegii Patribus renuntiasset ...* Livius, An. 34, 44; *haec dicta legatis renuntiataque in concilium ...* Livius An. 29,3.

[117] Tertull., De pud. 12, 3, CCL 2, 1302, 8—15: *Cum primum intonuit evangelium et vetera concussit, ut de legis retinendae necessitate disceptaretur, primum hanc regulam de auctoritate spiritus sancti apostoli emittunt ad eos qui iam ex nationibus allegi coeperant.* De pud. 21, 13, CCL 2, 1327, 57 ist demgegenüber die Rede, daß Petrus *spiritu instinctus* sich gegen die Beschneidung ausgesprochen habe; De monogamia 7, 1, CCL 2, 1237, 7 nennt Tertullian das Apostoldekret *sententia apostolorum*.

[118] TH. G. RING, Auctoritas bei Tertullian, Cyprian und Ambrosius, Würzburg 1975, 65.

mus[119]. Geschickt vermischt der anonyme Verfasser der Didaskalie die Reminiszenzen aus dem Beschneidungsstreit nach Apg 15 mit den Zuständen und Problemen seiner eigenen Gegenwart. Der beherrschende Gesichtspunkt, unter dem der Verfasser die Apostelversammlung sieht, ist jedenfalls die Beilegung der Spaltung und die Überwindung der Häresie. In diesem Sinne schreibt er: „Da aber die ganze Kirche Gefahr lief, eine Häresie zu werden, so sind wir alle 12 Apostel nach Jerusalem zusammengekommen und haben überlegt, was geschehen sollte und haben alle einmütig für gut befunden, diese katholische Unterweisung (Didaskalia) zu euer aller Stärkung zu schreiben, und wir haben darin festgesetzt und bestimmt, daß ihr Gott Vater, den Allmächtigen und Jesum, seinen Sohn Christum und den heiligen Geist anbeten sollt, daß ihr die heiligen Schriften gebrauchen, an die Auferstehung der Toten glauben, euch aller seiner Schöpfungen mit Dank bedienen und heiraten sollt...“[120] Auf die fälligen Schriftbeweise folgt vor dem Referat der Petrus- und Jakobusrede und des Aposteldekrets die knappe Charakterisierung der dramatischen Situation, in der es dann schließlich zum einstimmigen Aposteldekret kam: „Es erhob sich aber unter uns eine große Streitfrage wie unter Menschen, die um das Leben ringen; aber nicht allein unter uns, den Aposteln, sondern auch unter dem Volk samt Jakobus, dem Bischof von Jerusalem...“[121]. Am Schluß des Kapitels heißt es: „Den Brief nun sandten wir ab, wir selbst aber blieben viele Tage in Jerusalem, erforschten und stellten fest, was dem ganzen Volke nützen würde, und fernerhin schrieben wir auch diese katholische Lehre“[122].

Wie sehr die Apostelversammlung als Mittel zur Überwindung der Häresie konzipiert ist, geht nicht nur aus dem oben genannten Dekret hervor, sondern auch aus dem unmittelbaren Kontext des Kapitels XXIV. In der Tat, Kapitel XXIII trägt die Überschrift „Über Häresien und Spaltungen“[123], Kapitel XXVI handelt von der Kirchenordnung, u. a. von der Exkommunikation[124]. Unverkennbar wird in all dem die zeitgenös-

---

[119] Didaskalia 24, TU 25, 2; 122, 4—11: „Wir hatten also zuvor das heilige Wort der katholischen Kirche richtig gepredigt und wandten uns (nun) wieder, um zu den Kirchen zu kommen, und wir fanden sie in einem anderen Gedanken befangen. Die einen nämlich beachteten gewissermaßen Heiligkeit, die andern enthielten sich des Fleisches und Weines, andere dessen, was vom Schwein kommt, und beobachteten alles, was zu den Verpflichtungen gehört, die es in der Wiederholung des Gesetzes gibt."
[120] Didaskalia 24, TU 25, 2; 122, 12—22.
[121] Didaskalia 24, TU 25, 2; 123, 3—6.
[122] Didaskalia 24, TU 25, 2; 125, 32—35.
[123] Didaskalia 23, TU 25, 2; 115, 20.
[124] Didaskalia 25, TU 25, 2; 126, 19—29: „Diejenigen nun, die nicht in Irrtum verfallen sind und die wiederum, welche sich von ihrem Irrtum bekehren, sollen in der Kirche gelassen

sische Konzilsidee auf die Apostelversammlung übertragen. Die Jerusalemer Apostelversammlung wird gesehen als ein Häresie und Spaltung bekämpfendes Konzil der Apostel. Wird so offensichtlich die Apostelversammlung im Lichte der Gegenwart gesehen, ist es um so erstaunlicher, daß sich keine frühen Zeugnisse für die umgekehrte Blickrichtung finden lassen, nämlich daß die Bischofssynode im Lichte des vergangenen Apostelkonzils erscheint. Der Funke für diese Idee liegt, wie gesagt, bereit, aber er zündet fürs erste noch nicht. Die *Apostolischen Konstitutionen* haben bis auf wenige Erweiterungen den betreffenden Text der Didaskalie übernommen[125].

Der älteste Kommentar zur Apostelgeschichte stammt von *Ephraem dem Syrer* († 373). Er ist in armenischer Übersetzung auf uns gekommen, leider mit großen lacunae, die nur teilweise durch die Scholien einer Katene ausgefüllt werden[126]. Conybeare hat den Kommentar in lateinischer, die Scholien in englischer Sprache vorgelegt[127]. Was nun den Kommentar zu Apg 15, 1—36 angeht, so ist eine Paraphrase zu 15, 1—2 mit einigen Erweiterungen erhalten[128]; 15, 3—11 klafft leider eine große lacuna; zu 15, 12—21 liegt u. a. folgende interessante Paraphrase vor:

... et post sermonem illum approbarunt presbyteri verba Shmavonis (Petrus) *et sine dissensione destructa est dissensio per obedientiam erga spiritum: postea locutus est Jacobus frater domini nostri, et apposuit et ait: viri fratres, audite me, Shmavon dixit quod certum est vobis, non quod de intellectu suo, sed tamquam deus admonuit significavit ...*[129]

---

werden; über jene aber, die bereits in Irrtum verstrickt sind und sich nicht bekehren, haben wir entschieden und festgesetzt, daß sie aus der Kirche ausgestoßen und von den Gläubigen getrennt und ferngehalten werden sollen, denn sie sind Häretiker geworden; und (wir haben bestimmt) den Gläubigen zu befehlen, daß sie sich gänzlich von ihnen fernhalten und keine Gemeinschaft mit ihnen haben sollen, weder in Wort noch im Gebet, denn sie sind die Feinde und Räuber der Kirche".

[125] Kapitel 12 aus dem 6. Buch (um 380). Ed. FUNK, Didaskalia et Constitutiones Apostolorum, I, Paderborn 1905, 326—332.

[126] Einzelheiten über diesen bisher kaum beachteten Kommentar bei A. MERK, Der neuentdeckte Kommentar des hl. Ephraem zur Apostelgeschichte, in: ZKTh 48 (1924) 37—58; 226—260; 460—465.

[127] F. C. CONYBEARE, The Commentary of Ephrem on Acts, in: FOAKES/KIRSOPP LAKE, III, London 1926, 373—453; Einleitung und Charakterisierung 373—379, bes. 376. 420—426, Kommentar zu Apg 15.

[128] Ephraem, Com. in Acta 15, 1—2, CONYBEARE 420—422: *Sed quia oportet, ait (Petrus), omnis homo in quovis crediderit in eodem maneat, id est quod incolae Judaeae stent maneant, in circumcisione et socii eorum tamquam apostoli praedicabant, gentibus vero stent maneant sine circumcisione, tamquam a nobis decretum datum est illis. Postquam viderunt illi qui e Judaea Paulinianos, quod in magna molestia erant, neque observare consentiebant legem, neque absolvere, saevibant et contra stabant et volebant pronuntiare iudicium coram apostolis et presbyteris in Judaea.*

[129] Ebd. CONYBEARE 424.

Die Bedeutung des Heiligen Geistes wird auch in der Paraphrase zu 15, 22—29 herausgestellt[130]. Wie ist vorliegender Kommentar insgesamt zu beurteilen? Zunächst, Ephraem interessiert sich offensichtlich für Apg 15, denn sein Kommentar hierzu ist im Vergleich zu anderen Perikopen recht ausführlich[131]. Zweitens fällt auf, was auch bei zahlreichen anderen Bezugnahmen auf Apg 15 auffällt: es fehlt jede Anspielung auf die Bischofssynoden. Interessant ist drittens, wie deutlich Ephraem den Geist als Prinzip der Einheit, den Gehorsam gegen den aus Petrus sprechenden Heiligen Geist als Überwindung der *dissensio* sieht.

Die folgenden Autoren heben den einen oder anderen Aspekt von Apg 15 ans Licht, gemeinsam haben sie mit allen vorausgehenden, daß der Bezug auf die Bischofssynoden nicht thematisch ist.

Klemens von Alexandrien nennt das Aposteldekret einen „katholischen Brief aller Apostel". Er ist „mit dem Wohlgefallen des Geistes" geschrieben. Zwar steht er in der Apostelgeschichte, er wurde aber den Gläubigen durch Paulus selbst überbracht[132].

Sein Schüler *Origenes* gibt folgendes bezeichnende Referat über das Apostelkonzil: „Auch Paulus (wie schon Christus vor ihm) sagt, daß ‚das Fleisch uns Gott nicht empfiehlt; denn weder sind wir besser, wenn wir es essen, noch schlechter, wenn wir es nicht essen‘ (1 Kor 8, 8). Dann, da diese Dinge irgendwie dunkel sind, solange sie nicht klar definiert werden[133], beschlossen die Apostel Jesu und die in Antiochien(!) versammelten Ältesten und — wie sie selber es ausdrücken[134] — der Heilige Geist, den Gläubigen aus den Heiden einen Brief zu schreiben..."[135] Dem scharfen Blick des Origenes ist also nicht die ungewöhnliche Nebeneinanderstellung von Aposteln und Heiligem Geist entgan-

---

[130] Ephraem, Com. in Acta 15, 22—29, CONYBEARE 426: *Illa vero ... in admonitionem dederunt, quia dicunt: de quibus custodientes vos, repleti eritis spiritu sancto. Tamquam enim, ait, observabitis ista et sine circumcisione et observatione legem, accipietis spiritum sanctum loqui omnes linguas, sicut acceperunt socii vestri Corneliani qui electi priusquam vos.*

[131] Vgl. die Charakterisierung durch MERK 50: „Die Auslegung ist nicht bestrebt, einen fortlaufenden, in sich geschlossenen Text zu bieten, sondern greift nach Belieben die Stellen oder Tatsachen heraus, zu denen Ephraem etwas zu sagen hat. Manchmal ist die Verbindung hergestellt, häufiger jedoch auf keine Weise versucht, sondern der Text der Apg wird niedergeschrieben oder auch nur angedeutet und daran knüpft sich eine Erweiterung oder längere Ausdeutung".

[132] Clem. Alex., Strom. 4, 97, 3; GCS 15, 291, 8—11: ... κατὰ τὴν ἐπιστολὴν τὴν καθολικὴν τῶν ἀποστόλων ἁπάντων, σὺν τῇ εὐδοκίᾳ τοῦ ἁγίου πνεύματος, τὴν γεγραμμένην μὲν ἐν ταῖς πράξεσι τῶν ἀποστόλων, διακοσμηθεῖσαν δὲ εἰς τοὺς πιστοὺς δι᾽ αὐτοῦ διακονοῦντος τοῦ Παύλου.

[133] ἐπεὶ ἔχει τινὰ ἀσάφειαν ταῦτα, εἰ μὴ τύχῃ διαρθρώσεως.

[134] ὡς αὐτοὶ οὗτοι ὠνόμασαν.

[135] Contra Celsum VIII, 29; GCS 3; 244, 26—32.

gen. Im Dekret selber sieht er eine διάρθρωσις, eine ,Zergliederung', eine Artikulation, eine deutlichere Aussprache der Lehre Jesu und Pauli über die jüdischen Speisevorschriften.

Auf den gleichen Aspekt, nämlich den Heiligen Geist als Quelle der Autorität des Aposteldekrets, hebt *Cyrill von Jerusalem* ab. Der Geist ist der Urheber des Neuen Testamentes und hat von der Last des Gesetzes befreit. Auf eben diesen Geist geht die Befreiung zurück, die im Aposteldekret verkündigt wird. Der Bischof von Jerusalem betont den Zusammenhang zwischen Heiligem Geist und der Geltung des Dekretes für die ganze Ökumene[136].

Aus der Nebeneinandersetzung von Heiligem Geist und Aposteln in Apg 15, 28 scheinen die ,Pneumatomachen' ein Argument gegen die Gottheit des Geistes gemacht zu haben. *Severian von Gabala* jedenfalls bemüht sich, dieses Argument zu widerlegen[137]. In den gleichen Kontext, nämlich die Auseinandersetzung mit den ,Pneumatomachen', gehört ein *Basilius* oder *Didymus* zuzuschreibender Passus[138]: „Wenn die Apostel sagen ,Der Heilige Geist und wir haben beschlossen', so stellen sie sich selber nicht neben die Macht des (Heiligen) Geistes, sondern unter dieselbe[139]; sie wollen sagen, daß sie und der (Heilige) Geist, da sie in diesem Augenblick von ihm geleitet sind, gleichsam eine Erkenntnis und ein Denken und eine Macht haben . . . Die der Kirche gegebenen Gesetze beschloß der Geist als der Herr, die Apostel aber beschlossen die durch sie verkündigten Anordnungen in ihrer Eigenschaft als Diener"[140].

Wir beenden die Serie der Texte, in denen Apg 15 ohne Thematisierung der Konzilsidee verwendet wird, mit dem Hinweis auf die *Complexiones in actus Apostolorum* des *Cassiodor*. Der entscheidende Satz lautet dort: *Tunc placuit ut super hac quaestione interrogarentur qui erant Hierosolymis constituti, quatenus eorum consensu altercatio suborta finiretur*[141].

---

[136] Cyr. Jer., Cat. 17, 29, PG 33, 1000 C—1001 A: „Nicht sich selber schreiben sie die Autorität für einen solchen Schritt zu . . . in ihrem Brief sagen sie in aller Klarheit, daß die Verordnung, mag sie auch von Aposteln, die Menschen sind, geschrieben sein, aufgrund des Heiligen Geistes ökumenisch ist. Die Begleiter des Barnabas und Paulus nehmen sie in Empfang und bekräftigen sie in der ganzen Ökumene".

[137] Sev. Gab., De fide et lege naturae 3, PG 48, 1086 C—D; zur Attribution vgl. ALDAMA Nr. 399.

[138] Bas. (?), Adv. Eunomium 5, 2; PG 29, 740—741.

[139] οὐ συντάσσοντες ἑαυτοὺς τῇ τοῦ πνεύματος ἐξουσίᾳ, ἀλλ' ὑποτάσσοντες.

[140] δεσποτικῶς . . . ὑπηρετικῶς.—Vgl. auch das dem Severus von Antiochien zugeschriebene Katenenfragment zu Apg 15, 28, Ed. J. A. CRAMER, Catenae Graecorum Patrum in Novum Testamentum, III, Oxford 1844, 253, 20—254, 6.

[141] Cass., Compl. in Act. Apost., nr. 34; PL 70, 1093 A—C.

b) Thematisierung der Konzilsidee

Wir kommen zur zweiten Gruppe von Texten, solchen, in denen sicher oder wahrscheinlich auf Bischofssynoden Bezug genommen wird. Beginnen wir mit den letzteren. Den ausführlichsten Kommentar der Alten Kirche zu Apg 15 stellen die Homilien 32 (zu Apg 15, 1—12) und 33 (zu Apg 15, 13—34) des *Johannes Chrysostomus* dar[142]. Es handelt sich dabei um zwei von insgesamt 55 Homilien zu Apg, die höchstwahrscheinlich im Jahre 400, also in Konstantinopel gehalten wurden[143]. Auch Katenenfragmente dieser Homilien sind überliefert[144]. Um sogleich das Auffallendste an diesen Predigten über Apg 15 zu nennen: Bischofssynoden tauchen, wenn überhaupt nur am Horizont der Auslegung, nur indirekt auf, der Name ‚Synode' jedenfalls fällt nicht. Insofern Chrysostomus bei seiner Auslegung kirchliche Zustände der Gegenwart kritisiert oder zumindest ihre Kritik andeutet, ist wohl indirekt auch von diesen Bischofssynoden die Rede. Der beherrschende Gesichtspunkt der Homilien ist jedoch nicht der Zusammenhang zwischen Apostelkonzil und Bischofssynode, sondern die Tugendhaftigkeit der Hauptakteure. Die Auslegung ist eben nicht ekklesiologisch-lehrhaft, sondern moralisch. Lehrhaftes, Inhaltliches, wird zwar erwähnt — so betont Chrysostomus die Übereinstimmung der Petrusrede mit der paulinischen Verkündigung[145] — aber der Akzent liegt nicht hier.

Die Beschneidungsdebatte in Jerusalem hat, so Chrysostomus, providentiellen Charakter. Ohne die Verdächtigung des Petrus wäre die Lehre von der Rechtfertigung aus dem Glauben allein ($\pi i\sigma\tau\iota\varsigma$ $\mu\acute{o}\nu\eta$[146]) nicht zu solch deutlicher Aussprache gekommen[147]. Eine Anspielung auf die Bischofssynoden kann man vielleicht im zweiten Teil der ersten Homilie sehen, insofern das Lob des Petrus Kritik am Vorgang der kirchlichen Synoden miteinzuschließen scheint. „Und siehe, (Petrus) läßt in der

---

[142] PG 60, 233—246; Näheres hierzu und Literatur bei J. QUASTEN, Patrology, III (1963) 440—441. Literatur zur Texttradition und zu den Fragmenten vgl. CPG 4426.

[143] Vgl. CH. BAUR, Der heilige Johannes Chrysostomus und seine Zeit, II, München 1930, 84.

[144] CRAMER, III, 242—255. Dort Fragmente aus Chrysostomus, Ammonius, Cyrill von Alexandrien, Didymus, Severus von Antiochien. Näheres zu dieser Katene bei R. DEVREESSE, DBS I, 1208.

[145] Vgl. am Schluß des Referats der Petrusrede: „Wie kraftvoll sind diese Ausführungen! Petrus sagt das gleiche wie Paulus an vielen Stellen seines Briefes an die Römer ... Siehst du, wie Petrus vielmehr diese Lehre (nämlich über die Rechtfertigung durch den Glauben) als eine Apologie für die Heiden vorträgt?" Hom. 32, 1, PG 60, 235 C; vgl. auch 236 A, wo es heißt, daß 1 Kor 7, 19 und Eph 2, 15 ‚keimhaft' in der Rede des Petrus enthalten sind.

[146] Chrys., hom. in Acta Apost. 32, 1, PG 60, 235 B.

[147] Ebd. 235 C.

Kirche zuerst eine Untersuchung (ζήτησις) stattfinden, dann (erst) spricht er (selber)!"[148] Beim folgenden ‚Sittengemälde‘ der Apostelversammlung fragt man sich auch unwillkürlich, ob es nicht von der dunklen Folie der Bischofssynoden inspiriert ist: „Siehst du, wo man nicht nach Macht strebt, da freut man sich im Glauben. Nicht aus Ehrsucht und zur Schaustellung von Gelehrsamkeit und Beredsamkeit reden sie, sondern um die Botschaft (κήρυγμα) für die Heiden zu verteidigen. Deswegen sagen sie auch nichts über die Vorfälle mit den Juden. Hatten ihnen die Pharisäer doch hart zugesetzt, als sie nach dem Glauben (d. h. nach Annahme des Glaubens) noch das Gesetz auferlegten und den Aposteln nicht gehorchten. Aber sieh, wie maßvoll (ἐπιεικῶς) sie reden, und ohne auf ihre Autorität zu pochen (οὐ μετὰ αὐθεντίας). Solcher Art Rede findet Anklang und bleibt (bei den Hörern) haften. Siehst du, wie man nicht mit Worten, sondern durch Tatsachen und den (Heiligen) Geist den Beweis erbringt? Obwohl man solcherart Zeugnisse ins Feld führt, redet man in aller Bescheidenheit (ἐπιεικῶς). Und sieh, sie kommen nicht, um die in Antiochien anzuklagen, sondern auch hier (d. h. in Jerusalem) antworten sie (nur), weil sie dazu veranlaßt werden"[149]. Unvermittelt schließt sich an die Ausführungen zu Apg 15, 1—12 eine lange, völlig von der Vorlage gelöste Diatribe gegen Zorn und Arroganz an.

Den gleichen Aufbau hat Homilie 33. Auf den Kommentar zu Apg 15, 13—35 folgt eine nur lose an das Vorausgehende anknüpfende Betrachtung darüber, wie man angesichts der vielen christlichen Bekenntnisse die eine Wahrheit der Kirche finden kann[150]. Chrysostomus beginnt die Homilie abrupt mit der Feststellung, Jakobus sei Bischof der Jerusalemer Kirche, deswegen ergreife er als letzter das Wort; so gehe die Schriftstelle in Erfüllung ‚Auf die Aussage von zwei oder drei Zeugen soll jeder Rechtsfall entschieden werden‘ (Dtn 17, 6). Was meint der Prediger näherhin mit dieser Feststellung? Es gibt zwei Möglichkeiten, sie zu verstehen. Die erste: Chrysostomus sieht in Jakobus ganz einfach den zweiten Zeugen; das Schriftwort geht in Erfüllung, insofern als es von einem zweiten Zeugen in einem Rechtsstreit spricht. Dunkel bleibt freilich bei dieser Auslegung, warum Jakobus als Bischof gerade von Jerusalem gekennzeichnet wird[151]. Eine zweite Auslegung bietet sich an,

---

[148] Chrys., hom. in Acta Apost. 32, 2, PG 60, 236 B.
[149] Ebd. 236 C—D.
[150] PG 60, 243 B—246 A.
[151] Der Katenist konnte mit dieser Kennzeichnung nichts anfangen und ließ sie deswegen wohl unter den Tisch fallen, vgl. CRAMER, III, 247, 26.

wenn man sich an die auch sonst zu beobachtende Art und Weise erinnert, wie die Kirchenväter Schriftstellen zitieren. Sie begnügen sich oft mit dem Zitat eines einzigen Verses und setzen die folgenden als bekannt voraus. In unserem Fall würde das bedeuten, daß Chrysostomus durch Zitat von Dtn 17, 6 den ganzen Passus über das Jerusalemer Obergericht (Dtn 17, 8—13) in Erinnerung bringt. Setzt man nun diese Zitationsweise bei unserem Prediger voraus, wird schlagartig klar, warum Jakobus als Bischof von Jerusalem gekennzeichnet wird. Die Schrift geht in Erfüllung, nicht insofern Jakobus als zweiter Zeuge, sondern als Bischof von Jerusalem spricht! Die Konsequenz dieser Auslegung liegt auf der Hand. Nicht erst Theodor Abû Qurra hätte das Apostelkonzil in Analogie zum obersten jüdischen Gerichtshof gesehen[152], sondern schon Johannes Chrysostomus zum Beginn des 5. Jahrhunderts! Gut passen würde zu dieser Auslegung übrigens die führende Rolle, die Jakobus auf diesem Konzil zugeschrieben wird. So erläutert Chrysostomus z. B. das κρίνω von Apg 15, 19: ἀντὶ τοῦ: μετ' ἐξουσίας λέγω τοῦτο εἶναι[153]. Jakobus spricht „mit Vollmacht" sein Urteil; er setzt den Schlußstrich unter die Angelegenheit[154]. Denn er ist mit der Obergewalt bekleidet, nicht Petrus[155]. — Was spricht gegen die vorgetragene Auslegung? Vor allem die Tatsache, daß Chrysostomus die Analogie zwischen Apostelkonzil und jüdischem Obergericht nicht näher ausführt, andererseits der Umstand, daß sie in der übrigen zeitgenössischen Literatur nicht belegt ist. Wir lassen es deswegen mit dem Hinweis auf diese zweite mögliche Auslegung bewenden, ohne uns selber für sie zu entscheiden.

Wurde bei Petrus die ἐπιείκεια herausgestrichen, so kommt bei Jakobus als hervorstechende ‚Tugend' die σύνεσις hinzu. Auf sie hebt Chrysostomus gleich zu Beginn der Homilie ab[156]. An Anspielungen auf die Bischofssynoden fehlt es auch im Kommentar zu Apg 15, 13—35 nicht. So heißt es im Anschluß an die Auslegung des κρίνω: εἶτα λοιπὸν κοινὸν τὸ δόγμα γίνεται[157]. Deutlicher noch ist der Hinweis auf die gemeinsame Beschlußfassung nach gründlicher Prüfung der Angelegenheit[158]. Vor dem dunklen Hintergrund der Bischofsversammlungen,

---

[152] Vgl. dazu S. 174—179.

[153] Chrys., hom. 33, 2, PG 60, 241 C; vgl. das freilich im Gegensatz zur Gesetzeserkenntnis stehende κρίνω ἐγώ, τουτέστιν ἐξ ἐμαυτοῦ, οὐχὶ παρὰ τοῦ νόμου ἀκούσας, ebd. 239 D.

[154] Chrys., hom. 33, 1, PG 60, 239 B: πολλὴ ἡ ἐπιείκεια τοῦ ἀνδρός, καὶ τελειοτέρα αὕτη ἡ δημιουργία, ὅπου γε καὶ τέλος ἐπιτίθησι τοῖς πράγμασι.

[155] S. w. u.

[156] Ebd. 239 B.

[157] Die Formulierung ist anderseits freilich schon nahegelegt durch das ἔδοξε von Apg 15, 22.

[158] οὐ τυραννικῶς, ὅτι πᾶσι ταῦτα δοκεῖ, ὅτι μετὰ ἐπισκέψεως ταῦτα γράφουσιν. Ebd. 240 B.

so scheint der Prediger anzudeuten, hebt sich die Apostelversammlung als leuchtendes Vorbild ab: „Nun sind die Spaltungen und Kämpfe vorüber. Deswegen zogen sie in Frieden von dannen, nachdem sie sie bekräftigt hatten. Mit Paulus hatten sie Streit gesucht, und jetzt tritt Paulus als Lehrer auf. Keine Aufgeblasenheit (τῦφος) gab es mehr in der Kirche, statt dessen Festhalten an der rechten Ordnung (εὐταξία). Siehe, nach Petrus spricht Paulus und keiner fährt ihm über den Mund. Jakobus läßt es gewähren und springt nicht dazwischen. Ihm nämlich war die Oberleitung (ἀρχή) übertragen worden. Johannes meldet sich nicht zu Wort, auch nicht die übrigen Apostel. Sie schweigen, und sie äußern keinerlei Unzufriedenheit. Frei war ihre Seele von der Ruhmsucht"[159].

Eine Anspielung auf die Bischofssynoden kann man auch in der Art und Weise sehen, wie Chrysostomus die zur Apostelversammlung führende Krise als providentielle beurteilt: „Die Auseinandersetzung (ἀντιλογία) aber war providentiell (οἰκονομικῶς), damit nach der Auseinandersetzung das ‚Dogma‘ um so sicherer sei"[160]. Aus der folgenden Charakterisierung des Aposteldekrets darf man wohl ein Wort der Kritik an den synodalen Verlautbarungen der zeitgenössischen Kirche heraushören: „Schau, wie sie nichts Unangenehmes gegen jene sagen, sondern nur das eine Ziel verfolgen, das Geschehene ungeschehen zu machen. So brachten sie auch die dort (d. h. in Antiochien) Streitenden dazu, ihnen zuzustimmen. Sie beschimpften sie nicht als Verführer und Verderber und gaben ihnen auch keine anderen Schimpfnamen"[161]. Warum heißt es übrigens im Aposteldekret ‚Es gefiel dem Heiligen Geist und uns‘? Hätte nicht die Erwähnung des Geistes genügt? „Sie sagen: ‚es gefiel dem Heiligen Geist‘, damit sie das (Dekret) nicht als etwas (bloß) Menschliches ansähen; ‚und uns‘ aber fügten sie hinzu, um deutlich zu machen, daß sie (das Dekret) auch selber, obwohl sie von der Beschneidung sind, annehmen (ἀποδέχομαι!) . . . Nichts von Herablassung ist in ihren Worten, als ob sie sie schonten eben als Schwächlinge. Das Gegenteil ist der Fall. Mit großer Hochachtung üben sie ihr Lehramt aus . . . Schau, wie kurz der Brief ist, nichts Überflüssiges enthält er, keine langen Beweise und keine Syllogismen, sondern nur eine Anordnung (ἐπίταγμα). Der (Heilige) Geist war es eben, der das Gesetz gab"[162].
Chrysostomus hat ein klares Bewußtsein von der Spannung zwischen Apg 15 und Gal 2. Er hält jedoch eine Harmonisierung zwischen beiden

---

[159] Chrys., hom. 33, 2, PG 60, 240 D.
[160] Ebd. 242 A.
[161] Chrys., hom. 33, 3, PG 60, 242 B.
[162] πνεύματος γὰρ ἦν νομοθεσία, ebd. 242 D.

Stellen für möglich[163]. Der Handschlag von Gal 2, 9 wurde nach ihm bei dem Apg 15, 32 erwähnten Abschied ausgetauscht[164].

Einen Hinweis darauf, daß Chrysostomus bei seiner ‚moralischen' Auslegung von Apg 15 die Bischofssynoden irgendwie im Hintergrund sieht, kann man auch in der folgenden, zum zweiten Teil der Homilie überleitenden Bemerkung sehen: „Laßt uns an den Häretikern keinen Anstoß nehmen. Siehe, wieviel Anfechtungen es (schon) am Anfang der Botschaft (κήρυγμα) gab; ich meine nicht die von außen kommenden Anfechtungen — solche nämlich gab es keine — sondern die von innen, z. B. der Fall des Ananias, dann das Murren der Hellenisten, dann Simon der Magier, dann die Vorwürfe gegen Petrus wegen Kornelius, danach die Hungersnot, schließlich dieser Höhepunkt der Übel (d. h. der Streit um die Beschneidung)"[165].

Wenige Jahre nach den beiden Homilien des Chrysostomus zu Apg 15 ist der Kommentar des *Aponius* zum Hohenlied anzusetzen (zwischen 405 und 415)[166]. Mit einer gewissen Wahrscheinlichkeit wird bei der Auslegung von Hld 1, 13 b auf die Apostelversammlung als Modell einer Bischofssynode angespielt. Die inhaltlich recht dichte, aber auch dunkle Stelle lautet: *ecce quibus modis ‚inter ubera amicae', hoc est, animae sibi placitae, commorari probatur. Ecce quo ordine Christum inter sua ubera Ecclesia commorari laetatur; inter illos procul dubio egregios viros, qui pro aetate, vel pro possibilitate ingenii, lacte doctrinae suae spiritali, parvulos nutriunt, de quibus ipse Dominus dicit: si duo vel tres conveniunt super terram, quidquid petierint in nomine meo fiet eis; et ubi congregati fuerint duo vel tres in meo nomine, ego in medio eorum sum* (Mt 18, 19 f); *id est ea* (impetrando) *quae per gradus provocent ad cultum divini operis, et non in desperationem adducant: sicut fecisse (alto) Concilio Apostolos, actus Apostolorum commemorant, scribentes in Antiochia discipulis adhuc parvulis in Christo*[167]. Daß in den *egregii viri* auf dem Konzil versammelte Bischöfe und nicht bloß geistliche Lehrer der Kirche im allgemeinen zu sehen sind, scheint durch das Zitat von Mt 18, 20 sichergestellt zu sein[168]. Der Autor legt also sehr wahrscheinlich Hld 1, 13b als prophe-

---

[163] Vgl. auch das Chrysostomus zugeschriebene Katenenfragment zu Apg 15, 2—4, CRAMER, III, 242, 24—243, 11: Paulus ging jedenfalls nicht, um belehrt zu werden, nach Jerusalem. „Er hatte von Anfang an dieses Wissen, das die Apostel bekräftigten, nämlich daß keine Beschneidung nötig sei ... Nach langer Überlegung sollten die Apostel bekräftigen, was er vor der Überlegung (διάκρισις) unerschütterlich von oben bei sich trug."

[164] Chrys., hom. 33, 3, PG 60, 243 A—B.

[165] Ebd. 243 B.

[166] PLS I, 800—1031.

[167] Aponius, Expl. in Cant. Cant., PLS I, 844 C—D. — Es folgt Zitat von Apg 15, 28.

[168] Vgl. S. 221.

tisches Bild der Gegenwart Christi auf einer Synode aus. Die Synode ihrerseits hat ihr Vorbild im Apostelkonzil, auf dem die Apostel tatsächlich eine die Kirche erbauende und nicht sie zerstörende Lehre (eben im Aposteldekret) erteilt haben.

Kann man davon ausgehen, daß Chrysostomus und Aponius höchst wahrscheinlich bei ihrer Auslegung von Apg 15 Bischofsversammlungen zumindest im Hintergrund sehen, dann ist solche Anspielung auf die lukanische Perikope auch in einem Brief des *Caelestin* an das Konzil von Ephesus (431) wahrscheinlich und dies um so mehr, als der Papst im unmittelbaren Zusammenhang den locus scripturisticus für Konzilien, nämlich Mt 18, 20, zitiert. Der Text lautet: *Spiritus sancti testatur praesentiam congregatio sacerdotum. certum est enim quod legimus ... ubi duo vel tres congregati fuerint in nomine meo, ibi et ego sum in medio eorum. quod cum ita est (nam nec huic tam brevi numero spiritus sanctus deest), quanto magis eum nunc interesse credamus, quando in unum convenit turba sanctorum? Sanctum namque est pro debita veneratione collegium in quo utique nunc apostolorum frequentissimae illius quam legimus congregationis aspicienda reverentia est*[169]. Caelestin könnte in der Tat mit *frequentissima congregatio* auf das Apostelkonzil von Apg 15 anspielen. Sicher ist dies jedoch nicht, denn vielleicht meint er damit die pfingstliche Apostelversammlung von Apg 2. Es ist nämlich zu beachten, daß das Konzil von Ephesus auf Pfingsten 431 einberufen wurde. Auch die zahlreichen Hinweise auf die Verkündigung im weiteren Text des Briefes und auf die Gegenwart Jesu durch seinen Heiligen Geist würden ausgezeichnet in den Rahmen einer Anspielung auf die Pfingstversammlung der Apostel passen. Wie dem auch sei, ob Apg 15 oder Apg 2 dem Papst vor Augen steht, in beiden Fällen durften die versammelten Väter in ihrer Versammlung eine ‚Nachfolge' der versammelten Apostel sehen. Das ist, so scheint uns, der entscheidende Gesichtspunkt dieser Briefeinleitung.

Es ist also nicht sicher, ob Caelestin in Apg 15 eine Synode sieht. Sicher ist das bei *Augustinus* der Fall. Er bezeichnet nämlich die Apostelversammlung mit diesem Terminus, spricht er doch von *illud Hierosolymitanum concilium*[170]. Damit wären wir bei der letzten Gruppe von Texten, nämlich solchen, in denen die Bezugnahme auf die Bischofssynoden nicht nur wahrscheinlich, sondern gewiß ist. An erster Stelle sind hier die in der oben genannten Katene auf uns gekommenen Fragmente eines Kommentars zur Apostelgeschichte aus der Feder eines *Ammonius*

---

[169] Caelestin, Ep. ad conc. Eph., ACO I, 2; 22, 23—23,3.
[170] Augustinus, Ep. 82, 11, CSEL 34; 61,12—13.

zu nennen[171]. Dieser Ammonius ist höchst wahrscheinlich mit dem
„Ammonius presbyter Alexandrinus et oeconomus" identisch, der eine ausführliche Klageschrift gegen Timotheus Aelurus im Jahre 457 mitunter-
zeichnet hat[172]. Wie wenig Chrysostomus im Grunde Apg 15 im Blick
auf kirchliche Konzilien ausgelegt hat, wird durch Vergleich mit den
Ammoniusfragmenten deutlich. So werden z. B. die Pharisäer von Apg
15, 5 sogleich als Häretiker gekennzeichnet: „Zu beachten ist, daß die
Pharisäer Häretiker waren, und daß der Name ‚Häretiker' auch in vor-
christlicher Zeit denen, die keinen rechten Glauben haben (ὀρθῶς φρονεῖν),
beigelegt wird"[173]. Entsprechend wird das Apostelkonzil eindeutig als
Vorläufer der antihäretischen kirchlichen Synoden konzipiert. Daß das
Apostelkonzil damit jedoch nicht völlig auf die gleiche Ebene mit der
Bischofssynode gestellt wird, dürfte aus dem Kommentar zu Apg 15, 6
hervorgehen: „Damit (nämlich aus der Unterscheidung von Aposteln
und Ältesten) dürfte angedeutet sein, daß die Apostel eine andere, über
die Ältesten hinausgehende Würde hatten"[174].

Von ganz besonderem Interesse ist der Kommentar zu Apg 15, 7: „Die
Untersuchungen über die Dogmen führten die Gläubigen der alten
Zeit mit viel Diskussion und Auseinandersetzung durch; sie legten
auf diese Untersuchung solchen Wert, daß die Antiochener nicht zöger-
ten, nach Jerusalem zu schicken und Fragen über den Streitpunkt zu
stellen, obwohl es dabei nicht um zentrale Fragen ging, etwa um die
Frage nach der Gottheit oder Menschwerdung des Sohnes in der Zeit
oder um den Heiligen Geist oder die Engel oder die Herrschaften oder
den Himmel oder ein anderes Problem dieser Art, sondern um die
Beschneidung, d. h. den geringsten Teil der pudenda des menschlichen
Leibes; denn sie wußten wohl, daß jedes Jota und jedes Strichlein des
Gesetzes voll ist von tiefster Bedeutung. Die Jünger in Antiochien hatten
die Befürchtung, selbstherrlich (autoritär) zu sein (αὐθεντέω); deswegen

---

[171] Die Katenenfragmente sind aufgrund der CRAMER-Ausgabe gesammelt in PG 85, 1524—
1608, zu Apg 15, 1548—1553. — Näheres zu diesem Kommentar der Apostelgeschichte bei
Th. ZAHN, Der Exeget Ammonius und andere Ammonii, in: ZKG 38 (1920) 1—22; 311—
336, hier 17—19.

[172] BARDENHEWER, IV, 83—86.

[173] Ammonius, Com. in Act. Apost., PG 85, 1548 D. — Vgl. ebd. 1548 C—D: „Nicht die
Gläubigen aus den Heiden, sondern die aus den Juden verlangten die Beschneidung der
Gläubigen und die übrigen fleischlichen Werke des Gesetzes. Die Jünger jedoch verwarfen
sie (οὐκ ἀποδέχομαι) mit der Begründung, daß sie noch nach dem alten Gesetz gesinnt
seien und zum eigenen Ruhm die Gläubigen beschneiden wollten. (So handelten die Jünger),
obwohl sie selber aus der Beschneidung waren; denn sie suchten nicht ihren eigenen Willen,
sondern den Nutzen der Welt zu verwirklichen."

[174] Ebd. 1548 D.

bemühten sie sich, auch in einer so unbedeutenden Frage von Antiochien aus den Barnabas und Paulus abzusenden und die Jerusalemer zu befragen. Die Jerusalemer Jünger aber sandten die Begleiter des Judas und Silas mit einem eigenen Brief nach Antiochien"[175]. Dies ist ohne Zweifel eine sehr deutliche Lektion über Bescheidenheit an die Adresse der Inhaber der großen Bischofssitze in der zweiten Hälfte des 5. Jahrhunderts. Fragen kann man sich freilich, ob unser Autor tatsächlich die Bedeutung des auf dem Apostelkonzil behandelten Streitpunkts so völlig verkannte, oder ob er eine gewisse Ignoranz affektiert, um die Mahnung um so eindringlicher zu machen.

Auch der Kommentar zu Apg 15, 25 verdient unser Interesse, nennt er doch eine die Hirten der Kirche, wie es scheint, seit eh und je bedrohende Versuchung, ihre Selbstherrlichkeit, beim Namen: „Weder Jakobus noch Petrus wagten in der Frage der Beschneidung ohne die ganze Kirche eine Entscheidung zu fällen, obwohl sie selber der Ansicht waren, daß sie gut sei. Auch hätten nicht alle mitentschieden, wenn sie nicht überzeugt gewesen wären, daß dies eine Entscheidung des Heiligen Geistes ist, dessen Urheberschaft sie auch vorangesetzt haben, indem sie in ihrem Briefe sagen: ‚Der Heilige Geist und wir haben beschlossen'. . ."[176]

Chrysostomus hatte in seinen beiden Homilien diskret und verhalten auf den Modellcharakter des Apostelkonzils hingewiesen. Ammonius drückt sich in dieser Beziehung deutlich und offen aus. Der Modellcharakter des Apostelkonzils wird offensichtlich mehr und mehr im ausgehenden fünften und beginnenden sechsten Jahrhundert erkannt. Der Gedanke ist nicht nur dem Interpreten bei der Auslegung von Apg 15 geläufig, er findet seinen schriftlichen Niederschlag auch in den offiziellen Konzilsdokumenten. Kritik am konkreten Verhalten des einen oder anderen Konzilsteilnehmers beruft sich auf Apg 15. So geschieht es z. B. in der *sententia synodica* des zweiten Constantinopolitanums: *... ad memoriam eius* (d. h. des Vigilius) *perduximus magna illa apostolorum exempla et patrum traditiones. licet enim sancti spiritus gratia et circa singulos apostolos abundaret, ut non indigerent alieno consilio ad ea quae agenda erant, non tamen aliter voluerunt de eo quod movebatur, si oporteret gentes circumcidi, definire, priusquam communiter congregati divinarum scripturarum testimoniis unusquisque sua dicta confirmaverunt. itaque communiter omnes de eo sententiam protulerunt ad gentes scribentes et pronuntiando dicentes quod ‚in unum nobis congregatis . . .'* (Apg

---

[175] Ebd. 1549 A.
[176] Ebd. 1552 B.

15, 25. 28. 29) . . . *nec enim potest aliquis in fidei causa universitati ecclesiae praeiudicium facere, cum unusquisque proximi adiutorio indiget . . .*"[177] Das ist gegen Vigilius gesagt. Das Konzil kritisiert sein Verhalten unter Berufung auf Apg 15. Damals, beim Apostelkonzil handelten alle gemeinsam, keiner scherte aus und schuf ein *praeiudicium* für die *universitas ecclesiae!* Offensichtlich ist das Apostelkonzil das allseits anerkannte Modell[178] einer Bischofssynode, deswegen kann man sich auf Apg 15 berufen, will man die Gegner des Konzils in die Enge treiben.

Im Konzilstraktat des *Theodor Abû Qurra* erreicht schließlich die ‚Karriere' von Apg 15 in der Alten Kirche einen gewissen Höhepunkt. Das Apostelkonzil ist nicht nur Modell, von dem die Qualität einer Bischofssynode abgelesen, nach dem das Verhalten von Synodenteilnehmern gewertet wird, das Apostelkonzil stellt die entscheidende theologische Rechtfertigung der Konzilsinstitution dar. Für den Apologeten Theodor ist Apg 15 — zusammen mit Dtn 17, 8 ff. — die Schriftbasis des konziliaren Lehramtes der Kirche und damit das tragende Schriftargument für den gesamten definierten Glauben als solchen[179].

Es ist nur konsequent, wenn der Verfasser des *Synodicum vetus* den weiteren Schritt tut und das Apostelkonzil in die Reihe der kirchlichen Synoden eingliedert, besser: es an deren Spitze setzt[180]. Das Apostelkonzil steht nicht nur zeitlich am Anfang, es ist auch der tragende Grund aller folgenden Lehrversammlungen der Kirche: „Eine göttliche und heilige Synode wurde in Jerusalem von den gottbelehrten heiligen Aposteln und den in die Mysterien einführenden Ältesten versammelt . . . Nach der Synode der Apostel kam eine göttliche und heilige Synode von 12 Bischöfen in Lyon, der Metropole Galliens, zusammen . . ."[181]

---

[177] Sent. syn., ACO IV, 2; 176, 5 ff.
[178] Vgl. S. 421—422.
[179] Vgl. S. 174—179.
[180] Vgl. S. 375.
[181] FABRICIUS, XII, 360—361.

Kapitel II

DIE KONZILSIDEE DES EUSEBIUS VON CAESAREA
ODER DER HELLENISTISCHE EINFLUSS

Das erste Ökumenische Konzil wird von dem ungetauften Kaiser Konstantin einberufen und von ihm wahrscheinlich persönlich geleitet. Er ist es, der vermutlich das ὁμοούσιος, die Glaubensformel, in die Diskussion wirft und durchsetzt, der schließlich Glaubensformel und Kanones bestätigt und zu Reichsgesetz macht. Nicht der Inhalt, aber die Existenz des geschichtsträchtigen chalcedonensischen Glaubenssymbols geht auf den Willen des als tüchtigen Soldaten, nicht aber als Theologen in die Geschichte eingegangenen Marcian zurück. Dem Theologen unter den Kaisern, Justinian, verdankt die Kirche nicht nur Existenz, sondern auch Inhalt der Glaubensdefinition des zweiten Konzils von Konstantinopel. Die angedeuteten Fakten, die sich leicht vermehren ließen, zeigen: der Einfluß der Kaiser auf die Konzilien der Alten Kirche war immens. Er ist durch die übliche juridische Fragestellung nach Einberufung, Leitung und Bestätigung des Konzils eher verdeckt als adäquat erfaßt. Eine Möglichkeit, ein Weg, Stellung und Einfluß des Kaisers auf dem Konzil der Alten Kirche zu erfassen und in den Blick zu bekommen, wäre die systematische Durcharbeitung der uns überlieferten Konzilsakten. Es ist ein Weg, der den hier gezogenen Rahmen sprengen würde. Eine andere Methode bietet sich an: einen einzigen, exemplarischen Text genauer zu analysieren, einen möglichst frühen, in dem gegebenenfalls Stellung und Einfluß des Kaisers in gewisser Überspitzung und übertriebener Weise zur Geltung kommt. Die Frage ist: Gibt es einen solchen Text? Auf geradezu ideale Weise, so will uns scheinen, entspricht ,der Bericht' der *Vita Constantini* (VC) über das Konzil von Nicaea aus der Feder des Eusebius von Caesarea dem, was wir suchen.

Bevor wir uns der Analyse dieses Textes widmen, um Stellung und Einfluß des Kaisers zunächst auf diesem *einen* Konzil und in der Sicht dieses *einen* Theologen in den Blick zu bekommen, ist kurz auf zwei Fragen einzugehen: die Authentizität des Textes[1] und seine literarische

---

[1] Umfangreiche Bibliographie zur VC insgesamt vgl. QUASTEN, III (1963) 322—324; J. MOREAU, Art. Eusèbe de C. in: DHGE XV (1963) 1437—1460, hier 1460; DERS., Art. Eusebius von C., in: RAC VI (1973) 1052—1088, hier 1083—1088.

Eigenart. Da in der neueren Forschung wiederholt der status quaestionis zur Echtheit der VC dargelegt wurde, genügt es hier, auf die eine oder andere Stellungnahme hinzuweisen. Die vor allem durch H. Grégoire[2] und seine Schüler erneut[3] in Frage gestellte Echtheit wurde vor allem durch F. Vittinghoff entschieden verteidigt[4]. Den Argumenten Vittinghoffs wurde von Forschern wie J. Vogt und K. Aland zugestimmt[5]. Trotz einiger dissonanter Stimmen[6] darf man z. Z. von einer opinio communis für die Echtheit der VC sprechen[7].

Beträchtlicher Fortschritt wurde in den vergangenen Jahrzehnten in der Bestimmung des genaueren genus litterarium der VC erzielt. Die Zeit, in der man sie als „absichtliche Fälschung"[8], als „ein Heiligenbild, dessen

---

[2] Eusèbe n'est pas l'auteur de la ‚Vita Constantini' dans sa forme actuelle, in: Byz. 13 (1938) 561—583.

[3] Vgl. F. WINKELMANN, Zur Geschichte des Authentizitätsproblems der ‚Vita Constantini', in: Klio 40 (1962) 187 —243; DERS., Zur Echtheitsfrage der Vita Constantini des Eusebius von Cäsarea, in: Studii Classice 3 (1961) 404—412; DERS., Die Vita Constantini des Euseb. Ihre Authentizität, Diss. Halle 1959 (Bericht in ThLZ 85 [1960] 946).

[4] Eusebius als Verfasser der ‚Vita Constantini', in: RMP 96 (1953) 330—373, hier 373: „Unsere Untersuchungen haben also insgesamt ergeben, daß alle Argumente gegen eine Abfassung der Vita Constantini durch Eusebius von Caesarea nur Scheinargumente sind. Eusebius, Bischof von Caesarea und Vertrauter Constantins, hat die Schrift Εἰς τὸν βίον τοῦ μακαρίου Κωνσταντίνου βασιλέως unmittelbar nach dem Tode des Kaisers geschrieben".

[5] „Ich aber glaube, in aller Sachlichkeit feststellen zu können, daß nun die Erbringung neuer Beweise von denen verlangt werden muß, die im Gegensatz zur Überlieferung Euseb nicht als Verfasser der unter seinem Namen erhaltenen Vita Constantini anerkennen wollen." J. VOGT, Die Konstantinische Frage, in: Relazione del X Congresso Internazionale di Scienze Storiche, II, Florenz 1955, 377—423, wiedergedruckt in: H. KRAFT (Hrsg.), Konstantin der Große, Darmstadt 1974, 345—387, hier 361. — K. ALAND spricht von der „endlich allgemein anerkannten Authentizität der Vita Constantini", ihre Abfassung durch Euseb „muß als Tatsache vorausgesetzt werden"; vgl. Der Abbau des Herrscherkultes im Zeitalter Konstantins, in: SHR 4 (1959), The Sacral Kingship, La regalità sacra, 493—512, hier 494; DERS., Die religiöse Haltung Kaiser Konstantins, in: TU 63 (1957) 549—600, hier 566 ausdrückliche Zustimmung zu Vittinghoff.

[6] G. DOWNEY, The Builder of the original Church of the Apostles at Constantinople, in: DOP 6 (1951) 51—81, hier 59—60, rechnet mit Interpolationen; vgl. auch DVORNIK, Philosophy, II, 751; M. R. CATAUDELLA, Sul problema della ‚Vita Constantini' attribuita a Eusebio di Cesarea, in: Oikoumene, Studi paleocristiani publicati in onore del Concilio Ecumenico Vaticano II, 1964, 553—571; DERS., La ‚persecuzione' di Licinio e l'autenticità della ‚Vita Constantini', in: At. 48 (1970) 46—83 und 229—250.

[7] Vgl. u. a. R. FARINA, L'Impero e l'Imperatore cristiano in Eusebio di Cesarea, la prima teologia politica del cristianesimo, Zürich 1966, 17; J. M. SANSTERRE, Eusèbe de Césarée et la naissance de la théorie césaropapiste, in: Byz. 42 (1972) 131—195, 532—594, hier 136, Anm. 4; C. DUPONT, Décisions et textes constantiniens dans les oeuvres d'Eusèbe de Césarée, in: Viator 2 (1971) 1—32, hier 2.

[8] TH. BRIEGER, Konstantin der Große, Kirchengeschichtlicher Essay, Gotha 1880, 5—33, wiederabgedruckt bei KRAFT, Konstantin 56—84, hier 57.

innere Unwahrheit und äußere Häßlichkeit in der geschichtlichen Literatur ihresgleichen sucht"[9], in Bausch und Bogen verdammte, ist vorüber. Eine viel nuanciertere Betrachtungsweise hat sich durchgesetzt. F. Leo gelang 1901 die treffende literarische Einordnung in das genus des Panegyricus[10]. Der Herausgeber der VC, I. A. Heikel, bestimmte ein Jahr später unsere Schrift noch genauer als βασιλικὸς λόγος und zeigte, wie Eusebius die für diese Schriftgattung aufgestellten Regeln anwendet. Er hält es für möglich, daß Eusebius den unter diesem Namen auf uns gekommenen Traktat des Rhetors Menander gekannt hat[11]. Gleich zu Beginn desselben steht der Hinweis, daß der βασιλικὸς λόγος eine αὔξησις, eine *amplificatio* anerkannter Vorzüge eines Kaisers zu enthalten hat. Zweifelhaftes oder Umstrittenes gehört nicht in die betreffende Gattung der Lobrede[12]. J. Straub hat dann 1939 wichtige Hinweise zur rechten Einschätzung des von Menander vorgestellten Redeschemas gegeben[13]. Vor kurzem hat R. Farina das genus litterarium der VC so umschrieben: weder eine Biographie noch ein Panegyricus in Reinform, die VC ist beides miteinander vermischt. Das Biographische durchbricht das Menandrische Schema. Hinzu kommt ein drittes Element, das für

---

[9] TH. ZAHN, Konstantin der Große und die Kirche, Skizzen aus dem Leben der Alten Kirche, Erlangen/Leipzig 1894, 241—266, wiederabgedruckt bei KRAFT, Konstantin 85—108, hier 86.

[10] Die griechisch-römische Biographie nach ihrer literarischen Form, Leipzig 1901. — Sehr richtig stellt LEO 313 fest, daß die Biographie nur noch „durchschimmert". Stoff und Darstellung sind eine „Mischung aus panegyricus und Historie". Maßstab für eine gerechte Wertung ist nicht die antike Biographie, sondern sind z. B. die scriptores historiae Augustae: „Der Leser des βίος Κωνσταντίνου steht mit Staunen vor dieser komplizierten Erscheinungsform der historischen Unzuverlässigkeit, die bei so viel höherer Anlage und Bildung doch mehr besagen will als die vulgäre Verlogenheit des scriptores historiae Augustae". Ebd. 313 f.

[11] Eusebius Werke, erster Band, Leipzig 1902, GCS 7, Einleitung. E. Zweck und Charakter der Schrift ‚über das Leben Constantins' XLV—LIII (XLVI).

[12] „Schon dies erklärt uns, warum Eusebius einerseits die Schwäche und Verbrechen des Constantin verschweigt, andererseits seine Verdienste übertreibt. Die Natur des Enkomions fordert es." GCS 7, XLVI.

[13] Der vom Rhetor verlangte Vergleich des Kaisers mit den früheren Herrschern z. B. ist nicht nur ein literarisches Stilprinzip, ein rhetorischer Topos, es kommt in ihm ein gemeinsames Lebensideal zum Ausdruck, Bindung an eine Tradition, an einen anerkannten Typos. Vgl. J. STRAUB, Vom Herrscherideal in der Spätantike, Stuttgart 1939, Neudruck Darmstadt 1964, 146—159, hier 158. Vgl. auch das Kapitel „Die publizistische Bedeutung der panegyrischen Literatur", ebd. 146—174; ferner H. CANCIK, Art. Römische Panegyrik, in: Lexikon der Alten Welt, Zürich 1965, 2208; K. ZIEGLER, Art. Panegyrikos, in: PRE 18, c (1949) 559—581. — Die beiden Studien R. H. STORCH, The ‚Eusebian Constantine', in: CH 40 (1971) 145—155 und T. V. POPOVA, Les particularités littéraires de la Vita Constantini d'Eusèbe de Césarée (auf russisch), in: VV 34 (1973) 122—129, waren uns leider nicht zugänglich.

die beiden anderen als Katalysator wirkt: die Idealisierung. Eusebius
entwirft das Bild eines idealen Kaisers[14].

Ziel unserer Untersuchung ist nicht die Erhellung der Geschichte des
Konzils von Nicaea, sondern die Erfassung der Idee, die sich Eusebius
über Kaiser und Konzil macht, besser: der Ideologie, die er über das
Verhältnis beider ‚Größen' zueinander propagiert. Dieser Fragerichtung
entspricht das vorliegende genus litterarium geradezu ideal, schreibt
doch z. B. J. Moreau über die VC: „Die Vita ist mit allen ihren
Mängeln eine wichtige Quelle, weniger wegen der Dinge, die sie beschreibt als wegen der Art, in der die wesentlichen Fakten dargestellt
oder verschwiegen werden. Sie liefert weniger genaue Angaben über
Ereignisse als vielmehr Belege für die Mentalität, das Handeln und die
Propaganda gewisser christlicher Kreise in der ersten Generation des
christlichen Reiches"[15]. Handelt es sich in der VC auch in erster Linie um
Ideologie und Propaganda, so sollte man doch andererseits die Diskrepanz zur Geschichte und zur Auffassung des idealisierten Kaisers
nicht über Gebühr in Anschlag bringen. Sicher richteten sich die
Kaiser nicht immer nach der Idee ihrer Panegyristen und Lobredner.
Aber der Abstand von Idee und Wirklichkeit sollte auch nicht überbe-
tont werden. Denn die Panegyristen haben die Fühlung mit der politischen Wirklichkeit nie ganz verloren. „Die Kenntnis des Rezeptes
für den βασιλικὸς λόγος (Menander) darf jedenfalls nicht dazu führen,
dem konkreten Fall die politische Substanz abzusprechen"[16].

Heikel hat in der Einleitung seiner Edition eine überzeugende Disposition der VC vorgelegt[17]. Wir gehen im folgenden von dieser Dispo-

---

[14] Zusammen mit *De Laudibus Constantini* stellt die VC einen Traktat über den idealen
Kaiser dar, „una determinata visione cristiana dell' Impero e dell' Imperatore . . ." FARINA 22.
[15] MOREAU 1074.
[16] CANCIK 2208. — Vgl. auch die sehr treffenden Ausführungen von L. WICKERT, Art.
princeps, in: PRE 22, 2 (1954) 2222—2296, bes. 2230.
[17] Dem Prooemium (I, 1—11) folgen drei Abschnitte, von denen der erste sich mit der
Jugend Konstantins, seinem Vater und der Thronbesteigung (I, 12—24), der zweite mit dem
Streit um Maxentius und der Regierung Konstantins im Abendland (I, 25—48), der dritte
schließlich mit der Auseinandersetzung mit Licinius und dem Edikt an die Orientalen
befaßt (I, 49—II, 60). II, 61—III, 24 enthält den Bericht über den arianischen Streit und die
Nicaenische Synode. Den Kirchenbauten Konstantins und der Zerstörung der heidnischen
Tempel (III, 25—58), Konstantins Maßregeln gegen Streit und Ketzerei in der Kirche
(III, 59—66), seiner inneren und äußeren Politik (IV, 1—13), der christlichen Gesinnung des
Kaisers (IV, 14—39) und seinem Ende (IV, 40—74) sind weitere 5 Abschnitte gewidmet.
GCS 7, LIV. — Eine substantiell ähnliche, jedoch stärker die Bücher als literarische Einheit
berücksichtigende Disposition befindet sich bei J. P. PFÄTTISCH, Des Eusebius Phamphili
vier Bücher über das Leben des Kaisers Konstantin, aus dem Griechischen übersetzt,
Kempten/München 1913, V—VII.

sition aus und analysieren VC II, 61—III, 24 als einen zusammenhängenden Passus. Seine Einheit ergibt sich nicht aus literarischen Kriterien, sondern aus dem behandelten Gegenstand: die arianische Krise und das Konzil von Nicaea gehören inhaltlich zusammen.

1. Kaiser und Konzil nach VC II,61—III,24

a) „Siegeskranz'

Methodisch ist es bisweilen ratsam, den Zugang zur Interpretation eines Textes an einer vergleichsweise besonders dunklen Stelle zu suchen. Ist einmal die betreffende Stelle in ihrem genauen Sinn erhellt, kommt das gewonnene Licht dem Gesamttext zugute. Eine solche besonders dunkle Stelle scheint nun innerhalb von VC II, 61—III, 24 das Ende der beiden Kapitel III, 6 und III, 7 darzustellen. Die genauere Bestimmung des an beiden Stellen erwähnten στέφανος dürfte erheblich nicht nur zur Erhellung der Kapitel III, 6—8, sondern auch der Vorgeschichte des Konzils II, 61—III, 5 und des Verlaufs und Ausgangs desselben (III, 10—11. 13—16. 21—24) beitragen. An der ersten Stelle heißt es von Nicaea: καὶ μία τοὺς πάντας ὑπεδέχετο πόλις, ἦν θ'ὁρᾶν (Variante: οἷόν τινα) μέγιστον ἱερέων στέφανον ἐξ ὡραίων ἀνθέων καταπεποικιλμένον[18]. Die zweite Stelle lautet: τοιοῦτον μόνος ἐξ αἰῶνος εἷς βασιλεὺς Κωνσταντῖνος Χριστῷ στέφανον δεσμῷ συνάψας εἰρήνης, τῷ αὐτοῦ σωτῆρι τῆς καθ' ἐχθρῶν καὶ πολεμίων νίκης θεοπρεπὲς ἀνετίθει χαριστήριον, εἰκόνα χορείας ἀποστολικῆς ταύτην καθ' ἡμᾶς συστησάμενος[19]. Problematisch nun ist zunächst an beiden Stellen die genauere Bedeutung des Wortes στέφανος. An der ersten Stelle ist man versucht, dasselbe entsprechend dem lateinischen Äquivalent corona im übertragenen Sinn als „Kreis von Menschen", „Versammlung", „Menge" zu übersetzen. Diese Übersetzung ist aber zurückzuweisen, erstens weil στέφανος offensichtlich an beiden Stellen den gleichen Sinn haben muß. An der zweiten Stelle ist die erwähnte Übertragung im Sinne des lateinischen corona jedoch nicht möglich. Zweitens, das griechische στέφανος ist im Unterschied zum lateinischen corona nicht in der angegebenen übertragenen Bedeutung belegt. An beiden Stellen ist στέφανος also in der wörtlichen

---

[18] VC 3, 6, GCS 7, 80, 6—7. — Vor Beendigung der Drucklegung konnte die neue von F. Winkelmann 1975 in der GCS vorgelegte Edition der VC noch eingesehen und mit der hier benutzten Heikel'schen verglichen werden. An keiner der in diesem Kapitel herangezogenen Stellen wurde eine für die Interpretation relevante Abweichung festgestellt.
[19] VC 3, 7, GCS 7, 80, 22—25.

Bedeutung von „Kranz" zu verstehen. Damit steht man aber an beiden Stellen vor einem recht merkwürdigen — Bild! Die nicaenischen Synodalen werden mit einem Kranz verglichen. Mit was für einem Kranz? Der Kranz spielte in der antiken Kultur eine eminente Rolle. Er kommt in verschiedensten Formen vor und wird zu den verschiedensten Zwecken in fast allen Bereichen des Lebens verwendet[20]: u. a. im Orakelwesen, bei Prozessionen und Festen, als Heils- und Schutzzeichen, im politischen Leben. Auch im sportlichen Agon wird der Sieger mit einem Kranz, mit einem Siegeskranz ausgezeichnet. Welche Art von Kranz an unseren beiden Stellen gemeint ist, geht eindeutig aus der zweiten Stelle hervor[21]. Es handelt sich um einen Siegeskranz, den Konstantin „Christus seinem Retter als gotteswürdiges Dankgeschenk für den Sieg über seine Gegner und Feinde weihte".

Einen Siegeskranz der Gottheit zu weihen, also einen wirklichen Kranz nach dem Siege zu opfern, ist ein gut bezeugter Brauch in der Antike. Das tat sowohl der Triumphator als auch der Sieger im sportlichen Wettkampf. So wie der Sieger im irdischen Agon den errungenen Siegeskranz der Gottheit weihte, bringt der christliche Apostel und Martyrer seinen Siegeskranz Christus, seinem Gott, dar[22]. Das Ungewöhnliche an unserer zweiten Stelle ist nicht das Bild von der Darbringung des Kranzes an die Gottheit, sondern die eindeutige Identifizierung dieses Kranzes mit den Synodalen von Nicaea einerseits und die Aussage andererseits, daß der Kaiser eben diesen Kranz der Gottheit weihte: „Einen solchen Kranz, umwunden mit dem Bande des Friedens, weihte seit Menschengedenken einzig Kaiser Konstantin Christus seinem Retter". Denn was bedeutet die Anwendung des Bildes vom Kranz, der der Gottheit dargebracht wird, auf die nicaenischen Synodalen? Nicht nur, daß der Kaiser der einzig und eigentlich Handelnde ist, nicht nur, daß er der Sieger ist, sondern daß die Synodalen, freilich „umwunden mit dem Band des Friedens", *gleichsam* der ‚Siegeskranz' sind, den der Kaiser gewonnen hat, das sichtbare Zeichen seines persönlichen Sieges. Monumentaler und kühner als durch dieses Bild kann man Nicaea nicht als den Triumph dieses *einen* Mannes feiern: das ganze Konzil *wie* ein „Siegeskranz", den der Kaiser der Gottheit weiht!

---

[20] Vgl. E. Egger und E. fournier, Art. corona, in: Dict.Ant.Grec.Rom. 1 (1918) 1520—1537 und Ganszyniec, Art. Kranz, in: PRE 11, 2 (1922) 1588—1607; W. Grundmann, Art. στέφανος, in: ThWNT VII (1964) 615—635. Vor allem aber K. Baus, Der Kranz in Antike und Christentum, Bonn 1940.

[21] An der ersten Stelle ist der im unmittelbaren Kontext unverständliche Vergleich schon ganz im Hinblick auf die zweite Stelle eingeführt.

[22] Vgl. hierzu Baus 190—201, ferner die diesbezüglichen Lexikonartikel.

Doch schauen wir noch einige Facetten dieses monumentalen Bildes genauer an! Der Siegeskranz, den der Kaiser gewonnen hat und der Gottheit weiht, wird an unserer ersten Stelle als „gewaltiger Kranz" bezeichnet, „der sich wie aus köstlichen Blumen bunt zusammensetzte". Eusebius kennt das Bild vom bunten Kranz, der geopfert wird, aus dem Brief der Martyrer von Lyon: „Dadurch nun starben sie schließlich auf jede denkbare Art ihren Bekennertod. Aus bunten Farben und mannigfachen Blumen flochten die Martyrer einen einzigen Kranz und brachten ihn dem Vater dar. Und es sollten die edlen Helden für die verschiedenen Kämpfe, die sie mutig bestanden hatten, und für ihre herrlichen Siege, den schönen Kranz der Unsterblichkeit empfangen"[23]. Gewiß, man darf das Bild nicht pressen, das tertium comparationis ist in beiden Fällen verschieden. Aber es bleibt doch die Tatsache, daß der Kaiser durch Anwendung des gleichen Bildes in Parallele zu den Martyrern gesehen und damit in ihre Nähe gerückt erscheint. Sie haben durch ihre Lebensopfer den Siegeskranz errungen, er durch die Versammlung des Konzils von Nicaea. Im Falle der Martyrer besteht der Kranz aus den „mannigfachen Blumen" der verschiedenen Martern, im Falle des Kaisers aus den „köstlichen, bunt zusammengesetzten Blumen" der verschiedenen am Konzil beteiligten Völkerschaften.

III, 7 beschreibt den Siegeskranz, den der Kaiser Christus darbringt, näherhin[24]. Nebenbei bemerkt: Eusebius steckt den bunten Kranz der am Konzil teilnehmenden Völkerschaften weitgehend nach den Eparchien zusammen, aus denen die Konzilsväter stammen[25]. Stellt III, 7 die

---

[23] Eus., H. E. 5, 1, 36, GCS 9, 1, 417. — Nähere Interpretation dieser und anderer Stellen aus dem Brief der Lyoner Martyrer bei A. J. Brekelmans, Martyrerkranz. Eine symbolgeschichtliche Untersuchung im frühchristlichen Schrifttum, AnGR 150, Rom 1965, 57—62; ebd. 118—125 über die Kranzsymbolik bei Eusebius von Caesarea.

[24] VC 3, 7, GCS 7, 80, 8—21: „Von allen Kirchen, welche ganz Europa, Libyen und Asien bedeckten, waren ja die vornehmsten der Diener Gottes versammelt, und ein Bethaus, das gleichsam von Gott erweitert worden war, faßte zugleich in sich Syrier und Zilizier, Phönizier, Araber und Palästiner, und dazu Ägypter, Thebäer, Libyer sowie Ankömmlinge aus Mesopotamien; ja sogar ein Bischof aus Persien nahm an der Synode teil und nicht fehlte der Skythe unter den Reigen; Pontus und Galatien, Kappadozien und Asien, Phrygien und Pamphylien boten die Auslese der Ihren. Ja sogar Thraker und Mazedonier, Achäer und Epiroten und Männer, die noch über diese hinaus wohnten, kamen herbei, selbst von Spanien war jener weit berühmte Mann, einer von den zahlreichen Teilnehmern an der Versammlung. Von der Kaiserstadt (Rom) jedoch war der Bischof wegen seines Alters nicht gekommen, Priester aber erschienen von ihm, seine Stelle zu vertreten." (Übersetzung hier und im folgenden, von wenigen Ausnahmen abgesehen, nach Pfättisch).

[25] Dies ergibt sich aus einem Vergleich der in Kapitel III, 7 genannten Völkerschaften mit der offiziellen Liste der Konzilsväter, vgl. E. Honigmann, La liste originale des Pères de Nicée, in: Byz. 14 (1939) 16—76, hier 44—48.

Buntheit des kaiserlichen Siegeskranzes vor Augen[26], so führt III, 8 den Vergleich dieses Siegeskranzes mit der „Apostelschar" näherhin aus: „Einen solchen Kranz ... weihte Konstantin ... ein Abbild der Apostelschar in unserer Zeit"[27]. Nichts verdeutlicht mehr die Größe des kaiserlichen Sieges bzw. des kaiserlichen Siegeskranzes als der Vergleich mit dem Apg 2, 5 und 9 ff. geschilderten Pfingstfeste. Auch damals versammelten sich verschiedene Völkerschaften. „Doch fehlte bei jenen dies eine: keiner von ihnen gehörte zu den Dienern Gottes. Unter der gegenwärtigen Schar war aber eine Menge von mehr als zweihundertfünfzig Bischöfen; die Zahl der Priester, Diakone und Akolythen und zahlreicher anderer, die ihnen folgten, war ganz unermeßlich"[28]. Den kaiserlichen Siegeskranz zeichnet nicht nur priesterlicher Charakter im Vergleich zur pfingstlichen Völkerschar aus. Er ist „bunt zusammengebunden" nicht nur aufgrund verschiedenster Herkunft der Bischöfe, sondern auch aufgrund verschiedenster Weisheit, Tugend und Alters derselben (III, 9).

Fragen wir uns, bevor wir VC II, 61—III, 5 im Lichte des hier gewonnenen Ergebnisses zu interpretieren versuchen, was Eusebius veranlaßt haben könnte, in seinem Panegyricus den kaiserlichen Sieg gerade unter dem Bilde eines Siegeskranzes zu preisen. Der Siegeskranz als Symbol des Sieges ist in der altchristlichen Literatur seit dem NT (vgl. 1 Kor 9, 24 ff.) bezeugt[29]. Besonderes Gewicht aber hat diese Kranzsymbolik seit Konstantin erlangt. Das Kreuz in der Sonnenscheibe war das Zeichen, in dem der Kaiser siegen sollte. Eusebius schildert VC I, 31 die Heeresstandarte, die Konstantin seit seinem Zug gegen Licinius führte, und VC III, 49 ein mit Gemmen besetztes Kreuz in seinem Kaiserpalast in Konstantinopel. Beidemal ist das Labarum, das Christusmonogramm, wahrscheinlich von einem Kranz umschlossen[30]. Diese Form des umkränzten Christusmonogramms hat sich seither überall, z. B. auch auf Hausgerät, durchgesetzt[31]. Sollte Eusebius nicht von der Quasi-Allgegenwart des Kranzes auf dem Labarum seines Kaisers inspiriert worden sein, auch dessen nicaenischen Sieg im Bilde eines Kranzes zu feiern? Die Hypothese scheint einiges für sich zu haben.

---

[26] καταπεποικιλμένον, GCS 7, 80, 7.
[27] VC 3,7, GCS 7, 80, 24—25.
[28] VC 3, 8, GCS 7, 81, 1—5.
[29] Reicher Überblick bei Baus 170—180.
[30] Vgl. A. Alföldi, Hoc signo victor eris, in: Pisciculi, Festschrift F. J. Dölger, Münster 1939, 1—18, hier 9.
[31] Vgl. F. J. Dölger, ΙΧΘΥΣ, V., Münster 1932, 177.

b) Die beiden Gegenspieler

Wir kommen nun zur „Vorgeschichte" des Konzils von Nicaea. Besser gesagt: Im Lichte von VC III, 6—9 zeigt sich, daß VC II, 61—III, 5 keineswegs ein locker zusammengewürfeltes Konglomerat von Einzelnotizen, sondern einen konsequent als Vorgeschichte des Nicaenums, des kaiserlichen Triumphes, konzipierten Text darstellt. Das Zitat eines unmittelbar vorausgehenden Briefes des Kaisers (VC II, 48—60) hatte Eusebius mit der Bemerkung abgeschlossen: „Solche Worte richtete der Kaiser wie ein Verkündiger Gottes mit gewaltiger Stimme durch ein eigenes Schreiben an die Bewohner aller Provinzen, um seine Untertanen von dem dämonischen Betrug zu befreien und zugleich sie zu ermahnen, der wahren Frömmigkeit nachzueifern"[32]. Der Kaiser wird in unserem Abschnitt eingeführt als ein „Verkündiger Gottes". Die Art und Weise, in der der Anfang und vor allem der eigentliche Hintergrund der arianischen Wirren von Eusebius geschildert werden, verdeutlichen diese „Verkündigerrolle" des Kaisers.

In der Tat, die arianischen Wirren werden von unserem Panegyriker mit Hilfe des Topos εἰρήνη βαθεῖα / φθόνος (ταραχή / στάσις) geschildert[33]. Eusebius verwendet diesen Topos an unserer Stelle nicht zum ersten Mal. H. E. VIII, 1, 7—8 schildert er mit seiner Hilfe den Ausbruch der Diokletianischen Verfolgung. Aber Eusebius ist nicht der erste christliche Schriftsteller, der mit Hilfe des Topos kirchliche ‚Unruhe', sei sie durch äußeren oder inneren Feind ausgelöst, beschreibt. Schon Klemens von Rom bedient sich seiner, um die Wirren der korinthischen Gemeinde zu kennzeichnen. Nach K. Beyschlag[34], der die einschlägigen christlichen Quellen zusammengestellt und untersucht hat, stammt der Topos aus dem Bereich der jüdisch-frühchristlichen Apologetik, er bezieht sich fast ausnahmslos auf blutige Verfolgung. Demgegenüber weist W. C. van Unnik unter Hinzuziehung reichen Belegmaterials darauf hin, daß ‚tiefer

---

[32] ὡσανεὶ θεοῦ μεγαλοφωνότατος κῆρυξ, GCS 7, 65, 26—29, hier 26. — Zur Nähe von μεγάλη φωνή und θεοῦ φωνή vgl. F. J. Dölger, θεοῦ φωνή. Die Gottesstimme bei Ignatius von Antiochien, Kelsus und Origenes, in: AuC V (1936) 218—223.

[33] Das Volk Gottes „kannte keine Furcht von außen, die es verwirrt hätte. Wie auch früher schützte die Kirche ringsum durch die Gnade Gottes ein herrlicher und tiefer Friede (βαθυτάτη εἰρήνη). Es lag aber ob unseres Glückes der Neid (φθόνος) auf der Lauer, er schlich sich ein, um mitten in den Versammlungen der Heiligen den Chorführer zu machen. Er ließ also die Bischöfe aneinander geraten, indem er unter dem Vorwand, es handle sich um göttliche Wahrheiten, ‚Aufstand' (στάσις) unter ihnen erregte, und dann entbrannte wie aus einem kleinen Funken ein mächtiges Feuer . . ." VC 2, 61, GCS 7, 66, 2—8.

[34] Vgl. hierzu K. Beyschlag, Clemens Romanus und der Frühkatholizismus, Untersuchungen zu I Clemens 1—7, Tübingen 1966, 135—188.

Friede' mit seinen Gegensätzen ζῆλος καὶ φθόνος, ἔρις καὶ στάσις usw. seinen ‚Sitz im Leben' im griechischen Staatsdenken hat[35].
Wir können die Frage nach dem ‚Sitz im Leben' des fraglichen Topos auf sich beruhen lassen. Für unseren Zusammenhang sind demgegenüber zwei Feststellungen von Bedeutung: Erstens, in den Zusammenhang des Topos gehört nach Auskunft der Quellen der in unserem Text, wie wir noch sehen werden, so fundamentale Begriff der ὁμόνοια. Diese ὁμόνοια ist immer vom φθόνος, der Wurzel allen Übels, bedroht. Aus φθόνος entsteht στάσις, der Gegensatz zur ὁμόνοια. Zweitens, im christlichen Bereich, z. B. bei Eusebius selber, wird dieser die ὁμόνοια bedrohende φθόνος oft persönlich aufgefaßt. Φθόνος, δαίμων, ἀφανὴς ἐχθρός sind austauschbare Wechselbegriffe[36].
Damit aber fällt entscheidendes Licht auf die Rolle Konstantins. Aus VC III, 6—9 wissen wir, daß der Kaiser einen herrlichen Sieg errungen hat, der vorliegende Abschnitt gibt die Antwort auf die Frage nach dem Feind, dem Gegenspieler, mit dem der Kaiser sich in Nicaea gemessen hat. Derselbe ist niemand anders als der φθόνος und δαίμων genannte Satan. Ist Konstantin in der Rolle des ἀντίπαλος[37] erkannt, wird die Struktur und Funktion von VC II, 61—III, 5 mit einem Schlag deutlich: der Abschnitt schildert die beiden Gegenspieler, den Kaiser und seinen ἀφανὴς ἐχθρός.
II, 61—62 beginnt mit der Schilderung der ‚Symptome', an denen das Wirken des φθόνος/ἐχθρός erkennbar ist. Das ganze Reich ist von στάσις erschüttert. Die kaiserliche Friedensinitiative, die Entsendung eines Briefes durch den βραβευτὴς τῆς εἰρήνης, Hosius, ist gescheitert (II 63 und 73)[38], denn „der Streit war mächtiger, als daß er vermittels dieses Schreibens hätte beigelegt werden können". Das zweite Buch der VC schließt mit der Identifizierung des Gegners, gegen den Konstantin seinen Sieg davontragen wird: „Das hatte der Neid (φθόνος) getan

---

[35] ‚Tiefer Friede' (1. Klemens 2, 2), in: VigChr 24 (1970) 261—279. — Vgl. zum weiteren Verlauf der Kontroverse K. BEYSCHLAG, Zur εἰρήνη βαθεία (I Clem 2, 2), in: VigChr 26 (1972) 18—23, und W. C. VAN UNNIK, Noch einmal ‚Tiefer Friede', in: VigChr 26 (1972) 24—28. — Auf den genannten Topos gehen ebenfalls ein P. MIKAT, Die Bedeutung der Begriffe Stasis und Aponoia für das Verständnis des 1. Clemensbriefes, VAFLNW, Heft 155, Köln 1969; G. DELLING, Art. στάσις, in: ThWNT VII (1964) 568—571, bes. 568—569 und 571.

[36] Vgl. ταῦτα μὲν οὖν φθόνος τις καὶ πονηρὸς δαίμων τοῖς τῆς ἐκκλησίας βασκαίνων ἀγαθοῖς κατειργάζετο. GCS 7, 71, 30—31; vgl. auch GCS 7, 29, 4; 30, 22; 66, 4; 76, 1; 78, 10; 79, 25; 83, 30.

[37] GCS 7, 77, 28.

[38] Auf den Brief Konstantins (VC 2, 64—72) kommen wir später zu sprechen.

und ein böser Dämon, der der Kirche ihr Wohlergehen neidete"[39]. Das dritte Buch greift unmittelbar diese Identifizierung auf[40]. Äußerst wirkungsvoll wird nun dem φθόνος bzw. δαίμων der βασιλεὺς ὁ θεῷ φίλος gegenübergestellt. Die III, 1 breit durchgeführte, durch eine Inklusion zusammengehaltene und gekennzeichnete σύγκρισις[41] Konstantins mit seinen Vorgängern zeigt im Zusammenhang: der Kaiser liegt schon seit langem im Kampf mit dem Widersacher. Wenn Eusebius später, nämlich III, 6, die Versammlung des Konzils als ‚Gottes Werk‘ bezeichnet[42], so ist zu beachten, daß auch die bisherige ‚Religionspolitik‘ des Kaisers schon als ‚Werk Gottes‘ und Konstantin als Gottes Werkzeug charakterisiert wird[43].

Kurz, mit Konstantin ist eben ein *novum saeculum* angebrochen[44], Eusebius greift mit diesem Wort auf einen Topos zurück, den er auch sonst[45] wie andere christliche Schriftsteller im Hinblick auf Konstantin verwendet[46]. W. Enßlin macht darauf aufmerksam, daß es sich bei diesem Topos um einen offiziellen Lehrsatz der Kaisertheologie handelt. Der jeweilige Augustus gilt als Erneuerer des Glücks seines Zeitalters[47]. Nach O. Treitinger lebt in dieser Anschauung von der *felicium temporum reparatio* „noch ein gutes Stück der alten Erlöser- und Heilandssymbo-

---

[39] VC 2, 73, GCS 7, 71, 26—31.

[40] „So erregte der Neid (Variante: der Dämon), der Feind alles Guten (μισόκαλος), weil er der Kirche das Gute mißgönnte, dessen sie sich erfreute, innere Stürme und Unruhen (χειμῶνες und ταραχαί ἐμφυλίοι) zur Zeit des Friedens und der Freude." VC 3, 1, GCS 7, 76, 1—3. — Zu μισόκαλος vgl. G. J. M. BARTELINK, μισόκαλος, epithète du diable, in: VigChr 12 (1958) 37—44.

[41] ὁ τῷ θεῷ φίλος, GCS 7, 76,3, und θεοφιλὴς βασιλεύς, GCS 7, 77, 28.

[42] ἔργον θεοῦ τὸ πραττόμενον ἐθεωρεῖτο, GCS 7, 80, 3.

[43] VC 3, 1—2, GCS 7, 77, 25—78, 1: „Betrachtet man dies, dann könnte man wahrlich sagen, es sei jetzt ein ganz neues Zeitalter erschienen, da dem Menschengeschlechte nach tiefer Finsternis ein außergewöhnliches Licht aufleuchtete; unbestritten sei das ganze Gottes Werk, der der Rotte der Gottlosen den gottgeliebten Kaiser als Widersacher (ἀντίπαλος) entgegengestellt habe. Denn da jene (gemeint sind die Vorgänger Konstantins) auf eine Art aufgetreten waren, wie man es niemals bei Herrschern gesehen hatte ..., war es ganz in der Ordnung, daß Gott selber einen außergewöhnlichen Mann erscheinen ließ und durch ihn wirkte, was man bisher weder gehört noch gesehen hatte."

[44] νεαρά τις καὶ νεοπαγὴ βίος, GCS 7, 77, 25.

[45] Konstantin wird auf Inschriften als *restitutor humani generis*, als *fundator securitatis aeternae* gefeiert. Er bringt die νέου βίου παλιγγενεσία. Vgl. auch Laktanz, De morte persec. 1,1; 52, 1 ff.: *nunc post atrae tempestatis violentas turbines placidus aer et optata lux refulsit.* — Näheres zu diesem Topos der ‚Wiedergeburt‘ bzw. der *regeneratio imperii* bei J.STRAUB, παλιγγενεσία. Bemerkungen zu einem Papyrus (P. Lond. 878) aus der Zeit des Licinius, in: HJ 74 (1955) 653—661, jetzt in: J. STRAUB, Regeneratio imperii, Darmstadt 1972, 89—99, hier 95—98.

[46] Vgl. VC 2, 19 und HE 10, 1—3, zur Sache, VC 1, 41 wörtliche Parallele.

[47] W. ENSSLIN, Gottkaiser und Kaiser von Gottes Gnaden, SBAW. PPH 1943, H. 6, 41.

lik, die mit Konstantin dem Großen nicht erlosch"[48]. Konstantin ist Gottes Werkzeug, der gottgesandte Widerpart (ἀντίπαλος) des φθόνος/ δαίμων[49]. Recht geschickt fügt Eusebius an dieser Stelle seiner Konfrontierung der beiden Widersacher (VC II, 62—III, 5) die Schilderung des Bildnisses aus dem Vorhof des kaiserlichen Palastes in Konstantinopel ein (III, 3). Es faßt das bisher Gesagte gleichsam im Bild zusammen: Konstantin im Kampf mit dem Drachen, dem ἀφανὴς ἐχθρός der Kirche[50].

Zum wiederholten Mal den Blick vom einen auf den anderen der beiden Widerparte richtend kommt Eusebius III, 4 dann auf den φθόνος zu sprechen, der die ägyptische Kirche in Verwirrung (ταραχή) stürzt[51], um schließlich den Dämon gleichsam Hand an den Kaiser selbst legen zu lassen: „Sie schreckten bereits, in ihrer Verrücktheit (φρενῶν ἐκστάσει) bis zum äußersten getrieben, vor Freveltaten nicht mehr zurück und wagten es, die Bildnisse des Kaisers zu beschimpfen"[52]. Mit dem Frevel gegen die Kaiserbildnisse hat Eusebius sehr treffend die

---

[48] O. TREITINGER, Die oströmische Kaiser- und Reichsidee nach ihrer Gestaltung im höfischen Zeremoniell, München 1938, jetzt Darmstadt 1969, 231, hier Anm. 108 weitere Lit. — Vgl. auch A. ALFÖLDI, Die monarchische Repräsentation im römischen Kaiserreich, mit Register von E. ALFÖLDI-ROSENBAUM, jetzt Darmstadt 1970, S. 217—218.

[49] VC 3, 2, GCS 7, 78, 1—7: „Und was war seltsamer als die von der göttlichen Weisheit dem Menschengeschlechte gewährte wunderbare Tugend des Kaisers? Verkündigte er ja doch allen ohne Unterlaß mit allem Freimut (παρρησία) den Christus Gottes, ohne irgendwie den heilbringenden Namen zu verbergen; ja er war stolz auf ihn und bekannte ihn offen, bald seine Stirne mit dem Zeichen der Erlösung bezeichnend, bald sich rühmend des Sieg bringenden Paniers (τρόπαιον)."

[50] VC 3,3, GCS 7, 78, 9—20: „Das Zeichen der Erlösung war auf dem Bilde über seinem (d. h. Konstantins) Haupte angebracht, während er das feindliche und verderbliche Ungeheuer, das durch die gottlosen Tyrannen die Kirche Gottes bedrängt hatte, in der Gestalt eines Drachens in den Abgrund der Hölle stürzen ließ . . . Darum ließ auch der Kaiser den Drachen zu seinen und seiner Söhne Füßen mitten im Leibe von einem Geschosse durchbohrt und in die Tiefen des Meeres geschleudert in Wachsmalerei darstellen, daß jedermann ihn sehen konnte; denn damit wollte er auf den unsichtbaren Feind (ἀφανῆ τοῦ τῶν ἀνθρώπων γένους πολέμιον) hinweisen, der, was er ebenfalls durch das Heil bringende Zeichen über seinem Haupte darstellen ließ, durch die Kraft dieses Zeichens in den Abgrund des Verderbens gestürzt worden ist. Das deutete das farbenprächtige Bild an." — Näheres zur ikonographischen Einordnung des erwähnten Bildes bei A. GRABAR, L'empereur dans l'art byzantin, Straßburg 1936, Reprint London 1971, 43—45. Tatsächlich ist der Kaiser nur Werkzeug, der eigentliche Kampf findet zwischen Christus und dem Dämon statt, zwischen dem siegreichen christlichen Zeichen und dem *antiquus serpens*. „Notre type iconographique pourrait servir d'illustration à certaines passages d'Eusèbe, où il compare les victoires de l'empereur sur les barbares aux triomphes de Constantin sur les démons. Le motif du serpent n'introduit donc qu'une nuance morale dans un type consacré de l'iconographie de la Victoire (cf. les légendes traditionelles de nos images: Victoria Augusti, Debellator hostium). (44)"

[51] VC 3, 4, GCS 7, 78, 27—79, 3.

[52] VC 3, 4, GCS 7, 79, 3—5.

Schilderung des Konflikts und des Kampfes zwischen dem βασιλεὺς θεόφιλος und dem *antiquus serpens* zu ihrem Höhepunkt geführt. Denn die Kaiserbildnisse repräsentieren den Kaiser[53]. Frevel gegen sie sind nicht das banale, am Rande erwähnte Faktum, das es in den Augen des modernen Lesers darstellt, sondern das sichtbarste Zeichen des unsichtbaren Kampfes, der zwischen den beiden Widerparten tobt. Eusebius beschließt nach knappem Hinweis auf den *einen* der beiden Streitpunkte, nämlich die alte Kontroverse um den Ostertermin, die Vorgeschichte des Konzils von Nicaea (VC II, 62—III, 5) mit dem bezeichnenden Satz: „Da konnte kein Mensch mehr eine Heilung für solches Unheil finden . . . nur dem allmächtigen Gott war es leicht, auch hier Heilung zu schaffen. Als Mittler seiner Gaben (ὑπερέτης τῶν ἀγαθῶν) schien unter allen Menschen auf Erden einzig Konstantin geeignet"[54]. Der Kaiser seinerseits entschloß sich, einen „anderen", d. h. im Vergleich zu dem im Vorausgehenden geschilderten, einen zweiten „Krieg gegen den unsichtbaren Feind, der die Kirche in Verwirrung stürzte, zu führen"[55].

c) Der Sieger

VC II, 6—9 haben wir mit „der kaiserliche Siegeskranz" überschrieben, VC II, 62—III, 5 mit „die beiden Gegenspieler". Wir wenden uns, bevor wir noch einige Punkte zu III, 6 nachtragen, den restlichen Kapiteln unseres Gesamtabschnittes zu, nämlich VC III, 10—11. 13—16. 21—24[56]. Verschiedentlich hat man sich darüber gewundert, wie Eusebius den tour de force zustande bringt, einen Bericht über das Nicaenum zu verfassen, in dem weder die Hauptkontrahenten noch das im Zentrum der Kontroverse stehende Problem mit Namen genannt werden. Ob es sich tatsächlich um einen tour de force handelt und vor allem, ob das Verschweigen in der eigenen dogmatischen Position des Panegyristen seinen Grund hat[57], erscheint von unserem Ansatz mehr als fraglich. Die in Einheit versammelten Bischöfe sind der „Siegeskranz" des Kaisers, das Konzil selber ist der persönliche Kampf des Kaisers mit dem Feind der

---

[53] Über die Identifizierung des Abbildes mit dem Kaiser, die Anbetung der Porträtbilder und den entsprechenden Bilderfrevel vgl. u. a. ALFÖLDI 70—72.

[54] VC 3, 5, GCS 7, 79, 17—21.

[55] VC 3, 5, GCS 7, 79, 23—25.—In einer Art Inklusion wird das ἄλλον τουτονὶ καταγωνιεῖσθαι δεῖν ἔφη τὸν κατὰ τοῦ ταράττοντος τὴν ἐκκλησίαν ἀφανοῦς ἐχθροῦ πόλεμον dieser Stelle durch δευτέραν ταύτην νίκην ἄρασθαι εἰπὼν βασιλεὺς κατὰ τοῦ τῆς ἐκκλησίας ἐχθροῦ VC 3, 14 GCS 7, 83, 29—30, wieder aufgegriffen.

[56] Die zwischengeschobenen Briefe des Kaisers werden erst später behandelt.

[57] Vgl. z. B. M. J. HIGGINS, Two Notes (I. Athanasius and Eusebius on the Council of Nicea), in: Polychronion, Festschrift f. F. J. Dölger zum 75. Geburtstag, hrsg. von P. WIRTH, Heidelberg 1966, 238—243, hier 240—241.

Einheit, dem Widerpart der ὁμόνοια. Das Konzil ist der Sieg des Kaisers über den ‚unsichtbaren Feind' der Kirche. Was in dieser Perspektive den Panegyriker ausschließlich interessieren kann, ist der Kaiser selbst, ist die Schilderung des Auftretens, des Aussehens des gottgesandten Triumphators. Höhepunkt des ganzen Berichts ist deswegen III, 10, das Erscheinen, die Epiphanie des Siegers. Die Bischöfe selber waren, wie Eusebius III, 6 berichtet hatte, „wie aus den Schranken der Rennbahn mit größter Bereitwilligkeit" herangeeilt . . ., um „eine solche außerordentliche, wunderbare Erscheinung, wie es dieser große Kaiser war, persönlich *sehen* zu können"[58].

Wenn nun Eusebius diese ‚Erscheinung' III, 10 mit zahlreichen Einzelheiten beschreibt, dann nicht aus dem subjektiven Grunde, weil der alternde Hoftheologe gern an diese große Szene zurückdenkt, sondern aus der objektiven Einsicht, daß der Kaiser als solcher der gottgeschenkte Friedensbringer der Kirche ist. Ihn gilt es zu *sehen*. Indem „aller Blicke unverwandt auf den Kaiser *schauen*"[59], wird der φθόνος/δαίμων in der Kirche besiegt. Die ausführliche Beschreibung der Parusie des Kaisers hat einen theologischen Grund. Der *processus* (πρόοδος)[60] Konstantins in die Versammlung der Bischöfe ist für Eusebius wesentlich eine Kaiserepiphanie. Der *adventus Augusti* ist als solcher ein sakraler Akt. Die Vorstellungen vom Heiland, den die Welt heiß erwartet, ist mit der Kaiseridee unzertrennlich zusammengewachsen. „Diese Theologie gipfelt in der Ankunft des Erlösers, und darum wurde die Parusie des Herrschers als neuen Weltbeglückers nicht nur mit seinem Regierungsantritt, sondern auch mit seinem tatsächlichen Einzug verbunden. So nahm der feierliche Empfang beim *adventus Augusti* sakrale Züge an", schreibt Alföldi zwar im Hinblick auf die heidnischen Kaiser[61]. Diese Sakralität gilt aber mutatis mutandis nicht weniger für den Einzug *(processus)* des christlichen Basileus[62]. Ein Text des Aristophanes enthält schon alle

---

[58] τοῦ ξένου θαύματος τῆς τοῦ τοσούτου βασιλέως ὄψεως ἡ θέα, GCS 7, 80, 1—2. — Zu vergleichen ist z. B. das ‚strahlende Schauspiel' der Epiphanie des Septimius Severus in Rom: καὶ ἐγένετο θέα πάσων ὧν ἑώρακα λαμπροτάτη, ἥ τε γὰρ πόλις πᾶσα ἄνθεσί τε καὶ δάφναις ἐστεφάνωτο καὶ ἱματίοις ποικίλοις ἐκεκόσμητο, φωσὶ τε καὶ θυμιάμασιν ἔλαμπε, καὶ οἱ ἄνθρωποι λευχειμονοῦντες καὶ γανύμενοι πολλὰ ἐπευφήμουν, οἵ τε στρατιῶται ἐν τοῖς ὅπλοις ὥσπερ ἐν πανηγύρει τινὶ πομπῆς ἐκπρεπόντως, ἀνεστρέφοντο καὶ προσέτι ἡμεῖς ἐν κόσμῳ περιῄειμεν. Dio 74, 1, 4 zitiert bei Alföldi 90. Im Blick auf diesen Text ist das Vorkommen der Wörter θέα, κόσμος, στέφανος in unserer Passage immerhin auffällig.
[59] GCS 7, 82, 12—13.
[60] GCS 7, 81, 19; Variante: πάροδος.
[61] Alföldi 88.
[62] „Die Begrüßungsriten des Welterlösers sind auch nach Konstantin nicht erloschen." Alföldi 92 mit Belegen.

wesentlichen Elemente des römischen Empfangsrituals: „O ihr glückliches, o mehr als glückliches, ihr dreimal seliges Vogelvolk, empfanget euren Fürsten froh im Prunkpalast. Er kommt daher, lichtstrahlend, wie noch nie ein Stern des Himmels goldgestirnten Dom durchleuchtete, und selbst der Mittagssonne strahlend güldener Ball, er strahlte nie so wunderbar, wie der sich naht, zu dessen Seite aller Schönheit Königin, in dessen Hand der Flammenblitz des Zeus! Es senkt ein zaubersüßer Duft sich niederwärts. Ein selig Schauspiel!"[63]

Erst vor diesem Hintergrund des eigentlich Üblichen wird die *moderatio* Konstantins bei seinem Einzug in die Versammlung der Bischöfe ins rechte Licht gerückt, wird das normal Scheinende in seiner Außergewöhnlichkeit erkennbar. Selbstverständlich ist z. B. das von Eusebius erwähnte Schweigen[64], es ist zeremonieller Natur und war in Anwesenheit des römischen Kaisers obligatorisch. Wenn der Kaiser nahte, wurde *silentium* angekündigt. Ein Geräusch in Gegenwart des Kaisers galt als Sakrileg[65]. Ungewöhnlich ist, wie Eusebius ja auch selber bemerkt, das Fehlen der bei der Epiphanie sonst üblichen δορυφόροι und ὁπλῖται[66]. Freilich begibt sich auch Konstantin nicht ohne Begleitung und erst recht nicht ohne die gebührende Feierlichkeit in die Versammlung der Bischöfe[67]. Die Christen aus der *cohors amicorum* begleiteten ihn, bzw. gehen ihm feierlich voraus[68].

Das Aufstehen der versammelten Bischöfe beim ‚Erscheinen‘ des Kaisers selber[69] hat nicht den Sinn einer einfachen Ehrenbezeugung,

---

[63] Vögel, 1706 ff., zitiert bei Alföldi 88—89. — Weitere Texte, die die sakrale Eigenart des kaiserlichen Einzugs illustrieren, ebd. 89—90.

[64] VC 3, 10, GCS 7, 81, 18—19: „Als sich aber die ganze Versammlung mit der geziemenden Würde niedergelassen hatte, herrschte in der Erwartung des Einzugs (πρόοδος) vom Kaiser allgemeines Schweigen."

[65] Alföldi 38; vgl. auch Treitinger 52—55: „Der religiöse Charakter des mystischen Schweigens mußte mit dem Sieg des Christentums etwas zurücktreten, aber auch in diesem späteren Schweigen liegt zumindest immer das Bewußtsein der Trennung, des Abstandes, auch wenn es nicht mehr direkt schweigende Anbetung ist. Eigene Beamte, 30 *silentiarii* . . . haben im 4. Jahrhundert die Ruhe im Palast und in der Gegenwart des Herrschers zu sichern."

[66] Die kaiserliche Wache zog z. B. unter Tiberius mit diesem in den Senat ein. Seit Claudius I. war die Wache auch bei den Gastmählern des Kaisers anwesend. Dieser Brauch wurde beibehalten. Vespasian schaffte jedoch das Durchsuchen der Gäste nach Waffen ab. Vgl. Alföldi 27.

[67] VC 3, 10, GCS 7, 81, 19—22: „Es zog nun erst einer, dann noch ein zweiter und dritter aus der Umgebung des Kaisers ein . . . vorangingen auch noch andere . . . aus dem Kreise seiner gläubigen ‚Freunde‘."

[68] Dieses Institut der *amici Augusti*, d. h. der Vertrauten, Reisebegleiter und Ratgeber des Kaisers, geht auf persische und hellenistische Formen des Hofzeremoniells zurück. Vgl. Treitinger 102, Anm. 286.

[69] „Auf das Zeichen aber, das die Ankunft des Kaisers verkündete, erhoben sich alle . . ." GCS 7, 81, 22—23.

wie sie auch heute beim Einzug oder der Ankunft höher gestellter Personen üblich ist. Die Bischöfe stehen nicht auf zum Zeichen der Begrüßung, sondern sie stehen, weil man in Gegenwart des Kaisers steht! Sehr früh schon mußten die Senatoren in Anwesenheit des Kaisers stehen bleiben. „Es war die logische Folge der republikanischen Rechtsgewohnheit, daß der Senat nach dem Verlust der Mitherrschaft auch das Sitzrecht neben dem nunmehr einzigen Regierenden verlor. . . Sicher schon vor Diokletian wurden die Beratungen damit eingeleitet, daß jeder nach seinem Range Aufstellung nahm, und nach diesem *consistere* erhielt die kaiserliche Ratsversammlung den Namen *consistorium*"[70].

„. . . und nun trat er selber mitten in die Versammlung, wie ein Engel Gottes vom Himmel her (οἷα θεοῦ τις οὐράνιος ἄγγελος), leuchtend in seinem glänzenden Gewande wie von Lichtglanz, strahlend in der feurigen Glut des Purpurs und geschmückt mit dem hellen Schimmer von Gold und kostbarem Edelgestein"[71]. Der Kaiser ‚erscheint‘ in der Bischofsversammlung „wie ein Engel Gottes vom Himmel her". Solange der Gesamtkontext nicht in seiner Eigenart als kaiserliche Epiphanie erkannt ist, mag die Formulierung als rhetorische Übertreibung erscheinen. Als Beschreibung einer Epiphanie hingegen ist sie angemessen. Zu erinnern ist — zum besseren Verständnis — an III, 5, wo Konstantin als gottgesandter „Mittler der Gaben" bezeichnet worden war[72]. Weiteres Licht wirft auf die Stelle VC III, 33, wo in ähnlicher Formulierung vom Auferstehungsengel gesagt wird, daß er „lichtstrahlend allen die frohe Botschaft von der durch den Erlöser angekündigten Wiedergeburt (παλιγγενεσία) gebracht hat"[73]. Gewiß, an der Grabesgrotte erscheint ein Engel, Konstantin aber ist nur „*wie* ein Engel Gottes vom Himmel her", das ist nicht dasselbe, aber die Nähe der zugrundeliegenden Vorstellung ist unverkennbar, zumal wenn man, was weiter unten geschehen soll, die Rolle des Kaisers als μεγαλοφωνότατος κῆρυξ gebührend in Rechnung bringt.

Zur Interpretation dieser Stelle, vor allem des ‚strahlenden Lichtglanzes‘, der von der kaiserlichen Epiphanie ausgesagt wird, muß auch VC I, 1 herangezogen werden: „Wie die über die Erde aufgehende Sonne alle in reicher Fülle mit den Strahlen ihres Lichtes beglückt, so ließ auch Konstantin, wenn er zugleich mit der aufgehenden Sonne vor seinem Palast

---

[70] ALFÖLDI 44; vgl. auch TREITINGER 94—95.
[71] VC 3, 10, GCS 7, 81, 23—26.
[72] GCS 7, 79, 20.
[73] φῶς ἐξαστράπτων πότε ἄγγελος, GCS 7, 93, 21—22; vgl. zu dieser Stelle STRAUB, Regeneratio 96.

erschien, als ob er gemeinsam mit dem leuchtenden Gestirn aufginge, über alle, die vor sein Antlitz traten, den Lichtglanz seiner Hochherzigkeit (καλοκαγαθία) erstrahlen"[74]. Erinnert der im „Lichtglanz strahlende" Engel nicht an die Sonnenreligion, die nach J. Straub zur innersten Natur des Kaisers gehörte und der er auch nach seiner Hinwendung zum Christengott treu blieb und der sein Panegyriker einen christlichen Charakter zu geben versuchte?[75]

Konstantin ‚erscheint' im vollen kaiserlichen Ornat, im edelstein- und goldstrotzenden orientalisch-autokratischen Herrscherkostüm. Mit der περιβολὴ ἀλουργίδος spielt Eusebius auf das περιβόλαιον πορφυροῦν, den Feldherrnpurpur, das geheiligte Machtsymbol des Autokrators, an[76]. Im „kostbaren Edelgestein" kann man vielleicht eine Andeutung auf das Banddiadem sehen, das Konstantin als weiteres Symbol der absoluten Monarchie gerade an seinen Vicennalien, von denen später noch die Rede sein wird, angenommen hat[77].

Nach auffallend knappem Hinweis auf die Seelenschönheit des Kaisers[78] geht Eusebius von der Beschreibung der kaiserlichen Insignien auf die Schilderung seiner äußeren Gestalt als Spiegel der inneren Schönheit über[79]. Tatsächlich scheint Konstantin von imponierendem Äußeren gewesen zu sein. Schon der Glanz seiner Augen bezauberte die Truppen, sie glaubten einem Gott zu folgen, berichteten andere Panegyriker von ihm. Sie feiern in ihm einen *deus praesentissimus*. „Er war das Ebenbild Apollons, der sich ihm im Tempel von Augustodunum offenbart hatte"[80].

Der Kaiser schreitet auf einen „kleinen Sessel aus Gold" zu; diese *sella aurea* hatte wohl die Form einer *sella curulis* und war schon Caesar zuge-

---

[74] VC 1, 43, GCS 7, 28, 8—13; vgl. auch Triak. III, 4, wo es vom Kaiser heißt, daß er „wie das Licht der Sonne" seine Strahlen in die entferntesten Gegenden seines Reiches schickt, GCS 7, 201, 8—10.

[75] STRAUB, Herrscherideal 131.

[76] ALFÖLDI 169. — Zum ‚Dienstkostüm' des Kaisers gehört nach Ammianus im einzelnen das *paludamentum purpureum*, d. h. der Feldherrnmantel (χλαμύς), die goldverzierte Tunika, die purpurne Hose, purpurne Schuhe, eine Lanze, die *mappa*, d. h. das Tuch, mit dem den Wettfahrenden im Zirkus das Zeichen zur Abfahrt gegeben wurde; zitiert bei ALFÖLDI 175.

[77] ALFÖLDI 138 und 267.

[78] VC 3, 10, GCS 7, 81, 27—29: „Seine Seele aber war sichtlich mit der Furcht und Verehrung Gottes geziert; es deuteten auch dies seine gesenkten Augen an, das Erröten seines Antlitzes, die Art seines Ganges und seine ganze Gestalt . . ."

[79] Ebd. 81, 29—82, 5: „. . . Seine ganze Gestalt überragte an Größe ebenso alle seine Begleiter . . . wie an blühender Schönheit, an majestätischer Würde und an unüberwindlicher Körperkraft. Diese Vorzüge, dem sich der milde Charakter und die große Güte des Kaisers paarten, ließen seine außerordentliche Gesinnung über alle Beschreibung erhaben erscheinen."

[80] STRAUB, Herrscherideal 98.

billigt worden[81]. Möglicherweise ist schon die Verwendung dieses kleinen Sessels anstelle des βασίλειος θρόνος Ausdruck der *moderatio* und *civilitas* Konstantins im Verkehr mit den Bischöfen, sicher ist ein ungewöhnliches Zeichen derselben, was Eusebius im folgenden berichtet: der Kaiser „wollte sich nicht eher setzen, als bis die Bischöfe ihn durch Winke dazu aufgefordert hatten"[82]. Daß die Bischöfe sich in Gegenwart des Kaisers hinsetzen dürfen, statt wie es das Zeremoniell vorschreibt, stehen zu bleiben, ist ein Ausdruck der *civilitas* und *moderatio* Konstantins[83].

Die eigentliche Konzilsverhandlung wirkt in dem knappen Abriß, den Eusebius davon bringt[84], wie ein Appendix der in Kapitel 10 in breiter Ausführlichkeit geschilderten Kaiserparusie. Einzelne Sätze aus diesem Abriß haben die Forschung seit je interessiert, hofft sie doch, daraus Aufschluß zu erhalten über Fragen des Konzilsverlaufs. Wer hält z. B. die Eröffnungsrede?[85] Ist der Bischof, „der auf der rechten Seite den ersten Platz einnahm", wie der Verfasser des Zwischentitels[86] behauptet, tatsächlich Eusebius? Und wenn ja, um welchen Eusebius handelt es sich, Eusebius von Caesarea oder Eusebius von Nikomedien? Wer ist mit den „Vorsitzenden der Synode" (πρόεδροι συνόδου), denen das Wort erteilt wird, gemeint?[87] Wer sind die „beiden Seiten" (ἑκάτερον τάγμα),

---

[81] ALFÖLDI 159. — Merkwürdigerweise bezeichnet Eusebius diesen Sessel mit κάθισμα, dem terminus technicus für die Kaiserloge im Hippodrom. Sie bestand aus einer Plattform, auf der der kaiserliche Thron aufgestellt war. Links und rechts von dieser Loge befanden sich Logen, in denen die Würdenträger Platz nahmen. Vgl. Dict. Ant. Grec. Rom., III, (1900) 208—209 (mit Abbildung eines κάθισμα aus der Zeit Theodosius des Großen). Zum Sitz des Kaisers vgl. auch H. U. INSTINSKY, Bischofssitz und Kaiserthron, München 1955, 39—43.

[82] VC 3,10, GCS 7, 82, 7—8.

[83] Vgl. ALFÖLDI 44—45; für die spätere Entwicklung vgl. TREITINGER 95—96.

[84] Kapitel 11, 13 und 14; Kapitel 12 bringt eine Rede Konstantins.

[85] GCS 7, 82, 9—11. — Oder handelt es sich gar nicht um eine „Eröffnungsrede", sondern um den abschließenden Akt des Epiphaniezeremoniells? Vielleicht ist der λόγος μεμετρημένος nicht eine „ziemlich kurze Rede", sondern eine Dichtung (vgl. Gregor von Nazianz, Ep. 101, PG 37, 193 A) und der χαριστήριος ὕμνος nicht nur ein „feierlicher Dank", sondern der vom Zeremoniell vorgeschriebene Hymnus auf den Kaiser, in den die ursprünglich spontane Akklamation erstarrt war. Vgl. hierzu TREITINGER 73—74.

[86] GCS 7, 72, 18.

[87] GCS 7, 83, 14. Bischöfe, die das Konzil leiten? z. B. Hosius von Cordoba? oder die Inhaber der führenden Thronoi, die später sog. Patriarchen? Was heißt überhaupt: der Kaiser gab den Vorsitzenden das Wort? Daß er als Vorsitzender des Konzils den πρόεδροι das Wort erteilt, oder daß er in seiner Eigenschaft als ‚Ehrenpräsident' nach der Eröffnungsansprache das Präsidium den eigentlichen Leitern der Synode überläßt? Fragen über Fragen, vgl. hierzu die in der Einleitung erwähnte Literatur, ferner A. MOZILLO, Dei rapporti tra gli Imperatori ed i Concili Ecumenici da Costatino a Giustiniano, in: Archivo Giuridico 147 (1954) 105—128, bes. 124 ff.

die sich gegenseitig beschuldigen?[88] Wir brauchen uns in unserem Zusammenhang mit diesen Fragen nicht zu befassen, man konsultiere die
einschlägigen Untersuchungen über das Konzil von Nicaea. Für unsere
Fragestellung ist entscheidend nicht, was aus den vagen Anspielungen
des Eusebius an historisch Gesichertem zu ermitteln ist, sondern der
Blick, der Gesichtspunkt des Eusebius selber. Und über den kann kein
Zweifel bestehen: „Als sich auch dieser (d. h. der Begrüßungsredner)
gesetzt hatte, trat Stille ein; aller Augen blickten unverwandt auf den Kaiser, dieser aber sah sie alle mild mit freundlichem Blick an, sammelte
sich im Geiste und hielt dann mit ruhiger und sanfter Stimme folgende
Rede"[89].
Überspringen wir die mitgeteilte Rede Konstantins (Kap. 12) und das
knappe Referat über den Streit der Bischöfe[90], um das zu sehen, was
Eusebius im Konzil sieht und was er vom Konzil mitteilen will: die aus
dem Kaiser wie aus ihrer Quelle hervorgehende ὁμόνοια strömt gleichsam
auf die Bischöfe über[91]. Gehörig mißverstehen würde die Aussageabsicht
des Eusebius, wer hier ein Lob der psychologischen Fähigkeiten des
Kaisers herausläse. Nicht um Psychologie geht es Eusebius, sondern um
Theologie, um Metaphysik: der Kaiser ist das reale Prinzip der Kircheneinheit. Vergessen wir nicht: der Kaiser ist der ἀντίπαλος des die Kirche
spaltenden Satans, er ist der Sieger, der die Kirche eint. Das ist nicht nur
unsere Folgerung, Eusebius sagt es explicitis verbis. Nach der „Unterschrift der einzelnen Bischöfe" „erklärt der Kaiser, hiermit habe *er* einen
zweiten Sieg über den Feind der Kirche errungen . . ."[92] Der Kaiser
hat „den Sieg über den Feind der Kirche errungen", deswegen läßt der
Kaiser „Gott zu Ehren ein Siegesfest feiern (ἐπινίκιος ἑορτή)"[93]. Den

---

[88] GCS 7, 83, 20.
[89] GCS 7, 82, 11—15.
[90] VC 3, 13, GCS 7, 83, 14—20: „Da begannen die einen die andern anzuklagen, diese aber
verteidigten sich und erhoben Gegenbeschuldigungen. Als nun so von beiden Seiten sehr
viel vorgebracht wurde und anfänglich ein großer Streit tobte, hörte der Kaiser langmütig
allen zu und nahm mit gespannter Aufmerksamkeit das Vorgebrachte entgegen, und indem
er sich in einzelnen Punkten für das aussprach, was von einer jeden Partei gesagt wurde,
brachte er allmählich die streitsüchtigen Gemüter einander näher."
[91] VC 3, 13, GCS 7, 83, 21—27: „Und weil er sich in ruhiger Milde — man beachte den
Kontrast zu den ,streitsüchtigen' Bischöfen — an die einzelnen wandte . . . , erschien er
freundlich und gefällig (γλυκερός τις ἦν καὶ ἡδύς); so konnte er die einen überzeugen,
andere durch seine Worte beschämen, die welche trefflich redeten, loben, alle aber zur Eintracht (ὁμόνοια) anfeuern, bis er es schließlich erreichte, daß sie über alle strittigen Punkte
eines Sinnes und einer Meinung waren. So drang ein einheitlicher Glaube durch und für das
Osterfest einigten sich alle auf denselben Zeitpunkt."
[92] GCS 7, 83, 29—30.
[93] GCS 7, 83, 30.

Kampf und den Sieger zu *sehen* (θέα), waren die Bischöfe „wie aus den Schranken der Rennbahn mit größter Bereitwilligkeit herbeigeeilt"; „denn es zog sie Hoffnung auf die (von ihm vermittelten) Güter", den Frieden und die ὁμόνοια (III, 6).

Wie sehr Nicaea Werk und Sieg des Kaisers ist, weiß Eusebius auf gekonnte Weise dem Leser zu suggerieren. Beiläufig erwähnt er unmittelbar im Anschluß an den Hinweis auf die Siegesfeier zu Ehren des in Nicaea errungenen Sieges die Vicennalien des Kaisers. Der damalige Leser wußte, daß zur Inauguration der neuen Regierungszeit (Quinquennalien, Decennalien, Vicennalien) Siegesfeiern gehören[94]. Eusebius will durch die Erwähnung der Vicennalien unmittelbar im Anschluß an den Bericht über Nicaea sagen: der bei den Vicennalien obligatorisch zu feiernde Sieg ist der Sieg über den ,unsichtbaren Feind der Kirche', der in Nicaea durch Konstantin vernichtend geschlagen wurde[95].

Wie sehr bei Eusebius heidnisch-antike, hellenistische Vorstellungen und Biblisches miteinander verquickt sind, zeigt übrigens die Feier des Vicennalienfestmahles, zu dem der Kaiser die Bischöfe einlädt. In einer Wendung, die an III, 7, die Darbringung des „Siegeskranzes" an die Gottheit, erinnert, heißt es jetzt: der Kaiser veranstaltet ein Festmahl, „an dem er mit ihnen, nachdem sie Frieden geschlossen hatten, teilnahm, um durch sie damit gleichsam Gott ein seiner würdiges Opfer darzubringen"[96]. Zur Liturgie der Vicennalienfeier gehört ein Opfer an die Gottheit für den errungenen Sieg. Der Kaiser bringt das Opfer dar — durch die Bischöfe — heißt es absichtlich schillernd und doppeldeutig. In biblisch-eschatologischen Farben wird das Festmahl geschildert[97]: „Leicht hätte man das für ein Bild vom Reiche Christi halten oder wähnen

---

[94] Die Münzen aus dem 20. Regierungsjahr des Caracalla verbinden mit den entsprechenden Vota die Victoria Parthica. Diokletian und Herculius feiern bei ihren Vicennalien längst vorher errungene Siege. Weitere Beispiele bei ALFÖLDI 96—100.

[95] VC 4, 47 nennt Eusebius ausdrücklich den Zusammenhang zwischen Vicennalien und Bischofsversammlung: „Diese Versammlung, die der Kaiser nach Jerusalem zusammenberief, ist unseres Wissens die größte nach jener ersten, die er in so glänzender Weise in jener bithynischen Stadt veranstaltet hatte. Während aber diese einem Siegesfeste galt und beim zwanzigjährigen Regierungsjubiläum des Kaisers Dankgebete für den Sieg über Gegner und Feinde in Nicaea darbrachte, verherrlichte die andere beim Ablauf des dritten Jahrzehntes, in dem der Kaiser Gott, dem Geber alles Guten, am Grabe des Erlösers, als ein Weihegeschenk des Friedens die Grabeskirche weihte." GCS 7, 137, 7—13. — Die Synode von Tyrus (335) wird nach dem gleichen Schema, d. h. als Kampf und Sieg des Kaisers über den Neid erwähnt, vgl. GCS 7, 133, 16—24.

[96] VC 3, 15, GCS 7, 84, 1—3.

[97] VC 3, 15, GCS 7, 84, 4—9: „Kein Bischof fehlte an der Tafel des Kaisers. Jeder Beschreibung aber spottet, was da geschah; denn Leibwächter und Trabanten wachten, die scharfen Schwerter gezückt, rings um den Vorhof des kaiserlichen Palastes; mitten zwischen ihnen

können, es sei alles nur ein Traum und nicht Wirklichkeit"[98]. Der Kaiser hat in Nicaea nicht nur einen Sieg errungen, sondern mit diesem Sieg in seinem 20. Regierungsjahr ein *novum saeculum* heraufgeführt, zum Verwechseln ähnlich mit dem verheißenen Reiche Christi. Nicht nur das Festmahl selbst,[99] auch die Verteilung von Geschenken an die Geladenen (III, 16) ist auch sonst als kaiserlicher Brauch bezeugt[100].

Die Frieden und ὁμόνοια stiftende Quelle strömt über das ganze Reich hin aus: „Von der Synode benachrichtigte (der Kaiser) aber auch diejenigen, die nicht erschienen waren, durch ein eigenes Schreiben (III, 17—20)... Von diesem Briefe schickte der Kaiser eine gleichlautende Abschrift in alle Provinzen und ließ so alle, die sie lasen, in die makellose Reinheit seines Inneren, seiner Ehrfurcht gegen Gott, einen Blick werfen"[101]. Zu Beginn unseres Abschnitts hatte Eusebius den Kaiser als θεοῦ μεγαλοφωνότατος κήρυξ bezeichnet, den Schluß bildet gelegentlich der Auflösung der Synode und der Rücksendung der Synodalen in die Heimat eine συντακτικὴ ὁμιλία, eine Abschiedsrede des Kaisers für die Bischöfe[102]. Stichworte der nicht wörtlich mitgeteilten Homilie sind εἰρήνη, συγγώμη, σύμφωνος ἁρμονία, die Vermeidung von βασκανία, ἔρις und στάσις, usw. Die Bischöfe aber „kehrten voll Freude zurück, und es herrschte nunmehr bei allen *eine* Gesinnung (μία γνώμη), die durch (oder: bei) den Kaiser selber zur Übereinstimmung gebracht worden war[103]. Verbunden war jetzt wie in einem Körper, was seit langer Zeit ge-

---

konnten aber furchtlos die Gottesmänner hindurch gehen und bis ins Innerste des Palastes gelangen. Da nun lagen die einen auf demselben Polster zu Tische wie der Kaiser, während die andern auf Polstern zu beiden Seiten ruhten."

[98] GCS 7, 84, 9—10.

[99] TREITINGER 101 weist darauf hin, daß die Einladung zu einem Festmahl mit dem Kaiser selbst für die Höchstgestellten eine große Ehre war. Statius bezeichnet in einem Gedicht den Tag der Einladung den schönsten seines Lebens und die Schwelle zum Leben. Er wähnt sich an der Tafel Juppiters. Schon hier klingt etwas von der liturgischen feierlichen Atmosphäre an, in der sich das byzantinische Hofzeremoniell abspielt.

[100] Zahlreiche Belege bei TREITINGER 101—102, 229—230. — Der Kaiser verteilt Geschenke, vor allem bei feierlichen Anlässen, z. B. Gedenktagen, bei Wettrennen, bei der Krönung. Die kaiserliche *liberalitas* und *largitio* ist im Zusammenhang zu sehen mit dem εὐεργέτης-Begriff. „Der Kaiser ist eben der große und einzige Wohltäter seines Volkes, der auch immer und überall spendet." Ebd. 230. Er ist der πλουτοποιός seiner Untertanen, die Quelle allen Reichtums und aller Ehre. Vgl. auch ALFÖLDI 200.

[101] GCS 7, 83, 13—15 und 87, 21—24; vgl. auch 88, 23—29.

[102] VC 3, 21, GCS 7, 87, 25—88, 19.

[103] ἐκράτει τε λοιπὸν παρὰ τοῖς πᾶσι μία γνώμη παρ' αὐτῷ βασιλεῖ συμφωνηθεῖσα. Die Übersetzung von PFÄTTISCH 111 — „über die vor dem Kaiser selbst eine Übereinstimmung erzielt worden war" — ist zwar aufgrund der Bedeutung von παρά mit dem Dativ — zumal es gerade vorher in dieser Bedeutung vorkommt — möglich; der Gesamtduktus unseres Passus legt jedoch die ebenso mögliche Übersetzung mit ,durch' nahe (παρά mit Gen. = ὑπό).

trennt gewesen war"[104]. Frieden und Eintracht der Kirche, der Sieg
über den „unsichtbaren Feind der Kirche" ist des Kaisers Werk[105].

d) *Agon?*

Nicaea ist in der Sicht des Eusebius ein Sieg, genauer der Vicennalien-
sieg Konstantins über den „unsichtbaren Feind der Kirche". Läßt sich
das Bild vom Sieg genauer bestimmen? Sieg gibt es im Krieg und im
Agon, im Wettkampf. Einiges im Text deutet darauf hin, daß Eusebius
eher an Sieg im Krieg denkt[106]. Andere Stellen jedoch passen weniger
gut in das Bild vom Sieg im Kriege. Eusebius scheint auch das Bild
eines Agon vorgeschwebt zu haben. Sowohl einzelne Elemente in der
Schilderung der Konzilsberufung als auch des versammelten Konzils
(III, 6 und 7) deuten in diese Richtung. Das agonale Bild klingt an, wenn
es von den Bischöfen heißt, daß sie „wie aus den Schranken der Rennbahn mit größter Bereitwilligkeit herbeieilten". Die im Zusammenhang
auffallende Betonung, daß „die Männer, die nicht nur der Gesinnung,
sondern dem Leibe, dem Lande, Ort und Volk nach voneinander getrennt
waren, alle zusammen kamen" und daß „eine Stadt sie alle aufnahm"[107],
könnte von der Erinnerung an die in hellenistischer Zeit so beliebten
Wettspiele inspiriert sein.

Solche Wettspiele fanden in den verschiedensten Städten zu Ehren der
Kaiser statt. Sie zogen nach dem großen Vorbild der Olympischen
Spiele viel Volk von überall her an. Deswegen konnten sie auch als
οἰκουμενικὸς ἀγών[108] bezeichnet werden[109]. Von besonderem Interesse
ist in unserem Zusammenhang die Tatsache, daß von Commodus an auch
in Nicaea viele Spiele, wohl aufgrund des aufblühenden Wohlstandes
der Stadt, abgehalten wurden. Sie tragen verschiedene Namen wie
Κομόδεια, Σευήρεια, Φιλαδέλφεια, Αὐγούστια usw., es scheint sich aber
immer um dieselben Spiele gehandelt zu haben. M. a. W. in Nicaea bestand eine starke Tradition kaiserlicher Spiele. Davon zeugen zahlreiche

---

[104] VC 3, 21, GCS 7, 88, 20—23.
[105] Über die VC 3, 23 angedeutete Wiederholung des Konzils von Nicaea vgl. die einschlägige Literatur, neuerdings SANSTERRE 148.
[106] So heißt es z. B. VC 3,5 ausdrücklich, daß der Kaiser einen „anderen *Krieg* gegen den
unsichtbaren Feind führen muß", VC 3, 6, unmittelbar anschließend, daß er, „als wollte er
gegen jenen zu Felde ziehen, die *Streitmacht* Gottes" berufen hat. GCS 7, 79, 23—27.
[107] VC 3, 6, GCS 7, 80, 2—6.
[108] Corpus inscript. Graec. 4472.
[109] Näheres zu diesen Spielen vgl. J. TOUTAIN, Art. ‚Ludi publici', in: Dict. Ant. Grec.
Rom. III, b (1900) 1362—1378; über Olympia vgl. C. GASPAR, ebd. IV, a (1918) 172—196;
L. ZIEHEN, in: PRE 17, b (1937) 2520—2536; J. WIESNER, ebd. 18 a (1939) 2—174.

Münzen mit der Legende ἱερὸς ἀγών bzw. ἱεροὶ ἀγῶνες[110]. Aber mehr
noch: Nicaea ist einer der ganz wenigen Orte, für die nicht nur durch
Münzen, sondern durch ein literarisches Zeugnis die Abhaltung von
Wettspielen belegt ist. Eustatius (12. Jahrh.) berichtet, daß die Einwoh-
ner von Nicaea, im Bestreben, mit den Eleern zu rivalisieren, einen in der
Nähe gelegenen Fluß Alpheus und ein Gebirge Olymp genannt und daß
sie bei sich Olympische Spiele in Nachahmung derjenigen zu Elis durchgeführt haben[111].

Könnte Eusebius nicht von dieser wohl auch ihm bekannten Festspiel-
tradition inspiriert worden sein, das Konzil von Nicaea mit Farbtönen
zu schildern, die dieser Tradition entnommen sind? Solche dem olympischen Festspielbereich entstammenden Elemente seiner Schilderung
wären z. B. die Betonung des Völkergemischs, das in Nicaea zusammen-
strömt, vor allem aber die Erwähnung des Friedens, der die Bischöfe
angelockt haben soll. Der Gottesfriede, die ἐκεχειρία, ist nämlich untrennbar verbunden mit dem Gedanken der olympischen Spiele[112]. Wie
sehr Eusebius selber mit dem ‚Olympischen Gedanken‘ vertraut ist, beweist übrigens sein im ersten Teil der Chronik mitgeteilter Bericht
„Von der Einsetzung des Agon"[113]. An diesem Bericht fällt auf, daß
die Spiele als Opfer[114] und als Mittel der Versöhnung und Befriedung verstanden werden[115]. Eusebius, der Polyhistor, weiß also um den Zusammenhang von ἀγών und εἰρήνη, der Synodale war andererseits in
Nicaea einer lebendigen Tradition zur Ehre der Kaiser abgehaltener Spiele
begegnet. Ob ihn beides nicht inspiriert haben mag, Konstantin, den
Friedenskaiser der Kirche, als Sieger eines Agon zu feiern?
Wie dem auch sei, ob im Krieg oder Wettkampf, Konstantin ist der
Sieger von Nicaea. *Nomen est omen:* „Bestimmt aber war für die Versammlung auch eine wohlgeeignete Stadt, die von der Nike ihren Namen

---

[110] Vgl. Art. Nikaia, in: PRE 17, a (1936) 226—245.
[111] Eustatius, Com. ad Dionys. Perieg. 409, GGM, Ed. Müller II, 292, 27—30:
ἱστορεῖται δὲ κατὰ ζῆλόν τινα καὶ παρὰ Νικαεῦσι ποταμόν τινα Ἀλφειὸν ὠνομάσθαι,
καὶ ὄρη τινὰ Ὀλύμπια, καὶ ἀγῶνα δὲ Ὀλυμπιακὸν ἄγεσθαι, κατὰ μίμησιν τῶν ἐν Ἤλιδι.
[112] Näheres hierzu bei Gaspar 179.
[113] J. Karst, Die Chronik aus dem Armenischen übersetzt, GCS 20, Leipzig 1911, 89—90;
vgl. die griechischen Fragmente, A. Schoene, Eusebii Chronicorum liber prior, Berlin 1875,
192—194.
[114] Die Leiter der Spiele werden ‚Vorsteher der Opfer‘ genannt.
[115] Eusebius, Chronik, GCS 20, 89, 30—90, 12: „(Iphitos) war ein Helier und Oberverweser
des Elader-Landes. Er beschloß zu beseitigen die Kämpfe der Städte aus dem gesamten
Peloponesos, Seher zu schicken, welche erlernen sollten die Beilegung der entbrannten
Kriege. ... Und deshalb schrieb Iphitos mittels Vertragsabschlusses vor, von den Kriegen
abzustehen, und daß jeder einer sein Stück Frieden genösse, nachdem von Herakles der
Orakelspruch empfangen (worden sei), nicht mehr miteinander handgemein zu werden."

hatte, Nicaea in der Provinz Bithynien"[116]. *Victoria Comes Augusti.*
Eusebius sieht Nicaea im Licht dessen, was man als die Kaisermystik des
Sieges bezeichnet hat. Konstantin ist Sieger, weil er Kaiser ist, weil der
Kaiser notwendig, von seinem Wesen her, siegreich ist. Diese Kaisermystik des Sieges hatte sich zu des Caesar und Augustus Zeiten entwickelt, unter dem Einfluß orientalischer Ideen war sie bis zu Konstantin mächtig herangewachsen, sie kennzeichnet schließlich den byzantinischen Basileus[117]. Die Konzilsidee des Eusebius ist ein Aspekt dieser
Kaisermystik des Sieges.

2. Zur Einordnung der Konzilsidee von VC II,61—III,24

a) Werk des Eusebius

Es ist in diesem zweiten Teil unsere Aufgabe, das aus der Analyse von
VC II, 61—III, 24 gewonnene Ergebnis unter verschiedener Rücksicht
in größere Zusammenhänge einzuordnen. Zunächst geht es darum, die
Konzilsidee unseres Passus einerseits mit anderen einschlägigen Stellen
der VC zu konfrontieren, andererseits die Vorstellungen allgemeinerer
Art im Werk des Eusebius zu benennen, aus denen sich die spezielle
Konzilsidee ergibt.

Es sind vor allem zwei Stellen, die hier näher in Frage kommen: I, 44 und
IV, 24. Für I, 44 ist der Vergleich mit III, 6—22 besonders instruktiv.
Der Passus stellt eine Generalisierung und eine erhebliche, fast juridische Präzisierung des dort noch nach verschiedenen Seiten offenen Bildes dar. Es lohnt sich, den von der Forschung viel diskutierten Text[118]
in Übersetzung vorzulegen, zumal die von J. M. Pfättisch besorgte an
zwei wichtigen Stellen kaum haltbar ist: „In vorzüglichem Maße
widmete (der Kaiser) der Kirche Gottes seine Sorge. Als sich in verschiedenen Ländern manche miteinander entzweiten, versammelte er Syn-

---

[116] VC 3, 6, GCS 7, 79, 31—32. — Zur Siegesgöttin Nike vgl. u. a. BERNERT, Art. Nike, in:
PRE 17a, (1936) 285—307; H. GRAILLOT, Art. Nike, in: Dict. Ant. Grec. Rom. V (1918)
830—854, hier 839: „C'est la victoire qui a fondé l'empire, c'est par elle qu' il se perpetue;
aussi le culte de la déesse reste-t-il héréditaire dans la maison impériale."
[117] Vgl. hierzu J. GAGE, σταυρὸς νικοποιός, la victoire impériale dans l'empire chrétien,
in: RHPhR 13 (1933) 370—400, bes. 372—373; ALFÖLDI 93 weist darauf hin, daß der Sieges-
begriff selbst aus einem einmaligen Erfolg einer beliebigen Person immer mehr die Offenbarung der überall und immer siegreichen Kraft des Kaisers allein wurde. Vgl. ebd. 240,
ferner TREITINGER 169—170.
[118] Vgl. W. SESTON, Constantine as a ‚Bishop', in: JRS 37 (1947) 127—131; DVORNIK,
Philosophy, II, 751—752; J. STRAUB, Constantine as κοινὸς ἐπίσκοπος ‚in: DOP 21 (1967)
37—55, bes. 51—52; SANSTERRE 149—154.

oden der Diener Gottes als (wie) ein von Gott eingesetzter allgemeiner Bischof. Er verschmähte es nicht, mitten bei ihrer Erörterung anwesend zu sein und dabei zu sitzen, so zum Genossen ihrer Beratungen werdend[119]. Indem er für alle als Schiedsrichter fungierte[120] in den Fragen, die den göttlichen Frieden betrafen, saß er mitten unter ihnen als einer der vielen, nachdem er Trabanten, Soldaten und jede Art von Leibgarde entfernt hatte, beschützt einzig durch die Furcht Gottes und umringt (lediglich) von den ergebensten seiner gläubigen ‚Freunde'. Allen, die er willig der besseren Ansicht beistimmen sah, in Ruhe und Eintracht zu leben, stimmte er zu (nahm er an) und zeigte sich erfreut, daß sie alle eines Sinnes waren. Die Unfügsamen hingegen wies er mit Abscheu von sich zurück"[121].

Der Text ist nicht eindeutig und hat verschiedene Interpretationen gefunden[122]. J. M. Sansterre setzt sich vor allem mit W. Seston auseinander und dürfte gegenüber dessen die Rolle des Kaisers minimalisierender Position recht haben. Der Kaiser fungiert in den Angelegenheiten der Religion als Schiedsrichter. Dabei kann er freilich der Meinung der Mehrheit folgen, aber Eusebius sagt nicht ausdrücklich, daß er das tut. Die κρείττων γνώμη ist nicht dasselbe wie die Mehrheitsmeinung! Die Einsetzung durch Gott zum κοινὸς ἐπίσκοπος begründet das Recht, die Konzilien einzuberufen, beschränkt sich aber nicht notwendig darauf. Das Wortspiel mit κοινωνὸς ἐπισκοπουμένων deutet vielmehr darauf hin, daß sich aus ihr die Teilnahme an der Erörterung der Religionsfragen, ja schließlich die richterliche Funktion (βραβεύειν) ergibt.

Eusebius sagt nicht, der Kaiser sei ein Bischof, sondern er sei *wie* ein Bischof. Auf den ersten Blick scheint das zu bedeuten, er sei weniger als

---

[119] Wörtlich: zum Genossen der Gegenstände, die beraten wurden. Das Wortspiel κοινὸς ἐπίσκοπος . . . κοινωνὸς ἐπισκοπουμένων ist im Deutschen nicht nachahmbar.

[120] βραβεύειν τὰ τῆς εἰρήνης θεοῦ kann zwar auch heißen „er verschaffte die Wohltat des Friedens" (vgl. GCS 7, 83, 4), aus dem Kontext liegt jedoch die gebräuchlichere Bedeutung von βραβεύω = entscheiden, Schiedsrichter sein, näher; zur Begründung vgl. SANSTERRE 151, Anm. 2.

[121] VC 1, 44, GCS 7, 28, 17—30: ἐξαίρετον δὲ τῇ ἐκκλησίᾳ τοῦ θεοῦ τὴν παρ' αὐτοῦ νέμων φροντίδα, διαφερομένων τινῶν πρὸς ἀλλήλους κατὰ διαφόρους χώρας, οἷά τις κοινὸς ἐπίσκοπος ἐκ θεοῦ καθεσταμένος συνόδους τῶν τοῦ θεοῦ λειτουργῶν συνεκρότει. ἐν μέσῃ δὲ τῇ τούτων διατριβῇ οὐκ ἀπαξιῶν παρεῖναί τε καὶ συνιζάνειν κοινωνὸς τῶν ἐπισκοπουμένων ἐγίνετο, τὰ τῆς εἰρήνης τοῦ θεοῦ βραβεύων τοῖς πᾶσι, καθῆστό τε (καὶ) μέσος ὡσεὶ καὶ τῶν πολλῶν εἷς, δορυφόρους μὲν καὶ ὁπλίτας καὶ πᾶν τὸ σωματοφυλάκων γένος ἀποσεισάμενος, τῷ δὲ τοῦ θεοῦ φόβῳ κατημφιεσμένος τῶν τε πιστῶν ἑταίρων τοῖς εὐνουστάτοις περιεστοιχισμένος. εἶθ' ὅσους μὲν ἑώρα τῇ κρείττονι γνώμῃ πειθηνίους πρὸς εὐσταθῆ τε καὶ ὁμογνώμονα παρεσκευασμένους τρόπον εὖ μάλα τούτους ἀπεδέχετο, χαίροντα δεικνὺς ἑαυτὸν τῇ κοινῇ πάντων ὁμονοίᾳ, τοὺς δ' ἀπειθῶς ἔχοντας ἀπεστρέφετο.

[122] Vgl. Anm. 118.

ein Bischof, denn der Kaiser hat ja offensichtlich nicht die Vollmacht zur Feier der Eucharistie, und er ist auch nicht Leiter einer Diözese. Aus dem Kontext aber und in Anbetracht dessen, was der Kaiser in den Augen des Eusebius ist[123], ergibt sich, daß derselbe sogar in Sachen der Religion nicht weniger ist als ein Bischof, sondern mehr! Er ist auf Reichsebene wie ein Bischof in seiner Diözese. Die Pointe des τῶν πολλῶν εἷς besteht darin, daß der Kaiser, obwohl er — auch in Fragen der Religion — mehr ist als ein Bischof, in der Diskussion sich mit der Rolle *eines* Bischofs zufrieden gibt! Er ist εἷς τῶν πολλῶν aufgrund seiner *moderatio*, nicht aufgrund etwa bloß ‚bischofsgleicher' Kompetenz[124].

Besondere Bedeutung kommt der Bezeichnung des Kaisers als κοινὸς ἐπίσκοπος auch deswegen zu, weil sie ihm gerade im Zusammenhang seiner Funktion im Konzil gegeben wird. Das Konzil als solches ist also nicht die dem Einzelbischof oder ‚Patriarchen' übergeordnete kirchliche Instanz, sondern der durch und mit dem Konzil fungierende ‚Oberbischof'. Unwillkürlich denkt man an eine bestimmte Konzeption des Papsttums, der gemäß der Papst auch als eine Art universaler Episkopus verstanden wird.

Der zweite Text, VC IV, 24, für den die Forschung sich vor allem wegen eines philologischen Problems interessiert hat[125], scheint zum ersten, VC I, 44, in gewisser Spannung zu stehen, ist doch ein κοινὸς ἐπίσκοπος — zumindest in der hier vertretenen Interpretation — erheblich mehr als ein ἐπίσκοπος τῶν ἐκτός, ganz gleich ob man das τῶν ἐκτός vom Nominativ τὰ ἐκτός oder von οἱ ἐκτός ableitet[126]. Sansterre dürfte hier die

---

[123] Vgl. dazu weiter unten.

[124] «On retrouve ici cette conception chère à Eusèbe d'un empereur respectueux dans ses gestes, dans son attitude extérieure, des chefs des différentes églises au point de les traiter comme ses collègues, tout en étant bien supérieur à eux, étant le juge de leurs dissensions, le chef véritable de l'Eglise.» SANSTERRE 152.

[125] Vgl. VITTINGHOFF 365—370; J. STRAUB, Kaiser Konstantin als ἐπίσκοπος τῶν ἐκτός, in: TU 63 (1957) 678—695; FARINA, Appendix II, 312—319 (status quaestionis von 1966); DERS., ἐπίσκοπος τῶν ἐκτός (Eus. De Vita Const. IV, 24), in: Sal. 29 (1967) 409—413; DVORNIK, Philosophy, II, 752—754; SANSTERRE 176, Anm. 2 (mit Berufung auf H. MASAY, ‚L'épiscopat' de l'empereur Constantin, Mémoire de licence, Université libre de Bruxelles, Sect. Histoire, 1967/68, Manuskript).

[126] οἱ ἐκτός entspräche einem ‚Bischofsamt' über die Heiden und Häretiker bzw. über die ἀρχόμενοι πάντες auch in Fragen der Religion (Straub). τὰ ἐκτός würde sich auf ein ‚Aufsichtsamt' des Kaisers über die äußeren Angelegenheiten der Kirche beziehen. Dazu gehörte etwa die Verchristlichung des Staates. — Ausführliche Diskussion beider Möglichkeiten in der oben Anm. 125 angegebenen Literatur. Nach SANSTERRE 176, Anm. 2 (unter Berufung auf MASAY 116) ist τῶν ἐκτός eindeutig maskulin und meint konkret die Heiden: «L'étude philologique ne laisse guère subsister de doute à ce propos ... L'empereur a la charge spirituelle des païens exactement comme les évêques sont les pasteurs des chrétiens.»

rechte Lösung angedeutet haben. Eusebius referiert hier ein dem Kaiser zugeschriebenes Wort[127], ohne daß unser Theologe es sich notwendig zu eigen macht[128].

Zwei weitere auf Konzilien Bezug nehmende Stellen sind in unserem Zusammenhang ohne weiteres Interesse[129], ein dritter Text schildert die Synode von Tyrus (335) in Stichworten, die an den Bericht über Nicaea erinnern[130].

Wir wenden uns der zweiten oben genannten Frage zu. Gibt es allgemeine Vorstellungen im Werk des Eusebius, aus denen sich seine spezielle Auffassung von der konziliaren Funktion des Kaisers ergibt? Wir können uns hier kurz fassen, da in den letzten Jahrzehnten in einer Reihe von Studien der Aspekt an der Theologie des Eusebius herausgearbeitet wurde, der uns hier interessiert, wir meinen seine sog. politische Theologie. Seine Vorstellungen über die kaiserliche Funktion auf dem Konzil ergibt sich in der Tat aus dieser seiner allgemeinen Konzeption des Kaisertums[131].

---

[127] VC 4, 24, GCS 7, 126, 7—11: „Darum konnte dieser (d. h. der Kaiser) mit Recht, da er einmal Bischöfe gastlich bewirtete, sich äußern, auch er sei ein Bischof, und wie wir selbst hörten, ungefähr so zu ihnen sagen: ‚Ihr seid von Gott zu Bischöfen dessen bestellt, was innerhalb des Bereiches der Kirche liegt (oder: derer, die innerhalb der Kirche sind), ich aber wohl zum Bischof dessen, was außerhalb desselben liegt (oder: derer, die außerhalb der Kirche sind)' (ἀλλ᾽ ὑμεῖς μὲν τῶν εἴσω τῆς ἐκκλησίας, ἐγὼ δὲ τῶν ἐκτὸς ὑπὸ θεοῦ καθεσταμένος ἐπίσκοπος ἂν εἴην)‘‘.

[128] SANSTERRE 151, Anm. 1. — M.a.W. man hätte also durchaus mit einer Differenz zwischen Konstantins Auffassung über sein Bischofsamt und der des Eusebius über dasselbe zu rechnen. Diese Differenz ergäbe sich nicht nur aus dem Vergleich der VC mit den sicher echten Briefen Konstantins (hierüber später), sondern zeigte sich sogar innerhalb der VC an, eben im Vergleich von VC 1, 44 und 4, 24.

[129] VC 1, 51 wird die Herstellung von εἰρήνη und ὁμόνοια als Ziel der kaiserlichen Konzilsberufung genannt; VC 4, 27 ist von der Bestätigung der auf den Konzilien verfaßten Beschlüsse durch den Kaiser die Rede.

[130] VC 4, 41, GCS 7, 133, 16—22: „Doch auch da trat der Neid entgegen, der Feind alles Guten . . . er brachte nämlich wiederum die Kirche in Ägypten durch Streitigkeiten in Verwirrung. Doch der Gott so teuere Kaiser berief wiederum wie eine Heeresmacht Gottes eine vollzählige Synode der Bischöfe (ὥσπερ θεοῦ στρατόπεδον), um dem neidischen Dämon entgegenzuwirken; aus ganz Ägypten, Libyen, aus Asien und Europa ließ er sie zusammen kommen . . .‘‘ Vgl. auch VC 3, 1, GCS 7, 76, 4—7.

[131] Vgl. E. PETERSON, Der Monotheismus als politisches Problem: Beitrag zur Geschichte der politischen Theologie im Imperium Romanum, Leipzig 1935, wieder abgedruckt in: Theologische Traktate, München 1951, 49—147; H. EGER, Kaiser und Kirche in der Geschichtstheologie Eusebs von Cäsarea, in: ZNW 38 (1939) 97—115; F. E. CRANZ, Kingdom and Polity in Eusebius of Caesarea, in: HThR 45 (1952) 47—66; S. L. GREENSLADE, Church and State from Constantine to Theodosius, London 1954, 9—23; A. EHRHARDT, Die politische Metaphysik von Solon bis Augustin, II. Die christliche Revolution, Tübingen 1959, 7. Kapitel: Konstantin und Euseb, 259—292; DVORNIK, Philosophy, II, 614—622; FARINA; SANSTERRE.

Die entscheidenden Texte, aus denen sich so etwas wie ein ‚Lehramt‘ des Kaisers[132] eruieren läßt, befinden sich im Triakontaereticus (= *De laudibus Constantini* I—X). Dort heißt es z. B. im 10. Kapitel: „Reden und Vorschriften und Ermahnungen, vernünftig und gottgefällig zu leben, werden allen Völkern vernehmbar verkündigt, und es verkündet (κηρύττω) der Kaiser selber. Darin besteht das größte Wunder, daß ein so mächtiger Kaiser mit ganz lauter Stimme aller Welt wie ein Interpret Gottes (οἷά τις ὑποφήτης τοῦ πανβασιλέως), des Allkaisers, zuruft und alle zusammen, deren Hirte er ist, zur Erkenntnis dessen, der ist, ermuntert"[133].

Der Kaiser ist Interpret Gottes, er ist auch Ausleger des Logos. Der Kaiser ist ein διδάσκαλος und zwar deswegen, weil er in seiner Seele das Wissen um die himmlischen und die irdischen Dinge hat[134]. Noch deutlicher in dieser Hinsicht ist ein Text aus dem Basilikon: „Es ist nicht unsere Absicht, spricht Eusebius hier den Kaiser an, dich in die Mysterien einzuführen, dich, der du das Wissen von Gott empfangen hast, dich in die Geheimnisse der heiligen Dinge einzuführen, dich, dem Gott selber, bevor wir zu dir sprechen, die Geheimnisse der Dinge gezeigt und offenbart hat und zwar nicht aufgrund menschlicher Wesen und durch Vermittlung eines Menschen (οὐκ ἐξ ἀνθρώπων οὐδὲ δι' ἀνθρώπων), sondern durch den allen gemeinsamen Heiland und durch seine göttliche Erleuchtung, die dir auf mannigfache Weise aufgestrahlt ist . . ."[135]

Sansterre hat u. E. recht, wenn er eine minimalisierende Interpretation solcher Texte mit der Auskunft, es handle sich um harmlose Schmeichelei, ablehnt[136]. Das kaiserliche Lehramt, das bei den Konzilien zum Zuge kommt, ist ein entscheidender Aspekt der sog. politischen Theologie des Eusebius. Es gründet letztlich in der εἰκών/μίμησις-Beziehung, in der der Basileus zu Gott bzw. zum Logos/Christus steht[137]. Sie stellt den Schlußstein des eusebianischen Systems dar. Entsprechend dieser

---

[132] FARINA 243 z. B. spricht von ‚potere di magisterio‘.

[133] Triak. 10, 4, GCS 7, 222, 22—28.

[134] Weitere Texte bei SANSTERRE 141—142.

[135] Laud. 11, 1, GCS 7, 223, 25—29.

[136] «Le magistère impérial reste, somme toute, fort général. Cette imprécision n'exclut pas une action de l'empereur en matière dogmatique; elle laisse, au contraire, la porte ouverte à des applications plus concrètes. Il serait, en effet, étrange que le prince, διδάσκαλος de la connaissance de Dieu, ne puisse l'être de celle de la relation entre le Père et le Fils, d'autant plus que l'évêque lui reconnaît explicitement la possession de la science des choses divines parmi lesquelles figure en bonne place cette même relation, et cette science n'est pas le fait de l'enseignement d'un homme — comprenons d'un membre du clergé — mais elle est révélée.» SANSTERRE 143; vgl. auch zur Gegenüberstellung mit ähnlich lautenden Texten des Ambrosius, ebd. 143—146.

[137] Hierzu u. a. EGER 110—114.

εἰκών/μίμησις-Beziehung ist der Kaiser schließlich und endlich „comme une troisième personne d'une sorte de Trinité royale"[138].

b) Konstantin

An dieser Stelle der Untersuchung erscheint es angezeigt, kurz des Eusebius Konzeption der konziliaren Rolle des Kaisers mit der Konstantins selber zu vergleichen. Wir beschränken uns bei diesem Vergleich auf die einschlägigen Texte Konstantins, die Eusebius innerhalb des von uns im ersten Teil analysierten Abschnitts der VC mitgeteilt hat, also 1) auf seinen Brief an Arius und Alexander (VC II, 64—72)[139], 2) Konstantins Eröffnungsrede in Nicaea (VC III, 12)[140], 3) Konstantins Brief an die Kirchen nach dem Konzil von Nicaea (VC III, 17—20)[141].

H. Kraft und vor allem H. Dörries haben die genannten Briefe hervorragend kommentiert und interpretiert[142], so daß wir lediglich auf den in unserem Zusammenhang besonders interessierenden Aspekt, nämlich die Diskrepanz bzw. Konformität der konziliaren Idee Konstantins mit der des Eusebius hinzuweisen brauchen. Was nun zunächst Konstantins Brief an Arius und Alexander angeht[143], so ist schon immer das

---

[138] SANSTERRE 139.

[139] VC 2, 64—72, GCS 7, 67, 4—71, 22; vgl. dazu die paraphrasierende Zusammenfassung und Analyse bei H. DÖRRIES, Das Selbstzeugnis Kaiser Konstantins, Göttingen 1954, 55—58; KRAFT, Entwicklung, Brief 16, Übersetzung 213—217, zur Echtheit 217, zur Interpretation 87—96; ältere Literatur zu Konstantin bei KRAFT, Entwicklung, und J. VOGT, in: RAC III (1957) 378—379; neuere Literatur U. SCHMIDT (z. T. ungenau!), in: KRAFT, Konstantin 457—462.

[140] VC 3, 12, GCS 7, 82, 16—83, 12. — Anders als für die übrigen Konstantintexte ist hier die Echtheit nicht sicher. Nach DÖRRIES 63 wird man „nicht sagen können, daß in dem ganzen Gedankengang etwas unkonstantinisch" sei. Dem stimmt auch KRAFT, Entwicklung 268 f., zu, aber „das beweist lediglich, wie gut Euseb den Kaiser kannte. Insgesamt ist die Rede als ein Stück anzusehen, das Euseb für sein Geschichtswerk entworfen hat, vergleichbar anderen Reden bei ihm und bei anderen Historikern". Bekanntlich bringt Gelasius von Cyzicus anstelle der von Eusebius VC 3, 12 überlieferten Rede die sog. oratio ad sanctum coetum (H. E. 2, 7, 1—41). Nach KRAFT, Entwicklung 269—271, kann nur eine der beiden grundverschiedenen Reden echt sein. Er entscheidet sich für die Echtheit der von Gelasius überlieferten. Gegen R. P. HANSON, The ‚Oratio ad Sanctos' attributed to the Emperor Constantine and the Oracle at Daphne, in: JThS 24 (1973) 505—511, der einen entscheidenden Grund gegen die Echtheit geltend gemacht und den Text einem Anonymos nach 362 zugeschrieben hatte, vgl. neuerdings T. D. BARNES, The Emperor Constantine's Good Friday Sermon, in: JThS 27 (1976) 414—423, der die Rede für echt hält und auf 317 datiert. — Analyse bei DÖRRIES 223—225.

[141] VC 3, 17—20, GCS 7, 84, 19—87, 21; Analyse bei DÖRRIES 66—68; Übersetzung bei KRAFT, Entwicklung, Brief 19, 220—223, Analyse ebd. 223—225.

[142] Vgl. die obigen Anmerkungen.

[143] Vgl. hierzu außer der oben genannten Literatur EHRHARDT 265—266. „. . . als Staatsschrift gehört (der Brief) zu den wichtigsten Dokumenten der konstantinischen Herrschaft." Ebd. 266.

Unverständnis des Kaisers für die Tragweite der zwischen beiden Kontrahenten aufgebrochenen Frage aufgefallen. Bekanntlich wird Konstantin später die Tiefe der Problematik durchaus sehen, hier aber steht seine Auffassung in großer Nähe zum Desinteresse für dogmatische Fragen, das des Eusebius Bericht über Nicaea kennzeichnet. Was dem Kaiser am Herzen liegt, ist in diesem Brief das gleiche Anliegen, das wie ein Leitmotiv die Darstellung von VC II, 61—III, 24 durchzieht: die Erhaltung bzw. die Wiederherstellung von εἰρήνη und ὁμόνοια[144]. Entscheidend nun ist: ebenso wie Eusebius sieht der Kaiser die Bedrohung der Eintracht und des Friedens als eine teuflische Versuchung an[145]. Dörries kommentiert die Stelle sehr zutreffend, wenn er schreibt: „. . . dem Kaiser weitet sich der Disput über den menschlichen Bereich hinaus; Gott und die Dämonen sind daran beteiligt"[146]. Wem die Hauptlast der Verantwortung für die Erhaltung und Wiederherstellung der ὁμόνοια obliegt und damit die entscheidende Rolle auch in der Bestimmung dessen, was als wesentlich und unwesentlich in den Fragen der Religion zu betrachten ist[147], daran läßt der Brief keinen Zweifel: es ist der Kaiser selber. Beschwörend heißt es deswegen: „Laßt durch seine Vorsehung mich, den Diener Gottes, mein Bestreben vollenden, daß ich diese Völker durch meine Worte, meine Dienste und eindringliche Ermahnungen zu einträchtigem Umgang miteinander zurückbringe"[148]. Abschließend sei darauf hingewiesen, daß Konstantin in vorliegendem Brief die beiden Stichworte des Eusebius zur Bezeichnung innerkirch-

---

[144] Programmatisch heißt es in diesem Sinne gleich zu Beginn des Briefes: „Als erstes wollte ich das religiöse Streben aller Völker vereinheitlichen . . . Dabei wußte ich, wenn es mir gelänge, unter allen Dienern Gottes die gemeinsame Eintracht (ὁμόνοια) herzustellen, so würde auch das Staatswesen durch die fromme Gesinnung aller sich glückhaft wandeln." VC 2, 64, GCS 7, 67, 8—17.

[145] ἀποστῶμεν ἑκόντες τῶν διαβολικῶν πειρασμῶν, GCS 7, 70,9.

[146] DÖRRIES 60; es trifft durchaus auch die Sicht Eusebs, wenn es weiter über Konstantin heißt: „Aber nicht der Gegenstand des Kampfes ist es, bei dem es um das Höchste ginge, so daß also die einen die Sache Gottes, die andern die des Teufels führten, wie es den Kämpfenden wohl erschien, sondern der Streit als solcher ist ‚teuflische Versuchung'."

[147] VC 2, 71, GCS 7, 70, 24—30: „Wir wollen nun einmal nicht alle in allem dasselbe, noch herrscht in uns eine Natur oder Ansicht. Über die göttliche Vorsehung aber soll ein Glaube, eine Auffassung, eine gemeinsame Anschauung von Gott unter euch herrschen. Was ihr aber über diese unbedeutenden Fragen untereinander ausklügelt, das muß, auch wenn ihr darin nicht zu einer Ansicht kommt, innerhalb eueres Geistes bleiben, verwahrt im Geheimnis des Denkens."

[148] VC 2, 71, GCS 7, 70, 10—14; vgl. auch DÖRRIES 61: „Wer schließlich darüber zu entscheiden haben würde, ob solche Richtigstellung (d. h. von dogmatisch untragbaren Ansichten) hinreiche, darüber könnte die Schiedsrichterrolle, die sich Konstantin in seinem Briefe zuschreibt, schon jetzt Schlüsse erlauben."

licher Spaltung, nämlich στάσις[149], und innerkirchlichen Friedens, ὁμόνοια[150], verwendet. Leider ist hier nicht der Raum, näher auf diesen grundlegenden Begriff der griechischen Staatsphilosophie einzugehen[151].

Ob Konstantins Eröffnungsrede in Nicaea nun in der von Eusebius mitgeteilten Form auf den Kaiser selber zurückgeht, oder ob sie der Bischof nach antiker Sitte der echten Rede nachempfunden hat, sie liest sich jedenfalls wie die theologische Kurzformel dessen, was Eusebius in aller Breite und Anschaulichkeit in VC II, 61—III, 24 ausführt. Gleich nach dem Dank an den „Herrscher der Welt" nennt Konstantin das Glück, das „jedes Glück übersteigt, ich meine das Glück, euch alle hier versammelt zu finden und zu sehen, daß alle ein und dieselbe einträchtige Gesinnung (κοινὴ ἁπάντων γνώμη) haben"[152]. Der Gegner der ὁμόνοια ist genau wie bei Eusebius der βάσκανός τις ἐχθρός oder δαίμων[153]. Genau wie Eusebius bezeichnet der Kaiser den arianischen Streit als στάσις, genauer als ἐμφύλιος στάσις, d. h. als Bürgerkrieg[154]. Seine Beilegung ist ureigenste Sache des Kaisers[155], wie sie es auch nach des Eusebius Auffassung ist. Zwar ist die Versammlung der Bischöfe als solche schon Anlaß zur Freude, Konstantin sieht sich aber erst dann am Ziel seiner Wünsche, wenn er zu Wege gebracht hat[156], die Synodalen

---

[149] GCS 7, 70, 19.

[150] GCS 7, 71, 20.

[151] Vgl. vor allem H. Fuchs, Augustinus und der antike Friedensgedanke, Berlin 1926, unv. Ndr. Berlin/Zürich 1965, 109 ff; L. Sanders, L'Héllénisme de Saint Clément de Rome et le Paulinisme, in: StHell 2 (1943) s. v. ὁμόνοια; zu Platos Vorstellungen über die Beziehungen zwischen πόλεμος ἐμφύλιος, στάσις und ὁμόνοια vgl. P. Jal, ‚Pax civilis' — ,concordia', in: REL 39 (1961) 210—231, hier 222 f.: „Depuis Héraclide et Démocrite, en effet, jusqu' à Xénophon et Isocrate, l' ὁμόνοια semble bien être demeurée l'idéal constant de la pensée politique grecque, dans la mesure du moins où elle reposait sur la justice". — Über die Bedeutung des ὁμόνοια-Gedankens unter den Kaisern Trajan und Hadrian, vgl. Chr. R. Eggenberger, Die Quelle der politischen Ethik des 1. Klemensbriefes, Zürich 1951, 150—153; über das Verständnis der ὁμόνοια speziell bei Konstantin vgl. Dörries 318—320; die Studien von H. Krämer, Quid valeat ὁμόνοια in litteris Graecis, Göttingen 1915, und J. de romilly, Vocabulaire et propagande, ou les premiers emplois du mot ὁμόνοια, in: Mélanges P. Chantraine, hrsg. v. A. Ernout, Etudes et Commentaires, Paris 1972, 199—209 waren uns leider nicht zugänglich.

[152] GCS 7, 82, 20.

[153] VC 3, 12, GCS 7, 82, 21—24: „Nicht also soll ein neidischer Feind unser Glück trüben, nicht soll der Dämon, der Freund alles Schlechten, nachdem durch die Macht des Erlöser-Gottes die gegen Gott ankämpfenden Tyrannen aus dem Wege geräumt sind, das göttliche Gesetz auf andere Weise bekriegen . . ."

[154] GCS 7, 82, 25.

[155] VC 3, 12, GCS 7, 82, 29—83, 1: „Als ich wider alles Erwarten von eurem Zwiste (διάστασις) vernahm, hielt ich, was ich hörte, durchaus nicht für unbedeutend, sondern von dem Wunsch beseelt, daß auch hierin durch meine Vermittlung (δι' ἐμῆς ὑπηρεσίας) Abhilfe geschaffen werde, rief ich ohne Verzug euch alle zusammen . . ."

[156] τοτέ δὲ μάλιστα κρίνω κατ' εὐχὰς ἐμαυτὸν πράξειν, GCS 7, 83, 2—3.

zu Frieden und Eintracht (εἰρηνικὴ συμφωνία) zu führen. Ganz wie bei Eusebius herrscht hier die Vorstellung, daß der Kaiser in persona das reale Einheitsprinzip der Kirche ist. Der eine Kaiser schenkt durch sein Wirken (ἐμαυτοῦ πράξειν) den ,gespaltenen' Bischöfen (ὑμετέρα διάστασις) die ὁμόνοια; sie ihrerseits geben diese Eintracht an die übrige Kirche weiter, wie es ja ihre Aufgabe ist. Der Kaiser bezeichnet sich zwar als συνθεράπων — aber in einem Satz, in dem er sich ungeniert neben Gott selber stellt![157]

Der dritte von Eusebius in dem von uns analysierten Abschnitt überlieferte Text Konstantins ist dessen „Schreiben an die Kirchen" nach dem Konzil von Nicaea. In ihm befinden sich eine Reihe von Gedanken, die uns von Eusebius her bzw. von den beiden oben analysierten Briefen bekannt sind, so die Bedeutung der Glaubenseinheit für das Wohl des Staates und die grundsätzliche Zuständigkeit des Kaisers, diese Einheit herbeizuführen[158], die daraus offensichtlich abgeleitete faktische Teilnahme an den Beratungen[159], aber andererseits tritt doch auch eine sehr deutliche Diskrepanz im Vergleich zur eusebianischen Konzilsidee zutage. Wir meinen auf der einen Seite die eindeutige Aussage, daß die getroffene Entscheidung — im vorliegenden an „alle Gemeinden" gerichteten Brief hebt der Kaiser nur die Frage des Ostertermins, also des Kultes hervor — an sich in die Zuständigkeit der Bischöfe gehört. Nicht er selbst, sondern sie haben entschieden, er hat höchstens mitentschieden und miterörtert[160].

Ziel der Synode ist auch hier wie bei Eusebius die Wiederherstellung der ὁμόνοια, die Entfernung der διχόνοια[161], aber der Weg dorthin ist hier doch ein ganz anderer: hier Diskussion und Untersuchung durch die Bischöfe, dort Intervention und Eingreifen des Kaisers. Wohlgemerkt,

---

[157] VC 3, 13, GCS 7, 83, 10—12: „Denn so werdet ihr sowohl zustande bringen, was dem höchsten Gott angenehm ist, als auch mir eurem Mitknechte übergroßen Gefallen erzeigen."
[158] VC 3, 13, GCS 7, 84, 20—24.
[159] καὶ αὐτὸς δὲ καθάπερ εἷς ἐξ ὑμῶν ἐτύγχανον συμπαρών, GCS 7, 84, 28—29. Das εἷς ἐξ ὑμῶν hat seine genaue Entsprechung im ὡσεὶ τῶν πολλῶν εἷς von VC 1, 44, GCS 7, 28, 23—24.
[160] VC 3, 17, GCS 7, 84, 24—28: „Hierin konnte jedoch keine beständige feste Anordnung getroffen werden, ohne daß sich alle oder doch wenigstens die meisten Bischöfe versammelten und die auf die hochheilige Religion bezüglichen Angelegenheiten im einzelnen untersuchten."
[161] VC 3, 17, GCS 7, 84, 30—85, 2: „Sie haben die notwendigen Untersuchungen so lange angestellt, bis sich die Gott, dem Herrscher aller Dinge, wohlgefällige Anschauung (γνώμη) in der allgemeinen einheitlichen Meinung (τῆς ἑνότητος συμφωνία) klar gezeigt hatte, so daß kein Anlaß zum Zwiespalt (διχόνοια) oder zu Glaubensstreitigkeiten mehr übrig blieb."

welcher der beiden Berichte, der konstantinische oder der eusebianische, historisch zutreffend ist, steht auf einem ganz anderen Blatt. Für unsere Perspektive ist jedoch die Feststellung von Bedeutung, daß der Kaiser sich selber in einer vergleichsweise bescheidenen und zurückgezogenen Rolle sieht — oder darin gesehen werden will. Dieser bescheidenen, abwartenden Rolle, die Konstantin sich selber zuschreibt, entspricht andererseits die Herausstellung der bischöflichen Autorität. Diese wird in einer geradezu exorbitanten und generalisierenden Weise ins Licht gerückt: „Durch einstimmiges Urteil aller ist beschlossen worden (κοινῇ πάντων ἤρεσε κρίσει), das hochheilige Osterfest an ein und demselben Tag zu feiern. . . So erkennt unter diesen Umständen bereitwillig die Gnade Gottes und den göttlichen Befehl an. Denn alles, was auf den heiligen Versammlungen der Bischöfe verhandelt wird, das geht auf den göttlichen Willen zurück"[162].

Die Auffassung, daß in den einstimmigen Entscheidungen der Bischöfe Gottes Wille selber zum Ausdruck kommt, ist übrigens keineswegs singulär, sie findet sich ähnlich auch in anderen Briefen Konstantins[163]. An die hier sichtbar werdende Diskrepanz zwischen des Eusebius und Konstantins Sicht der kaiserlichen Rolle auf dem Konzil[164] ist im letzten Abschnitt dieser Untersuchung anzuknüpfen, in dem wir uns der Frage nach dem Fortleben, der Nachwirkung der eusebianischen Konzilsidee, stellen wollen. Zuvor aber soll noch nach dem Ursprung, dem ‚philosophischen‘ Hintergrund, dieser Konzilsidee gefragt werden.

c) Ursprung

Ob nun der Kaiser auf dem Konzil die Rolle spielte, die Eusebius beschreibt oder die Konstantin in seinen Briefen andeutet, seine Stellung auf dem Konzil ist in jedem Fall, selbst wenn er nur die Berufung vor-

---

[162] VC 3, 19, GCS 7, 87, 4—12. — πᾶν γὰρ ὅτι δὰν ἐν τοῖς ἁγίοις τῶν ἐπισκόπων συνεδρίοις πράττηται, τοῦτο πρὸς τὴν θείαν βούλησιν ἔχει τὴν ἀναφοράν.

[163] Im Brief an die Alexandriner, ebenfalls im Anschluß an das Konzil von Nicaea geschrieben, heißt es: „Dreihundert und noch mehr Bischöfe haben also mit bewundernswertem Verstand und Scharfsinn sichergestellt, daß ein und derselbe Glaube ist . . . Laßt uns nun das Urteil annehmen, das der Allmächtige darreicht . . . Denn was dreihundert Bischöfe miteinander beschlossen haben, ist nichts anderes als das Urteil Gottes, zumal der Heilige Geist in das Denken so vieler Männer eingegangen ist und den göttlichen Willen erhellt hat." Athanasius, De decr. Nic. syn. 38, Opitz, Urkunde 25, 53, 7—54, 4; weitere Texte vgl. S. 64—65.

[164] Vgl. das im selben Sinne ausfallende Ergebnis von Sansterres sorgfältiger Untersuchung, 168—179: „Malgré ses ressemblences, la pensée de Constantin jusqu'au concile de 335 — et même après — diffère très sensiblement de celle exposée par l'évêque cette même année", ebd. 179, Anm. 3.

genommen und eine Art Ehrenpräsidium innerhalb der Synode selbst beansprucht hätte, von ganz außerordentlichem Gewicht. Man hat sich schon immer gefragt, worin diese außerordentliche Stellung des Kaisers auf dem Konzil eigentlich ihren Grund hatte. Aufgrund welcher Autorität, mit welchem Recht, greift er so tief in die innersten Angelegenheiten der Kirche ein und dies, wohlgemerkt, ohne selbst — ist er doch ungetauft! — Vollmitglied der Kirche zu sein.

W. Ullmann hat auf die Frage vor kurzem eine recht überzeugende Antwort gegeben bzw. dieselbe mit neuen Gründen versehen[165]. Die Stellung des Kaisers wird verständlich, wenn man sich zwei Dinge vor Augen hält: die neue rechtliche Stellung der Kirche einerseits, die Rechte und Pflichten des Kaisers als *pontifex maximus* andererseits. Die Tatsache, daß die Kirche schon zwei Jahre nach dem Toleranzedikt von 311 als *corpus* im juristischen Sinne des Wortes anerkannt worden war, hatte zur Folge, daß auf sie das römische *ius publicum* angewandt wurde[166]. Alle die Kirche betreffenden Maßnahmen stehen im Rahmen dieses *ius publicum*, das im letzten auf die *utilitas publica* abzielt, auf den ‚Wohlstand‘ der *res Romana*. Das zweite, was es zu bedenken gilt: das *ius publicum* steht in engster Verbindung mit der Funktion des Kaisers als *pontifex maximus*. Die beiden Bereiche des *ius publicum*, die *sacra* und die *sacerdotes*, sind sozusagen die Kanäle, durch die die Kirchengesetzgebung Konstantins ‚passiert‘. „And by virtue of the monarchic government, the administration, interpretation, the application, modification and, if necessary, creation of public law lay exclusively in the hands of the emperor himself"[167].

Von dieser Rechtsstellung des Kaisers her, eben weil er *curator, conservator* des *status rei Romanae* ist, wird nun auch seine Rolle auf den Konzilien verständlich. Die innere Spaltung der Kirche bedroht den *status rei Romanae*. Der Kaiser als letztverantwortlicher *curator* derselben ist zum Eingriff nicht nur berechtigt, sondern verpflichtet. Daß Konstantin zu diesem berechtigten Eingriff das bewährte kirchliche Mittel zur Behebung von Spaltung, nämlich die Synode, verwendet, zeigt sein politisches Geschick, offenbart das staatsmännische Genie dieses Autokrators.

---

[165] W. ULLMANN, The Constitutional Significance of Constantine the Great's Settlement, in: JEH 27 (1976) 1—16; vgl. schon K. F. MORRISON, Rome and the City of God, TAPhS, NS 54 (1964) 10 ff. und 22 ff.

[166] Ulpian definiert gegen Ende des zweiten Jahrhunderts: *publicum ius est quod ad statum rei Romanae spectat . . . publicum ius in sacris, in sacerdotibus, in magistratibus consistit.* In Digest. 1.1.1.2, vgl. KASER, Privatrecht, I, 175 Anm. 23 und II (1959) 38.

[167] ULLMANN 7.

Mit diesem Hinweis auf die ‚konstitutionelle' Rolle des Kaisers hat Ullmann ohne Zweifel eine befriedigende Antwort gegeben auf die Frage, mit welchem *Recht* der Kaiser in zutiefst kirchlichen Angelegenheiten interveniert, und warum dieses von ihm wahrgenommene Recht von seiten der Kirche zumindest grundsätzlich anerkannt wird. Offen ist damit aber noch eine andere, wie uns scheint, letztlich wichtigere Frage, nämlich die, aufgrund welcher Ideen, welcher politischer Vorstellungen, welcher politischer Philosophie der Kaiser, gerade eben auch im römischen Recht, eine solche Rechtsstellung in Fragen der Religion gewinnen konnte. M. a. W. der Hinweis auf das tatsächliche Recht des Kaisers führt zu der weiteren Frage nach der dieses Recht begründenden politischen Philosophie.

Mit diesem Problemkreis hat sich die Forschung gerade im Blick auf Eusebius wiederholt befaßt. N. H. Baynes[168] hat, angeregt durch eine Studie von E. R. Goodenough[169], auf die möglichen Quellen der eusebianischen Vorstellungen vom christlichen Kaiserreich hingewiesen. Er nennt in seiner knappen, aber sehr weiterführenden Studie u. a. die pseudo-pythagoräischen Philosophen Diotogenes, Sthenidas, Ecphantus, ferner Plutarch[170]. F. Dvornik hat dann der Frage nach den Quellen der frühen christlichen und byzantinischen politischen Philosophie eine umfangreiche Monographie gewidmet[171]. Der orientalische, babylonisch-ägyptische, iranische, frühgriechische, hellenistische, jüdische, neutestamentliche, römische, frühchristliche Hintergrund wird dabei in aller Ausführlichkeit ausgeleuchtet[172]. Für unseren Zusammenhang sind von Interesse Dvorniks Ausführungen zur Theorie der politischen Philosophie des Hellenismus einerseits und zum politischen Credo Konstantins und des Eusebius andererseits.

---

[168] Eusebius and the Christian Empire, Mélanges Bidez, II (1933/4) 13—18 (= Byzantine Studies and Other Essays, London 1955, 168—172).

[169] The Political Philosophy of Hellenistic Kingship, in: YCS 1 (1928) 55—102.

[170] "For Eusebius as for Plutarch the Logos is the necessary guide of the true king — the greater the king the more essential is the guidance of the Logos Plutarch contends — παρ' οὗ καὶ δι' οὗ ... ὁ τῷ θεῷ φίλος βασιλεὺς κατὰ μίμησιν τοῦ κρείττονος τῶν ἐπὶ γῆς ἁπάντων τοὺς οἴακας διακυβέρνων ἰθύνει writes Eusebius" BAYNES 170; Belege zu den übrigen genannten Autoren ebd. 170—171. Auch L. DELATTE, Les traités de la royauté d'Ecphante, Diotogène et Sthénidas, Lüttich 1942, 153, hält es für möglich, daß sich Eusebius an diesen Texten inspiriert hat.

[171] DVORNIK, Philosophy, wichtig vor allem I, Kap. V: Hellenistic Political Philosophy, 205—277, bes. 241—277, II, Kap. X: Christian Hellenism, 611—658.

[172] Vgl. die Rezensionen von I. MARROU, in: RHE 64 (1969) 63—67; CHR. WALTER, in: REByz 26 (1968) 373—376; z. T. erhebliche Ausstellungen bei P. PETIT, in: Gn. 41 (1969) 69—73; O. MURRAY, in: JThS 19 (1968) 673—678.

Eine der tragenden Grundideen der hellenistischen Philosophie über das Königtum ist die Identifizierung des Königs mit dem Gesetz, bzw. die Bezeichnung des Königs als ἔμψυχος νόμος. Ihren klassischen Ausdruck findet diese Vorstellung in einem Archytas von Tarent zugeschriebenen, aber ihm nicht sicher zugehörigen Fragment[173]: „Jede Gemeinschaft besteht aus einem herrschenden und einem beherrschten Element und aus einem dritten, den Gesetzen. Was die Gesetze angeht, so gibt es das lebendige Gesetz, nämlich den Basileus, und das leblose, das geschriebene. Das Gesetz ist also grundlegend, im Hinblick auf dasselbe ist der Basileus gesetzlich, der Herrschende geziemend, der Beherrschte frei und die ganze Gemeinschaft glücklich"[174]. Der Sache nach kommt auch Aristoteles dem Begriff des Basileus als νόμος ἔμψυχος nahe. Aus Musonius, der diese Definition eines Basileus beiläufig als von den Alten überliefert bezeichnet, geht hervor, daß die Vorstellung des Basileus als ‚lebendiges Gesetz' im ersten Jahrhundert nach Christus verbreitet gewesen sein muß. Auch für Diotogenes ist der Basileus ἔμψυχος νόμος[175]. Im Zu-

---

[173] Das Fragment könnte nach DVORNIK, Philosophy, I, 246, auch schon vorplatonisch-pythagoräisch sein. — Die Frage der Datierung der pseudopythagoräischen Schriften ist nach wie vor umstritten. So datiert F. TAEGER, Zur Geschichte der spätkaiserlichen Herrscherauffassung, in: Saec. 7 (1965) 182—195, hier 186—189, in das zweite Drittel des dritten Jahrh. n. Chr., setzt „allerdings eine lange, bis in den eigentlichen Hellenismus reichende Vorgeschichte voraus". Ausführlich erörtert die Gründe für eine Frühdatierung H. THESLEFF, An introduction to the Pythagorean Writings of the Hellenistic Period, AAAbo.H 24, 3, 1961, 50—71. Argumente für die Spätdatierung legt W. BURKERT vor: Zur geistesgeschichtlichen Einordnung einiger Pseudopythagorica, in: Pseudoepigrapha I, Entretiens sur l'antiquité classique, Fondation Hardt, Bd. 18, Vandoeuvres/Genf 1972, 25—55; ebd. 59—87 eine Erwiderung und gewisse Annäherung von H. THESLEFF: On the Problem of the Doric Pseudo-Pythagorica. An Alternative Theory of Date and Purpose. Nach BURKERT stammen die dem Archytas zugeschriebenen Traktate von verschiedenen Autoren etwa um 30 v. Chr. Die unter dem Namen Ecphantus stehende Schrift datiert aus der Zeit der Julia Domna. THESLEFF dagegen plädiert bezüglich der Mehrzahl der Texte für die zweite Hälfte des 2. Jahrhunderts v. Chr. — Vgl. in diesem Zusammenhang auch S. CALDERONE, Teologia politica, successione dinastica e consecratio in età costantiniana, in: Le culte des souverains dans l'Empire Romain, Fondation Hardt, Bd. 19, Vandoeuvres-Genf 1973, 215—261. Nach CALDERONE ist Eusebius nicht so originell wie TAEGER voraussetzt, andererseits nicht so abhängig von den pseudopythagoräischen Texten wie BAYNES annimmt.

[174] Archytas v. Tarent, frag. ex lib. de lege et iust. 14, Ausg. H. THESLEFF, The Pythagorean Texts of the Hellenistic Period, AAAbo. H 30, 1, 1965, 33,6—10:
φαμὶ δὴ ἐγὼ πᾶσαν κοινωνίαν ἐξ ἄρχοντος καὶ ἀρχομένω συνεστάμεν, καὶ τρίτον νόμων. νόμων δὲ ὁ μὲν ἔμψυχος βασιλεύς, ὁ δὲ ἄψυχος γράμμα. Πρᾶτος ὦν ὁ νόμος, τούτῳ γὰρ ὁ μὲν βασιλεὺς νόμιμος, ὁ δ' ἄρχων ἀκόλουθος, ὁ δ' ἀρχόμενος ἐλεύθερος, ἁ δ' ὅλα κοινωνία εὐδαίμων.

[175] Diotogenes, frag. ex lib. de regno, Ausg. THESLEFF, S. 71, 20—22:
τὸ μὲν γὰρ δίκαιον ἐν τῷ νόμῳ ἐντί, ὁ δέ γε νόμος αἴτιος τῶν δικαίω, ὁ δὲ βασιλεὺς ἤτοι νόμος ἔμψυχός ἐντι ἢ νόμιμος ἄρχων, διὰ ταῦτ' οὖν δικαιότατος καὶ νομιμώτατος.

sammenhang unterscheidet Diotogenes drei Funktionen des Basileus: er ist Feldherr, Richter und Priester[176].

Besonderes Interesse verdient ein pseudonymer, Ecphantus von Syrakus zugeschriebener Text: „Ich bin der Meinung, daß dem irdischen Basileus keine Tugend fehlen kann, die der himmlische besitzt. Ebenso wie der Basileus selber etwas Fremdes, von der himmlischen Heimat (ἀπόδαμόν τι ἔντι χρῆμα καὶ ξένον) zu den Menschen Gekommenes ist, so sollte jeder annehmen, sind auch seine Tugenden Gottes Werk und ihm durch jenen gegeben"[177]. Die Texte ließen sich weiter vermehren. Die angeführten genügen, um einen wichtigen Aspekt am Begriff des hellenistischen Königtums zu beleuchten. Als ἔμψυχος νόμος ist der Basileus die einzige Quelle des Rechts einer Gesellschaft, er ist in gewissem Sinne das Wesen des Staates, ja der Staat selber[178]. Darauf deutet übrigens auch der hellenistische Königstitel κτίστης. Der Basileus ist der ‚Schöpfer' des Staates und die Quelle allen Rechts[179].

Von diesen Vorstellungen hellenistischer Philosophie ist nach Dvornik die politische Theologie des Eusebius von Caesarea und das ‚politische Credo' Konstantins bestimmt[180].

Der Einsatz für die Religion, die Eingriffe in die Angelegenheiten der Kirche ergeben sich aus der hellenistischen politischen Philosophie, näherhin aus dem hellenistischen Begriff des Königtums. Im Blick auf Konstantin selber schreibt Dvornik: „He represented the Divinity on earth and as such was expected to lead men to God. That the God of the

---

[176] Näheres hierzu bei DVORNIK, Philosophy I, 248—252.

[177] Ecphantus, de regno, Ausg. THESLEFF, 81, 9—13. — Zur Vorgeschichte dieser Idee vgl. W. BLUM, Justinian I. — Die philosophische und christologische Fundierung kaiserlicher Herrschaft, in: ST. OTTO (Hrsg.), Die Antike im Umbruch, Politisches Denken zwischen hellenistischer Tradition und christlicher Offenbarung bis zur Reichstheologie Justinians, München 1974, 109—125, hier 114: „Diese Idee (vom Basileus als ‚lebendem Gesetz') ist zwar schon in früherer Zeit nachzuweisen, aber erst als Gedankengebäude von Philosophen, noch nicht im Selbstbewußtsein eines Herrschers verwirklicht. Themistius spielt eine große Rolle in der Tradition dieser Lehre; sie geht aber über Laktanz und die Stoa zurück auf Platon und Aristoteles, jene zwei Denker also, welche Themistius als einzige Kaisererzieher ansah." — Die Untersuchung von W. AALDERS, Νόμος ἔμψυχος, in: Politeia und Res Publica. Dem Andenken R. Starks gewidmet, hrsg. von P. STEINMETZ, Wiesbaden 1969, 315—329, war uns nicht zugänglich.

[178] Vgl. jedoch O. MURRAY, der in seiner Rezension, in: JThS 19 (1968) 676, bestreitet, daß der Begriff des νόμος ἔμψυχος das Wesen des hellenistischen Königsbegriffs ausmacht. „In antiquity νόμος ἔμψυχος was not indeed an idea at all, but merely a phrase." Der zentrale Gedanke sei vielmehr die Betonung des Königs als ἄριστος ἀνήρ. Murray beruft sich auf A. STEINWENTER, νόμος ἔμψυχος: Zur Geschichte einer politischen Theorie, in: AAWW. Ph 83 (1947) 250—268.

[179] DVORNIK, Philosophy, I, 275—276.

[180] νόμος ἔμψυχος ist weder bei Konstantin noch bei Eusebius belegt, erst bei Justinian, Novelle 105, 2, 4 vom Jahre 526, CIC, ED. W. KROLL, 507.

Emperor and of his subjects had became Christian made no difference, except that it made him alle the more eager to do his duty. As he himself said, he had to teach his subjects *quae et qualis divinitati adhibenda veneratio*"[181].

d) Fortleben

Der Kaiser repräsentiert Gott auf Erden. Es ist seine Aufgabe, die Untertanen zur Erkenntnis Gottes zu führen. In seiner Eigenschaft als Kaiser spielt er notwendig eine Rolle auf den ‚Reichskonzilien'. Diese Philosophie des hellenistischen Königtums wird — mit Nuancen — von Konstantin und Eusebius vertreten. Wie steht es, um zu unserer abschließenden Frage zu kommen, mit dem Fortleben dieser Philosophie, dieser politischen Theologie in der Alten Kirche? Ist M. Azkouls These vom scharfen Trennungsstrich zwischen Eusebius und den übrigen Vätern zutreffend[182], oder ist Eusebius nicht vielmehr der Exponent einer politischen Philosophie oder Theologie, der prinzipiell kaum und nur im äußersten Konflikt, nämlich wenn der Kaiser häretisch geworden war, widersprochen wurde? Es ist hier nicht möglich, das Problem in seiner ganzen Breite aufzurollen. Im Grunde ist das auch nicht nötig; denn diese Frage wurde der Sache nach unter Stichworten wie ‚Verhältnis

---

[181] DVORNIK, Philosophy, II, 637. Das Zitat stammt aus dem Brief Konstantins an Celsus, den vicarius Africae, in Sachen des Donatismus, CSEL 26, Appen. 7, 212, 7—8; ähnlich urteilt ALAND 507—508 mehr allgemein über das Verhältnis christlicher und nichtchristlicher Kaiser: „Selbstverständlich bringen die Christen, zumindest die Theologen, wenn sie Stellung und Aufgaben des Kaisers umschreiben, neue Vokabeln hinzu, die den heidnischen Ausführungen über den Gegenstand fremd sind. Und selbstverständlich differiert ihre Aussage im letzten von der der Heiden: der Kaiser ist eben nicht Gott, er ist nicht Christus — aber er ist wie Gott, seine Gewalt ist göttlich, sie ist unumschränkt. In der Grundhaltung sind Christen und Heiden eins. Und zwar gilt das für Christen aller theologischen Richtungen."

[182] „His (d. h. des Eusebius) political theology perpetuated the pagan idea of kingship and thereby brought with it a tacit return to pagan rationalism ... Against his teachings, the Greek Fathers set traditional ontology and Christology ... Examining the religio-political thought of the Greek Fathers from the fourth to the ninth century, therefore, we ought to come to the conclusion that any theory which considers Eusebian political foundation of the Christian Roman Empire must be open to serious question". M. ASKOUL, Sacerdotium et Imperium: the constantinian renovatio according to the Greek Fathers, in: TS 32 (1971) 431—464, hier 433. — Vgl. auch: „The Greek Fathers developed no political philosophy but merely converted the Hebrew theocracy to Christian use", ebd. 432. — Zur theologischen Beurteilung der kaiserlichen Synodalgewalt vgl. die protestantische und orthodoxe Stellungnahme: E. WOLF, Die Entstehung der kaiserlichen Synodalgewalt unter Konstantin dem Großen, ihre theologische Begründung und ihre kirchliche Rezeption, in: Kirche und Kosmos, Orthodoxes und evangelisches Christentum, Studienheft Nr. 2, Witten 1950, 153—168; A. KARATSCHOW, Die Entstehung . . ., ebd. 137—152.

von Staat und Kirche', ‚Cäsaropapismus', ‚Imperium und Sacerdotium',
‚Reichskirche' usw. schon oft behandelt[183].

Wir bringen im folgenden einige Stichproben aus den Quellen, um
speziell die Stellung der Kaiser auf den Konzilien, nicht allgemein
ihre Religionspolitik[184], zu beleuchten. Es dürfte sich dabei das allgemeine Urteil von L. W. Barnard bestätigen: „So Eusebius accorded a
highly exalted position to the first Christian Emperor — a position
which, with some changes of emphasis, was to remain to the end of
Byzantine history"[185].

Ist der Logos Prosphonetikos des sog. zweiten ökumenischen Konzils,
mit dem die Bischöfe um kaiserliche Bestätigung der Beschlüsse bitten,
noch vergleichsweise nüchtern und reserviert[186] gegenüber dem Anspruch der Kaiser auf Zuständigkeit in Fragen der Religion — dieser
Anspruch findet einen geradezu klassischen Ausdruck in der *Sacra*[187]
Kaiser Theodosius II an Cyrill anläßlich des Ephesinums[188] — so ist von

---

[183] Vgl. u. a. CH. BAUR, Die Anfänge des byzantinischen Cäsaropapismus, in: AKathKR 111
(1931) 99—113; H. BERKHOF, Kirche und Kaiser, eine Untersuchung der Entstehung der
byzantinischen und der theokratischen Staatsauffassung im vierten Jahrhundert, Zürich
1947, bes. 54—104; neuerdings sehr instruktiv über die Anfänge einer kritischen Distanzierung unter rechtsgeschichtlicher Rücksicht GIRARDET, bes. 132 ff.; vgl. ferner GRILL-
MEIER, Auriga 388, Anm. 10 reicher Literaturüberblick.

[184] Zum Theodosius-Edikt vom 28. Februar 380 vgl. GRILLMEIER, Auriga 394—396,
hierzu jedoch auch RITTER 221—228.

[185] Kap. V: The Emperor Cult and the Origin of the Controversy, 65—79, hier 70; ähnlich
urteilt TREITINGER 130: „Konstantin wird verpflichtendes Vorbild aller byzantinischen
Kaiser, die von ihm bewußt und unbewußt geprägte Idee bleibt mit unwesentlichen Wand-
lungen bestehen."

[186] MANSI 3, 557; deutsche Übersetzung bei RITTER 124—125. „Offenbar hatten sie (d. h.
die Bischöfe) die Erfahrungen mit Konstantius und Valens über die ‚Segnungen' eines
‚christlichen Kaisertums' etwas anderes denken gelehrt als einen Eusebius von Caesarea und
sie auf die Gefahren aufmerksam gemacht, welche in dem kaiserlichen Kirchenregiment
als der logischen Folgerung aus der hellenistischen Kaiseridee beschlossen lagen." RITTER
125—126.

[187] θεῖον γράμμα, vgl. zu dieser Bezeichnung kaiserlicher Briefe ENSSLIN 52—53: „Sicherlich können wir bei der Fülle dieser Verwendung schließlich *sacer* einfach mit ‚kaiserlich'
übertragen. Aber wir dürfen dabei doch nicht vergessen, daß die Zeitgenossen, an welche
kaiserliche Schreiben ergingen, doch die Dinge mit anderen Augen gesehen und mit
einer anderen Bewertung, die eben der ursprünglichen Bedeutung sich noch viel klarer
bewußt blieb, aufgenommen haben müssen, wenn zur selben Zeit vom Kaiser her seine
Erlasse noch als *sacra oracula, caeleste oraculum* im Wechsel mit *divina pragmatica, divinum
oraculum* oder schlechthin als *oraculum* bezeichnet werden konnten. Ja, soweit war mit alledem
die unnahbare Erhabenheit des Herrschers aus der Sphäre des Menschlichen entrückt, daß,
wer sich gegen ihn verging, nicht nur wegen *laesa maiestas* verklagt werden mußte, sondern
auch des *sacrilegium* schuldig geworden war."

[188] Theodosius, Ep. ad Cyr., ACO I, 1, 1; 114, 29—115, 12: „Die Festigkeit des Staates
hängt von der Religion ab, mit der wir Gott verehren. Beide gehören eng zusammen und
sind miteinander verwandt. Sie hängen voneinander ab und fördern sich wechselseitig ...

dieser Nüchternheit und Reserviertheit in Chalcedon kaum noch etwas zu spüren. Aufschlußreich sind in diesem Sinne u. a. die Akklamationen[189] am Ende der 6. Sitzung: „Marcian, dem neuen Konstantin, dem neuen Paulus, dem neuen David (viele Jahre). Die Jahre Davids dem Kaiser... Ihr seid der Friede der Welt (ὑμεῖς ἡ εἰρήνη τῆς οἰκουμένης) ... Euer Glaube schütze euch. Ihr verehrt Christus, er wird euch schützen. Ihr habt den rechten Glauben befestigt. Wie die Apostel, so glaubt ihr. Viele Jahre der Kaiserin! Ihr seid das Licht des rechten Glaubens. Deswegen herrscht überall Frieden. Herr, schütze die Lichter des Friedens! Ewiges Gedenken dem neuen Konstantin. Gott möge den aufgrund seiner Abstammung (ἀπὸ γένους) rechtgläubigen (Kaiser) schützen. Den Schützer des Glaubens möge Gott beschützen... Pulcheria, du neue Helena!... Euer Leben ist aller Sicherheit (ἀσφάλεια). Euer Glaube ist der Ruhm der Kirche[190] ... (Viele Jahre) dem Priester-Kaiser[191]. Du hast die Kirchen aufgerichtet, du Sieger über die Feinde (νικητὰ πολεμίων), Lehrer des Glaubens (διδάσκαλε πίστεως) ... Ihr habt den Glauben beschützt ... Ewig währe eure Herrschaft!"[192]

Es ist nicht zu verkennen: die Akklamationen enthalten eine stattliche Zahl der Lieblingsthemen der hellenistischen Kaiserideologie: der Kaiser führt sein Volk zu Gott, er ist der Friedensbringer, er ist das Licht der Welt, er ist Priester... Übrigens, nicht nur im Osten sind solche Stimmen zu hören, grundsätzlich denkt der Westen, ja selbst der Papst, nicht anders. Der Kaiser ist als Repräsentant Gottes auf Erden für die Aufrechterhaltung und Verbreitung des Glaubens zuständig[193].

Da Gott uns die Zügel der Regierung übertragen hat und uns zum Band der Frömmigkeit und des Rechttuns für alle unsere Untertanen gemacht hat (συνδεσμοί τε τῆς τῶν ὑπηκόων εὐσεβείας τε καὶ εὐπραγίας τυγχάνοντες), werden wir allzeit die Verbindung zwischen ihnen (d. h. zwischen εὐσέβεια und πολιτεία) ungeteilt aufrecht erhalten und über die Interessen von Gott und Menschen wachen. Denn wir müssen für das Heil des Staates sorgen und sozusagen ein wachsames Auge auf unsere Untertanen werfen, wir müssen darauf sehen, daß sie recht glauben und fromm leben. Es ist nicht angängig, daß, wer sich um das eine kümmert, das andere vernachlässigt. So bemühen wir uns vor allem darum, solche kirchlichen Zustände zu schaffen, die Gott geziemen und unserer Zeit nützlich sind, so daß Einstimmigkeit und Eintracht (ὁμόνοια) Frieden hervorbringen und kirchliche Kontroversen, Aufruhr und Aufstand von uns fern halten."

[189] Vgl. hierzu vor allem Th. Klauser, Art. Akklamation, in: RAC I (1950) 216—233, hier 225—226.

[190] Con. Chal., Actio 6, ACO II, 1, 2; 155, 12—28.

[191] Vgl. hierzu L. Brehier, ἱερεὺς καὶ βασιλεύς, Mémorial Louis Petit, in: AOC 1 (1948) 41—45; Grillmeier, Auriga 404, Anm. 40 (Lit.).

[192] Con. Chal., Actio 6, ACO II, 1, 2; 157, 29—33.

[193] Leo M., Ep. 156 (97), ad Leon., ACO II, 4; 102, 30—103,4: *Apud christianissimum igitur principem et inter Christi praedicatores (!) digno honore numerandum utor catholicae fidei libertate et ad consortium te apostolorum ac prophetarum securus exhortor ut constanter despicias ac repellas eos*

Vor kurzem hat A. Grillmeier auf ein interessantes Zeugnis für das Fortleben der ‚eusebianischen' politischen Theologie hingewiesen. Wir meinen die Stellungnahme der östlichen Bischöfe zum konstantinisch-theodosianischen Reichskirchenprinzip im *Codex Encyclius*, auf den wir an anderer Stelle schon zu sprechen kamen[194]. Natürlich wissen die Bischöfe die eigene Funktion von der des Kaisers zu unterscheiden. Zuständig für die Verkündigung der Wahrheit sind sie selber, aber der Kaiser hat das Wächteramt über sie[195]. Ja, vielleicht ist es doch schon mehr als ein bloßes Wächteramt, wenn eine Schriftstelle wie Mt 16, 18 auf den Kaiser angewandt wird[196]. Noch deutlicher wird anderswo die Petrusverheißung auf den Kaiser bezogen: Haupt der Kirche ist zwar Christus, ihre Kraft und ihr Fundament ist aber der Kaiser[197]. Die Kaiser nehmen in bestimmtem Sinn am Lehramt der Kirche teil, der *Codex Encyclius* nennt sie in einem Atemzug mit den Aposteln[198]. Unser besonderes Interesse verdient ein Text, in dem allem Anschein nach auf VC IV, 24 angespielt wird: „Gottgeliebter Kaiser! Wir erkennen dich nicht nur als Fürsorger der äußeren Angelegenheiten *(extraneorum rerum provisor)*, sondern du schenkst auch den heiligen Kirchen Gottes in vieler Mühe den Frieden; so sollst auch du ihn genießen, der du für sie kämpfst und für sie in ihrer Gesamtheit alles mit Sorgfalt vollbringst, weil wir alle ‚die ihm zugehören, dem einen Leib Christi verbunden sind' "[199].

---

qui ipsi se Christiano nomine privaverunt . . . cum enim clementiam tuam dominus tanta sacramenti sui inluminatione ditaverit, debes incunctanter advertere regiam potestatem tibi non ad solum mundi regimen, sed maxime ad ecclesiae praesidium esse collatam, ut ausus nefarios comprimendo et quae bene sunt statuta, defendas et veram pacem his quae sunt turbata, restituas, depellendo scilicet pervasores iuris alieni et antiquae fidei sedem Alexandrinae ecclesiae reformando . . . (aus d. J. 457). — Vgl. hierzu STOCKMEIER 88.

[194] Vgl. S. 258—263 und GRILLMEIER, Auriga 386—388.

[195] CE 20, ACO II, 5, 33, 1—3: *Praeceptores* (scil. *rectae fidei et pietatis*) *quidem sunt doctores rectorum dogmatum et qui diversis temporibus exstiterunt lumina veritatis* (d. h. die Bischöfe und Lehrer), *custos autem omnium praecipuus praes, quando et culturae a vobis hereditate susceptor et fidelissimus conservator existis.*

[196] CE 22, ACO II, 5, 38, 32—37: „Christus, der Herr aller, hat seine übergroße Liebe zu den Heiligen Kirchen erwiesen und die Verheißung, in der nach dem Evangelium gesagt wurde: ‚du bist Petrus und auf diesem Felsen will ich meine Kirche bauen, und die Pforten der Hölle werden sie nicht überwältigen (Mt 16, 18)', zur Erfüllung gebracht, als er eure Milde mit dem kaiserlichen Gewand umgab."

[197] CE 36, ACO II, 5, 70, 30—32: *Caput* (scil. *ecclesiae*) *quidem est Christus, vos autem robur at fundamentum imitantes immobilem Christi petram, super quam omnium creator ecclesiam suam aedificans omnibus Christianis pietatis requiem condonavit.*

[198] CE 24, ACO II, 5, 41, 17—19: *Non solum per piscatores discipulos suos magnum mysterium veritatis adnuntiantes . . ., sed etiam per pios postea principes et conlaborantes piscatoribus ad praedicationem pietatis evexit* (scil. Christus).

[199] CE 31, ACO II, 5, 58, 14—18.

Hat der Kaiser die *tuitio* über die inneren Angelegenheiten der Kirche, so ist es nur logisch, wenn von seinem *iudicium* die in Frage stehende Entscheidung, nämlich das Urteil über Timotheus Ailurus, abhängt[200]. Voraussetzung für die Fähigkeit des Kaisers, rechte Entscheidungen zu fällen, ist freilich die göttliche Offenbarung bzw. Erleuchtung[201]. Für Eusebius, so haben wir festgestellt, war das Konzil von Nicaea ein Sieg des Kaisers, ein Werk des εἰρηνοποιός, des *imperator semper victor*. Die ehrwürdigen 318 Väter werden in dieser Kaisermystik des Sieges zum στέφανος, zum Siegeskranz, den der Kaiser der Gottheit darbringt. Einer ähnlichen Sicht begegnen wir im *Codex Encyclius*: die Väter von Nicaea sind für einen der Autoren nichts weiter als ‚Waffenträger‘, *armigeri*, des siegreichen Konstantin, des *princeps militiae*[202]. Der *Codex Encyclius* bezeugt in eindrucksvoller Weise das Fortleben der politischen Theologie des Eusebius von Caesarea.

---

[200] Ebd. 58, 19 und 59, 41—60, 3.

[201] CE 33, ACO II, 5, 65, 31—32: . . . *quod tibi revelaverit deus et in tuo corde fuerit consuete (!) locutus, hoc in omnibus sancire dignare* . . . vgl. auch CE 26, ACO II, 5, 44, 33—38.

[202] CE 37, ACO II, 5, 73, 4—8: *Nam et beatae memoriae Constantinus princeps militiae omnipotentis Christi trecentos XVIII sanctos patres habens armigeros et dominico bello vincens maximus quidem apud regem regum apparuit, in omnibus autem dei ecclesiis tempore longo et oblivione memoriam possedit fortiorem et ab omni pio ore laudatur.* Nicht anders als Konstantin Nicaea, wird seinem Nachfolger Theodosius das Werk des Konzils von 381 zugeschrieben: *igitur quasi paternae succedentes hereditati sacratissimi principes qui sceptra illius susceperunt, in synodo centum quinquaginta patrum et fidem trecentorum XVIII patrum piis et deo decibilibus sanctionibus firmaverunt* . . . ebd. 73,8—10. — Zu einer umfassenden Interpretation dieses und der übrigen hier angeführten Texte, zur Einordnung in den größeren Zusammenhang der Reichskirchenidee vgl. GRILLMEIER, Auriga 402—419.

SONSTIGE EINFLÜSSE AUF DIE ALTKIRCHLICHE KONZILSIDEE UND DIE ENTSPRECHENDEN KONZILSTYPEN

Dieser dritte Teil hat zum Ziel, die altkirchliche Konzilsidee zu ‚hinterfragen‘ und vom konziliaren Selbstverständnis nicht genügend oder überhaupt nicht erfaßte Einflüsse und Einwirkungen ‚von außen‘ auszumachen. Wir glaubten im Bericht des Lukas über das Apostelkonzil Elemente des jüdischen Synhedriums (Kapitel I), in der Beschreibung des Konzils von Nicaea durch Eusebius von Caesarea den deutlichen Einfluß der hellenistischen Staatsphilosophie (Kapitel II) feststellen zu können. Entsprechend beabsichtigen wir, in diesem letzten Kapitel weitere analoge Einflüsse sichtbar zu machen.

Jedes Konzil ist gewiß Produkt einer einmaligen Konstellation von Einflüssen und Einwirkungen. Dennoch lassen sich aufgrund gewisser dominanter Einflüsse bestimmte Typen von Konzil unterscheiden. Wir versuchen einige wenige, wie uns scheint wesentliche, genauer in den Blick zu bekommen. Schon für die Mitte des dritten Jahrhunderts lassen sich zwei solcher Grundformen voneinander abheben. Die eine bildet sich im Bereich der alexandrinischen Kirche heraus, die andere auf afrikanischem Boden. Als die Kirche „Staatskirche“ geworden war, entstand wiederum eine charakteristisch verschiedene Form von Konzil. Unter den Päpsten wurden ebenfalls Konzilien eigener Prägung abgehalten. Die Entstehung der christlichen Germanenreiche hatte in der Zeit der ausgehenden Patristik nochmals die Bildung eines neuen Typs kirchlicher Konzilien zur Folge.

Methodisch gehen wir so vor, daß wir der Analyse des jeweiligen Konzilstyps die frühesten uns erhaltenen Konzilsakten zugrunde legen — außer im letztgenannten Fall, wo wir uns nicht auf ein Konzilsprotokoll, sondern den entsprechenden *ordo de celebrando concilio* stützen.

1. Lehrdisput mit dem Didaskalos der Kirche

Frühe, wenn auch noch sehr spärliche Nachricht über die Abhaltung von Konzilien besitzen wir schon aus der Feder Tertullians. Nach seinem Zeugnis waren es Konzilien, die den kirchlichen Schriftkanon festgelegt

haben. In seiner Polemik gegen Callistus von Rom schreibt er: „Trotz-
dem würde ich dir recht geben, wenn jene Schrift ‚der Pastor‘, die
allein den Ehebrechern günstig gesinnt ist, unter die göttlichen Urkunden gesetzt zu werden verdiente, wenn sie nicht vielmehr von jeder
Kirchenversammlung *(ab omni concilio ecclesiarum)*, auch der eurigen,
für apokryph und falsch erklärt worden wäre"[1]. Daß die Abhaltung
von Konzilien zumindest in bestimmten Gegenden Brauch war, geht
aus einer weiteren sehr aufschlußreichen Nachricht desselben Autors
hervor. Im Zusammenhang seiner Polemik gegen die angeblich laxe
Fastenpraxis der Großkirche weist Tertullian auf die Konzilien hin:
„Außerdem werden in den griechischen Ländern an bestimmten Orten
jene Versammlungen aus allen Kirchen, die man Konzilien nennt, abgehalten, durch welche alle wichtigen Dinge gemeinschaftlich verhandelt werden, und worin auch eine Repräsentation der gesamten Christenheit in ehrfurchtgebietender Weise gefeiert wird. Und wie angemessen ist dies, sich aus Anlaß des Glaubens von allen Seiten um Christus
zusammenzuscharen! Siehe, ‚wie schön und lieblich ist es, wenn die
Brüder einmütig zusammenwohnen'" (Ps 132, 1)[2].
Zahlreiche Nachrichten über Konzilien finden sich sodann im Geschichtswerk des Eusebius. Wir brauchen nicht näher darauf einzugehen,
da die Konziliengeschichtsschreibung sich ausführlich mit denselben befaßt[3]. In unserem Zusammenhang interessiert nur, was Eusebius über
Konzilien berichtet, an denen Origenes teilgenommen hat: „Der kurz
vorher erwähnte Beryll, Bischof von Bosra in Arabien, suchte den
kirchlichen Kanon zu verdrehen und neue Glaubenslehren einzuführen.
Er erkühnte sich nämlich zu behaupten, unser Erlöser und Herr habe
vor seinem Erscheinen unter den Menschen nicht als ein eigenes festum-
rissenes Wesen präexistiert und besitze keine eigene Gottheit, vielmehr
wohne in ihm nur die Gottheit des Vaters. Nachdem sich deswegen sehr
viele Bischöfe in Untersuchungen und Dialogen (ζητήσεις καὶ διάλογοι)

---

[1] Tertull., De pud. 10, 12, CCL 2, 1301. — Vgl. jedoch G. ROETHE, Zur Geschichte der
römischen Synoden im 3. und 4. Jahrhundert, Stuttgart 1937, Exk. I, 112—114, der eine
röm. Synode über den Hermas bestreitet und *omne concilium ecclesiarum* mit „Gesamtheit (der
ganze Verein) der Kirchen" übersetzt (114).

[2] Tertull., De jejunio 13, 6, CCL 2, 1272: *Aguntur praeterea per Graecias illa certis in locis concilia
ex universis ecclesiis, per quae et altiora quaeque in commune tractantur et ipsa repraesentatio totius
nominis Christiani magna veneratione celebratur. Et hoc quam dignum fide auspicante congregari undique
ad Christum! Vide* quam bonum et quam iucundum habitare fratres in unum (Ps 132, 1)! Zur
strittigen Interpretation von ‚repraesentatio' vgl. HOFMANN 47—58; D. POWELL, Tert-
tullianists and Cataphrygians, in: VigChr 29 (1975) 33—54, hier 37, sieht in den concilia
statt Bischofssynoden eher „devotional gatherings . . . additional to the normal liturgical
worship".

[3] Vgl. neuestens FISCHER, Synoden 249—263.

gegen Beryll gewendet hatten, wurde u. a. auch Origenes zu Rate gezogen, der zunächst mit ihm in Verkehr trat, um seine Ansichten zu erforschen. Als er seine Lehre kennengelernt hatte, erklärte er ihn für
irrgläubig und überzeugte ihn durch Schlußfolgerungen (λογισμός). Er
zügelte ihn mit der wahren Lehre und brachte ihn zu der früheren
gesunden Ansicht zurück. Noch jetzt sind die schriftlichen Verhandlungen des Beryll und die Akten der seinetwegen veranstalteten Synode,
ebenso die Fragen des Origenes an ihn und die in seiner Gemeinde abgehaltenen Disputationen, überhaupt alles, was mit der Sache zusammen-
hängt, vorhanden"[4].

Noch näher an den im folgenden zu analysierenden Text führt eine weitere Notiz des Eusebius heran: „Um diese Zeit traten in Arabien wieder
andere Männer auf, die eine von der Wahrheit abweichende Lehre aufstellten. Sie behaupteten, daß die menschliche Seele für eine Weile in der
gegenwärtigen Zeit mit dem Körper in der Todesstunde sterbe und ver-
wese, bei der Auferstehung aber mit dem Körper wieder zum Leben er-
wache. Als nun damals eine nicht unbedeutende Synode einberufen
wurde, wurde wiederum Origenes eingeladen, der hier über die Streitfrage vor dem Volke sprach und in einer Weise auftrat, daß die, welche
sich zuvor hatten täuschen lassen, ihre Gesinnung wieder änderten"[5].
Es ist also nach diesen Nachrichten Origenes gelungen, Glaubensstreitigkeiten der arabischen Kirche durch Diskussion und Disputation ‚vor
dem Volke' und den versammelten Bischöfen zu schlichten. Allein aus
diesen knappen Angaben des Eusebius ließe sich ein Konzilstyp eruieren, der sich charakteristisch von anderen Kirchenversammlungen
abhebt, zumal Eusebius auf andere, analoge Konzilsveranstaltungen hinweisen kann: Dionysius von Alexandrien spielte auf der Synode von
Arsinoe, die zur Überprüfung der Lehre des Nepos versammelt war,
eine ähnliche Rolle wie Origenes[6]. Zum selben Typus gehört offensicht-

---

[4] Eusebius, HE VI, 33, 1—3, GCS 9, 2, 588, 4—24.
[5] Eusebius, HE VI, 37, GCS 9, 2, 592, 4—12.
[6] Eusebius, HE VII, 24, 6—9, GCS 9, 2, 688, 9—690, 8: „Nach anderm fährt Dionysius fort:
‚Da sich in Arsinoe, wie du weißt, seit langem diese Lehre in einer Weise verbreitete, daß
ganze Kirchen schismatisch wurden, so ging ich dorthin, versammelte die Priester und
Lehrer der Brüder in den Dörfern und drang in sie — auch die Brüder konnten teilnehmen,
soweit sie wollten —, öffentlich eine Prüfung der Frage anzustellen. Da mir das erwähnte
Buch als unbezwingbare Waffe und Mauer vorgehalten wurde, setzte ich mich mit ihnen
drei Tage nacheinander vom Morgen bis zum Abend zusammen und versuchte richtigzu-
stellen, was darin geschrieben war. Ich mußte mich dabei über die Ruhe, die Wahrheitsliebe,
die Gelehrigkeit und die Einsicht der Brüder außerordentlich wundern. In Ordnung und
Sanftmut entwickelten wir die Fragen, die sich erhebenden Zweifel und die Punkte, worin
Übereinstimmung herrschte. Wir vermieden es, hartnäckig und streitsüchtig an einer einmal
gewonnenen Ansicht festzuhalten, wenn sie sich als nicht richtig erwies. Einwänden gingen

lich die Synode gegen Paul von Samosata, auf der Malchion, diesmal zwar ohne Erfolg, in Anwesenheit der Bischöfe gegen den Häretiker disputierte[7]. Aber der glückliche Zufall will es, daß wir uns nicht mit diesen Nachrichten des Eusebius begnügen müssen beim Versuch, das Charakteristische dieses Synodentyps herauszuarbeiten. 1941 wurden in Tura (in der Nähe von Kairo) bei Arbeiten für ein britisches Munitionsdepot unter anderen Papyruskodizes ein bis dahin verschollener Text mit dem Titel „Disputation des Origenes mit Heraclides und seinen Mitbischöfen über den Vater und den Sohn und die Seele" gefunden[8]. Es handelt sich dabei zwar wohl nicht, wie G. Kretschmar vermutet, um das Protokoll der Synode gegen Beryll[9], von der Eusebius berichtet[10], wohl

---

wir nicht aus dem Wege. Soweit wie möglich suchten wir uns auf vorgelegte Fragen einzulassen und sie klarzustellen. Nicht schämten wir uns, wenn es die vernünftige Überlegung erforderte, unsere Meinung zu ändern und (den anderen) beizustimmen. Aufrichtig und ehrlich nahmen wir, das Herz zu Gott offen, das an, was aufgrund der Beweise und Lehren der Heiligen Schrift festgelegt wurde. Korakion, der die Lehre eingeführt und ihr Hauptvertreter war, bekannte schließlich und schwur uns vor allen anwesenden Brüdern, daß er, von den Gegengründen genügend überzeugt, ihr weiter nicht mehr anhängen, nicht mehr darüber disputieren und sie nicht mehr erwähnen und lehren werde. Von den übrigen Brüdern freuten sich die einen über die Übereinkunft und den Anschluß an die Gesamtheit und die Einigung . . .' !"

[7] Eusebius, HE VII, 29, GCS 9, 2, 704, 6—18: „Unter ihm versammelten sich sehr viele Bischöfe zu einer letzten Synode, auf welcher das Haupt der antiochenischen Häresie entlarvt und einhellig wegen Ketzerei verurteilt, aus der katholischen Kirche, soweit sie sich unter dem Himmel ausbreitet, ausgeschlossen wurde. Der ihn und sein Versteckspiel am gründlichsten zur Rechenschaft zog und restlos widerlegte, war Malchion, ein vielseitig gebildeter Mann, der einer Rhetorenschule vorstand, die zu den griechischen Bildungsstätten Antiochiens gehört, aber auch wegen hervorragender Lauterkeit seines Glaubens an Christus des priesterlichen Amtes in der dortigen Gemeinde gewürdigt ward. Dieser hatte mit ihm eine Disputation geführt, welche von Schnellschreibern mitgeschrieben wurde und, wie wir wissen, noch heute erhalten ist. Er allein unter ihnen allen war imstande, den heimtückischen und betrügerischen Menschen zu entlarven."

[8] Die kritische Edition mit Einleitung besorgte J. Scherer, Entretien d'Origène avec Héraclide et les évêques ses collègues sur le père, le fils, et l'âme, Kairo 1949; die editio princeps ist mit einigen geringfügigen Änderungen und unter starker Kürzung der Einleitung als Nr. 67 der SC erschienen (Paris 1960). Eine dt. Übers. besorgte E. Früchtel in Band V der BGrL: Das Gespräch mit Herakleides und dessen Bischofskollegen über Vater, Sohn und Seele . . ., Stuttgart 1974, 27—44, Anm. 45—80. Außer den genannten Autoren bringt auch J. Fischer eine gute Einführung in den Text: Neues von Origenes, Über die wiederentdeckte Disputation mit Herakleides und seinen Mitbischöfen, in: MThZ 3 (1952) 256—271. Weitere Lit. vgl. Scherer, SC 67, 9—10; ferner P. Nautin, Lettres et écrivains chrétiens des IIe et IIIe siècles: Patr. II, Paris 1961 (Origène et l'anaphore eucharistique 221—232) und G. Lomiento, Il dialogo di Origene con Heraclide ed i vescovi suoi colleghi sul Padre il Figlio e l'anima, Bari 1971.

[9] G. Kretschmar, Origenes und die Araber, in: ZThK 50 (1953) 258—279, hier 267, Anm. 2; vgl. ders., Die Konzile der Alten Kirche, in: H. G. Margull (Hrsg.), Die ökumenischen Konzile der Christenheit, Stuttgart 1961, 13—74.

[10] Vgl. Anm. 4.

aber um die Mitschrift des Hauptteils einer Synode ähnlicher Art und Thematik. Scherer datiert die Synode in die Jahre 244 bis 249[11]. Sie fand wahrscheinlich in Arabien statt[12].

Versuchen wir zunächst, kurz Verlauf und Thematik der Synode zu skizzieren, bevor wir das Charakteristische an ihr herausarbeiten. Einige der an ihr teilnehmenden Bischöfe sind namentlich genannt. So Heraclides, dessen Rechtgläubigkeit suspekt erscheint, Demetrius und Philippus, der jedoch nur am letzten Teil der Diskussion teilnimmt. Ob Maximus und Dionysius, die ebenfalls in das Gespräch eingreifen, Bischöfe sind, ist nicht gewiß. Von besonderem Interesse ist die Tatsache, daß die Gläubigen an der Synode teilnehmen, was übrigens ganz mit den oben angeführten Nachrichten des Eusebius übereinstimmt. Sie sind nicht, wie Scherer richtig bemerkt[13], als bloße Zuschauer, sondern als Zeugen der in ihrer Anwesenheit gefaßten Beschlüsse zugegen.

Womit befaßte man sich auf der Synode? Das Protokoll weist deutlich drei voneinander verschiedene Gesprächs- oder Diskussionsthemen auf: Die Mitschrift setzt ein mit einem Glaubensbekenntnis des Heraclides[14], dem offensichtlich schon eine ausführliche Diskussion vorausgegangen war. Im anschließenden ersten Hauptteil[15] diskutiert Origenes[16] mit Heraclides über christologische Fragen. Er versucht, durch gezielte Dialektik den Gesprächspartner auf die orthodoxe, d. h. seine eigene Position festzulegen, was die Gottheit Christi, das Gebet, die Natur des Leibes Jesu und dessen Auferstehung angeht. In einem zweiten Teil geht Origenes auf das von Dionysius gestellte Problem ein, ob das Blut die Seele sei[17]. Im dritten Teil behandelt er die Unsterblichkeit der Seele, eine Frage, die durch Demetrius aufgebracht wurde[18]. Der erste Gesprächsgegenstand, die Diskussion der christologischen Fragen, ist offensichtlich der eigentliche Anlaß der Zusammenkunft. Die beiden folgenden ergaben sich demgegenüber aus der Einladung des Origenes an seine Zuhörer, ihm Fragen zu unterbreiten[19].

---

[11] „Il est donc raisonnable de placer approximativement l'Entretien avec Héraclide dans les années 244—249; vgl. FISCHER, Origenes 258—260, der sich ebenfalls für 245 bis 248 ausspricht.

[12] Einzelheiten zur Begründung dieser Hypothese bei SCHERER, SC 67, 19—21.

[13] SC 67, 19.

[14] Dial. 1, 6—15, SC 67, 52—54.

[15] Dial. 1, 16—10, 15, SC 67, 54—76.

[16] Vgl. dazu NAUTIN 221: „Cette sténographie d'une discussion tenue au cours d'un concile nous montre Origène au vif, en action; jamais on avait pu atteindre l'homme d'aussi près."

[17] Dial. 10, 16—24, SC 67, 76—102.

[18] Dial. 24, 18—28, 17, SC 67, 102—110.

[19] „Was ist sonst noch über den Glauben zu besprechen?" Dial. 6, 7, SC 67, 68.

Was machte den Glauben des Heraclides in den Augen seiner Kollegen und seiner Gemeinde suspekt und gab also Veranlassung, ihn „vor der ganzen Kirche" zu überprüfen? Offensichtlich tat sich der Bischof schwer, die Verschiedenheit des Vaters vom Sohn mit der Einheit Gottes zu denken. Wir haben es wohl mit einer Spielart des Monarchianismus zu tun. Origenes sucht Heraclides davon zu überzeugen, daß das Bekenntnis von „zwei Göttern" der Einheit Gottes keinen Schaden zufügt, ja notwendig ist, um die volle Gottheit Christi aufrechtzuerhalten. Man kann mit Scherer vermuten, daß das theologische Problem, nämlich die Frage nach der Vielheit und Einheit in Christus, nicht um seiner selbst willen behandelt wurde, also nicht bloß theoretischer Natur war, sondern sich aus einer ganz konkreten Frage des kirchlichen Lebens, nämlich der Liturgie, ergab. Es bestand Ungewissheit darüber, an wen sich eigentlich die eucharistische προσφορά richtete: an den Vater oder an den Sohn? Zweifel über die *lex orandi*, die richtige Praxis des liturgischen Betens, waren wohl der Anlaß zur Diskussion der *lex credendi*[20]. Mit weiteren inhaltlichen Einzelheiten brauchen wir uns in unserem Zusammenhang nicht zu befassen, man konsultiere hierzu die einschlägigen Autoren[21]. Wir wenden uns jetzt dem Protokoll zu, um darin Aufschluß über den vorliegenden Konzilstyp zu finden.

Lehrreich für die Art der Synode ist schon der Begriff διάλεκτος aus dem Titel des Protokolls[22]. Scherer gibt das Wort mit ‚entretien' wieder, E. Früchtel mit ‚Gespräch'. Hesychios setzt dafür ὁμιλία bzw. λαλία[23], denen der Inhalt des Protokolls ja auch insofern entspricht, als der Text weitgehendst aus langausladenden Homilien des Origenes an die versammelten Bischöfe und das Volk besteht. Bei Plato kann das Wort eine dialektische Erörterung bezeichnen, durch die ein Problem aufgrund von Fragen und Antworten vertieft wird[24]. Dieser Bedeutung entspricht genau der erste Teil unseres Textes, in dem Origenes ja tatsächlich im Stil der platonischen Dialoge Heraclides zur Erkenntnis einer bestimmten Wahrheit hinführt[25]. Διάλεκτος dürfte inhaltlich dasselbe wie διάλεξις bezeichnen, das seinerseits wieder der ζήτησις nahesteht[26]. Solche

---

[20] SC 67, 24.
[21] SCHERER, SC 67, 25—36; FISCHER, Origenes 260—265.
[22] Ὠριγένους διάλεκτος πρὸς Ἡρακλεῖδαν καὶ τοὺς σὺν αὐτῷ ἐπισκόπους περὶ πατρὸς καὶ υἱοῦ καὶ ψυχῆς. SC 67, 52. — Die im folgenden angeführten Quellenverweise übernehmen wir z. T. der SCHERER-Edition.
[23] Hesychii Alexandrini Lexikon, ed. K. LATTE, I, 435.
[24] Vgl. Theaet. 146 b.
[25] Vgl. vor allem Dial. 2, 5—27, SC 67, 54—58.
[26] Vgl. Origenes, contra Celsum I, 45, GCS 2, 95.

ζήτησις bzw. διάλεξις über den Glauben führt Origenes nach dem Zeugnis des Eusebius gegenüber Beryll, dem Bischof von Bosra, durch[27].

Das Protokoll leitet das Glaubensbekenntnis des Heraclides sodann mit folgender Bemerkung ein: „Als von den anwesenden Bischöfen eine Aussprache über den Glauben des Bischofs Heraclides in Gang gebracht worden war, damit er vor all diesen Männern die Art seines Glaubens bekenne[28], ... sprach der Bischof Heraclides"[29]. Früchtel bemerkt hierzu u. E. ganz richtig mit Verweis auf I, 17: „Es handelt sich also nicht um ein unverbindliches Gespräch. Die Streitfragen finden ihre Klärung vor einer offiziellen Abordnung; ,die ganze Kirche ist gegenwärtig, um zu hören'[30]."

Die auf das von Heraclides abgelegte Glaubensbekenntnis unmittelbar folgende Erörterung wird von Origenes selber als ἀνάκρισις bezeichnet[31]. Was ist genauer mit diesem Wort gemeint? Früchtel übersetzt mit „Befragung", Scherer mit „débat". Liddell/Scott nennt neben der allgemeinen Bedeutung „inquiry, examination, querell, dispute, disputation" auch eine spezielle, nämlich „previous examination of parties concerned in suit, preparation of the matter for trial"[32]. 'Ανάκρισις kann also eine gerichtliche Befragung bezeichnen. Ist das hier der Fall? Versteht sich Origenes als verhörender Richter? Der genauere Sinn von ἀνάκρισις dürfte sich eher vom Verbum ἀνακρίνειν her ergeben, das bei Origenes das unterscheidende Urteilen bezeichnen kann, und zwar im Anschluß an 1 Kor 2, 15[33]. 'Ανάκρισις dürfte deswegen hier als gemeinsame Er-

---

[27] Eusebius, HE VI, 33, 3, GCS 9, 2, 588: ... ἔγγραφα τοῦ τε Βηρύλλου καὶ τῆς δι' αὐτοῦ γενομένης συνόδου, ὁμοῦ τὰς 'Ωριγένους πρὸς αὐτὸν ζητήσεις, καὶ τὰς λεχθείσας ἐπὶ τῆς αὐτοῦ παροικίας διαλέξεις ἕκαστα τε τῶν τότε πεπραγμένων περιέχοντα.

[28] ἵνα ἐπὶ πάντων ὁμολογήσῃ τὸ πῶς πιστεύει. Dial. 1, 3, SC 67, 52.

[29] Wir zitieren nach der Übersetzung von FRÜCHTEL, soweit sie uns zutreffend erscheint.

[30] FRÜCHTEL 45.

[31] Dial. 1, 16—20, SC 67, 54: „Da sprach Origenes: ,Da nun einmal diese Befragung — ἀνάκρισις — stattfindet und es notwendig ist, zum Gegenstand der Befragung zu sprechen, so will ich das Wort ergreifen. Die gesamte Kirche ist als Hörerin zugegen. Es darf zwischen Kirche und Kirche keine Unterschiede der Lehre geben —διαφορὰ ἐν γνώσει—, denn ihr seid keine Kirche der Lüge."

[32] Ähnlich PAPE, Handw. d. Gr. Sprache, sv: „In Rechtssachen: die vorläufige Untersuchung, ob sich eine Sache zur Klage eignet." — STEPHANUS, Thesaurus: est autem veritatis indagatio, exploratio, percontatio. Unde factum ut etiam quaestionem iudicialem reorumque interrogationem significet, quae in causis iudicii constitutionem praecedit, vel litis contestationem. BAUER, Wörterb. z. NT: u. a. Voruntersuchung, Vorverhör, vgl. auch MOULTON/MILIGAN, The vocabulary of the Greek Testament sv.

[33] Orig., com. in Mt., tom. 17, 13, GCS 40, 621—622: οὕτω γὰρ ὁ κατὰ τὸ εὐαγγέλιον σοφός, ὡς πνευματικὸς ἀνακρίνων πάντα αὐτὸς δὲ ὑπ' οὐδενὸς ἀνακρινόμενος, ἀνακρίνει μὲν καὶ βασανίζει καὶ διελέγχει τοὺς ἄλλους λόγους εἴτε τῶν τοῦ κόσμου σοφῶν εἴτε τῶν ἐν ταῖς αἱρέσεσι διατρέπειν δοκούντων ... vgl. auch tom. 17, 6, ebd. 594, 7.

örterung, als geistliche Urteilsfindung zu umschreiben sein. Der feierliche Hinweis auf die ganze Kirche, die als Hörerin zugegen ist, hat nicht den Sinn, Heraclides einzuschüchtern oder ihn unter Druck zu setzen, sondern an die geistliche innere Teilnahme der Gesamtgemeinde an der Suche nach dem Glauben zu erinnern. Die Wendung, mit der Origenes unmittelbar die ἀνάκρισις einleitet, unterstreicht mit feierlichem Ernst deren im Grunde geistlichen Charakter. Mit παρακαλῶ σε, πάπα Ἡρακλείδα[34] leitet man kein Verhör, sondern eine geistliche Erörterung ein. Sein eigenes längeres Exposé beginnt Origenes mit dem Hinweis auf den Anstoß der Brüder an der Aussage „zweier Götter"[35]. Die Rücksicht auf die Glaubensschwierigkeiten der Brüder ist also der Anlaß für die theologische Diskussion des Konzils.

Daß wir es tatsächlich mit einem Konzil, d. h. mit verbindlicher Formulierung strittiger Lehre, und nicht mit einem unverbindlichen Glaubensgespräch zu tun haben, geht deutlich aus 4, 16—21 und 6, 5—6 hervor, wenn auch, wie Scherer richtig bemerkt, aus diesen beiden Stellen nicht gefolgert werden kann, daß das Gespräch tatsächlich mit einer Unterschrift der Beteiligten endete. Origenes spielt an der ersten Stelle lediglich auf die Praxis solcher Konzilsversammlungen an. Durch die öffentliche Unterschriftsleistung soll die Lehreinheit der Kirche gesichert und häretische Spaltung verhindert werden[36]: „Mit diesen Aussagen muß man sich eingehend beschäftigen, denn darüber ist viel Unruhe in der Kirche entstanden. Oft setzt man Schriftstücke auf und fordert, daß man unterschreibe (ὑπογράφειν), daß der Bischof und auch die Verdächtigten unterschreiben und daß diese Unterschrift vor dem ganzen Volk (ἐπὶ τοῦ λαοῦ παντὸς) geleistet werde, damit darüber keine Unruhe (στάσις) mehr entstehe und keine weitere Untersuchung (ζήτησις) stattfinde." Die andere Stelle, mit der Origenes seine Ausführungen über das Gebet abschließt, lautet: „Wenn dies Zustimmung findet, so sollen auch diese Aussagen unter feierlicher Bezeugung durch das Kirchenvolk gesetzliche Bindung und Festlegung erhalten"[37]. H. Chadwick sieht in diesem Passus zwar den Hinweis auf eine schriftliche Fixierung der Lehrübereinkunft[38], man wird aber besser mit

---

[34] Dial. 1, 20, SC 67, 54. — „Hier hat das παρακαλῶ den eindringlichen Charakter, wie er auch im paulinischen Schrifttum sich findet." FRÜCHTEL 46, Anm. 8. Vgl. auch 12, 16, 22; 14, 25; 21,10.

[35] προσκόπτουσιν οἱ ἀδελφοὶ ἡμῶν, Dial. 2, 28—29, SC 67, 58.

[36] SC 67, 22—23.

[37] Dial. 6, 5—6, SC 67, 68: εἰ ἀρέσκει ταῦτα, καὶ ταῦτα ἐπὶ διαμαρτυρίας τοῦ λαοῦ ἔσται νενομοθετημένα καὶ πεπηγμένα.

[38] H. CHADWICK, in: J. E. L. OULTON und H. CHADWICK, Alexandrian Christianity, London 1954, 441, Anm. 20.

Scherer darin eine Anspielung auf die Erreichung eines mündlichen Konsenses erblicken[39]. Das Protokoll sagt an dieser Stelle, daß die Zuhörer, d. h. die ganze anwesende Kirche, ausdrücklich oder auch bloß durch schweigende Zustimmung ihr Einverständnis mit der von Origenes vorgetragenen Lehre gegeben haben. Das Wort und die Darlegungen des Origenes haben die erregten Gemüter beruhigt. Heraclides hat sich von der Dialektik des Origenes überzeugen lassen oder zieht es wenigstens vor, nicht weiter zu widersprechen. Keine Stimme des Widerspruchs erhebt sich mehr[40]. Der Konsens, mag er nun schriftlich festgehalten worden sein oder nicht, kommt jedenfalls ἐπὶ διαμαρτυρίας τοῦ λαοῦ, unter feierlicher Bezeugung durch das Kirchenvolk, zustande[41].

Seine Ausführungen über die Notwendigkeit von Glauben und Werken leitet Origenes mit der Bemerkung ein: „Die Probleme des Glaubens, die uns quälten, sind nun im Zusammenhang (durch Vergleich?) geprüft (συνεξετάζω)"[42]. Origenes verwendet dieses Wort in der Exegese[43]. Man geht wohl nicht sehr fehl in der Annahme, daß der Terminus auch an vorliegender Stelle die Erarbeitung einer einheitlichen Lehre aufgrund der verschiedenen, in die Debatte eingebrachten Schrifttexte bezeichnet. Auf diesen Sinn deutet jedenfalls der den ersten Teil des Gesprächs abschließende Satz: „Wenn noch irgendein die Glaubensregel (περὶ κάνονος) betreffender Punkt aussteht, so erinnert mich daran. Wir werden noch weiter zur Schrift sprechen"[44].

Der dritte Teil der vorliegenden Konzilsakten beginnt mit der Bemerkung: „Als der Bischof Philippus eingetreten war, sprach Demetrius, ein anderer Bischof: ‚Unser Bruder Origenes lehrt (διδάσκει), daß die Seele unsterblich ist'"[45]. Beachtlich an diesem kurzen Satz ist zunächst, daß der Bischof den gefeierten Theologen anscheinend selbstverständlich als „Bruder" bezeichnet (oder ist das Erstaunliche vielmehr darin zu sehen, daß der Bischof dem Priester den Brudertitel gewährt?)[46].

---

[39] SC 67, 69, Anm. 1.

[40] „Nous ne croyons pas qu'on ait poussé les choses plus loin. Etant donné l'esprit de compréhension, de confiance et de charité chrétienne qui anima les débats, le cas ne méritait pas sans doute une procédure aussi grave et contraignante que la signature. Du moins n'en apercevons-nous, dans l'Entretien, aucune trace certaine." SCHERER 57—58.

[41] Die juridische Bedeutung von διαμαρτυρία (legal appeal or plea for a case to be referred to a higher court, LAMPE) kommt im Zusammenhang nicht in Frage. SCHERER 134, Anm. zu Z. 7, schwankt zwischen δ. mit dem Gen.Obj. — „le fait de prendre à témoins les fidèles" — und dem Gen.Subj. — „l'adhésion solennelle", hält letzteren für wahrscheinlicher.

[42] Dial. 8, 18—19, SC 67, 72.

[43] Search out and examine together; Com. in Jo 10, 27, GCS 17, 199, Z. 36.

[44] Dial. 10, 14—15, SC 67, 76.

[45] Dial. 24, 18—20, SC 76, 102.

[46] Vgl. auch schon 2, 29 und 6, 13 und 14.

Wichtiger aber ist etwas anderes. Bischof Demetrius bezeichnet die von Origenes auf der Bischofsversammlung ausgeübte Funktion und Tätigkeit als διδάσκειν. Damit ist das Stichwort gegeben, das die exakte Definition der Rolle des Origenes auf diesem Konzil erlaubt und damit auch die genauere Erfassung des vorliegenden Konzilstyps ermöglicht. Origenes spielt auf diesem Konzil die Rolle eines Didaskalos. Was bedeutet diese Bezeichnung?

In den urchristlichen Gemeinden gab es den Stand des Didaskalos[47]. Ihnen obliegt wie den Propheten der Dienst am Wort, sie gehören zu den „Geehrten" und haben Anspruch auf Unterhalt durch die Gemeinde[48]. Schon in früher Zeit gab es in diesem Stand der der Gemeinde dienenden Lehrer einzelne, die sich durch besondere Kenntnis der Glaubenslehren auszeichneten und sich in ihrer Lehrtätigkeit gerade an Gebildete richteten. Es entsteht so eine neue Kategorie von Lehrern, die sich von den urchristlichen, fest in der Gemeinde stehenden charakteristisch unterscheiden. Die Zuhilfenahme der hellenistischen Bildung für den christlichen Glauben hatte die Errichtung von eigentlichen Schulen zur Folge, die eine mehr oder weniger große Selbständigkeit entfalteten. Einige von ihnen, so die Schule des Tatian, entwickelten eine sektiererische Tendenz. Die Tätigkeit der wandernden christlichen Apologeten steht im Zusammenhang mit diesen Schulgründungen. Bekannt ist z. B. die Schule des Justin, des Rhodon und der beiden Theodoti in Rom. Zu nennen ist hier vor allem die alexandrinische Katechetenschule und die Schule des Lucian in Antiochien. Nur langsam übernahm der Episkopat und Presbyterat mehr und mehr die Funktion des Lehrers. Besonders lange Zeit konnten die Lehrer in der alexandrinischen Kirchenprovinz eine hervorragende Rolle im kirchlichen Leben spielen. Origenes ist nicht nur selber ein solcher Lehrer[49], er bezeugt auch sonst in seinem Werk, daß es den Stand der Lehrer noch neben dem der Priester in den Gemeinden gibt[50].

---

[47] Für die folgenden Ausführungen vgl. A. HARNACK, Die Mission und Ausbreitung des Christentums in den ersten drei Jahrhunderten, Leipzig 1924, I, 365—377; K. H. RENGSTORF, Art. Didaskalos, in: ThWNT II (1935) 160—162.

[48] Vgl. Didache 13, 2 und 15, 1—2; vgl. den Kommentar der Stelle bei F. X. FUNK, Patres Apostolici, I, Tübingen 1901, 31, Anm. 2.

[49] „Was ist er selbst denn anders gewesen als ein ‚Lehrer der Kirche', als solcher auf ungezählten Reisen geschäftig die rechte Lehre einzuprägen oder zu schützen, und was der Kampf seines Lebens gegen den ‚ehrgeizigen' und ungebildeten Bischof Demetrius anders als der Kampf des freien Lehrers der Kirche wider den Bischof der Einzelgemeinde?" HARNACK 371.

[50] Stellen bei HARNACK 370—371; vgl. neuerdings H. J. VOGT, Das Kirchenverständnis des Origenes, Köln/Wien 1974, 58—70.

Für unseren Zusammenhang ist nun von Interesse, daß die Lehrer dieser christlichen Schulen wie selbstverständlich Methoden der heidnischen Philosophie bei der Verteidigung der richtigen Lehre anwandten, zumal in der Auseinandersetzung mit Häretikern. Mittels ζήτησις καὶ διάλογος suchte man den Gegner zu überwinden[51]. Unsere vorliegenden Konzilsakten sind, zumindest in ihrem ersten Teil, das Musterbeispiel eines solchen „Schuldisputs", eines nach den Regeln der Dialektik ausgeführten Streitgesprächs. Damit ergibt sich: Die ältesten von der griechischen Kirche überlieferten Konzilsakten, eben der hier analysierte „Disput des Origenes", bezeugt einen ganz deutlich definierbaren und von späteren Formen unterschiedenen Konzilstyp. Die dominierende Rolle auf den Konzilien spielt nicht der Episkopat, auch nicht ein einzelner Bischof, z. B. der Vorsitzende einer Kirchenprovinz, sondern der Didaskalos, der hervorragende „Lehrer" der Kirche. Da es sich im Grund bei diesem Konzilstyp um eine Schuldisputation handelt unter besonderen Umständen — eben in Gegenwart der Bischöfe und der Gemeinde —, ist auch das Procedere des Konzils dementsprechend: Der Didaskalos führt ein Streitgespräch mit dem Häresieverdächtigen mit dem Ziel, denselben von seinem Irrtum abzubringen oder zumindest vor den übrigen Teilnehmern den Eindruck zu erwecken, daß derselbe sich im Irrtum befindet. Das Ziel dieses Konzils ist das gleiche wie das der im folgenden zu analysierenden: Es geht um die Wahrung der Lehreinheit. Die Mittel, dieses Ziel zu erreichen, sind charakteristisch verschieden: Nicht der *consensus* der Amtsautorität bringt die Einheit, sondern das Argument des allseits anerkannten theologischen Lehrers. Es ist sicher kein Zufall, daß dieser Konzilstyp sich gerade im Bereich der griechischen Kirche ausgebildet hat: Der Glaube der Griechen an die Kraft der Vernunft hat den Synoden, zumal der alexandrinischen Kirchenprovinz, seinen unverkennbaren Stempel aufgeprägt: Mittels ζήτησις καὶ διάλογος vermag die Kirche den notwendigen Glaubenskonsens zu erhalten oder ihn wiederzugewinnen, vor allem wenn es Kirchenlehrer vom Format und von der Autorität eines Origenes gibt.

2. Bischofssenat

Bis zur sensationellen Entdeckung der im vorausgegangenen Abschnitt analysierten Konzilsakten galten die *Sententiae episcoporum numero*

---

[51] Vgl. die weiter oben angeführten Zeugnisse des Eusebius über die Streitgespräche des Origenes, Dionysius und Malchion.

LXXXVII de haereticis baptizandis, das Protokoll des Konzils von 256 unter Cyprian von Karthago in der Frage der Ketzertaufe[52], als die ältesten auf uns gekommenen Konzilsakten. Dieser Text, „monument unique dans l'histoire ecclésiastique du III siècle"[53], der nur runde zehn Jahre jünger ist als die „Disputation mit Heraclides", versetzt uns in eine völlig andere Welt. Bevor wir den in den Akten sich widerspiegelnden Konzilstyp näher bestimmen, ist kurz auf Anlaß und Ablauf des Konzils einzugehen.

Anlaß des Konzils war die Ablehnung der Ketzertaufe durch Papst Stephan, zu der sich zwei vorausgegangene afrikanische Konzilien unter Vorsitz Cyprians feierlich bekannt hatten. 85 Bischöfe, von denen einer zwei Nachbarbischöfe mitvertrat, waren am 1. September 256 der Einladung Cyprians gefolgt, um ein drittes Mal in dieser brennenden Frage ihr Votum abzugeben. Abgesehen vom Konzil des Agrippinus hatte es nie eine Kirchenversammlung dieses Ausmaßes in Afrika gegeben. Man begann mit der Lektüre des einschlägigen Briefwechsels zwischen Cyprian und Jubaianus einerseits und Papst Stephan andererseits. Dann ergriff Cyprian das Wort, um seine Bischofskollegen kurz und bündig über den Gegenstand der folgenden Abstimmung zu informieren und sie ihrer vollen Freiheit zu versichern. Die folgenden Voten der Bischöfe sind mehr oder weniger lang, mehr oder weniger theologisch beachtlich und gewichtig. Die Bischöfe legen den Akzent bald auf diesen, bald auf jenen Aspekt der Problematik. Aber das Gesamtergebnis ist eindeutig: 87 Bischöfe entscheiden sich einstimmig gegen Stephan für die Beibehaltung der Wiedertaufe zurückgekehrter Ketzer. Die Mehrzahl ist überhaupt gegen eine Wiederaufnahme der Diskussion. Das Konzil erweist sich als ein eindrucksvoller Sieg für den Primas der afrikanischen Kirche.

Wenden wir uns nun dem Protokoll zu[54], um es auf den sich in ihm widerspiegelnden Konzilstyp zu befragen[55]. Höchst aufschlußreich

---

[52] CSEL 3, 435—461; vgl. die Revision der Hertel'schen Edition durch H. von Soden, Sententiae . . ., Das Protokoll der Synode von Karthago am 1. Sept. 256 textkritisch hergestellt . . ., in: NGWG. PH (1909) 247—307. Zu Cyprians Auffassung der Bischofssynode vgl. Ring 101—107.

[53] Monceaux II, 59—66, hier 66; Hefele/Leclercq I, 1114—1118; Brisson 114—118; Audollent 742—748.

[54] „Ce document si complet et si curieux rend à merveille la physionomie de cette séance fameuse du 1er septembre 256. Dans sa sécheresse apparente, ce procès-verbal est un large tableau, à la fois géographique et moral, de l'Eglise d'Afrique en ces temps-là. Il est éloquent, de cette éloquence qui vient des faits, et non des mots. Il porte en lui-même la preuve non seulement de son authenticité, qui est indiscutable et n'a jamais été contestée, mais encore de l'entière fidélité du compte-rendu, de la minutieuse exactitude du redacteur". Monceaux II, 63.

[55] Wir stützen uns im folgenden weitgehend auf Batiffol, Origine 101 ff.

sind gleich die ersten Worte der Konzilsakten[56], sie entsprechen nämlich der Einleitung römischer Senatsprotokolle[57]. Auf die Angabe des
Datums, des Versammlungsortes, die Nennung der Teilnehmer und
die Verlesung von Schriftstücken folgt eine kurze Ansprache des
Cyprian[58]. Sie hat ihre genaue Entsprechung in der *relatio*, die der betreffende Magistrat dem römischen Senat vorlegte[59]. Die *relatio* ist
keine Antragstellung. Der leitende Magistrat soll „sich von Rechts
wegen passiv verhalten, nur den zu erledigenden Gegenstand bezeichnen, nicht aber selbst den Beschluß in Vorschlag bringen; oder wie dies
römisch ausgedrückt wird, er hat den Senat zu fragen, was in dieser
Hinsicht geschehen solle, *quid fieri placeat*. Wohl aber ist es sein Recht
und seine Pflicht, die Senatoren hierfür mit der erforderlichen Instruktion zu versehen, um so mehr, als es für dieselben keine Tages-
ordnung und keine rechtliche Möglichkeit der Vorbereitung gibt. Für
diese Instruktion ist die technische Bezeichnung der Vortrag, das *verba
facere*, griechisch λόγους ποιεῖσθαι. Daß dies von dem *consulere*, der
magistratischen Vorlegung, verschieden ist, zeigen die Urkunden, welche beide Akte nebeneinanderstellen, aber streng unterscheiden. Wenn
freilich der vorlegende Magistrat, wie dies die Regel ist, die erforder-
liche Instruktion dem Senat selber zu geben hat, also das *consulere*
(oder *referre*) und das *verba facere* derselben Person zufällt, wird beides in einen Akt zusammengezogen. Nachdem der vorsitzende Beamte
die übliche sakrale Bittformel vorangeschickt hatte, bezeichnete er nicht
bloß den zu behandelnden Gegenstand, sondern hielt auch dem Senat
Vortrag über die tatsächlichen Grundlagen, soweit es ihm erforderlich
schien"[60]. Zur erforderlichen Information des Senats gehört z. B. die

---

[56] Sent. ep., CSEL 3, 435, 5—8: *Cum in unum Cartaginem convenissent Kalendis Septembribus
episcopi plurimi ex provincia Numidia Mauritania cum presbyteris et diaconibus, praesentibus etiam
plebis maxima parte . . . Cyprianus dixit.*

[57] Cod. Theod., MOMMSEN 1, 1—11: *Domino (nostro) Flavio Theodosio Augusto et A. Glabrione
F. v. c. consulibus Glabrio . . . Flavius . . . Junius . . . proceres amplissimusque ordo senatus dum
convenissent habuissentque inter se aliquamdiu tractatum . . . Glabrio . . . praefectus praetorio et
consul ordinarius dixit* (aus dem Jahre 438). Weitere Beispiele bei BATIFFOL, Origine 101,
Anm. 3.

[58] Sent. ep., CSEL 3, 435, 11—436, 1: *Audistis, collegae dilectissimi, quid mihi Iubaianus coepi-
copus noster scripserit consulens mediocritatem nostram de inlicito et profano haereticorum baptismo
quidque ego ei rescripserim, censens scilicet quod semel adque iterum et saepe censuimus haereticos ad
ecclesiam venientes ecclesiae baptismo baptizari et sanctificari oportere, item lectae sunt vobis et aliae
Iubaiani litterae quibus pro sua sincera et religiosa devotione ad epistulam nostram rescribens non tantum
consensit, sed etiam instructum se esse confessus gratias egit. superest ut de hac ipsa re singuli quid
sentiamus proferamus . . .*

[59] Vgl. hierzu TH. MOMMSEN, Römisches Staatsrecht, III, 2, Leipzig 1888, 951—962.

[60] MOMMSEN, Staatsrecht 957—958.

Vorlage einschlägiger Schriftstücke. Sie geschah im Senat durch Die-ner[61]; sie wurden in vorliegendem Konzil wohl wie bei den späteren Konzilien durch einen untergeordneten Kleriker vorgelesen.

Der erste Teil der kurzen Ansprache des Cyprian an die versammelten Bischofskollegen entspricht exakt den an die *relatio* gestellten Anfor-derungen: Cyprian bezieht selber nicht direkt in der zur Abstimmung gestellten Materie Stellung, sondern bezeichnet nur den zu behandeln-den Gegenstand. Bevor es aber zur Umfrage kommt[62], d. h. zur Abgabe der Meinung, der *sententia*, durch die einzelnen Konzilsväter, fügt Cyprian seiner *relatio* noch Ausführungen an, die im römischen Senat die obengenannte technische Bezeichnung *verba facere* haben[63]. Ihrem Inhalt nach stellt die der *relatio* beigefügte Instruktion die volle Freiheit und Verantwortlichkeit der zum votum aufgerufenen Bischöfe heraus. Scharfe Worte fallen gegen Stephan, ohne daß der römische Bischof dabei mit Namen genannt wird.

Eine weitere Übereinstimmung mit dem Vorgehen des römischen Se-nats stellt die folgende Umfrage dar, bei der die einzelnen Bischöfe ihre *sententia* kundtun[64]. Th. Mommsen weist darauf hin, daß man dieses Wort nicht mit ,Stimme' wiedergeben solle, weil damit die ganze In-stitution verdunkelt würde[65]. Die *sententia* ist der „Beschlußvorschlag, die Antwort des einzelnen Senators auf die Frage des Vorsitzenden. Die magistratische Tätigkeit dabei, die Richtung der Frage an das ein-zelne Mitglied, wird bezeichnet durch *sententiam rogare*, die des Se-nators durch *sententiam dicere*, auch im Anschluß an die Frageformel durch *sibi placere* ...“[66]. Das Umfrageverfahren ist dabei sehr einfach. Es ist mündlich und namentlich. Der zuerst Aufgerufene kann einen Antrag stellen, aber auch Vertagung vorschlagen. Die weiter aufgeru-fenen Senatoren können eigene Anträge stellen oder einem schon ge-

---

[61] MOMMSEN, Staatsrecht 958.
[62] MOMMSEN, Staatsrecht 962—986.
[63] Sent. ep., CSEL 3, 435, 19—436, 10: *Superest ut de hac ipsa re singuli quid sentiamus proferamus neminem iudicantes aut a iure communicationis aliquem si diversum senserit amoventes. neque enim quisquam nostrum episcopum se episcoporum constituit aut tyrannico terrore ad obsequendi necessitatem collegas suos adigit, quando habeat omnis episcopus pro licentia libertatis et potestatis suae arbitrium proprium tamque iudicari ab alio non possit, quam nec ipse possit alterum iudicare. sed exspectemus universi iudicium Domini nostri Jesu Christi qui unus et solus habet potestatem et praeponendi nos in ecclesiae suae gubernatione et de actu nostro iudicandi.*
[64] Der Begriff selber kommt sogar vor: *mea sententia est ut haeretici ad ecclesiam venientes baptizentur eo quod nullam foris aput peccatores remissionem peccatorum consequuntur.* CSEL 3, 441, 16—18.
[65] MOMMSEN, Staatsrecht 977, Anm. 3.
[66] MOMMSEN, Staatsrecht 977.

stellten beitreten *(adsentire)*. „Zu motivieren braucht der Senator seinen Vorschlag nicht, kann es aber tun und tut es in der Regel, wenn er nicht bloß beitritt ... Majoritätsfindung wird bei der Umfrage nicht beabsichtigt, und es werden daher die abgegebenen Erklärungen nicht gezählt, die bloß beistimmenden regelmäßig wenig beachtet, oft kaum vernommen. Das Ergebnis der Umfrage sind die verschiedenen Anträge, welche, in der Regel wohl in schriftlicher Abfassung, dem Vorsitzenden zur Kenntnis gebracht werden"[67]. Die Umfrage, „eine der eigenartigsten und eingreifendsten Besonderheiten des römischen Parlaments"[68], geht im allgemeinen nach der Reihenfolge der Senatssitze. Gerade aus diesem Umfragemodus ergibt sich die Wertschätzung der ersten Senatssitze, denn ein Vorschlag ist um so wirksamer, je weniger Senatoren vorher schon ihre *sententia* vorgetragen haben. Was den Senats- bzw. den Konzilssitz angeht, so besteht freilich ein entscheidender Unterschied zwischen beiden Institutionen. Die Reihenfolge im Senat ergibt sich aus dem Rang des jeweiligen Senators[69], die im Konzil von 256 in Karthago aus der Anciennität[70]. Als letzter in der Reihenfolge der anwesenden Bischöfe bekundet Cyprian selber seine Meinung: *meam sententiam plenissime exprimit epistula quae ad Jubaianum collegam nostrum scripta est* ...[71]

Das römische Senatsreglement sieht im Anschluß an die Umfrage die genauere Fragestellung, d. h. die Verkündigung der einzelnen zur Abstimmung kommenden Vorschläge *(pronuntiatio sententiarum)*, und anschließend die eigentliche Abstimmung vor[72]. Sie besteht in einem einfachen Ja oder Nein und wird in republikanischer Zeit ausschließlich, in der Kaiserzeit überwiegend durch Platzwechsel angezeigt. Ergaben die *sententiae* Einstimmigkeit, so konnte die Abstimmung ausfallen[73]. Letzteres ist offensichtlich auch in unserem Konzil der Fall: Die in den *sententiae* zum Ausdruck kommende Einmütigkeit in der Frage der Wiedertaufe machte eine eigentliche Abstimmung überflüssig. Freilich gibt es auch eine andere, vielleicht sogar wahrscheinlichere Erklärung für den Wegfall der Abstimmung: Das Konzil ahmte nicht sklavisch

---

[67] MOMMSEN, Staatsrecht 979—981; Belegtexte bei BATIFFOL, Origine 107, Anm. 1.
[68] MOMMSEN, Staatsrecht 965.
[69] Über den Vorrang der größeren Geschlechter, der Konsuln, der Amtsklassen usw. vgl. MOMMSEN, Staatsrecht 966—977.
[70] Vgl. E. W. BENSON, Cyprian, his life, his time, his work, London 1897, 568; vgl. im einzelnen BATIFFOL, Origine 109—110.
[71] Sent. ep. 87, CSEL 3, 461, 1—2.
[72] MOMMSEN, Staatsrecht 986—1003.
[73] MOMMSEN, Staatsrecht 991, Anm. 1.

das Reglement des römischen Senats nach, Umfrage und Abstimmung fallen vielmehr zusammen. Darauf deutet der Umstand hin, daß die Mehrzahl der bischöflichen *sententiae*[74] den für die Abstimmung im Senat vorgesehenen Terminus technicus *censere* verwendet[75]. Man wird mit der Vermutung richtig gehen, daß die bei der Umfrage zutage tretende Einmütigkeit der Auffassungen nicht dem Zufall überlassen, sondern in Vorgesprächen vorbereitet und abgesprochen war.

Verantwortlich für die schriftliche Fixierung der Senatsbeschlüsse ist der jeweilige Magistrat. Dazu ist die Anwesenheit des Senats selbst nicht mehr notwendig, es genügt vielmehr die Beglaubigung durch wenigstens zwei bzw. fünf Senatoren. Die Aufzeichnung findet im Versammlungsort selbst statt, in der Regel unmittelbar nach der Sitzung[76]. Dem schriftlichen Senatsbeschluß entspricht das von den Konzilien normalerweise abgefaßte Synodalschreiben[77], das jedoch für unser Konzil nicht vorliegt. Auch die Stellung Cyprians selber hat ihre Entsprechung im römischen Senat. In den Konzilsakten ist er zwar nicht mit einem besonderen Titel ausgezeichnet, seine Funktion weist ihm aber eindeutig die dem Magistrat entsprechende Rolle der Leitung, wohl auch der Einberufung zu.

Es dürfte deutlich geworden sein: das unter Cyprian 256 in Karthago abgehaltene Konzil hat frappierende Ähnlichkeit mit einer römischen Senatssitzung. Bis in Einzelheiten läßt sich ein analoges Procedere erkennen. Wie ist diese Ähnlichkeit zu erklären? Durch direkte oder indirekte Abhängigkeit? P. Batiffol urteilt u. E. sehr richtig, wenn er schreibt: „. . . à Carthage en 256, on ne concevait pas une assemblée délibérant autrement que dans la forme consacrée par l'usage du sénat. Les assemblées provinciales ou municipales, quand elles délibéraient, c'est-à-dire quand elles ne sacrifiaient pas la discussion à l'acceptation par acclamation de la proposition du magistrat président, délibéraient dans la même forme, qui était la forme parlementaire"[78].

Das im vorausgegangenen Abschnitt analysierte Konzilsprotokoll aus der alexandrinischen Kirchenprovinz zeigte noch keinen Einfluß des

---

[74] Sent. ep. 83—85, CSEL 3, 460, 13—15: *Tam ego praesens, quam Pompeius Sabratensis, quam etiam Dioga Leptimagnensis qui mihi mandaverunt corpore quidem absentes, spiritu praesentes, censemus quod et collegae nostrae . . .*

[75] „Für die Abstimmung des einzelnen Senators wird in den Urkunden ausschließlich *censere* gebraucht, griechisch δοκεῖν. Es soll dies ausdrücken, daß die Abstimmung des Senators einer Motivierung nicht bedarf, sondern ein gewissenhaftes, aber freies Ermessen ist . . ." Mommsen, Staatsrecht 988.

[76] Weitere Einzelheiten Mommsen, Staatsrecht 1004—1021.

[77] Beispiele bei Batiffol, Origine 113—116.

[78] Batiffol, Origine 117.

römischen Senatsreglements. Weitere entscheidende Unterschiede sind: die das Konzil dominierende Figur ist nicht der Didaskalos, sondern der präsidierende Bischof. Entsprechend ist das ausschlaggebende Moment nicht das theologische Argument, die Disputation, die actu erteilte Lehre, sondern die Entscheidung, die einstimmige *sententia* der bischöflichen Amtsträger. Die Diskussion ging, wenn es sie gab, dem Konzil im eigentlichen Sinn des Wortes voraus. Abschließend sei noch auf eine Gemeinsamkeit zwischen beiden Konzilsmodellen hingewiesen: beide Versammlungen sind öffentlich. Auch in Karthago ist neben Priestern und Diakonen eine *plebis maxima pars*[79] zugegen; ihre *sententia* zu äußern, steht ihr freilich nicht zu[80].

3. Kaiserlicher Kognitionsprozeß

Von zahlreichen Konzilien des vierten Jahrhunderts sind nur mehr oder weniger lange Aktenbruchstücke auf uns gekommen; bekanntlich sind z. B. vom wichtigsten Konzil dieses Jahrhunderts, dem von Nicaea, überhaupt keine Akten überliefert. Das fast vollständig erhaltene Protokoll des Konzils von Aquileia (381) verdient unser Interesse[81]. In ihm spiegelt sich auf eindrucksvolle Weise ein Konzilstyp, der sich deutlich von den in den vorausgehenden beiden Abschnitten analysierten unterscheidet. Gehen wir zunächst kurz auf den Ablauf des Konzils ein[82].

---

[79] Sent. ep., CSEL 3, 435, 7—8.

[80] Art der Öffentlichkeit des römischen Senats, vgl. MOMMSEN, Staatsrecht 931.

[81] Pl 16, 916—939 (955—979); HARDOUIN ACED I, 825—835; MANSI III, 599—615; dt. Übers. von FUCHS, Bibliothek der Kirchenversammlungen II, 432 ff. — Die Echtheit des Textes wird heute nicht mehr in Zweifel gezogen. Leider ist er z. T. in sehr verdorbenem Zustand und dazu noch mit Lücken überliefert. Nach cap. 65 ist eine lacuna anzunehmen, außerdem scheint der Schluß zu fehlen. Vgl. F. H. DUDDEN, The life and times of st. Ambrose, Oxford 1935, I, 199, Anm. 2. Von bes. Interesse ist der polemische Kommentar zu vorliegendem Konzilsprotokoll, die *Dissertatio Maximini contra Ambrosium*, PLS I, 693—728, vgl. L. SALTET, Un texte nouveau — la Dissertatio Maximini contra Ambrosium, in: BLE 2 (1900) 118—129. Analyse und Kommentar der *Dissertatio* vgl. bei J. M. HANSSENS, Massimino il Visigoto, in: ScS 102 (1974) 475—514, hier 483—514.

[82] Vgl. HEFELE/LECLERCQ, II, 1, 49—53 (Lit); DUDDEN I, 199—205; vgl. die mit warmer Sympathie für den „sanften Ketzer" Palladius abgefaßte Behandlung des Konzils von Aquileia durch H. VON CAMPENHAUSEN, Ambrosius von Mailand als Kirchenpolitiker, Berlin/Leipzig 1929, 61—80; ferner J. R. PALANQUE, Saint Ambroise et l'empire romain, Paris 1933, 78—95; GOEMANS 243—259; T. H. GREEN, Ambrose, Aquileia and Antioche, in: ECQ 15 (1963) 65—80, der Konstantinopel und Aquileia 381 in der Weise von Rimini und Seleucia 359 als ein ‚ökumenisches' Doppelkonzil betrachtet; neuestens M. SIMONETTI, La crisi ariana nel IV secolo, Rom 1975, 542—548; RING 215—220; G. GOTTLIEB, Les évêques et les empereurs dans les affaires ecclésiastiques du 4. siècle, in: MH 33 (1976) 39—50, hier 47—50.

378 oder 379 hatten die illyrischen Bischöfe Palladius und Secundianus bei Kaiser Gratian die Einberufung eines *concilium generale* verlangt, um sich gegen den ihnen gemachten Vorwurf des Arianismus verteidigen zu können. Der Kaiser war zunächst auf ihren Wunsch eingegangen, hatte sich aber dann durch Ambrosius wieder von dem geplanten *concilium generale* abbringen lassen. So kam es zum Konzil von Aquileia. Die östlichen Bischöfe, von denen die beiden häresieverdächtigen Illyrer Unterstützung hätten erwarten können, waren zwar nicht formell ausgeladen, hatten es aber vorgezogen, nicht zu erscheinen. Unter dem Vorsitz des Valerian von Aquileia waren 32 Bischöfe aus Gallien, Pannonien, Italien und Afrika versammelt. Das Konzil begann wohl am 3. oder 5. September[83]. Ambrosius, die dominierende Gestalt des Konzils, verlangte von den beiden Illyrern eine eindeutige Stellungnahme zum Brief des Arius an Alexander[84], einem notorisch häretischen Text, damit indirekt Annahme oder Verwerfung des Konzils von Nicaea. Palladius erkannte, daß Ambrosius das Konzil fest in der Hand hatte, und weigerte sich deswegen, die Kompetenz der Synode anzuerkennen. Es kommt nach scharfen Kontroversen über die Rechtmäßigkeit des Konzils schließlich doch noch zu einem Streitgespräch über die anstehende Sachfrage, nämlich die Wesensgleichheit des Sohnes mit dem Vater. Da Palladius, Secundianus und der Priester Attalus die Wesensgleichheit nicht im Sinne von Nicaea ausdrücklich zu bekennen bereit sind, werden sie schließlich verurteilt und abgesetzt.

Wenden wir uns nun dem Protokoll zu, um das Charakteristische vorliegenden Konzils in den Blick zu bekommen. Der Anfang lautet: *Syagrio et Eucherio viris clarissimis consulibus III. non. Sept. Aquilejae in Ecclesia considentibus cum episcopis, Aquileiensium civitatis Valeriano, Ambrosio* (es folgen die Namen der übrigen Bischöfe) . . . *Ambrosius dixit*[85]. Das ist, mutatis mutandis, die klassische Einleitungsformel der römischen Senatsprotokolle und bleibt insofern noch im Rahmen dessen, was wir vom Cypriankonzil her kennen. Die Nennung der Konsuln ist im Vergleich zum karthagischen Konzil von 256 auch noch kein für Typ und Charakter des Konzils entscheidendes Datum. Aus den einleitenden Worten des Ambrosius geht hervor, daß, wie bei Senatssitzungen üblich[86],

---

[83] Das Datum ist umstritten; vgl. J. ZEILLER, La date du concile d'Aquilée (3. Sept. 381), in: RHE 33 (1937) 39—44, ferner DUDDEN, I, 201, Anm. 2.
[84] Hilarius, de trinitate IV, 12—13. Urtext: Athanasius, de syn., 16; OPITZ, Urkunde 6.
[85] Gesta 1, PL 16, 916 A.
[86] Vgl. dazu MOMMSEN, Staatsrecht 947—951.

eine längere Vorverhandlung stattgefunden hatte[87]. Die weitere Verhandlung soll nun zu Protokoll gegeben werden. Warum? Die Protokollierung ist Usus kirchlicher Konzilien, wir wissen das schon vom
Origeneskonzil her. Die Begründung dieser Protokollierung, nämlich damit Aussagen später nicht zurückgezogen werden können, und
ihre Anbefehlung durch Ambrosius, den eigentlichen Leiter des Konzils,
weist darüber hinaus aber noch auf etwas anderes hin: Sie ist üblich
im römischen Kognitionsprozeß. „Die Aufzeichnung konnte je nach
der Anordnung der Beamten entweder kurz das Notwendige zusammenfassen oder zumal bei der späterhin allgemeinen Anwendung der Steno-
graphie zu vollständiger Niederschrift gelangen ... Die Protokollierung
selbst wird das Kennzeichen der offiziellen Verhandlung und nur, was
der Beamte ‚apud acta‘, ἐγγραφῶς vornimmt, als eigentlich magistra-
tischer Akt angesehen"[88].
Die Vermutung, daß die Protokollierung der Verhandlung vom römischen Strafrecht, näherhin von der Abwicklung einer *cognitio* her zu
erklären sei, verstärkt sich zur Gewißheit, wenn man den weiteren
Ablauf des Konzils gerade von seiner formalen Seite her analysiert
und vor allem der dabei verwendeten Terminologie Beachtung schenkt.
Ambrosius begründet die Protokollierung mit dem Hinweis auf die
sacrilegia a parte Palladii et Secundiani. Sacrilegium ist zwar nicht die technische[89], aber geläufige Bezeichnung des Deliktes der „Verfehlung gegen den römischen Glauben"[90]. Des sacrilegium wurden die Christen

---

[87] Gesta 2, PL 16, 916 B: *Diu citra acta tractavimus: et quoniam tanta sacrilega a parte Palladii
et Secundiani nostris auribus ingeruntur, ut difficile quisque credat tam aperte eos blasphemare potuisse;
vel ne qua ipsi calliditate dicta sua postea negare conentur, licet de tantorum sacerdotum testificatione
dubitare non queat: tamen quoniam omnibus episcopis placet, fiant acta; ut unusquisque professionem
suam negare non possit. Quid ergo vobis, sancti viri, placeat declarandum est.*
[88] TH. MOMMSEN, Römisches Strafrecht, Leipzig 1899, 518; vgl. auch M. KASER, Das römische Zivilprozeßrecht, München 1966, 345: „Gekennzeichnet wird der Kognitionsprozeß im Gegensatz zum *agere per formulas* dadurch, daß hier der Gerichtsherr alle Ver-
fahrensschritte beherrscht. Das Verfahren ist ein rein amtliches, alle seine Phasen spielen
sich vor staatlichen Funktionären ab: dem Princeps selbst, seinem Delegierten oder einem
für einzelne Aufgaben ernannten Richter. Die ‚privatistischen‘ Elemente, die zum Formular-
prozeß gehören, nämlich die private Ladung, die Einsetzung eines unter Mitwirkung der
Parteien ausgewählten Privatrichters und die Festlegung eines von ihnen mitbestimmten
Prozeßprogrammes, sind dem Kognitionsverfahren fremd." Weitere Einzelheiten zu Wesen
und Arten des Kognitionsprozesses ebd. 339—349. Zur Cognitio vgl. auch STEINWENTER
51—53.
[89] „Erst nachdem das Christentum Staatsreligion geworden ist, hat der in der Tat erst
damit in das Strafrecht eintretende Begriff des religiösen Delikts dieses in seiner ersten
Hälfte wenigstens dafür eine Anknüpfung bietende Wort sich als technisch angeeignet";
MOMMSEN, Der Religionsfrevel nach römischem Recht, in: HZ 64 (1890) 389—429, hier 411.
[90] MOMMSEN, Strafrecht 569. — HEUMANN sv, definiert: ‚Abtrünnigkeit vom christlichen
Glauben‘.

vom verfolgenden römischen Staat geziehen[91]. Dieses Delikt der Apostasie wird, als das Christentum selber Staatsreligion geworden ist, den verschiedenen christlichen Häretikern vorgeworfen. „Von Rechts wegen unterliegt die Apostasie dem Akkusationsverfahren; tatsächlich ist sie, zumal infolge des regelmäßig stattfindenden Geständnisses, der Regel nach aufgrund einer Denuntiation im Cognitionsverfahren behandelt worden", schreibt Mommsen im Hinblick auf das den Christen vorgeworfene *sacrilegium*[92]. Am 27. Februar 380 hatten die Kaiser Gratianus, Valentianus und Theodosius das *sacrilegium* definiert: *Qui divinae legis sanctitatem aut nesciendo confundunt, aut neglegendo violant et offendunt, sacrilegium committunt*[93]; am 10. Januar 381 hatten sie in ihrer berühmten Konstitution den Arianismus speziell als *sacrilegium* bezeichnet[94].

Daß mit der Protokollierung eine Art *cognitio* wegen des Delikts der „Verfehlung der römischen Religion" eingeleitet wird, ergibt sich deutlich aus dem weiteren Verlauf des Konzils. Ambrosius läßt durch den Diakon Sabinianus zunächst das kaiserliche Einberufungsschreiben vorlesen[95]. Der Prozeß findet im Namen und Auftrag des Kaisers statt[96]. Die kaiserliche Einberufung ist die eigentliche Rechtsgrundlage der folgenden *disceptationes*[97]. Ambrosius bezieht sich bezeichnenderweise auf dieselbe mit dem Terminus *constituere*[98]. Er kennzeichnet die Rechts-

---

[91] *Sacrilegii et majestatis rei convenimur*, Tertullian, Apol. 10, 1, CCL 1, 105.

[92] MOMMSEN, Strafrecht 577.

[93] Codex Theodosianus, XVI, 2, 25. — Zum Gesetz von 381, zur historischen Einordnung und zur Beurteilung des Gesetzes vom 27. Februar 380 vgl. H. DÖRRIES, Die christliche Intoleranz und die Theodosianische Reichskirche, in: Wort und Stunde, I, Göttingen 1965, 46—65, hier 47—56; ferner K. L. NOETHLICHS, Die gesetzgeberischen Maßnahmen der christlichen Kaiser des vierten Jahrhunders gegen Häretiker, Heiden und Juden, Köln 1971, über die Häretikergesetze von 380/81 ebd. 128 ff.

[94] Cod. Theod. XVI, 5, 6: *Unius et summi dei nomen ubique celebretur; Nicaenae fidei dudum a maioribus traditae et divinae religionis testimonio atque adsertione firmatae observantia semper mansura teneatur; Fotianianae labis contaminatio, Arriani* sacrilegii *venenum, Eunomianae perfidiae crimen . . . ab ipso etiam aboleantur auditu.* Vgl. ebd. XVI, 7, 7 (vom 7. April 426). — Über die Häresie als Delikt vgl. MOMMSEN, Strafrecht 595—605, über den von Ambrosius ins Spiel gebrachten Begriff der *blasphemia* ebd. 598.

[95] Über die Anfänge des *episcopale iudicium* im christlichen Kaiserreich vgl. GIRARDET.

[96] Gesta 3, PL 16, 916 C—917 A: *Ambigua dogmatum reverentia ne dissideant sacerdotes quamprimum experiri cupientes, convenire in Aquileiensium civitatem ex dioecesi meritis excellentiae tuae creditam, episcopos iusseramus. Neque enim controversiae dubiae sententiae rectius poterant expediri, quam si obortae altercationis interpretes ipsos constituissemus antistites; ut videlicet a quibus proficiscuntur instituta doctrinae, ab eiusdem discordis eruditionis repugnantia solveretur.*

[97] Gesta 2, PL 16, 916 C: *Ambrosius ep. dixit : disceptationes* (richterliche Untersuchung und Entscheidung) *nostrae ex re firmandae sunt scripto imperiali, ut allegentur.*

[98] Gesta 5, PL 16, 917 C: *Ecce quod Christianus constituit imperator.*

quelle, auf der das Konzil aufruht[99]. Die Bischöfe fungieren in diesem vom Kaiser angeordneten Verfahren als *interpretes* (iuris)[100], d. h. als ‚Ausleger des Gesetzes'. Ambrosius bezieht sich damit auf den Wortlaut des kaiserlichen Einberufungsschreibens[101].

Ac per hoc, quoniam in sacerdotali concilio considemus, responde ad ea quae tibi proponuntur[102]. Aus der kaiserlichen Einberufung ergibt sich die eigentliche Rechtsgrundlage des Konzils, aus seiner bischöflichen Zusammensetzung die Kompetenz und Konvenienz der Richter. Alle Bedingungen sind also erfüllt für das *respondere*, d. h. die Antwort auf eine *interrogatio in iure*[103]. Was ist das Ziel dieser *interrogatio*? Nicht jedenfalls mit dem ‚Gefragten' über die Sachproblematik, die Homoousie des Sohnes mit dem Vater zu diskutieren. Ziel der *interrogatio* ist vielmehr, Palladius zum öffentlichen Bekenntnis zu bewegen. Ist er Anhänger der als *sacrilegium* gekennzeichneten arianischen Häresie oder nicht? Gleich zu Anfang der *interrogatio* wird ihm deswegen der Ariusbrief an Alexander mit seiner eindeutigen Leugnung der Homoousie als „Testtext" vorgelegt. Eine klare Distanzierung vom Ariusbrief würde unmittelbar zum Freispruch führen, ein Bekenntnis zum Brief hätte die Verurteilung zur Folge. Im Grunde wird das Verfahren nach dem Muster der früheren Christenprozesse durchgeführt. Entscheidend ist das öffentliche Bekenntnis im einen oder andern Sinn[104].

Die Möglichkeit des *adstruere*, d. h. des Beweises des Bekenntnisses, auf die Ambrosius hinweist[105], ist formalrechtlich gesehen völlig sekundär. Es ist nicht mehr als eine Reminiszenz der alten Konzilstradition, wie wir sie im Origeneskonzil kennengelernt haben.

---

[99] *Institutus* heißt insbes. „durch kaiserliche Konstitution festgesetzt", vgl. HEUMANN, sv. — Zur kaiserlichen Gerichtsbarkeit in der klassischen und nachklassischen Zeit vgl. KASER, Zivilprozeßrecht 349 ff. und 421 ff.

[100] Gesta 5, PL 16, 917 C: *Noluit iniuriam facere sacerdotibus; ipsos interpretes constituit episcopos.*

[101] Vgl. Anm. 96.

[102] Gesta 5, PL 16, 917 C.

[103] HEUMANN, sv.

[104] Was MOMMSEN von der magistratischen Kognition und Inquisition sagt, gilt auch für die im Auftrag des Kaisers durchgeführten Konzilsverfahren gegen Häretiker: „Im Verfahren scheint nach dem Muster der früheren Christenprozesse im wesentlichen dem Angeschuldigten die Frage vorgelegt worden zu sein, ob er sich zu der gesetzlich verbotenen Christensekte oder zu dem Heidentum bekenne, wobei, da der Rücktritt auch hier die Klage aufhob (Codex Theod. XVI, 5, 41), die Verneinung zur Freisprechung führte". MOMMSEN, Strafrecht 609—610.

[105] Gesta 5, PL 16, 917 C—918 A: *Si tibi videtur quod Dei Filius sempiternus non sit, hoc ipsum quemadmodum vis, astrue: si damnandum putas, damna. Evangelium praesens est, et Apostolus, omnes scripturae praesto sunt. Unde vis adstruere, si putas non esse Dei Filium sempiternum.*

Palladius weigert sich, auf die *interrogatio* zu antworten; er bestreitet das rechtmäßige Zustandekommen des Konzils. Er insistiert auf der vom Kaiser versprochenen Anwesenheit der orientalischen Bischöfe, der *consortes*, der Streitgenossen[106]. Beide Seiten sind sich in diesem Streit über die Zuständigkeit des Gerichts einig, daß dieselbe durch das *praeceptum imperatoris* konstituiert wird. Die Frage ist nur, wie der eigentliche Befehl und Wille des Kaisers lautet. Will er ein Generalkonzil oder nicht[107]?

Ambrosius bricht die Debatte über die Zuständigkeit ab: *non opus est diutius evagari*[108], *responde me*[109]. Die Bischöfe Eusebius und Sabinus verlassen die formaljuristische Ebene und argumentieren gegen das kategorische *non respondeo* des Palladius mit dem Hinweis auf die allgemeine Pflicht, seinen Glauben vor Heiden (!) zu bekennen, bzw. mit der Tatsache, daß er, Palladius, selber den Zusammentritt des Konzils gewünscht habe[110]. Er habe eine Konzilssitzung erbeten, nicht um die Sachproblematik, sondern die *subreptio*, die Erschleichung des kaiserlichen Befehls, zur Versammlung der Synode zur Sprache zu bringen, repliziert Palladius. Mag dem so gewesen sein oder nicht, das entscheidende Argument der Bischöfe, Palladius zum Eingehen auf die *interrogatio* zu bringen, d. h. die Zuständigkeit des Gerichts anzuerkennen, ist der Befehl des Kaisers an ihn, Palladius, vor dem Konzil zu erscheinen[111]. Palladius beruft sich gegen das schriftliche *rescriptum* des Kaisers, das die Verhandlung ohne die Anwesenheit der orientalischen Bischöfe erlaubt, auf eine gegenlautende mündliche Zusage des Kaisers. Nach weiterem Hin und Her über den Gegenstand des von beiden Seiten für diesen Tag vorgesehenen Konzils und dem Protest des Palladius, daß durch Eingehen auf die Sachfrage dem zukünftigen Konzil gegenüber präjudiziert würde[112], spricht eine Reihe von Bischöfen ihr Anathem über das *solus sempiternus* des Ariusbriefes, von dem sich Palladius nicht deutlich distanziert[113]. Über das *solus verus* desselben Briefes kommt es dann

---

[106] Gesta 6, PL 16, 918 A: *Consortes eiusdem litis*, HEUMANN, SV.

[107] Gesta 8, PL 16, 918 A—B: *Ambrosius: nos in occidentis partibus constituti convenimus ad Aquileiensium civitatem iuxta imperatoris praeceptum . . . Palladius: Imperator noster Gratianus iussit orientales venire: negas tu iussisse eum?*

[108] Hier vielleicht translate de reo se iudici subducente. Thes. Ling. Lat. V. 2, 994, 12—13.

[109] Gesta 8, PL 16, 918 B—C.

[110] Gesta 9, PL 16, 918 C.

[111] Gesta 10, PL 16, 919 A.

[112] Gesta 12, PL 16, 919 D: *Non vobis respondemus omnino praeiudicium concilii futuri.* Vgl. Gesta 14, PL 16, 920 B: *Ubi auctoritas pleni concilii non est, non dico.*

[113] Gesta 13—16, PL 16, 920 A—921 B.

zu einer ausführlichen Debatte zwischen Palladius und den Bischöfen[114]. Für Palladius ist diese Debatte ein *respondere secundum disputationem*, kein respondere im Sinne des Strafverfahrens, das er dem *concilium generale et plenum* vorbehält[115]. Auf einem solchen *concilium generale* könnten nicht allein die Westbischöfe, wie es jetzt der Fall ist, die *interrogatio* stellen und sich damit das Richteramt allein anmaßen[116].

Das Konzil steht demgegenüber auf dem Standpunkt, daß die *facultas interrogandi*[117] nur dem zusteht, der sich auf dem Boden des rechtmäßigen Glaubens befindet, d. h. der Häresie des Arius schon klar und deutlich abgeschworen hat[118]. Schließlich konzentriert sich die Diskussion[119] auf die *aequalitas* des Sohnes mit dem Vater[120]. Wiederum zur Stellungnahme zum Ariusbrief aufgefordert, verlangt Palladius Vertagung des Konzils und seine Fortsetzung in Gegenwart von *auditores*, d. h. von Schiedsrichtern[121] höheren Ranges, die von beiden Seiten bestellt sind[122]. Aus dem Zusammenhang dürfte hervorgehen, daß damit Laienrichter ge-

---

[114] Gesta 17—32, PL 16, 921 B—926 A.

[115] Gesta 32, PL 16, 926 A: *Secundum disputationem, prout possumus, respondemus vobis, . . . non vobis respondemus nunc, sed in concilio generali et pleno respondebimus vobis.*

[116] *Vos enim soli vultis esse iudices*, ebd.

[117] *Interrogare:* „vor dem Magistrat (in iure) den Gegner über gewisse Punkte befragen, von welchen es abhängt, ob und inwieweit er überhaupt in Anspruch zu nehmen ist, Zeugen verhören, einen Angeklagten verhören". HEUMANN, sv.

[118] Gesta 23, PL 16, 926 B.

[119] Ambrosius betrachtet dieselbe als ein Zugeständnis: *nam licet evidentia essent praescripta maiorum, a quibus impium est et sacrilegum devitare, tamen disceptandi obtulimus facultatem*, schreibt er an den Kaiser, Ep. 10, 3, PL 16, 941 A.

[120] Gesta 35—42, PL 16, 926 D—929 C. — Zur theologischen Position des Ambrosius und seiner reichlich schematischen und konventionellen Auffassung des Arianismus auf dem Konzil von Aquileia vgl. die interessanten Ausführungen von R. CANTALAMESSA, Ambrogio e i grandi dibattiti del suo secolo, in: Ambrosius Episcopus, Atti del Congresso internazionale di studi ambrosiani . . ., hrsg. von G. LAZZATI, Mailand 1976, I, 483—539, hier 494—502; vgl. auch L. HERRMANN, Ambrosius von Mailand als Trinitätstheologe, in: ZKG 69 (1958) 197—218, zur Methode der ambrosianischen Exegese ebd. 211—212.

[121] *Auditor* kann einfach ‚Zuhörer' bedeuten; so versteht es z. B. v. CAMPENHAUSEN 75. In juristischer Terminologie bedeutet es aber ‚Richter'. Vgl. Thes. Ling. Lat.: *de iudicibus vel partium cognitoribus et disceptatoribus causarum; iudex qui causam cognoscit.* Daß Laienschiedsrichter gemeint sind, dürfte auch die Forderung des Maximinus nach einem 30- bis 40tägigen öffentlichen Religionsgespräch vor dem Senat und der gesamten Bevölkerung der Stadt Rom andeuten: „. . . *si confidentiam ullam fidei geritis, aput senatum ipsius urbis fidem continuis triginta vel quadraginta diebus secundum scripturarum omnium auctoritatem conscriptis tractatibus profiteamur, etiam ipsos tractatus nostros auditoribus oblaturi tam eidem urbi publica recitatione pandendos quam etiam ad totius orbis ecclesias auditorum relatione per imperiale praeceptum mittendos . . . Maximinus, Contra Ambrosium* 139, PLS I, 727. — Sogar Heiden und Juden sollen an diesem freien Religionsgespräch teilnehmen. Selbst v. CAMPENHAUSEN 81 ist der Ansicht, daß bei diesem erstaunlichen Projekt „der Maßstab für das kirchlich Erträgliche und Zulässige verlorengeht".

[122] Gesta 47, PL 16, 930 C/D: *Non respondebo nisi auditores veniant post Dominicam diem.*

meint sind, die über die beiden streitenden Parteien zu richten hätten. Offensichtlich schwebt Palladius dabei ein Religionsgespräch vor, wie es genau 30 Jahre später Donatisten und Katholiken auf der sog. *collatio Carthaginiensis* vor dem kaiserlichen Beamten Marcellinus als Richter führen sollten[123]. Wiederholt[124] stellt er in diesem Zusammenhang eine Forderung, deren konkrete Verwirklichung uns von diesem selben Religionsgespräch bekannt ist: Stenographen beider streitenden Parteien sollen hinzugezogen werden[125].

Demgegenüber besteht Ambrosius auf dem *consessus fratrum*[126], dem Bischofsgericht[127]. Gerade durch die Forderung nach Laienschiedsrichtern macht sich Palladius in den Augen des Ambrosius schuldig, hierfür verdient er den Ausschluß aus dem Kollegium der Bischöfe[128]. Schließlich bricht Ambrosius die Diskussion über Verfahrens- und Sachfragen ab und verkündet zunächst selber das Urteil, die *pronuntiatio*, über Palladius[129]. Er verwendet dabei den Terminus technicus *pronuntiare*, mit dem „das Urteil des Magistrats oder seines Hilfsrichters im Kognitionsverfahren" bezeichnet wird[130]. Diese Formulierung, wie übrigens bisher schon der gesamte Prozeßverlauf, wirft bezeichnendes Licht auf die Rolle des Ambrosius: er hat von Anfang an in diesem „Kognitionsprozeß" die Rolle des Staatsanwaltes und Hauptrichters inne[131].

Handelt es sich in diesem Prozeß um persönlich an Ambrosius delegierte kaiserliche Gerichtsbarkeit?[132] Entsprechend wären die übrigen Bischöfe nur ein *consilium*, ein Beratergremium des Bischofs von Mailand. Das wird man kaum sagen können. Ambrosius führt im folgenden aus, daß das Urteil den Bischöfen (im Plural!) vom Kaiser über-

---

[123] Vgl. CCL 149 A.

[124] PL 16, 926 C; 931 D—932 A.

[125] Vgl. hierzu E. TENGSTRÖM, Die Protokollierung der Collatio Carthaginiensis, Göteborg 1962.

[126] Gesta 48, PL 16, 931 A.

[127] Gesta 51, PL 16, 932 A: *Sacerdotes de laicis iudicare debent, non laici de sacerdotibus.*

[128] Gesta 52, PL 16, 932 B: *Ac per hoc quoque et in hoc ipso damnandus est, qui laicorum exspectat sententiam, cum magis de laicis sacerdotes debeant iudicare.*

[129] Gesta 52, PL 16, 932 B: *Iuxta ea quae hodie audivimus Palladium profitentem, et iuxta ea quae condemnare noluit, pronuntio illum sacerdotio indignum et cavendum, ut in loco eius catholicus ordinetur.*

[130] HEUMANN, sv. *pronuntiatio* im juristischen Sinn vgl. G. WESENER, pronuntiatio, in: PRE Suppl. 9 (1962) 1241—1248.

[131] Vgl. auch DUDDEN, I, 201: „He skilfully turned the Council into a heresytrial, and himself played the double part of public prosecutor and principal judge."

[132] Vgl. MOMMSEN, Strafrecht 269/70: „Die dem Kaiser unterstehende Judikation kann ... ebenso persönlich ausgeübt werden wie durch Stellvertreter. Sie wird niemals an Kollegien oder auch nur mit Bindung des Delegatars an ein Consilium erteilt, sondern der Delegatar übt die mandierte Gewalt mit derselben Freiheit wie der delegierende Kaiser."

tragen wurde[133]. Daß es sich nicht um ein an Ambrosius persönlich delegiertes Gerichtsverfahren handelt, sondern um ein Kollektivgericht, geht auch aus der namentlichen Abgabe der *sententia* der einzelnen Bischöfe hervor[134]. Nach der kollektiven Verurteilung des Palladius durch Akklamation[135] geben die versammelten Bischöfe ihre individuelle *sententia* ab. Hier wird deutlich, daß im vorliegenden Konzilstyp selbstverständlich die aus den älteren Konzilien bekannte Prozedur der Abgabe der *sententia* beibehalten wird. Sie verwenden dabei vorwiegend die im römischen Senat und den älteren Konzilien üblichen Formeln[136]. Palladius hatte die Umfrage mit dem Zwischenruf unterbrochen: *coepistis ludere, ludite; sine concilio orientali vobis non respondemus*[137]. Nach der Verurteilung des Palladius nimmt sich Ambrosius Secundianus vor. Auch er verneint konsequent das *verus deus* im Bezug auf den Sohn mit Berufung auf die Heilige Schrift[138]. Das ist für Ambrosius *apertum sacrilegium*[139]. Die Akten schließen mit den Namen der versammelten Bischöfe, von einer eigentlichen Unterzeichnung ist nicht die Rede.

Abschließend ist noch auf einige nicht unwichtige Modalitäten des vorliegenden Konzils hinzuweisen. Aus der Namensliste geht hervor, daß zumindest zwei Priester anwesend sind, nämlich Chromatius und Evagrius[140], und der Diakon Subianianus, der das kaiserliche Einberufungsschreiben vorgelesen hatte. Die Anwesenheit weiterer Priester und Diakonen ist wahrscheinlich. Kirchenvolk aber scheint keines zugegen gewesen zu sein; jedenfalls ist es nirgends genannt. Die Nichtöffentlichkeit hat wiederum in der römischen Rechtsprechung ihre Parallele[141]. In Anbetracht der Tatsache, daß die Konzilsverhandlung vom

---

[133] Gesta 53, PL 16, 932 C: *Imperator clementissimus et christianus sacerdotum iudicio causam, et ut ipsi arbitri essent altercationis, inquit, ,constituissemus'. Quoniam igitur nobis judicium videtur delatum interpretes esse Scripturarum, condemnemus Palladium, qui impii Arii noluit damnare sententiam: et qui ipsum Filium Dei sempiternum, et caetera quae actis inhaerent, negavit. Ergo anathema habeatur.* — Vgl. die namentlichen *sententiae*, ebd. 932C—936A.

[134] Gesta 53, PL 16, 932 C: *Dicat unusquisque quid sibi videatur.*

[135] Ebd.: *Omnes episcopi dixerunt: omnes condemnamus eum, anathema habeatur.*

[136] *Mihi videtur* (932 D—933 A), *censemus* (933 A, 935 C), *censeo* (933 B, 935 B + C, 936 A), *mea sententia* (934 A—B, 935 C). Über Modalitäten der *prolatio sententiae* im römischen Zivil- und Prozeßrecht vgl. G. WESENER, prolatio sententiae, in: PRE Suppl. 9 (1962) 1235—1237.

[137] Gesta 54, PL 16, 933 A.

[138] PL 16, 936 B—939 A.

[139] PL 16, 937 C; vgl. auch 938 A.

[140] Gesta 76, PL 16, 639 C.

[141] „Unter dem Prinzipat schließt das konsularisch/senatorische Gericht nach den für die Senatsverhandlung geltenden Normen die Öffentlichkeit grundsätzlich aus. Für den Kaiser sowie für alle vom Kaiser ihre Strafgewalt ableitenden Stellen mag wohl die öffentliche Verhandlung als Regel angesehen worden sein und noch die Kaiser der Spätzeit haben dies ausdrücklich ausgesprochen; aber zulässig ist die eine wie die andere Form, und die Ver-

Verfahren des römischen Strafprozesses beeinflußt ist, muß das Fehlen einer Verteidigung um so mehr auffallen. Die beiden der Häresie verdächtigten Bischöfe sind auf Selbstverteidigung beschränkt. Hier wird noch einmal die eigentliche Natur des am Kognitionsprozeß orientierten Konzils deutlich: es handelt sich um einen Kaiserprozeß, der nur Selbstverteidigung kennt[142]. Das Protokoll enthält keine Hinweise daraufhin, daß das Konzil sich lediglich als *consilium* des Kaisers betrachtet, also die Verurteilung der beiden illyrischen Bischöfe erst durch den Kaiser selbst Rechtskraft erlangt. Auch der Synodalbrief läßt sich kaum in diesem Sinne interpretieren[143]. Andererseits kann man auch nicht sagen, daß die Bischöfe sich an den „Weltlichen Arm" zur Exekution des kirchlichen Urteils wenden; sie bitten vielmehr den Kaiser als Inhaber der höchsten sakral-politischen Macht, die synodal beschlossene Sanktion, nämlich die Amtsentsetzung, in foro externo durchzusetzen.

Überblicken wir das Gesamtprotokoll dieses vom römischen Kognitionsverfahren beeinflußten Konzilstyps, so ergeben sich vier Hauptstücke; erstens, die Eröffnung der Sitzung durch den Präsidenten mit der Verlesung der *lectio sacra*[144], des kaiserlichen Erlasses, durch den das Konzil konstitutiert wird. Zweitens, an die Eröffnung schließt sich unmittelbar die *interrogatio* des Beschuldigten, im wesentlichen durch den Präsidenten des Gerichts, an; ihr Ziel ist das Bekenntnis des Angeklagten. Die interrogatio mündet, drittens, in die *pronuntiatio*, das

---

handlung im geschlossenen Raum ist bei diesen Gerichten zu allen Zeiten häufig gewesen ... Die nichtöffentliche Rechtsprechung findet, wenn vom Senat abgesehen wird, regelmäßig statt im Hause oder im Amtslokal des Beamten. Der Saal, in welchem derselbe den Parteien Gehör gibt, heißt auditorium, später secretarium, weil er durch einen Vorhang abgeschlossen ist ...'' Mommsen, Strafrecht 359—362. — Vgl. auch Kaser, Zivilprozeßrecht 445.

[142] „Nach der formalen Seite hin ist der kaiserliche Strafprozeß wie der konsularisch-senatorische eine Cognition; Parteien im Rechtssinn, wie der Zivilprozeß und die Quästion sie kennt, sind hier gleichfalls ausgeschlossen und was als Anklage auftritt, ist vielmehr eine Denuntiation ... (Der Kaiserprozeß) ist in der Tat die Handhabung des Kriegsrechts, und wenn auch dieses bei billiger Handhabung der Verteidigung Raum gibt, so ist deren Beschränkung auf Selbstverteidigung hier das hergebrachte Verfahren ... Der Strafprozeß, wie er vor dem Kaiser selbst und dementsprechend vor den Delegataren seiner Strafgewalt geführt wird, schließt der Regel nach die Advokatur aus." Mommsen, Strafrecht 264—265.

[143] Ambr., Ep. 10, 8, PL 16, 942 C—943 A: *Vestram fidem, vestram gloriam deprecamur, ut reverentiam imperii vestri deferatis auctori, censeatisque impietatis assertores et adulteros veritatis, datis apicibus* (durch kaiserliches Schreiben) *clementiae vestrae ad iudicia competentia, ab ecclesia arcendos esse liminibus . . .* — Zum *consilium principis*, seiner Existenz und Funktion, vgl. W. Kunkel, Die Funktion des Consiliums in der magistratischen Strafjustiz, in: ZSRG.R 97 (1967) 218—244; 98 (1968) 253—329. Allgemein zum Verhältnis weltliches Recht und Kirchenrecht bei Ambrosius vgl. J. Gaudemet, Droit séculier et droit de l'église chez Ambroise, in: Ambrosius Episcopus. Atti del Congresso internazionale di studi ambrosiani . . ., hrsg. von G. Lazzati, Mailand 1976, I, 286—315.

[144] Gesta 6, PL 16, 918 A.

Urteil des Gerichtspräsidenten, dem die übrigen Bischöfe akklamieren. Den Abschluß bilden, viertens, 25 *sententiae*, d. h. individuelle Stellungnahmen der Bischöfe.

Der auffallendste Zug dieses Konzilstyps ist ohne Zweifel die auf kaiserlicher Delegation beruhende Richterfunktion des Gerichtspräsidenten. Ambrosius ist im Kognitionsprozeß gegen Palladius und Secundianus „public prosecutor and principal judge", wie F. H. Dudden richtig beobachtet[145].

4. Lehrverfahren der sedes apostolica

Es liegt auf der Hand, daß die Synoden des römischen Bischofs aufgrund der Sonderstellung dieses Stuhles einen eigenen Konzilstyp darstellen. Wir legen unserer Untersuchung ein relativ spätes Konzilsprotokoll, nämlich das der sog. Lateransynode von 649[146] zugrunde, weil es methodisch ratsam ist, die Eigenart der römischen Synode in einer Zeit zu untersuchen, in der die Primatsidee schon zu bedeutender Entfaltung gelangt ist, andererseits, weil uns tatsächlich von früheren Synoden nur relativ kurze Acta überliefert sind, und wir also auch schon von der Methode her gar keine andere Wahl haben. Forscher wie E. Amann bestätigen uns in unserer Option: das Laterankonzil unter Martin I. ist der Typ einer römischen Synode[147].

Geben wir zunächst einen kurzen Überblick über Gegenstand und Verlauf des Konzils. Ziel des vom neuerwählten Martin I. für den 5. bis 31. Oktober 649 einberufenen Konzils[148] ist die Verurteilung des Typos von 648, des kaiserlichen Dekrets, durch das im sog. Monotheletenstreit die Diskussion über den einen oder die zwei Willen Christi verboten worden war. Am Konzil nahmen 105 fast ausschließlich italienische Bischöfe teil. Eine bedeutende Rolle spielten, aber mehr von den Kulissen aus, 37 griechische Äbte, Priester und Mönche, unter ihnen Maximus Confessor, der jedoch auf dem Konzil selbst nicht auftrat. Das Konzil begann mit einer Ansprache des Papstes über die Anfänge und die weitere Geschichte

---

[145] Dudden, I, 201.

[146] Hardouin ACED, III, 687—948; Mansi X, 863—1186 (wir zitieren nach Mansi).

[147] „Nous avons ici le type d'un de ces innombrables synodes que les papes réunirent au Latran, en leur qualité de métropolitain de l'Italie, et qui n'ont souvent laissé que des traces fugitives." E. Amann, Art. Martin I, in: DThC, 10, a (1928) 182—194 hier 187.

[148] Zu Geschichte, Ablauf und theologischer Problematik vgl. u. a. Hefele-Leclercq, III, 1, 434—451; Amann 186—194; Haller, I, 321—324; Caspar, Lateransynode 75—137; ders., Papsttum, II, 553—563.

des Monotheletismus. In der zweiten Sitzung meldete sich eine Reihe weiterer Redner gegen die Irrlehre zu Wort; die dritte Sitzung bestand in der Vorlage der inkriminierten Schriften des Theodor von Pharan, Cyrus, Sergius, Themistius und der Ekthesis, die Sergius dem Kaiser ausgearbeitet hatte. In der vierten und fünften Sitzung wurde im wesentlichen das Zeugnis der vorausgegangenen Konzilien und der orthodoxen Väter ausgebreitet. Auf die Konfrontation der monotheletischen Lehre mit dem Zeugnis der Tradition folgte die Gegenprobe, der Vergleich mit den früheren Konzilien. Der Papst zog die Folgerung: der Monotheletismus wiederholt die vorausgegangenen Irrtümer[149]. In der letzten, fünften Sitzung wurde ein Glaubensbekenntnis mit 20 Anathematismen formuliert.

Wenden wir uns jetzt dem Konzilsprotokoll zu, um die uns interessierende formale Seite der Synode in den Blick zu bekommen. Das Charakteristische an diesem Konzil ist vor allem die zentrale Stellung des Papstes. Sie kommt auf zwei Weisen zum Ausdruck: durch die Konzilspraxis und durch die Konzils„theorie".

Was die Konzilspraxis angeht, so zeigt sich die schlechthin dominierende Rolle des Papstes darin, daß er alle Sitzungen persönlich präsidiert und die Diskussion leitet. In jeder Sitzung ergreift er als erster das Wort, bezeichnet den Verhandlungsgegenstand, läßt die entsprechenden Dokumente verlesen. Die übrigen Prälaten, so der Patriarch von Aquileia, spielen eine vergleichsweise völlig untergeordnete Rolle. Unter der Rubrik *synodus dixit* bringt das Protokoll mehr oder weniger ausführliche Zustimmung eines anonymen Synodensprechers zu den Ausführungen des Papstes. E. Caspar faßt seine Beobachtungen zu dieser Seite des Protokolls folgendermaßen zusammen: „Nach Ausweis der Protokolle ergriffen nur die beiden Metropoliten zu wiederholten Malen das Wort, von den Bischöfen warf nur ganz vereinzelt einmal jemand eine kurze Bemerkung in die Debatte. Im übrigen sprachen ausschließlich der Papst selbst in langen Ausführungen (sie umfassen — von geschäftlichen Bemerkungen abgesehen — insgesamt etwa 26 Spalten in der Edition von Mansi) und seine Beamten ... Vergleicht man damit das bunte Bild der bischöflichen Rednerserien und ihrer Disputationsschlachten in den Protokollen der ökumenischen Reichskonzilien, so gewinnt man aus diesem ersten großen römischen Synodalprotokoll einen ungemein starken Eindruck von der absoluten Herrschergewalt des Papstes in seinem Synodalbereich; die Bischöfe waren kaum mehr als stummgehor-

---

[149] Siehe weitere Einzelheiten in der o. a. Literatur, vor allem bei AMANN.

same Statisten der Verhandlungen und stimmberechtigt eigentlich nur
als einheitliche Masse bei den Schlußvoten"[150].

Nicht nur die Reden, mit denen die einzelnen Sitzungen eröffnet werden,
auch die übrigen entscheidenden Ansprachen werden fast alle vom Papst
selber gehalten. So die Eröffnungsrede des Konzils[151], die Schlußrede
der zweiten Sitzung[152], mehrere Reden der dritten[153] und fünften
Sitzung[154], schließlich die Schlußansprache[155].

Noch aufschlußreicher als die faktische Rolle des Papstes auf dem Konzil, die Konzilspraxis, ist die Konzils„theorie". Gemeint ist damit die
Anerkennung der Primatsrolle des Papstes durch die Konzilsteilnehmer
bzw. durch die dem Konzil vorgelegten Dokumente und Texte. Wir wollen im folgenden die wichtigsten dieser Zeugnisse zusammenstellen.

Schon die Ankündigung der Konzilseröffnungsrede des Papstes durch
den Ersten Sekretär *(notarius)* des Apostolischen Stuhles, Theophylakt,
ruft den versammelten Bischöfen dessen *magna atque apostolica summitas
praeposita omnibus sacerdotibus in universo mundo consistentibus* in Erinnerung[156]. Die lateinische Rubrik über der Papstrede selber[157] weist
auf die Konzilsleitung des Papstes hin, die griechische dagegen
nicht[158]. Ein Entschuldigungsschreiben des Erzbischofs von Ravenna,
Maurus, an den Papst, das in der ersten Sitzung vorgelesen wird, gibt
Martin den Titel eines *toto orbe apostolicus et universalis pontifex*[159]. Zu

---

[150] Caspar, Papsttum, II, 555.
[151] Mansi, X, 869—881.
[152] Mansi, X, 949—953.
[153] Mansi, X, 961—965.
[154] Mansi, X, 1124—1129.
[155] Mansi, X, 1144—1149.
[156] Mansi, X, 870 A. — Wir legen unserer Untersuchung den lat. Text zugrunde, der ebenso
wie der bisweilen abweichende griechische als authentischer Originaltext zu gelten hat. Zum
Problem der zweisprachig überlieferten Konzilsakten vgl. Caspar, Lateransynode 75—93.
Riedinger 29—37 folgert zunächst aus dem Vergleich von Bibelzitaten in Konzilsreden die
Priorität des griechischen Textes. In seinem Korrektursatz geht er über diese „vorsichtigen
Überlegungen zur Sprachenfrage" hinaus und stellt fest, „daß die gesamten Akten (mit
Ausnahme der original lateinischen Briefe in der 2. Sitzung) vor Beginn der Synode von
Griechen verfaßt und anschließend ins Lateinische übersetzt worden sind". Das bedeutet, daß
die Akten „ein rein literarisches Produkt sind (und deshalb keine direkten Schlüsse auf die
dahinter stehende Realität zulassen)." Ob man tatsächlich bis zu dieser Konsequenz gehen
muß, werden R.'s weitere Arbeiten und das Echo der Forschung darauf zeigen. Jedenfalls,
im Maße als der Nachweis gelingt, daß die Konzilsakten von 649 nur ‚literarisches Produkt'
sind, fallen sie für uns als Textbasis aus, gehen wir doch in den ersten vier Abschnitten
dieses Kapitels methodisch von authentischen und nicht von fingierten Konzilsakten aus.
[157] Gesta Lat., Mansi, X, 870 D: *Martinus sanctissimus et beatissimus episcopus sanctae Dei
ecclesiae catholicae atque apostolicae urbis Romae, praesidens sancto concilio dixit.*
[158] *Episcopus* ist hier mit πάπας übersetzt, ebd. vgl. auch 883 B und 886 C.
[159] Griechisch: ἀποστολικὸς οἰκουμενικὸς ἀρχιερεῦς, 883/4 C.

Beginn der zweiten Sitzung kommt eine Eingabe *(libellus)* des persönlich anwesenden griechischen Bischofs *Stephan von Dor* (prima Palaestina) zur Verlesung. Dieser Stephan[160], gewissermaßen der „theologische Testamentsvollstrecker" des Patriarchen Sophronius von Jerusalem, gehört zur Abordnung der 37 griechischen Äbte und Mönche, in denen Caspar die „wichtigsten und tätigsten Personen hinter den Kulissen der Synode" sieht[161]. Er begründet sein wiederholtes Vorstelligwerden beim Apostolischen Stuhl in Sachen Monotheletismus mit dessen Oberhirtensorge für die ganze Kirche: „. . . dies alles melden wir dem Sitz, der alle andern überragt, ich meine Eurem höchsten und ersten, damit die aufgetretene Wunde geheilt werde. Denn er (dieser Sitz) pflegt dies vollmächtig von den ältesten Zeiten an aufgrund apostolischer bzw. kanonischer Autorität zuwege zu bringen. Petrus nämlich wurden in aller Deutlichkeit nicht nur die Schlüssel des Himmelreiches anvertraut, er, der wahrhaft große, der Apostelfürst, wurde nicht nur gewürdigt, das Himmelreich den Glaubenden verdientermaßen zu öffnen und denen, die dem Evangelium der Gnade nicht glauben, zu Recht zu schließen, nein, er wurde auch geheißen, als der Herr sagte: ‚Petrus, liebst du mich? Weide meine Schafe (Joh 21, 16)', als oberster Hirte die Schafe der katholischen[162] Kirche zu weiden. Weil sein Glaube an den Herrn unseren Gott fest und unerschütterlich ist wie der keines anderen Menschen, wurde er wiederum in ganz besonderer und persönlicher Weise gewürdigt, seine verwirrten Gefährten und geistlichen Brüder zu bekehren und zu stärken. Denn er empfing über sie alle vorsorglich von dem, der unsertwegen Gott im Fleisch wurde, Gewalt und priesterliche Autorität[163]."

---

[160] Näheres über ihn vgl. DCB IV 740—741.

[161] CASPAR, Lateransynode 116. — „Diese griechischen Mönche sind nicht bloß Übersetzer der Protokolle gewesen, sie haben wahrscheinlich das große patristische Material, das auf der Synode vorgelegt wurde, zusammengestellt und vorbereitet, und sind endlich die eigentlichen Redaktoren des dogmatischen Ergebnisses in den griechischen Kanones gewesen." Ebd. 118—119.

[162] Griechisch: der ganzen.

[163] Steph. D., lib., MANSI, X, 894 C—D: . . . *annunciemus haec omnia omnium propositae sedi, dico autem summae vestrae et principali, ad medicinale consultum emersi vulneris (?) : quippe quoniam hoc potestative olim et ab antiquitus facere per apostolicam sive canonicam consuevit auctoritatem, dum aperta lucubratione non solum claves regni caelorum creditae sunt ei, atque ipse tantummodo ad aperiendum eas fidelibus quidem digne, minime autem evangelio gratiae credentibus iuste (?) claudere magnus secundum veritatem, et princeps apostolorum meruit Petrus: sed etiam et pascere primus iussus est oves catholicae ecclesiae, cum dominus dicit: Petre, amas me? pasce oves meas: Et iterum ipse praecipue ac specialiter firmam prae omnibus habens, in dominum deum nostrum et immutabilem fidem, convertere aliquando et confirmare exagitatos consortes suos et spiritales meruit fratres, utpote dispensative super omnes ab ipso qui propter nos incarnatus est Deus, potestatem accipiens et sacerdotalem auctoritatem.*"

In Anbetracht dieser Obsorge für die ganze Kirche habe ihn Sophronius einst nach Rom entsandt, um diesen Stuhl über die Neuerung des Monotheletismus zu informieren[164]. Er habe ihn feierlich an der Stelle, da Christus für das Heil der Welt gestorben ist, auf dem Kalvarienberg, beschworen: „Wandere in aller Eile vom einen Ende der Erde zum anderen, bis du zum Apostolischen Stuhl gelangst, wo die Fundamente der orthodoxen Dogmen ruhen[165], und lege den dortigen heiligen Männern alles der Wahrheit gemäß dar, nicht nur einmal oder zweimal, sondern viel öfter, was hier bei uns vorgeht. Und laß dir keine Ruhe, sie immer eindringlicher aufzufordern und zu bitten, bis sie aus apostolischer gottgeschenkter Weisheit (θεοσοφία) ein siegreiches Urteil fällen und die neu eingeführten Dogmen den Kanones gemäß vernichten. . .“[166]

In dem anschließend zur Verlesung kommenden *libellus* der obengenannten griechischen Mönche wird der Römische Stuhl *apostolica summa* bzw. *principalis sedes* genannt[167]. „Aller Herzen“, heißt es wenig weiter, „hängen nächst Gott an Euch, weil sie wissen, daß Ihr von Christus unserem Gott zur höchsten Spitze der Kirchen bestimmt seid“[168].

Zu den Anklägern gegen den Monotheletismus gehört auch *Sergius von Cypern*. Dessen *suggestio* vom 29. Mai 643 an den Papst Theodor wird anschließend der Synode vorgelegt. Sie beginnt so: „Dem sehr heiligen und glückseligen, gottgeehrten Vater der Väter, dem Erzbischof und universalen Papst, dem Herrn Theodor wünscht Heil im Herrn der demütige Sergius. Christus unser Gott hat, o heiliges Haupt, Euren Apostolischen Stuhl zum von Gott gefestigten und unerschütterlichen Fundament und helleuchtenden Monument[169] des Glaubens gemacht. Du bist nämlich, wie das göttliche Wort wahrhaft verkündigt, Petrus, und auf Deinem Fundament sind die Säulen der Kirche gegründet: Dir hat er auch die Schlüssel des Himmels anvertraut und festgesetzt, vollmächtig *(potestative)* zu binden und zu lösen, was im Himmel und auf Erden ist. Du bist da zur Vernichtung unheiliger Häresien (in Deiner Eigenschaft) als Haupt *(princeps)* und Lehrer des orthodoxen und unversehrten Glaubens“[170]. Im folgenden beruft sich Sergius auf

---

[164] Freilich vergeblich! Bei seinem ersten Besuch i. J. 633 regierte dort Honorius!
[165] *Apostolica sedes, ubi orthodoxorum dogmatum fundamenta existunt.* MANSI, X, 895 C.
[166] Ebd. 895 C.
[167] Ebd. 906 B, 906 CD.
[168] Mon., lib., MANSI, X, 907 A: . . . *omnium corda post deum in vos pendent, summum ecclesiarum scientes vos caput a Christo Deo nostro praepositum.*
[169] Griechisch: στηλογραφία. — Hierzu CASPAR, Lateransynode 82.
[170] Sergius, sug., MANSI, X, 914 B—C.

den Tomus Leonis, dessen Lehre *operatur utraque natura cum alterius communione* in Gefahr sei[171].

Als letzte Aktenstücke gegen die Monophysiten wurden vor der päpstlichen Schlußrede die Appelle der drei afrikanischen Provinzialsynoden von Numidia, Byzacium und Mauretanien und ein Schreiben Victors von Karthago verlesen. Der Anfang dieser *suggestio* lautet: „Dem sehr glückseligen auf apostolischem Gipfel erhabenen Herrn, dem Papst Theodor, dem höchsten Pontifex aller Vorsteher Columbus . . . Stephan . . . Reparatus . . . Niemand kann wohl leugnen, daß beim Apostolischen Stuhl sich die große, unversiegbare und für alle Christen hervorströmende Quelle befindet, aus der überfließend die Rinnsale sich bilden, die die gesamte christliche Welt aufs freigiebigste bewässern. Diesem (Apostolischen Stuhl) erkannten die Dekrete der Väter zur Ehre des allerseligsten Petrus eine ganz besondere Ehrfurcht zu bei der Erforschung der Angelegenheiten Gottes. Dieselben sollen ganz allgemein sorgfältig geprüft werden, am meisten aber und zu Recht vom apostolischen Gipfel der Bischöfe selber, dessen Sorge es von alters her obliegt, das Schlechte zu verurteilen und das Löbliche zu billigen. Durch alte Gesetze ist nämlich festgelegt, daß, was immer in noch so abgelegenen oder fernen Provinzen geschieht, nicht eher entschieden oder angenommen werden darf, als bis es zur Kenntnis Eures hohen Stuhles gebracht worden ist. Durch seine Autorität soll das Urteil, das gerecht gefällt worden war, bestätigt werden. Quelle und Ausgang der Verkündigung soll für die übrigen Kirchen dieser Stuhl sein. In den verschiedenen Gegenden der ganzen Welt sollen so die Heilssakramente des Glaubens in unverdorbener Reinheit erhalten bleiben[172].“

---

[171] Sergius, sug., MANSI, X, 914 E.

[172] Columb. etc., sug., MANSI, X, 919 A—C: *Magnum et indeficientem omnibus Christianis fluenta redundantem, apud apostolicam sedem consistere fontem nullus ambigere possit, de quo rivuli prodeunt affluenter, universum largissime irrigantes orbem Christianorum, cui etiam in honore beatissimi Petri patrum decreta peculiarem omnem decrevere reverentiam in requirendis Dei rebus, quae omnino et sollicite debent, maxime vero utique ab ipso praesulum examinari vertice apostolico, cuius vetusta sollicitudo est tam mala damnare quam probare laudanda. Antiquis enim regulis sancitum est, ut quidquid quamvis in remotis vel in longinquo positis ageretur provinciis, non prius tractandum vel accipiendum sit, nisi ad notitiam almae sedis vestrae fuisset deductum, ut huius auctoritate, iusta (Var.: iuxta) quae fuisset, pronuntiatio firmaretur, indeque sumerent ceterae ecclesiae velut de natali suo fonte praedicationis exordium, et per diversas totius mundi regiones puritatis incorruptae maneant fidei sacramenta salutis. —* Das Bild von der Quelle und den vielen Bächlein des Glaubens wird von Cyprian, de unitate 5, auf den transzendenten Ursprung der Kirche angewandt, von Innocenz I (ep. 181, 1 der Augustinusbriefe) jedoch auf die römische Kirche bezogen; vgl. dazu CASPAR, Papsttum, I, 333 f. — Zur geschichtlichen Einordnung des vorliegenden Passus vgl. MARSCHALL 216—217. Vgl. auch HALLER, I, 321—322 zu diesen Zeugnissen zugunsten des römischen Primats: „Sie alle konnten sich nicht genug tun, den Römischen

Eine gewisse Dissonanz in diesem einstimmigen Chor von Stimmen zugunsten des römischen Primats bringt der Brief des *Victor von Karthago* vom 16. Juli 646 an den „allerseligsten, ehrwürdigen, heiligen Herrn Bruder (!) Papst Theodor". Das überschwengliche Lob des Römischen Stuhles[173] enthält bei Licht besehen nichts anderes als die Anerkennung Roms als eines leuchtenden moralischen Vorbildes, das Zitat der berühmten Cyprianstelle[174] dürfte sogar eine diskrete Ablehnung eines Jurisdiktionsprimats andeuten. Martin selber jedenfalls läßt die zweideutigen Aussagen Victors nicht im Raume — nicht in der Konzilsaula — stehen. Er „interpretiert" Victors Verzicht auf die Exkommunikation des Paulus von Antiochien in grotesker Weise als dessen Anerkennung des römischen Jurisdiktionsprimats: Victor habe dem Papst nicht zuvorkommen wollen[175].

Die Zeugnisse für den päpstlichen Primat befinden sich im wesentlichen in den auf der zweiten Sitzung zur Verlesung kommenden Dokumenten. Aber auch in den Reden der anderen Sitzungen gibt es bisweilen Anspielungen auf die Rolle des Papstes. Eine originelle Idee hat in diesem Sinne *Maximus von Aquileia* am Ende der vierten Sitzung. Für ihn ist Martin ein neuer Daniel, der die Priester Cyrus, Sergius, Pyrrhus und Paulus ihrer Falschheit überführt. In diesem Bild des Patriarchen von Aquileia kommt das Selbstverständnis der Synode unter dem Papst geradezu perfekt zum Ausdruck. Es ist allein das Petrusamt, das den Sieg über den Irrtum erringt. Dem Konzil bleibt nur, darum zu beten und dafür zu danken![176]

Stuhl und seinen Inhaber als den von Gott gesetzten Grundstein des Glaubens, die Säule der Kirche, den Träger der Himmelsschlüssel und Quelle der Lehre für alle andern zu preisen. Die Afrikaner behaupteten sogar, in kühnem Widerspruch zu ihrer eigenen Vergangenheit, auch in fernen Ländern dürfe nach alten Vorschriften nichts verhandelt noch beschlossen werden, was nicht dem Apostolischen Stuhl bekanntgemacht und von ihm bekräftigt sei, so daß ‚von dort die Predigt der übrigen Kirchen wie von ihrem Ursprungsquell ihren Anfang nehme'. Es war ein förmlicher Wettlauf, wer die Vorrechte Roms höher zu erheben vermöchte."

[173] Victor, Ep., Mansi, X, 943 E—946 B.
[174] *Pari honoris et potestatis consortio praediti*, de unitate 4.
[175] Gesta Lat., Mansi, X, 950 D—E.
[176] Max. Aquil., Gesta. Lat., Mansi, X, 1055 D—1058 A: *Ideoque cum beata et nos ad dominum exclamemus Susanna contra iniquos sacerdotes in defensione memoratorum sanctorum conciliorum dicentes: aeterne deus, occultorum cognitor, qui nosti omnia antequam fiant: tu nosti quoniam false calumniantur vos Cyrus, Sergius, Pyrrhus et Paulus. Propterea erexit Deus spiritum sanctum viri zelo zelantis pro domino, cuius venerabile nomen Martinus, quique sancte nos convocavit, et apostolica auctoritate praesidet nobis atque exclamavit voce magna: mundus sum ego a dogmate huius novitatis. Revertamur igitur omnes ad audientiam* (Gericht), *atque illorum examinemus sermones. False namque hi per eandem novitatem testimonium contra sanctas synodos perhibere praesumpserunt. Sola igitur providentia, ut decernitis, divisit eos ab invicem, uniuscuiusque personae distinguens conscripta, et approbavit eos ex*

Auf zwei weitere Charakteristika des vorliegenden Konzils sei hingewiesen. Zunächst verdient die Einleitungsformel des Protokolls Beachtung[177]. Der entscheidende Punkt wird gleich zu Beginn genannt:
der Papst ist der Vorsitzende des Konzils. Es ist sicher kein Zufall, daß
das Protokoll diesen Umstand festhält. Er ist wesentlich für diesen
Konzilstyp. Auch die im vorausgegangenen analysierten Konzile waren
Konzile *eines* Mannes, aber sie waren nicht Konzile *eines Amtes*. In
Arabien, Karthago, Aquileia dominierte jeweils ein Mann, er hatte
de facto oder de jure auch die Leitung des Konzils. Hier dagegen domi-
niert ein Amt, das Petrusamt. Dieser fundamentale Unterschied wird
an erster Stelle der Einleitungsformel des Protokolls festgehalten. Vom
Inhaber dieses Amtes werden die übrigen „ehrwürdigen Männer"[178]
hinzugezogen. In der Wendung *propositis sacrosanctis et venerabilibus evangeliis* kommt sodann das offizielle Selbstverständnis des Konzils zum
Ausdruck. Das Konzil versteht sich wie alle Konzilien, wie schon das
Konzil des Origenes, als „amtliche" Schriftauslegung. Anlaß ist die
Falschauslegung der Häretiker. Für sie ist das Konzil Gericht. Im *pariter
cum eo audientibus*[179] erklärt sich das Konzil zur Gerichtsinstanz. Auffallend schließlich, was in dieser Einleitungsformel nicht genannt wird:
die Anwesenheit von Priestern, die Gegenwart des Volkes.

Wenden wir uns nun dem Abschluß des Konzils zu, so stellen wir eine
weitere erstaunliche Eigenart des vorliegenden Protokolls fest: Auf die
abschließende Rede des Papstes, der lediglich eine Ansprache des Maximus von Aquileia und eine Deusdedits von Sardinien vorausgegangen
war[180], folgt zwar ein kurzer Abschnitt unter der Rubrik *sancta synodus
dixit*[181], aber keine *sententiae* der 105 versammelten Bischöfe! Da von
einer Unvollständigkeit der überlieferten Akten nichts bekannt ist, ist
also anzunehmen, daß auf diesem päpstlichen Konzil keine Umfrage vor
dem abschließenden Urteil und den Kanones stattgefunden hat.

---

*ore illorum non solum propria perimentes, sed et accusatores sanctorum quinque conciliorum ostendit utpote
nullis eorum, quibus impie dogmatizare noscuntur, ab eisdem sanctis synodis promulgatis. Propterea
universa consonanter sancta synodus benedicimus deum, qui salvat sperantes in se: quoniam fecit eis iuxta
quod maligne gesserunt contra catholicam eius ecclesiam, per manus famuli sui, hoc est dicere, per datam
sibi a Spiritu Sancto regularem auctoritatem et potestatem.*
[177] Gesta Lat., Mansi, X, 863 D—866 A: *Praesidente sancto ac beatissimo Martino papa sanctae
sedis apostolicae urbis Romae, propositis sacrosanctis et venerabilibus evangeliis in ecclesia domini Dei
et salvatoris nostri Jesu Christi, quae vocatur Constantiniana, residentibus etiam viris venerabilibus,
pariterque cum eo audientibus.*
[178] Griechisch: Priester.
[179] Griechisch: συναχροάομαι = join in hearing a case.
[180] Mansi, X, 1143 D—1150 A.
[181] Mansi, X, 1150 A—1151 A.

Auf eine letzte Eigenart vorliegender Konzilsakten sei noch kurz hin-
gewiesen. Wir meinen den extremen Formalismus der Prozedur. Die
Häretiker werden in absentia verurteilt. Von ihnen her ist also keine
Störung des vorgeplanten Ablaufs des Konzils zu befürchten. Die
Synode selbst geht nach einer strengen Regie über die Bühne. Kein
Zwischenfall, kein Mißklang wird laut. Von der ersten bis zur letzten
Sitzung hat der Papst das Konzil fest in der Hand. Es läuft ab nach
einem Schema, dessen Formalismus kaum zu überbieten ist.

Inspiriert wohl von der römischen Prozeßordnung und der längst zur
Gewohnheit gewordenen Prozedur kirchlicher Konzilien kommen zunächst die Ankläger zu Wort: der Papst selbst, Stephan von Dor, die
afrikanischen Bischöfe usw.[182]: Sitzung I und II. Darauf folgt das „Verhör" der Angeklagten. Es besteht in der Vorlage ihrer Schriften[183]:
Sitzung III und Anfang von IV[184]. Dieselben werden anschließend
mit dem Zeugnis der Tradition, d. h. den rechtgläubigen Konzilien
und Vätern, konfrontiert[185]: zweite Hälfte der vierten und Beginn der
fünften Sitzung[186]. Es folgt die Gegenprobe, d. h. die Konfrontation
der am Zeugnis der rechtgläubigen Tradition als häretisch erwiesenen
Lehre mit den verurteilten Lehren der Vergangenheit: zweiter Teil
der fünften Sitzung[187]. Zunächst werden die Zeugnisse vorgelegt[188],
dann kommt eine systematische Gegenüberstellung der alten und neuen
Häresie durch Papst Martin selber[189].

Wie ist dieser in kurzen Zügen angedeutete Formalismus zu erklären?
Ist er wirklich spezifisch römische Tradition? Hängt er gar ursächlich
mit der zentralen Rolle des Papstes zusammen? Oder hat der augenfällige Formalismus dieses Konzils seinen Grund in byzantinischem

---

[182] Vgl. die Regieanweisung: *Studuit (synodus) competenter non antea per scripta eorum qui
accusati sunt, causam illorum discutere, donec per quaerulantium institutiones respexerit hanc* ...
MANSI, X, 890 E; vgl. auch 890 A.

[183] Vgl. die Regieanweisung: *Sed iam tempus exigit, ut uniuscuiusque personae accusatae in medio
producantur* ... MANSI, X, 954 D.

[184] Diese Vorlage geht bis MANSI, X, 1038 A.

[185] Vgl. die Regieanweisung: *Nunc ad ordinem, sicut decrevimus, paternis ac synodalibus verbis, sive
definitionibus, contrariorum falsiloquium devincamus.* MANSI, X, 1038 B. Vgl. schon vorher:
atque examinentur canonica conscripta, quatenus incongruitatem eius (d. h. der Häretiker) *et
inconsonantiam, quam cum patrum et synodorum confessione habere dignoscitur, ordinabiliter intendamus.*
Ebd. 954 D.

[186] Dieser Abschnitt geht bis MANSI, X, 1107 B.

[187] Vgl. die Regieanweisung: *Consequens est, ut sicuti per sanctos patres discrepantiam ab eis sensum
contrariorum approbavimus, ita et per haereticos consonantiam praedictorum temeratorum, quam
habent cum illis, ostendemus.* MANSI, X, 1111 D.

[188] MANSI, X, 1114 C—1123 A.

[189] *Haeretici dixerunt ... et quidem auctores novitatis dixerunt* ... Ebd. 1126 E—1127 D.

Einfluß auf das Konzil? Nach Caspar stand die „Lateransynode vom
Jahre 649 ... theologisch völlig unter griechischer Führung ... Sie
trägt die Merkmale der ‚byzantinischen' Periode des Papsttums in besonders markanter Weise an sich"[190]. Die Konzilsakten typisch byzan-
tinischer Synoden wie Nicaea II sind tatsächlich von ähnlichem Formalismus der Prozedur gekennzeichnet.

5. Versammlung der ‚Landes'kirche

In den Ausgang der patristischen Periode fällt ein Konzilstyp, den die
Handbücher der Geschichte des Kirchenrechts als „Nationalkonzil"
bezeichnen[191]. Die Völkerwanderung mit der Gründung der germanischen Staaten auf dem Territorium des Römischen Reiches ist nicht ohne
Folgen für die kirchliche Organisation geblieben. Die Bischöfe der neugegründeten Staaten kommen zusammen, um die kirchlichen Verhältnisse dieser politischen Gemeinwesen zu ordnen. Die ältesten Konzilien
dieses Typs kommen im Frankenreiche vor. E. Loening hat die charakteristischen Züge dieser fränkischen Nationalkonzilien dargestellt[192].
Ihre Abhaltung entsprach der Politik der merowingischen Könige,
der fränkischen Kirche eine größere Selbständigkeit und Zusammenhalt
zu geben. Einberufen wurden diese Nationalkonzilien nicht von Metropoliten oder Legaten des Römischen Stuhles, sondern vom König.
Teilnahmeberechtigt waren die Bischöfe des gesamten Frankenreiches;
eine Teilnahmepflicht dürfte nicht bestanden haben. Laien scheinen
hier im Gegensatz zu den westgotischen Nationalkonzilien in Spanien
im Normalfall nicht teilgenommen zu haben. Erst in späterer Zeit war
der König selbst bei der Verhandlung zugegen. Nicht verwechselt werden dürfen diese kirchlichen Nationalkonzilien mit den königlichen
Reichsversammlungen, an denen natürlich auch Bischöfe in größerer
Zahl teilnahmen[193].
Einen etwas anderen Charakter als die fränkischen haben die seit der
Mitte des 6. Jahrhunderts im spanischen Westgotenreich abgehaltenen
Nationalkonzilien. Nach Hinschius „absorbiert hier das kirchliche Konzil

---

[190] CASPAR, Lateransynode 120.
[191] Vgl. E. LOENING, Geschichte des deutschen Kirchenrechts, II: Das Kirchenrecht im
Reiche der Merowinger, Straßburg 1878, 129; HINSCHIUS, III, 539.
[192] LOENING, II, 129—156.
[193] Über weitere Einzelheiten, so den Vorsitz, den Wirkungskreis, die Gültigkeit der Beschlüsse, die Frage der königlichen Genehmigung vgl. LOENING, II, 143 ff.

die Reichsversammlung und übt deren Funktion aus, ohne daß die bloß formalen Rechte des Königs und die Teilnahme der wenigen Laien an den Konzilien den Charakter derselben als kirchlicher und von kirchlichen Interessen beherrschter Versammlungen zu ändern vermögen"[194].

An sich wäre unsere Methode, jeweils den ältesten auf uns gekommenen Text des betreffenden Konzilstyps zu analysieren, auch im vorliegenden Fall anwendbar. Statt dessen nehmen wir jedoch einen leichten Bruch in der Methode in Kauf und untersuchen nicht das älteste oder das ,typischste' der zahlreichen auf uns gekommenen Konzilsprotokolle dieser Periode, sondern den *ordo de celebrando concilio*, einen Text also, der gewissermaßen die schematische Zusammenfassung dieser Nationalkonzilien darstellt. Dieses Rituale oder Reglement zur Abhaltung von Konzilien, dessen geschichtliche Nachwirkung übrigens kaum überschätzt werden kann[195], kommt in den Handschriften in zwei Hauptformen vor, einer längeren, wohl ursprünglichen (OCV), und einer kürzeren (OCF)[196]. OCV war für die Reglementierung von National-

---

[194] HINSCHIUS, III, 543, weit. Einzelh. ebd. 543—546. Zum Verhältnis Staat/Kirche im Westgotenreich allgemein vgl. VOIGT 144—169, zu den Nationalsynoden insbesondere ebd. 138—143, ferner J. ORLANDIS, Iglesia, concilios y epicopado en al doctrina conciliar visigoda, in: El colegio episcopal, I, Madrid 1964, 305—331, bes. 314—329 (= La iglesia en la España visigotica y medieval, Pamplona 1976, 153—181), zum heutigen Forschungsstand vgl. H. H. ANTON, Der König und die Reichskonzilien im westgotischen Spanien, in: HJ 92 (1972) 257—281 und T. GONZALES, La politica en los Concilios de Toledo, in: Studium, Rev. de fil. y teol. 17 (1977) 3—69.

[195] PLS 4, 1865—1876. — „. . . *l'ordo* fut destiné à une longue fortune. Ses éléments essentiels ont été repris par tous les Ordines composés pour les conciles provinciaux, nationaux ou généraux; ils ont passé au Pontifical et le Vat. II, dans sa première session télévisée, suivait les règles fixées déjà par les Pères du concile de Tolède, en 633." C. MUNIER, L',,ordo de celebrando concilio" wisigothique, in: RevSR 37 (1963) 250—271, hier 250—251. Text des ,ordo Romanus qualiter concilium agatur generale' des Pontificale Romano-Germanicum (10. Jh.) vgl. StT 226 (Rom 1963) 269—274. — Vgl. auch F. MAASSEN, Geschichte der Quellen und der Literatur des canonischen Rechts . . ., Graz 1870, nr. 530, S. 404—405.

[196] Zum *ordo* vgl. ferner P. HINSCHIUS, Decretales Pseudo-Isidorianae et Capitula Angilramni, Leipzig 1863, LXXVIII—LXXIX, über seinen Einfluß auf die fränkischen Synoden des 9. und 10. Jahrhunderts vgl. P. SÉJOURNÉ, Le dernier père de l'Eglise. Saint Isidore de Séville. Son rôle dans l'histoire du droit canonique, Paris 1929, 133—137, 396—397, vor allem aber BARION, Synodalrecht 57—58: „Schon die gallischen und merowingischen Synoden wiesen gewisse Ansätze zu einem Zeremoniell auf, das eben unentbehrlich war. Festzustellen, wie weit es schon ausgebildet war, erlauben die Quellen nicht, doch kam es zur Aufstellung einer eigentlichen Ordnung für die Abhaltung der Synoden erst unter spanischem Einfluß. Maßgebend wurde für die Bischofsversammlungen die Kodifizierung des Zeremoniells durch die Synode von Toledo 633. Die mannigfachen Änderungen, denen der von diesem Konzil aufgestellte Ordo unterworfen wurde, sind ein Zeichen seines regen Gebrauches . . . Im Frankenreich fand er Verbreitung durch die Hispana-Gallica, deren älteste bekannte Handschrift aus dem Besitz des Bischofs Rachio von Straßburg stammt (787), und wurde von Pseudo-Isidorus seiner Fälschung vorangestellt."

konzilien, OCF nur für Provinzialkonzilien bestimmt. C. Munier hat die beiden Textformen sorgsam verglichen und zu datieren und lokalisieren versucht. Der Grundbestand von OCV dürfte zwischen 675 und 681 verfaßt worden sein[197]. Als Verfasser einzelner Teile des *ordo* kommt vielleicht Julian von Toledo in Frage; dessen Freund, der Archidiakon Gudila, könnte die verschiedenen Dokumente und Teile zu einer Synthese, eben dem *ordo de celebrando concilio*, zusammengestellt haben. Eine Hypothese über Ort und Entstehung der zweiten Hauptfassung (OCF) ist noch schwieriger. Munier fragt sich, ob man den Verfasser in der Umgebung des Mainzer Bischofs Bonifatius etwa um 740 zu suchen habe. OCF ist jedenfalls vor 780 verfaßt, da der *Codex Rachionis* den *ordo* schon enthält.

Wenden wir uns nun dem Text selber zu, und zwar in der Form OCV, die als Rituale westgotischer Nationalkonzilien verwendet wurde. Der einleitende Abschnitt regelt die Konstituierung bzw. die Eröffnung des Konzils. Das Konzil fängt in der ersten Stunde des Tages vor Sonnenaufgang an. Die Kirche hat völlig leer zu sein, die Türen sind verschlossen und von Ostiariern bewacht. Zunächst ziehen die Bischöfe ein und nehmen nach ihrer Anciennität Platz. Erst nachdem die Bischöfe sich niedergesetzt haben, dürfen auch diejenigen Priester eintreten, deren Teilnahme am Konzil angezeigt erscheint[198]. Erst danach haben die Diakone Zutritt zur Konzilsaula. Die Priester sitzen in einem Kreis hinter den Bischöfen[199], die Diakone stehen den Bischöfen gegenüber[200]. Nach vollendeter Versammlung des Klerus „sollen auch die Laien hereinkommen, die aufgrund einer Wahl (?) am Konzil teilnehmen dürfen"[201]. Die Türen sollen sodann geschlossen werden, nachdem auch die nötigen *notarii* zum Verlesen und Stenographieren da sind.

Es folgt die Eröffnungsliturgie. Sie beginnt mit Schweigen und stillem Gebet. Auf den Ruf des Diakons *orate* werfen sich die Versammelten[202] zu Boden und beten eine Zeitlang in Stille. Dann spricht einer der älteren Bischöfe das großartige Gebet *Adsumus Domine*[203]. Für den Fall,

---

[197] Er enthält verschiedene Elemente des dritten bis elften Konzils von Toledo, vor allem Kanon 4 des vierten Konzils von Toledo (633). Das Konzil von Saragossa 691 und das 12. bis 17. Konzil von Toledo werden nach der Ordnung von OCV abgehalten.

[198] ordo 1, PLS 4, 1865: *Quos causa probaverit introire.*

[199] Ebd.: *Et corona facta de sedibus episcoporum, presbyteri a tergo eorum resideant.*

[200] ordo 3, PLS 4, 1867: *Diaconi autem in conspectu episcoporum stent.*

[201] Ebd.: *Deinde ingrediantur et laici qui electione concilio interesse meruerunt.*

[202] Oder: die Priester und Bischöfe.

[203] ordo 4, PLS 4, 1867: *Adsumus Domine Sancte Spiritus, adsumus peccati quidem humanitate detenti, sed in Nomine tuo specialiter aggregati. Veni ad nos, adesto nobis, dignare illabi cordibus nostris. Doce nos quid agamus, quo gradiamur ostende, quid efficere debeamus operare. Esto solus et*

daß mehrere Metropoliten versammelt sind, stellt der *ordo* noch vier andere Orationen zur Verfügung[204]. Nach dem gemeinsamen *Amen* ruft der Archidiakon *erigite*. Alle stehen auf, und die Bischöfe und Priester setzen sich stillschweigend. Es folgen die Verlesung der *capitula de conciliis*[205] und eine Ansprache des Metropoliten, deren Wortlaut festliegt[206]. Die Eröffnungsliturgie schließt mit einem Akt, der die auffallendste Besonderheit dieses Konzilstyps darstellt: Der König zieht mit seinen Würdenträgern in die Konzilsaula ein, schreitet zum Chor der Kirche, wendet sich zum Altar, spricht ein Gebet und wirft sich zu Boden. Darauf empfiehlt er sich dem Gebet der Priester und fordert in einer Ansprache die Versammelten zu gerechtem Vorgehen auf. Darauf folgen wiederum eine *prostratio* der Priester und Gebet und Segen für den König[207]. Nach dem Segen spricht der Diakon *In nomine Domini Nostri Jesu Christi ite in pace.* Sofort verläßt der *princeps* die Konzilsversammlung[208]. Aus den Akten der Konzilien von Toledo geht hervor,

---

suggestor et effector iudiciorum nostrorum, qui solus cum Deo Patre et Filio nomen possides gloriosum. Non nos patiaris perturbatores esse iustitiae, qui summe diligis aequitatem, ut in sinistrum nos ignorantia trahat, non favor inflectat, non acceptio muneris vel personae corrumpat, sed iunge nos Tibi efficaciter, solius Tuae gratiae dono, ut simus in Te unum et in nullo deviemus a vero, qualiter in Nomine Tuo collecti, sic in cunctis teneamus cum moderatione pietatis iustitiam, ut hic a Te in nullo dissentiat sententia nostra et in futuro pro bene gestis consequamur praemia sempiterna (Amen). — Vgl. hierzu L. BROU, Problèmes liturgiques chez saint Isidore, in: Isidoriana, Leon 1961, 193—209, hier 207—209; ferner T. F. TAYLER, Adsumus, Domine, Adsumus. From Toledo IV to Vatican II, in: TU 93 (1966) 286—290.

[204] Eine davon greift den Gedanken der Gegenwart Christi nach Mt 18, 20 auf: *Jesu Domine qui sacro verbi tui oraculo promisisti ut,* Ubi duo vel tres in Nomine Tuo fuerint aggregati, medius dignareris adesse, *adesto coetui nostro propitius et cor nostrum perlustra misericors ut ita rectum iustitiae tramitem teneamus, ne a bono misericordiae aliquatenus aberremus.* ordo 6, PLS 4, 1867.

[205] ordo 7, PLS 4, 1869.

[206] Darin heißt es u. a.: *Quod si forsitan aliquis vestrum aliter quam dicta fuerint senserit, sine aliquo scrupulo commotionis in nostrum omnium collatione ea ipsa de quibus dubitaverit conferenda deducat, qualiter Deo mediante aut doceri possit aut doceat. Deinde simili vos obtestatione coniuro ut nullus vestrum in iudicando aut personam excipiat aut quolibet favore vel munere pulsatus a veritate discedat, sed cum tanta pietate quidquid coetui nostro se iudicandum intulerit, ut nec discordans contentio ad subversionem iustitiae inter nos locum inveniat, nec item in perquirenda aequitate vigor nostri ordinis vel sollicitudo tepescat.* ordo 10, PLS 4, 1869.

[207] ordo 11, PLS 4, 1869—1871: *Rex Deus quo regum regitur regnum, quo gubernante sublime, quo deserente fit fragile, famulo tuo N. moderator assiste. Da ei Domine, fidei rectitudinem firmam et legis tuae custodiam indefessam; ita morum honestate praepolleat ut tuae maiestati complaceat; ita nunc praesit populis ut coronetur post transitum cum electis. Pater noster. Benedictio: Benedicat tibi, serenissime facere, virtutum Dominus et omnipotens Deus. Amen. Inspiret tibi facere misericordiam et temperare iustitiam. Amen. Qui tibi tribuit regnum. Ipse cor tuum conservet illaesum a mobilitate omnium populorum. Amen. Et qui conventum nostrum pro Domino veneraris, cum tuis omnibus post longa saecula coroneris. Amen. Per Dominum nostrum Jesum Christum qui cum Patre et Spiritu Sancto unus Deus gloriatur in saecula saeculorum.*

[208] ordo 11, PLS 4, 1871.

daß der König tatsächlich auf dem 3., 8., 12. bis 17. (außer dem 14.) Konzil
aufgetreten ist und dabei einen *tomus* mit Vorschlägen überreicht hat. Darin befanden sich neben Fragen der Kirchenzucht auch Angelegenheiten
des Staates[209].
Sofort nach dem Auszug des Königs beginnt das eigentliche Pensum
der drei ersten Konzilstage: die Beschäftigung mit der *doctrina*, die
spiritualis instructio[210]. Der Archidiakon liest hierzu bestimmte, vom
ordo vorgesehene Texte vor, u. a. das ‚Konzil von Ephesus'[211] und
den *Tomus ad Flavianum* nebst Brief 27 Leos des Großen. Für den
Sitzungsbeginn des zweiten und dritten Tages ist je eine *oratio* vom
ordo vorgesehen[212]. Die Reservierung der ersten drei Tage für die
Glaubensunterweisung auch der Priester, Diakone und der zu dieser
instructio spiritualis eigens zugelassenen Religiosen[213] wird mit großem
Nachdruck eingeschärft[214]. Alle drei der Lehre gewidmeten Tage beginnen mit einer *prostratio* der Bischöfe bzw. Priester und einer *oratio*
des Metropoliten. Erst vom vierten Tage an befaßt sich das Konzil mit
den *causarum negotia*, d. h. der Behandlung der verschiedenen Fragen der
Kirchenordnung und -zucht. Dabei sitzen die Bischöfe, die übrigen
stehen. Ohne Tumult soll es dabei zugehen. Der Einzug in die Konzilsaula geschieht an jedem Tag in der oben angegebenen Reihenfolge[215].
Geregelt ist auch die Art und Weise, wie Nichtkonzilsteilnehmer ihre
Angelegenheiten dem Konzil unterbreiten können. Nicht zum Konzil
zugelassene Priester und Diakone oder Laien, die „in welcher Sache auch

---

[209] MUNIER 260.

[210] ordo 14, PLS 4, 1872.

[211] Gemeint ist damit wahrscheinlich die Marius Mercator zugeschriebene Übersetzung des
Konzils von Alexandrien unter Cyrill (430); vgl. MUNIER 258.

[212] ordo 13, PLS 4, 1871: *Nostrorum Tibi Domine curvantes genua cordium, quaesumus ut bonum
quod nobis a Te requiritur exsequamur, scilicet ut prompta Tecum sollicitudine gradientes discretionis
arduae subtile iudicium faciamus ac misericordiam diligentes clareamus studiis Tibi placitae actionis. —
A Te domine interni clamoris vocibus proclamantes unanimiter postulamus ut, respectu Tuae gratiae
solidati, praecones virtutis efficiamur intrepidi tuumque valeamus verbum cum omni fiducia loqui.*

[213] ordo 12, PLS 4, 1871: *Post egressum igitur regis et exhortationem metropolitani, quae prius
dicta est, introibunt omnes quique fuerint, presbyteri, diacones vel religiosi ad audiendam doctrinam.*
Ebd. 14, 1871: *— Sicque omnes qui de religiosis in retroactis diebus pro spirituali instructione inter-
fuerunt concilio foras egredientur, residentibus aliquibus presbyteris in concilio, quos metropolitanus
ordinaverit honorandos.*

[214] ordo 12, PLS 4, 1871: *Nec ad aliquid ante transibitur quam ista explicentur, ita tamen ut in
totis tribus diebus nihil aliud agatur nec retractetur nisi sola collatio de mysterio sanctae Trinitatis et
de ordinibus sacris vel officiorum institutis, ita ut haec tota peragantur per istos tres dies, ut nihil aliud,
sicut iam dictum est, nisi sola questio de his quae praedicta sunt habeantur, ita ut lectio semper congruens
causam ordinis quae quaerenda est antecedat.*

[215] ordo 14, PLS 4, 1871.

immer an das Konzil appellieren" wollen, sollen sich an den Archidiakon
der Metropolitankirche wenden. Dieser befaßt dann das Konzil mit der
fraglichen Angelegenheit. Gegebenenfalls erhält darauf der Betreffende
Zutritt und Gehör vor dem Konzil selbst[216].

Der *ordo* erlaubt kein Verlassen des Konzils vor dessen offizieller Auflösung[217]; dieselbe darf nicht stattfinden, bevor alle strittigen Fragen
entschieden sind. Alle gemeinsamen Beschlüsse sind von den Bischöfen
eigenhändig zu unterschreiben. Dieser Unterschrift geht aber eine
doppelte Prozedur voraus. Erstens müssen alle im Verlauf des Konzils
gefaßten Beschlüsse zwei oder drei Tage vor dessen Auflösung nochmals einer *diligens consideratio*, d. h. einer *retractatio*, unterworfen werden[218]. Zweitens müssen am Tag des Konzilsabschlusses alle von der
Synode aufgestellten Beschlüsse oder Kanones dem Kirchenvolk außerhalb der Konzilsaula zur Zustimmung vorgelegt werden. Nach dem
Amen des Kirchenvolkes ziehen die Bischöfe wieder in die Konzilsaula
und leisten ihre Unterschrift[219].

Nach der Unterzeichnung der Kanones werden die noch ausstehenden
Terminfragen geklärt: das Datum des Osterfestes und des nächsten
Konzils. Die Bischöfe, die mit dem Metropoliten zusammen das Weih-
nachts- und Osterfest feiern, werden bestimmt. Es folgt schließlich die
liturgische Schlußzeremonie. Der Archidiakon fordert mit einem *orate* zur
prostratio und längerem stillen Gebet auf. Dann spricht einer der Bischöfe
die vom *ordo* vorgesehene Schlußoration[220] und -benediktion[221]. Nach
der Aufforderung des Archidiakons *erigite vos*[222] stehen alle auf, geben

---

[216] ordo 15, PLS 4, 1873: *Nam si presbyteri reliqui aut diaconus clericus sive laicus de his, qui foris
steterit concilium pro qualibet re crediderit appellandum, ecclesiae metropolitanae archidiacono causam
intimet et ille concilio denuntiet. Tunc illi et introeundi et proponendi licentia concedatur.*

[217] Ebd.: *Nullus autem episcoporum a coetu communi secedat antequam hora generalis secessionis ad-
veniat.*

[218] ordo 15—16, PLS 4, 1873: *Concilium quoque nullus solvere audeat nisi fuerint cuncta determinata,
ita ut quaecumque deliberatione communi finiuntur, episcoporum singulorum manibus subscribantur, ita
tamen ut ante duos aut tres dies quam solvant concilium, omnes constitutiones a se editas diligenti
consideratione retractent.*

[219] ordo 17, PLS 4, 1873: *Item in die quo concilium absolvendum est, canones qui in sancta synodo
constituti sunt, coram ecclesia in publico relegantur. Quibus explicitis respondetur: Amen. Deinde ad
locum redeuntes ubi in concilio residebant, canones ipsos subscripturi sunt.*

[220] ordo 22, PLS 4, 1873.

[221] ordo 25—26, PLS 4, 1873: *Benedictio: Patris Dei Filius, qui est initium et finis, complementum
vobis tribuat caritatis. Et qui vos ad expletionem huius fecit pervenire concilii, absolutos vos efficiat ab
omni contagione delicti. Ut ab omni reatu liberiores effecti, absoluti etiam per donum Spiritus Sancti,
felici reditu vestrarum cubilia sedium repetatis illaesi. Amen. Praecedente lumine divinitatis Domini
nostri, qui omnia regit in saecula saeculorum.*

[222] Bzw. *In nomine Domini nostri Jesu Christi eamus cum pace.* ordo 27, PLS 4, 1875.

zunächst dem auf seinem Bischofsthron sitzenden Metropoliten, dann einander den Friedenskuß[223].

Der im *ordo* sich bezeugende Konzilstyp weist, wie die Analyse ergeben haben dürfte, eine Reihe von Besonderheiten auf. Die Vermutung ist nicht ganz von der Hand zu weisen, daß dieselben sich aus spezifisch germanischen Rechtsvorstellungen bzw. -gewohnheiten erklären. Auf die richtige Spur bringen uns das oder die Äquivalente des lateinischen *concilium*, nämlich ‚Ding' bzw., ‚Thing' u. ä., das eine Volksversammlung oder in engerer Bedeutung eine Gerichtsversammlung bezeichnet[224]. Diese Volksversammlungen nun haben bei aller Verschiedenheit in der Tat frappierende Analogien mit dem im *ordo* bezeugten Konzilstyp.

Ein erstes Charakteristikum des im *ordo* skizzierten Konzils war die feierliche Eröffnung und Schließung mit genau festgelegtem Ritus. Eine ähnliche feierliche Eröffnung, die sog. ‚Hegung', und Schließung, die sog. ‚Enthegung', ist für das germanische Ding bezeugt. „Die Gerichtsversammlung wird wie jede Volksversammlung in feierlichster, rechtsförmlicher Weise durch die Hegung des Dings, einem ursprünglich sakralen Akt, eröffnet"[225]. Diese Hegung besteht einerseits in einer räumlichen Einfriedung. Der Dingplatz wird durch Pfähle und Pflöcke ‚eingehegt'[226]. Andererseits gehören zur Hegung rechtsförmliche Erklärungen, vor allem bestimmte Fragen des vorsitzenden Richters[227], für die jedoch keine Entsprechung im *ordo* sichtbar ist. Der Hegung entspricht dann am Ende des Gerichts eine unter bestimmten Förmlichkeiten vollzogene sog. Enthegung. Sie könnte in der feierlichen Beschließung des Konzils ihr Analogon haben. Tacitus erwähnt eine weitere Hegungsförmlichkeit, das Gebot des Stillschweigens, das vom Priester ausgesprochen wird[228]. Haben wir nicht einen fernen Nachhall im *ordo*, wenn dort nach dem Schließen der Türen Stillschweigen be-

---

[223] ordo 27, PLS 4, 1873: *Omnes illico pariter exsurgentes, residente metropolitano, ab ipso primum incipientes, osculum sibi invicem pariter dabunt.*

[224] Vgl. Artikel „Ding" im Handwörterbuch zur deutschen Rechtsgeschichte, I (1971) 742—744.

[225] C. Schwerin, Art. ‚Ding', in: Reallexikon der germanischen Altertumskunde, I (Straßburg 1911—1913) 468—473, 470; ders. Art. ‚Versammlung', ebd. IV (1918—1919), 406—411; ferner H. Brunner, Deutsche Rechtsgeschichte, I, Leipzig, 2. Auflage 1906, 195—210; Schröder/Künssberg, Lehrbuch der deutschen Rechtsgeschichte, Berlin/Leipzig 1922, 26 ff. und 44 ff.; H. Conrad, Deutsche Rechtsgeschichte, I, Karlsruhe, 2. Aufl. 1962, 19—20.

[226] Man kann die Frage stellen, ob der im *ordo* erwähnte Ritus des Torschließens (*obserentur ianuae*, nr. 3, 1868) nicht ein fernes Echo auf diese Seite der ‚Hegung' darstellt.

[227] „Ob es Dinges Zeit und Ort sei, ob das Ding gehörig besetzt oder gehegt sei, ob dem Ding Friede gewirket werden solle." Schwerin, Ding 470.

[228] *Silentium per sacerdotes, quibus tum et coercendi ius est, imperatur.* Germania 11, zitiert bei Brunner 197, Anm. 14.

wahrt wird[229]? Nach H. Brunner ist es nun der „vorsitzende Richter, der das Ding eröffnet und den Frieden wirkt"[230], ähnlich wie nach dem *ordo* jetzt der Metropolitan die oratio *adsumus* spricht.

Die schon in den alten Konzilien geübte Ordnung, daß die Bischöfe sitzen, die Diakone aber stehen, wird in vorliegendem *ordo* erneut eingeschärft[231]. Auch hier kommt vielleicht wieder altes Brauchtum gewisser Dingordnungen zur Geltung. „Im Gegensatz zu den während der Gerichtsverhandlung sitzenden ‚Rachiburgen'[232] bildeten die übrigen Dinggenossen den Gerichtsumstand". Er bleibt, wie Brunner von den Langobarden ausführt[233], zwar auf eine gewisse passive Assistenz beschränkt, wird aber als ein Bestandteil des Gerichts betrachtet. Dieser Gerichtsumstand trägt die Bezeichnung *circumstantes* bzw. *adstantes* im Gegensatz zu den Richtern, den *judices*. Unser *ordo* stellt nun bezeichnenderweise ebenfalls die *adstantes* und die (sitzenden) Richter gegenüber: *cunctis adstantibus . . . considentes causarum negotia iudicabunt. Nullus tamen tumultus aut inter considentes aut inter adstantes habeatur*[234]. Aber man wird die Diakonen nicht einfach mit den *adstantes* identifizieren dürfen. Auch die außerhalb der Konzilsaula ‚Stehenden'[235] gehören zu dem weiteren Kreis des Gerichtsumstandes. Denn diese ‚Außenstehenden' haben das Recht, wie wir gesehen haben, über den Archidiakon sich an das Konzil zu wenden[236]. Vor allem aber: sie sind an der endgültigen Beschlußfassung beteiligt. Die Bischöfe haben die aufgestellten Kanones — *coram ecclesia in publico* — ihrer Zustimmung zu unterwerfen. In dieser Bestimmung des *ordo*, nämlich daß die Konzilsbeschlüsse vom *Amen* der gesamten Kirche getragen sein müssen, macht sich u. E. am sichtbarsten der Einfluß germanischer Rechtsvorstellungen geltend. „Denn begrifflich verlangte die Satzung neuen Rechts die Teilnahme des Volkes", schreibt Brunner[237], der freilich in diesem Zusammenhang auf

---

[229] ordo 3, PLS 4, 1867: *Sedentesque in diuturno silentio et cor totum habentes ad deum*, vgl. ferner ordo 7, PLS 4, 1869, *orantes diutius tacite*.

[230] BRUNNER 198.

[231] ordo 3, PLS 4, 1867.

[232] Von ‚rahin' = Rat und ‚burgio' = Bürge. — An Stelle der ursprünglichen Gesamtgerichtsgemeinde traten später bei einzelnen germanischen Stämmen rechtskundige Männer, die als ständige Urteilsfinder zum Gericht herangezogen wurden. Bei den Franken hießen diese Urteilsfinder seit dem 6. Jh. Rachinburgen, d. h. Rechenbürgen, Pfandschätzer. CONRAD 28.

[233] BRUNNER 207.

[234] ordo 14, PLS 4, 1871.

[235] ordo 15, PLS 4, 1873: *De his qui foris steterit*.

[236] Ebd.

[237] BRUNNER 406.

den oft fiktiven Charakter der Volksteilnahme hinweist: „Man war leicht geneigt, von *populus* und *cunctus populus* zu sprechen, auch wenn nur die auf der Reichsversammlung gegenwärtige Menge gemeint war“[238].

Mit der wachsenden Größe der Volksversammlung ging die aktive Teilnahme des Volkes notwendig immer mehr zurück. Das Volk war schließlich nur noch da, „um Wünsche zu äußern, Beschwerden vorzubringen, Beschlüsse in Empfang zu nehmen; die Großen allein berieten mit dem Monarchen“, schreibt C. Schwerin im Blick auf die fränkischen Volksversammlungen[239]. Man wird nicht allzu fehlgehen mit der Annahme, daß das Konzil, d. h. die Kirchenversammlung, auch in diesem Punkt in etwa die Entwicklung der germanischen Volksvertretung widerspiegelt. Das Volk nimmt noch teil, aber schon nicht mehr in der ursprünglichen aktiven Weise des Ding[240].

Gerade auch die regelmäßige Abhaltung der Konzilien, wie sie Kanon V des Nicaenums vorschreibt, dürfte unter dem Einfluß germanischer Rechtsvorstellungen und -bräuche wieder in Übung gekommen sein. „Die Gerichte wurden zu hergebrachten Terminen, und zwar, wie es scheint, vielfach im Anschluß an heidnische Opfertage abgehalten, z. B. zu Walpurgis[241].“ Die Gerichtsverhandlungen fanden zwar immer unter freiem Himmel statt, aber man wählte dazu gern Kultstätten[242]. Insofern als der Versammlungsort des Konzils die Metropolitankirche war, also ein christlicher Kultort, ist auch in diesem Punkt kein Bruch mit der alten heidnischen Tradition.

Eine augenfällige Eigenart des im *ordo* bezeugten Konzilstyps ist die für den König vorgesehene, genau reglementierte Teilnahme. Sie erklärt sich gewiß zunächst unmittelbar aus der Stellung des Königs in den verschiedenen germanischen Landeskirchen. Aber man wird auch die Frage stellen müssen, ob die Rolle des Königs darüber hinaus nicht auch von

---

[238] Ebd. Anm. 2. — Einzelheiten über die Teilnahme des Volkes am Entstehen der Rechtssatzung bei Brunner 417 ff.

[239] Schwerin, Versammlung 407.

[240] „Das höchste Organ der germanischen Staatsverfassung war die Volksversammlung, das Ding (consilium civitatis). Sie war der eigentliche Träger der Staatsgewalt im germanischen Staate. In ihr versammelten sich das germanische Volk, d. h. die politisch berechtigten freien Männer des Volkes ... Jeder waffenfähige Freie hatte das Recht, aber auch die Pflicht, zu dieser Versammlung bewaffnet zu erscheinen.“ Conrad 19.

[241] Gericht wurde nur bei Tag gehalten. Das an festen Terminen abgehaltene Gericht heißt in den Quellen *echtes* Ding. Die Franken nennen es *mallus legitimus*. Jeder Dingpflichtige ist auch ohne besondere Ladung zum Erscheinen verpflichtet. Neben dem echten Ding gibt es bei den Franken das *gebotene* Ding, eine außerhalb der herkömmlichen Zeit stattfindende Gerichtsversammlung, zu der eigens ‚geboten‘ wurde. Schwerin, Ding 469—470.

[242] Ebd.

germanischen Rechtsvorstellungen her beeinflußt ist. Bedeutete das
Auftreten des Königs nicht eine, wenn auch scharf begrenzte, aber
immerhin eindeutige Mitwirkung auf dem Konzil? Entspricht seine
Rolle auf dem Konzil nicht derjenigen bei der Entstehung staatlichen
Rechts? „Das amtlich zustande gekommene und aufgezeichnete Volks-
recht beansprucht im Rechtsleben, als Wille des Volkes und seines
Königs zu gelten . . . Königsrechtliche Sätze, die der Aufzeichnung amtlich einverleibt werden, erlangen dadurch die Kraft des Stammes-
rechtes, des Volksrechtes . . . Der Anteil, den das Königtum an der
Satzung und an der Aufzeichnung der Volksrechte nahm, ist im Laufe
der fränkischen Zeit mehr und mehr gestiegen"[243].
Wie dem auch sei, mag die Ableitung dieser oder jener Einzelheit des
ordo aus germanischen Rechtsvorstellungen auch schwierig oder unmöglich sein, für den darin bezeugten Konzilstyp insgesamt dürfte das Ding
bzw. die Volks- oder Gerichtsversammlung als modellhafter Hintergrund
deutlich geworden sein. Mutatis mutandis gilt von diesem Konzilstyp,
was Schwerin von der Volksversammlung schreibt: Es sind „Versammlungen, auf denen alle öffentlichen Angelegenheiten des Gemeinkreises
zur Sprache kommen. Hier wurde freiwillige Gerichtsbarkeit in vorgeschriebener Feierlichkeit geübt, hier wurde auch über Zwistigkeiten ge-
urteilt und auf Bußen erkannt"[244]. Das Konzil des *ordo* ist das Ding der
‚Landes'-Kirche.

---

[243] BRUNNER 420.
[244] SCHWERIN, Versammlung 409.

Schlußwort

Was ist ein Konzil in der Auffassung, in der Idee der Alten Kirche? Ein erstes Ergebnis unserer Untersuchung dürfte darin bestehen, daß die Antwort auf diese Frage nicht mehr in einem einzigen Satz gegeben werden kann. Der Quellenbefund hat sich als recht komplex erwiesen. Was die Quellen als erstes offenbaren, ist in der Tat eine erstaunliche Vielheit und Verschiedenheit der Auffassungen. Nicht *eine* oder *die* Idee von Konzil bietet sich dem Blick des Forschers dar, sondern mehrere, voneinander abweichende, vielleicht sogar sich widersprechende. Und die Vielheit ergibt sich dabei nicht nur aus der notwendigen Differenz zwischen dem Beginn und dem Ende der Entwicklung, einer Entfaltung, die mit dem ersten Nicaenum einsetzt und mit dem zweiten einen vorläufigen Endpunkt findet. Die Verschiedenheit zwischen der Auffassung des Athanasius von Alexandrien und der des Abû Qurra, zwischen der Konzilsidee des Augustinus und des Nicephorus ist nicht bloß die Differenz zwischen dem Impliziten und dem Expliziten, zwischen keimhaftem Zustand und entfalteter Gestalt.

Andere Faktoren sind mit in Betracht zu ziehen. Um nur einige anzudeuten: Die Konzilsidee eines Autors ist entscheidend bestimmt von der konkreten Erfahrung mit Synoden, die er besitzt. Vinzenz von Lerin und Theodor Abû Qurra haben nicht zuletzt deswegen eine so zuversichtliche Auffassung von der ,Leistungsfähigkeit' der Konzilien, weil ihre Vorstellung nicht von persönlicher Erfahrung mit Synoden mitgeprägt ist. Ihr mehr deduktiver Konzilsbegriff ist jedoch andererseits nicht schon deswegen falsch oder wertlos, weil ihm keine persönliche Konzilserfahrung zugrunde liegt. Beide, der Mönch und der Apologet, haben aufgrund ihrer theologischen Prämissen beachtenswertere Aussagen über das Wesen der Konzilien gemacht als die Mehrzahl der von uns behandelten Konzilspraktiker und ,Synodalen'.

Die Konzilsidee ist, weiter, bestimmt vom gesamttheologischen Entwurf eines Autors. Auch für Athanasius ist ein Konzil *auctoritas*, religiöse Autorität, aber er hat hierfür keinen Begriff wie Augustinus, noch viel weniger hat er eine grundsätzliche Vorstellung über das Verhältnis der beiden Größen *auctoritas* und *ratio* zueinander. Folglich hat das Kon-

zil in seiner Theologie — im Gegensatz zu der des Augustinus — im
Grunde keinen systematischen Stellenwert. Er versteht das Konzil
zwar als Vorgang der Paradosis, was sich aus dieser Bestimmung aber für
eine theologische Erkenntnislehre ergibt, bleibt völlig unerörtert.

Von eminenter Bedeutung für die Konzilsidee eines Autors ist ferner
das konkrete Ziel, das er mit seinen Darlegungen verfolgt. Keiner der
behandelten Autoren schreibt *sine ira et studio*. Sie alle sind in dogmatische und kirchenpolitische Auseinandersetzungen verstrickt und äußern
sich als Anhänger der einen oder anderen Partei. Das macht ihre Äußerungen über Konzilien zwar nicht zu wertloser Polemik, färbt sie aber nicht
unerheblich ein. So affirmieren Ferrandus und Facundus integrale Nichtrevidierbarkeit der Konzilien, weil Kaiser Justinian beabsichtigt, das
Chalcedonense zum Teil zu revidieren. So behauptet Augustinus einen
Unterschied zwischen ökumenischen und partikularen Konzilien, weil
die Donatisten denselben leugnen. Abû Qurra leitet die ‚unfehlbare‘
Konzilsinstitution aus Apg 15 und Dtn 17, 8 ff. ab, weil deren Existenz
eine schlagkräftige Waffe ist im Kampf gegen die Monophysiten. Gelasius doziert einen Unterschied zwischen ‚guten‘ und ‚schlechten‘ Konzilien, weil er als Inhaber des Apostolischen Stuhles sich für befugt hält,
Konzilien zu ‚kassieren‘ bzw. ihre Respektierung zu urgieren. Leo sieht
im Konzil im wesentlichen nichts weiter als die Manifestation des horizontalen Konsenses, weil er sich selber als Zeugen des eigentlich entscheidenden vertikalen versteht. Vigilius von Thapsus entwickelt die Idee
einer sich nicht widersprechenden, sondern jeweils den alten Glauben in
neuer Formel vorlegenden Konzilsinstitution, weil er mit solcher Vorstellung wirksam dem Widerspruch der Monophysiten gegen das Chalcedonense zu begegnen vermag.

Die Quellen bezeugen eine Vielzahl von Konzilsideen, die bedingt sind
durch die persönliche Erfahrung, den gesamttheologischen Entwurf, die
polemisch-theologische Zielsetzung und andere Faktoren. Aber Vielzahl
und Verschiedenheit sind nur der erste Eindruck, den die Quellen vermitteln. Genauerem Zusehen eröffnet sich eine gemeinsame, einheitliche
Grundüberzeugung der Alten Kirche, nämlich, daß Konzilien das Geheimnis des Christusglaubens unverkürzt und unverfälscht *überliefert* haben.

Freilich hat sich diese gemeinsame einheitliche Grundüberzeugung erst
in einem allmählichen Prozeß gebildet. Wie hätte es auch anders sein
können? Am Anfang gibt es noch keine entfaltete Theorie eines konziliaren Lehramtes der Kirche, sondern lediglich die Auffassung, daß bestimmte Konzilien, z. B. Nicaea und Chalcedon, den Christusglauben
schriftgemäß *tradiert* haben.

Während wir über das Selbstverständnis der nicaenischen Synodalen, insbesondere auch über ihre theologische Wertung der Ökumenizität nur Vermutungen anstellen können, bekommen wir für die nachkonziliare Zeit in den Schriften des Athanasius von Alexandrien festen Boden unter den Füßen. In ihnen spiegelt sich einerseits eine sich wandelnde Auffassung von der Bedeutung, andererseits das wachsende Bewußtsein von der Autorität der nicaenischen Kirchenversammlung. In den ersten Jahrzehnten sieht der neue Bischof von Alexandrien im Konzil zwar nur eine ‚ökumenische Verurteilung‘, d. h. die von der ganzen Kirche ratifizierte Exkommunikation des Arius von nicht einmal schlechterdings eindeutiger Endgültigkeit. Die positive Aussage des Konzils, das Homoousios, steht noch nicht im Mittelpunkt seines Interesses, sondern — ganz im Sinn der traditionell den Konzilien zugeschriebenen Funktion — die Verurteilung der arianischen Lehre. In einem zweiten Reflexionsstadium aber kommt Athanasius dann zur Erkenntnis, daß die nicaenische Definition eine positive Norm von weiterhin andauernder Geltung darstellt. Aber das Symbol wird nach wie vor von den ihm angefügten Anathematismen her verstanden und gelesen. Mehr und mehr wird in den 60er Jahren dann für Athanasius das *Symbolum Nicaenum* zum positiv gefüllten Inbegriff der Rechtgläubigkeit. Von jetzt an lautet seine Parole: die fides Nicaena genügt, keine weiteren Definitionen des Christusglaubens sind nötig. Am Ende seines Lebens ist Nicaea für Athanasius „das Wort Gottes, das in Ewigkeit bleibt" (nach Jes 40, 8).

Ist mit dieser wachsenden Wertschätzung und diesem gewandelten Verständnis des Konzils für Athanasius auch die Erkenntnis verbunden, daß die Synode nicht nur de facto den apostolischen Glauben überliefert hat, sondern auch von vornherein als Kirchenversammlung, gleichsam de iure, gar nicht anders konnte? Diese Frage ist nicht leicht zu beantworten, schon deshalb nicht, weil die Vorstellung einer ‚von vornherein‘ und damit außerhalb jeder kritischen Nachprüfung gegebenen Unfehlbarkeit vieldeutig und irreführend ist. So viel jedoch wird man sagen können: Eine Ökumenische Synode ist freilich für Athanasius unter dem Gesichtspunkt der Zahl der Synodalen ein Sonderfall, eine Synode von erheblich größerem Gewicht als die ‚lokale‘ Synode, sie stellt aber noch keine spezifisch andere Konzilskategorie dar. Der Bischof von Alexandrien kennt zwar Kriterien in den formalen Strukturen des Konzils, an denen die relative Qualität und Gültigkeit von Konzilsbeschlüssen erkannt werden kann, aber keine solchen, mit denen ein absoluter Anspruch auf Wahrheit ‚von vornherein‘ gegeben ist. Mit dieser Beurteilung von Nicaea steht Athanasius nicht allein da. Mit Nuancen begegnet man

der gleichen Konzilsidee bei den vorephesinischen Theologen und Kirchenschriftstellern wie Hilarius, Zeno von Verona usw. Selbst Augustinus dürfte noch eine ähnliche Vorstellung von Konzil vertreten haben.
Unzulässig wäre es u. E. nun freilich, dieses Noch-nicht-Kennen, das Fehlen einer positiven Bezeugung, als eine Leugnung ‚unfehlbarer‘ Konzilien zu interpretieren und als Argument gegen die Existenz eines ‚unfehlbaren‘ Lehramtes auszuspielen. Solche Interpretation verstieße nämlich einerseits gegen die elementaren Gesetze der Logik, insofern als das nicht positiv Affirmierte nicht identisch ist mit Geleugnetem. Das Fehlen einer positiven Bezeugung als Argument gegen die Existenz eines unfehlbaren Lehramtes zu verwenden, implizierte andererseits einen katholischer Theologie unzumutbaren Basishistorismus. Wie anders hätte die Kirche zur Glaubensüberzeugung eines ‚unfehlbaren‘ konziliaren Lehramtes kommen können als durch eine an der positiven Erfahrung einer Mehrzahl solcher ökumenischer Konzilien sich inspirierende und von Mal zu Mal voranschreitende theologische Reflexion?
Athanasius ist nicht das Ende, sondern der Anfang einer Entwicklung. Am Beginn dieses komplexen Lernprozesses steht die Gewißheit, daß dieses *eine* Konzil, nämlich das von Nicaea, den Christusglauben der Heiligen Schrift unverkürzt wiedergegeben hat. Das Bekenntnis, daß diese Entscheidung nicht ohne Gottes Hilfe gefällt worden war, lag nahe. Mit den verschiedensten Theologumena gaben nachnicaenische Theologen dieser ihrer Glaubensüberzeugung Ausdruck. Sie sprechen vom Beistand des Heiligen Geistes oder von der Gegenwart Christi auf dem Konzil. Paradoxerweise war es gerade die Überzeugung von der Einzigartigkeit dieses „Wunders von Nicaea“ (Severian von Gabala), die den Erkenntnisfortschritt blockierte. Man rechnete zunächst nicht mit der Wiederholbarkeit eines solchen ‚Wunders‘. Erst als die Gegner des Konzils von Chalcedon die Monopolstellung Nicaeas mißbrauchten und unter Berufung auf das Ephesinum den Schlachtruf aufstellten: keine andere Glaubensformel als die fides Nicaena!, um unter dem Deckmantel des Homoousios ihre neue weiterentwickelte Lehre zu verbreiten, rangen sich die Verteidiger des Chalcedonense zur Einsicht durch, daß die Kirche die Fähigkeit haben müsse, nicht nur ein für alle mal, sondern immer wieder, wenn es nötig ist, den Glauben positiv auszuformulieren. So geht Hand in Hand mit der inhaltlichen Rezeption letztgenannten Konzils die Erkenntnis, daß es nicht nur eine, sondern mehrere Glaubensformeln neben und nach Nicaea geben kann. Die späteren verstand man als die je fälligen und notwendigen Interpretationen der vorausgegangenen. Die konziliare Theorie des Vigilius von Thapsus, eines

afrikanischen Theologen des 5. Jahrhunderts, ist bezeichnend für das hier angedeutete Reflexionsstadium: Konzilien sind der authentische Ort der Überlieferung des Glaubens. Ihnen eignet von jeher die Fähigkeit, die Identität des Glaubens gerade in je und je verschiedenen Formeln zu wahren. Vor Vigilius hatte Leo der Große den von der Kirche rezipierten Konzilien schon grundsätzliche Nichtrevidierbarkeit zugeschrieben und bezeichnenderweise die formale Autorität fest an die materiale gebunden.

Aus der Vielzahl der übrigen in der vorgelegten Untersuchung angesprochenen theologischen Aspekte seien abschließend nur drei herausgegriffen: das Selbstverständnis der Konzilien der Alten Kirche als Vollzug eines doppelten Konsenses, nämlich des horizontalen und des vertikalen, die Bedeutung der Rezeption für die Gültigkeit eines Konzils, schließlich die unbedingte Bindung des Konzils an Schrift und Überlieferung. Die beiden letzteren Aspekte erweisen sich dabei bei genauerem Zusehen als Entfaltung des ersten.

Zwar ist es erst Vinzenz von Lerin, der das Konzil in aller Explizitheit als Vollzug eines doppelten Konsenses bestimmt *(consensio antiquitatis et universitatis)*, aber schon die ersten tastenden Versuche, das Nicaenum theologisch zu verstehen, bewegen sich deutlich in Richtung dieser Erkenntnis. Was in den Anfängen konziliarer Theorie sichtbar wird, nämlich die Auffassung, daß das Konzil von seinem Wesen her, theologisch gesehen, den Zusammenfall eines doppelten Konsenses darstellt, zeigt sich noch einmal in aller Deutlichkeit gegen Ende der von uns untersuchten Zeitspanne: Für die Theologen des zweiten Nicaenums besteht das Konzil in der *consensio antiquitatis et universitatis*, im horizontalen und vertikalen Konsens, im gemeinsamen Zeugnis der in der Gegenwart und der Vergangenheit lehrenden Kirche. Letzter Grund dieses *einen* Zeugnisses der Kirche in Vergangenheit und Gegenwart ist der *eine* Geist, der sie belehrt und ‚inspiriert'.

Die beiden anderen Aspekte, die Bedeutung der Rezeption für die Gültigkeit des Konzils und die Bindung des Konzils an Schrift und Tradition, sind mit dieser theologischen Wesensbestimmung des Konzils als Vollzug eines doppelten Konsenses aufs engste verbunden, bzw. sie ergeben sich mit Notwendigkeit daraus. In der Tat, der von seinem Wesen her gegebene Anspruch des Konzils, *consensio universitatis* (horizontaler Konsens) darzustellen, hat sich in der Rezeption zu bewähren. Von diesem Ansatz her darf die Rezeption nicht verstanden werden als das einbahnige Verhältnis von lehrender und hörender Kirche. Die Ökumene, bzw. die *universitas* erkennt in der Rezeption ihre eigene Wahrheit an. Rezeption ist ein Vorgang des Wiedererkennens, des Anerkennens: unter vielleicht neuer Formel (Vigilius von Thapsus) wird der alte Glaube wiedererkannt. In der Rezeption schließt sich ein Kreislauf, sie ist vom Wesen des Konzils her kein einbahniger Prozeß.

Von daher wird der Wagnischarakter jeden Konzils deutlich. Es kann a priori nicht ausgeschlossen werden, daß die *universitas* ihren Glauben in der Konzilsdefinition nicht wiedererkennt. M. a. W. es ist nicht von vornherein garantiert, daß das Konzil rezipiert wird. Erst das rezipierte Konzil ist das unfehlbare Konzil. Damit ist nicht gesagt, daß die Unfehlbarkeit erst durch die Rezeption zustande kommt, sondern daß sie sich in ihr erweist.

Der dritte Aspekt, auf den wir besonders hinweisen wollen, ist die Bindung des Konzils an Schrift und Tradition. Auch dieser Aspekt ergibt sich wie der zweite aus der Wesensbestimmung des Konzils als Vollzug eines doppelten Konsenses. Konzil als *consensio antiquitatis* bedeutet einerseits die Pflicht des Konzils, diese *consensio* aufzuzeigen, andererseits das grundsätzliche Recht, solchen Anspruch zu überprüfen. Konzil als *consensio antiquitatis* besagt, wie es vor allem die *Libri Carolini* betonen, nüchternen, exegetischen Aufweis der vorgelegten Lehre aus Schrift und Tradition. Aus dem Zwang zum Beweis ergibt sich von selbst heilsame Beschränkung der Konzilsmaterie: was nicht aus Schrift und Tradition eindeutig belegt werden kann, darf nicht definiert werden! Andererseits bedeutet Konzil als *consensio antiquitatis* das grundsätzliche Recht, solchen Anspruch, nichts als Schrift und Tradition werde definiert, zu überprüfen. Auch von hier her ergibt sich der Wagnischarakter eines Konzils. Es kann sich bei einer Überprüfung herausstellen, daß das Konzil seinem Anspruch nicht gerecht wird. Entsprechend wird die Rezeption von der Kirche verweigert. Es wird deutlich, daß für die Alte Kirche die Konzilsproblematik untrennbar mit der Frage der Rezeption verbunden ist. Auf die eine oder andere Weise stößt man immer wieder auf diesen schlechterdings fundamentalen theologischen Begriff. Er verdiente in der Tat eine umfassende Untersuchung.

Register

I. Personen und Sachen

II. Begriffswörter

III. Schriftstellen

IV. Moderne Autoren